8TH EDITION

전자회로

ELECTRONIC PRINCIPLES

*8*TH EDITION

전자회로

ELECTRONIC PRINCIPLES

Albert P. Malvino • David J. Bates 지음

진경복 • 류근관 • 박진현 • 정연호 옮김

McGraw Hill

ELECTRONIC PRINCIPLES, Eighth edition

2 3 4 5 6 7 8 9 10 MHE-KOREA 20 21

Original: Electronic Principles, 8/e
By Albert P. Malvino, David J. Bates
ISBN 978-0-07-337388-1

Korean ISBN   **979-11-321-0715-6   93560**

Printed in Korea

*8*TH EDITION 전자회로

발 행 일 / 2016년 1월 5일 초판발행
           2021년 2월 22일 2쇄
저   자 / Albert P. Malvino, David J. Bates
역   자 / 진경복, 류근관, 박진현, 정연호
발 행 처 / 맥그로힐에듀케이션코리아 유한회사
발 행 인 / 총텍멩(CHONG TECK MENG)
등록번호 / 제 2013-000122호(2012.12.28)
주   소 / 서울시 마포구 양화로 45, 8층 801호(서교동, 메세나폴리스)
전   화 / (02)325-2351

I S B N : 979-11-321-0715-6

판 매 처 / ㈜한티에듀
문   의 / (02)332-7993
정   가 / 38,000원

저자에 관하여

Albert P. Malvino는 1950년에서 1954년까지 미국 해군에서 전자기술자로 재직했다. 그는 1959년에 산타클라라 대학교의 전자공학과 학부를 최우등으로 졸업하였다. 이후 1964년에 산호세 주립 대학교에서 석사학위를 받을 때까지 5년간 Hewlett-Packard 사와 Microwave Laboratories에서 전자공학 엔지니어로 일했다. 그 후에는 4년간 풋힐 대학에서 강의하였으며, 1968년에는 국립과학재단(National Science Foundation)으로부터 연구비를 지원받기도 하였다. 1970년에 스탠포드 대학교에서 전자공학 박사학위를 받은 이후, Malvino 박사는 전문 저술가로의 길을 걷기 시작했다. 그는 20개 이상의 언어로 번역된 10권의 교재와 108편의 개정판을 저술하였다. Malvino 박사는 현재 컨설턴트로 일하고 있으며 SPD-SmartTMWindows용 마이크로컨트롤러 회로를 디자인하고 있다. 또한 그는 전자공학 기술자와 엔지니어를 위한 교육용 소프트웨어를 만들고 있다. 그는 연구 혁신화 법인(Research Frontiers Incorporated) 이사회에 참여하고 있기도 하다. 그의 웹사이트는 www.malvino.com이다.

David J. Bates는 위스콘신의 La Crosse에 위치한 서부 위스콘신 기술대학의 전자기술학과 강사이다. 전자공학 서비스 기술자 및 전기공학 엔지니어링 기술자로서의 경력과 더불어 그는 30년 이상 강의경력을 가지고 있다.

산업 전자공학 기술전문학사, 산업교육 학사 및 직업/기술교육 석사 학위를 갖고 있다. 자격증은 FCC GROL 면허, 컴퓨터 하드웨어 기술자 A1 자격증 및 국제 공인 전자공학 기술인협회(ISCET)에서 제공하는 공인 전자공학 기술인(CET)으로서의 기능인 수준 인증을 가지고 있다. David J. Bates는 현재 ISCET의 인증관리자(CA)로 활동하고 있으며 ISCET 이사회 회원으로 참여하고 있고, 국가 전자공학 교육연합(NCEE)의 기본 전자공학부분 연구주제 전문가(SME)로도 활동하고 있다.

또한 David J. Bates는 Zbar, Rockmaker와 함께 "기본 전기공학" 실험교재 매뉴얼을 공동 저술하기도 하였다.

저자 서문 Preface

전자회로 8판은 반도체 전자 소자 및 회로에 대한 넓고 깊은 소개로 분명하게 설명하는 전통을 이어가고 있다. 이 교재는 선형 전자공학을 첫 번째 과정으로 수강하는 학생들을 대상으로 한 것이다. 선수 필수요건으로는 DC/AC 회로과정, 대수학 및 약간의 삼각함수에 대한 예비지식이 필요하다.

전자회로는 반도체 소자 특성, 테스트 및 사용되고 있는 실용적인 회로에 대한 근본적인 이해에 도움이 된다. 이 교재는 전자 시스템의 동작과 고장점검을 이해하는 데 필요한 기초를 확립하도록 읽기 쉬운 대화체로 써서 분명하게 개념을 설명하고 있다. 각 장에는 실용적인 회로 예제, 응용 및 고장점검 문제가 있다.

이번 개정판에 추가된 사항

광범위한 연구와 함께 현재 전자공학 교수와 산업 대표자 그리고 공인기관의 의견을 토대로 **전자회로** 8판은 다음과 같은 다양한 전자 소자 및 회로에 대한 향상된 자료를 포함시켰다.

교재의 주된 내용

- LED 빛 특성에 관한 추가적인 자료
- 고휘도 LED와 그것을 어떻게 효율적으로 빛을 내어 제어하는지에 대한 새로운 절
- 교재 초반에 전력 공급 시스템 블록 기능 중 일부로써 3단자 전압 조정기에 대한 소개
- 업-다운(Up-Dawn) 회로 해석의 삭제
- 바이폴라 트랜지스터(BJT) 장을 4장에서 6장으로 재배치하고 요약함
- 전자 시스템 소개
- 시스템을 이루는 회로 블록에 관련한 증가된 다단 증폭기 내용
- "전력 MOSFETs"에 추가적인 자료
  - 전력 MOSFET의 구조와 특성
  - 고주파 대역과 저주파 대역의 MOSFET 구동 및 접속조건
  - 고주파 대역과 저주파 대역의 부하 스위치
  - 반-브리지(half-bridge)와 전 H-브리지(full H-bridge) 회로
  - 모터 스피드 제어를 위한 펄스폭 변조(PWM) 소개
- 모노리딕 집적회로(monolithic integrated circuit)인 D급 증폭기의 응용을 포함한 D급 증폭기의 추가된 내용
- 스위칭 전력공급기의 최신내용

교재 특징

- "응용 예제" 추가 및 강조
- 쉽게 고객의 요구에 맞추기 위해 각각 독립적인 장으로 또는 "그 자체로 구성(stand on their own)"으로 쓰여진 장들
- 미리 만든 Multisim 회로를 이용하여 모든 장에 새로운 고장점검 문제 절을 추가
- 많은 장에 새로운 디지털/아날로그 훈련 시스템 문제 절을 추가
- 시스템 접근법을 이용한 새로운 실험에 몰두하도록 하는 실험 매뉴얼과의 상관관계
- 강사를 위한 향상된 보충 패키지
- *Connect for Electronic Principles*의 강사 자료에 있는 Multisim 회로 화일

역자 소개

진경복

한국기술교육대학교 메카트로닉스학과 교수

류근관

한밭대학교 전자 · 제어공학과 교수

박진현

경남과학기술대학교 메카트로닉스공학과 교수

정연호

한밭대학교 전자 · 제어공학과 교수

역자 서문 Translator's Preface

전자공학의 핵심이라 할 수 있는 전자회로에 관한 책은 다양하게 출판되어 있다. 이 중에서 역자들이 이 책을 번역하게 된 동기는 이 책이 수식 중심의 이론 전개를 지양하고 독자의 이해력을 돕기 위하여 가능하면 원리를 언어로 설명하고자 시도하였다는 점이다. 따라서 역자들은 이 책을 번역함에 있어서도 용어나 단어의 선택에서 원저자의 의도를 살리기 위하여 되도록 이해되기 쉬운 우리말의 용어와 단어를 사용하도록 노력하였다.

전자회로에 대한 전문지식을 습득하기 위한 해결방법 중의 하나는 원리를 이해하기 위하여 회로값을 공식에 대입하는 예제를 풀어보고, 머릿속으로 풀이과정을 다시 제시된 회로의 각 지점에 적용해 보는 것을 습관화하면 빠른 시간 안에 회로해석에 대한 자신감을 얻을 수 있다. 그러나 말비노는 발전하는 산업사회의 현실을 감안하여 공식을 이용하는 수학적인 방법보다 원리를 논리적으로 검토하는 접근방법을 권장하고 있다. 이 제안은 요즘 계산기나 컴퓨터에 익숙해져 있는 우리 학생들이 산업사회에 적응하기 위하여 그리고 전자회로에 대한 전문지식을 원리 중심으로 이해하기 위하여 좋은 제안임에 역자들도 공감한다.

이 책을 공부하기 위해서는 선수 필수요건으로 DC/AC 회로과정, 대수학 및 약간의 삼각함수에 대한 예비지식이 필요하다. 이 책에 있는 대부분의 회로들은 복잡한 법칙이나 정리를 이용하지 않고도 옴의 법칙, 키르히호프 법칙, 데브난의 정리 등 극히 간단한 법칙과 정리만을 이용하여 회로 해석, 설계 및 고장점검을 할 수 있다는 점이 두드러진 특징이고 장점이다.

이번 8판에서는 원저자가 서문에서 밝힌 바와 같은 개정 내용 외에도 문제의 회로들에 대한 MultiSim 시뮬레이션을 대폭 확대함으로써 계산결과는 물론 실제 회로 실험결과에 대한 고찰과 응용에 유익하도록 하고 있다. 또한 예제마다 새롭게 연습문제를 풀어보도록 하여 독자 스스로 확인학습에 도움이 되도록 하였고, 소자들의 데이터 시트를 그때그때 제시하여 소자의 특성을 곧바로 알아볼 수 있도록 하는 등 이 책의 편제를 독자의 입장에서 구성함으로써 학습효과를 극대화할 수 있도록 하고 있다.

이 책을 번역함에 있어서 원래의 내용이 훼손되지 않는 범위에서 이해하기 쉽게 번역하도록 심혈을 기울였으나 여러 가지로 미흡한 점과 오류가 많으리라 생각되며 이 점은 앞으로 수정 및 보완할 것을 약속한다. 번역과정에서 발견된 오탈자 등 약간의 원서 오류는 역자들이 바로잡았음을 밝힌다.

끝으로 이 책이 출판되기까지 물심양면으로 도와주신 McGraw-Hill Education 한국지사 임직원 여러분 그리고 원고의 검토와 편집에 심혈을 기울여 주신 관계자 분들께 감사를 드리며, 이 책으로 공부하는 독자들에게 무궁한 발전이 있기를 기원한다.

역자 일동

이 책의 편제 Guided Tour

학습 기능

전자회로 8판은 다양하게 많은 학습 기능을 갖추었다. 각 장의 학습 기능들은 다음과 같다.

단원 소개

각 장은 학생이 무엇에 대하여 배우게 될 것인지에 대한 간략한 소개로 시작한다.

학습목표

학습목표는 기대되는 학습결과를 간명하게 서술하고 있다.

Chapter 5 — 특수 목적 다이오드 Special-Purpose Diodes

정류다이오드는 가장 일반적인 다이오드이다. 정류다이오드는 전원부에서 교류전압을 직류전압으로 변환하는 데 쓰인다. 그런데 다이오드는 정류만 하는 것이 아니다. 여기서는 다른 용용에 쓰이는 다이오드를 설명할 것이다. 이 단원에서는 항복특성을 가장 효과적으로 이용하는 제너 다이오드부터 시작한다. 제너 다이오드는 전압을 조정하는 중심 역할을 하므로 대단히 중요하다. 그리고 광전자 다이오드, 발광 다이오드(LED), 쇼트키 다이오드, 버랙터 및 그 외의 다이오드도 다룬다.

146

학습목표 : Objectives

이 단원을 공부하고 나면

- 제너 다이오드가 어떻게 사용되는지 설명하고, 이 다이오드의 동작과 관련이 있는 여러 값을 계산할 수 있어야 한다.
- 여러 가지 광전자 소자를 열거하고, 그 동작을 각각 설명할 수 있어야 한다.
- 쇼트키 다이오드가 일반 다이오드보다 우월한 두 가지 장점을 연상할 수 있어야 한다.
- 버랙터가 어떻게 동작하는지 설명할 수 있어야 한다.
- 배리스터의 주된 용도를 설명할 수 있어야 한다.
- 기술자들이 관심을 가지는 네 개의 항목을 제너 다이오드의 자료표에서 찾아서 열거할 수 있어야 한다.
- 다른 반도체 다이오드의 기본 기능을 열거하고 설명할 수 있어야 한다.

단원 목차 : Chapter Outline

- 5-1 제너 다이오드
- 5-2 부하가 있는 제너 조정기
- 5-3 제너 다이오드의 제2근사해석
- 5-4 제너 이탈점
- 5-5 자료표 읽기
- 5-6 고장 점검
- 5-7 부하선
- 5-8 발광 다이오드(LEDs)
- 5-9 광전자 소자
- 5-10 쇼트키 다이오드
- 5-11 버랙터
- 5-12 다른 다이오드

주요용어 : Vocabulary

7세그먼트 디스플레이 (seven-segment display)	광전자공학(optoelectronics)	온도계수 (temperature coefficient)
PIN다이오드(PIN diode)	누설영역(leakage region)	전류조정 다이오드
경감인자(derating factor)	레이저 다이오드(laser diode)	(current regulator diode)
계단회복 다이오드	발광 다이오드	전장발광(electroluminescence)
(step-recovery diode)	(light-emitting diode: LED)	전치조정기(preregulator)
공통양극(common-anode)	발광효율(luminous efficacy)	제너 다이오드(zener diode)
공통음극(common-cathode)	배리스터(varistor)	제너 조정기(zener regulator)
광결합기(optocoupler)	버랙터(varactor)	제너저항(zener resistance)
광다이오드(photodiode)	부성저항(negative resistance)	제너효과(zener effect)
광도(luminous intensity)	쇼트키 다이오드(Schottky diode)	터널 다이오드(tunnel diode)
	역 다이오드(back diode)	

147

단원 목차

학생들은 이 개요를 이용하여 각 장의 개관을 빠르게 파악할 수 있으며, 각 장의 주제 내용이 위치한다.

주요용어

새로운 전문 용어들의 광범위한 목록은 학생들에게 각 장에 나오는 주요용어들에 유의하도록 충고한다. 본문에서 이 주요 단어들은 처음 사용될 때 굵은 글씨체로 강조되어 있다.

예제

각 장에는 회로 해석, 응용, 고장점검 및 기본적인 설계 등의 중요한 개념이나 회로 동작을 설명해주는 문제를 풀어 놓은 예제들이 있다.

연습 문제

학생들은 대부분의 예제에 곧바로 이어지는 연습문제를 풀어봄으로써 최종적인 점검학습 효과를 얻을 수 있다. 이 문제들에 대한 해답은 각 장의 마지막에 있다.

참고 사항

여백 부분에 있는 참고 사항 부분은 현재 설명하고 있는 내용에 대한 흥미로운 보충 지식을 제공한다.

MultiSim

학생들은 각 장에 있는 여러 회로들을 "실험"해 볼 수 있다. 학생들은 회로 부품들의 값을 바꾸어 즉각적으로 그 결과를 실물과 같은 Tektronix 및 Agilent 모의 장비를 이용하여 확인할 수 있다. 고장점검 기술은 회로를 고장내어 고장회로를 측정해봄으로써 발전시킬 수 있다. 컴퓨터 모의실험 소프트웨어를 처음 접하는 학생들은 부록에서 MultiSim 입문을 참고하라.

응용 예제 5-12

그림 5-22a는 전압극성 시험기이다. 이것은 미지의 극성을 가진 직류전압을 검사하는 데 사용될 수 있다. 직류전압이 양일 때 녹색 LED가 켜지고, 음일 때 적색 LED가 켜진다. 만일 직류 입력전압이 50 Ω이고, 직렬저항이 2.2 kΩ이면, LED 전류는 대략 얼마인가?

그림 5-22 (a) 극성 지시기; (b) 단락 시험기

풀이 입력단자가 단락일 때, 내부 9 V전지에서 나오는 LED전류는 다음과 같다.

$$I_S = \frac{9\,V - 2\,V}{470\,\Omega} = 14.9\,mA$$

연습 문제 5-13 그림 5-22b에서 LED 전류가 21 mA일 때 직렬 저항값은 얼마인가?

참고 사항
광결합기의 중요한 특성은 전류전달비인데, 이것은 소자의 입력(LED)전류에 대한 출력(광다이오드 혹은 광 트랜지스터)전류의 비를 말한다.

광결합기(광절연체(optoisolator)라고도 한다)는 LED와에 결합해 놓은 것이다. 그림 5-30은 광결합기이다. 입력 광다이오드가 있다. 왼쪽의 전원전압과 직렬저항에 의해에서 나온 빛이 광다이오드를 비춘다. 그러면 출력회로로방향 전류에 의해 출력저항에서 전압이 발생한다. 이때저항양단 전압을 뺀 것과 같다.
입력전압이 변하면 반파라이 변하ㅁ로 출력전압

데이터 시트

많은 반도체 소자들에 대한 부품의 전체적이거나 부분적인 데이터 시트가 주어져 있으며, 핵심적인 사양들을 시험하여 설명해놓았다. 이 소자들의 완전한 데이터 시트는 인터넷에서 찾을 수 있다.

응용 예제 5-5

그림 5-8의 회로는 어떤 작용을 하는가?

그림 5-8 파형 정형에 사용되는 제너 다이오드

풀이 대부분의 응용에서 제너 다이오드는 항복영역에서 머무는 전압조정기로 사용된다. 그러나 예외가 있다. 제너 다이오드는 가끔 그림 5-8과 같이 파형 정형 회로에도 사용된다.
제너 다이오드 두 개가 직접 연결되어 있음에 주의하여라. 양의 반 사이클일 때, 위의 다이오드는 도전하고 아래 다이오드는 항복이 일어난다. 그러므로 출력이 그림과 같이 클리핑된다. 클리핑 레벨은 제너전압(항복이 일어난 다이오드)에 0.7 V(순방향 바이어스 된 다이오드)를 더한 전압과 같다.
음의 반사이클에서 반대로 동작한다. 아래 다이오드는 도전하고 위의 다이오드는 항복이 일어난다. 이와 같은 방법으로 출력은 거의 구형파가 된다. 입력 사인파가 클수록 출력은 더욱 구형파답게 보인다.

연습 문제 5-5 그림 5-8에서 다이오드의 V_Z가 3.3 V이다. R_L의 전압은 얼마인가?

응용 예제 5-6

그림 5-9에 있는 각 회로의 동작을 간단히 설명하여라.

FAIRCHILD SEMICONDUCTOR®

May 2009

1N4001 - 1N4007
General Purpose Rectifiers

Features
- Low forward voltage drop.
- High surge current capability.

DO-41
COLOR BAND DENOTES CATHODE

Absolute Maximum Ratings * T_A = 25°C unless otherwise noted

Symbol	Parameter	Value							Units
		4001	4002	4003	4004	4005	4006	4007	
V_{RRM}	Peak Repetitive Reverse Voltage	50	100	200	400	600	800	1000	V
$I_{F(AV)}$	Average Rectified Forward Current .375 " lead length @ T_A = 75°C	1.0							A
I_{FSM}	Non-Repetitive Peak Forward Surge Current 8.3ms Single Half-Sine-Wave	30							A
I^2t	Rating for Fusing (t<8.3ms)	3.7							A^2sec
T_{STG}	Storage Temperature Range	-55 to +175							°C
T_J	Operating Junction Temperature	-55 to +175							°C

* These ratings are limiting values above which the serviceability of any semiconductor device may by impaired.

Thermal Characteristics

부품 사진

실물 전자 소자의 사진은 학생들에게 학습할 소자에 대해 더욱 친숙하게 한다.

요점정리 표

요점정리 표에는 여러 장에 있는 중요한 사항들이 포함되어 있다. 학생들은 이 표를 중요한 내용에 대한 훌륭한 복습과 편리한 학습정보 자료로 활용하면 좋다.

부품 시험

학생들은 디지털 멀티미터(DMM)와 같은 일반적인 장비를 사용하여 개별적인 전자부품들을 시험하는 방법에 대한 명확한 설명을 알게 될 것이다.

요점

학생들은 시험 준비를 위해 복습하거나 핵심적인 개념을 빠뜨리지 않는지 확인할 때 요약문을 이용할 수 있다. 학습 결과를 확실히 할 수 있도록 돕기 위하여 중요한 회로의 유도와 정의들을 적어 놓았다.

고장 점검

고장 점검은 학생들이 각각의 고장에 대해 회로 접속점의 측정값이 나타내는 것이 무엇인지를 쉽게 확인할 수 있게 한다. MultiSim과 함께 사용하면 학생들은 고장 점검 기술을 습득할 수 있다.

문제

각 장의 마지막에는 다양한 종류의 질문과 문제들이 있다. 이 문제들은 회로 해석, 고장 점검, 응용 문제 및 직무면접문제들을 포함한다.

---

24 CHAPTER 1

요점 | Summary

1-1 세 종류의 수식
정의(definition)는 새로운 개념을 위해 고안된 수식이다. 법칙(law)은 자연의 상관관계에 대한 수식이다. 유도(derivation)는 수학적으로 정리되어 만든 수식이다.

1-2 근사해석
근사해석은 산업에서 널리 쓰인다. 이상적인 근사해석은 고장 점검에 유용하고, 제2근사해석은 회로를 임시로 해석할 때 편리하다. 고차적인 근사해석은 컴퓨터를 이용한다.

1-3 전압원
이상적인 전압원에는 내부저항이 없다. 전압원의 제2근사해석은 전원과 내부저항의 직렬연결이다. 안정 전압원은 내부저항이 R_{load} 이하인 전압원으로 정의된다.

1-4 전류원
이상적인 전류원은 내부저항이 무한대이다. 전류원의 제2근사해석은 전원과 내부의 큰 내부저항의 병렬연결이다. 안정 전류원(stiff current source)은 내부저항이 R_{load}보다 100배 이상 되는 전류원으로 정의된다.

1-5 Thevenin 정리
Thevenin 전압은 개방부하양단 전압으로 정의된다. Thevenin 저항은 모든 전원을 0으로 감소시키고, 개방부하에서 저항계로 측정한 저항으로 정의된다. Thevenin 여러 개의 전원과 선형저항으로 구성된 어떤 회로에서의 부하 전류가 Thevenin 등가회로에서 흐르는 부하전류와 같다는 것을 증명하는다.

1-6 Norton 정리
Norton 저항은 Thevenin 저항과 같다.

Norton 전류는 부하가 단락되었을 때 흐르는 부하전류와 같다. Norton은 여러 개의 전류와 선형저항으로 구성된 어떤 회로의 부하전압이 Norton 등가회로에서 발생한 부하전압과 같다는 것을 증명했다. Norton 전류는 Thevenin 전압을 Thevenin 저항으로 나눈 것과 같다.

1-7 고장 점검
가장 많이 발생하는 고장은 단락, 개방 그리고 간헐적인 고장이다. 단락이 되면 그 양단 전압은 항상 0이다. 단락으로 흐르는 전류는 회로의 나머지 부분을 조사해서 계산해야 한다. 개방이 되면 전류는 항상 0이다. 개방 양단전압은 회로의 나머지 부분을 조사해서 계산해야 된다. 간헐적인 고장은 단속적인 고장으로서 이것을 수리하려면 참을성이 있고, 논리적이어야 한다.

고장 점검 | Troubleshooting

다음 문제에 대하여 그림 7-42를 이용하라.

7-49 고장 1을 찾아라.
7-50 고장 2를 찾아라.
7-51 고장 3과 4를 찾아라.

7-52 고장 5와 6을 찾아라.
7-53 고장 7과 8을 찾아라.
7-54 고장 9와 10을 찾아라.
7-55 고장 11과 12를 찾아라.

MEASUREMENTS

Trouble	V_B (V)	V_E (V)	V_C (V)	R_5 (Ω)
OK	1.8	1.1	6	OK
T1	10	9.3	9.4	OK
T2	0.7	0	0.1	OK
T3	1.8	1.1	10	OK
T4	2.1	2.1	2.1	OK
T5	0	0	10	OK
T6	3.4	2.7	2.8	∞
T7	1.83	1.212	10	OK
T8	0	0	10	OK
T9	1.1	0.4	0.5	OK
T10	1.1	0.4	10	OK
T11	0	0	0	OK
T12	1.83	0	10	OK

그림 7-42

직무 면접 문제 | Job Interview Questions

1. 증폭기의 세 가지 종류 방식에 대하여 말해보고, 또 컬렉터 전류 파형을 그려서 증폭 동작을 설명하라.

2. 증폭단 사이에 이용되는 세 가지 결합 방식을 간단한 도식도(schematic)로 그려라.

3. VDB 증폭기를 그리고, 그 다음 직류 부하선과 교류 부하선을 그려라. 교류 포화전류와 교류 차단전압 및 최대 피크-피크 전압은 얼마인가?

4. 2단 증폭기 회로를 그리고, 전원장치에 의한 전체 전류 흐름을 구하는 방법에 대하여 설명하라.

5. C급 동조 증폭기를 그리고, 공진주파수를 계산하는 방법과 베이스에서 교류신호에 무슨 일이 일어나는지를 말해보라. 또 펄스 콜렉터 전류가 공진 탱크회로에서 어떻게 정현파 전압의 발생이 가능한지 설명하라.

6. C급 증폭기의 가장 일반적인 응용은 무엇인가? 이 형태의 증폭기가 아니오 응용에 이용할 수 있는가? 이용할 수 없다면, 그 이유는 무엇인가?

7. 방열판의 사용 목적을 설명하라. 또한 트랜지스터와 방열판 사이에 절연 와셔를 끼워 놓는 이유는 무엇인가?

8. 듀티 사이클은 무엇을 의미하며, 신호원에 의해 공급되는 전력과 어떤 관계가 있는가?

9. Q를 정의하라.

10. 어느 종류의 증폭 방식이 효율이 가장 높은가? 그 이유를 설명하라.

11. 트랜지스터의 방열판으로 교체하는데 방열판 박스 안에 흰색 물질이 들어있는 패키지가 있다. 이것이 무엇인가?

12. A급 증폭기와 C급 증폭기를 비교하고, 이들 중 어느 것의 충실도(fidelity)가 더 탁월한가? 그 이유는 무엇인가?

13. 단지 좁은 주파수 범위만 증폭하고자 할 때, 어떤 형태의 증폭기를 이용하는가?

14. 여러분이 많이 다루어본 다른 형태의 증폭기에는 어떤 것이 있는가?

복습 문제 해답 | Self-Test Answers

1. b	13. b	25. b
2. b	14. b	26. c
3. c	15. b	27. c
4. a	16. b	28. a
5. c	17. c	29. d
6. d	18. b	30. d
7. b	19. a	31. b
8. b	20. c	32. c
9. b	21. b	33. d
10. d	22. d	34. c
11. c	23. a	35. a
12. d	24. a	

연습 문제 해답 | Practice Problem Answers

10-1 I_{CQ} = 100 mA;
V_{CEQ} = 15 V

10-2 $I_{C(sat)}$ = 350 mA;
$V_{CE(cutoff)}$ = 21 V;
MPP = 12 V

10-3 A_P = 1122

10-5 R = 200 Ω

10-6 I_{CQ} = 331 mA;
V_{CEQ} = 6.7 V;
r_e = 8 Ω

10-7 MPP = 5.3 V

10-8 $P_{D(red)}$ = 2.8 W;
$P_{out(red)}$ = 14 W

10-9 효율 = 63%

10-10 효율 = 78%

10-11 f_r = 4.76 MHz;
v_{out} = 24 V_{PP}

10-13 P_D = 16.6 mW

10-14 $P_{D(red)}$ = 425 mW

기본 문제 | Problems

8-1 베이스 바이어스 증폭기

8-1 IIII Multisim 그림 8-31에서 양호한 결합이 되는 최저주파수는 얼마인가?

그림 8-31

8-2 IIII Multisim 그림 8-31에서 부하저항을 1 kΩ으로 바꾸면, 양호한 결합이 되는 최저주파수는 얼마인가?

8-3 IIII Multisim 그림 8-31에서 커패시터를 100 μF로 바꾸면, 양호한 결합이 되는 최저주파수는 얼마인가?

8-4 그림 8-31의 최저 입력주파수가 100 Hz인 경우, 양호한 결합에 필요한 C값은 얼마인가?

8-4 교류 β

8-11 100 μA의 교류 베이스전류가 15 mA의 교류 컬렉터전류를 흐르게 한다면 교류 β는 얼마인가?

8-12 교류 β가 200이고, 교류 베이스전류가 12.5 μA라면 교류 컬렉터전류는 얼마인가?

8-13 교류 컬렉터전류가 4 mA이고 교류 β가 100일 때, 교류 베이스전류는 얼마인가?

8-5 이미터 다이오드의 교류저항

8-14 IIII Multisim 그림 8-33에서 이미터 다이오드의 교류저항은 얼마인가?

8-15 IIII Multisim 그림 8-33의 이미터저항을 2배로 하면 이미터 다이오드의 교류저항은 얼마인가?

8-6 두 가지 트랜지스터 모델

8-16 IIII Multisim 그림 8-33에서 β = 200인 경우, 베이스의 입력임피던스는 얼마인가?

응용 문제 | Critical Thinking

10-48 정현파 입력에 대한 증폭기의 출력이 구형파이다. 이를 어떻게 설명하는가?

10-49 그림 10-36에 있는 같은 전력 트랜지스터가 증폭기로 이용된다. 누군가가 여러분에게 케이스가 접지되었으니까 안심하고 케이스를 만질 수 있다고 말해준다며, 이에 대하여 어떻게 생각하는가?

10-50 여러분이 책방에 있고 전자공학 책에서 "9和 전력 전기가"

10-51 보통 교류 부하선이 직류 부하선보다 좀 더 수직적이다. 학급친구가 회로의 교류 부하선이 직류 부하선다다 덜 수직적으로 될 수도 있다고 내게를 하자고 하면, 내기를 할 것인가? 설명하라.

10-52 그림 10-38에 대한 직류 부하선과 교류 부하선을 그려라.

10-48 125%의 효율을 갖는다"라는 내용을 읽는다면, 이 책을 사겠는가? 대답의 이유를 설명하라.

Multisim 고장점검 문제 | Multisim Troubleshooting Problems

멀티심 고장 점검 파일들은 Connect for Electronic Principles 저자 자료에 멀티심 고장 점검 회로(MTC)라는 폴더에서 찾을 수 있다. 즉 좀 더 자세한 내용은 XVIII페이지를 참조하라. 이 장에 관련된 파일은 MTC10-53 ~ MTC10-57로 명칭되어 있고 모두 그림 10-43의 회로를 바탕으로 한다.

각 파일을 열고 고장 점검을 실시하라. 결함이 있는지 결정하기 위해 측정을 실시하고, 결함이 있다면 무엇인지를 찾아라.

10-53 MTC10-53 파일을 열고 고장 점검을 실시하라.

10-54 MTC10-54 파일을 열고 고장 점검을 실시하라.

10-55 MTC10-55 파일을 열고 고장 점검을 실시하라.

10-56 MTC10-56 파일을 열고 고장 점검을 실시하라.

10-57 MTC10-57 파일을 열고 고장 점검을 실시하라.

디지털/아날로그 실습 시스템 | Digital/Analog Trainer System

문제 10-58~10-62에서는 Connect for Electronic Principles 저자 자료에서 찾을 수 있는 디지털/아날로그 트레이너 시스템의 도식 다이어그램을 소개한다. 모델 XK-700 트레이너에 대한 완벽한 지침 매뉴얼은 www.elenco.com 웹사이트에서 찾을 수 있다.

10-58 트랜지스터 Q_{18}과 Q_{19}를 이용하여 형성된 회로의 형태는 무엇인가?

10-59 R_{46}과 R_{47}의 접합 지점에서 측정되는 MPP 출력 값은?

10-60 D_{18}과 D_{17} 다이오드의 사용 목적은?

10-61 D_{18}과 D_{17} 다이오드의 전압 강하를 위해 0.7 V를 사용하였다면 Q_{18}과 Q_{19}에 대한 근사 정지 컬렉터전류는?

10-62 파워앰프에 교류 입력신호가 없다면, 그러면 R_{46}과 R_{47}의 접합 지점에 나타나는 정상 직류전압 레벨은?

학습자료 Resources

교수용 학습자료

- **교수용 메뉴얼**은 해답집과 이 교재에 대한 강의용 제안 및 실험 매뉴얼을 제공한다.
- 교재에 있는 모든 장에 대한 **PowerPoint** 슬라이드와 각 장의 추가된 복습질문이 있는 **Electronic Test-banks**는 Connect상의 교수용 학습자료 부문에서 찾을 수 있다.
- 교재와 관련된 실험 후속 정보를 담고 있는 전자회로용 **실험 매뉴얼**은 Connect상의 교수용 학습자료 부문에 포함되었다.

Connect를 통한 교수용 학습 자료의 접근 안내

Connect를 통해 교수용 학습 자료에 접근하기 위해서는 우선 비밀번호를 얻기 위해 McGraw-Hill Learning Technology Representative에 접속하여야 한다. 만약 McGraw-Hill Education 회사를 모른다면, http://www.mhhe.com/rep에 들어가면 된다.

비밀번호를 가지고 있다면, connect.mheducation.com에 방문하여 로그인 한다. 전자회로를 이용하기 위해 과정을 클릭한다. 만약 과정을 추가하지 않았다면 메뉴에 "Add Course"를 클릭하고 "*Engineering Technology*"을 선택한다. 그리고 **전자회로 8판**을 선택하고 "Next"을 클릭한다.

과정을 추가했다면, "Library" 링크를 클릭하고 "교수용 학습자료"를 클릭한다.

학생용 학습자료

완전히 개정된 본문과 더불어 독자의 전자회로 이론 및 응용 분야에 대한 이해를 돕기 위해 많은 학생용 학습자료가 개발되었다.

- 이번 판을 위한 온라인 자료는 학생들이 교과학습을 잘 수행하고 중요한 개념을 숙지하는데 도움을 줄 수 있는 웹 기반 과제 및 평가 플랫폼인 **McGraw-Hill Connect®**을 포함한다. Connect®로 강사들은 과제, 퀴즈 및 시험을 온라인으로 쉽게 전달할 수 있다. 학생들은 각자의 속도와 그들의 일정에 따라 중요한 기술 연습할 수 있다. 더 자세한 사항은 www.mcgrawhillconnect.com에서 확인하라.
- 교재와 관련된 전자회로 **실험 메뉴얼**은 매우 다양한 실질적인 실험을 제공한다. Multisim "prelab"은 컴퓨터 시뮬레이션을 통합시키기 원하는 사람들을 위해 포함 되었다. 강사들은 Connect에 있는 파일의 접근을 제공할 수 있다.

감사의 말 Acknowledgments

전자회로 8판을 발간하기까지 전문가 팀의 협력된 많은 수고가 있었다. 이를 위해 많은 사람들의 힘든 작업과 전문적인 헌신을 필요로 하였다. 이번 8판이 나올 수 있도록 도움을 주신 McGraw-Hill Education 대학교육 담당자 특히 Raghu Srinivasan, Vincent Bradshaw, Jessica Portz 그리고 Vivek Khandelwal에게 감사드린다. 또한 Pat Hoppe 의 통찰력과 세심한 재검토에 특별히 감사의 마음을 전하며, MultiSim 파일에 관한 엄청난 작업은 이 교재에 중대한 공헌을 하였다. 이번 판 개발에 대단히 귀중한 조언과 제안을 해준 모두에게 감사한다. 원고 개발 전에 설문에 응답에 시간을 내준 사람들과 개정된 자료를 정성을 다해 재검토 해준 사람들에게 이 감사의 말을 전한다. 모든 설문과 재검토는 신중히 검토되었고 이번 판에 크게 기여했다. 이번 판에서 귀중한 자료는 국제적인 검토자들과 전 세계에 걸친 전자공학 강사들로부터 얻었다. 또한 CertTEC, ETA International, ISCET, 그리고 NCEE을 포함한 전자공학 공인기관의 검토와 자료는 매우 유익했다. 이번 판을 만드는데 도움을 주신 분들은 다음과 같다.

8판을 감수해주신 분들

Reza Chitsazzadeh
  Community College of Allegheny County
Walter Craig
  Southern University and A&M College
Abraham Falsafi
  BridgeValley Community & Technical College
Robert Folmar
  Brevard Community College
Robert Hudson
  Southern University at Shreveport Louisiana
John Poelma
  Mississippi Gulf Coast Community College

Chueh Ting
  New Mexico State University
John Veitch
  SUNY Adirondack
KG Bhole
  University of Mumbai
Pete Rattigan
  President
  International Society of Certified Electronics Technicians
Steve Gelman
  President of National Coalition for Electronics Education

차례 Contents

Chapter 1 | 서론　　2

Chapter 2 | 반도체　　30

Chapter 3 | 다이오드 이론　60

Chapter 4 | 다이오드 회로　90

Chapter 5 | 특수 목적 다이오드　146

Chapter 6 | BJT 기초 지식들　198

Chapter 11 ｜ 접합 전계효과 트랜지스터   452

Chapter 12 ｜ 금속-산화물-반도체 트랜지스터   508

Chapter 13 ｜ 사이리스터   564

Chapter 14 ｜ 주파수 효과   608

Chapter 20 | 비선형 연산증폭기회로의 응용 912

Chapter 21 | 발진기 968

Chapter 22 | 안정된 공급전원 1030

8 TH EDITION

전자회로

ELECTRONIC PRINCIPLES

서론

Introduction

이 단원은 교재의 나머지 부분에 대한 프레임워크(framework)로서의 역할을 하므로 중요하다. 이 단원에 나오는 논제들은 수식, 전압원, 전류원, 두 회로 정리와 고장 점검이다. 비록 어떤 설명은 복습처럼 보이지만 반도체 소자를 이해하는 데 도움이 될 것이고, 이 교재의 나머지 부분에서 뼈대 역할을 하는 새로운 개념임을 알 것이다.

학습목표 ┃ Objectives

이 단원을 공부하고 나면

- 세 유형의 수식을 거명하고 각각 성립하는 이유를 설명할 수 있어야 한다.
- 정확한 수식 대신 근사해석이 자주 쓰이는 이유를 설명할 수 있어야 한다.
- 이상적인 전압원과 이상적인 전류원의 정의를 내릴 수 있어야 한다.
- 안정 전압원과 안정 전류원을 인지하는 방법을 제시할 수 있어야 한다.
- Thevenin 정리를 설명하고 이 정리를 회로에 적용할 수 있어야 한다.
- Norton 정리를 설명하고 이 정리를 회로에 적용할 수 있어야 한다.
- 개방소자와 단락소자에서 일어나는 두 가지 사실들을 각각 열거할 수 있어야 한다.

단원 목차 ┃ Chapter Outline

주요용어 ┃ Vocabulary

Norton 저항(Norton resistance)
Norton 전류(Norton current)
Thevenin 저항
    (Thevenin resistance)
Thevenin 전압
    (Thevenin voltage)
개방소자(open device)
고장 점검(troubleshooting)

단락소자(shorted device)
법칙(law)
솔더 브리지(solder bridge)
수식(formula)
쌍대성 원리(duality principle)
안정 전류원(stiff current source)
안정 전압원(stiff voltage source)
유도(derivation)

이상적(제1)근사해석
    (ideal(first) approximation)
정리(theorem)
정의(definition)
제2근사해석
    (second approximation)
제3근사해석(third approximation)
콜더 솔더 조인터(cold-solder joint)

1-1 세 종류의 수식

수식(formula)은 여러 개의 물리량을 관련지어 주는 규칙이다. 그 규칙은 방정식이나 부등식 혹은 다른 수학적 표현이 될 수 있다. 이 책에서 많은 수식을 보게 될텐데 만약 수식을 정확히 이해하지 못하면 뒷부분으로 갈수록 더욱 혼란스럽게 될 것이다. 다행히 수식은 세 가지 방법으로 만들어진다. 수식을 이해하면 전자공학을 더욱 논리적으로 공부할 수 있고 또 만족감도 더 느낄 것이다.

정의

전기나 전자공학을 공부할 때 **전류**(current), **전압**(voltage) 그리고 **저항**(resistance)과 같은 새로운 용어들을 기억해두어야 한다. 그러나 이 용어들을 말로 설명하는 것은 좀 부족하다. 왜냐하면 전류에 대한 개념은 모든 사람에게 수학적으로 동일해야 하기 때문이다. 이와 같은 동일성을 얻을 수 있는 유일한 방법은 새로운 개념을 위해 고안된 수식, 즉 **정의**(definition)를 이용하는 것이다.

정의에 대한 한 예를 들어보자. 우리는 초보적인 학습과정에서 커패시턴스는 한 평판의 전하를 평판 사이의 전압으로 나눈 것과 같다고 배웠다. 수식으로 표현하면 다음과 같다.

$$C = \frac{Q}{V}$$

이 수식은 정의이다. 이 정의는 커패시턴스 C의 본질과 계산방법을 알려주고 있다. 역사적으로 보면 몇몇 연구자들이 이와 같은 정의를 만들었고, 널리 파급되었다.

아무것도 없는 데서 새로운 정의를 창출하는 예를 한 가지 더 들어보겠다. 우리가 독서훈련에 대한 연구를 한다고 가정하면, 독서 속도를 측정하는 방법이 필요하다. 독서 속도(reading speed)를 1분 동안에 읽는 단어 수로 정의하기로 한다. 단어 수가 W이고 분 수가 M이면, 다음과 같은 식을 생각할 수 있다.

$$S = \frac{W}{M}$$

이 식에서 S는 분당 단어 수를 측정한 속도이다.

모양을 좋게 하기 위해 그리스 문자를 사용한다. 단어 수를 ω, 분 수를 μ 그리고 σ를 속도라 하면 위의 정의는 다음과 같다.

$$\sigma = \frac{\omega}{\mu}$$

이 식 역시 단어 수를 분으로 나누면 속도가 된다는 것을 보여준다. 우리가 이와 같은 식을 보고 이것이 정의라는 것을 알았을 때, 최초에 대할 때와 같은 감동이나 신비스러움은 사라질 것이다.

요약하면 **정의는 연구자가 고안해낸 수식이다.** 정의는 과학적 관찰에 근거하고 전자공학 연구의 기본을 형성한다. 정의는 단순히 사실로 받아들여진다. 과학 분야에서는 언제나 그렇다. 용어를 받아들이듯이 정의도 그대로 받아들인다. 어떤 수식이 정의인지 알면 전자공학도 더 쉽게 이해될 수 있을 것이다. 정의가 시작점이기 때문에 우리가 해야 할 일은 정의를 이해하고 외우는 것이다.

법칙

법칙(law)은 다르다. 법칙은 자연에 이미 존재하고 있는 관련성을 요약 정리한 것이다. 법칙의 한 예를 들어보면 다음과 같다.

$$f = K \frac{Q_1 Q_2}{d^2}$$

여기서　　f = 힘

K = 비례상수, $9(10^9)$

Q_1 = 첫 번째 전하

Q_2 = 두 번째 전하

d = 전하 간 거리

이것이 Coulomb의 법칙이다. 이 법칙은 두 전하 사이의 흡인력 혹은 반발력이 전하에 정비례하고, 전하 간의 거리의 제곱에 반비례한다는 것을 보여주고 있다.

이것은 전기의 기본이므로 중요한 방정식이다. 그러나 이 식은 어떻게 만들어졌으며, 성립하는 이유는 무엇인가? 이 법칙에 있는 모든 변수들은 법칙이 발견되기 이전부터 알려져 있었고, Coulomb은 실험으로 힘은 각 전하에 직접적으로 비례하고 전하 간의 거리의 제곱에 반비례한다는 사실을 증명하였다. Coulomb법칙은 자연에 존재하는 관련성을 표현한 하나의 보기이다. 비록 이전의 연구자들이 f, Q_1, Q_2와 d를 측정할 수 있었지만, Coulomb이 이 양들 사이의 관계를 나타내는 법칙을 발견하였고, 이를 수식으로 표현하였다.

법칙을 발견하기 전에, 어떤 사람이 관련성이 있을 것이라는 예감을 제시하면 연구자는 수많은 실험을 거친 후 발견한 사실을 요약하여 수식화한다. 실험을 통해 발견한 사실을 많은 사람들이 충분히 입증할 때 그 수식은 법칙이 된다. **법칙은 실험으로 그것을 증명할 수 있기 때문에 성립한다.**

유도

다음과 같은 방정식이 주어질 때

$$y = 3x$$

양변에 5를 더하면

$$y + 5 = 3x + 5$$

가 된다. 이 방정식도 양변이 같기 때문에 성립한다. 뺄셈, 곱셈, 나눗셈, 인수분해 그리고 대입과 같은 많은 연산으로도 방정식의 양변을 같게 할 수 있다. 즉 수학을 이용하면 새로운 많은 수식을 유도할 수 있다.

유도(derivation)는 다른 여러 수식으로부터 얻을 수 있는 수식을 말한다. 이것은 한 개 혹은 여러 개의 수식에 수학적 기법을 적용하여 본래의 수식에 들어 있지 않은 새로운 수식이 되게 하는 것을 의미한다. 처음 수식과 유도된 수식 사이의 모든 방정식의 양변도 수학적으로 등가성이 유지되기 때문에 유도도 성립한다.

예를 들면 Ohm은 도체로 실험을 하였다. 그는 전압 대 전류의 비가 일정하다는 사실을 발견하였다. 그는 이 상수를 저항(*resistance*)이라 부르고, 다음과 같은 수식을 만들었다.

$$R = \frac{V}{I}$$

이것은 Ohm의 법칙의 기본형이다. 이것을 다시 정리하면

$$I = \frac{V}{R}$$

가 된다. 이것이 유도이다. Ohm의 법칙의 기본 식을 다른 수식으로 변환한 것이다.

다른 예를 들어보자. 커패시턴스의 정의는 다음과 같다.

$$C = \frac{Q}{V}$$

양변에 V를 곱하면 다음과 같은 새로운 수식이 된다.

$$Q = CV$$

이것은 유도이다. 커패시터의 전하는 커패시턴스에 전압을 곱한 것과 같다는 것을 의미한다.

기억할 사항

수식은 왜 성립하는가? 세 가지 가능성이 있을 수 있다. 전자공학을 기초부터 확실하게 이해하기 위해서 새로운 수식을 다음의 세 부류 중 하나로 분류할 수 있다.

    정의: 새로운 개념을 위해 고안된 수식
    법칙: 자연계의 상관관계를 기술하는 수식
    유도: 수학적 관계식으로 유도된 수식

1-2 근사해석

우리는 일상생활에서도 항상 근사해석을 이용한다. 어떤 사람이 나이를 물으면 스물 한 살(이상적)이라고 대답하거나 혹은 스물 한 살에서 스물 두 살로 넘어가고 있다고 대답하거나(제2근사해석) 또는 21년 9개월(제3근사해석) 혹은 더 상세하게 대답하고 싶으면 21년 9개월 2일 6시간 23분 42초(정확)라고 대답할 것이다.

앞의 대답들은 근사해석의 수준이 다르다는 것을 보여준다. 이상적 근사해석, 제2근사해석, 제3근사해석 그리고 정확 등이 있다. 근사해석의 사용은 사정에 따라 달라진다. 전자공학에서도 마찬가지다. 회로해석을 할 때에 상황에 알맞은 근사해석을 선택할 필요가 있다.

이상적인 근사해석

섀시(chassis)로부터 1인치 떨어져 있고, 길이가 1피트 되는 AWG 22 도선의 저항은

0.016 Ω, 인덕턴스가 0.24 μH, 그리고 커패시턴스가 3.3 pF라는 사실을 알고 있는가? 전류를 계산할 때마다 저항, 인덕턴스나 커패시턴스의 영향을 고려한다면 계산을 할 때 시간이 너무 많이 걸릴 것이다. 그러므로 연결도선의 저항, 인덕턴스와 커패시턴스를 대부분 무시한다.

이상적인 근사해석(ideal approximation)—가끔 **제1근사해석**(first approximation)이라 부른다—은 소자에 대한 가장 간단한 등가회로이다. 예를 들어 도선의 이상적인 근사해석은 저항이 0인 도체이다. 이상적인 근사해석은 전자공학 작업 시에 항상 적용된다.

고주파에서는 예외적으로 도선의 인덕턴스와 커패시턴스를 고려해야 한다. 1인치 도선에 0.24 μH의 인덕턴스와 3.3 pF의 커패시턴스가 있다고 가정하면, 10 MHz에서 유도성 리액턴스는 15.1 Ω, 그리고 용량성 리액턴스는 4.82 kΩ이다. 이 경우 도선은 이상적일 수 없다. 회로의 나머지 부분에 따라 연결도선의 유도성과 용량성 리액턴스가 중요해질 수 있다.

지침으로서, 도선은 1 MHz 이하의 주파수에서 이상적이다. 통상적인 경험에 의하면 이와 같이 결정해도 전혀 문제는 없다. 그러나 배선을 아무렇게나 해도 된다는 뜻은 아니다. 일반적으로 연결도선은 가능한 짧게 한다. 그렇게 하지 않으면 어느 주파수 눈금에서 회로의 성능 저하가 나타나기 시작할 것이다.

고장 점검은 정상적인 전압과 전류를 기준하여 편차가 심한 곳을 찾기 때문에 일반적으로 이상적인 근사해석이 적당하다. 이 책에서는 반도체 소자를 간단한 등가회로로 단순화하기 위해 이상화할 것이다. 이상적인 근사해석으로 반도체 회로의 동작을 보다 쉽게 해석하고 또 이해하게 될 것이다.

제2근사해석

회중전등 전지의 이상적인 근사해석은 1.5 V의 전압원이다. **제2근사해석**(second approximation)은 이상적인 근사해석에 한 개 이상의 성분을 추가한다. 예를 들면 회중전등 전지의 제2근사해석은 1.5 V의 전압원과 1 Ω의 직렬저항이다. 이 직렬저항을 전지의 **전원 혹은 내부**(*source or internal*)저항이라 부른다. 만약 부하저항이 10 Ω 이하이면 전원저항의 전압강하 때문에 부하전압은 1.5 V보다 훨씬 작을 것이다. 이러한 경우 정확한 계산은 전원저항을 반드시 포함시켜야 한다.

제3근사해석과 고차근사해석

제3근사해석(third approximation)은 소자의 등가회로에 또 다른 성분을 포함한다. 3장의 반도체 다이오드 설명에서 제3근사해석에 대한 예제가 나온다.

고차적인 근사해석은 소자의 등가회로에 더 많은 성분들을 포함한다. 고차적인 근사해석의 경우 수작업 계산은 매우 힘들고 시간이 많이 걸리기 때문에 주로 컴퓨터를 이용한다. 예를 들면 Electronics Workbench(EWB)에 의한 MultiSim과 PSpice는 반도체 회로를 고차근사해석으로 해석하는 유용한 상업적 컴퓨터 프로그램이다. 이 책에 있는 많은 회로와 예제들도 이런 유형의 소프트웨어에 의해 해석되고 논증된 것이다.

결론

근사해석은 무엇을 하려고 하는가에 따라 달라진다. 만일 고장 점검이라면 일반적으로 이상적 근사해석이 적절하다. 대부분은 사용하기 쉽고 또한 컴퓨터가 필요 없기 때문에 제2근사해석을 선택한다. 고차근사해석인 경우 컴퓨터와 MultiSim과 같은 프로그램을 사용해야 한다.

1-3 전압원

이상적인 직류 전압원(*ideal dc voltage source*)은 일정한 부하전압을 공급한다. 이상적인 직류 전압원의 가장 간단한 예는 내부저항이 0인 전지이다. 그림 1-1*a*는 이상적인 전압원에 1 Ω에서 1 MΩ까지 가변되는 부하저항을 연결한 것이다. 전압계는 전원전압과 동일한 10 V를 지시한다.

　그림 1-1*b*는 부하저항에 대한 부하전압의 그래프이다. 그림에서 볼 수 있듯이, 부하저항이 1 Ω에서 1 MΩ까지 변할 때, 부하전압은 10 V에 고정되어 있다. 다른 말로 표현하면, 이상적인 직류 전압원은 부하저항의 대소에 관계없이 일정한 부하전압을 공급한다. 이상적인 전압원은 부하저항이 변할 때 단지 부하전류만 변한다.

제2근사해석

이상적인 전압원은 현실적으로 불가능한 이론적인 소자이다. 왜냐하면 부하저항이 0으로 접근하면 부하전류는 무한대로 접근하기 때문이다. 실질적인 전압원은 언제나 약간의 내부저항을 가지고 있으므로 무한대 전류를 공급할 수 없다.

　그림 1-2*a*에서 그 개념을 설명한다. 1 Ω의 전원저항 R_S가 이상적인 전지와 직렬로 연결되어 있다. R_L이 1 Ω일 때 전압계는 5 V를 지시한다. 왜 그럴까? 부하전류는 10 V를 2 Ω으로 나눈 5 A가 되고, 이 5 A가 1 Ω의 전원저항을 흐를 때 내부에서 5 V의 전압강하가 발생한다. 내부저항에서 강하된 5 V 때문에 부하전압은 이상전압의 1/2이 된다.

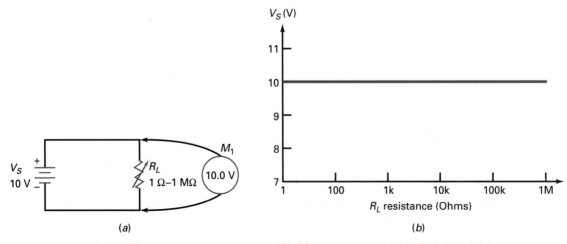

그림 1-1　(a) 이상적인 전압원과 가변 부하저항; (b) 부하전압은 모든 부하저항에서 일정하다.

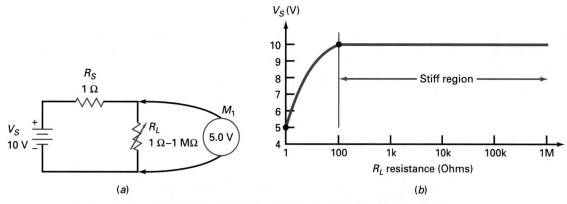

그림 1-2　(a) 제2근사해석은 전원저항을 포함한다; (b) 부하저항이 크면 부하전압은 일정하다.

그림 1-2*b*는 부하저항에 대한 부하전압의 그래프이다. 이 경우 부하저항이 전원 저항보다 훨씬 더 크면 부하전압은 이상적인 값에 접근한다. 그런데 **훨씬 더 크다**(*much greater*)라는 의미는 무엇인가? 다른 말로 표현하면, 전원저항을 언제 무시할 수 있는가?

안정 전압원

새로운 정의를 적용해야 할 시점이다. 정의를 하나 더 고안해 보자. 전원저항이 부하저 항보다 최소 백분의 일 이하이면 전원저항을 무시할 수 있다. 이러한 조건을 만족하는 전원이 **안정 전압원**(stiff voltage source)이다. 정의에 따라

$$\text{안정 전압원: } R_S < 0.01R_L \tag{1-1}$$

이 수식은 우리가 의미하는 내용을 안정 전압원으로 정의한 것이다. 부등식의 경계(여기 서 <가 =로 바뀐다)에서 다음 방정식이 된다.

$$R_S = 0.01R_L$$

부하저항에 대해 풀이하면 안정 전압원 상태에서 사용할 수 있는 최소 부하저항이 구 해진다.

$$R_{L(\min)} = 100R_S \tag{1-2}$$

말로 표현하면, 최소 부하저항은 전원저항의 100배와 같다.

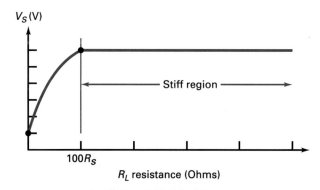

그림 1-3　안정영역은 부하저항이 충분히 클 때 생긴다.

　　식 (1-2)는 유도이다. 안정 전압원의 정의에서 출발해서 이를 다시 정리하여 안정 전압원에서 사용할 수 있는 최소 부하저항을 구하였다. 부하저항이 100 R_S보다 크면 전압원은 안정하다. 부하저항이 최악인 경우의 값이 되었을 때 전원저항을 무시하고 계산하면 오차는 1%이다. 이 오차는 제2근사해석에서 무시할 수 있을 정도로 매우 작다.

　　그림 1-3은 안정 전압원을 시각적으로 요약한 것이다. 전압원이 안정하려면 부하저항은 100 R_S 이상이 되어야 한다.

예제 1-1

안정 전압원의 정의를 직류전원과 마찬가지로 교류전원에 적용한다. 교류전압원이 50 Ω의 전원저항을 가지고 있다고 가정한다. 부하저항이 얼마일 때 전원이 안정한가?

풀이　최소 부하저항을 구하기 위해 100을 곱한다.

$$R_L = 100R_S = 100(50 \text{ Ω}) = 5 \text{ kΩ}$$

부하저항이 5 kΩ 이상이면 교류전압원은 언제나 안정적이고, 전원의 내부저항을 무시할 수 있다.

　　최종 힌트. 교류전압원에서 제2근사해석의 적용은 저주파에서만 유효하다. 고주파에서는 도선의 인덕턴스나 부유 커패시턴스 같은 추가 인자의 영향이 있다. 이와 같은 고주파 영향은 뒷장에서 다룰 것이다.

연습 문제 1-1　만약 예제 1-1에서 교류전원저항이 600 Ω이라면, 부하저항이 얼마일 때 전원이 안정적인가?

1-4　전류원

직류 전압원은 부하저항이 변해도 일정한 부하전압을 공급한다. **직류 전류원**(*dc current source*)은 다르다. 이것은 부하저항이 변해도 일정한 부하전류를 공급한다. 직류 전류원의 예로서 전원저항이 큰 전지가 있다(그림 1-4*a*). 이 회로에서 전원저항은 1 MΩ이고, 부하전류는 다음과 같다.

$$I_L = \frac{V_S}{R_S + R_L}$$

그림 1-4*a*에서 R_L이 1 Ω이므로 부하전류는

$$I_L = \frac{10 \text{ V}}{1 \text{ MΩ } + 1 \text{ Ω}} = 10 \text{ μA}$$

이다. 이 계산에서 부하저항이 작으면 부하전류에 거의 영향을 주지 않는다.

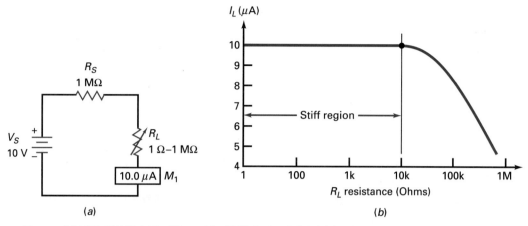

그림 1-4 (a) 직류 전압원과 큰 저항으로 된 전류원의 시뮬레이션; (b) 부하전류는 부하저항이 작을 때 일정하다.

그림 1-4b는 부하저항을 1 Ω에서 1 MΩ까지 변화시킬 때 나타나는 결과를 보인 것이다. 이 경우 부하전류는 10 μA로 넓은 범위에서 일정하다. 부하저항이 10 kΩ 이상 이면 부하전류는 눈에 보일 정도로 크게 떨어진다.

안정 전류원

특히 반도체 회로에서 유용하게 쓰이는 또 다른 정의가 있다. 전류원의 전원저항이 부하저항보다 최소 100배 이상이면 전류원의 전원저항을 무시할 것이다. 이 조건을 만족하는 전원이 안정 전류원(stiff current source)이다. 정의에 따라

안정 전류원: $R_S > 100R_L$ (1-3)

경계보다 훨씬 더 높으면 최악의 경우이다. 경계에서

$$R_S = 100R_L$$

이다. 부하저항에 대해 풀이하면 안정 전류원 상태에서 사용할 수 있는 최대 부하저항이 구해진다.

$$R_{L(max)} = 0.01R_S$$ (1-4)

말로 표현하면 최대 부하저항은 전원저항의 ¹⁄₁₀₀과 같다.

식 (1-4)는 유도이다. 왜냐하면 안정 전류원의 정의에서 출발해서 이를 다시 정리하여 최대 부하저항을 구하였기 때문이다. 부하저항이 최악인 경우의 값이 되었을 때 계산오차는 1%이고, 제2근사해석에서 무시할 정도로 작다.

그림 1-5는 안정영역을 나타낸 것이다. 부하저항이 0.01 R_S 미만이면 전류원은 언제나 안정하다.

그림기호

그림 1-6a는 전원저항이 무한대인 이상적인 전류원의 그림기호이다. 이와 같은 이상적인 근사해석은 실제로 존재할 수 없지만 수학적으로는 가능하다. 따라서 우리는 고장 점검

그림 1-5   안정영역은 부하저항이 매우 작을 때 생긴다.

그림 1-6   (a) 전류원의 그림기호; (b) 전류원의 제2근사해석

과 같이 회로해석을 빨리 할 필요가 있을 때, 이상적인 전류원을 사용한다.

그림 1-6a는 시각적인 정의, 즉 전류원의 기호이다. 이 기호는 소자가 일정 전류 I_S를 공급한다는 것을 의미한다. 전류원은 매초 일정량의 쿨롱을 밖으로 밀어내는 펌프와 같다고 생각하면 도움이 될 것이다. 그래서 "전류원은 1 kΩ의 부하저항으로 5 mA를 소모시킨다"라고 볼 수 있다.

그림 1-6b는 제2근사해석을 보인 것이다. 이상적인 전압원과 내부저항이 직렬연결이었던 것과는 달리, 이상적인 전류원에서는 내부 저항이 병렬연결이다. 이 단원의 뒷부분에서 설명되는 Norton의 정리에서 내부저항이 왜 전류원과 병렬이 되어야 하는가를 알게 될 것이다. 표 1-1은 전압원과 전류원의 차이를 이해하는 데 도움이 될 것이다.

요점정리 표 1-1	전압과 전류원의 특성	
양	**전압원**	**전류원**
R_S	기본적으로 작다	기본적으로 크다
R_L	100 R_S 이상	0.01 R_S 이하
V_L	일정	R_L에 의존
I_L	R_L에 의존	일정

예제 1-2

2 mA의 전류원이 10 MΩ의 내부저항을 가지고 있다. 부하저항이 어느 범위에 있을 때, 전류원은 안정한가?

풀이   전류원이므로 부하저항은 전원저항에 비해 작아야 한다. 100:1의 법칙에 의해 최대 부하저항은

$$R_{L(\max)} = 0.01(10\text{ M}\Omega) = 100\text{ k}\Omega$$

이다. 전류원의 안정범위는 부하저항이 0에서 100 kΩ까지이다.

　　그림 1-7은 풀이를 요약한 것이다. 그림 1-7a에서 2 mA의 전류원은 10 MΩ과 가변저항 1 Ω과 병렬연결이다. 전류계로 측정하면 부하전류는 2 mA이다. 부하저항이 1 Ω에서 1 MΩ까지 변할 때 그림 1-7b와 같이 전원은 100 kΩ까지 안정을 유지하고, 이 점에서 부하전류는 이상적인 값보다 약 1% 낮다. 다르게 표현하면, 전원전류의 99%는 부하저항으로 흐르고 나머지 1%는 전원저항으로 흐른다. 부하저항이 계속 증가하면 부하전류는 계속 감소한다.

그림 1-7　풀이

연습 문제 1-2　그림 1-7a에서 부하저항이 10 kΩ일 때 부하전압은 얼마인가?

응용 예제 1-3

트랜지스터 회로를 해석할 때, 트랜지스터는 전류원이라고 가정한다. 고급으로 설계된 회로에서 트랜지스터는 안정 전류원처럼 동작하므로 내부저항을 무시할 수 있다. 그러면 부하전압을 계산할 수 있다. 예를 들어 만약 트랜지스터가 10 kΩ의 부하저항으로 2 mA를 내보낸다고 하면, 부하전압은 20 V이다.

1-5　Thevenin 정리

가끔 어떤 사람은 공학 분야에서 위대한 업적을 쌓아 우리들을 새로운 경지로 이끈다. 프랑스 공학자 M. L. Thevenin은 자기 이름을 따서 붙인 회로이론, 즉 Thevenin 정리 (Thevenin's theorem)를 유도하면서 한 단계 더 도약하였다.

Thevenin 전압과 저항의 정의

정리(theorem)는 수학적으로 증명할 수 있는 서술문이다. 정리는 정의나 법칙이 아니므로 유도로 분류한다. 초급과정에서 배운 Thevenin 정리를 다음과 같은 개념으로 다

그림 1-8 (a) 검은 상자의 내부에는 선형 회로가 있다; (b) Thevenin 회로

시 생각해 보아라. 그림 1-8a에서 **Thevenin 전압**(Thevenin voltage) V_{TH}는 부하저항이 개방되었을 때 부하단자 사이의 전압으로 정의된다. 이러한 이유로 Thevenin 전압을 가끔 개방회로 전압(open-circuit voltage)이라 부른다. 정의에 따라

$$\text{Thevenin 전압: } V_{TH} = V_{OC} \tag{1-5}$$

이다.

Thevenin 저항(Thevenin resistance)은 모든 전원을 0으로 감소시키고 부하저항을 개방하고, 그림 1-8a의 부하양단에서 저항계로 측정한 저항으로 정의된다. 정의에 따라

$$\text{Thevenin 저항: } R_{TH} = R_{OC} \tag{1-6}$$

이다. 위의 두 정의로 Thevenin은 그의 이름을 딴 유명한 정리를 유도할 수 있었다.

Thevenin 저항을 구할 때 애매한 점이 있다. 전원을 0으로 감소시킨다는 것은 전압원과 전류원에서 의미가 다르다. 전압원을 0으로 감소시킬 때는 전압원을 단락으로 대체된다. 왜냐하면 전압원으로 전류가 흐를 때 틀림없이 전압이 0이 되기 때문이다. 전류원을 0으로 감소시킬 때는 전류원을 개방으로 한다. 왜냐하면 전류원에 전압이 있을 때 틀림없이 전류가 0이 되기 때문이다. 요약하면

전압원을 0으로 하려면, 전압원을 단락으로 하여라.
전류원을 0으로 하려면, 전류원을 개방으로 하여라.

유도

Thevenin 정리란 무엇인가? 그림 1-8a를 보아라. 이 검은 상자는 직류전원과 선형저항으로 구성된 어떤 회로를 내포하고 있다(선형저항(linear resistance)은 전압이 증가해도 변하지 않는다). Thevenin은 그림 1-8a의 검은 상자 안에 있는 회로가 아무리 복잡해도 이 회로에서 공급하는 부하전류는 그림 1-8b의 간단한 회로에서 공급하는 부하전류와 같다는 것을 증명하였다. 유도에 따라

$$I_L = \frac{V_{TH}}{R_{TH} + R_L} \tag{1-7}$$

이다.

이제 그 중요성을 되새겨 보자. Thevenin 정리는 강력한 도구이다. 공학자와 기술자들은 이 정리를 자주 사용한다. Thevenin 정리가 없었다면 전자공학이 이와 같이 발전하지 못했을 것이다. 이 정리를 이용하면 계산이 간단할 뿐만 아니라, Kirchhoff 방정식으로 설명할 수 없었던 회로동작을 설명할 수 있다.

예제 1-4

|||| Multisim

그림 1-9a에서 Thevenin 전압과 저항은 얼마인가?

풀이 첫째로 Thevenin 전압의 계산을 위해 부하저항을 개방한다. 부하저항의 개방은 그림 1-9b와 같이, 회로에서 부하저항을 제거하는 것과 같다. 6 kΩ과 3 kΩ의 직렬연결을 통해 8 mA가 흐르므로 3 kΩ 양단에 24 V가 나타난다. 4 kΩ에는 전류가 흐르지 않으므로 AB 양단은 24 V가 된다. 그러므로 다음과 같다.

$$V_{TH} = 24 \text{ V}$$

둘째로 Thevenin 저항을 구한다. 직류전원을 0으로 감소시키는 것은 그림 1-9c에서 보이는 것처럼 전원을 단락으로 바꾸는 것과 같다. 만약 그림 1-9c의 AB 단자에 저항계를 연결한다면 얼마가 되겠는가?

6 kΩ이 될 것이다. 왜냐하면 AB 단자에서 전지를 단락한 쪽을 들여다보면, 3 kΩ과 6 kΩ이 병렬연결되어 있고 이것이 다시 4 kΩ과 직렬연결되어 있기 때문이다. 즉,

$$R_{TH} = 4 \text{ k}\Omega + \frac{3 \text{ k}\Omega \times 6 \text{ k}\Omega}{3 \text{ k}\Omega + 6 \text{ k}\Omega} = 6 \text{ k}\Omega$$

이다. 3 kΩ과 6 kΩ의 곱을 두 저항의 합으로 나누면 2 kΩ이 되고, 이 값을 4 kΩ에 더하면 6 kΩ이 된다.

여기서 다시 새로운 정의가 필요하다. 병렬연결은 전자공학에서 꽤 많이 나타나기 때문에 대부분의 사람들은 속기기호를 사용한다. 앞으로는 다음과 같은 기호를 사용할 것이다.

∥= 병렬연결

방정식에서 두 개의 수직선이 보이면 이것은 **병렬연결**을 의미한다. 산업체에서는 앞에서 설명한 Thevenin 저항의 식을 다음과 같이 쓰고 있다.

$$R_{TH} = 4 \text{ k}\Omega + (3 \text{ k}\Omega \parallel 6 \text{ k}\Omega) = 6 \text{ k}\Omega$$

대부분의 공학자와 기술자들은 두 수직선이 **병렬연결**(*in parallel with*)을 의미한다는 것을 알고 있다. 그러므로 이들은 자동적으로 3 kΩ과 6 kΩ을 곱하고 합으로 나누어서 등가저항을 구한다.

그림 1-10은 부하저항이 있는 Thevenin 회로이다. 간단한 이 회로와 그림 1-9a의 원회로를 비교해 보아라. 부하저항이 바뀔 때 부하전류 계산이 훨씬 쉬워진다는 것을 알 수 있을 것이다. 아래 연습 문제를 통해 이 점을 더 명확히 알 수 있을 것이다.

연습 문제 1-4 그림 1-9a에서 R_L의 값이 2 kΩ, 6 kΩ과 18 kΩ이다. Thevenin 정리를 이용하면 부하전류는 얼마인가?

만약 Thevenin 정리의 효능을 평가해 보고 싶으면 그림 1-9a의 원회로를 사용하거나 아니면 다른 방법으로 앞의 전류를 계산해 보아라.

그림 1-9 (a) 원회로; (b) Thevenin 전압을 구하기 위해 부하저항 개방; (c) Thevenin 저항을 구하기 위해 전원을 0으로 감소시킨다.

그림 1-10 그림 1–9a의 Thevenin 회로

응용 예제 1-5 ‖‖ **Multisim**

설계된 회로를 검증하기 위해 실험용 기판(Breadboard)에 회로를 조립한다. 구성품의 최종 배치는 고려하지 않고, 연결할 때 납을 사용하지 않는다. 그림 1-11a의 회로가 실험대 위의 실험용 기판에 조립되어 있다고 하자. Thevenin 전압과 저항을 어떻게 측정하는가?

풀이   먼저 그림 1-11b와 같이 부하저항대신 멀티미터를 연결하여라. 전압을 읽을 수 있도록 멀티미터를 조정하면 9 V를 지시할 것이다. 이것이 Thevenin 전압이다. 다음, 직류전원을 단락으로 바꾸어라(그림 1-11c). 저항을 읽을 수 있도록 멀티미터를 조정하면 1.5 kΩ을 지시할 것이다. 이것이 Thevenin 저항이다.

(a)

(b)

그림 1-11   (a) 실험대 위의 회로; (b) Thevenin 전압 측정; (c) Thevenin 저항 측정

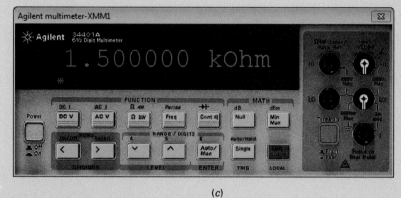

(c)

그림 1-11 (계속)

앞의 측정에서 전원에 의한 오차가 있는가? 그렇다. 전압을 측정할 때 멀티미터의 입력 임피던스를 주의해야 한다. 왜냐하면 이 입력 임피던스는 측정되는 단자 사이에 있으므로 멀티미터를 통해 미소전류가 흐르기 때문이다. 예를 들어 사용하는 멀티미터가 가동코일형이면 표준감도는 볼트당 20 kΩ이다. 전압계는 10-V 범위에서 200 kΩ의 입력저항을 갖는다. 이 때문에 회로의 부하가 약간 작아져서 부하전압이 9에서 8.93 V로 떨어진다.

지침으로서 전압계의 입력 임피던스는 Thevenin 저항보다 적어도 100배 이상 커야 한다. 그러면 부하성(loading) 오차는 1% 이하로 된다. 부하성 오차를 피하려면 가동코일형 멀티미터 대신 전계효과 트랜지스터(FET) 입력형 혹은 디지털 멀티미터(DMM)를 사용해야 한다. 이 계기들의 입력 임피던스는 최소 10 MΩ이므로 일반적으로 부하성 오차가 없어진다. 오실로스코프를 사용하여 측정할 때에도 부하성 오차는 발생한다. 이런 이유로 고임피던스(high-impedance) 회로에서 10× 프루브를 사용해야 한다.

1-6 Norton 정리

초급과정에서 배운 Norton 정리에 대한 개념을 다시 한 번 생각해 보자. 그림 1-12a에서 Norton 전류는 부하저항이 단락될 때 흐르는 부하전류로 정의된다. 이 때문에 **Norton 전류**(Norton current)를 가끔 단락회로 전류(*short-circuit current*)라 부른다. 정의에 따라

Norton 전류: $I_N = I_{SC}$ **(1-8)**

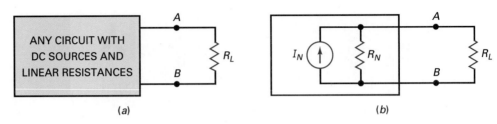

그림 1-12   (a) 검은 상자 안에 선형회로가 있다; (b) Norton 회로

이다. **Norton 저항**(Norton resistance)은 모든 전원을 0으로 감소시키고 부하저항을 개방할 때 부하양단에서 측정한 저항이다. 정의에 따라

$$\text{Norton 저항: } R_N = R_{OC} \tag{1-9}$$

이다. Thevenin 저항 역시 R_{OC}와 같기 때문에 다음과 같이 쓸 수 있다.

$$R_N = R_{TH} \tag{1-10}$$

이 유도는 Norton 저항이 Thevenin 저항과 같다는 것을 의미한다. Thevenin 저항이 10 kΩ으로 계산되면, Norton 저항도 10 kΩ이라는 것을 바로 알 수 있다.

기본개념

Norton 정리란 무엇인가? 그림 1-12a를 보아라. 검은 상자 안에 직류전원과 선형저항으로 구성된 어떤 회로가 들어있다. Norton은 그림 1-12a의 검은 상자 안의 회로에서 공급하는 부하전압과 그림 1-12b의 간단한 회로에서 공급하는 부하전압이 같다는 것을 증명하였다. 유도에 따르면 Norton의 정리는 다음과 같다.

$$V_L = I_N(R_N \parallel R_L) \tag{1-11}$$

말로 표현하면, 부하전압은 Norton 전류에 Norton 저항과 부하저항의 병렬 값을 곱한 것과 같다.

앞에서 Norton 저항과 Thevenin 저항이 같다고 하였다. 그러나 저항의 위치가 다르다는 것을 유의해야 한다. 즉 Thevenin 저항은 전압원과 직렬연결이고, Norton 저항은 전류원과 항상 병렬연결이다.

주: 만일 전자흐름을 이용한다면 다음 사항을 명심해야 한다. 산업체에서는 전류원 속의 화살표의 방향을 거의 대부분 관습적인 전류방향으로 표시한다. 예외가 있다면, 전류원을 실선 화살표 대신 점선 화살표로 나타낸다. 이 경우 전원은 점선 화살표 방향으로 전자를 보낸다.

유도

Norton의 정리는 쌍대성 원리(duality principle)에서 유도할 수 있다. 이것은 전기회로 해석에서 어떤 정리는 본래의 양을 쌍대량으로 바꾸면 쌍대(상반)정리가 될 수 있다는 것을 의미한다. 몇 가지 간단한 쌍대량은 다음과 같다.

참고 사항

Norton 정리는 Thevenin 정리와 같이 인덕터, 커패시터와 저항이 있는 교류회로에 적용될 수 있다. 교류회로에서 Norton 전류 I_N은 일반적으로 극좌표형의 복소수로 서술되고, 반면에 Norton 임피던스 Z_N은 일반적으로 직각좌표형의 복소수로 표현된다.

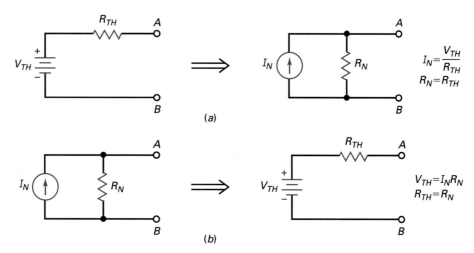

그림 1-13 쌍대성 원리: Thevenin 정리는 Norton 정리를 암시하고 그 역도 가능하다. (a) Thevenin을 Norton으로 변환; (b) Norton을 Thevenin으로 변환

전압 ⟷ 전류
전압원 ⟷ 전류원
직렬 ⟷ 병렬
직렬저항 ⟷ 병렬저항

그림 1-13은 Thevenin과 Norton 회로에 쌍대성 원리를 적용하고, 이를 요약한 것이다. 이것은 계산할 때 어느 회로를 이용해도 무방하다는 것을 의미한다. 뒤에서 알게 되겠지만, 두 등가회로를 많이 이용한다. 어떤 경우에는 Thevenin을 이용하는 것이 더 쉽고, 또 다른 경우에는 Norton을 이용하는 것이 더 쉽다. 이것은 주어진 문제에 따라 결정된다. 요점정리 표 1-2는 Thevenin 양과 Norton 양을 구하는 단계를 보인 것이다.

Thevenin과 Norton 회로 간의 관계

이미 우리는 Thevenin과 Norton 저항의 크기는 같고, 연결은 다르다는 사실을 알고 있다. 즉 Thevenin 저항은 전압원과 직렬연결이고, Norton 저항은 전류원과 병렬연결이다.

요점정리 표 1-2	Thevenin과 Norton 값	
과정	**Thevenin**	**Norton**
단계 1	부하저항을 개방한다.	부하저항을 단락한다.
단계 2	개방회로 전압 계산 혹은 측정, 이것이 Thevenin 전압이다.	단락회로 전류 계산 혹은 측정, 이것이 Norton 전류이다.
단계 3	전압원을 단락하고, 전류원을 개방한다.	전압원을 단락하고, 전류원을 개방하고 부하저항을 개방한다.
단계 4	개방회로 저항을 계산 혹은 측정한다. 이것이 Thevenin 저항이다.	개방회로 저항을 계산 혹은 측정한다. 이것이 Norton 저항이다.

여기서 다음과 같은 두 가지 관계를 더 유도할 수 있다. 그림 1-13a와 같이 Thevenin 회로를 Norton 회로로 변환할 수 있다. 증명은 간단하다. Thevenin 회로의 *AB* 단자를 단락하면 Norton 전류가 구해진다.

$$I_N = \frac{V_{TH}}{R_{TH}}$$

(1-12)

이 유도는 Norton 전류는 Thevenin 전압을 Thevenin 저항으로 나눈 것과 같다는 것을 의미한다.

마찬가지 방법으로 그림 1-13b와 같이 Norton 회로를 Thevenin 회로로 변환할 수 있다. 개방회로 전압은 다음과 같다.

$$V_{TH} = I_N R_N$$

(1-13)

이 유도는 Thevenin 전압이 Norton 전류와 Norton 저항의 곱과 같다는 것을 의미한다.

그림 1-13은 어떤 회로를 다른 회로로 변환하기 위한 방정식을 요약하였다.

예제 1-6

어떤 복잡한 회로가 그림 1-14a와 같은 Thevenin 회로로 간단화 되었다고 가정하자. 이 회로를 Norton 회로로 어떻게 변환하는가?

그림 1-14   Norton 전류계산

풀이   식 (1-12)를 사용하면

$$I_N = \frac{10\,V}{2\,k\Omega} = 5\,mA$$

그림 1-14c는 Norton 회로이다.

대부분의 공학자와 기술자들은 학교를 졸업하면 식 (1-12)는 곧바로 잊어버리지만 이러한 문제를 Ohm의 법칙으로 해결하는 방법은 항상 기억하고 있다. 이들이 하는 방법은 다음과 같다. 그림 1-14a를 보고 AB 단자를 단락시켜 그림 1-14b처럼 생각한다. 단락회로 전류는 Norton 전류와 같다.

$$I_N = \frac{10\,V}{2\,k\Omega} = 5\,mA$$

Thevenin 회로에 Ohm의 법칙을 적용하여 계산하였지만 계산결과는 같다. 그림 1-15는 이 개념을 요약한 것이다. 이렇게 기억해 두면 Thevenin 회로가 주어졌을 때, Norton 전류를 쉽게 계산할 수 있을 것이다.

그림 1-15　Norton 전류를 구하는데 도움이 되는 기억

연습 문제 1-6　만약 그림 1-14a에서 Thevenin 저항이 5 kΩ이면, Norton 전류 값은 얼마인가?

1-7 고장 점검

고장 점검(troubleshooting)이란 회로가 정상적으로 동작하지 않는 이유를 찾는 것을 말한다. 가장 일반적인 고장은 개방과 단락이다. 트랜지스터 같은 소자는 여러가지 방식으로 개방이나 단락이 될 수 있다. 최대 전력정격을 초과하여 트랜지스터가 파괴되기도 한다.

저항은 전력소모가 과대할 때 개방된다. 그러나 다음과 같이 저항이 간접적으로 단락되는 경우도 있다. 프린트된 회로기판을 납땜할 때 잘못되어 납이 튀어서 인접한 두 도선을 연결해 버리는 경우가 있는데 이를 **솔더 브리지**(solder bridge)라 부른다. 이 경우 두 도선 사이에 소자가 있으면 결과적으로 단락된다. 한편 납땜의 접촉이 불완전하여 연결이 전혀 안된 경우가 있는데, 이를 **콜드 솔더 조인트**(cold-solder joint)라 하며 이는 소자가 개방되었음을 의미한다.

개방이나 단락 이외의 현상도 있을 수 있다. 예를 들어 저항에 일시적으로 너무 많은 열을 가하면 저항 값이 영구적으로 몇 % 정도 변할 수 있다. 만약 그 저항 값이 중요하면 심한 열을 받은 후 회로는 정상적으로 동작하지 않을 수 있다.

그리고 고장 점검자는 악몽과 같은 상황도 경험한다. 즉 간헐적인 고장이다. 이런 종류의 고장은 나타났다가 없어졌다가 하기 때문에 찾아내기가 매우 어렵다. 접촉과 비접촉이 교대로 나타나는 콜드 솔더 조인트 혹은 헐렁한 케이블 접속기, 나타났다가 곧 사라지는 동작을 하는 어떤 유사한 고장들이 모두 이에 포함될 수 있다.

개방소자

개방소자(open device)에 대해서는 다음 두 가지 사실을 항상 기억하고 있어야 한다.

개방소자를 흐르는 전류는 0이다.
개방소자의 전압은 알 수 없다.

개방소자는 저항이 무한대이므로 첫 번째 문장은 맞다. 저항이 무한대이면 전류가 흐를 수 없다. 두 번째 문장은 Ohm의 법칙

$$V = IR = (0)(\infty)$$

때문에 맞다. 이 식에서 0에 무한대를 곱하면 수학적으로 부정이다. 이러한 경우 전압은 회로의 나머지 부분에서 구해야 된다.

단락소자

단락소자는 정반대 현상이다. 단락소자라면 다음 두 가지 사실을 항상 기억하고 있어야 한다.

> **단락소자 전압은 0이다.**
> **단락소자를 흐르는 전류는 알 수 없다.**

단락소자는 저항이 0이기 때문에 첫 번째 문장의 내용은 맞다. 저항이 0이면 전압은 있을 수 없다. 두 번째 문장은 Ohm의 법칙

$$I = \frac{V}{R} = \frac{0}{0}$$

때문에 입증된다. 0을 0으로 나누는 것은 수학적으로 아무런 뜻이 없다. 이러한 경우 전류는 회로의 나머지 부분에서 구해야 된다.

절차

일반적으로 접지를 기준으로 잡고 전압을 측정한다. 이 측정치와 전기에 관한 기초지식으로 고장을 추적해 간다. 가장 의심스러운 부품이 찾아지면 납땜을 떼거나 혹은 그 부품을 분리한다. 그리고 저항계 또는 다른 계기를 사용한다.

정상전압

그림 1-16에서 R_1과 R_2로 구성된 안정 전압 분배기가 직렬의 저항 R_3와 R_4를 구동한다. 이 회로의 고장 점검 전에 먼저 정상전압이 얼마인가를 알아야 한다. 그러므로 먼저 해야 할 일은 V_A와 V_B값을 구하는 것이다. 전자는 A와 접지 사이의 전압이고, 후자는 B와 접지 사이의 전압이다. R_1과 R_2는 R_3와 R_4에 비하여 대단히 작기 때문에(10 Ω 대 100 kΩ) A의 안정 전압은 대략 +6 V이다. 그리고 R_3와 R_4가 같기 때문에 B의 전압은 대략 +3 V이다. 이 회로에 고장이 없으면, A와 접지 사이에서 6 V, B와 접지 사이에서 3 V가 측정될 것이다. 이 두 전압이 표 1-3의 첫 번째 칸에 있다.

그림 1-16   고장 점검 설명에 이용된 전압 분배기와 부하

R_1 개방

R_1이 개방일 때 두 전압은 어떻게 될까? 개방된 R_1에는 전류가 흐를 수 없으므로 R_2에도 전류가 흐를 수 없다. Ohm의 법칙에 의해 R_2 양단전압은 0이다. 따라서 표 1-3에서 R_1이 개방일 때 $V_A = 0$과 $V_B = 0$이다.

R_2 개방

R_2가 개방일 때 두 전압은 어떻게 될까? 개방된 R_2에는 전류가 흐를 수 없으므로 A의 전압은 전원전압 쪽으로 상승한다. R_1은 R_3과 R_4에 비해 매우 작기 때문에 A의 전압은

요점정리 표 1-3	고장과 단서(clues)	
고장	V_A	V_B
회로 정상	6 V	3 V
R_1 개방	0	0
R_2 개방	12 V	6 V
R_3 개방	6 V	0
R_4 개방	6 V	6 V
C 개방	12 V	6 V
D 개방	6 V	6 V
R_1 단락	12 V	6 V
R_2 단락	0	0
R_3 단락	6 V	6 V
R_4 단락	6 V	0

대략 12 V가 된다. R_3와 R_4가 같기 때문에 B의 전압은 6 V가 된다. 그러므로 표 1-3에서 R_2가 개방일 때, V_A = 12 V와 V_B = 6 V이다.

나머지 고장

만약 접지 C가 개방이면 R_2에는 전류가 흐를 수 없다. 이것은 R_2가 개방인 경우와 같기 때문에 표 1-3에서 C가 개방일 때, V_A = 12 V와 V_B = 6 V이다.

　표 1-3의 나머지 값들을 모두 구하고, 주어진 고장에 따라 전압이 왜 이렇게 되는가를 확실하게 이해하여야 한다.

예제 1-7

그림 1-16에서 V_A = 0과 V_B = 0이 측정되었다. 어떤 고장인가?

풀이　표 1-3을 보면 두 가지 고장, 즉 R_1이 개방되었거나 R_2가 단락되었을 가능성이 있다. 두 고장 모두 A와 B에서 전압이 0이다. 고장을 확인하기 위해 R_1을 분리하여 측정한다. 만약 측정결과가 개방이면 고장을 찾은 것이고, 정상이면 R_2가 고장이다.

연습 문제 1-7　만약 그림 1-16에서 V_A = 12 V, V_B = 6 V이면, 어떤 고장이 있을 수 있는가?

요점 | Summary

1-1 세 종류의 수식

정의(definition)는 새로운 개념을 위해 고안된 수식이다. **법칙**(law)은 자연의 상관관계에 대한 수식이다. **유도**(derivation)는 수학적으로 정리하여 만든 수식이다.

1-2 근사해석

근사해석은 산업계에서 널리 쓰인다. 이상적인 근사해석은 고장 점검에 유용하고, 제2근사해석은 회로를 임시로 해석할 때 편리하다. 고차적인 근사해석은 컴퓨터를 이용한다.

1-3 전압원

이상적인 전압원은 내부저항이 없다. 전압원의 제2근사해석은 전원과 내부저항의 직렬연결이다. 안정 전압원은 내부저항이 부하저항의 ⅟₁₀₀ 이하인 전압원으로 정의된다.

1-4 전류원

이상적인 전류원은 내부저항이 무한대이다. 전류원의 제2근사해석은 전원과 대단히 큰 내부저항의 병렬연결이다. **안정 전류원**(stiff current source)은 내부저항이 부하저항보다 100배 이상 되는 전류원으로 정의된다.

1-5 Thevenin 정리

Thevenin 전압은 개방부하양단 전압으로 정의된다. **Thevenin 저항**은 모든 전원을 0으로 감소시키고, 개방부하에서 저항계로 측정한 저항으로 정의된다. Thevenin은 여러 개의 전원과 선형저항으로 구성된 어떤 회로의 부하 전류가 Thevenin 등가회로에서 흐르는 부하전류와 같다는 것을 증명하였다.

1-6 Norton 정리

Norton 저항은 Thevenin 저항과 같다. Norton 전류는 부하가 단락되었을 때 흐르는 부하전류와 같다. Norton은 여러 개의 전원과 선형저항으로 구성된 어떤 회로의 부하전압이 Norton 등가회로에서 발생한 부하전압과 같다는 것을 증명하였다. Norton 전류는 Thevenin 전압을 Thevenin 저항으로 나눈 것과 같다.

1-7 고장 점검

가장 많이 발생하는 고장은 단락, 개방 그리고 간헐적인 고장이다. 단락이 되면 그 양단전압은 항상 0이다. 단락으로 흐르는 전류는 회로의 나머지 부분을 조사해서 계산해야 된다. 개방이 되면 전류는 항상 0이다. 개방 양단전압은 회로의 나머지 부분을 조사해서 계산해야 된다. 간헐적인 고장은 단속적인 고장으로서 이것을 수리하려면 참을성이 있고, 논리적이어야 한다.

정의식 | Definitions

(1-1) 안정 전압원:

$$R_S < 0.01R_L$$

(1-3) 안정 전류원:

$$R_S > 100R_L$$

(1-5) Thevenin 전압:

$$V_{TH} = V_{OC}$$

(1-6) Thevenin 저항:

$$R_{TH} = R_{OC}$$

(1-8) Norton 전류:

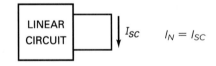

$$I_N = I_{SC}$$

(1-9) Norton 저항:

$$R_N = R_{OC}$$

유도식 | Derivations

(1-2) 안정 전압원:

$$R_{L(min)} = 100R_S$$

(1-4) 안정 전류원:

$$R_{L(max)} = 0.01R_S$$

(1-7) Thevenin 정리:

$$I_L = \frac{V_{TH}}{R_{TH} + R_L}$$

(1-10) Norton 저항:

$$R_N = R_{TH}$$

(1-11) Norton 정리:

$$V_L = I_N(R_N \parallel R_L)$$

(1-12) Norton 전류:

$$I_N = \frac{V_{TH}}{R_{TH}}$$

(1-13) Thevenin 전압:

$$V_{TH} = I_N R_N$$

복습 문제 | Self-Test

1. 이상적인 전압원은?
   a. 내부저항이 0이다.
   b. 내부저항이 무한대이다.
   c. 부하 종속 전압이다.
   d. 부하 종속 전류이다.

2. 실질적인 전압원은?
   a. 내부저항이 0이다.
   b. 내부저항이 무한대이다.
   c. 내부저항이 작다.
   d. 내부저항이 크다.

3. 부하저항이 100 Ω이면, 안정 전압원의 저항은 얼마인가?
   a. 1 Ω 이하
   b. 최소 10 Ω
   c. 10 kΩ 이상
   d. 10 kΩ 이하

4. 이상적인 전류원은?
   a. 내부저항이 0이다.
   b. 내부저항이 무한대이다.
   c. 부하 종속 전압이다.
   d. 부하 종속 전류이다.

5. 실질적인 전류원은?
   a. 내부저항이 0이다.
   b. 내부저항이 무한대이다.
   c. 내부저항이 작다.
   d. 내부저항이 크다.

6. 부하저항이 100 Ω이면, 안정 전류원의 저항은?
   a. 1 Ω 이하
   b. 10 Ω 이하
   c. 10 kΩ 이하
   d. 10 kΩ 이상

7. Thevenin 전압과 같은 것은?
   a. 단락 부하전압
   b. 개방 부하전압
   c. 이상적인 전원전압
   d. Norton 전압

8. Thevenin 저항은 _____의 크기와 같다.
   a. 부하저항
   b. 부하저항의 1/2
   c. Norton 회로의 내부저항
   d. 개방 부하저항

9. Thevenin 전압을 구하려면?
   a. 부하저항을 단락해야 한다.
   b. 부하저항을 개방해야 한다.
   c. 전압원을 단락해야 한다.
   d. 전압원을 개방해야 한다.

10. Norton 전류를 구하려면?
   a. 부하저항을 단락해야 한다.
   b. 부하저항을 개방해야 한다.
   c. 전압원을 단락해야 한다.
   d. 전류원을 개방해야 한다.

11. Norton 전류를 가끔 _____라 부른다.
   a. 단락 부하전류
   b. 개방 부하전류
   c. Thevenin 전류
   d. Thevenin 전압

12. Solder bridge는?
   a. 단락이 될 수 있다.
   b. 개방의 원인이 될 수 있다.
   c. 어떤 회로에 사용한다.
   d. 항상 고저항이다.

13. Cold-solder joint는?
   a. 항상 저저항이다.
   b. 훌륭한 납땜 기법이다.
   c. 일반적으로 개방된다.
   d. 단락회로의 원인이다.

14. 개방저항은?
   a. 무한대 전류가 흐른다.
   b. 전압이 0이다.
   c. 무한대 전압이 나타난다.
   d. 전류가 0이다.

15. 단락저항은?

    a. 무한대 전류가 흐른다.

    b. 전압이 0이다.

    c. 무한대 전압이 나타난다.

    d. 전류가 0이다.

16. 이상적인 전압원과 내부저항은 ____ 의 보기이다.

    a. 이상적인 근사해석

    b. 제2근사해석

    c. 고차근사해석

    d. 정밀 모형

17. 연결도선을 저항이 0인 도체로 취급하는 것은?

    a. 이상적인 근사해석

    b. 제2근사해석

    c. 고차근사해석

    d. 정밀 모형

18. 이상적인 전압원에서 나오는 전압은?

    a. 0이다.

    b. 일정하다.

    c. 부하저항 값에 따라 달라진다.

    d. 내부저항에 따라 달라진다.

19. 이상적인 전류원에서 나오는 전류는?

    a. 0이다.

    b. 일정하다.

    c. 부하저항 값에 따라 달라진다.

    d. 내부저항에 따라 달라진다.

20. Thevenin 정리는 부하에서 바라본 복잡한 회로를 ____으로 치환한다.

    a. 이싱진압원과 병렬저항

    b. 이상전류원과 병렬저항

    c. 이상전압원과 직렬저항

    d. 이상전류원과 직렬저항

21. Norton 정리는 부하에서 바라본 복잡한 회로를 ____으로 치환한다.

    a. 이상전압원과 병렬저항

    b. 이상전류원과 병렬저항

    c. 이상전압원과 직렬저항

    d. 이상전류원과 직렬저항

22. 소자가 단락되는 경우는?

    a. clod-solder joint

    b. solder bridge

    c. 소자분리

    d. 소자개방

23. 유도는 _____

    a. 발견이다.

    b. 발명이다.

    c. 수학에 의해 만들어진다.

    d. 항상 정리라 부른다.

기본 문제 | Problems

1-3 전압원

1-1 전압원이 12 V의 이상전압과 0.1 Ω의 내부저항으로 이루어져 있다고 가정한다. 전압원이 안정하려면 부하저항 값은 얼마인가?

1-2 부하저항이 270 Ω에서 100 kΩ까지 가변되는 동안 안정 전압원을 유지하기 위한 전원의 최대 내부저항은 얼마인가?

1-3 함수 발생기의 내부출력저항이 50 Ω이다. 발생기가 안정이 되기 위한 부하저항 값은 얼마인가?

1-4 자동차 전지의 내부저항이 0.04 Ω이다. 자동차 전지가 안정이 되기 위한 부하저항 값은 얼마인가?

1-5 전압원의 내부저항이 0.05 Ω이다. 흐르는 전류가 2 A일 때, 내부저항에서 강하하는 전압은 얼마인가?

1-6 그림 1-17에서 이상전압이 9 V, 내부저항이 0.4 Ω이다. 만약 부하저항이 0이라면 부하전류는 얼마인가?

1-4 전류원

1-7 전류원이 10 mA의 이상전류와 10 MΩ의 내부저항으로 구성되어 있다고 가정한다. 전류원이 안정하려면 부하저항 값은 얼마인가?

1-8 부하저항이 270 Ω에서 100 kΩ까지 가변되는 동안 이 부하저항을 안정 전류원으로 구동한다고 가정하면 전원의 내부저항은 얼마가 되어야 하는가?

그림 1-17　　　　　　**그림 1-18**

1-9 내부저항이 100 kΩ인 전류원이 있다. 전류원이 안정하려면 최대 부하저항은 얼마인가?

1-10 그림 1-18에서 이상전류가 20 mA이고, 내부저항이 200 kΩ이다. 만약 부하저항이 0이면 부하전류는 얼마인가?

1-11 그림 1-18에서 이상전류가 5 mA이고, 내부저항이 250 kΩ이다. 만약 부하저항이 10 kΩ이면 부하전류는? 이것은 안정 전류원인가?

1-5 Thevenin 정리

1-12 그림 1-19에서 Thevenin 전압은 얼마인가? Thevenin 저항은?

1-13 그림 1-19에서 부하저항이 0.1 kΩ, 2 kΩ, 3 kΩ, 4 kΩ, 5 kΩ과 6 kΩ인 경우, Thevenin 정리로 부하전류를 각각 계산하여라.

1-14 그림 1-19의 전압원이 18 V로 감소된다. Thevenin 전압과 Thevenin 저항은 어떻게 되는가?

그림 1-19

1-15 그림 1-19의 모든 저항이 2배가 되면 Thevenin 전압과 Thevenin 저항은 어떻게 되는가?

1-6 Norton 정리

1-16 어떤 회로의 Thevenin 전압이 12 V 그리고 Thevenin 저항이 3 kΩ이다. Norton 회로는 어떻게 되는가?

1-17 Norton 전류가 10 mA이고, Norton 저항이 10 kΩ인 회로가 있다. Thevenin 회로는 어떻게 되는가?

1-18 그림 1-19에 대한 Norton 회로를 구하여라.

1-7 고장 점검

1-19 그림 1-19에서 부하전압이 36 V이면, R_1은 어떤 고장인가?

1-20 그림 1-19에서 부하전압이 0이고, 전지와 부하저항은 모두 정상이다. 있을 수 있는 두 개의 고장은 각각 무엇인가?

1-21 만약 그림 1-19에서 부하전압이 0이고 모든 저항이 정상이라면, 어느 부분이 고장인가?

1-22 그림 1-19에서 R_L을 전압계로 바꾸고 R_2양단 전압을 측정한다. 계기의 부하성(loading)을 방지하려면 전압계의 입력저항은 얼마가 되어야 하는가?

응용 문제 | Critical Thinking

1-23 전압원의 부하단자를 잠시 동안 단락한다고 가정하자. 만약 이상전압이 12 V이고 단락 부하전류가 150 A이면, 전원의 내부저항은 얼마인가?

1-24 그림 1-17에서 이상전압이 10 V이고 부하저항이 75 Ω이다. 만약 부하전압이 9 V이면, 내부저항은 얼마인가? 전압원은 안정한가?

1-25 노출된 부하단자에 2-kΩ의 저항이 연결된 검은 상자 하나를 어떤 사람으로부터 받았다. Thevenin 전압을 어떻게 측정하는가?

1-26 문제 1-25의 검은 상자에는 내부 전압원과 전류원을 모두 0으로 줄일 수 있는 노브(knob)가 달려있다. Thevenin 저항을 어떻게 측정하는가?

1-27 문제 1-13을 풀어 보아라. 그리고 이 문제를 Thevenin 정리를 적용하지 말고 풀어 보아라. 풀이가 끝나면 Thevenin 정리에 대해 공부한 것을 말해 보아라.

1-28 실험실에서 그림 1-20과 같은 회로를 점검하고 있다. 누군가가 부하저항을 구동하는 Thevenin 회로를 구해보라고 하였다. Thevenin 전압과 Thevenin 저항을 측정하기 위한 실험상의 절차를 설명하여라.

1-29 전지와 저항을 사용하여 가상적인 전류원을 설계하여라. 전류원은 다음 명세조건을 만족하여야 한다. 즉 전류원은 0과 1 kΩ 사이의 부하저항에서 1 mA의 안정전류를 공급하여야 한다.

1-30 다음 명세서 조건을 만족하는 전압 분배기(그림 1-19와 비슷하다)를 설계하여라. 즉 이상적인 전원전압이 30 V, 개방 부하전압이 15 V 그리고 Thevenin 저항이 2 kΩ과 같거나 혹은 이 값보다 작다.

1-31 그림 1-19와 같은 전압 분배기를 설계하여라. 그런데 이 전압 분배기는 모든 부하저항이 1 MΩ 이상이면 10 V의 안정전압을 공급한다. 이상전압은 30 V를 사용하여라.

그림 1-20

1-32 어떤 사람으로부터 D셀 회중전등 전지와 디지털 멀티미터(DMM)를 받았다. 이것 이외는 아무것도 없다. 회중전등 전지의 Thevenin 등가회로를 구하기 위한 실험적인 방법을 설명하여라.

1-33 D셀 회중전등 전지와 DMM, 그리고 여러 개의 저항이 들어있는 상자 하나가 있다. 그 저항 중 한 개를 사용하여 전지의 Thevenin 저항을 구하는 방법을 설명하여라.

1-34 그림 1-21에서 부하저항이 0, 1 kΩ, 2 kΩ, 3 kΩ, 4 kΩ, 5 kΩ과 6 kΩ일 때 부하전류를 각각 계산하여라.

그림 1-21

고장 점검 | Troubleshooting

1-35 그림 1-22와 이에 관한 고장 점검표를 이용하여 상태 1에서 8까지의 회로 고장을 찾아보아라. 고장들은 저항 중 1개가 개방, 저항 중 1개가 단락, 접지 개방 혹은 전원전압이 공급되지 않는 경우이다.

그림 1-22 고장 점검

상태	V_A	V_B	V_E	상태	V_A	V_B	V_E
정상	4 V	2 V	12 V	고장 5	6 V	3 V	12 V
고장 1	12 V	6 V	12 V	고장 6	6 V	6 V	12 V
고장 2	0 V	0 V	12 V	고장 7	0 V	0 V	0 V
고장 3	6 V	0 V	12 V	고장 8	3 V	0 V	12 V
고장 4	3 V	3 V	12 V				

Multisim 고장 점검 문제 | Multisim Troubleshooting Problems

멀티심 고장 점검 파일들은 *Connect for Electronic Principles* 저자 자료에 멀티심 고장 점검 회로(MTC)라는 폴더에서 찾을 수 있다. 좀 더 자세한 내용은 xiv페이지를 참조하라. 이 장에 관련된 파일은 MTC01-36~MTC01-40로 명칭되어 있고 모두 그림 1-22의 회로를 바탕으로 한다.

각 파일을 열고 고장 점검을 실시한다. 결함이 있는지 결정하기 위해 측정을 실시하고 결함이 있다면 무엇인지를 찾아라.

1-36 MTC01-36 파일을 열고 고장 점검을 실시하라.

1-37 MTC01-37 파일을 열고 고장 점검을 실시하라.

1-38 MTC01-38 파일을 열고 고장 점검을 실시하라.

1-39 MTC01-39 파일을 열고 고장 점검을 실시하라.

1-40 MTC01-40 파일을 열고 고장 점검을 실시하라.

직무 면접 문제 | Job Interview Questions

면접관은 여러분의 학식이 얕건 혹은 전자공학을 많이 이해하고 있건 상관하지 않고 빨리 질문한다. 면접관은 항상 조리있고 명쾌하게 질문하지 않는다. 그들은 질문에 어떻게 대처하는지 알아보기 위해 데이터를 가끔 빠뜨리기도 한다. 여러분이 직업을 얻기 위해 면접을 할 때 면접관이 다음과 같은 질문을 할지도 모른다.

1. 전압원과 전류원의 차이점은 무엇인가?

2. 부하전류를 계산할 때 전원저항은 언제 포함시키는가?

3. 만일 소자가 전류원의 모형이면 부하저항을 어떻게 설명할 것인가?

4. 안정전원이란 무슨 의미인가?

5. 실험대에 놓인 실험용 기판에 회로가 꾸며져 있다. Thevenin 전압과 Thevenin 저항을 구하는 측정법을 설명해 보아라.

6. 50 Ω 전압원이 600 Ω 전압원에 비해 좋은 점은 무엇인가?

7. Thevenin 저항과 자동차 전지의 "cold cranking amperes"는 어떤 관계가 있는가?

8. 어떤 사람이 말하기를 전압원이 과부하라고 한다. 이 말의 뜻이 무엇인가?

9. 기사들이 고장 점검 절차를 수행할 때 초기에 주로 사용하는 근사해석은 어떤 것인가?

10. 전자시스템을 고장 점검할 때, 도면상 10 V로 표시된 검사지 점에서 9.5 V의 직류전압이 측정되었다면, 이 측정치로 무엇을 추측할 수 있는가? 그 이유는?

11. Thevenin 혹은 Norton 회로를 사용하는 이유는 무엇인가?

12. 실험실에서 테스트 할 때 Thevenin과 Norton 정리는 얼마나 유용한가?

복습 문제 해답 | Self-Test Answers

1.	a	**7.**	b	**13.**	c	**19.**	b
2.	c	**8.**	c	**14.**	d	**20.**	c
3.	a	**9.**	b	**15.**	b	**21.**	b
4.	b	**10.**	a	**16.**	b	**22.**	b
5.	d	**11.**	a	**17.**	a	**23.**	c
6.	d	**12.**	a	**18.**	b		

연습 문제 해답 | Practice Problem Answers

1-1 $60 \text{ k}\Omega$

1-2 $V_L = 20 \text{ V}$

1-4 $R_L = 2 \text{ k}\Omega$ 일 때 3 mA;
$R_L = 6 \text{ k}\Omega$ 일 때 2 mA;
$R_L = 18 \text{ k}\Omega$ 일 때 1 mA

1-6 $I_N = 2 \text{ mA}$

1-7 R_2 개방, C 개방이거나 혹은 R_1 단락

2

반도체
Semiconductors

다이오드나 트랜지스터 그리고 집적회로의 동작을 이해하려면 먼저 반도체, 즉 도체도 아니면서 절연체도 아닌 재료를 공부해야 한다. 반도체는 약간의 자유전자를 가지고 있다. 그러나 정공 때문에 자유전자는 보통 때와 다른 동작을 한다. 이 장에서는 반도체, 정공 그리고 이와 관련이 있는 여러 논제들을 배우게 될 것이다.

학습목표 | Objectives

이 단원을 공부하고 나면

- 원자 수준에서 양도체와 반도체의 특징을 알아 볼 수 있어야 한다.
- 실리콘 결정 구조를 설명할 수 있어야 한다.
- 두 유형의 캐리어를 열거하고, 다수캐리어를 형성하고 있는 불순물 유형을 각각 거명할 수 있어야 한다.
- 바이어스 되지 않은 다이오드, 순방향 바이어스 된 다이오드 그리고 역방향 바이어스된 다이오드의 pn 접합에 대해 설명할 수 있어야 한다.
- 다이오드에 가해지는 과잉 역방향 전압에 의해 생기는 항복전류의 유형을 설명할 수 있어야 한다.

주요용어 | Vocabulary

n형 반도체 (n-type semiconductor)

pn 접합(pn junction)

p형 반도체 (p-type semiconductor)

공유결합(covalent bond)

공핍층(depletion layer)

다수캐리어(majority carriers)

다이오드(diode)

도핑(doping)

반도체(semiconductor)

소수캐리어(minority carriers)

순방향 바이어스(forward bias)

실리콘(silicon)

애벌랜치 혹은 전자사태 효과 (avalanche effect)

역방향 바이어스(reverse bias)

열에너지(thermal energy)

외인성 반도체 (extrinsic semiconductor)

자유전자(free electron)

재결합(recombination)

전도대역(conduction band)

전위장벽(barrier potential)

접합 온도(junction temperature)

접합다이오드(junction diode)

정공(hole)

주위온도(ambient temperature)

진성 반도체 (intrinsic semiconductor)

포화전류(saturation current)

표면누설전류 (surface-leakage current)

항복전압(breakdown voltage)

2-1 도체

구리는 양도체이다. 그 이유는 구리의 원자구조를 보면 명백해진다(그림 2-1). 원자의 핵은 29개의 양자(양전하)를 가지고 있다. 구리원자는 중성 전하일 때, 29개의 전자(음전하)가 마치 태양 주위의 행성처럼 핵 주위를 돈다. 전자는 정해진 궤도(*orbits*(각(*shells*)이라고도 함))를 따라 움직인다. 첫 번째 궤도에 2개, 두 번째에 8개, 세 번째에 18개, 그리고 외부 궤도에 1개의 전자가 있다.

안정궤도

그림 2-1에서 양의 핵은 선회하는 전자들을 끌어당긴다. 이 전자들이 핵 쪽으로 끌려 들어가지 않는 이유는 원운동으로 나타나는 원심(외향)력 때문이다. 이 원심력과 핵이 당기는 인력이 정확하게 같기 때문에 궤도는 안정하다. 지구 주위에서 궤도를 따라 돌고 있는 인공위성도 마찬가지 개념이다. 속도와 높이가 정확하면 인공위성은 지구 위의 안정궤도에 계속 머물 수 있다.

　　전자의 궤도가 클수록 핵의 인력은 감소한다. 궤도가 크면 전자가 더 느리게 움직이고, 원심력도 줄어든다. 그림 2-1에서 외부 궤도의 전자는 매우 느리게 움직이고, 이 전자는 핵의 인력을 거의 느끼지 못한다.

핵심

전자공학에서 물질의 본성은 가전자 궤도(*valance orbit*)라 불리는 외부 궤도에 있다. 이 궤도가 원자의 전기적 성질을 조절한다. 가전자 궤도의 중요성을 강조하기 위하여, 핵과 모든 내부 궤도를 원자의 핵심(core)이라 정의한다. 구리원자인 경우, 핵심은 핵(+29)과 세 번째까지의 궤도(−28)이다.

　　구리 원자의 핵심은 29개의 양자와 28개의 내부 전자로 형성되어있기 때문에 순전하는 +1이다. 그림 2-2는 핵심과 가전자 궤도를 가시화한 것이다. 가전자는 단지 +1의 순전하를 가진 핵심 주위의 큰 궤도에 있으므로 가전자가 느끼는 내향 인력은 미약하다.

그림 2-1 구리 원자

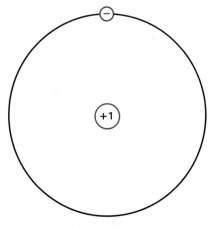

그림 2-2 구리 원자의 핵심 도형

자유전자

핵심과 가전자 사이의 인력이 매우 약하기 때문에, 외부에서 어떤 힘이 작용하면 가전자는 구리 원자에서 쉽게 이탈할 수 있다. 이 때문에 가전자를 **자유전자**(free electron)라 부른다. 물론 이 때문에 구리가 양도체이다. 매우 낮은 전압도 자유전자를 한 원자에서 인접원자로 흐르게 할 수 있는 원인이 된다. 가장 좋은 도체는 은, 구리와 금이고, 이것들은 모두 그림 2-2와 같은 핵심도형을 갖는다.

예제 2-1

외부의 힘에 의해 그림 2-2의 가전자가 구리 원자로부터 떨어져 나간다고 가정하자. 구리 원자의 순전하는 얼마인가? 만약 한 개의 전자가 외부에서 그림 2-2의 가전자 궤도로 들어오면 순전하는 얼마인가?

풀이 가전자가 떨어져 나가면 원자의 순전하는 +1이 된다. 원자가 가지고 있는 전자 중에서 1개를 잃으면 양으로 대전된다. 양으로 대전된 원자를 **양이온**(*positive ion*)이라 부른다.

외부에서 전자가 그림 2-2의 가전자 궤도로 들어오면 원자의 순전하는 −1이 된다. 원자가 가전자 궤도에 여분의 전하를 가질 때, 음으로 대전된 원자를 **음이온**(*negative ion*)이라 부른다.

2-2 반도체

가장 좋은 도체(은, 구리와 금)는 1개의 가전자를 가지며, 반대로 가장 좋은 절연체는 8개의 가전자를 갖는다. **반도체**(semiconductor)는 도체와 절연체 사이의 전기적 성질을 가진 원소이다. 예상이 되겠지만, 가장 좋은 반도체는 4개의 가전자를 갖는다.

게르마늄

게르마늄은 반도체의 일종으로 가전자 궤도에 4개의 전자가 있다. 옛날에는 게르마늄이 반도체 소자에 적합한 유일한 재료였다. 그런데 게르마늄 소자는 기술자들이 해결할 수 없는 중대한 결함(과잉 역전류, 다음 장에서 설명된다)이 있다. 결국 **실리콘**(silicon)이라 불리는 다른 반도체가 실용화되면서 게르마늄은 대부분의 전자응용에서 사라지게 되었다.

실리콘

실리콘은 지구상에서 산소 다음으로 가장 풍족한 원소이다. 그러나 반도체를 개발하던 초기에는 정제상의 문제 때문에 실리콘을 사용하지 않았다. 이 문제가 해결되자마자 실리콘은 여러 가지 장점(뒤에서 설명한다)때문에 즉시 반도체로 선정되었다. 실리콘이

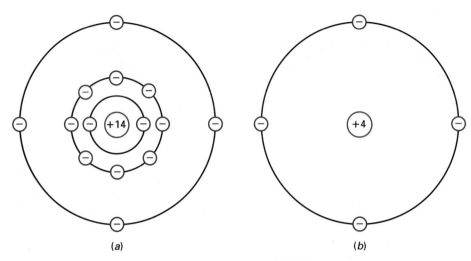

그림 2-3   (a) 실리콘 원자; (b) 핵심 도형

참고 사항
많이 쓰이는 다른 반도체 원소는 탄소 (C)이며, 이것은 주로 저항을 만드는 데에 사용된다.

없었다면 현대의 전자공학, 통신과 컴퓨터는 불가능하였을 것이다.

하나의 실리콘 원자는 14개의 양자와 14개의 전자를 가지고 있다. 그림 2-3a와 같이 첫 번째 궤도에 2개의 전자, 그리고 두 번째 궤도에 8개의 전자가 있으며, 나머지 4개의 전자는 가전자 궤도에 있다. 그림 2-3a에서 핵 안에는 14개의 양자가 있고, 두 번째 궤도까지 모두 10개의 전자가 있으므로 이 핵심의 순전하는 +4이다.

그림 2-3b는 실리콘 원자의 핵심 도형이다. 가전자가 4개이므로 실리콘이 반도체임을 알 수 있다.

예제 2-2

그림 2-3b에서, 실리콘 원자가 가전자 한 개를 잃어버리면 순전하는 얼마인가? 만약 가전자 궤도에 여분의 전자를 얻으면 어떻게 되는가?

풀이   만일 전자 한 개를 잃어버리면 +1의 전하를 가진 양이온이 되고, 여분의 전자 한 개를 얻으면 −1의 전하를 가진 음이온이 된다.

2-3 실리콘 결정

실리콘 원자가 고체를 형성하기 위해 결합할 때 원자들은 스스로 **결정**(*crystal*)이라 불리는 규칙적인 패턴으로 정렬한다. 각 실리콘 원자는 인접한 4개의 원자와 전자를 공유하여 가전자 궤도에 8개의 전자를 가진 것처럼 보인다. 예로서 그림 2-4a는 중앙 원자와 4개의 인접 원자를 나타낸 것이다. 색이 칠해져 있는 원은 실리콘의 핵심이다. 중앙 원자의 가전자 궤도에는 본래 4개의 전자가 있었지만, 지금은 8개의 전자를 가졌다.

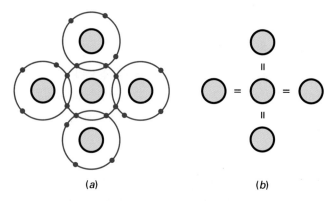

그림 2-4 (a) 원자는 결정에서 4개의 인접원자를 갖는다; (b) 공유결합

공유결합

각 인접 원자는 중앙 원자와 전자를 한 개씩 공유하므로 마치 중앙 원자는 4개의 전자를 더 가진 것처럼 보인다. 따라서 가전자 궤도에는 모두 8개의 전자가 존재한다. 이 전자들은 어느 한 원자의 소유가 아니며 중앙 원자와 그 인접 원자들의 공유물이다. 이러한 개념은 다른 모든 실리콘 원자에도 적용된다. 다른 말로 표현하면, 실리콘 결정 안의 모든 원자는 4개의 인접 원자를 갖는다.

그림 2-4a에서 각 핵심은 +4의 전하를 가지고 있다. 중앙 핵심과 우측 핵심을 살펴보자. 두 핵심은 그 사이에 놓여 있는 두 개의 전자를 같은 크기의 힘으로 서로 반대 방향으로 끌어당긴다. 실리콘 원자를 결합시키는 힘은 반대 방향으로 작용하는 이 인력이다. 이것은 마치 줄다리기하는 팀이 줄을 잡아당기는 것과 같은 이치이다. 서로 반대 방향으로 잡아당기는 두 팀의 힘이 같을 때 결합이 유지된다.

그림 2-4a에서 공유전자는 각각 반대 방향으로 힘을 받기 때문에 전자가 두 핵심을 결합시킨다. 이러한 형태의 화학적 결합을 **공유결합**(covalent bond)이라 한다. 그림 2-4b는 공유결합의 개념을 더욱 간략하게 표현한 것이다. 실리콘 결정에는 각각 8개의 가전자를 가진 수많은 실리콘 원자들이 있다. 이 가전자들이 공유결합으로 결정을 유지하여 단단하게 한다.

원자가 포화

실리콘 결정에서 각 원자는 가전자 궤도에 8개의 전자를 가지고 있다. 이 8개의 전자가 화학적 안정 상태를 만들어 결과적으로 단단한 실리콘 재료가 형성된다. 모든 원소는 외부 궤도에 8개의 전자를 가지려 하는데, 그 이유를 아는 사람은 아무도 없다. 어떤 원소의 전자가 최초에 8개가 안되면 이 원소는 외부 궤도에 8개의 전자를 가지기 위해 다른 원자와 결합하여 전자를 공유하려고 한다.

물리학을 보면 여러 재료에서 8개의 전자가 화학적 안정 상태를 형성하는 이유를 부분적으로 설명한 고급 수식이 있다. 그러나 8이라는 숫자가 그러한 특수성을 왜 나타내는지 아는 사람은 아무도 없다. 이것은 중력의 법칙, Coulomb의 법칙, 그리고 관찰은 되지만 완전하게 설명이 안되는 여러 법칙들 중의 하나에 해당된다.

가전자 궤도에 8개의 전자가 있으면, 이 궤도에는 전자가 더 들어갈 수 없으므로

포화된다(*saturated*). 법칙으로 표현하면

$$\text{원자가 포화: } n = 8 \qquad\qquad (2\text{-}1)$$

말로 표현하면, 가전자 궤도는 8개 이상의 전자를 보유할 수 없다. 더욱이 원자들이 8개의 가전자를 단단히 붙들고 있기 때문에 이 가전자들을 속박전자(*bound electron*)라 부른다. 이러한 속박전자 때문에 실리콘 결정은 실온, 대략 25℃에서 거의 완벽한 절연체이다.

정공

주위온도(ambient temperature)는 에워싸고 있는 공기의 온도를 말한다. 주위온도가 절대 0(−273℃) 이상이면, 이 공기의 열에너지에 의해 실리콘 결정에 있는 원자들이 진동한다. 주위온도가 높을수록 기계적인 진동은 더욱 강해진다. 우리가 따뜻한 물건을 집어 올릴 때 진동하는 원자의 영향으로 따뜻함을 느낀다.

실리콘 결정에서 원자의 진동 때문에 전자가 가전자 궤도를 이탈하는 경우가 가끔 있다. 이런 일이 일어나면 방출된 전자는 충분한 에너지를 얻어 그림 2-5*a*에 보인 바와 같이 더 큰 궤도로 이동한다. 이 큰 궤도에서 전자는 자유전자로 된다.

그러나 이것으로 끝나는 것이 아니다. 전자가 떠나면 가전자 궤도에 빈자리가 생기는데 이것을 **정공**(hole)이라 한다(그림 2-5*a*를 보아라). 이 정공은 전하를 잃고 양이온이 되었기 때문에 양전하처럼 행동한다. 그러므로 정공은 바로 옆에 있는 전자를 끌어당겨 포획할 것이다. 도체와 반도체의 중요한 차이점은 정공의 유무이다. 반도체는 정공 때문에 도체가 할 수 없는 많은 것들을 할 수 있다.

실온에서 열에너지에 의해 생성되는 정공과 자유전자는 극소수이다. 정공과 자유전자의 수를 증가시키려면 결정을 도핑해야 한다(*dope*). 더 상세한 것은 다음 절에서 설명한다.

재결합과 수명

순수 실리콘 결정인 경우 **열에너지**(thermal (heat) energy)에 의해 생성되는 자유전자와 정공의 수는 동일하다. 자유전자는 결정에서 불규칙적으로 이리저리 계속 이동한다. 자유전자는 가끔 정공과 가까워질 수 있고, 그러면 끌려서 정공 안으로 떨어진다. **재결합**(recombination)은 한 개의 자유전자와 한 개의 정공이 합병하는 것이다(그림 2-5*b*를 보아라).

자유전자가 생성되어 소멸되기까지 걸리는 시간을 **수명**(*lifetime*)이라 한다. 수명은 결정의 견고함과 기타 요인에 따라 수 나노초(nanosecond)에서 수 마이크로초(microsecond)까지 다양하다.

중요한 개념

매 순간 실리콘 결정 내부에서 다음의 일들이 일어난다.

1. 열에너지에 의해 약간의 자유전자와 정공이 생성된다.
2. 다른 한편에서는 자유전자와 정공이 재결합한다.
3. 어떤 자유전자와 정공은 일시적으로 존속하면서 재결합을 기다린다.

(a)

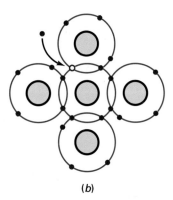

(b)

그림 2-5 (a) 열에너지가 전자와 정공을 생성한다; (b) 자유전자와 정공의 재결합

예제 2-3

만약 순수 실리콘 결정의 자유전자가 백만 개이면 정공은 몇 개인가? 만약 주위온도가
상승하면 자유전자와 정공 개수는 어떻게 되는가?

풀이   그림 2-5*a*를 보아라. 열에너지에 의해 자유전자가 생성되면 동시에 정공도 자동
적으로 생성되므로, 순수 실리콘 결정에서 정공 수와 자유전자 수는 항상 동일하다. 만
약 자유전자가 백만 개이면 정공도 백만 개이다.

　　온도가 상승하면 원자 수준에서 진동도 증가한다. 이것은 자유전자와 정공이 더
많이 생성된다는 것을 의미한다. 그러나 온도가 어떻게 되더라도 순수 실리콘 결정의 자
유전자와 정공의 수는 항상 동일하다.

2-4　진성 반도체

진성 반도체(intrinsic semiconductor)는 순수 반도체를 의미한다. 만약 결정을 이루는 원
자가 모든 실리콘 원자이면 실리콘 결정은 순수 반도체이다. 실온에서 실리콘 결정은 열에
너지에 의해 생성되는 자유전자와 정공이 극소수이기 때문에 거의 절연체처럼 동작한다.

자유전자의 흐름

그림 2-6은 대전된 금속판 사이에 놓여 있는 실리콘 결정의 일부분이다. 열에너지에 의
해 자유전자와 정공이 각각 한 개씩 생성되었다고 가정하자. 자유전자는 결정의 우측
끝부분의 큰 궤도에 있다. 극판이 음으로 대전되어 있으므로 자유전자는 좌측으로 힘
을 받는다. 이 자유전자는 양의 극판에 도달할 때까지 현재의 큰 궤도에서 다음의 큰 궤
도로 움직일 수 있다.

정공의 흐름

그림 2-6의 좌측에 있는 정공을 주시해 보자. 이 정공이 점 *A*에 있는 가전자를 끌어당

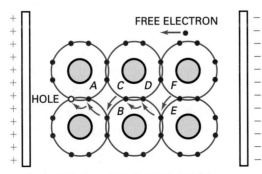

그림 2-6   반도체에서 정공의 흐름

긴다. 이로 인해 가전자가 정공 안으로 들어온다.

점 *A*에 있는 가전자가 좌측으로 이동하고 나면 점 *A*에는 새로운 정공이 생긴다. 이것은 마치 원래의 정공이 우측으로 이동한 것처럼 보인다. 점 *A*에 있는 새로운 정공은 또 다른 가전자를 끌어당겨 포획할 수 있다. 이와 같은 방법으로 가전자는 화살표로 표시된 경로를 따라 움직일 수 있다. 이것은 정공이 *A-B-C-D-E-F*의 경로에서 반대 방향으로 이동할 수 있고, 따라서 양전하처럼 행동한다는 것을 의미한다.

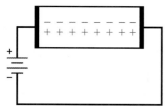

그림 2-7   진성 반도체는 자유전자와 정공의 수가 같다.

2-5 두 유형의 흐름

그림 2-7은 진성 반도체를 나타낸 것으로서 자유전자와 정공의 수가 같다. 이것은 **열에너지에 의해 자유전자와 정공이 쌍으로 생성되기 때문이다.** 인가 전압때문에 자유전자는 왼쪽으로, 그리고 정공은 오른쪽으로 이동할 것이다. 자유전자가 결정의 왼쪽 끝에 도달하면 외부 도선으로 들어가서 전지의 양의 단자까지 이동한다.

한편 전지의 음의 단자에 있는 자유전자는 결정의 오른쪽 끝까지 이동할 것이다. 여기서 자유전자는 결정 안으로 들어가서 결정의 오른쪽 끝에 도달해 있는 정공과 재결합한다. 이와 같은 방법으로 반도체 안에서 자유전자와 정공의 정상적인 흐름이 형성된다. 정공은 반도체 밖으로 나가지 않는다는 것을 주의하여라.

그림 2-7에서 **자유전자와 정공은 반대 방향으로 이동한다.** 지금부터 반도체에 흐르는 전류를 두 유형의 흐름, 즉 어느 한 방향의 자유전자 흐름과 그 반대 방향의 정공 흐름의 영향이 결합된 것으로 나타낼 것이다. 자유전자와 정공은 한 장소에서 다른 장소로 전하를 운반하기 때문에 이들을 가끔 캐리어(*carrier*)라 부른다.

● FREE ELECTRON

(*a*)

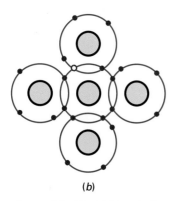

(*b*)

그림 2-8   (a) 자유전자를 많게 하는 도핑; (b) 정공을 많게 하는 도핑

2-6 반도체의 도핑

반도체의 도전율을 증가시키기 위한 하나의 방법으로 **도핑**(doping)이 있다. 이것은 전기적 도전율을 변화시키기 위해 진성 결정에 불순물 원자를 첨가시키는 것을 의미한다. 도핑된 반도체를 **외인성 반도체**(extrinsic semiconductor)라 부른다.

자유전자의 증가

실리콘 결정을 어떻게 도핑하는가? 첫 단계로 먼저 순수 실리콘 결정을 녹인다. 그러면 공유결합이 깨어져서 실리콘은 고체에서 액체로 변한다. 자유전자의 수를 증가시키기 위해 녹은 실리콘에 5가 원자(*pentavalent atoms*)를 첨가한다. 5가 원자는 가전자 궤도에 5개의 전자를 가지고 있다. 비소, 안티몬 및 인 등이다. 이 재료들은 실리콘 결정에 여분의 전자를 제공하기 때문에 종종 도너 불순물(*donor impurities*)이라 한다.

그림 2-8*a*는 도핑된 실리콘 결정이 식어서 고체 결정 구조로 재형성된 것을 나타낸 것이다. 중앙의 5가 원자는 4개의 실리콘원자에 에워싸여 있다. 앞에서와 마찬가지로 인접원자들은 중앙의 원자와 전자 한 개씩을 공유한다. 이때 전자 한 개가 여분으

로 남는다. 5가 원자에는 5개의 가전자가 있다는 사실을 기억할 것이다. 가전자 궤도에는 오직 8개의 전자만 채워질 수 있으므로 여분의 전자는 큰 궤도에 머문다. 다시 말하면, 자유전자가 된다.

실리콘 결정에 있는 5가 혹은 도너 원자들은 각각 자유전자를 한 개씩 생성한다. 따라서 제조업자는 도핑된 반도체의 도전율을 조정할 수 있다. 불순물을 많이 첨가할수록 도전율은 증가한다. 이와 같이 반도체를 저농도 혹은 고농도로 도핑할 수 있으며, 저농도로 도핑된 반도체는 고저항을 갖고, 고농도로 도핑된 반도체는 저저항을 갖는다.

정공 수의 증가

어떻게 하면 순수 실리콘 결정에서 과잉 정공을 얻을 수 있을까? 3가 불순물(*trivalent impurity*)을 사용한다. 3가 불순물 원자는 3개의 가전자를 가지고 있으며, 알루미늄, 붕소, 갈륨이 여기에 속한다.

그림 2-8*b*는 중앙에 3가 원자가 있고, 그 주위를 4개의 실리콘원자가 에워싸고, 가전자 한 개씩을 각각 공유하고 있다. 3가 원자는 원래 가전자가 3개 뿐이지만 각 인접원자와 전자 한 개씩을 공유하여 가전자 궤도의 전자는 7개가 된다. 이것은 3가 원자의 가전자 궤도에 정공이 한 개 있다는 것을 의미한다. 정공은 재결합 동안에 자유전자를 받아들일 수 있으므로 3가 원자를 **억셉터 원자**(*acceptor atom*)라 한다.

참고 사항

제조업자는 반도체를 도핑하기 전에 순수 반도체 결정을 만들고, 그런 다음 불순물 양을 조절하여 반도체의 특성을 정밀하게 조절한다. 역사적으로 순수 실리콘 결정보다 순수 게르마늄 결정을 더 쉽게 만들 수 있었기 때문에 초기의 반도체 소자는 게르마늄으로 제조되었다. 제조기술의 향상으로 결국 순수 실리콘 결정을 이용할 수 있게 되었다. 실리콘 결정은 장점이 많기 때문에 여러 분야에서 가장 많이 사용하는 반도체 재료이다.

예제 **2-4**

도핑된 반도체가 100억 개의 실리콘 원자와 1,500만 개의 5가 원자를 가지고 있다. 주위온도가 25°C이면, 반도체 내의 자유전자와 정공은 몇 개인가?

풀이 5가 원자 한 개당 자유전자가 한 개씩 생성된다. 그러므로 반도체는 도핑으로 1,500만 개의 자유전자가 생성한다. 반도체에서 정공은 오직 열에너지에 의해 생성되므로 자유전자에 비하면 정공은 거의 없는 것과 같다.

연습 문제 2-4 예제 2-4에서, 만약 5가 원자 대신 3가 원자 500만 개를 첨가하였다면, 반도체 내의 정공은 몇 개인가?

그림 2-9 n형 반도체는 많은 자유전자를 갖는다.

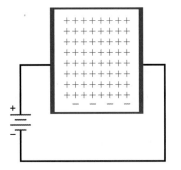

그림 2-10 p형 반도체는 많은 정공을 갖는다.

2-7 두 유형의 외인성 반도체

과잉 자유전자나 과잉 정공을 얻기 위해 반도체를 도핑한다. 따라서 도핑된 반도체는 두 유형으로 분류된다.

n형 반도체

5가 불순물로 도핑된 실리콘을 **n형 반도체**(n-type semiconductor)라 부르며, 여기서 n은 음(−)을 의미한다. 그림 2-9는 n형 반도체를 나타낸 것이다. n형 반도체는 자유전자의 수가 정공의 수보다 많기 때문에 자유전자를 **다수캐리어**(majority carriers), 그리고 정공을 **소수캐리어**(minority carriers)라 부른다.

전압을 인가하면 자유전자는 왼쪽으로, 그리고 정공은 오른쪽으로 이동한다. 정공이 결정의 오른쪽 끝에 도달하면 외부 회로에서 자유전자 한 개가 반도체 안으로 들어가서 정공과 재결합한다.

그림 2-9의 자유전자는 결정의 왼쪽 끝까지 흘러 도선 안으로 들어가서 전지의 양의 단자까지 흐른다.

p형 반도체

3가 불순물로 도핑된 실리콘을 **p형 반도체**(p-type semiconductor)라 하며, 여기서 p는 양(+)을 의미한다. 그림 2-10은 p형 반도체를 나타낸 것이다. 정공의 수가 자유전자의 수보다 많기 때문에, 정공이 다수캐리어 그리고 자유전자가 소수캐리어이다.

인가전압 때문에 자유전자는 왼쪽으로, 그리고 정공은 오른쪽으로 이동한다. 그림 2-10에서 결정의 오른쪽 끝에 도달한 정공은 외부 회로에서 들어온 자유전자와 재결합한다.

그림 2-10에서 소수캐리어의 흐름도 있다. 반도체 안에서 자유전자는 오른쪽에서 왼쪽으로 흐른다. 소수캐리어는 그 수가 매우 적기 때문에 이 회로에 거의 영향을 미치지 않는다.

2-8 바이어스되지 않은 다이오드

한 개의 n형 반도체는 거의 탄소저항기와 같다. p형 반도체도 마찬가지다. 그러나 결정의 반을 p형 그리고 나머지 반을 n형으로 도핑하면 새로운 성질이 나타난다.

p형과 n형 사이의 경계를 **pn 접합**(pn junction)이라 한다. pn 접합으로 많은 것들이 발명되었는데, 그 중에는 다이오드, 트랜지스터와 집적회로가 있다. pn 접합을 이해하면 많은 반도체 소자들을 이해할 수 있다.

바이어스 되지 않은 다이오드

앞 절에서 설명한 것처럼 도핑된 실리콘 결정에서 3가 원자들은 정공을 각각 한 개씩 생성한다 이 때문에, 한 개의 p형 반도체를 그림 2-11의 왼쪽과 같이 나타낼 수 있다. 원으로 된 −부호는 3가 원자이고, +부호는 가전자 궤도에 있는 정공이다.

그림 2-11 두 유형의 반도체

그림 2-12 *pn* 접합

마찬가지로 *n*형 반도체의 5가 원자와 자유전자들은 그림 2-11의 오른쪽 그림과 같이 나타낼 수 있다. 원으로 된 +부호는 5가 원자를 나타내고, −부호는 반도체에 기여하는 자유전자이다. 반도체 재료의 각 부분은 +와 −수가 동일하므로 전기적으로 중성임을 유의해야 한다.

제조업자는 그림 2-12와 같이 한 쪽에는 *p*형 재료, 또 다른 쪽에는 *n*형 재료로 된 단결정을 만들 수 있다. 접합은 *p*형과 *n*형 영역이 만나는 경계이며, *pn* 결정을 다른 이름으로 **접합다이오드**(junction diode)라 한다. **diode**라는 단어는 두 전극(two electrodes)의 축소형이고, 여기서 *di*는 two를 의미한다.

공핍층

그림 2-12에서 *n*측에 있는 자유전자들은 서로 반발하기 때문에 사방으로 확산하려고 하며, 일부는 접합 쪽으로 확산한다. 자유전자가 *p*영역으로 들어가면 소수캐리어가 된다. 그 주위에 많은 정공이 있기 때문에 이 소수캐리어는 수명이 짧다. 자유전자가 *p*영역으로 들어가면 곧바로 정공과 재결합한다. 이런 일이 발생하면 정공은 소멸하고 자유전자는 가전자로 된다.

전자 한 개가 접합으로 확산할 때마다 한 쌍의 이온이 생긴다. 전자가 *n*쪽을 떠나면 남아있는 5가 원자는 음전하 한 개가 부족하여 양이온이 된다. 확산하는 전자가 *p*쪽에서 정공 안으로 떨어지면 전자를 포획한 3가 원자는 음이온이 된다.

그림 2-13*a*는 접합 양쪽의 이온을 나타낸 것이다. 원으로 된 +부호는 양이온이고, 원으로 된 −부호는 음이온이다. 이온들은 공유결합으로 결정 구조에 고정되고 자유전자나 정공처럼 사방으로 이동할 수 없다.

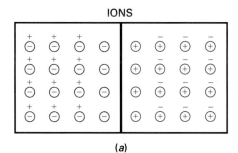

그림 2-13 (a) 접합에서 이온이 생성; (b) 공핍층

접합에 있는 양이온과 음이온 한 쌍을 **쌍극자**(*dipole*)라 부른다. 쌍극자 한 개가 생긴다는 것은 자유전자와 정공이 각각 한 개씩 없어진다는 것을 의미한다. 쌍극자가 많이 쌓이면 접합 근처에 캐리어가 없는 영역이 나타난다. 이와 같은 전하 공백영역을 **공핍층**(depletion layer)이라 부른다(그림 2-13*b*를 보아라).

전위장벽

쌍극자는 양이온과 음이온 사이에 전기장이 형성된다. 그러므로 만일 어떤 자유전자가 공핍층 안으로 들어가면 전기장이 이 전자를 *n*영역으로 되돌려 보내려고 할 것이다. 전기장의 세기는 접합을 넘어가는 전자와 함께 증가하다가 결국 평형에 도달한다. 제1근사해석으로, 이 말은 결과적으로 접합에서 전기장이 전자의 확산을 정지시킨다는 것을 의미한다.

그림 2-13*a*에서 이온 사이의 전기장은 **전위장벽**(barrier potential)이라는 전위차와 같다. 25℃에서 게르마늄 다이오드의 전위장벽은 대략 0.3 V이며, 실리콘 다이오드의 경우는 약 0.7 V이다.

2-9 순방향 바이어스

그림 2-14는 다이오드에 직류전원을 연결한 것이다. *n*형 재료에 전원의 음의 단자를 연결하고 *p*형 재료에 양의 단자를 접속하였다. 이와 같은 연결을 **순방향 바이어스**(forward bias)라 한다.

자유전자의 흐름

그림 2-14에서 전원이 정공과 자유전자를 접합 쪽으로 민다. 만약 전원 전압이 전위장벽보다 낮으면 자유전자는 공핍층에 도달할 수 있을 정도의 에너지를 얻지 못하므로 자유전자가 공핍층으로 들어갈 때, 이온이 자유전자를 *n*영역 쪽으로 밀어버릴 것이다. 이 때문에 다이오드에 전류가 흐르지 않는다.

직류 전압원이 전위장벽보다 높으면 전원은 정공과 자유전자를 접합 쪽으로 다시 민다. 이 경우 자유전자는 충분한 에너지를 얻기 때문에 공핍층을 통과하여 정공과 재

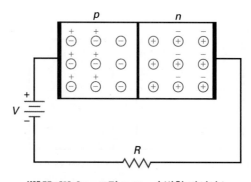

|||| Multisim **그림 2-14 순방향 바이어스**

결합한다. p영역에 있는 모든 정공이 오른쪽으로 이동하고 모든 자유전자가 왼쪽으로 이동하는 것을 상상해 보면, 기본개념이 떠오를 것이다. 접합 근처의 어느 곳에서는 이들 반대 극성의 전하들이 재결합한다. 자유전자가 계속해서 다이오드의 오른쪽 끝 부분으로 들어가고, 왼쪽 끝에서는 계속해서 정공이 생성되기 때문에 다이오드를 통해 전류가 연속적으로 흐른다.

전자 한 개의 흐름

전체 회로를 통과하는 한 개의 전자를 따라가 보자. 자유전자가 전원의 음의 단자를 떠나 다이오드의 오른쪽으로 들어간다. 접합에 도달할 때까지 n영역을 이동해 간다. 전원전압이 0.7 V 이상이면 자유전자는 충분한 에너지를 얻어 공핍층을 지날 수 있다. 자유전자가 p영역으로 들어가면 곧 정공과 재결합한다.

　　다른 말로 표현하면, 자유전자는 가전자가 된다. 가전자 상태에서 다이오드의 왼쪽 끝에 도달할 때까지 한 정공에서 다음 정공으로 옮겨가면서 왼쪽으로 계속 이동한다. 다이오드의 왼쪽 끝을 떠날 때 새로운 정공이 생기고, 이 과정은 다시 시작된다. 수많은 전자들이 모두 동일한 과정을 밝기 때문에 다이오드에는 연속적인 전류가 흐른다. 순방향 전류의 크기를 제한하기 위해 직렬저항을 사용한다.

참고 사항

다이오드가 순방향 바이어스이면 전류는 쉽게 흐른다. 인가전압이 전위장벽보다 높으면 회로에 많은 전류가 연속적으로 흐른다. 다른 말로 표현하면, 전원전압이 0.7 V 이상이면, 실리콘 다이오드는 순방향으로 연속적인 전류가 흐른다.

2-10 역방향 바이어스

직류 전원을 반대로 연결하면 그림 2-15가 된다. 이때 전지의 음의 단자는 p쪽에 연결되고, 전지의 양의 단자는 n쪽에 연결된다. 이와 같은 연결을 **역방향 바이어스**(reverse bias)라 부른다.

|||| **Multisim**　**그림 2-15**　역방향 바이어스

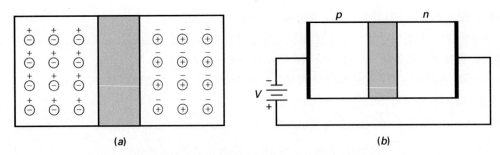

그림 2-16 (a) 공핍층; (b) 역방향 바이어스가 증가하면 공핍층이 넓어진다.

공핍층 확대

전원의 음의 단자가 정공을 끌어당기고, 전원의 양의 단자가 자유전자를 끌어당긴다. 이 때문에 정공과 자유전자는 접합을 떠나기 때문에 공핍층은 점점 확대된다.

그림 2-16a에서 공핍층은 얼마나 확대되는가? 정공과 전자가 접합을 떠나면, 이 온이 새로 생기므로 공핍층의 전위차가 증가한다. 공핍층이 넓어질수록 전위차는 더욱 증가한다. 공핍층의 전위차와 인가된 역방향 전압이 같을 때, 공핍층의 확대가 정지된 다. 이런 일이 일어나면 전자와 정공이 접합을 떠나는 것도 멈춘다.

흔히 공핍층을 그림 2-16b와 같이 음영 영역으로 나타낸다. 이 음영 영역의 폭은 역방향 전압에 비례한다. 역방향 전압이 증가하면 공핍층이 더 넓어진다.

소수캐리어 전류

공핍층이 안정된 후에도 전류가 흐르는가? 물론이다. 역바이어스에서 미소 전류가 흐른다. 열에너지에 의해 자유전자와 정공이 계속적으로 생성된다는 사실을 떠올려보면, 접합의 양쪽에 소수캐리어가 약간 있다는 것을 짐작할 것이다. 이 소수캐리어는 대부분 다수캐리어와 재결합한다. 그러나 소수캐리어가 공핍층 안에서 오래도록 존속하는 것은 접합을 넘어 갈 수 있다. 이런 일이 일어나면 외부회로에 미소전류가 흐른다.

그림 2-17에서 그 개념을 설명한다. 열에너지에 의해 접합 근처에 자유전자와 정공이 각각 1개씩 생성되었다고 하자. 공핍층이 자유전자를 오른쪽으로 밀면 결정의 우측 끝에서 전자 한 개가 강제적으로 밀려 나간다. 공핍층에서 정공은 왼쪽으로 밀린다.

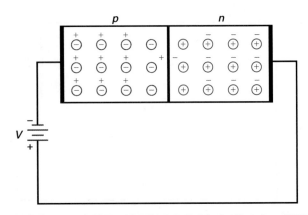

그림 2-17 공핍층에 있는 자유전자와 정공의 열적 생성이 역방향 소수 포화전류를 생성한다.

p쪽으로 들어온 이 정공 때문에 결정의 좌측 끝에서 전자 한 개가 들어와서 정공 속으로 떨어진다. 열에너지에 의해 전자-정공 쌍이 공핍층에서 계속 생성되기 때문에 미소 전류가 외부 회로에 계속 흐른다.

열적으로 생성된 소수캐리어에 기인한 역방향 전류를 **포화전류**(saturation current)라 부른다. 수식에서 포화전류는 I_S로 표기한다. 포화(*saturation*)라는 이름은 열에너지에 의해 생성되는 것보다도 더 큰 소수캐리어 전류를 얻을 수 없다는 것을 의미한다. 다른 말로 표현하면, 역방향 전압이 증가해도 열적으로 생성된 소수캐리어의 수는 증가하지 않는다.

표면누설전류

역방향으로 바이어스된 다이오드에서 열적으로 생성된 소수캐리어 전류 외에 또 다른 전류가 있는가? 그렇다. 결정의 표면을 흐르는 미소 전류가 있다. **표면누설전류**(surface-leakage current)로 알려진 이 전류는 표면의 불순물과 결정구조의 결함 때문에 생긴다.

참고 사항

다이오드에서 역방향 전류는 소수캐리어 전류와 표면누설전류로 구성되어 있다. 일반적인 경우, 실리콘 다이오드에 흐르는 역방향 전류는 감지할 수 없을 정도로 매우 적다. 기억해야 할 중요한 개념은 다음과 같다: 역방향으로 바이어스된 실리콘 다이오드의 전류는 대략 0이다.

2-11 항복현상

다이오드는 최대 전압정격이 있다. 이것은 다이오드가 파괴되기 전에 견딜 수 있는 역방향 전압의 한계를 말한다. 역방향 전압을 계속 증가시키면 결국 다이오드의 **항복전압**(breakdown voltage)에 도달한다. 많은 다이오드의 경우 항복전압은 최소 50 V이다. 항복전압은 **다이오드의 자료표**(data sheet)에 주어져 있다. 다이오드 제조사가 만든 자료표는 소자의 중요한 정보와 전형적인 응용을 나열하고 있다.

항복전압에 도달하는 순간 공핍층에 대단히 많은 소수캐리어가 갑자기 나타나면 다이오드는 강렬하게 도전한다.

캐리어는 어디에서 오는가? 역방향 전압이 높으면 **애벌랜치 효과**(avalanche effect)가 나타나고, 이 효과에 의해 소수캐리어가 생성된다(그림 2-18 참조). 그 현상은 다음과 같다. 일반적으로 역방향 소수캐리어 전류는 적게 흐른다. 역방향 전압이 증가하면 소수

> **참고 사항**
>
> 다이오드의 항복전압을 넘으면 다이오드가 반드시 파손된다는 의미는 아니다. 역방향 전압과 역방향 전류의 곱이 다이오드의 전력 정격을 넘지 않으면 다이오드는 완전하게 회복될 것이다.

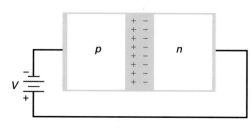

그림 2-18 애벌랜치는 공핍층에 많은 자유전자와 정공을 생성한다.

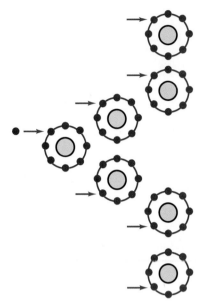

그림 2-19 애벌랜치 과정은 1, 2, 4, 8, …과 같이 기하급수적으로 진행된다.

캐리어는 더욱 빠르게 이동하면서 결정의 원자와 충돌한다. 이 소수캐리어가 충분한 에너지를 가질 때 세게 부딪쳐서 가전자를 분리시킬 수 있다. 즉 자유전자가 생성된다. 생성된 새로운 소수캐리어는 기존의 소수캐리어와 함께 다른 원자와 충돌한다. 자유전자 한 개가 가전자 한 개를 유리시키면 자유전자는 모두 2개가 되고, 이 과정은 기하급수적이다. 2개의 자유전자는 다시 2개의 자유전자를 더 만들기 때문에 자유전자는 4개가 된다. 이러한 과정이 지속되면 마침내 역방향 전류는 대단히 증가한다.

그림 2-19는 공핍층을 확대한 것이다. 역방향 바이어스이므로 자유전자는 오른쪽으로 움직인다. 자유전자는 움직이면서 속력을 얻는다. 역방향 바이어스가 증가할수록 전자는 더욱 빨리 움직인다. 만일 고속의 전자가 충분한 에너지를 가지면, 첫 번째 원자의 가전자를 큰 궤도로 밀어올릴 수 있다. 결과적으로 2개의 자유전자가 된다. 두 전자는 다시 가속되어 2개의 전자를 더 분리시킨다. 이와 같은 방법으로 소수캐리어의 수가 대단히 증가하므로 다이오드는 강렬하게 도전한다.

다이오드의 항복전압은 다이오드의 도핑농도에 따라 달라진다. 정류 다이오느(가장 일반적인 형)는 일반적으로 항복전압이 50 V 이상이다. 요점정리 표 2-1은 순방향과 역방향으로 바이어스된 다이오드의 차이점에 관한 설명이다.

요점정리 표 2-1	다이오드 바이어스	
V_s 극성	P 재료에 (+) N 재료에 (−)	P 재료에 (−) N 재료에 (+)
전류흐름	만약 $V_s > 0.7$ V이면 순방향 대전류	만약 $V_s <$ 항복전압이면 역방향 소전류 (포화전류와 표면누설전류)
공핍층	좁다	넓다

2-12 에너지 준위

근사해석을 잘 하기 위해 전자의 전체 에너지와 궤도의 크기를 동일시 할 수 있다. 즉 그림 2-20a의 반경과 그림 2-20b의 에너지 준위를 동일한 것으로 생각할 수 있다. 가장 작은 궤도에 있는 전자들은 첫 번째 에너지 준위에 있고, 두 번째 궤도의 전자들은 두 번째 에너지 준위에 있으며 다른 궤도의 전자들도 마찬가지다.

궤도가 클수록 에너지는 증가한다

전자는 핵의 인력을 받기 때문에 전자가 큰 궤도로 진입하려면 별도의 에너지가 필요하다. 전자가 첫 번째 궤도에서 두 번째 궤도로 이동하면, 전자는 핵에 대하여 포텐셜 에너지를 얻는다. 전자를 더 높은 에너지 준위로 올릴 수 있는 외부의 힘은 열, 빛 그리고 전압이다.

예를 들어 그림 2-20a에서 외부의 힘에 의해 전자가 첫 번째 궤도에서 두 번째 궤도로 이동하였다고 가정하자. 이 전자는 핵에서 더 멀어졌기 때문에 포텐셜 에너지가 증가한다(그림 2-20b). 이것은 지상의 물체와 마찬가지다. 즉 물체가 더 높이 올라갈수록 지구에 대하여 포텐셜 에너지는 더욱 증가한다. 여기서 물체를 놓아버리면 떨어지는 거리가 더 멀기 때문에 지구와 부딪칠 때 더 많은 일을 한다.

떨어지는 전자는 빛을 발한다

전자가 큰 궤도로 옮겨 간 후 낮은 에너지 준위로 다시 떨어질 수도 있다. 만약 이런 일이 일어나면, 전자는 별도의 에너지를 열이나 빛 또는 다른 방사 형태로 소모한다.

발광다이오드(light emitting diode(LED))에서 전압이 인가되면 전자는 더 높은 에너지 준위로 올라간다. 이 전자가 다시 낮은 에너지 준위로 떨어질 때 빛을 발한다. 사용되는 재료에 따라 붉은색, 초록색, 오렌지색 혹은 청색이 나온다. 어떤 발광다이오드는 적외선(눈에 보이지 않음)을 복사하며, 이것은 도난경보 시스템에 이용된다.

에너지 대역

실리콘 원자가 단독으로 있을 때 전자의 궤도는 오로지 이 원자의 전하에 의한 영향만 받는다. 이것은 결과적으로 그림 2-20b의 선과 같은 에너지 준위가 된다. 그러나 실리콘 원자가 결정으로 있을 때는 각 전자의 궤도는 다른 많은 실리콘 원자의 전하에 의한 영향을 모두 받는다. 전자는 결정 안에서 서로 다른 위치에 있으므로, 전자를 둘러싸고 있는 주변의 전하환경이 같은 것은 하나도 없다. 이 때문에 전자마다 궤도가 다르다. 다른 방법으로 표현하면, 전자의 에너지 준위는 각각 다르다.

그림 2-21은 에너지 준위에서 어떤 일이 일어나는가를 보여주는 것이다. 첫 번째 궤도에 있는 모든 전자들은 똑같은 전하 환경을 가질 수 없으므로 에너지 준위가 약간씩 다르다. 첫 번째 궤도에 많은 전하가 있으므로 약간씩 차이가 나는 에너지 준위들이 집단 혹은 에너지의 대역(band)을 형성한다. 마찬가지로 두 번째 궤도의 많은 전자도 약간씩 다른 에너지 준위를 가지며 이들이 두 번째 에너지 대역을 형성한다. 나머지 대역도 마찬가지다.

다른 관점: 잘 알겠지만 열에너지는 약간의 자유전자와 정공을 생성한다. 정공은

(a)

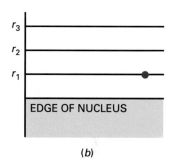

(b)

그림 2-20 (a) 에너지 준위는 궤도의 크기에 비례한다; (b) 에너지 준위

그림 2-21   진성 반도체와 그 에너지 대역

가전자대역에 머물지만, 자유전자는 **전도대역**(conduction band)이라 불리는 차상위 에너지 준위로 간다. 그림 2-21에서 전도대역에 약간의 자유전자, 가전자대역에 약간의 정공이 있는 이유도 이 때문이다. 스위치가 닫히면 자유전자는 전도대역에서 이동하고 정공은 가전자대역에서 이동하여 순수반도체에는 미소전류가 흐른다.

n형 에너지 대역

그림 2-22는 n형 반도체의 에너지 대역을 나타낸 것이다. 예상한 대로 다수캐리어는 전도대역에 있는 자유전자이고, 소수캐리어는 가전자대역에 있는 정공이다. 그림 2-22에서 스위치가 닫혀있기 때문에 다수캐리어는 왼쪽으로 흐르고 소수캐리어는 오른쪽으로 흐른다.

p형 에너지 대역

그림 2-23은 p형 반도체의 에너지 대역이다. 여기서 캐리어는 반대 역할임을 알 수 있다. 다수캐리어는 가전자대역에 있는 정공이고, 소수캐리어는 전도대역에 있는 전자이다. 그림 2-23에서 스위치가 닫혀 있으므로 다수캐리어는 오른쪽으로 흐르고, 소수캐리어는 왼쪽으로 흐른다.

> **참고 사항**
>
> n형과 p형의 두 반도체에서 온도가 증가하면 소수전류캐리어와 다수전류캐리어는 똑같이 증가한다.

그림 2-22 n형 반도체와 그 에너지 대역   **그림 2-23 p형 반도체와 그 에너지 대역**

2-13 전위장벽과 온도

접합온도(junction temperature)는 다이오드 내부, 정확히 *pn* 접합 온도이다. 주위온도 (*ambient temperature*)는 다르다. 이것은 다이오드 외부의 공기온도, 즉 다이오드를 에워싸고 있는 공기의 온도이다. 접합온도는 주위온도보다 더 높다. 왜냐하면 다이오드가 도전할 때 재결합으로 열이 발생하기 때문이다.

전위장벽은 접합온도에 따라 다르다. 접합온도가 올라가면 도핑영역에서 자유전자와 정공이 더 많이 생긴다. 이 전하들이 공핍층 안으로 확산하므로 폭이 더 좁아진다. 이것은 접합온도가 증가하면 전위장벽이 감소한다는 것을 의미한다.

여기서 부호를 정의할 필요가 있다.

$$\Delta = \text{~의 변화} \tag{2-2}$$

그리스 문자 Δ(델타)는 "~의 변화"를 의미한다. 예를 들면, ΔV는 전압의 변화, ΔT는 온도의 변화를 의미한다. 비율 $\Delta V/\Delta T$는 전압의 변화를 온도의 변화로 나눈 것을 의미한다.

전위장벽의 변화를 추정하는 규칙은 다음과 같다. 실리콘 다이오드의 전위장벽은 섭씨 1도 상승할 때마다 2 mV씩 감소한다.

유도로서

$$\frac{\Delta V}{\Delta T} = -2 \text{ mV/}°\text{C} \tag{2-3}$$

이를 다시 정리하면

$$\Delta V = (-2 \text{ mV/}°\text{C}) \Delta T \tag{2-4}$$

이다. 이 식으로 우리는 어떤 접합온도에 대한 전위장벽을 계산할 수 있다.

예제 2-5

주위온도가 25°C일 때 전위장벽이 0.7 V라 가정한다. 접합온도가 100°C일 때 실리콘 다이오드의 전위장벽은 얼마인가? 0°C일 때는?

풀이　접합온도가 100°C일 때, 전위장벽의 변화는

$$\Delta V = (-2 \text{ mV/}°\text{C}) \Delta T = (-2 \text{ mV/}°\text{C})(100°\text{C} - 25°\text{C}) = -150 \text{ mV}$$

이것은 전위장벽이 실온일 때의 값에서 150 mV 감소한다는 의미이므로

$$V_B = 0.7 \text{ V} - 0.15 \text{ V} = 0.55 \text{ V}$$

이다.

접합온도가 0°C일 때, 전위장벽의 변화는 다음과 같다.

$$\Delta V = (-2 \text{ mV/°C}) \, \Delta T = (-2 \text{ mV/°C})(0°C - 25°C) = 50 \text{ mV}$$

이것은 전위장벽이 실온일 때의 값에서 50 mV 증가한다는 의미이므로 다음과 같다.

$$V_B = 0.7 \text{ V} + 0.05 \text{ V} = 0.75 \text{ V}$$

연습 문제 2-5   예제 2-5에서 접합온도가 50°C일 때 전위장벽은 얼마인가?

2-14 역방향 바이어스된 다이오드

역방향 바이어스된 다이오드에 대하여 몇 가지 고급적인 개념을 설명한다. 우선 역방향 전압이 변할 때 공핍층의 폭이 변하는데, 이것에 대한 의미를 알아보자.

과도전류

역방향 전압이 증가할 때 정공과 전자들은 접합에서 물러간다. 자유전자와 정공이 접합에서 물러가면 양이온과 음이온이 남는다. 그러므로 공핍층이 확대된다. 역방향 바이어스가 증가할수록 공핍층은 더욱 확대된다. 공핍층이 새로운 폭까지 조정되는 동안 외부 회로에 전류가 흐른다. 공핍층의 확대가 중지되면 이 과도전류는 0이 된다.

과도전류가 흐르는 전체 시간은 외부 회로의 RC 시정수에 따라 달라지며, 일반적으로 대략 수 나노초(nanosecond) 정도이다. 그러므로 대략 10 MHz 이하이면 과도전류의 영향을 무시할 수 있다.

역포화전류

앞에서 설명한 바와 같이, 순방향 바이어스된 다이오드가 공핍층 폭이 감소하고 자유전자가 접합을 넘어간다. 역방향 바이어스는 반대 효과가 나타난다. n대역이 상승하여 자유전자가 접합을 넘어갈 수 있다. 역방향 바이어스이면 반대의 영향이 나타난다: 즉 정공과 자유전자가 접합으로부터 멀어져 공핍층이 늘어난다.

그림 2-24에 나타낸 것과 같이 역방향 바이어스된 다이오드의 공핍층 안에 정공과 자유전자가 한 개씩 생성되었다고 가정하자. A에 있는 자유전자와 B에 있는 정공은 역방향 전류의 원인이 된다. 역방향 바이어스 때문에 자유전자가 오른쪽으로 이동할 것이므로 결과적으로 다이오드의 오른쪽 끝으로 전자 한 개가 밀려 나간다. 마찬가지로 정공은 왼쪽으로 이동할 것이다. p쪽에 있는 이 정공이 결정의 왼쪽 끝에서 전자 한 개를 끌어들인다.

접합온도가 높을수록 포화전류는 증대한다. 기억해 두어야 할 유용한 근사해석은 다음과 같다. 즉 10°C 상승할 때마다 I_S는 2배가 된다. 유도로서

퍼센트 ΔI_S = 10°C 상승마다 100%   (2-5)

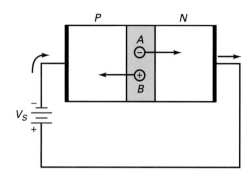

그림 2-24 열에너지는 공핍층 안에 자유전자와 정공을 생성한다.

말로 표현하면, 온도가 10°C 상승할 때마다 포화전류는 100% 변한다. 만약 온도의 변화가 10°C 보다 작으면, 다음의 등가 규칙을 이용할 수 있다.

$$\text{퍼센트 } \Delta I_S = °C \text{ 마다 } 7\% \tag{2-6}$$

말로 표현하면, 1°C 상승할 때마다 포화전류는 7% 변한다. 이 7% 해석은 10°규칙에 가까운 근사해석이다.

실리콘 대 게르마늄

실리콘 원자에서 가전자대역과 전도대역 사이의 간격을 에너지 갭(*energy gap*)이라 부른다. 열에너지에 의해 자유전자와 정공이 생성될 때 가전자는 전도대역으로 뛰어오를 수 있을 정도의 충분한 에너지를 얻어야 한다. 에너지 갭이 크면 클수록, 열에너지에 의한 전자-정공 쌍의 생성이 더 어렵다. 다행스럽게도 실리콘은 에너지 갭이 크다. 이것은 정상온도에서 열에너지에 의해 생성되는 전자-정공쌍이 많지 않다는 것을 의미한다.

게르마늄 원자의 경우 가전자대역은 전도대역에 대단히 가깝다. 다시 말하면 게르마늄은 실리콘보다 훨씬 더 좁은 에너지 갭을 지니고 있다. 이 때문에 게르마늄 소자에서는 열에너지에 의해 매우 많은 전자-정공쌍이 생성된다. 이것은 앞에서 언급한 치명적인 결함이다. 과잉 역방향 전류가 현대의 컴퓨터, 가전제품과 통신회로에서 게르마늄 소자의 광범위한 사용을 막고 있다.

표면누설전류

2-10절에서 표면누설전류를 간단하게 설명하였다. 결정의 표면에서 역방향 전류를 다시 생각해 보자. 표면누설전류가 생기는 원인을 설명하면 다음과 같다. 그림 2-25a에서 상단과 하단에 있는 원자는 결정의 표면에 있다고 가정한다. 이 원자들은 이웃 원자들이 없기 때문에 가전자 궤도에 단지 6개의 전자를 가지며, 이것은 각 표면 원자들이 2개의 정공을 갖는다는 것을 암시한다. 이 정공을 그림 2-25b와 같이 결정의 표면에 나타내었다. 결정의 표면이 p형 반도체처럼 보이기 때문에 전자가 결정의 왼쪽 끝으로 들어가면 표면의 정공을 따라 이동하여 결정의 오른쪽 끝으로 빠져나갈 수 있다. 이와 같은 방법으로 표면에는 소량의 역방향 전류가 흐른다.

표면누설전류는 역방향 전압에 정비례한다. 예를 들어 역방향 전압이 2배이면 표

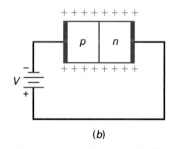

그림 2-25 (a) 결정의 표면에 있는 원자들은 이웃 원자들이 없다; (b) 결정표면에는 정공이 있다.

면누설전류 ISL도 2배이다. 표면누설 저항을 다음과 같이 정의할 수 있다.

$$R_{SL} = \frac{V_R}{I_{SL}} \tag{2-7}$$

예제 2-6

실리콘 다이오드의 포화전류가 25℃에서 5 nA이다. 100℃일 때, 포화전류는 얼마인가?

풀이 온도의 변화는 다음과 같다.

$$\Delta T = 100℃ - 25℃ = 75℃$$

식 (2-5)에 의하면, 25℃와 95℃은 7 배수가 있으므로

$$I_S = (2^7)(5 \text{ nA}) = 640 \text{ nA}$$

식 (2-6)과 같이, 95℃와 100℃의 편차 5°를 더하면

$$I_S = (1.07^5)(640 \text{ nA}) = 898 \text{ nA}$$

연습 문제 2-6 예제 2-6의 다이오드를 사용한다. 80℃일 때, 포화전류는 얼마인가?

예제 2-7

25 V의 역방향 전압에서 표면누설전류가 2 nA이면, 역방향 전압이 35 V일 때, 표면누설전류는 얼마인가?

풀이 이 문제를 푸는 데는 두 방법이 있다. 첫 번째 방법은 표면누설 저항을 계산하고

$$R_{SL} = \frac{25 \text{ V}}{2 \text{ nA}} = 12.5(10^9) \ \Omega$$

그리고 35 V에 대한 표면누설전류를 계산한다.

$$I_{SL} = \frac{35 \text{ V}}{12.5(10^9) \ \Omega} = 2.8 \text{ nA}$$

두 번째 방법은, 표면누설전류와 역방향 전압의 비례관계를 이용한다.

$$I_{SL} = \frac{35 \text{ V}}{25 \text{ V}} 2 \text{ nA} = 2.8 \text{ nA}$$

연습 문제 2-7 예제 2-7에서, 역방향 전압이 100 V일 때 표면누설전류는 얼마인가?

요점 | Summary

2-1 도체

중성의 구리원자는 바깥 궤도에 한 개의 전자를 갖는다. 이 외톨이 전자는 원자에서 쉽게 떨어져 나갈 수 있으므로 **자유전자**(free electron)라 부른다. 매우 낮은 전압이라도 자유전자는 한 원자에서 인접 원자로 흐르므로 구리는 양도체이다.

2-2 반도체

실리콘은 가장 광범위하게 사용되는 반도체 재료이다. 하나의 실리콘원자는 바깥 궤도 혹은 가전자 궤도에 4개의 가전자가 있다. 가전자 궤도에 있는 전자의 수와 도전율은 밀접한 관계가 있다. 도체는 한 개의 가전자를 가지며 반도체는 4개의 가전자, 그리고 절연체는 8개의 가전자를 갖는다.

2-3 실리콘 결정

결정에서 각 실리콘 원자는 4개의 가전자 외에 이웃하는 원자들과 공유된 4개의 전자를 더 갖는다. 순수 실리콘 결정은 실온에서 열적으로 생성되는 소수의 자유전자와 정공을 갖는다. 자유전자와 정공의 생성부터 재결합까지의 시간을 **수명**(lifetime)이라 한다.

2-4 진성 반도체

진성 반도체는 순수 반도체이다. 외부전압이 진성 반도체에 인가될 때 자유전자는 전지의 양의 단자방향으로 흐르고 정공은 전지의 음의 단자방향으로 흐른다.

2-5 두 유형의 흐름

진성 반도체는 두 유형의 캐리어 흐름이 있다. 하나는 큰 궤도(전도대역)를 흐르는 자유전자의 흐름이고, 다른 하나는 작은 궤도(가전자대역)를 흐르는 정공의 흐름이다.

2-6 반도체의 도핑

도핑을 하면 반도체의 도전율이 증가한다. 도핑된 반도체를 외인성 반도체(extrinsic semiconductor)라 부른다. 진성 반도체에 5가(도너) 원자로 도핑하면 정공보다 자유전자가 더 많아지고, 진성 반도체를 3가(억셉터) 원자로 도핑하면 자유전자보다 정공이 더 많아진다.

2-7 두 유형의 외인성 반도체

n형 반도체는 자유전자가 다수캐리어이고 정공이 소수캐리어이다. p형 반도체는 정공이 다수캐리어이고 전자가 소수캐리어이다.

2-8 바이어스되지 않은 다이오드

바이어스되지 않은 다이오드는 pn접합에 공핍층이 있다. 공핍층에서 이온은 전위장벽을 만든다. 실온에서 실리콘 다이오드의 전위장벽은 약 0.7 V, 그리고 게르마늄 다이오드의 전위장벽은 0.3 V이다.

2-9 순방향 바이어스

외부 전압과 전위장벽이 반대일 때 다이오드는 순방향 바이어스이다. 인가전압이 전위장벽보다 높으면 전류는 많이 흐른다. 다른 말로 표현하면, 다이오드가 순방향 바이어스이면 전류는 쉽게 흐른다.

2-10 역방향 바이어스

외부 전압이 전위장벽을 도와줄 때 다이오드는 역방향 바이어스이다. 역방향 전압이 증가하면, 공핍층의 폭도 증가한다. 전류는 대략 0이다.

2-11 항복현상

역방향 전압이 과대하면 애벌랜치 혹은 제너 효과가 나타난다. 그러면 큰 항복전류가 흘러 다이오드가 파손된다. 일반적으로 다이오드는 절대로 항복영역에서 동작시키지 않는다. 제너다이오드는 예외이다. 제너다이오드는 추후 특수목적 다이오드에서 설명될 것이다.

2-12 에너지 준위

궤도가 클수록 전자의 에너지 준위는 높다. 만일 외부 힘에 의해 전자가 더 높은 에너지 준위로 올라가면 원래 궤도로 떨어질 때 전자는 에너지를 방출할 것이다.

2-13 전위장벽과 온도

접합온도가 상승할 때 공핍층은 좁아지고, 전위장벽은 감소한다. 1℃ 증가할 때마다 약 2 mV씩 감소한다.

2-14 역방향 바이어스된 다이오드

다이오드에 흐르는 역방향 전류는 세 성분이 있다. 첫째, 역방향 전압이 변할 때 생기는 과도전류가 있고 둘째, 소수캐리어 전류가 있다. 이 전류는 역방향 전압과 무관하기 때문에 **포화전류**(saturation current)라 부른다. 셋째, 표면누설전류가 있다. 역방향 전압이 증가할 때 표면누설전류도 증가한다.

정의식 | Definitions

(2-2) $\Delta = \sim$의 변화

(2-7) $R_{SL} = \dfrac{V_R}{I_{SL}}$

법칙 | Laws

(2-1) 원자가 포화: $n = 8$

유도식 | Derivations

(2-3) $\dfrac{\Delta V}{\Delta T} = -2 \text{ mV/°C}$

(2-4) $\Delta V = (-2 \text{ mV/°C}) \Delta T$

(2-5) 퍼센트 ΔI_S = 10°C 상승마다 100%

(2-6) 퍼센트 ΔI_S = °C 마다 7%

복습 문제 | Self-Test

1. 구리 원자의 핵은 몇 개의 양자를 내포하고 있는가?
 a. 1
 b. 4
 c. 18
 d. 29

2. 중성인 구리 원자의 순전하는 얼마인가?
 a. 0
 b. +1
 c. −1
 d. +4

3. 구리 원자에서 가전자가 떨어져 나갔다고 가정하자. 원자의 순전하는 얼마인가?
 a. 0
 b. +1
 c. −1
 d. +4

4. 구리 원자의 가전자는 핵으로부터 어느 정도의 인력을 느끼는가?
 a. 느끼지 못한다.
 b. 약하다
 c. 강하다
 d. 말할 수 없다.

5. 실리콘 원자의 가전자는 몇 개인가?
 a. 0
 b. 1
 c. 2
 d. 4

6. 가장 광범위하게 사용되는 반도체는?
 a. 구리
 b. 게르마늄
 c. 실리콘
 d. 위의 보기에는 없다.

7. 실리콘 원자의 핵은 몇 개의 양자를 내포하고 있는가?
 a. 4
 b. 14
 c. 29
 d. 32

8. 실리콘 원자들은 ____이라고 하는 질서정연한 패턴으로 결합한다.
 a. 공유결합
 b. 결정
 c. 반도체
 d. 가전자 궤도

9. 실온에서 진성 반도체는 약간의 정공을 갖는다. 이 정공이 생기는 원인은?
 a. 도핑
 b. 자유전자
 c. 열에너지
 d. 가전자

10. 전자가 더 높은 궤도 준위로 이동할 때, 핵에 대한 에너지 준위는?
 a. 증가한다.
 b. 감소한다.
 c. 그대로 유지한다.
 d. 원자의 형에 따라 다르다.

11. 자유전자와 정공의 병합을 무엇이라 하는가?
 a. 공유결합
 b. 수명
 c. 재결합
 d. 열에너지

12. 실온에서 진성 실리콘 결정은 거의 ____처럼 동작한다.
 a. 건전지   b. 도체
 c. 절연체   d. 구리선의 일부분

13. 정공의 생성과 소멸 사이의 전체 시간을 무엇이라 부르는가?
 a. 도핑
 b. 수명
 c. 재결합
 d. 가전자

14. 도체의 가전자를 무엇이라 하는가?
 a. 속박전자
 b. 자유전자
 c. 핵
 d. 양자

15. 도체는 몇 종류의 흐름이 있는가?
 a. 1
 b. 2
 c. 3
 d. 4

16. 반도체는 몇 종류의 흐름이 있는가?
 a. 1
 b. 2
 c. 3
 d. 4

17. 반도체에 전압이 인가될 때, 정공은?
 a. 음전위에서 멀어진다.
 b. 양전위를 향하여 흐른다.
 c. 외부회로에서 흐른다.
 d. 위의 보기는 모두 해당 없다.

18. 반도체 재료에서, 가전자 궤도는 다음 중 어느 것을 내포할 때 포화되는가?
 a. 전자 한 개
 b. 등가 (+)와 (−)이온
 c. 4 개의 전자
 d. 8 개의 전자

19. 진성 반도체에서 정공의 수는?

a. 자유전자 수와 같다.

b. 자유전자 수보다 많다.

c. 자유전자 수보다 적다.

d. 위의 보기에는 없다.

20. 절대 영도는 _____와 같다.

a. −273℃

b. 0℃

c. 25℃

d. 50℃

21. 절대 영도에서 진성 반도체가 가지고 있는 것은?

a. 소수의 자유전자

b. 다수의 정공

c. 다수의 자유전자

d. 정공 혹은 자유전자가 없다.

22. 실온에서 진성 반도체가 가지고 있는 것은?

a. 소수의 자유전자와 정공

b. 다수의 정공

c. 다수의 자유전자

d. 정공이 없다.

23. 온도가 _____할 때 진성 반도체의 자유전자와 정공 수는 감소한다.

a. 감소

b. 증가

c. 불변

d. 위의 보기에 없다.

24. 가전자가 오른쪽으로 흐르는 것은 정공이 _____으로 흐르는 것을 의미한다.

a. 왼쪽

b. 오른쪽

c. 어느 한 방향

d. 위의 보기에는 없다.

25. 정공은 _____처럼 동작한다.

a. 원자

b. 결정

c. 음전하

d. 양전하

26. 3가 원자는 몇 개의 가전자를 가지고 있는가?

a. 1

b. 3

c. 4

d. 5

27. 억셉터원자는 가전자가 몇 개인가?

a. 1

b. 3

c. 4

d. 5

28. 만일 p형 반도체를 제조하고 싶으면 다음 중 어느 것을 사용하여야 하는가?

a. 억셉터원자

b. 도너원자

c. 5가 불순물

d. 실리콘

29. 소수캐리어가 전자인 반도체 형은?

a. 외인성　　　b. 진성

c. n형　　　d. p형

30. p형 반도체에 들어 있는 자유전자의 수는?

a. 많다.

b. 없다.

c. 오직 열에너지에 의해 생성된다.

d. 정공 수와 같다.

31. 은(sliver)은 가장 좋은 양도체이다. 가전자가 몇 개인가?

a. 1

b. 4

c. 18

d. 29

32. 실온에서 진성 반도체가 10억 개의 자유전자를 가지고 있다고 가정하자. 만일 온도가 0℃로 떨어지면 정공은 몇 개인가?

a. 10억 개 이하

b. 10억 개

c. 10억 개 이상

d. 말할 수 없다.

33. 형 반도체에 외부 전압원을 인가한다. 만일 결정의 왼쪽 끝이 양이라면, 다수캐리어는 어느 방향으로 흐르는가?

a. 왼쪽

b. 오른쪽

c. 어느 방향도 아니다.

d. 말할 수 없다.

34. 다음 중 무리(그룹)로 적합하지 않은 것은?

a. 도체

b. 반도체

c. 가전자 4개

d. 결정구조

35. 다음 중 실온과 거의 같은 것은?

a. 0℃

b. 25℃

c. 50℃

d. 75℃

36. 결정 안에서 실리콘원자의 가전자 궤도에는 몇 개의 전자가 있는가?

a. 1

b. 4

c. 8

d. 14

37. 음이온은 _____ 원자이다.

a. 양자를 얻은

b. 양자를 잃은

c. 전자를 얻은

d. 전자를 잃은

38. 다음 중 n형 반도체를 설명한 것은?

a. 중성이다.

b. 양으로 대전되어 있다.

c. 음으로 대전되어 있다.

d. 정공이 많다.

39. p형 반도체는 정공과 _____을(를) 가지고 있다.

a. 양이온

b. 음이온

c. 5가 원자

d. 도너원자

40. 다음 중 *p*형 반도체를 설명한 것은?

   a. 중성이다.

   b. 양으로 대전되어 있다.

   c. 음으로 대전되어 있다.

   d. 자유전자가 많다.

41. 게르마늄 다이오드와 비교할 때, 실리콘 다이오드의 역방향 포화전류는?

   a. 고온에서 같다.

   b. 보다 적다.

   c. 저온에서 같다.

   d. 보다 많다.

42. 공핍층이 생기는 원인은?

   a. 도핑

   b. 재결합

   c. 전위장벽

   d. 이온

43. 실온에서 실리콘 다이오드의 전위장벽은?

   a. 0.3 V

   b. 0.7 V

   c. 1 V

   d. 1℃마다 2 mV

44. 게르마늄과 실리콘 원자의 에너지 갭을 비교할 때, 실리콘 원자의 에너지 갭은?

   a. 거의 같다.

   b. 보다 작다.

   c. 보다 크다.

   d. 예측 할 수 없다.

45. 실리콘 다이오드에서 역방향 전류는 일반적으로?

   a. 매우 적다.

   b. 매우 많다.

   c. 0이다.

   d. 항복영역에 있다.

46. 온도를 일정하게 유지하면서, 실리콘 다이오드의 역방향 바이어스 전압을 증가시켰다. 이 다이오드의 포화전류는?

   a. 증가

   b. 감소

   c. 같은 크기 유지

   d. 표면누설전류와 동일

47. 애벌랜치를 일으키는 전압은?

   a. 전위장벽

   b. 공핍층

   c. 문턱전압

   d. 항복전압

48. 다이오드에서 *pn* 접합의 에너지 언덕은 다이오드가 ____(일)때 감소한다.

   a. 순방향 바이어스

   b. 처음 만들어질

   c. 역방향 바이어스

   d. 도전하지 않을

49. 역방향 전압이 10에서 5 V로 감소할 때, 공핍층은?

   a. 더 좁아진다.

   b. 더 넓어진다.

   c. 영향을 받지 않는다.

   d. 파괴된다.

50. 다이오드가 순방향 바이어스일 때, 자유전자와 정공의 재결합으로

   a. 열이 난다.

   b. 빛이 난다.

   c. 복사 한다.

   d. 위의 보기 모두 나타난다.

51. 다이오드에 10 V의 역방향 전압이 걸려 있다. 공핍층에 걸리는 전압은 얼마인가?

   a. 0 V

   b. 0.7 V

   c. 10 V

   d. 위의 보기에는 없다.

52. 실리콘 원자에서 에너지 갭은 가전자 대역과 ____간의 거리이다.

   a. 핵

   b. 전도 대역

   c. 핵심

   d. 양이온

53. 접합온도가 ____ 증가할 때 역포화전류는 2배가 된다.

   a. 1℃

   b. 2℃

   c. 4℃

   d. 10℃

54. 역방향 전압이 ____ 증가할 때 표면누설전류는 2배가 된다.

   a. 7%

   b. 100%

   c. 200%

   d. 2 mV

기본 문제 | Problems

2-1 만일 구리 원자가 2개의 전자를 얻는다면, 이 원자의 순전하는 얼마인가?

2-2 만일 실리콘 원자가 3개의 가전자를 얻는다면, 이 원자의 순전하는 얼마인가?

2-3 다음을 도체 혹은 반도체로 분류하여라.

   a. 게르마늄   b. 은

   c. 실리콘   d. 금

2-4 만약 순수 실리콘 결정이 그 내부에 500,000개의 정공을 가지고 있다면, 이 결정이 가지고 있는 자유전자는 몇 개 인가?

2-5 다이오드는 순방향 바이어스이다. 만약 5 mA의 전류가 *n*쪽을 흐른다면, 다음을 흐르는 전류는 각각 얼마인가?

   a. *p*쪽

   b. 외부의 연결도선

   c. 접합

2-6 다음을 n형 혹은 p형 반도체로 분류하여라.

    a. 억셉터원자로 도핑하였다.

    b. 5가 불순물이 있는 결정

    c. 다수캐리어가 정공이다.

    d. 도너원자가 결정에 첨가되었다.

    e. 소수캐리어가 자유전자이다.

2-7 실리콘 다이오드가 0°~75℃의 온도 범위에서 사용되도록 설계되어 있다. 전위장벽의 최소 값과 최대 값은 각각 얼마인가?

2-8 실리콘 다이오드의 포화전류가 25℃에서 10 nA이다. 만일 0°~75℃의 온도 범위에서 동작한다고 하면, 포화전류의 최소값과 최대값은 얼마인가?

2-9 역방향 전압이 10 V일 때, 다이오드의 표면누설전류가 10 nA이다. 만일 역방향 전압이 100 V로 증가하면 표면누설전류는 얼마인가?

응용 문제 | Critical Thinking

2-10 실리콘 다이오드의 역방향 전류가 25℃에서 5 μA, 그리고 100℃에서 100 μA이다. 25℃에서 포화전류와 표면누설전류 값은 얼마인가?

2-11 컴퓨터를 만들 때, pn접합이 있는 소자들을 사용한다. 이 컴퓨터의 속도는 다이오드가 얼마나 빨리 단속 전환될 수 있는가에 달려 있다. 역방향 바이어스에 대해 배운 지식을 바탕으로, 어떻게 하면 컴퓨터의 속도를 증가시킬 수 있는가?

Multisim 고장 점검 문제 | Multisim Troubleshooting Problems

멀티심 고장 점검 파일들은 *Connect for Electronic Principles* 저자 자료에 멀티심 고장 점검 회로(MTC)라는 폴더에서 찾을 수 있다. 좀 더 자세한 내용은 xiv페이지를 참조하라. 이 장에 관련된 파일은 MTC02-12~MTC02-16로 명칭되어 있다.

    각 파일을 열고 고장 점검을 실시한다. 결함이 있는지 결정하기 위해 측정을 실시하고 결함이 있다면 무엇인지를 찾아라.

2-12 MTC02-12 파일을 열고 고장 점검을 실시하라.

2-13 MTC02-13 파일을 열고 고장 점검을 실시하라.

2-14 MTC02-14 파일을 열고 고장 점검을 실시하라.

2-15 MTC02-15 파일을 열고 고장 점검을 실시하라.

2-16 MTC02-16 파일을 열고 고장 점검을 실시하라.

직무 면접 문제 | Job Interview Questions

전자공학의 한 전문가팀이 이 질문들을 만들었다. 모든 질문에 답할 수 있는 충분한 내용이 교재에 대부분 들어있다. 가끔 익숙하지 않은 용어를 접할 수도 있을 것이다. 그럴 때는 기술사전에서 용어를 찾아보아라. 그리고 이 교재에서 취급되지 않은 것에 대한 질문도 있을 수 있다. 이럴 때는 도서관에서 조사하기 바란다.

1. 구리가 전기의 양도체가 되는 이유를 말해 보아라.

2. 반도체와 도체가 다른 점은 무엇인가? 스케치하면서 설명하여라.

3. 정공에 대해 아는 바를 모두 설명하고, 자유전자와 다른 점은 무엇인지, 스케치하면서 설명하여라.

4. 도핑한 반도체의 기본개념을 말해 보아라. 설명에 도움이 되는 것을 스케치하여라.

5. 순방향 바이어스된 다이오드에 전류가 흐르는 이유와 그 동작을 스케치하고, 설명하여라.

6. 역방향 바이어스된 다이오드에 흐르는 전류가 적은 이유는 무엇인가?

7. 역방향 바이어스된 반도체 다이오드가 어떤 조건에 이르면 항복이 일어난다. 애벌랜치에 대해 내가 충분히 이해할 수 있도록 상세하게 설명해 보아라.

8. 발광다이오드가 빛을 내는 이유를 알고 싶다. 설명해 보아라.

9. 정공이 도체를 흐르는가? 흐르지 않는다면 그 이유는? 정공이 반도체의 끝에 도달할 때 어떤 일이 일어나는가?

10. 표면누설전류란 무엇인가?

11. 다이오드에서 재결합이 왜 중요한가?

12. 외인성 실리콘과 진성 실리콘의 차이점은 무엇인가? 그리고 이 차이점이 중요한 이유는?

13. pn 접합이 처음 만들어질 때 일어나는 동작을 설명해 보아라. 공핍층의 형성도 포함시켜 설명하여라.

14. pn 접합다이오드에서 이동하는 캐리어의 전하는 정공인가 혹은 자유전자인가?

복습 문제 해답 | Self-Test Answers

1.	d	**15.**	a	**29.**	d	**43.**	b
2.	a	**16.**	b	**30.**	c	**44.**	c
3.	b	**17.**	d	**31.**	a	**45.**	a
4.	b	**18.**	d	**32.**	a	**46.**	c
5.	d	**19.**	a	**33.**	b	**47.**	d
6.	c	**20.**	a	**34.**	a	**48.**	a
7.	b	**21.**	d	**35.**	b	**49.**	a
8.	b	**22.**	a	**36.**	c	**50.**	d
9.	c	**23.**	a	**37.**	c	**51.**	c
10.	a	**24.**	a	**38.**	a	**52.**	b
11.	c	**25.**	d	**39.**	b	**53.**	d
12.	c	**26.**	b	**40.**	a	**54.**	b
13.	b	**27.**	b	**41.**	b		
14.	b	**28.**	a	**42.**	b		

연습 문제 해답 | Practice Problem Answers

2-4 대략적으로 500만 개의 정공

2-5 $V_B = 0.65$ V

2-6 $I_S = 224$ nA

2-7 $I_{SL} = 8$ nA

3

다이오드 이론

Diode Theory

이 단원은 다이오드 공부의 연속이다. 다이오드 곡선을 설명한 후 다이오드의 근사해석을 알아본다. 정확한 해답을 얻으려면 대부분의 경우 시간이 많이 걸리고 지루하기 때문에 근사해석이 필요하다. 예를 들면 이상적 근사해석은 일반적으로 고장 점검에 적합하고, 제2근사해석은 빠르고 쉬운 해답을 주는 경우가 많다. 이 외에도 더 정밀하거나 혹은 정답과 거의 같은 컴퓨터 해석을 위해 제3근사해석도 이용할 수 있다.

이 단원을 공부하고 나면

- 다이오드 기호를 그리고 양극과 음극의 명칭을 부여할 수 있어야 한다.
- 다이오드 곡선을 그리고 모든 중요한 점과 영역의 명칭을 부여할 수 있어야 한다.
- 이상적인 다이오드를 설명할 수 있어야 한다.
- 제2근사해석을 설명할 수 있어야 한다.
- 제3근사해석을 설명할 수 있어야 한다.
- 자료표에 있는 다이오드의 4가지 기본 특성을 열거할 수 있어야 한다.
- DMM과 VOM으로 다이오드를 검사하는 방법을 설명할 수 있어야 한다.
- 부품, 회로 및 시스템 사이의 관계를 설명할 수 있어야 한다.

단원 목차 | Chapter Outline

주요용어 | Vocabulary

무릎전압(knee voltage)

벌크저항(bulk resistance)

부하선(load line)

비선형 소자(nonlinear device)

선형 소자(linear device)

양극(anode)

옴성 저항(ohmic resistance)

음극(cathode)

이상적인 다이오드(ideal diode)

전력정격(power rating)

전자시스템(electronic systems)

최대 순방향 전류
　　(maximum forward current)

3-1 기본 개념

일반 저항은 전압 대 전류의 그래프가 직선이기 때문에 **선형 소자**(linear device)이다. 다이오드는 다르다. 다이오드는 전압 대 전류의 그래프가 직선이 아니기 때문에 **비선형 소자**(nonlinear device)이다. 이유는 전위장벽 때문이다. 다이오드 전압이 전위장벽보다 낮을 때 다이오드 전류는 적고, 전위장벽보다 높으면 다이오드 전류는 가파르게 증가한다.

그림기호와 용기 모형

그림 3-1a는 pn구조와 다이오드의 그림기호이다. p쪽을 **양극**(anode), n쪽을 **음극**(cathode)이라 부른다. 다이오드 기호는 p쪽에서 n쪽으로 즉, 양극에서 음극으로 향하는 화살표처럼 보인다. 그림 3-1b는 많은 표준 다이오드의 용기 모형의 일부를 보인 것이다. 전부는 아니지만 많은 다이오드는 음극 선(K)을 색깔 띠로 표시한다.

기본 다이오드 회로

그림 3-1c는 다이오드 회로이다. 이 회로에서 다이오드는 순방향 바이어스이다. 어떻게 알 수 있는가? 전지의 양의 단자가 저항을 통해 p쪽을 구동하고, 전지의 음의 단자가 n쪽에 연결되어 있기 때문이다. 이와 같이 연결되면 회로는 정공과 자유전자를 접합 쪽으로 밀려고 한다.

    회로가 더 복잡해지면 다이오드가 순방향 바이어스인가를 결정하는 것이 어려울지도 모른다. 여기에 지침이 있다. '외부 회로가 전류를 흐르기 쉬운 방향(*easy direction*)

그림 3-1 다이오드 (a) 그림기호; (b) 다이오드의 용기 모형; (c) 순방향 바이어스

그림 3-2 다이오드 곡선

으로 밀고 있는가?'라고 자문해 보아라. 만약 긍정적인 답이 나오면 다이오드는 순방향 바이어스이다.

흐르기 쉬운 방향은 어느 쪽인가? 만약 관습적 전류를 이용하면 흐르기 쉬운 방향은 다이오드 화살과 같은 방향이고, 전자 흐름을 선호하면 흐르기 쉬운 방향은 그 반대 방향이다.

다이오드가 복잡한 회로의 일부분일 때, Thevenin 정리를 이용하여 순방향 바이어스를 판단할 수 있다. 예를 들어 어떤 복잡한 회로를 Thevenin 정리로 간략화 하여 그림 3-1c를 얻었다고 가정하자. 다이오드가 순방향 바이어스임을 알게 될 것이다.

순방향 영역

그림 3-1c는 실험실에서 구성할 수 있는 회로이다. 이 회로를 연결한 뒤에 다이오드 전류와 전압을 측정할 수 있다. 마찬가지로 극성을 반대로 하고 역방향 바이어스에서 다이오드 전류와 전압을 측정할 수 있다. 다이오드 전압 대 다이오드 전류를 좌표로 표시하면 그림 3-2와 같은 그래프가 만들어질 것이다.

이것은 앞 단원에서 설명한 개념을 잘 이해할 수 있도록 요약한 것이다. 예를 들면 다이오드가 순방향 바이어스일 때, 다이오드 전압이 전위장벽에 이를 때까지 전류는 매우 적게 흐른다. 이와 반대로 다이오드가 역방향 바이어스일 때, 다이오드 전압이 항복전압에 도달할 때까지 역방향 전류는 거의 흐르지 않는다. 그 다음에 애벌랜치로 역방향 전류가 많이 흐르고 다이오드는 파손된다.

무릎전압

순방향 영역에서 전류가 가파르게 증가하기 시작하는 전압을 다이오드의 **무릎전압**(knee voltage)이라 한다. 무릎전압은 전위장벽과 같다. 일반적으로 다이오드의 회로해석은 결국 다이오드 전압이 무릎전압보다 높은가 혹은 낮은가를 결정하는 것에 귀착한다. 만약 높으면 다이오드는 쉽게 도전하고, 낮으면 어렵게 겨우 도전한다. 실리콘 다이오드의 무릎전압을 다음과 같이 정의한다.

$$V_K \approx 0.7\ \text{V} \tag{3-1}$$

(주: 기호 ≈는 "대략 같다"는 뜻이다)

최근의 설계에서는 게르마늄 다이오드를 거의 사용하지 않지만 특수 회로 혹은 오래된 기기에서 게르마늄 다이오드를 보게 될지도 모른다. 그러므로 게르마늄 다이오드의 무릎전압이 대략 0.3 V라는 것을 알고 있어야 한다. 낮은 무릎전압이 이점이 되어 게르마늄 다이오드를 사용하는 곳도 있다.

벌크저항

무릎전압을 지나면 다이오드 전류는 가파르게 증가한다. 이것은 다이오드 전압이 약간 증가하면 다이오드 전류가 대단히 증가한다는 것을 의미한다. 전위장벽을 극복하고 나면 전류를 방해하는 것은 p와 n영역의 **옴성 저항**(ohmic resistance)뿐이다. 다른 말로 표현하면, 만약 p와 n영역을 분리된 반도체라고 하면, 각 조각은 일반 저항기와 마찬가지로, 저항계로 측정이 되는 저항이 있다.

옴성 저항의 합을 다이오드의 **벌크저항**(bulk resistance)이라 하며, 다음과 같이 정의한다.

$$R_B = R_P + R_N \tag{3-2}$$

벌크저항은 p와 n영역의 크기와 도핑수준에 의해 결정되고, 흔히 1 Ω 미만이다.

최대 직류 순방향 전류

만약 다이오드 전류가 너무 많이 흐르면, 과열로 인해 다이오드가 파손될 수 있다. 이 때문에 제조업자가 작성한 자료표에는 수명단축이나 특성의 열화 없이 다이오드를 안전하게 취급할 수 있는 최대 전류가 명시되어 있다.

최대 순방향 전류(maximum forward current)는 자료표에 명기된 최대정격 중의 하나이다. 이 전류는 제조업자에 따라 $Imax$, $IF(max)$, IO 등으로 표기되어 있다. 예를 들면 1N456은 최대 순방향 전류정격이 135 mA이다. 이것은 1N456이 안전하게 처리할 수 있는 연속적인 순방향 전류가 135 mA임을 의미한다.

전력소모

우리는 저항에서 계산했던 것과 같은 방법으로 다이오드의 전력소모를 계산할 수 있다. 전력소모는 다이오드 전압과 전류의 곱과 같다. 수식으로는

$$P_D = V_D I_D \tag{3-3}$$

전력정격(power rating)은 다이오드가 수명단축이나 특성의 열화 없이 안전하게 소모할 수 있는 최대전력이다. 기호로 정의하면

$$P_{max} = V_{max} I_{max} \tag{3-4}$$

여기서 V_{max}는 I_{max}에 대응하는 전압이다. 예를 들어서 만약 다이오드의 최대전압과 전류가 1 V와 2 A이면 이 다이오드의 전력정격은 2 W이다.

예제 3-1   ‖‖‖ **Multisim**

그림 3-3*a*의 다이오드는 순방향 바이어스인가 혹은 역방향 바이어스인가?

풀이 R_2의 전압이 양이므로 회로는 흐르기 쉬운 방향으로 전류를 밀려고 한다. 만약 이것이 분명하지 않으면 그림 3-3*b*와 같이 다이오드를 바라보는 Thevenin 회로를 상상해 보아라. Thevenin 등가회로를 결정하기 위해 $V_{TH} = \frac{R_2}{R_1 + R_2}(V_S)$와 $R_{TH} = \frac{R_1}{R_2}$임을 기억하라. 이 직렬회로에서 직류전원이 전류를 흐르기 쉬운 방향으로 밀려고 한다는 것을 알 수 있을 것이다. 그러므로 다이오드는 순방향 바이어스이다.

의심스러우면 언제라도 회로를 직렬회로로 간단하게 만들어라. 그러면 직류전원이 전류를 쉬운 방향으로 밀려고 하는지 혹은 그렇지 않은지 분명히 알 수 있을 것이다.

그림 3-3

연습 문제 3-1 그림 3-3*c*의 다이오드들은 순방향 바이어스인가 혹은 역방향 바이어스인가?

예제 3-2

전력정격이 5 W인 다이오드가 있다. 만약 다이오드 전압이 1.2 V이고, 다이오드 전류가 1.75 A이면 전력소모는 얼마인가? 다이오드는 파손되는가?

풀이
$$P_D = (1.2\,\text{V})(1.75\,\text{A}) = 2.1\,\text{W}$$

이것은 전력정격보다 작다. 그러므로 다이오드는 파손되지 않을 것이다.

연습 문제 3-2 예제 3-2와 관련하여 만약 다이오드 전압이 1.1 V이고 다이오드 전류가 2 A이면, 다이오드의 전력소모는 얼마인가?

3-2 이상적인 다이오드

그림 3-4는 다이오드의 순방향 영역을 상세하게 나타낸 그래프이다. 다이오드 전압 대 다이오드 전류에서 다이오드 전압이 전위장벽과 비슷해질 때까지 전류가 거의 0이라는 사실을 잊어서는 안된다. 0.6~0.7 V 근처에서 다이오드 전류가 증가한다. 다이오드 전압이 0.8 V 이상일 때 다이오드 전류는 상당히 증가하고 그래프는 거의 직선이 된다.

다이오드는 도핑 정도와 실제 크기에 따라 최대 순방향 전류, 전력정격과 기타 특성이 서로 다르다. 만약 정확한 해석이 필요하면 특정 다이오드의 그래프를 이용해야 할 것이다. 비록 여러 다이오드의 전류와 전압 점들이 정확히 일치하지는 않지만 대체적으로 그림 3-4와 비슷한 그래프가 될 것이다. 모든 실리콘 다이오드는 무릎전압이 대략 0.7 V이다.

대부분의 경우 정확한 해석이 필요 없기 때문에 다이오드도 근사해석을 할 수 있고, 또 해야만 한다. 우리는 **이상적인 다이오드**(ideal diode)라 불리는 가장 간단한 근사해석으로 시작할 것이다. 가장 기본적인 말로, 다이오드는 어떤 동작을 하는가? 다이오드는 순방향으로 잘 도전하고 역방향으로는 도전이 어렵다. 이상적으로 보면 다이오드는 순방향 바이어스일 때 완전 도체(0 저항)처럼 동작하고 역방향 바이어스일 때 완전 절연체(무한대 저항)처럼 동작한다.

그림 3-5a는 이상적인 다이오드의 전류-전압 그래프이다. 바로 앞에서 설명한 바와 같이 순방향 바이어스일 때 영 저항이고, 역방향 바이어스일 때 무한대 저항을 나타낸다. 이러한 소자는 실제로 만들 수 없지만 가능하다면 만들려고 할 것이다.

이상적인 다이오드처럼 동작하는 소자가 있는가? 일반적인 스위치는 닫힐 때 0 저항이고, 열릴 때 무한대 저항이다. 그러므로 이상적인 다이오드는 순방향 바이어스

그림 3-4 순방향 전류의 그래프

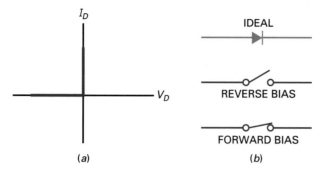

| (a) | (b) |

그림 3-5   (a) 이상적인 다이오드 곡선; (b) 이상적인 다이오드는 스위치처럼 동작한다.

일 때 닫히고, 역방향 바이어스일 때 열리는 스위치처럼 동작한다. 그림 3-5*b*는 스위치 개념을 요약한 것이다.

예제 3-3

그림 3-6*a*에서 이상적인 다이오드일 때, 부하전압과 부하 전류를 계산하여라.

풀이   다이오드는 순방향 바이어스이므로 닫힌 스위치와 같다. 다이오드를 닫힌 스위치로 생각하면 전원전압이 모두 부하저항에 나타난다는 것을 알 수 있다.

$$V_L = 10 \text{ V}$$

Ohm의 법칙에 의해 부하전류는 다음과 같다.

$$I_L = \frac{10 \text{ V}}{1 \text{ k}\Omega} = 10 \text{ mA}$$

연습 문제 3-3   그림 3-6*a*에서 전원 전압이 5 V이면 이상적인 부하 전류는 얼마인가?

예제 3-4

그림 3-6*b*는 이상적인 다이오드를 사용한다. 부하 전압과 부하 전류를 계산하여라.

풀이   이 문제를 푸는 한 가지 방법은 다이오드의 왼쪽 회로를 Thevenin화하는 것이다. 다이오드에서 전원 쪽을 뒤돌아보면 6 kΩ과 3 kΩ의 전압 분배기로 보인다. Thevenin 전압은 12 V이고, Thevenin 저항은 2 kΩ이다. 그림 3-6*c*는 다이오드를 구동하는 Thevenin 회로이다.

여기서 직렬회로이므로 다이오드는 순방향 바이어스임을 알 수 있다. 다이오드를 닫힌 스위치로 생각하면, 남아있는 계산은 다음과 같다.

$$I_L = \frac{12 \text{ V}}{3 \text{ k}\Omega} = 4 \text{ mA}$$

그림 3-6

그리고

$$V_L = (4 \text{ mA})(1 \text{ k}\Omega) = 4 \text{ V}$$

Thevenin 정리를 이용하지 않아도 된다. 그림 3-6*b*에서 다이오드를 닫힌 스위치로 생각해도 풀이가 가능하다. 이 경우 3 kΩ과 1 kΩ이 병렬이므로 등가적으로 750 Ω이다. Ohm의 법칙을 이용하면 6 kΩ의 전압강하는 32 V이다. 나머지 해석에 의해 위와 같은 부하 전압과 부하 전류가 계산된다.

연습 문제 3-4 그림 3-6*b*에서 36 V전원을 18 V로 바꾸고 이상적인 다이오드일 때 부하전압과 부하 전류를 구하여라.

3-3 제2근사해석

참고 사항

순방향 바이어스일 것이라고 생각되는 실리콘 다이오드가 있는 회로를 고장 점검할 때, 다이오드 전압을 측정한 값이 0.7 V 보다 훨씬 크면 다이오드는 고장을 의미하고, 사실은 개방 상태이다.

고장 점검 환경이면 대부분 이상적인 근사해석이 적합하다. 그렇지만 우리는 항상 고장 점검만 하는 것이 아니다. 우리는 가끔 더 정확한 부하전류 값이나 부하전압 값이 필요할 때도 있다. 여기에 **제2근사해석**(*second approximation*)이 적용된다.

그림 3-7*a*는 제2근사해석에 대한 전압 대 전류의 그래프이다. 그래프를 보면 다이오드는 0.7 V가 될 때까지 전류가 흐르지 않다가 이 전압에서 도전하고 그 이후 다이오드는 전류와 상관없이 0.7 V를 유지한다.

그림 3-7*b*는 실리콘 다이오드의 제2근사해석의 등가회로이다. 다이오드를 0.7 V의 전위장벽과 직렬인 스위치처럼 생각한다. 만일 다이오드를 바라보는 Thevenin 전압이 0.7 V 이상이면 스위치는 닫힐 것이다. 도전이 되면 다이오드 전압은 순방향 전류의 크기에 관계없이 0.7 V이다.

한편 Thevenin 전압이 0.7 V 미만이면 스위치는 열릴 것이다. 이 경우 다이오드를 흐르는 전류는 없다.

그림 3-7　(a) 제2근사해석용 다이오드 곡선; (b) 제2근사해석용 등가회로

예제 3-5

그림 3-8에서 제2근사해석으로 부하전압, 부하전류와 다이오드 전력을 계산하여라.

풀이　다이오드는 순방향 바이어스이므로 등가적으로 0.7 V의 전지와 같다. 그러므로 부하전압은 전원전압에서 다이오드 전압강하를 뺀 것과 같다.

$$V_L = 10 \text{ V} - 0.7 \text{ V} = 9.3 \text{ V}$$

Ohm의 법칙을 이용하면, 부하전류는

$$I_L = \frac{9.3 \text{ V}}{1 \text{ k}\Omega} = 9.3 \text{ mA}$$

이고, 다이오드 전력은 다음과 같다.

$$P_D = (0.7 \text{ V})(9.3 \text{ mA}) = 6.51 \text{ mW}$$

연습 문제 3-5　그림 3-8에서 전원 전압을 5 V로 바꾸고, 이에 대한 부하전압과 전류, 그리고 다이오드 전력을 구하여라.

그림 3-8

예제 3-6

그림 3-9a에서 제2근사해석으로 부하전압, 부하전류와 다이오드 전력을 계산하여라.

풀이　여기서 다이오드의 왼쪽 회로를 Thevenin화 한다. 앞에서와 마찬가지로 Thevenin 전압은 12 V이고, Thevenin 저항은 2 kΩ이다. 그림 3-9b는 간략화된 회로이다.

다이오드 전압이 0.7 V이므로 부하전류는

$$I_L = \frac{12 \text{ V} - 0.7 \text{ V}}{3 \text{ k}\Omega} = 3.77 \text{ mA}$$

이다. 부하전압은

그림 3-9　(a) 원회로; (b) Thevenin의 정리로 간략화된 회로

$$V_L = (3.77 \text{ mA})(1 \text{ k}\Omega) = 3.77 \text{ V}$$

이며, 다이오드 전력은 다음과 같다.

$$P_D = (0.7 \text{ V})(3.77 \text{ mA}) = 2.64 \text{ mW}$$

연습 문제 3-6 전압원 값으로 18 V를 사용하고, 예제 3-6을 반복하여라.

3-4 제3근사해석

다이오드의 제3근사해석(*third approximation*)에서는 벌크저항 R_B가 포함된다. 그림 3-10*a*는 R_B의 영향을 고려한 다이오드 곡선이다. 실리콘 다이오드가 동작하면 전압은 전류의 증가에 따라 직선적으로 증가한다. 전류가 많이 흐를수록 다이오드 전압은 벌크저항의 전압강하 때문에 더욱 증가한다.

제3근사해석을 위한 등가회로는 0.7 V의 전위장벽과의 R_B의 저항이 직렬인 스위치이다(그림 3-10*b*를 보아라). 다이오드 전압이 0.7 V 이상일 때, 다이오드는 도전한다. 도전하는 동안 다이오드의 전체전압은

$$V_D = 0.7 \text{ V} + I_D R_B \tag{3-5}$$

이다. 벌크저항은 1 Ω 미만이므로, 계산할 때 가끔 무시할 수 있다. 다음 정의는 벌크저항을 무시할 때 적용되는 지침이다.

벌크 무시: $R_B < 0.01 R_{TH}$ (3-6)

이것은 벌크저항이 다이오드를 바라보는 Thevenin 저항의 1/100 미만일 때, 벌크저항을 무시할 수 있다는 뜻이다. 이 조건이 만족되면 오차는 1% 미만이다. 회로를 설계할 때 대부분 식 (3-6)을 충족하기 때문에 기술자들은 제3근사해석을 거의 사용하지 않는다.

그림 3-10 (a) 제3근사해석용 다이오드 곡선; (b) 제3근사해석용 등가회로

응용 예제 3-7

그림 3-11*a*의 1N4001은 0.23 Ω의 벌크저항을 가지고 있다. 부하전압, 부하전류와 다이오드 전력은 얼마인가?

그림 3-11

풀이 다이오드를 제3근사해석으로 표현하면 그림 3-11*b*가 된다. 벌크저항은 부하저항의 1/100 미만이므로, 무시할 수 있을 정도로 작은 양이다. 이런 경우 제2근사해석으로 문제를 풀 수 있다. 이에 관한 것은 이미 예제 3-6에서 다루었다. 구하는 부하전압, 부하전류와 다이오드 전력은 9.3 V, 9.3 mA 그리고 6.51 mW였다.

응용 예제 3-8

IIII Multisim

부하저항이 10 Ω인 경우, 위의 예제를 반복하여라.

풀이 그림 3-12*a*는 등가회로이다. 전체 저항은

$$R_T = 0.23 \ \Omega + 10 \ \Omega = 10.23 \ \Omega$$

이다. R_T의 전체 전압은

그림 3-12

$$V_T = 10\,\text{V} - 0.7\,\text{V} = 9.3\,\text{V}$$

이므로, 부하전류는

$$I_L = \frac{9.3\,\text{V}}{10.23\,\Omega} = 0.909\,\text{A}$$

이고, 부하전압은 다음과 같다.

$$V_L = (0.909\,\text{A})(10\,\Omega) = 9.09\,\text{V}$$

다이오드 전력을 계산하기 위해 다이오드 전압을 알 필요가 있다. 두 가지 방법 중 어느 것을 사용해도 된다. 전원전압에서 부하전압을 뺀다.

$$V_D = 10\,\text{V} - 9.09\,\text{V} = 0.91\,\text{V}$$

혹은 식 (3-5)를 이용한다.

$$V_D = 0.7\,\text{V} + (0.909\,\text{A})(0.23\,\Omega) = 0.909\,\text{V}$$

요점정리 표 3-1	다이오드 근사해석		
	제1 혹은 이상적	**제2 혹은 실제적**	**제3**
적용될 때	고장 점검 혹은 빠른 해석	기술자 수준에서 해석	높은 수준 혹은 공학자수준 해석
다이오드 곡선			
등가회로			
회로 예			

마지막 두 해답에서 약간 차이가 있는 것은 반올림 때문이다. 다이오드 전력은 다음과 같다.

$$P_D = (0.909 \text{ V})(0.909 \text{ A}) = 0.826 \text{ W}$$

두 가지 추가 사항. 첫째, 1N4001은 최대 순방향 전류가 1 A, 전력정격이 1 W이다. 그리고 다이오드는 10 V의 부하저항에서 한계 수준까지 올라간다. 둘째, 제3근사해석으로 계산된 부하전압은 9.09 V이다. 이것은 MultiSim 부하전압과 거의 일치한다(그림 3-12*b*를 보아라).

요점정리 표 3-1은 다이오드의 세 가지 근사해석의 차이점에 대한 설명이다.

연습 문제 3-8　전압원 값을 5 V로 하고, 예제 3-8을 반복하여라.

3-5 고장 점검

저항계 중에서 고저항범위를 가진 저항계를 사용하면 다이오드의 상태를 빨리 점검할 수 있다. 다이오드의 직류저항을 어떤 방향으로 측정하고, 그런 다음 리드선을 반대로 하고 직류저항을 다시 측정하여라. 순방향 전류는 사용하는 저항계의 측정범위와 관련이 있을 것이다. 이것은 범위가 다르면 지시값도 달라진다는 것을 의미한다.

그런데 주요한 것은 순방향 대 역방향 저항의 높은 비율이다. 전자 제품에 사용되는 표준 실리콘 다이오드는 그 비가 1000:1 이상이다. 혹시 있을지도 모를 다이오드의 손상을 피하려면 상당히 높은 저항범위를 사용해야 한다는 사실을 잊어서는 안된다. 일반적으로 R × 100 혹은 R × 1K 범위에서 측정하면 안전할 것이다.

저항계를 이용하여 다이오드를 점검하는 하나의 보기로서 도통/비도통 시험이 있다. 솔직히 이 시험은 다이오드의 정확한 직류저항 값에는 관심이 없다. 우리가 원하는 것은 다이오드가 순방향에서 저저항, 그리고 역방향에서 고저항인가를 알아보는 것이다. 다이오드는 다음 중 어느 한 가지의 고장을 갖는다. 양방향에서 지극히 저저항(다이오드 단락); 양방향에서 고저항(다이오드 개방); 역방향에서 약간 저 저항(누설 다이오드(*leaky diode*)라 부른다).

대부분의 디지털 멀티미터(DMM)는 옴이나 저항 기능에 맞추어지면 *pn* 접합다이오드의 검사에 필요한 전압과 전류를 출력할 수 없다. 그러나 대부분의 DMM은 별도의 다이오드 검사할 수 있는 별도의 범위를 가지고 있다. 미터를 이 범위에 놓으면 리드선에 연결된 소자가 어떤 것이라도 대략 1 mA의 일정 전류가 소자로 흐른다. 순방향 바이어스일 때 DMM은 그림 3-13*a*와 같이 *pn*접합의 순방향 전압 V_F를 화면에 표시할 것이다. 정상적인 실리콘 *pn* 접합다이오드에서 이 순방향 전압은 보통 0.5 V와 0.7 V 사이가 될 것이다. 검사용 리드선으로 다이오드를 역방향으로 바이어스하면 미터는 그림 3-13*b*와 같이 디스플레이 상에 "OL" 혹은 "1"과 같은 범위 초과를 나타낼 것이다. 단락 다이오드는 양방향에서 0.5 V 이하의 전압을 화면에 표시하고, 개방 다이오드는 양방향에서 범위 초과를 표시할 것이다. 누설 다이오드는 양방향에서 2.0 V 이하의 전압을 화면에 표시할 것이다.

(a)

(b)

그림 3-13 (a) DMM 다이오드 순방향 검사; (b) DMM 다이오드 역방향 검사

그림 3-14 회로 고장 점검

예제 3-9

그림 3-14는 앞에서 해석한 다이오드 회로이다. 어떤 원인으로 다이오드가 타버렸다고 가정하자. 어떤 징후가 나타나겠는가?

풀이 다이오드가 타버리면 회로는 개방된다. 따라서 전류는 영으로 떨어지고, 부하전압을 측정하면 전압계는 영을 지시할 것이다.

예제 3-10

그림 3-14의 회로가 동작하지 않는다고 가정한다. 만일 부하가 단락이 아니라면 어떤 고장이 있을 수 있는가?

풀이　여러 가지 고장이 있을 수 있다. 첫째, 다이오드의 개방, 둘째, 공급전압이 0, 셋째, 연결도선의 일부분 개방도 있을 수 있다.

　　고장은 어떻게 찾는가? 결함이 있는 부품을 찾기 위해 전압을 측정하여라. 그리고 의심스러운 부품을 분리해서 저항을 검사하여라. 예를 들어서 먼저 전원전압을 측정하고 그 다음 부하전압을 측정한다. 만일 전원전압은 정상인데 부하전압이 없으면 다이오드가 개방일지도 모른다. 저항계 혹은 DMM 검사로 확인할 수 있다. 만일 저항계 혹은 DMM 검사에서 다이오드가 이상이 없으면 연결점을 체크해 보아라. 왜냐하면 전원전압은 있고 부하전압이 없는 이유가 있을 수 없기 때문이다.

　　만일 전원전압이 안 나오면 전원에 결함이 있거나 혹은 전원과 다이오드 사이의 연결이 끊어진 경우이다. 전원 고장은 자주 일어난다. 전자 장비가 동작하지 않을 때 전원이 고장인 경우가 가끔 있다. 그래서 고장 점검자는 대부분 전원전압부터 먼저 측정한다.

3-6 자료표 읽기

자료표 혹은 명세표에는 반도체 소자에 관한 주요 파라미터와 동작 특성이 나열되어 있다. 한편 용기 모형, 핀 아웃, 검사 절차 그리고 대표적인 응용과 같은 중요 정보는 구성품의 자료표에서 얻을 수 있다. 반도체 제조업자들은 일반적으로 이러한 정보를 참고 자료집 혹은 그들의 웹사이트를 통해 제공한다. 이런 정보는 각 제조업체들의 정보를 서로 비교하거나 혹은 부품 교환을 전문으로 취급하는 회사에서 인터넷으로 찾을 수 있다.

　　제조업자가 제공하는 자료표 상의 정보는 대부분 불분명하지만 회로설계자에게는 중요하다. 그러므로 이 책에서는 물리량을 설명한 자료표의 기재사항들만 논할 것이다.

참고 사항

Google과 같은 인터넷 검색 엔진을 이용하면 반도체 사용설명서를 빨리 찾을 수 있다.

역방향 항복전압

전원(교류전압을 직류전압으로 변환하는 회로)에 사용되는 정류 다이오드 1N4001에 관한 자료표에서 시작하자. 그림 3-15는 다이오드 1N4001에서 1N4007까지의 계열 자료표이다. 이 계열의 7개 다이오드는 순방향 특성은 같지만 역방향 특성이 다르다. 이 계통의 1N4001 멤버를 살펴보자. "최대정격"항의 첫 번째 기재사항은 다음과 같다.

	기호	1N4001
피크 반복 역방향 전압	V_{RRM}	50 V

이 다이오드의 항복전압은 50 V이다. 이와 같은 항복은 수많은 캐리어가 갑자기 공핍층에 나타날 때, 다이오드가 애벌랜치 되어 나타난다. 항복은 1N4001과 같은 정류 다이오드에 통상적으로 피해를 준다.

May 2009

1N4001 - 1N4007
General Purpose Rectifiers

Features

- Low forward voltage drop.
- High surge current capability.

DO-41
COLOR BAND DENOTES CATHODE

Absolute Maximum Ratings * $T_A = 25°C$ unless otherwise noted

Symbol	Parameter	Value							Units
		4001	4002	4003	4004	4005	4006	4007	
V_{RRM}	Peak Repetitive Reverse Voltage	50	100	200	400	600	800	1000	V
$I_{F(AV)}$	Average Rectified Forward Current .375 " lead length @ $T_A = 75°C$	1.0							A
I_{FSM}	Non-Repetitive Peak Forward Surge Current 8.3ms Single Half-Sine-Wave	30							A
I^2t	Rating for Fusing (t<8.3ms)	3.7							A^2sec
T_{STG}	Storage Temperature Range	-55 to +175							°C
T_J	Operating Junction Temperature	-55 to +175							°C

* These ratings are limiting values above which the serviceability of any semiconductor device may by impaired.

Thermal Characteristics

Symbol	Parameter	Value	Units
P_D	Power Dissipation	3.0	W
$R_{θJA}$	Thermal Resistance, Junction to Ambient	50	°C/W

Electrical Characteristics $T_A = 25°C$ unless otherwise noted

Symbol	Parameter	Value	Units
V_F	Forward Voltage @ 1.0A	1.1	V
I_{rr}	Maximum Full Load Reverse Current, Full Cycle $T_A = 75°C$	30	µA
I_R	Reverse Current @ Rated V_R $T_A = 25°C$ $T_A = 100°C$	5.0 50	µA µA
C_T	Total Capacitance $V_R = 4.0V$, f = 1.0MHz	15	pF

www.fairchildsemi.com

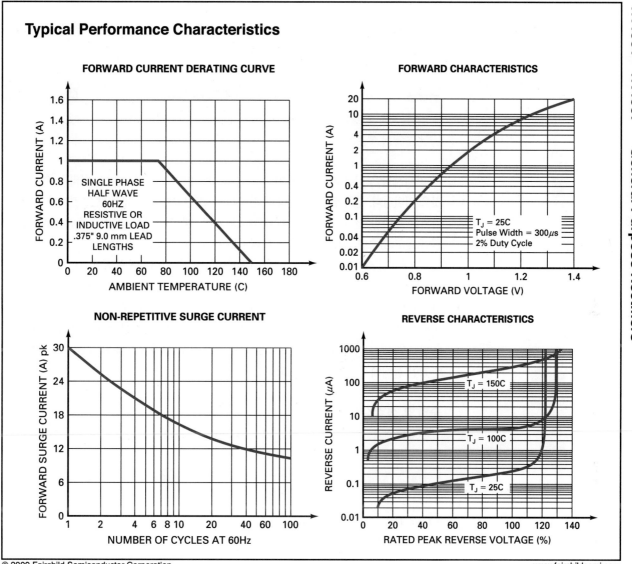

Typical Performance Characteristics

FORWARD CURRENT DERATING CURVE

FORWARD CHARACTERISTICS

NON-REPETITIVE SURGE CURRENT

REVERSE CHARACTERISTICS

(b)

그림 3-15   1N4001–1N4007 다이오드에 관한 자료표

    1N4001에서 역방향 전압 50 V는 모든 동작조건에서 설계자가 피해야 할 파괴적인 수준을 의미한다. 이 때문에 설계자는 **안전계수**(*safety factor*)를 고려한다. 안전계수는 너무나 많은 설계계수와 관련이 있기 때문에, 안전계수를 정하는 절대적인 규칙은 없다. 보수적인 설계는 안전계수 2를 적용하는데, 이것은 1N4001에서 역방향 전압이 25 V를 초과해서는 결코 안된다는 것을 의미한다. 1N4001에서 안전성이 다소 부족한 설계는 40 V까지 허용한다.

    다른 자료표에는 역방향 항복전압을 *PIV*, *PRV*, 혹은 *BV*로 표기하기도 한다.

최대 순방향 전류

정류된 평균 순방향 전류 역시 관심이 있는 기재사항으로 자료표에 다음과 같이 표기되어 있다.

	기호	값
정류된 평균 순방향 전류 @ $T_A = 75°C$	$I_{F(AV)}$	1 A

이 기재사항은 1N4001이 정류기로 사용될 때 순방향으로 1 A까지 처리할 수 있다는 것을 의미한다. 정류된 평균 순방향 전류는 다음 단원에서 상세히 배울 것이다. 다만 여기서는 과다한 전력 소모 때문에 다이오드가 탈 때 순방향 전류의 수준이 1 A라는 사실만 알고 있으면 된다. 다른 자료표에서는 평균전류를 I_O로 표기한다.

다시 말하자면 설계자는 1 A가 1N4001의 절대 최대정격으로서, 결코 접근해서는 안 되는 순방향 전류 수준이라고 생각한다. 이 때문에 안전계수(가능한 2배)를 고려한다. 다른 말자자면 신뢰성이 있는 설계에서는 순방향 전류를 모든 동작조건에서 0.5 A 이하가 되도록 한다. 수명 연구 결과 최대정격에 가깝게 사용할수록 소자의 수명이 단축된다는 것이 판명되었다. 그러므로 어떤 설계자는 안전계수를 10:1로 한다. 매우 보수적인 설계에서는 1N4001의 최대 순방향 전류를 0.1 A 혹은 그 이하가 되도록 한다.

순방향 전압강하

그림 3-15에서 "전기적 특성" 첫 번째 기재사항을 보면 다음과 같은 데이터가 주어져 있다.

특성과 조건	기호	최대 값
순방향 전압강하 (i_F) = 1.0 A, TA = 25°C	V_F	1.1 V

그림 3-15에서 제목이 "순방향 특성"으로 되어 있는 도표를 보면 전류가 1 A, 접합 온도가 25°C일 때 대표적인 1N4001의 순방향 전압강하는 0.93 V이다. 많은 1N4001을 시험해 보면, 그 중 일부는 전류가 1 A일 때 1.1 V 되는 것도 있을 것이다.

최대 역방향 전류

자료표에서 다음과 같은 다른 기재사항도 검토해 볼 만하다.

특성과 조건	기호	최대값
역방향 전류	I_R	
$T_A = 25°C$		10 μA
$T_A = 100°C$		50 μA

이것은 최대 역방향 직류 정격전압(1N4001은 50 V)일 때의 역방향 전류이다. 25°C에서 대표적인 1N4001의 최대 역방향 전류는 10 μA이다. 그러나 100°C일 때는 50 μA까지 증가한다는 사실을 잊지 말아라. 이 역방향 전류에는 열적으로 생성된 포화전류와 표면누설 전류가 포함된다는 것을 알아야 한다. 이 숫자를 보면 온도가 매우 중요하다는 것을 알 수 있을 것이다. 대표적인 1N4001은 역방향 전류가 10 μA 이하로 설계되면 25°C에서 잘 동작할 것이다. 그러나 만일 접합 온도가 100°C에 도달하면 대량생산에 실패할 것이다.

3-7 벌크저항 계산법

다이오드 회로를 정확하게 해석하려면 다이오드의 벌크저항을 알아야 할 것이다. 일반적으로 제조업자들은 벌크저항을 자료표에 별도로 기입하지 않지만, 벌크저항을 계산할 수 있는 충분한 정보를 제공한다. 벌크저항에 대한 유도는 다음과 같다.

$$R_B = \frac{V_2 - V_1}{I_2 - I_1} \tag{3-7}$$

여기서 V_1과 I_1은 무릎전압 또는 그보다 약간 위에 있는 어떤 점의 전압과 전류이고, V_2와 I_2는 다이오드 곡선에서 그보다 더 위에 있는 어떤 점의 전압과 전류이다.

예로서 1N4001의 자료표를 보면, 전류가 1 A일 때 순방향 전압이 0.93 V이다. 그리고 실리콘 다이오드이기 때문에 무릎전압은 대략 0.7 V이고, 전류는 거의 영이다. 그러므로 $V_2 = 0.93$ V, $I_2 = 1$ A, $V_1 = 0.7$ V 그리고 $I_1 = 0$을 위 식에 대입하면 벌크저항이 구해진다.

$$R_B = \frac{V_2 - V_1}{I_2 - I_1} = \frac{0.93\,V - 0.7\,V}{1\,A - 0\,A} = \frac{0.23\,V}{1\,A} = 0.23\,\Omega$$

설명을 더 하자면, 다이오드 곡선은 전압 대 전류의 그래프이다. 벌크저항은 무릎 윗 부분에서 기울기의 역수와 같다. 다이오드 곡선의 기울기가 클수록 벌크저항은 더 작아진다. 다시 말하면 다이오드 곡선은 무릎 위 부분에서 수직이 되면 될수록 벌크저항은 더 작아진다.

3-8 다이오드의 직류저항

전체 다이오드 전압 대 전체 다이오드 전류의 비를 다이오드의 **직류저항**(*dc resistance*)이라 한다. 이 직류저항은 순방향에서 R_F, 역방향에서 R_R로 표기한다.

순방향 저항

다이오드는 비선형 소자이므로 흐르는 전류에 따라 다이오드의 직류저항이 변한다. 예를 들면 1N914의 순방향 전류와 전압이 각각 다음과 같다: 0.65 V에서 10 mA, 0.75 V

에서 30 mA 그리고 0.85 V에서 50 mA. 첫 번째 점에서 직류저항은

$$R_F = \frac{0.65\,\text{V}}{10\,\text{mA}} = 65\,\Omega$$

이고, 두 번째 점에서

$$R_F = \frac{0.75\,\text{V}}{30\,\text{mA}} = 25\,\Omega$$

이며, 세 번째 점에서

$$R_F = \frac{0.85\,\text{mV}}{50\,\text{mA}} = 17\,\Omega$$

이다. 전류가 증가할수록 직류저항은 감소한다는 사실이 중요하다. 어떤 경우라도 순방향 저항은 역방향 저항보다 작다.

역방향 저항

마찬가지로 1N914의 역방향 전류와 전압이 각각 다음과 같다: 20 V에서 25 nA, 그리고 75 V에서 5 μA. 첫 번째 점의 직류저항은

$$R_R = \frac{20\,\text{V}}{25\,\text{nA}} = 800\,\text{M}\Omega$$

이고, 두 번째 점에서

$$R_R = \frac{75\,\text{V}}{5\,\mu\text{A}} = 15\,\text{M}\Omega$$

이다. 항복전압(75 V)에 가까워지면 직류저항은 감소한다.

벌크저항 대 직류저항

다이오드의 직류저항은 벌크저항과 다르다. 다이오드의 직류저항은 벌크저항에 전위장벽 효과를 더한 것과 같다. 다르게 말하자면 다이오드의 직류저항은 다이오드의 전체 저항이고, 반면에 벌크저항은 오직 p와 n영역만의 저항이다. 이 때문에 다이오드의 직류저항은 벌크저항보다 항상 더 크다.

3-9 부하선

이 절은 다이오드의 전류 값과 전압 값을 정확하게 구하려고 할 때 이용하는 **부하선**(load line)에 대한 설명이다. 부하선은 트랜지스터에서 활용된다. 그러므로 상세한 것은 차후 트랜지스터를 논할 때 설명될 것이다.

부하선에 관한 방정식

그림 3-16a에서 정확한 다이오드 전류와 전압을 어떻게 구하는가? 저항으로 흐르는 전류는

$$I_D = \frac{V_S - V_D}{R_s} \qquad (3\text{-}8)$$

(a)

이다. 직렬회로이므로, 이 전류가 다이오드 전류이다.

예제

그림 3-16b와 같이 전원전압이 2 V이고 저항이 100 Ω이면, 식 (3-8)은 다음과 같다.

$$I_D = \frac{2 - V_D}{100} \qquad (3\text{-}9)$$

(b)

그림 3-16　부하선 해석

식 (3-9)에서 전류와 전압은 선형관계이다. 만약 이 식을 좌표로 나타내면 직선이 될 것이다. 예를 들어 V_D를 0이라 하면 전류는 다음과 같다.

$$I_D = \frac{2\ V - 0\ V}{100\ \Omega} = 20\ mA$$

이 점(I_D = 20 mA, V_D = 0)을 좌표로 표시하면, 그림 3-17에서 수직축 상의 한 점으로 주어진다. 이 점은 100 Ω에 2 V로서 최대 전류를 나타내기 때문에, 이 점을 **포화**(*saturation*)라 부른다.

다른 한 점은 다음과 같이 구한다. V_D를 2 V라 한다. 그러면 식 (3-9)는 다음과 같다.

$$I_D = \frac{2\ V - 2\ V}{100\ \Omega} = 0$$

이 점(I_D = 0, V_D = 2V)을 좌표로 표시하면, 그림 3-17에서 수평축 상의 한 점으로 주어지고, 최소 전류를 나타내기 때문에 이 점을 **차단**(*cutoff*)이라 부른다.

몇 개의 전압을 더 정해서 이를 계산하면 점을 더 추가할 수 있다. 식 (3-9)는 선형이므로 모든 점들은 그림 3-17의 직선 위에 놓일 것이다. 이 직선을 **부하선**(*load line*)이라 한다.

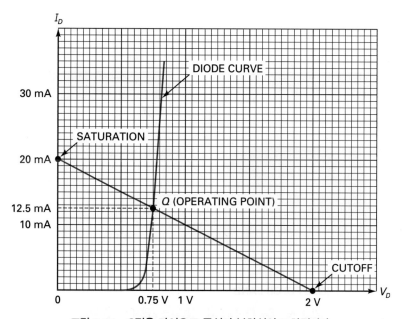

그림 3-17　*Q*점은 다이오드 곡선과 부하선의 교차점이다.

Q점

그림 3-17은 부하선과 다이오드 곡선을 보인 것이다. Q점으로 알려져 있는 교차점은 다이오드 곡선과 부하선 간의 연립해를 나타낸다. 다른 말로 표현하면, Q점은 다이오드와 회로의 동작을 동시에 만족하는 그래프 상의 유일한 점이다. Q점의 좌표를 읽으면 전류는 12.5 mA, 다이오드 전압은 0.75 V이다.

　　　설명을 더 하자면, Q점은 코일의 성능지수와 전혀 관계가 없다. 여기서 말하는 Q는 "정적인"이라는 뜻을 가진 quiescent의 약자이다. 반도체 회로의 Q점은 차후의 단원에서 설명할 것이다.

3-10 표면부착형 다이오드

표면부착형(SM) 다이오드는 다이오드를 응용하는 곳이라면 어디서나 쉽게 발견된다. SM 다이오드는 작고, 효율적이며, 비교적 시험과 이동이 용이하고 또 회로기판에서 교체하기도 쉽다. SM 패키지의 모형은 여러 가지가 있지만 회사에서는 기본적인 두 모형, 즉 SM(surface mount)과 SOT(small outline transistor)를 주로 사용한다.

　　　SM 패키지는 두 개의 L-밴드 리드선이 붙어있고, 몸체의 한 쪽 끝에는 음극 리드선을 표시하는 유색 띠가 있다. 그림 3-18은 일련의 대표적인 치수이다. SM 패키지의 길이와 폭은 소자의 전류정격과 연관이 있다. 표면적이 넓을수록 전류정격은 더 크다. 그러므로 정격이 1 A인 SM 다이오드의 표면적은 0.181 × 0.115인치인 반면에 정격이 3 A이면 0.260 × 0.236인치의 크기를 갖는다. 두께는 모든 전류정격에서 약 0.103인치를 유지한다.

　　　SM형 다이오드의 표면적이 증가하면 열 발산 능력이 향상되고, 부착하는 단자의 폭이 증가하면 솔더 조인트, 마운팅 면과 회로기판으로 구성된 가상 방열체로 열전도가 더 잘 된다.

그림 3-18 SM 다이오드에 사용되는 2단자 SM형 패키지

그림 3-19　SOT–23은 주로 SM 다이오드에 사용되는 3단자 트랜지스터 패키지이다.

　　SOT-23 패키지는 3개의 갈매기 날개모양의 단자가 붙어있다(그림 3-19 참조). 단자는 위에서부터 반시계 방향으로 번호가 매겨져 있으며, 핀 3은 한 쪽에 따로 있다. 그러나 두 단자 중 어느 것을 음극과 양극으로 사용해야 하는가를 알려주는 기준 표식은 없다. 다이오드의 내부 연결을 결정하려면, 회로기판에서 프린트 된 단서를 찾거나, 구성도를 점검하거나 혹은 다이오드 제조업자의 데이터 수첩을 참고할 수밖에 없다. 어떤 SOT형 패키지 안에는 두 개의 다이오드가 들어있는데, 여러 단자 중의 한 단자가 양극공통 혹은 음극공통 연결이다.

　　SOT-23 패키지 안에 있는 다이오드는 작고, 치수는 0.1인치보다 작다. 크기가 작기 때문에 많은 양의 열을 소산할 수 없는 어려움이 있다. 그래서 일반적으로 다이오드의 정격을 1 A 이하로 한다. 크기가 작으므로 역시 그 위에 인식부호를 써 놓기도 어렵다. 작은 SM 소자가 많이 들어있으면 회로기판 상의 여러 단서와 구성도를 보고 핀을 결정해야 한다.

3-11 전자시스템 소개

전자회로 공부에서 다양한 전자 반도체 소자가 소개될 것이다. 각 소자들은 고유한 속성과 특성을 갖는다. 이러한 개별적인 부품의 기능을 아는 것은 매우 중요하다. 그러나 이는 시작에 불과하다.

　　이러한 전자소자들은 일반적으로 스스로 그 기능을 하지는 못한다. 대신 저항, 커패시터, 인덕터 및 다른 반도체 소자와 같이 다른 전자 부품을 추가하여 상호연결될 때 전자회로를 형성한다. 이러한 전자회로는 종종 아날로그 회로와 디지털 회로 또는 증폭기, 변환기, 정류기 등과 같은 특별한 응용회로로 분류된다. 아날로그 회로는 무한하게 변화하는 양(quantities)으로 동작하여 종종 선형 전자공학으로 언급되는 반면, 디지털 회로는 일반적으로 논리값이나 숫자값을 표시하는 두 개의 구별된 상태인 신호로 동작한다. 변압기, 다이오드, 커패시터 및 저항을 사용하는 기본적인 다이오드 정류회로를 그림 3-20*a*에서 보여준다.

　　다른 형태의 회로가 함께 연결되면 무슨 일이 발생하는가? 다양한 회로와 결합

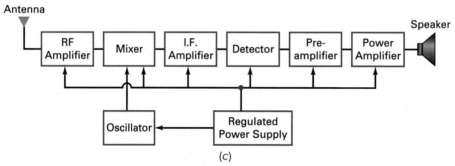

그림 3-20 (a) 기본적인 다이오드 정류회로; (b) 증폭기 기능 블록; (c) 통신 수신기 구성도

하여 기능 블록이 형성될 수 있다. 다단으로 구성될 수 있는 이러한 블록은 특별한 형태의 입력신호를 갖도록 설계되어 원하는 출력을 생산한다. 예를 들어 그림 3-20b는 10 mVp-p 입력으로 10 Vp-p 출력까지 신호레벨을 증가시키는 데 사용한 2단 증폭기이다.

전기적 기능 블록은 상호연결될 수 있는가? 당연히 된다. 전자공학 연구는 다양하고 동적이기 때문이다. 이렇게 상호연결된 전기적 기능 블록은 기본적으로 전기적 시스템을 만든다. **전기적 시스템**은 자동화, 산업용 제어, 통신, 컴퓨터 정보, 보완시스템 등 다양한 영역에서 찾을 수 있다. 그림 3-20c는 기본적인 통신 수신기 시스템을 기능 블록으로 분해한 구성도이다. 이러한 구성도는 시스템을 고장점검할 때 매우 유용하다.

요약하면 반도체 부품은 회로를 형성하기 위해 다른 부품들과 결합한다. 회로들은 기능 블록이 되기 위해 결합될 수 있다. 기능 블록은 전기적 시스템을 형성하기 위해 상호 연결될 수 있다. 한발 더 나아가 전기적 시스템은 복합 시스템을 형성하기 위해 종종 연결된다.

이러한 개념들이 어떻게 함께 동작하는지 이해를 돕기 위해 이 단원에서는 디지털/아날로그 실습 시스템을 소개한다. 이 실습기는 아날로그와 디지털 회로의 제작, 시험 및 시제품을 만드는 데 사용된다. 다음 장에서 나오는 많은 전기적 소자들이 이 실습기에서 사용된다. 이 교재에서 몇몇 단원은 실습기 시스템과 관련된 단원문제가 있다. 개별적인 전기 부품은 어떻게 함께 동작하고 회로들은 어떻게 함께 기능을 하는지 경험하게 될 것이다.

이 실습기 시스템의 회로도는 전자회로용 Connect의 교수용 학습자료 부분에서 찾을 수 있다.

요점 | Summary

3-1 기본 개념
다이오드는 비선형 소자이다. 무릎전압은 실리콘 다이오드인 경우 약 0.7 V, 순방향 곡선이 위로 구부러지는 곳이다. 벌크저항은 p와 n영역의 옴성 저항이다. 다이오드는 최대 순방향 전류와 전력정격을 갖는다.

3-2 이상적인 다이오드
이것은 다이오드의 제1근사해석으로서 등가회로는 순방향 바이어스일 때 닫힌 스위치, 역방향 바이어스일 때 열린 스위치이다.

3-3 제2근사해석
이 근사해석은 실리콘 다이오드를 0.7 V의 무릎전압과 직렬인 스위치로 생각한다. 만약 다이오드를 바라보는 Thevenin 전압이 0.7 V 이상이면 스위치는 닫힌다.

3-4 제3근사해석
이 근사해석은, 벌크저항이 무시할 수 있을 정도로 매우 작기 때문에 드물게 사용된다. 이 근사해석에서 다이오드는 무릎전압과 벌크저항이 직렬로 연결된 스위치라고 생각한다.

3-5 고장 점검
다이오드가 고장인가 의심스러우면 회로에서 다이오드를 분리하여 저항계로 양방향의 저항을 측정하여라. 어떤 방향에서 고저항 그리고 반대 방향에서 저저항이 적어도 1000:1의 비율이 되어야 한다. 다이오드를 검사할 때 다이오드의 손상을 예방하기 위해 저항 범위를 충분히 높게 해야 된다는 것을 잊지 말아라. DMM은 다이오드가 순방향 바이어스일 때 0.5∼0.7 V, 역방향 바이어스일 때 범위초과 표시를 화면에 나타낼 것이다.

3-6 자료표 읽기
자료표는 회로설계자에게 유익하고, 가끔 있는 일이지만 수리기사가 대용 소자를 고를 때 도움이 될 것이다. 여러 제조업자들이 각각 만든 다이오드 자료표의 정보는 거의 비슷하다. 그렇지만 동작조건들을 나타내는 기호는 각각 다르다. 다이오드 자료표에는 다음의 사항들이 기입되어 있다: 항복전압(V_R, V_{RRM}, V_{RWM}, PIV, PRV, BV) 최대 순방향 전류($I_{F(max)}$, $I_{F(av)}$, I_O), 순방향 전압강하($V_{F(max)}$, V_F), 그리고 최대 역방향 전류($I_{R(max)}$, I_{RRM}).

3-7 벌크저항 계산법
제3근사해석의 순방향 영역에서 두 점이 필요하다. 한 점은 영 전류와 0.7 V가 될 수 있고, 다른 한 점은 전압과 전류가 주어져 있는 자료표에서 순방향 전류가 큰 지점으로 정한다.

3-8 다이오드의 직류저항
직류저항은 어떤 동작점에서 다이오드 전압을 다이오드 전류로 나눈 값이다. 이 저항은 저항계로 측정이 된다. 직류저항은 순방향일 때 작고, 역방향일 때 크다는 것조차도 응용이 안 된다.

3-9 부하선
다이오드 회로에서 전류와 전압은 다이오드 곡선과 부하저항에서 Ohm의 법칙을 만족해야 한다. 이 두 요구사항을 그래프 적으로 해석해 보면 다이오드 곡선과 부하선의 교점이다.

3-10 표면부착형 다이오드
표면부착형 다이오드는 최근에 전자회로 기판에서 자주 보인다. 이 다이오드는 작고, 효율적이고, 대표적으로 SM 혹은 SOT(small outline transistor)패키지형이 발견된다.

3-11 전자시스템 소개
반도체 부품들은 회로를 형성하기 위해 연결된다. 회로는 기능 블록을 위해 연결될 수 있고, 기능 블록은 전자시스템을 형성하기 위해 서로 연결될 수 있다.

정의식 | Definitions

(3-1) 실리콘 무릎전압:

$$V_K \approx 0.7\ V$$

(3-2) 벌크저항:

$$R_B = R_P + R_N$$

(3-4) 최대 전력소모:

$$P_{max} = V_{max}I_{max}$$

(3-6) 벌크 무시:

$$R_B < 0.01R_{TH}$$

유도식 | Derivations

(3-3)　다이오드 전력소모:

$$P_D = V_D I_D$$

(3-5)　제3근사해석:

$$V_D = 0.7\ V + I_D R_B$$

(3-7)　벌크저항:

$$R_B = \frac{V_2 - V_1}{I_2 - I_1}$$

복습 문제 | Self-Test

1. 전압 대 전류의 그래프가 직선일 때 그 소자는 ____적이라고 한다.

　a. 능동　　　　b. 선형
　c. 비선형　　　d. 수동

2. 저항은 어떤 소자인가?

　a. 단방향　　　b. 선형
　c. 비선형　　　d. 쌍극

3. 다이오드는 어떤 소자인가?

　a. 양방향　　　b. 선형
　c. 비선형　　　d. 단극

4. 다이오드가 도전하지 않는 바이어스는?

　a. 순방향　　　　　b. 역방향(inverse)
　c. 부족　　　　　　d. 역 방향(reverse)

5. 다이오드 전류가 많이 흐를 때, 바이어스는?

　a. 순방향　　　　　b. 역방향(inverse)
　c. 부족　　　　　　d. 역 방향(reverse)

6. 다이오드의 무릎전압은 대략 ____과 같다.

　a. 인가전압　　　b. 전위장벽
　c. 항복전압　　　d. 순방향 전압

7. 역방향 전류는 소수캐리어 전류와 ____로 구성된다.

　a. 애벌랜치 전류
　b. 순방향 전류
　c. 표면누설 전류
　d. 제너 전류

8. 순방향 바이어스일 때, 제2근사해석에서 실리콘 다이오드의 전압은?

　a. 0　　　　　　b. 0.3 V
　c. 0.7 V　　　　d. 1 V

9. 역방향 바이어스일 때, 제2근사해석에서 실리콘 다이오드의 전류는?

　a. 0
　b. 1 mA
　c. 300 mA
　d. 위의 보기에 없음

10. 다이오드의 이상적 근사해석에서 순방향 다이오드의 전압은?

　a. 0　　　　　　b. 0.7 V
　c. 0.7 V 이상　　d. 1 V

11. 1N4001의 벌크저항은?

　a. 0　　　　　　b. 0.23 Ω
　c. 10 Ω　　　　d. 1 kΩ

12. 벌크저항이 0이면, 무릎 위부분의 그래프는?

　a. 수평이 된다.
　b. 수직이 된다.
　c. 45°C로 기울어진다.
　d. 위의 보기는 모두 틀린 답이다.

13. 일반적으로 이상적인 다이오드는 어떤 경우에 적합한가?

　a. 고장 점검할 때
　b. 정밀한 계산을 할 때
　c. 전원전압이 낮을 때
　d. 부하저항이 작을 때

14. 제2근사해석은 언제 적합한가?

　a. 고장 점검할 때
　b. 부하저항이 클 때
　c. 전원전압이 높을 때
　d. 위의 모든 경우

15. 제3근사해석을 적용하지 않으면 안되는 경우는?

　a. 부하저항이 낮을 때
　b. 전원전압이 높을 때
　c. 고장 점검할 때
　d. 위의 보기에 없음

16. ⦀ Multisim 그림 3-21에서 다이오드가 이상적일 때 부하전류는?

　a. 0
　b. 11.3 mA
　c. 12 mA
　d. 25 mA

그림 3-21

17. ⦀ Multisim 그림 3-21에서 제2근사해석을 적용할 때 부하전류는?

　a. 0
　b. 11.3 mA
　c. 12 mA
　d. 25 mA

18. ‖‖‖ **Multisim** 그림 3-21에서 제3근
사해석일 때 부하전류는?

   a. 0　　　　　　b. 11.3 mA

   c. 12 mA　　　　d. 25 mA

19. ‖‖‖ **Multisim** 그림 3-21에서 다이
오드가 개방일 때 부하전압은?

   a. 0　　　　　　b. 11.3 V

   c. 20 V　　　　d. −15 V

20. ‖‖‖ **Multisim** 그림 3-21에서 저항
을 비접지하고, DDM으로 저항의
상단과 접지 사이를 측정한 전압에
가장 가까운 값은?

   a. 0　　　　　　b. 12 V

   c. 20 V　　　　d. −15 V

21. ‖‖‖ **Multisim** 그림 3-21에서 측정
한 부하전압이 12 V이다. 고장은?

   a. 다이오드 단락

   b. 다이오드 개방

   c. 부하저항 개방

   d. 공급전압 과다

22. 그림 3-21에 제3근사해석을 적용한
다. 다이오드의 벌크저항을 고려할
때, RL은 얼마가 되어야 하는가?

   a. 1 Ω

   b. 10 Ω

   c. 23 Ω

   d. 100 Ω

기본 문제 | Problems

3-1　기본 개념

3-1 다이오드가 220 Ω과 직렬 연결되어 있다. 저항 양단전압이
6 V이면, 다이오드를 흐르는 전류는 얼마인가?

3-2 다이오드의 전압이 0.7 V, 전류가 100 mA이다. 다이오드 전
력은 얼마인가?

3-3 2개의 다이오드가 직렬 연결되어 있다. 첫 번째 다이오드는 전
압이 0.75 V이고, 두 번째 다이오드는 전압이 0.8 V이다. 첫
번째 다이오드에 흐르는 전류가 400 mA이면, 두 번째 다이
오드에 흐르는 전류는 얼마인가?

3-2　이상적인 다이오드

3-4 그림 3-22a에서 부하전류, 부하전압, 부하전력, 다이오드 전
력과 전체 전력을 계산하여라.

3-5 만약 그림 3-22a에서 저항이 2배이면, 부하전류는?

3-6 그림 3-22b에서 부하전류, 부하전압, 부하전력, 다이오드 전
력과 전체 전력을 계산하여라.

3-7 만약 그림 3-22b에서 저항이 2배이면, 부하전류는?

3-8 그림 3-22b에서 다이오드 극성이 반대이면 다이오드 전류는
얼마인가? 그리고 다이오드 전압은?

3-3　제2근사해석

3-9 그림 3-22a에서 부하전류, 부하전압, 부하전력, 다이오드 전
력과 전체 전력을 계산하여라.

3-10 만약 그림 3-22a에서 저항이 2배이면, 부하 전류는?

3-11 그림 3-22b에서 부하전류, 부하전압, 부하전력, 다이오드 전
력과 전체 전력을 계산하여라.

3-12 만일 그림 3-22b에서 저항이 2배이면, 부하 전류는?

3-13 만약 그림 3-22b에서 다이오드 극성이 반대이면, 다이오드
전류는 얼마인가? 그리고 다이오드 전압은?

3-4　제3근사해석

3-14 그림 3-22a에서 부하전류, 부하전압, 부하전력, 다이오드 전
력과 전체 전력을 계산하여라(R_B = 0.23 Ω).

3-15 만약 그림 3-22a에서 저항이 2배이면, 부하 전류는(R_B =
0.23 Ω)?

3-16 그림 3-22b에서 부하전류, 부하전압, 부하전력, 다이오드 전
력과 전체 전력을 계산하여라(R_B = 0.23 Ω).

3-17 만약 그림 3-22b에서 저항이 2배이면, 부하 전류는(R_B =
0.23 Ω)?

3-18 그림 3-22b에서 다이오드 극성이 반대이면, 다이오드 전류
는 얼마인가? 그리고 다이오드 전압은?

3-5　고장 점검

3-19 그림 3-23a에서 다이오드 전압이 5 V라고 가정한다. 다이오
드는 개방인가 혹은 단락인가?

그림 3-22

그림 3-23

3-20 그림 3-23a에서 어떤 원인으로 R이 단락되었다. 다이오드 전압은 얼마인가? 다이오드는 어떻게 되는가?

3-21 그림 3-23a에서 다이오드를 측정한 전압 0 V이었다. 그리고 전원전압을 체크하였더니 접지 기준 +5 V였다. 회로 고장은 무엇인가?

3-22 그림 3-23b에서 R_1과 R_2의 연결점에서 측정한 전위가 +3 V이다. (전위는 항상 접지를 기준하고 있음을 기억하여라.) 그리고 다이오드와 5 kΩ 저항의 연결점에서 측정한 전위가 0 V이다. 예상되는 고장을 모두 열거하여라.

3-23 DMM으로 다이오드를 검사한 값이 순방향과 역방향에서 0.7 V와 1.8 V이다. 이 다이오드는 양호한가?

3-6 자료표 읽기

3-24 피크 반복 역방향 전압 300 V를 견딜 수 있게 하려면 1N4000 계열 중에서 어느 다이오드를 선택해야 하는가?

3-25 자료표를 보면 다이오드의 한 쪽 끝에 띠가 있다. 이 띠의 이름이 무엇인가? 그림기호의 화살표는 이 띠를 향하고 있는가, 아니면 반대 방향을 향하고 있는가?

3-26 끓는 물의 온도는 100℃ 이다. 만일 끓는 물이 들어있는 항아리 안으로 1N4001을 떨어뜨리면 다이오드가 파손되는지 아닌지 답하여라.

응용 문제 | Critical Thinking

3-27 어떤 다이오드가 최악인 경우 특성이 다음과 같다.

다이오드	I_F	I_R
1N914	1 V일 때 10 mA	20 V일 때 25 nA
1N4001	1.1 V일 때 1 A	50 V일 때 10 μA
1N1185	0.95 V일 때 10 A	100 V일 때 4.6 mA

각 다이오드에 대한 순방향과 역방향 저항을 계산하여라.

3-28 그림 3-23a에서, 대략 20 mA의 다이오드 전류를 흘리려면 R 값은?

3-29 그림 3-23b에서, 0.25 mA의 다이오드 전류를 흐르게 하려면 R_2값은?

3-30 실리콘 다이오드는 1 V에서 순방향으로 500 mA의 전류가 흐른다. 제3근사해석에서 벌크저항을 계산하여라.

3-31 실리콘 다이오드의 역방향 전류가 25℃ 에서 5 μA, 그리고 100℃ 에서 100 μA이다. 표면 누설전류를 계산하여라.

3-32 그림 3-23b에서 전원을 끄고 R_1의 윗부분을 접지시킨다. 그리고 저항계로 다이오드의 순방향 저항과 역방향 저항을 측정한다. 두 측정치가 같다. 저항계의 지시 값은 얼마인가?

3-33 도난경보기나 컴퓨터 같은 시스템은 주전원 전력이 고장난 경우 백업전지를 사용한다. 그림 3-24의 회로가 어떻게 작동하는지 설명하여라.

그림 3-24

Multisim 고장 점검 문제 | Multisim Troubleshooting Problems

멀티심 고장 점검 파일들은 *Connect for Electronic Principles* 저자 자료에 멀티심 고장 점검 회로(MTC)라는 폴더에서 찾을 수 있다. 좀 더 자세한 내용은 xiv페이지를 참조하라. 이 장에 관련된 파일은 MTC03-34~MTC03-38로 명칭되어 있고 모두 그림 3-23b의 회로를 바탕으로 한다.

각 파일을 열고 고장 점검을 실시한다. 결함이 있는지 결정하기 위해 측정을 실시하고 결함이 있다면 무엇인지를 찾아라.

3-1 MTC03-34 파일을 열고 고장 점검을 실시하라.

3-2 MTC03-35 파일을 열고 고장 점검을 실시하라.

3-3 MTC03-36 파일을 열고 고장 점검을 실시하라.

3-4 MTC03-37 파일을 열고 고장 점검을 실시하라.

3-5 MTC03-38 파일을 열고 고장 점검을 실시하라.

디지털/아날로그 실습 시스템 | Digital/Analog Trainer System

다음의 문제 3-30에서 3-43까지는 전자회로용 **Connect의 교수용 학습자료**에 있는 디지털/아날로그 실습 시스템의 회로도이다. 모델 XK-700 실습기용 전체 설명 매뉴얼은 www.elenco.com에서 찾을 수 있다.

3-6 D_1은 어떤 종류의 다이오드인가?

3-7 D_1은 1N4002 다이오드로 대체될 수 있는가? 그렇다면 왜 그런지, 혹은 왜 그렇지 않은지 설명하라.

3-8 다이오드 D_5와 D_6의 어느 부분이 함께 연결되어 있는가? 애노드 혹은 캐소드?

3-9 일반적으로 D_{14}는 순방향 바이어스 되는가 혹은 역방향 바이어스 되는가?

3-10 일반적으로 D_{15}는 순방향 바이어스 되는가 혹은 역방향 바이어스 되는가?

직무 면접 문제 | Job Interview Questions

다음 질문에 대해 대답하는 데 도움이 된다면 언제든지 회로, 그래프 혹은 어떤 다른 그림들을 그려도 된다. 만약 말과 그림을 연결하여 설명할 수 있으면 본인이 그 내용을 잘 이해하고 있다는 것이다. 만약 주위에 다른 사람들이 없다면 실제 면접이라고 생각하고 큰 소리로 말하여라. 이렇게 연습하면 차후 실제로 면접을 할 때 마음이 편안할 것이다.

1. 이상적인 다이오드라는 말을 들어본 적이 있는가? 만약 들어보았다면 그것은 무엇이며 또 언제 사용하는지 말하여라.

2. 다이오드의 근사해석 중에 제2근사해석이 있다. 등가회로가 무엇인지 설명하고 실리콘 다이오드가 도전할 때의 등가회로를 설명하여라.

3. 다이오드 곡선을 그리고 곡선의 특이한 부분을 설명하여라.

4. 실험대 위에 있는 회로에 다이오드를 꽂을 때마다 다이오드가 계속 파손된다. 이 다이오드의 자료표가 있다면 점검해야 할 내용은 무엇인가?

5. 다이오드가 순방향 바이어스일 때와 역방향 바이어스일 때 다이오드는 무엇처럼 동작하는가? 가장 기본적인 용어로 말하여라.

6. 게르마늄 다이오드와 실리콘 다이오드의 대표적인 무릎전압의 차이는 얼마인가?

7. 기술자들이 회로를 절단하지 않고 다이오드에 흐르는 전류를 결정하기 위해 사용하는 좋은 기술은 무엇인가?

8. 회로기판에서 다이오드가 결함이 있다고 의심이 되면, 실제로 결함 유무를 알아보기 위해 어떤 절차를 밟아야 하는가?

9. 다이오드를 사용하려면 역방향 저항이 순방향 저항보다 얼마나 더 커야 하는가?

10. 오락용 자동차에서 2차 전지의 방전을 예방하려면 다이오드를 어떻게 연결하여야 하는가? 그리고 어떤 방법으로 계속 교류발전기에서 충전되도록 할 것인가?

11. 회로에 꽂혀 있는, 혹은 회로 밖에 있는 다이오드를 검사하는 장비는 어떤 것이 있는가?

12. 다수와 소수캐리어를 포함하여 다이오드의 동작을 상세히 설명하여라.

복습 문제 해답 | Self-Test Answers

1.	b	5.	a	9.	a	13.	a	17.	b	21.	a
2.	b	6.	b	10.	a	14.	d	18.	b	22.	c
3.	c	7.	c	11.	b	15.	a	19.	a		
4.	d	8.	c	12.	b	16.	c	20.	b		

연습 문제 해답 | Practice Problem Answers

3-1 D_1은 역방향 바이어스; D_2는 순방향 바이어스

3-2 $P_D = 2.2$ W

3-3 $I_L = 5$ mA

3-4 $V_L = 2$ V; $I_L = 2$ mA

3-5 $V_L = 4.3$ V; $I_L = 4.3$ mA; $P_D = 3.01$ mW

3-6 $I_L = 1.77$ mA; $V_L = 1.77$ V; $P_D = 1.24$ mW

3-8 $R_T = 10.23$ Ω; $I_L = 420$ mA; $V_L = 4.2$ V; $P_D = 335$ mW

4 다이오드 회로

Diode Circuits

HDTV, 오디오 전력 증폭기 및 컴퓨터 같은 대부분의 전자 시스템들이 동작하려면 직류전압이 필요하다. 전력선전압은 교류이고 매우 높은 값을 가지므로 교류선전압을 감소시키고 비교적 일정한 직류전압으로 변환할 필요가 있다. 이와 같은 직류전압을 발생하는 전자시스템의 일부분을 전원이라 부른다. 전원의 내부에는 전류를 오직 한 방향으로 흐르게 하는 회로가 있다. 이 회로를 정류기라 부른다. 다른 회로는 직류출력을 여과하고 전압 조정한다. 이 단원에서는 정류회로, 필터, 전압조정기 소개, 클리퍼, 클램퍼와 전압 배율기를 설명한다.

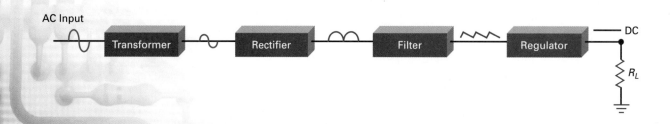

학습목표 | Objectives

이 단원을 공부하고 나면

- 반파정류기의 도형을 그리고 그 동작을 설명할 수 있어야 한다.
- 전원에서 입력 변압기의 역할을 기술할 수 있어야 한다.
- 전파정류기의 도형을 그리고 그 동작을 설명할 수 있어야 한다.
- 브리지정류기의 도형을 그리고 그 동작을 설명할 수 있어야 한다.
- 커패시터입력 필터와 이 필터의 서지전류를 해석할 수 있어야 한다.
- 정류기 자료표에서 찾은 세 가지 중요한 특성을 열거할 수 있어야 한다.
- 클리퍼 동작을 설명하고 파형을 그릴 수 있어야 한다.
- 클램퍼 동작을 설명하고 파형을 그릴 수 있어야 한다.
- 전압 배율기의 동작을 기술할 수 있어야 한다.

주요용어 | Vocabulary

IC 전압조정기
(IC voltage regulator)

단방향 부하전류
(unidirectional load current)

리플(ripple)

반파정류기(half-wave rectifier)

브리지정류기(bridge rectifier)

서지저항(surge resistor)

서지전류(surge current)

수동 필터(passive filter)

스위칭 레귤레이터
(switching regulator)

신호의 직류 값(dc value of signal)

유극 커패시터
(polarized capacitor)

전압 배율기(voltage multiplier)

전원(power supply)

전파정류기(full-wave rectifier)

정류기(rectifier)

집적회로(integrated circuit)

초크입력 필터(choke-input filter)

커패시터입력 필터
(capacitor-input filter)

클램퍼(clamper)

클리퍼(clipper)

피크 검출기(peak detector)

피크 역전압
(peak inverse voltage)

필터(filter)

그림 4-1 (a) 이상적인 반파정류기; (b) 양의 반 사이클일 때; (c) 음의 반 사이클일 때

4-1 반파정류기

그림 4-1a는 **반파정류기 회로**이다. 교류전원은 정현전압을 발생한다. 이상적인 다이오드이면 전원전압이 양의 반 사이클일 때 다이오드는 순방향 바이어스가 될 것이다. 그림 4-1b와 같이 스위치가 닫히므로 전원전압의 양의 반 사이클이 부하저항에 나타난다. 음의 반 사이클일 때 다이오드는 역방향 바이어스가 된다. 이 경우 이상적인 다이오드는 그림 4-1c와 같이 열린 스위치로 보일 것이므로 부하저항에는 아무런 전압도 나타나지 않는다.

이상적인 파형

그림 4-2a는 입력전압 파형이다. 이것은 순시 값 v_{in}과 피크 값 $V_{P(in)}$을 가진 정현파이다. 이와 같은 순수한 정현파는 순시전압이 반 사이클마다 크기는 같고 극성이 반대이므로 한 사이클의 평균값은 0이다. 만일 이 전압을 직류전압계로 측정하면, 직류전압계는 평균값을 지시하기 때문에 0을 지시할 것이다.

그림 4-2b의 반파정류기에서 다이오드는 양의 반 사이클 동안 도전하고, 음의 반 사이클 동안에는 도전하지 않는다. 이 때문에 그림 4-2c와 같이 회로가 음의 반 사이클을 잘라 없애 버린다. 이와 같은 파형을 **반파신호**(*half-wave signal*)라 한다. 이 반파전압으로 **단방향 부하전류**(*unidirectional load current*)가 발생한다. 이것은 전류가 단지 한 방향으로 흐른다는 것을 의미한다. 만약 다이오드가 역방향이면 출력펄스는 음이 될 것이다.

반파신호는 그림 4-2c와 같이 최대까지 증가한 후 0으로 떨어져서 음의 반 사이클 동안 계속 0에서 머무는 맥동성의 직류전압이다. 이 신호는 전자장비에 필요한 직류전압의 유형이 아니다. 우리가 필요한 것은 전지에서 얻는 것과 같은 일정 전압이다. 이런 종류의 전압을 얻으려면 반파신호를 **여과**(*filter*)해야 한다(이 장의 뒷부분에서 설명한다).

고장 점검할 때 반파정류기의 해석에 이상적인 다이오드를 사용할 수 있다. 이것

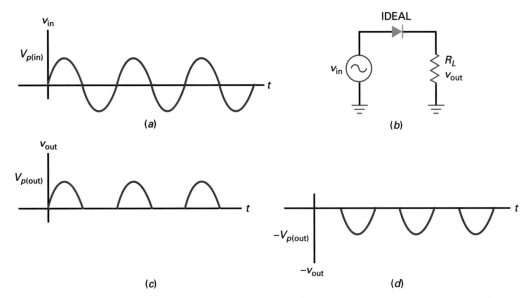

그림 4-2 (a) 반파정류기의 입력; (b) 회로; (c) 반파정류기의 양의 출력; (d) 반파정류기의 음의 출력

은 피크 출력전압이 피크 입력전압과 같다고 기억하면 된다.

이상적인 반파: $V_{p(\text{out})} = V_{p(\text{in})}$ **(4-1)**

반파신호의 직류값

신호의 직류값(dc value of a signal)은 평균값과 같다. 만일 신호를 직류전압계로 측정하면 평균값을 지시할 것이다. 기초과정에서 반파신호의 직류값을 유도하였다. 수식은 다음과 같다.

반파: $V_{\text{dc}} = \dfrac{V_p}{\pi}$ **(4-2)**

이 유도를 증명하려면 한 사이클의 평균값을 구해야 하므로 미적분이 필요하다.

$1/\pi \approx 0.318$이므로, 식 (4-2)를 다음과 같이 쓸 수 있다.

$V_{\text{dc}} \approx 0.318 V_p$

수식을 이렇게 표현하면 직류 혹은 평균값은 피크 값의 31.8%와 같다는 것을 알 수 있다. 예를 들어 반파신호의 피크전압이 100 V이면, 직류전압 혹은 평균전압은 31.8 V이다.

출력주파수

출력주파수는 입력주파수와 같다. 이것은 그림 4-2c를 그림 4-2a와 비교하면 이해될 것이다. 입력전압의 매 사이클에서 출력전압 한 사이클이 생긴다. 그러므로

반파: $f_{\text{out}} = f_{\text{in}}$ **(4-3)**

이 유도는 뒤의 필터 부분에서 사용될 것이다.

제2근사해석

부하저항에서는 완벽한 반파전압이 얻어지지 않는다. 다이오드는 전위장벽 때문에 교류 전원전압이 대략 0.7 V가 될 때까지 동작하지 않는다. 피크 전원전압이 0.7 V보다 훨씬 클 때 부하전압이 반파신호를 닮는다. 예를 들어 만일 피크 전원전압이 100 V이면 부하전압은 완벽한 반파전압에 매우 가까운 파형이 될 것이다. 만약 피크 전원전압이 5 V이면 부하전압은 4.3 V의 피크를 가질 것이다. 보다 좋은 답을 얻으려고 한다면 다음 유도를 이용하여라.

제2근사해석 반파: $V_{p(\text{out})} = V_{p(\text{in})} - 0.7\,\text{V}$ **(4-4)**

고차근사해석

대부분의 설계자들은 벌크저항이 다이오드를 바라보는 Thevenin 저항보다 더 작다고 알고 있다. 이런 이유 때문에 거의 모든 경우에 벌크저항을 무시한다. 제2근사해석으로 얻을 수 있는 것보다 더 정밀한 답이 필요하면 컴퓨터나 MultiSim 같은 회로 시뮬레이터를 사용해야 한다.

응용 예제 4-1

그림 4-3은 실험대 혹은 MultiSim이 있는 컴퓨터 스크린에서 구성할 수 있는 반파정류기이다. 오실로스코프를 1 kΩ에 연결하면 반파부하전압을 볼 수 있다. 그리고 직류부하전압을 측정하기 위해 멀티미터를 1 kΩ에 연결하면 직류부하전압을 측정할 수 있다. 피크부하전압과 직류부하전압의 이론적인 값을 계산하고 이를 오실로스코프와 멀티미터의 지시값과 비교하여라.

풀이 그림 4-3을 보면 교류전원은 10 V와 60 Hz이다. 구성도에서는 교류 전원전압을 일반적으로 실효값 혹은 rms값으로 표시한다. **실효값**(*effective value*)은 교류전압과 동일한 발열효과를 내는 직류전압값이라는 사실을 생각하여라.

그림 4-3 반파정류기의 실습 예

전원전압이 10 V_{rms}이므로 먼저 교류전원의 피크값부터 계산하여야 한다. 사인파의 실효값은 초기과정에서 이미 알고 있다. 즉

$$V_{rms} = 0.707V_p$$

따라서 그림 4-3에서 피크 전원전압은

$$V_p = \frac{V_{rms}}{0.707} = \frac{10\text{ V}}{0.707} = 14.1\text{ V}$$

이다. 이상적인 다이오드이면, 피크 부하전압은

$$V_{p(out)} = V_{p(in)} = 14.1\text{ V}$$

이고, 직류 부하전압은 다음과 같다.

$$V_{dc} = \frac{V_p}{\pi} = \frac{14.1\text{ V}}{\pi} = 4.49\text{ V}$$

제2근사해석이면 피크 부하전압은

$$V_{p(out)} = V_{p(in)} - 0.7\text{ V} = 14.1\text{ V} - 0.7\text{ V} = 13.4\text{ V}$$

이고, 직류 부하전압은 다음과 같다.

$$V_{dc} = \frac{V_p}{\pi} = \frac{13.4\text{ V}}{\pi} = 4.27\text{ V}$$

그림 4-3을 보면 오실로스코프와 멀티미터의 지시값들이 나와 있다. 오실로스코프의 채널 1은 주요 눈금당 5 V(5 V/Div)이다. 반파신호의 피크값이 13과 14 V 사이에 있으므로 이것은 제2근사해석의 결과와 같다. 멀티미터 역시 지시값이 약 4.22 V이므로 이론적인 값과 잘 일치한다.

연습 문제 4-1   그림 4-3을 사용하고, 교류 전원전압을 15 V로 바꾸어라. 제2근사해석으로 직류 부하전압 V_{dc}를 계산하여라.

4-2 변압기

미국의 전력회사는 공칭 선전압 120 V_{rms}와 주파수 60 Hz를 공급한다. 전력단자에서 나오는 실제 전압은 그 날의 시간, 장소와 또 다른 요인에 따라 105~125 V_{rms}까지 변한다. 선전압은 전자장비의 회로에 사용하기에는 너무 높다. 그러므로 거의 모든 전자장비의 전원공급부에 변압기가 쓰인다. 변압기는 선전압을 다이오드, 트랜지스터, 그리고 다른 반도체 소자에 사용할 수 있도록 더 안전하고 더 낮은 레벨로 강하한다.

기본개념

기초과정에서 변압기를 상세히 설명하였다. 이 단원은 간단한 복습이다. 그림 4-4에 변압기가 있다. 변압기의 1차 권선에 선전압이 인가된다. 전원 플러그에는 장비의 접지를

그림 4-4 변압기가 있는 반파정류기

위한 제3의 뾰족한 날(a third prong)이 있다. 권선 비 N_1/N_2 때문에, 2차 전압은 N_1이 N_2보다 더 클 때 떨어진다.

위상 점표식

권선 위의 두 단자에 보이는 위상 점표식(dot)의 의미를 다시 생각해 보아라. 점표식이 있는 두 단자는 순간적으로 동일 위상을 갖는다. 다른 말로 표현하면 양의 반 사이클이 1차에 나타나면 2차에도 양의 반 사이클이 나타난다. 만약 2차의 점표식이 접지 쪽에 있으면 2차 전압은 1차 전압과 180°의 위상차가 있다.

1차 전압이 양의 반 사이클일 때, 2차 권선은 양의 반사인파가 되고 다이오드는 순방향 바이어스된다. 1차 전압이 음의 반 사이클이면, 2차 권선은 음의 반 사이클이 되고 다이오드는 역방향 바이어스이다. 이상적인 다이오드이면 반파 부하전압이 얻어진다.

권선 비

초급과정에서 배운 다음 유도를 다시 생각해 보아라.

$$V_2 = \frac{V_1}{N_1/N_2} \tag{4-5}$$

2차 전압은 1차 전압을 권선 비로 나눈 것과 같다는 것을 의미한다. 가끔 이 식이 다음과 같이 표현된다.

$$V_2 = \frac{N_2}{N_1} V_1$$

2차 전압은 권선 비의 역수에 1차 전압을 곱한 것과 같다는 것을 의미한다.

이 수식은 실효값, 피크값, 순시전압 어느 경우라도 적용할 수 있다. 거의 대부분 교류 전원전압을 실효값으로 표시하므로 식 (4-5)도 주로 실효값으로 사용할 것이다.

변압기를 취급할때 승압(*step up*)과 강압(*step down*)이라는 용어와 자주 부딪친다. 이 용어는 항상 2차 전압을 1차 전압과 결부시킨다. 승압변압기는 1차보다 더 높은 2차 전압이 발생하고, 강압변압기는 1차보다 더 낮은 2차 전압이 발생한다.

예제 4-2

그림 4-5에서 피크 부하전압과 직류 부하전압은 얼마인가?

그림 4-5　변압기의 예

풀이　변압기의 권선 비가 5:1이다. 이것은 2차 전압의 실효치가 1차 전압의 1/5임을 의미한다.

$$V_2 = \frac{120\,V}{5} = 24\,V$$

그리고 피크 2차 전압은 다음과 같다.

$$V_p = \frac{24\,V}{0.707} = 34\,V$$

이상적인 다이오드이면 피크 부하전압은

$$V_{p(\text{out})} = 34\,V$$

이고, 직류 부하전압은

$$V_{dc} = \frac{V_p}{\pi} = \frac{34\,V}{\pi} = 10.8\,V$$

이다. 제2근사해석이면 피크 부하전압은

$$V_{p(\text{out})} = 34\,V - 0.7\,V = 33.3\,V$$

이며, 직류 부하전압은 다음과 같다.

$$V_{dc} = \frac{V_p}{\pi} = \frac{33.3\,V}{\pi} = 10.6\,V$$

연습 문제 4-2　그림 4-5에서 변압기의 권선 비를 2:1로 바꾸고, 이상적인 직류 부하전압을 구하여라.

4-3 전파정류기

그림 4-6a는 **전파정류기**(full-wave rectifier) 회로이다. 2차 권선에 접지된 중간 탭이 있다. 전파정류기는 두 개의 반파정류기와 등가이다. 중간 탭 때문에 각 반파정류기는 2차 전압의 반에 해당하는 입력전압을 갖는다. 다이오드 D_1은 양의 반 사이클에서 도전하고, 다이오드 D_2는 음의 반 사이클에서 도전한다. 결과적으로 정류된 부하전류는 두 반 사이클 동안 계속 흐른다. 전파정류기는 두 개의 반파정류기가 직접 결합된 것처럼 동작한다.

그림 4-6b는 양의 반 사이클에 대한 등가회로이다. 보다시피 D_1은 순방향 바이어스이므로 부하저항에 +－극성으로 표시된 것과 같은 양의 부하전압이 나타난다. 그림 4-6c는 음의 반 사이클에 대한 등가회로이다. 이 경우 D_2는 순방향 바이어스되어, 역시 양의 부하전압이 나타난다.

두 반 사이클 동안 부하전압은 같은 극성을 가지므로 부하전류는 같은 방향으로 흐른다. 이 회로를 **전파정류기**(*full-wave rectifier*)라 부른다. 왜냐하면 교류 입력전압이 그림 4-6d와 같은 맥동성의 직류 출력전압으로 변환되기 때문이다. 이 파형의 주요 특성들을 여기에서 설명한다.

직류 혹은 평균값

전파신호는 반파신호보다 양의 사이클이 2배이므로 직류 혹은 평균값도 2배이다.

$$\text{전파: } V_{\text{dc}} = \frac{2V_p}{\pi} \tag{4-6}$$

$2/\pi = 0.636$이므로 식 (4-6)을 다음과 같이 쓸 수 있다.

$$V_{\text{dc}} \approx 0.636 V_p$$

이 식에서 직류 혹은 평균값은 피크 값의 63.6%임을 알 수 있다. 예를 들어 만일 전파신호의 피크전압이 100 V이면, 직류전압 혹은 평균값은 63.6 V이다.

출력주파수

반파정류기인 경우 출력주파수는 입력주파수와 같다. 그러나 전파정류기는 출력주파수에서 이상한 일이 생긴다. 교류 선전압은 주파수가 60 Hz이다. 그러므로 입력주기는 다음과 같다.

$$T_{\text{in}} = \frac{1}{f} = \frac{1}{60 \text{ Hz}} = 16.7 \text{ ms}$$

전파정류이므로, 전파신호의 주기는 입력주기의 반이다.

$$T_{\text{out}} = 0.5(16.7 \text{ ms}) = 8.33 \text{ ms}$$

(만일 의심스러우면 그림 4-6d와 그림 4-2c를 비교해 보아라.) 출력주파수는 다음과 같이 계산된다.

$$f_{\text{out}} = \frac{1}{T_{\text{out}}} = \frac{1}{8.33 \text{ ms}} = 120 \text{ Hz}$$

참고 사항

전파신호의 실효값은 $V_{\text{rms}} = 0.707 V_p$이고, 이것은 완전한 사인파의 V_{rms}와 같다.

(a)

(b)

(c)

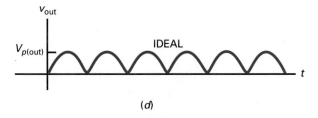

(d)

그림 4-6   (a) 전파정류기; (b) 양의 반 사이클에 대한 등가회로; (c) 음의 반 사이클에 대한 등가회로; (d) 전파 출력

전파신호의 주파수는 입력주파수의 2배이다. 이렇게 생각할 수 있다. 전파출력은 사인파 입력보다 사이클이 2배 많다. 전파정류기는 음의 반 사이클을 모두 뒤집는다. 그러므로 양의 반 사이클 수가 2배로 된다. 결과적으로 주파수가 2배로 된다. 유도에 따라

$$\text{전파: } f_{\text{out}} = 2f_{\text{in}} \tag{4-7}$$

제2근사해석

전파정류기는 두 개의 반파정류기가 직접 결합된 것과 같기 때문에 앞에서 설명한 제2근사해석이 가능하다. 이 개념은 이상적 피크 출력전압에서 0.7 V를 빼는 것이다. 다음 예를 통하여 그 개념을 설명한다.

응용 예제 4-3   IIII Multisim

그림 4-7은 실험대 혹은 MultiSim이 있는 컴퓨터 스크린 위에서 구성할 수 있는 전파정류기이다. 오실로스코프의 채널 1은 1차 전압(사인파)이고, 채널 2는 부하전압(전파신호)이다. 양의 입력 트리거(trigger)점으로 채널 1을 설정하라. 대부분의 오실로스코프는 더 높은 입력전압을 측정하기 위해 10× 프루브가 필요하다. 피크입력과 피크출력전압을 계산하여라. 그리고 이론값과 측정값을 비교해 보아라.

풀이 피크 1차 전압은 다음과 같다.

$$V_{p(1)} = \frac{V_{\text{rms}}}{0.707} = \frac{120 \text{ V}}{0.707} = 170 \text{ V}$$

10:1의 강압 변압기이므로 피크 2차 전압은 다음과 같다.

$$V_{p(2)} = \frac{V_{p(1)}}{N_1/N_2} = \frac{170 \text{ V}}{10} = 17 \text{ V}$$

전파정류기는 두 개의 반파정류기가 직접 결합된 것처럼 동작한다. 중간 탭 때문에 각 반파정류기의 입력전압은 2차 전압의 반이다.

$$V_{p(\text{in})} = 0.5(17 \text{ V}) = 8.5 \text{ V}$$

이상적이면, 출력전압은

$$V_{p(\text{out})} = 8.5 \text{ V}$$

이고, 제2근사해석을 적용하면

$$V_{p(\text{out})} = 8.5 \text{ V} - 0.7 \text{ V} = 7.8 \text{ V}$$

이론값과 측정값을 비교해 보자. 채널 1의 감도는 50 V/Div이다. 사인파 입력이 약 3.4 Div이므로 그 피크값은 대략 170 V이다. 채널 2는 감도가 5 V/Div이고, 전파출력이 대략 1.4 Div이므로 피크값은 대략 7 V이다. 입력과 출력의 두 지시치는 이론값과 어느정도 일치한다.

그림 4-7 전파정류기의 실습 예

제2근사해석을 적용하면 해답이 매우 조금 개선된다는 것을 다시 한 번 알아두어라. 만일 고장 점검 중이면 개선은 별 의미가 없다. 만약 회로가 이상이 있으면 이때 전파출력은 이상적인 값 8.5 V와 아주 다를 가능성이 있다.

연습 문제 4-3 그림 4-7에서 변압기의 권선 비를 5:1로 바꾸고, $V_{P(in)}$과 제2근사해석 값 $V_{P(out)}$을 계산하여라.

응용 예제 4-4

만약 그림 4-7에서 다이오드 한 개가 개방이면, 전압은 차이가 있는가?

풀이 만일 다이오드 한 개가 개방되면, 회로는 반파정류기로 돌아간다. 이 경우 2차전압의 반은 8.5 V와 변함이 없고, 부하전압은 전파신호가 아닌 반파신호가 될 것이다. 이 반파전압은 피크 8.5 V(이상적) 혹은 피크 7.8 V(제2근사해석)가 될 것이다.

4-4 브리지정류기

그림 4-8a는 **브리지정류기**(bridge rectifier) 회로이다. 브리지정류기는 전파출력전압이 나오기 때문에 전파정류기와 비슷하다. 다이오드 D_1과 D_2는 양의 반 사이클에서 도전하고, D_3와 D_4는 음의 반 사이클에서 도전한다. 결과적으로 정류된 부하전류는 두 반 사이클 동안 흐른다.

그림 4-8b는 양의 반 사이클인 경우의 등가회로이다. D_1과 D_2는 순방향 바이어스임을 알 수 있다. 이 때문에 부하저항에 $+-$극성으로 표시된 양의 부하전압이 나타난다. D_2가 단락이면, 남아있는 회로는 이미 잘 알고 있는 반파정류기이다.

그림 4-8c는 음의 반 사이클에 대한 등가회로이다. 여기서 D_3와 D_4는 순방향 바이어스이므로 역시 양의 부하전압이 나타난다. 만일 D_3가 단락이면 회로는 반파정류기

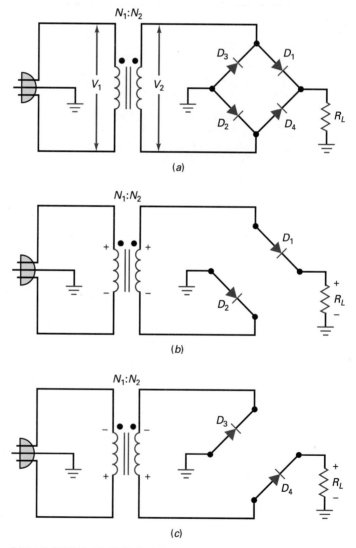

그림 4-8   (a) 브리지정류기; (b) 양의 반 사이클에 대한 등가회로; (c) 음의 반 사이클에 대한 등가회로; (d) 전파출력; (e) 브리지정류기 패키지

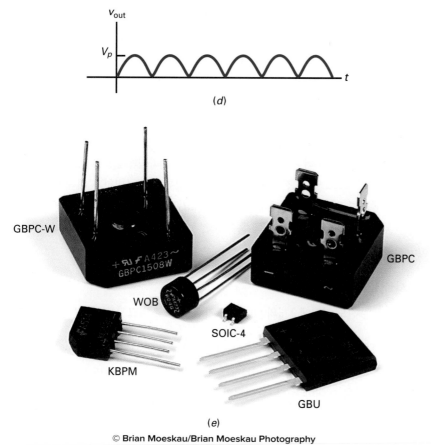

(d)

(e)

© Brian Moeskau/Brian Moeskau Photography

그림 4-8 (계속)

처럼 보인다. 그래서 브리지정류기는 반파정류기 두 개가 직접 결합된 것처럼 동작한다.

두 반 사이클 동안에 부하전압은 같은 극성을 가지며, 부하전류는 같은 방향으로 흐른다. 이 회로는 교류 입력전압을 그림 4-8d와 같은 맥동성의 직류 부하전압으로 변환한다. 이런 형의 전파정류기가 앞 절에서 설명한 중간 탭 형보다 나은 점은 **2차 전압의 전체를 이용할 수 있다는 것이다.**

그림 4-8e는 모두 4개의 다이오드가 들어 있는 브리지정류기 패키지들이다.

평균값과 출력주파수

브리지정류기에서 전파출력이 발생하므로 평균값과 출력주파수에 관한 수식은 전파정류기에서 주어진 식과 같다.

$$V_{dc} = \frac{2V_p}{\pi}$$

그리고

$$f_{out} = 2f_{in}$$

평균값은 피크 값의 63.6%이고, 선주파수가 60 Hz이면, 출력주파수는 120 Hz이다.

브리지정류기의 한 가지 장점은 2차 전압 전체를 정류기의 입력으로 사용할 수 있다는 것이다. 동일한 변압기가 주어졌을 때 브리지정류기는 전파정류기에 비해 피크전압과 직류전압이 각각 2배이다. 다이오드를 2개 더 사용하지만 그 대신에 직류 출력전압이 2배로 보상된다. 대체적으로 전파정류기보다 브리지정류기를 더 많이 사용한다는 것을 알게 될 것이다.

설명을 더 하자면, 브리지정류기도 전파출력을 내지만 전파정류기는 브리지정류기가 사용되기 훨씬 이전부터 사용되고 있었기 때문에 전파정류기(*full-wave rectifier*)라는 이름을 그대로 쓰고 있다. 전파정류기와 브리지정류기를 구별하기 위해 어떤 문헌에서는 전파정류기를 **전통적 전파정류기**(*conventional full-wave rectifier*), **2 다이오드 전파정류기**(*two-diode full-wave rectifier*) 혹은 **중간 탭 전파정류기**(*center-tapped full-wave rectifier*)라 부르기도 한다.

제2근사해석과 다른 손실

브리지정류기는 전도 경로에 2개의 다이오드가 있으므로 피크 출력전압은 다음과 같다.

$$\text{제2근사해석 브리지: } V_{p(\text{out})} = V_{p(\text{in})} - 1.4 \text{ V} \tag{4-8}$$

잘 아는 바와 같이, 좀 더 정확한 피크 부하전압 값을 구하려면 피크에서 두 다이오드의 전압강하를 빼어야 한다. 요점정리 표 4-1은 세 정류기와 이들의 특징을 비교한 것이다.

요점정리 표 4-1	여과되지 않는 정류기*		
	반파	**전파**	**브리지**
다이오드 수	1	2	4
정류기 입력	$V_{P(2)}$	$0.5\,V_{P(2)}$	$V_{P(2)}$
피크출력(이상적)	$V_{P(2)}$	$0.5\,V_{P(2)}$	$V_{P(2)}$
피크출력(제2근사해석)	$V_{P(2)} - 0.7$ V	$0.5\,V_{P(2)} - 0.7$ V	$V_{P(2)} - 1.4$ V
직류출력	$V_{P(\text{out})}/\pi$	$2V_{P(\text{out})}/\pi$	$2V_{P(\text{out})}/\pi$
리플주파수	f_{in}	$2f_{\text{in}}$	$2f_{\text{in}}$

* $V_{P(2)}$ = 피크 2차 전압; $V_{P(\text{out})}$ = 피크 출력전압

응용 예제 4-5

그림 4-9에서 피크입력과 출력전압을 계산하여라. 그리고 이론값과 측정값을 비교하여라. 회로는 브리지정류기 패키지를 사용한다.

풀이 피크 1차와 2차 전압은 응용 예제 4-3과 같다.

$$V_{p(1)} = 170 \text{ V}$$

$$V_{p(2)} = 17 \text{ V}$$

브리지정류기는 2차 전압 전체가 정류기의 입력으로 사용된다. 이상적인 경우, 피크 출력전압은

$$V_{p(\text{out})} = 17 \text{ V}$$

이고, 제2근사해석이면 다음과 같다.

$$V_{p(\text{out})} = 17 \text{ V} - 1.4 \text{ V} = 15.6 \text{ V}$$

이론값과 측정값을 비교해 보자. 채널 1의 감도는 50 V/Div이다. 사인파 입력이 대략 3.4 Div이므로 그 피크값은 약 170 V이다. 채널 감도는 5 V/Div이다. 반파출력이 대략 3.2 Div 이므로 그 피크값은 약 16 V이다. 두 입출력 지시는 이론값과 대략 같다.

연습 문제 4-5 응용 예제 4-5에서 변압기 권선 비를 5:1로 하고, 이상적 그리고 제2근사해석의 $V_{p(\text{out})}$을 계산하여라.

그림 4-9 브리지정류기의 실습 예

4-5 초크입력 필터

한때는 정류기의 출력을 여과(filter)할 때 초크입력 필터를 많이 사용하였다. 최근에는 가격, 부피, 그리고 무게 때문에 많이 사용하지 않지만, 이런 형태의 필터는 교육적 가치가 있고 또 다른 필터를 이해하는 데 많은 도움이 될 수 있다.

기본개념

그림 4-10a를 보자. 이런 형태의 필터를 **초크입력 필터**(choke-input filter)라 부른다. 교류전원은 인덕터와 커패시터 그리고 저항에 전류를 공급한다. 각 소자에 흐르는 교류전류는 유도성 리액턴스, 용량성 리액턴스, 저항 성분에 의해 결정된다. 인덕터는 다음과 같은 리액턴스를 갖는다.

$$X_L = 2\pi f L$$

커패시터는 다음과 같은 리액턴스를 갖는다.

$$X_C = \frac{1}{2\pi f C}$$

초급과정에서 배운 바와 같이 초크(혹은 인덕터)는 흐르는 전류의 변화를 방해하는 근원적인 성질을 가지고 있다. 그러므로 초크입력 필터는 이상적으로 부하저항에 흐르는 교류전류를 영으로 감소시킨다. 제2근사해석인 경우, 이 필터의 교류 부하전류를 대단히 작은 값으로 감소시킨다. 그 이유를 찾아보자.

잘 설계된 초크입력 필터의 첫 번째 요구사항은 입력주파수에서 X_C를 R_L보다 훨씬 작게 하는 것이다. 이 조건이 만족되면 부하저항을 무시할 수 있으며 등가회로는 그림 4-10b와 같다. 잘 설계된 초크입력 필터의 두 번째 요구사항은 입력주파수에서 X_L을 X_C보다 훨씬 크게 하는 것이다. 이 조건이 만족되면 교류 출력전압이 영에 가까워진다. 한편 초크는 0 Hz에서 근사적으로 단락회로가 되고, 커패시터는 0 Hz에서 근사적으로 개방되므로 직류전류는 최소의 손실 상태에서 부하저항을 통과할 수 있다.

그림 4-10b에서 회로는 리액턴스 전압 분배기처럼 동작한다. X_L이 X_C보다 훨씬 크면 교류전압은 거의 대부분 초크에서 강하된다. 이 경우 교류출력 전압은 다음과 같다.

$$V_{\text{out}} \approx \frac{X_C}{X_L} V_{\text{in}} \tag{4-9}$$

예를 들어, 만약 $X_L = 10$ kΩ, $X_C = 100$ Ω 그리고 $V_{\text{in}} = 15$ V이면 교류 출력전압은

그림 4-10 (a) 초크입력 필터; (b) 교류 등가회로

$$V_{out} \approx \frac{100\ \Omega}{10\ k\Omega}\ 15\ V = 0.15\ V$$

이다. 이 예에서 초크입력 필터는 교류전압을 100분의 1로 감소시킨다.

정류기의 출력여과

그림 4-11a를 보면 정류기와 부하 사이에 초크입력 필터가 들어있다. 정류기는 반파, 전파 혹은 브리지 형이 될 수 있다. 초크입력 필터가 부하전압에 어떤 영향을 미치는가? 중첩의 정리를 적용하면 이 문제를 가장 쉽게 해결할 수 있다. 중첩의 정리를 다시 생각해 보자. 만약 두 개 이상의 전원이 있을 때, 각 전원에 대해 회로를 개별적으로 해석하고 이 개별 전압을 더하여 전체 전압을 구할 수 있다.

정류기 출력은 서로 다른 두 성분, 즉 그림 4-11b에서 보는 것과 같이 직류전압(평균값)과 교류전압(파동 부분)으로 되어 있다. 이 전압은 각각 개별 전원처럼 작용한

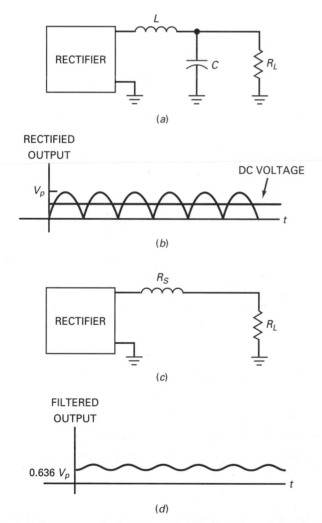

그림 4-11 (a) 초크입력 필터가 있는 정류기; (b) 정류기 출력은 직류와 교류성분을 갖는다; (c) 직류 등가회로; (d) 필터출력은 작은 리플이 있는 직류전류이다.

다. 교류전압만 생각하면 X_L이 X_C보다 훨씬 크므로 부하저항에 대단히 낮은 교류전압이 나타난다. 비록 교류 성분이 순수한 사인파가 아니라 하더라도 교류 부하전압을 구할 때, 근사적으로 식 (4-9)를 이용한다.

직류전압만 생각하면 회로는 그림 4-11c처럼 동작한다. 0 Hz에서 유도성 리액턴스는 0이고, 용량성 리액턴스는 무한대이다. 인덕터 권선의 직렬저항만 남는다. R_S를 R_L보다 훨씬 작게 하면 직류성분의 대부분이 부하저항에 나타난다.

초크입력 필터의 동작은 다음과 같다: 직류성분은 거의 대부분 부하저항으로 가고 교류성분은 거의 대부분 차단된다. 이러한 방법으로 우리는 거의 완벽한 직류전압, 즉 전지에서 나오는 전압과 거의 같은 일정전압을 얻을 수 있다. 그림 4-11d는 전파신호를 여과한 출력이다. 완벽한 직류전압과의 편차는 그림 4-11d와 같은 미소 교류 부하전압이다. 이 작은 교류 부하전압을 **리플**(ripple)이라 부른다. 오실로스코프를 이용하면 리플의 피크-피크 값을 측정할 수 있다.

중요한 결점

전원(power supply)은 교류 입력전압을 거의 완벽한 직류 출력전압으로 변환하는 전자장치를 내장한 회로이다. 전원에는 정류기와 필터가 포함된다. 최근에는 저전압, 고전류 전원으로 나가는 추세이다. 선주파수가 60 Hz이므로 여과처리를 적절히 하려면 충분한 리액턴스를 얻을 수 있도록 큰 인덕턴스를 사용해야 한다. 그러나 인덕터가 크면 권선저항이 커지므로 부하전류가 많이 흐르는 경우 심각한 설계문제가 야기된다. 다시 말하면 초크저항에서 너무 큰 직류전압이 강하된다. 더욱이 최근에는 무게를 가볍도록 설계하므로 부피가 큰 인덕터는 반도체 회로에 적합하지 않다.

스위칭 레귤레이터

초크입력 필터에서 중요하게 응용될 수 있다. **스위칭 레귤레이터**(switching regulator)는 컴퓨터, 모니터, 그리고 점점 더 다양해지는 장비에 사용되는 특수형의 전원이다. 스위칭 레귤레이터에서 사용하는 주파수는 60 Hz보다 훨씬 더 높다. 대표적으로 여과된 주파수는 20 kHz 이상이다. 훨씬 더 높은 주파수에서는 훨씬 더 작은 인덕터를 사용하여 효율적인 초크입력 필터를 설계할 수 있다. 상세한 것은 뒤의 단원에서 설명할 것이다.

4-6 커패시터입력 필터

초크입력 필터에서는 정류된 전압의 평균값에 해당하는 직류 출력전압이 나온다. **커패시터입력 필터**(capacitor-input filter)에서는 정류된 전압의 피크 값과 같은 직류 출력전압이 발생한다. 이런 유형의 필터는 전원에서 가장 광범위하게 사용된다.

기본개념

그림 4-12a에 교류전원, 다이오드 그리고 커패시터가 있다. 커패시터입력 필터를 이해하려면 첫 번째 1/4 사이클 동안 이 간단한 회로가 하는 일을 이해하는 것이 가장 중요하다.

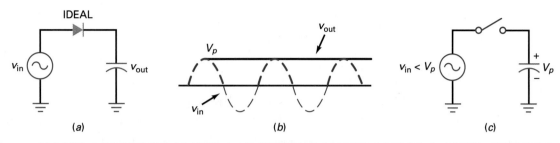

그림 4-12 (a) 무부하 커패시터입력 필터; (b) 출력은 순수한 직류전압이다; (c) 다이오드가 차단일 때 커패시터는 충전상태를 유지한다.

초기에 커패시터는 비충전 상태에 있다. 그림 4-12b의 첫 번째 1/4 사이클 동안 다이오드는 순방향 바이어스이다. 이상적인 경우 다이오드는 닫힌 스위치처럼 동작하기 때문에 커패시터는 충전되고, 커패시터 전압은 첫 번째 1/4 사이클의 각 순간의 전원전압과 같다. 입력이 최대값에 도달할 때까지 충전은 계속된다. 최대점에서 커패시터 전압은 V_p이다.

입력전압이 피크에 도달하면 감소하기 시작한다. 입력전압이 V_p보다 작아지는 순간부터 다이오드는 차단된다. 이 경우 그림 4-12c와 같이 다이오드는 열린 스위치처럼 동작한다. 잔여 사이클에서 커패시터는 완전 충전 상태를 유지하고, 다이오드는 열린 상태가 지속된다. 따라서 출력전압은 그림 4-12b와 같이 V_p로 일정하다.

이상적인 경우 첫 번째 1/4 사이클 동안 커패시터 입력 필터가 하는 일은 커패시터를 피크 값까지 충전하는 것이다. 이 피크전압은 일정하고 전자장비에 필요한 완벽한 직류전압이다. 단지 한 가지 문제점은 부하저항이 없다는 것이다.

부하저항의 영향

커패시터입력 필터로 실용되려면 그림 4-13a와 같이 커패시터에 부하저항을 연결해야 한다. R_LC 시정수가 주기보다 훨씬 크면 커패시터는 거의 완전 충전상태를 유지하고 부하전압은 대략 V_p이다. 완벽한 직류전압과의 편차는 그림 4-13b와 같은 작은 리플이다. 이 리플의 피크-피크 값이 작으면 작을수록 출력은 점점 더 완벽한 직류전압에 가까워진다.

피크와 피크 사이에서 다이오드는 차단되고, 커패시터는 부하저항을 통해 방전한다. 다르게 말하자면, 커패시터가 부하전류를 공급한다. 피크와 피크 사이에서 커패시터는 아주 조금 방전하므로, 피크-피크 리플이 작다. 인접 피크에 도달할 때 다이오드는 잠시 도전하고, 커패시터를 피크 값까지 재충전한다. 중요한 질문: 적절한 동작을 하려

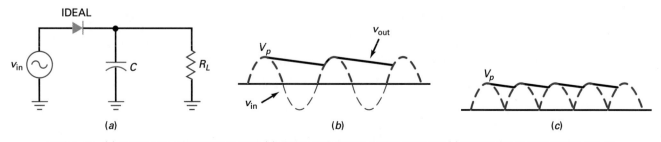

그림 4-13 (a) 부하가 있는 커패시터입력 필터; (b) 출력은 작은 리플이 포함된 직류이다; (c) 전파출력은 더 작은 리플을 갖는다.

면 커패시터의 크기는 어느 정도 되어야 하는가? 커패시터의 크기를 설명하기 전에, 다른 정류회로에서 어떤 일이 일어나는가를 생각해보자.

전파 여과

만일 전파 혹은 브리지정류기를 커패시터입력 필터에 연결하면, 피크-피크 리플이 반으로 잘린다. 그림 4-13c에서 그 이유를 알 수 있다. 전파전압이 R_C회로에 인가될 때, 커패시터의 방전시간은 반파정류의 반이다. 그러므로 피크-피크 리플의 크기는 반파정류기일 때의 반이 된다.

리플 수식

어떤 커패시터입력 필터에서 발생하는 피크-피크 리플 추정에 이용되는 유도는 다음과 같다.

$$V_R = \frac{I}{fC} \tag{4-10}$$

여기서 V_R = 피크-피크 리플전압
    I = 직류 부하전류
    f = 리플 주파수
    C = 커패시턴스

이것은 정확한 유도가 아니고 근사적이다. 이 수식을 피크-피크 리플 추정에 이용할 수 있다. 더 정밀한 답을 원할 때는 MultiSim과 같은 회로 시뮬레이터가 준비된 컴퓨터를 이용해야 한다.

예를 들어 직류부하전류가 10 mA이고 커패시턴스가 200 μF이면 브리지정류기와 커패시터입력 필터에서 리플은 다음과 같다.

$$V_R = \frac{10 \text{ mA}}{(120 \text{ Hz})(200 \ \mu\text{F})} = 0.417 \text{ V}_{\text{p-p}}$$

이 유도를 사용함에 있어 두 가지 사실을 기억해야 한다. 첫째, 리플은 피크-피크(p-p)전압이다. 리플전압은 보통 오실로스코프로 측정하기 때문에 이 수식이 편리하다. 둘째, 수식은 반파와 전파전압에서 성립한다. 반파는 60 Hz 그리고 전파는 120 Hz를 사용한다.

리플은 가능하다면 오실로스코프로 측정해야 한다. 만약 오실로스코프가 없으면 어느 정도의 오차는 있지만 교류전압계를 사용할 수 있다. 대부분의 교류전압계는 사인파의 실효값을 읽도록 교정되어 있다. 리플은 사인파가 아니므로 교류전압계는 설계에 따라 25%까지 측정오차가 발생할 수 있다. 그러나 고장 점검할 때는 리플이 심하게 변하는 것을 찾는 것이므로 이것은 문제가 되지 않는다.

만일 리플을 교류전압계로 측정하였다면 사인파의 경우 식 (4-10)에서 구한 피크-피크 값을 다음 수식을 사용하여 실효값으로 변환할 수 있다.

$$V_{\text{rms}} = \frac{V_{\text{p-p}}}{2\sqrt{2}}$$

피크-피크 값을 2로 나누면 피크 값이 되고, 다시 $\sqrt{2}$로 나누면 리플전압과 같은 피크-피크 값을 갖는 사인파의 실효값이 된다.

정확한 직류 부하전압

커패시터입력 필터가 있는 브리지정류기에서 직류 부하전압을 정확하게 계산하는 것은 어렵다. 먼저 피크전압에서 두 다이오드의 강하를 뺀다. 다이오드 강하 외에 다음과 같은 추가 전압강하가 생긴다. 커패시터를 재충전할 때 다이오드는 각 사이클에서 짧은 시간 동안 동작하기 때문에 다이오드는 강하게 도전한다. 이와 같이 짧고 강한 전류가 변압기 권선과 다이오드의 벌크저항을 통해 흘려야 한다. 다음 예제에서 다이오드의 이상적인 출력이나 제2근사해석의 출력을 계산하고 직류전압은 실질적으로 약간 낮아진다고 기억한다.

예제 4-6

그림 4-14에서 직류 부하전압과 리플은 얼마인가?

풀이 실효 2차 전압은

$$V_2 = \frac{120\ V}{5} = 24\ V$$

이고, 피크 2차 전압은

$$V_p = \frac{24\ V}{0.707} = 34\ V$$

이다. 다이오드가 이상적이고, 리플이 작다고 가정하면, 직류 부하전압은

$$V_L = 34\ V$$

이다. 리플을 계산하기 위해 먼저 직류 부하전류를 구할 필요가 있다.

$$I_L = \frac{V_L}{R_L} = \frac{34\ V}{5\ k\Omega} = 6.8\ mA$$

식 (4-10)을 이용하면

그림 4-14 반파정류기와 커패시터입력 필터

그림 4-15   전파정류기와 커패시터입력 필터

$$V_R = \frac{6.8 \text{ mA}}{(60 \text{ Hz})(100 \ \mu\text{F})} = 1.13 \text{ V}_{\text{p-p}} \approx 1.1 \text{ V}_{\text{p-p}}$$

이것은 근사해석으로서 정밀급 오실로스코프로 정확하게 측정된 것이 아니기 때문에 리플을 두 자리 유효숫자에서 반올림하였다.

다음은 해답을 약간 개선시키는 방법이다. 실리콘 다이오드는 도전할 때 약 0.7 V이다. 그러므로 부하의 피크전압은 34 V보다 33.3 V에 더 가깝다. 리플 역시 직류전압을 약간 낮게 해준다. 그래서 실제 직류 부하전압은 34 V보다 33 V에 더 근접할 것이다. 그러나 이것도 조그마한 차이일 뿐이다. 이상적인 해답은 일반적으로 고장 점검과 예비해석에 적당하다.

회로에 관한 마지막 힌트: 필터 커패시터에 있는 플러스(+)와 마이너스(−) 기호는 **유극 커패시터**(polarized capacitor)임을 의미한다. 플러스쪽은 양의 정류기 출력에 연결되어야 한다. 그림 4-15에서 커패시터 용기에 있는 플러스 기호는 양의 출력전압에 바르게 연결되어 있다. 회로를 조립하거나 수리할 때 커패시터 용기를 조심스럽게 살펴서 극성의 유무를 찾아야 한다.

전원은 흔히 유극 전해 커패시터를 사용하는데, 그 이유는 작은 패키지로 큰 커패시턴스 값을 얻을 수 있기 때문이다. 기초과정에서 설명한 바와 같이, 전해 커패시터는 극성이 올바르게 연결되어야 산화막이 형성된다. 만일 전해 커패시터가 반대 극성으로 연결되면, 뜨거워지고 파열될 수 있다.

예제 4-7 |||| Multisim

그림 4-15에서 직류 부하전압과 리플은 얼마인가?

풀이   변압기는 앞의 예제와 같이 5:1의 강압이므로 피크 2차 전압은 34 V이다. 이 전압의 1/2이 각 반파 구간의 입력이다. 다이오드가 이상적이고 리플이 작다고 가정하면 직류 부하전압은

$$V_L = 17 \text{ V}$$

도전하는 다이오드는 0.7 V이므로 실제 직류 부하전압은 17 V보다 16 V에 더 근접할 것이다.

연습 문제 4-7   그림 4-15에서 R_L을 2 kΩ으로 바꾸고 이상적인 직류 부하전압과 리플을 계산하여라.

예제 4-8 |||| **Multisim**

그림 4-16에서 직류 부하전압과 리플은 얼마인가? 계산된 답을 앞의 두 예제의 답과 비교하여라.

풀이   변압기는 앞의 예제와 같이 5:1의 강압이므로 피크 2차 전압은 34 V이다. 다이오드가 이상적이고 리플이 작다고 가정하면 직류 부하전압은

$$V_L = 34 \text{ V}$$

이다. 직류 부하전류는

$$I_L = \frac{34 \text{ V}}{5 \text{ k}\Omega} = 6.8 \text{ mA}$$

이므로, 식 (4-10)에서 계산하면 다음과 같다.

$$V_R = \frac{6.8 \text{ mA}}{(120 \text{ Hz})(100 \text{ } \mu\text{F})} = 0.566 \text{ V}_{\text{p-p}} \approx 0.57 \text{ V}_{\text{p-p}}$$

도전하고 있는 두 다이오드의 1.4 V와 리플 때문에 실제 직류 부하전압은 34 V보다 32 V에 더 가까워질 것이다. 세 정류기에 대한 직류 부하전압과 리플의 계산 결과는 각각 다음과 같다.

반파: 34 V와 1.13 V
전파: 17 V와 0.288 V
브리지: 34 V와 0.566 V

주어진 변압기에서, 브리지정류기는 리플이 작기 때문에 반파정류기보다 우수하고, 그리고 출력전압이 2배로 크기 때문에 전파정류기보다 우수하다. 세 정류기 중에서 브리지정류기가 가장 인기 있는 것으로 판명되었다.

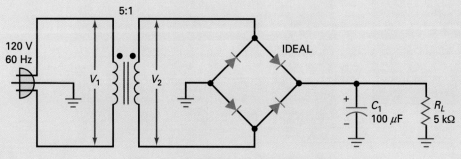

그림 4-16   브리지정류기와 커패시터입력 필터

응용 예제 4-9   ⅠⅠⅠⅠ **Multisim**

그림 4-17은 MultiSim으로 측정된 값을 보여주고 있다. 부하전압과 리플의 이론값을 구하고 이를 측정치와 비교하여라.

그림 4-17 브리지정류기와 커패시터입력 필터의 실습 예

풀이　변압기는 15:1의 강압이다. 그래서 실효 2차 전압은

$$V_2 = \frac{120 \text{ V}}{15} = 8 \text{ V}$$

이고, 피크 2차 전압은 다음과 같다.

$$V_p = \frac{8 \text{ V}}{0.707} = 11.3 \text{ V}$$

다이오드에 제2근사해석을 적용하고, 직류 부하전압을 구한다.

$$V_L = 11.3 \text{ V} - 1.4 \text{ V} = 9.9 \text{ V}$$

리플을 계산하기 위해, 먼저 직류 부하전류를 구한다.

$$I_L = \frac{9.9 \text{ V}}{500 \text{ }\Omega} = 19.8 \text{ mA}$$

식 (4-10)을 이용하면, 다음과 같다.

$$V_R = \frac{19.8 \text{ mA}}{(120 \text{ Hz})(4700 \text{ }\mu\text{F})} = 35 \text{ mV}_{\text{p-p}}$$

그림 4-17에서 멀티미터가 지시하는 직류 부하전압은 9.9 V이다.

오실로스코프의 채널1은 10 mV/Div에 설정되어 있다. 피크-피크 리플은 대략 2.9 Div이고, 측정된 리플은 29.3 mV이다. 이것은 이론값 35 mV보다 작다. 리플을 **추정할**(*estimating*) 때 식 (4-10)을 사용한다. 만약 더 정확한 값이 필요하면 컴퓨터 시뮬레이션 소프트웨어를 이용하여라.

연습 문제 4-9　그림 4-17에서 커패시터 값을 1,000 μF로 바꾸고, V_R값을 구하여라.

4-7 피크 역전압과 서지전류

피크 역전압(peak inverse voltage: PIV)은 정류기의 차단 다이오드에 걸리는 최대전압이다. 이 전압은 다이오드의 항복전압보다 작아야 한다. 그렇지 않으면 다이오드가 파손될 것이다. 피크 역전압은 정류기와 필터의 형태에 따라 다르다. 최악의 경우는 커패시터입력 필터에서 생긴다.

앞에서 설명한 바와 같이, 자료표에 적혀있는 다이오드의 최대 역방향 전압정격의 기호는 제조업자에 따라 다르다. 이 기호들은 간혹 측정조건이 다른 것도 있다. 자료표에 있는 최대 역방향 전압정격의 기호들은 PIV, PRV, V_B, V_{BR}, V_R, V_{RRM}, V_{RWM}과 $V_{R(\max)}$이다.

커패시터입력 필터가 있는 반파정류기

그림 4-18*a*는 반파정류기의 중요 부분을 나타낸 것이다. 이것은 다이오드에 걸리는 역

(a)

(b)

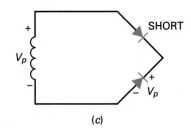

(c)

그림 4-18 (a) 반파정류기에서 피크 역전압; (b) 전파정류기에서 피크 역전압; (c) 브리지정류기에서 피크 역전압

방향 전압의 크기를 결정하는 회로의 일부분이다. 회로의 나머지 부분은 영향이 없으므로 간단히 하기 위해 생략하였다. 최악의 경우, 피크 2차 전압은 음의 피크에서 커패시터는 전압 V_p까지 완전 충전된다. Kirchhoff의 전압법칙을 적용하면 차단 다이오드의 피크 역전압을 즉시 알 수 있다.

$$\text{PIV} = 2V_p \tag{4-11}$$

예를 들어 만일 피크 2차 전압이 15 V이면, 피크 역전압은 30 V이다. 다이오드의 항복전압이 이 전압보다 높지 않으면 다이오드는 손상을 입지 않을 것이다.

커패시터입력 필터가 있는 전파정류기

그림 4-18*b*는 피크 역전압 계산에 이용되는 전파정류기의 중요한 부분이다. 마찬가지로 2차 전압은 음의 피크이다. 이 경우 아래 다이오드는 단락(닫힌 스위치)처럼 동작하고 위의 다이오드는 개방이다. Kirchhoff 법칙에 의하면 다음과 같다.

$$\text{PIV} = V_p \tag{4-12}$$

커패시터입력 필터가 있는 브리지정류기

그림 4-18*c*는 브리지정류기의 일부분으로, 피크 역전압 계산에 필요한 것들이다. 위의 다이오드는 단락이고, 아래 다이오드는 개방이기 때문에, 아래 다이오드의 피크 역전압은 다음과 같다.

$$\text{PIV} = V_p \tag{4-13}$$

브리지정류기의 또 다른 장점은 주어진 부하전압에서 가장 낮은 피크 역전압을 갖는다는 것이다. 동일한 부하전압을 얻으려면, 전파정류기는 2차 전압이 2배가 되어야 한다.

서지저항

전원을 켜기 전 필터 커패시터는 비충전 상태에 있었다. 전원을 켜는 순간 이 커패시터는 마치 단락과 같다. 그러므로 초기에는 충전전류가 대단히 많이 흐른다. 충전경로에서 전류를 방해하는 성분은 변압기의 권선저항과 다이오드의 벌크저항이다. 전원이 인가될 때 초기에 나타나는 전류의 갑작스런 돌출을 **서지전류**(surge current)라 부른다.

일반적으로 전원 설계자는 서지전류를 충분히 견딜 수 있는 정도의 전류정격을 가진 다이오드를 선택할 것이다. 서지전류에서 가장 중요한 것은 필터 커패시터의 크기이다. 설계자는 임시로 다른 다이오드를 고르는 대신에 오히려 **서지저항**(surge resistor)을 사용하려고 할 것이다.

그림 4-19에서 개념을 설명한다. 브리지정류기와 커패시터입력 필터 사이에 작은 저항이 끼어있다. 저항이 없으면 서지전류 때문에 다이오드가 파손될지도 모른다. 설계자는 서지저항을 사용하여 넣어 서지전류를 안전레벨까지 감소시킨다. 서지저항은 이와 같이 전원에 사용되는 경우 외에 별로 쓰이지 않는다.

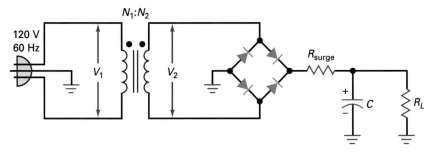

그림 4-19　서지저항은 서지전류를 제한한다.

예제 4-10

그림 4-19에서 권선 비가 8:1이면, 피크 역전압은 얼마인가? 1N4001은 항복전압이 50 V이다. 1N4001을 이 회로에 사용해도 안전한가?

풀이　실효 2차 전압은

$$V_2 = \frac{120 \text{ V}}{8} = 15 \text{ V}$$

이고, 피크 2차 전압은

$$V_p = \frac{15 \text{ V}}{0.707} = 21.2 \text{ V}$$

이다. 따라서 피크 역전압은 다음과 같다.

$$\text{PIV} = 21.2 \text{ V}$$

피크 역전압이 항복전압 50 V보다 훨씬 낮기 때문에, 1N4001은 안전하다.

연습 문제 4-10　그림 4-19에서 변압기의 권선 비를 2:1로 바꾸어라. IN4000 계열에서 어느 다이오드를 사용해야 하는가?

4-8 전원에 관한 다른 논제

전원회로 동작에 대한 기초개념은 가지고 있다. 앞 절에서 교류 입력전압이 어떻게 정류되고, 여과되어 직류전압으로 되는지 알아보았다. 알아두어야 할 개념이 몇 개 더 있다.

상용 변압기

변압기의 권선비는 오직 이상적인 변압기에만 적용된다. 철심 변압기는 다르다. 다른 말로 표현하면, 부품상점에서 구입한 변압기는 이상적일 수 없다. 왜냐하면 권선에는 저

참고 사항

변압기가 무부하일 때, 2차 전압은 일반적으로 정격 값보다 5∼10% 높은 값으로 측정된다.

그림 4-20   (a) 실제 변압기의 정격; (b) 퓨즈전류 계산

항이 있고, 저항에는 전력손실이 발생하기 때문이다. 더욱이 성층철심에는 와류가 있고, 이 와류에서도 전력손실이 더 발생한다. 이와 같은 원치 않는 전력손실 때문에 권선비는 단지 근사적이다. 실제로 변압기의 자료표에는 거의 대부분 권선비가 기재되어 있지 않다. 통상적으로 전류정격에 대한 2차 전압만 주어져 있다.

예를 들어 그림 4-20a는 산업용 변압기인 F-25X이다. 자료표에는 다음의 내용만 있다: 1차 전압이 교류 115 V이고, 2차 전류가 1.5 A일 때 2차 전압은 교류 12.6 V이다. 만일 그림 4-20a에서 2차 전류가 1.5 A 이하이면, 권선과 성층철심에서 발생하는 전력손실이 감소하기 때문에 2차 전압은 교류 12.6 V보다 더 높아질 것이다.

만약 1차 전류를 알 필요가 있으면 다음 정의에서 실제 변압기의 권선비를 추정할 수 있다.

$$\frac{N_1}{N_2} = \frac{V_1}{V_2} \tag{4-14}$$

예를 들면 F-25X는 V_1 = 115 V 그리고 V_2 = 12.6 V이다. 정격 부하전류가 1.5 A일 때 권선 비는 다음과 같다.

$$\frac{N_1}{N_2} = \frac{115}{12.6} = 9.13$$

부하전류가 감소하면 계산된 권선비도 감소하기 때문에 이것은 근사값이다.

퓨즈전류 계산

고장 점검를 할 때 퓨즈가 적당한가 혹은 적당하지 않은가를 판단하기 위해 1차 전류를 계산해 볼 필요가 있을 것이다. 실제 변압기에서 1차 전류를 가장 쉽게 구하는 방법은 입력전력과 출력전력을 같다고 가정하는 것이다. 즉 $P_{in} = P_{out}$이다. 예를 들어 그림 4-20b는 퓨즈가 달린 변압기가 여과된 정류기를 구동시키는 그림이다. 0.1-A 퓨즈을 사용할 수 있는가?

고장 점검을 할 때 1차 전류를 다음과 같이 추정한다. 출력전력은 직류 부하전력과 같다.

$$P_{out} = VI = (15\text{ V})(1.2\text{ A}) = 18\text{ W}$$

정류기와 변압기의 전력손실을 무시하여라. 입력전력은 출력전력과 같기 때문에

$$P_{in} = 18\text{ W}$$

이다. $P_{in} = V_1 I_1$이므로 1차 전류를 구할 수 있다.

$$I_1 = \frac{18\text{ W}}{115\text{ V}} = 0.156\text{ A}$$

이것은 변압기와 정류기의 전력손실을 무시하였기 때문에 추정된 값이다. 실제로 이와 같은 손실이 있기 때문에 1차 전류는 약 5~20% 정도 더 증가할 것이다. 어느 경우라도 퓨즈는 부적합하다. 적어도 0.25 A는 되어야 한다.

Slow-Blow 퓨즈

그림 4-20b에서 커패시터입력 필터를 사용한다고 가정하자. 그림 4-20b에서 일반적인 0.25-A 퓨즈를 사용하면 전원을 켤 때 퓨즈가 끊어질 것이다. 그 이유는 앞에서 설명한 서지전류 때문이다. 대부분의 전원은 전류가 흐를 때 과부하를 순간적으로 견딜 수 있는 slow-blow 퓨즈를 사용한다. 예를 들면 0.25-A slow-blow 퓨즈는

2 A는 0.1초
1.5 A는 1초
1 A는 2초
기타

를 견딜 수 있다. slow-blow 퓨즈를 사용하면 회로가 커패시터를 충전한 다음 퓨즈가 아무런 이상이 없는 상태에서 1차 전류는 정상레벨로 떨어진다.

다이오드 전류 계산

반파정류기는 여과에 상관없이 전류의 통로가 하나뿐이기 때문에, 다이오드를 흐르는 평균전류는 직류 부하전류와 같다. 유도에 따라

반파: $I_{diode} = I_{dc}$ **(4-15)**

반대로 전파정류기는 회로에 2개의 다이오드가 있고, 각각 부하를 공유하기 때문에 다이오드를 흐르는 평균전류는 직류 부하전류의 1/2이다. 마찬가지로 브리지정류기의 각 다이오드는 직류 부하전류의 1/2의 평균전류를 견디어야 한다. 유도에 따라

전파: $I_{diode} = 0.5 I_{dc}$ **(4-16)**

요점정리 표 4-2는 세 가지의 커패시터입력 여과 정류기의 특성을 비교한 것이다.

자료표 읽기

3장의 그림 3-15에 있는 1N4001의 자료표를 참고하여라. 자료표에서 최대 피크반복 역방향전압 VRRM은 앞에서 설명한 피크 역전압과 같다. 자료표에 의하면 1N4001은 역방향으로 50 V의 전압을 견딜 수 있다.

요점정리 표 4-2	커패시터입력 여과 정류기*		
	반파	**전파**	**브리지**
다이오드 수	1	2	4
정류기 입력	$V_{p(2)}$	$0.5\,V_{p(2)}$	$V_{p(2)}$
직류출력(이상적)	$V_{p(2)}$	$0.5\,V_{p(2)}$	$V_{p(2)}$
직류출력(제2근사해석)	$V_{p(2)} - 0.7\,V$	$0.5\,V_{p(2)} - 0.7\,V$	$V_{p(2)} - 1.4\,V$
리플주파수	f_{in}	$2f_{in}$	$2f_{in}$
PIV	$2\,V_{p(2)}$	$V_{p(2)}$	$V_{p(2)}$
다이오드 전류	I_{dc}	$0.5\,I_{dc}$	$0.5\,I_{dc}$

* $V_{p(2)}$ = 피크 2차 전압, $V_{p(out)}$ = 피크 출력진압, I_{dc} − 직류 부하전류

정류된 평균 순방향 전류—$I_{F(av)}$, $I_{(max)}$ 혹은 I_0—는 다이오드를 흐르는 직류 혹은 평균전류이다. 반파정류기에서 다이오드 전류는 직류 부하전류와 같고, 전파 혹은 브리지정류기에서 다이오드 전류는 직류 부하전류의 1/2과 같다. 자료표에 의하면 1N4001은 1 A의 직류전류를 갖는다. 이것은 브리지정류기에서 직류 부하전류가 2 A만큼 될 수 있다는 것을 의미한다. 서지전류 정격 I_{FSM}을 주의하여라. 자료표를 보면 1N4001은 전원을 켤 때, 첫 번째 사이클 동안 30 A를 견딜 수 있다.

RC 필터

1970년대 이전에는 정류기와 부하저항 사이를 **수동 필터**(passive filter)(R, L, C 소자)로 연결하였다. 요즘은 반도체 전원에서 수동 필터를 사용하는 것을 거의 볼 수 없다. 그러나 가청 전력증폭기와 같은 특수 응용부분에서 사용하고 있을 것이다.

그림 4-21a는 브리지정류기와 커패시터입력 필터이다. 일반적으로 필터 커패시터에서 피크-피크 리플이 10% 정도 되도록 설계한다. 리플을 더 작게 하지 않는 이유는 필터커패시터가 너무 커지기 때문이다. 그리고 필터 커패시터와 부하저항 사이의 RC구간에서 여과가 추가적으로 이루어진다.

RC구간은 단지 R, L, C 소자를 사용한 수동 필터의 일례다. 잘된 설계라면 리플 주파수에서 R은 X_C보다 훨씬 더 크다. 그러므로 리플은 부하저항에 도달하기 전에 감소된다. 대표적으로 R은 X_C보다 최소 10배 더 크다. 이것은 리플이 각 구간마다 최소 1/10씩 감쇠(감소)한다는 것을 의미한다. RC필터는 R에서 직류전압의 손실이 발생하는 결점이 있다. 이 때문에 RC필터는 대단히 가벼운 부하(작은 부하전류 혹은 큰 부하저항)에 알맞다.

LC 필터

그림 4-21b의 LC필터는 부하전류가 클 때, RC필터보다 더 좋은 성능을 갖는다. 여기서도 마찬가지로 직렬 소자 즉 인덕터에서 리플을 강하시킨다. X_L을 X_C보다 훨씬 더 크

참고 사항

두 커패시터 사이에 인덕터를 배치한 필터를 가끔 파이(π)필터라 부른다.

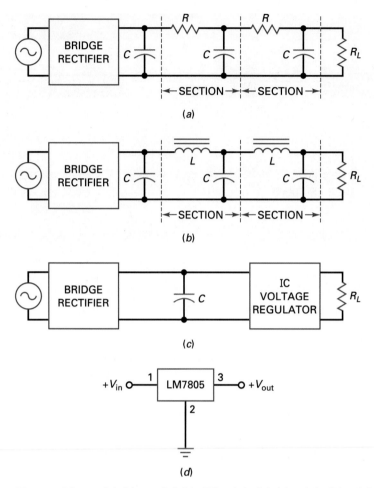

그림 4-21   (a) RC 여과; (b) LC 여과; (c) 전압조정기 여과; (d) 3단자 전압조정기

게 하면 리플을 대단히 낮은 레벨까지 감소시킬 수 있다. 인덕터는 권선 저항성분이 적기 때문에 인덕터에서 직류 전압강하는 RC구간에서 저항의 직류 전압강하보다 훨씬 작다.

LC필터는 한때 대단히 인기가 있었지만, 지금은 인덕터의 크기와 가격 때문에 일반적인 전원에서는 구식이 되어버렸다. 저전압 전원의 경우 LC필터 대신 **집적회로** (integrated circuit : IC)로 대치되었다. 집적회로는 다이오드, 트랜지스터, 저항과 기타 부품들을 소형화된 용기 안에 수용한 소자로서 특수기능을 수행한다.

그림 4-21c에서 개념을 설명한다. 집적회로의 일종인 **IC 전압조정기**(IC voltage regulator)가 필터 커패시터와 부하저항 사이에 들어있다. 이 소자는 리플을 감소시킬 뿐만 아니라 출력전압을 일정하게 유지한다. 이후의 장에서 IC 전압조정기를 설명할 것이다. 그림 4-21d는 3단자 전압조정기의 예를 보여준다. LM7805 IC는 요구되는 출력 전압보다 입력전압이 적어도 2 V에서 3 V 더 크다면 5 V의 고정된 양의 출력 전압을 제공한다. 78XX 계열의 다른 전압조정기는 9 V, 12 V 및 15 V와 같은 출력값의 범위를 조절할 수 있다. 79XX 계열은 음의 조절된 출력값을 제공한다. IC 전압조정기는 가격이

요점정리 표 4-3	전원 구성도			
목적	적절한 2차 교류 전압제공과 교류 접지 분리	교류입력을 펄스형 직류로 변환	직류 펄스를 잔잔하게	부하와 교류입력 전압이 변해도 출력 전압을 일정하게 유지
형	승압, 강압, 분리(1:1)	반파, 전파, 전파 브리지	초크입력, 커패시터입력	개별 구성품, 집적회로(IC)

저렴하기 때문에 현재 리플을 감소시키는 데 사용되는 표준방법이다.

요점정리 표 4-3은 전원을 기능별 블록으로 분류한 것이다.

4-9 고장 점검

거의 모든 전자장비는 전원을 구비하고 있으며, 전원은 일반적으로 커패시터를 구동하는 정류기 뒤에 전압조정기(뒤에 설명한다)가 달려있다. 이 전원은 트랜지스터나 다른 소자에 필요한 직류전압을 공급한다. 만일 전자장비가 동작하지 않으면, 전원을 먼저 확인하여라. 장비의 고장은 전원의 문제 때문에 종종 발생한다.

절차

그림 4-22의 회로를 고장 점검한다고 가정하자. 직류 부하전압 측정부터 시작할 것이다. 이 전압은 피크 2차 전압과 거의 같아야 한다. 만약 그렇지 않으면 두 코스를 점검할 필요가 있다.

첫째, 만약 부하전압이 없으면 VOM 혹은 DMM으로 2차 전압(교류 범위)을 측정한다. 이 지시값은 2차 권선의 실효치 전압이다. 이 값을 피크값으로 전환하여라. 실효값에 40%를 더하면 피크값을 측정할 수 있다. 만약 피크값이 정상이라면, 다이오드

그림 4-22 고장 점검

에 결함이 있을 수 있다. 만일 2차 전압이 없으면 퓨즈가 끊어졌거나 혹은 변압기에 결함이 있을 수 있다.

둘째, 직류부하 전압이 있는데 예상보다 낮으면 오실로스코프로 직류 부하전압을 조사하고 리플을 측정하여라. 피크-피크 리플이 이상적인 부하전압의 10% 정도이면 정상이다. 리플은 설계에 따라 이보다 약간 높거나 낮을 수 있다. 더욱이 전파 혹은 브리지정류기인 경우 리플주파수는 120 Hz가 되어야 한다. 만일 리플이 60 Hz이면, 다이오드 중 한 개가 개방일 수 있다.

일반적인 고장

커패시터입력 필터가 있는 브리지정류기에서 발생하는 가장 일반적인 고장은 다음과 같다.

1. 만일 퓨즈가 끊어지면, 회로의 어디에도 전압이 있을 수 없다.
2. 만일 필터 커패시터가 개방되면, 출력은 여과되지 않은 전파신호이므로 직류 부하전압이 낮아진다.
3. 만일 다이오드 중 한 개가 개방되면, 반파정류만 되기 때문에 직류 부하전압은 낮아지고, 리플주파수는 120 Hz에서 60 Hz로 바뀐다. 만일 다이오드가 모두 개방이면, 출력이 전혀 나오지 않는다.
4. 만일 부하가 단락되면 퓨즈가 끊어질 것이다. 그리고 다이오드가 한 개 또는 그 이상 파손되거나 혹은 변압기에 손상이 올지도 모른다.
5. 가끔 필터 커패시터의 노후로 누설이 나타나고, 이 때문에 직류 부하전압이 낮아지는 경우도 있다.
6. 때에 따라서는 변압기에서 권선이 단락되어 직류 출력전압이 감소한다. 이 경우 변압기에 손을 대어 보면 상당히 따뜻한 느낌이 온다.
7. 이 고장 외에 솔더 브리지, 콜드 솔더 조인트 접속불량 등이 있을 수 있다.

요점정리 표 4-4는 일반적인 고장과 그 증상들을 나열한 것이다.

요점정리 표 4-4	커패시터입력 여과 브리지정류기의 대표적인 고장					
	V_1	V_2	$V_{L(dc)}$	V_R	f_{ripple}	스코프 출력
퓨즈 끊어짐	0	0	0	0	0	출력 없음
커패시터 개방	정상	정상	낮다	높다	120 Hz	전파신호
다이오드 한 개 개방	정상	정상	낮다	높다	60 Hz	반파리플
모든 다이오드 개방	정상	정상	0	0	0	출력 없음
부하단락	0	0	0	0	0	출력 없음
커패시터 누설	정상	정상	낮다	높다	120 Hz	낮은 출력
단락된 권선	정상	낮다	낮다	정상	120 Hz	낮은 출력

예제 4-11

그림 4-23의 회로가 정상적으로 동작할 때, 실효 2차 전압이 12.7 V, 부하전압이 18 V, 그리고 피크-피크 리플이 318 mV이다. 만일 필터 커패시터가 개방이면, 직류 부하전압은 어떻게 되는가?

그림 4-23

풀이   필터 커패시터가 개방되면, 회로는 필터 커패시터가 없는 브리지정류기로 바뀐다. 여과가 없기 때문에 오실로스코프는 부하에서 피크값이 18 V인 전파신호를 나타낼 것이다. 평균값은 18 V의 63.6% 즉, 11.4 V이다.

예제 4-12

그림 4-23의 부하저항이 단락되었다고 가정하자. 증상을 설명하여라.

풀이   부하저항이 단락되면 전류가 대단히 증가하므로, 이로 인해 퓨즈가 끊어질 것이다. 더욱이 퓨즈가 끊어지기 전에 한 개 혹은 그 이상의 다이오드가 파손될 가능성도 있다. 흔히 한 개의 다이오드가 단락될 때, 이것이 원인이 되어 다른 정류기 다이오드도 단락될 수 있다. 퓨즈가 끊어졌기 때문에 전압을 측정하면 모두 0이다. 퓨즈를 직접보거나 또 저항계로 점검하면 끊어진 것을 확인할 수 있을 것이다.

전원을 끄고 어느 다이오드가 파손되었는가를 알아보려면, 저항계로 다이오드를 검사해야 한다. 그리고 저항계로 부하저항을 측정해야 된다. 만일 측정 결과가 0이거나 혹은 대단히 낮으면 고장이 더 있을 것이다.

이 고장은 부하저항의 solder bridge, 잘못된 배선, 혹은 다른 어떤 고장일 수 있다. 퓨즈는 부하가 완전히 단락되지 않아도 끊어지는 경우가 있다. 그러므로 퓨즈가 끊어져 있을 때, 손상 가능성이 있는 다이오드와 단락의 가능성이 있는 부하저항을 점검해 보아라.

이 단원의 마지막 부분에 있는 고장 점검 연습에서는 다이오드 개방, 필터 커패시터, 부하 단락, 퓨즈 끊어짐, 접지 개방을 포함한 8개의 고장을 알아본다.

4-10 클리퍼와 리미터

저주파 전원에 사용되는 다이오드는 **정류다이오드**(*rectifier diode*)이다. 정류다이오드는 60 Hz에서 최적으로 활용되고, 그리고 전력정격은 0.5 W 이상이다. 대표적인 정류다이오드는 순방향 전류정격이 암페어 단위이다. 정류다이오드는 전원 이외 다른 곳에서는 거의 사용되지 않는다. 왜냐하면 전자 장비에 내장되어 있는 회로는 대부분 이보다 훨씬 더 높은 주파수에서 동작하기 때문이다.

소신호 다이오드

이 절에서는 **소신호 다이오드**(*small-signal diode*)를 사용할 것이다. 소신호 다이오드는 높은 주파수에서 최적으로 활용되고, 전력정격은 0.5 W 이하이다. 대표적인 소신호 다이오드는 전류정격이 밀리암페어 단위이다. 다이오드는 동작주파수가 높을수록 크기는 더 작고 가볍다.

양 클리퍼

클리퍼(clipper)는 파형의 양(+) 혹은 음(−)의 부분 중에서 한 부분을 제거하는 회로이다. 이러한 처리는 신호정형, 회로보호 그리고 통신에서 활용된다. 그림 4-24*a*는 양 클리퍼(*positive clipper*)이다. 이 회로는 입력신호의 양의 부분을 모두 제거한다. 이 때문에 출력신호는 음의 반 사이클만 남는다.

회로 동작은 다음과 같다: 양의 반 사이클 동안 다이오드가 도전하고, 출력단자는 마치 단락된 것처럼 보인다. 이상적인 경우에 출력전압은 0이다. 음의 반 사이클에서 다이오드는 개방된다. 이 경우, 음의 반 사이클이 출력으로 나타난다. 직렬저항이 부하저항보다 훨씬 더 작아지도록 설계를 잘 한다. 그림 4-24*a*에서 음의 출력피크가 −V_p로 보이는 것은 이 때문이다.

제2근사해석에서 도전할 때 다이오드 전압은 0.7 V이다. 그러므로 클리핑 레벨은 영이 아닌 0.7 V이다. 예를 들어 만일 입력신호의 피크 전압이 20 V이면 클리퍼 출력은 그림 4-24*b*와 같다.

정의 조건

소신호 다이오드는 높은 주파수에서 효과적으로 동작하도록 되어 있기 때문에 정류다이오드보다 접합 면적이 더 작다. 결과적으로 벌크저항이 크다. 1N914와 같은 소신

그림 4-24   (a) 양 클리퍼; (b) 출력 파형

호 다이오드의 자료표를 보면 1 V에서 순방향 전류가 10 mA이다. 그러므로 벌크저항은 다음과 같다.

$$R_B = \frac{1\text{ V} - 0.7\text{ V}}{10\text{ mA}} = 30\ \Omega$$

벌크저항은 왜 중요한가? 왜냐하면 직렬저항 R_S가 벌크저항보다 훨씬 더 크지 않으면 적절하게 동작을 하지 않는다. 게다가 클리퍼는 직렬저항 R_S가 부하저항보다 매우 작아야 잘 동작한다. 클리퍼의 적절한 동작을 위해 다음의 정의를 사용한다.

안정 클리퍼: $100R_B < R_S < 0.01R_L$ (4-17)

이 정의는 직렬저항이 벌크저항보다 100배 이상 커야 하고 또 부하저항보다 100배 이하 작아야 한다는 것을 뜻한다. 클리퍼가 이 조건을 만족할 때 **안정 클리퍼**(*stiff clipper*)라 부른다. 예를 들어 다이오드의 벌크저항이 30 Ω이면, 직렬저항은 적어도 3 kΩ, 그리고 부하저항은 적어도 300 kΩ이 되어야 할 것이다.

음 클리퍼

만일 그림 4-25*a*와 같이 다이오드의 극성을 반대로 하면, 음 클리퍼(*negative clipper*)가 된다. 예상한 대로 이 회로는 신호의 음의 부분을 제거한다. 이상적인 경우, 출력파형은 양의 반 사이클만 있다.

클리핑은 완벽하지 않다. 다이오드의 **오프셋 전압**(*offset voltage*)(다른 표현으로는 **전위장벽**) 때문에 클리핑 레벨은 −0.7 V이다. 만약 입력신호가 20 V이면, 출력신호는 그림 4-25*b*와 같이 될 것이다.

리미터 혹은 다이오드 클램프

클리퍼는 파형정형에 쓰인다. 그러나 같은 회로를 전혀 다른 용도로 쓸 수 있다. 그림 4-26*a*를 보아라. 이 회로의 정상적인 입력은 피크가 15 mV인 신호이다. 사이클 동안 도전하는 다이오드가 없기 때문에 정상적인 출력은 입력과 같은 신호이다.

이 회로에서 다이오드가 도전하지 않으면 좋은 점은 무엇인가? 입력에 민감한 회로(이 회로는 너무 큰 입력을 가질 수 없다)가 있을 때는 언제든지 그림 4-26*b*와 같이 입력 보호용으로 양-음 리미터(*limiter*)를 사용한다. 만일 입력신호가 0.7 V 이상으로 올라가면, 출력은 0.7 V로 제한되고, 반대로 입력신호가 −0.7 V 이하로 내려가면 출력은 −0.7 V로 제한된다. 이와 같은 회로는 입력신호가 어느 극성에서도 항상 0.7 V보다 작

> **참고 사항**
>
> 음 다이오드 클램프는 디지털 TTL (Transistor-Transistor Logic)논리 게이트의 입력에 자주 사용된다.

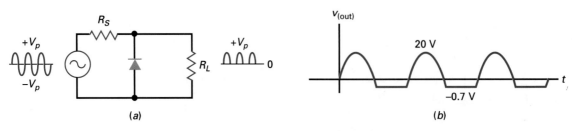

그림 4-25 (a) 음 클리퍼; (b) 출력 파형

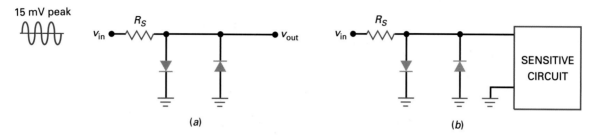

그림 4-26 (a) 다이오드 클램프; (b) 입력에 민감한 회로 보호

아야 정상 동작을 한다.

입력에 민감한 회로의 일례를 들면, 뒤의 단원에서 설명이 될 IC인 **연산증폭기**(*op amp*)가 있다. 연산증폭기의 대표적인 입력전압은 15 mV보다 작다. 15 mV보다 높은 전압은 거의 없고, 0.7 V보다 더 높은 전압은 비정상적이다. 비정상으로 인가되는 과대한 입력전압을 연산증폭기의 입력쪽에 있는 리미터가 막아준다.

가동 코일형 미터는 더 잘 알려져 있는 입력 민감 회로이다. 리미터가 내장되어 있기 때문에, 미터의 가동부분이 과대 입력 전압과 전류로부터 보호된다.

그림 4-26*a*의 리미터를 **다이오드 클램프**(*diode clamp*)라 부른다. 이 용어는 전압을 특정범위에 고정하거나 혹은 제한한다는 뜻을 지니고 있다. 다이오드 클램프가 정상적으로 동작 할 때, 다이오드는 차단상태를 유지하고, 신호가 비정상적이거나 너무 과대할 때 다이오드는 도전한다.

바이어스된 클리퍼

양 클리퍼의 기준레벨(클리핑 레벨과 같다)은 이상적인 경우 0이고, 제2근사해석이면 0.7 V이다. 어떻게 하면 이 기준레벨을 변경할 수 있는가?

전자공학에서 **바이어스**(*bias*)는 회로의 기준레벨을 변경하기 위해 외부에서 전압을 인가하는 것을 말한다. 그림 4-27*a*는 양 클리퍼의 기준레벨을 변경하기 위해 바이어스를 사용한 일례이다. 다이오드와 직류 전압원을 직렬로 연결하면 클리핑 레벨을 변경할 수 있다. 정상동작이 되려면 전압 V는 V_p보다 작아야 된다. 다이오드가 이상적이면 입력전압이 V보다 더 커지는 순간 다이오드는 도전을 시작한다. 제2근사해석이면, 입력전압이 $V + 0.7$ V보다 더 클 때 도전을 시작한다.

그림 4-27*b*는 음 클리퍼를 바이어스 하는 방법이다. 다이오드와 전지가 반대 방향인 것을 잘 보아 두어라. 이 때문에 기준레벨이 $-V -0.7$ V로 바뀐다. 출력파형은 바이어스 레벨에서 음으로 잘린다.

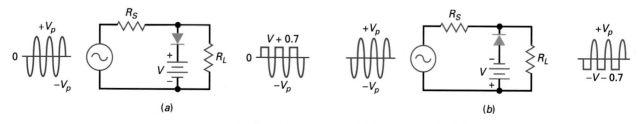

그림 4-27 (a) 바이어스된 양 클리퍼; (b) 바이어스된 음 클리퍼

그림 4-28   바이어스된 양-음 클리퍼

(a)

(b)

(c)

(d)

그림 4-29   (a) 세 오프셋 전압이 있는 클리퍼; (b) 전압 분배기로 클리퍼를 바이어스 한다; (c) 다이오드 클램프는 5.7 V 이상을 보호한다; (d) 다이오드 D_1의 오프셋 전압을 제거하기 위해 D_2로 바이어스 한다.

결합클리퍼

바이어스된 클리퍼 2개를 그림 4-28과 같이 결합한다. 다이오드 D_1은 양 바이어스 레벨이상의 양의 부분을 자르고, D_2는 음 바이어스 레벨 이하의 부분을 자른다. 입력전압이 바이어스 레벨에 비해 대단히 클 때, 출력신호는 그림 4-28과 같이 **구형파**(*square wave*)가 된다. 이것은 클리퍼로 할 수 있는 신호정형의 다른 예이다.

변형

클리핑 레벨을 설정할 때 전지를 사용하는 것은 비현실적이다. 한 가지 근사적인 방법은 실리콘 다이오드에서 제공되는 0.7 V의 바이어스를 여러 개 더하는 것이다. 예를 들어 그림 4-29a는 양 클리퍼를 세 개의 다이오드로 구성한 것이다. 다이오드마다 약 0.7 V의 오프셋이 있으므로 세 개의 다이오드는 약 +2.1 V의 클리핑 레벨을 만든다. 이 방법을 클리퍼(파형정형)에 적용하면 안 된다. 이 회로를 다이오드 클램프(제한)로 사용하면, 2.1-V보다 더 높은 입력을 받아드릴 수 없는 입력 민감 회로를 보호할 수 있다.

그림 4-29b는 전지를 사용하지 않고 클리퍼를 바이어스하는 다른 방법이다. 여기서는 바이어스 레벨을 정하기 위해 전압 분배기(R_1과 R_2)를 사용하고 있다. 바이어스 레벨은 다음과 같다.

$$V_{bias} = \frac{R_2}{R_1 + R_2} V_{dc} \tag{4-18}$$

이 경우, 입력이 V_{bias} + 0.7 V보다 클 때 출력전압이 잘리거나 제한된다.

그림 4-29c는 바이어스된 다이오드 클램프이다. 이 회로는 입력에 민감한 회로의 과대 입력전압을 방지하는 데 사용될 수 있다. 바이어스 레벨은 보는 바와 같이 +5 V 이다. 바이어스 레벨은 원하는 대로 정할 수 있다. 이러한 회로가 있으면 파괴력이 있는 +100 V의 높은 전압도 결코 부하에 도달할 수 없다. 왜냐하면 다이오드에 의해 출력전압이 최대 +5.7 V로 제한되기 때문이다.

리미터 다이오드 D_1의 오프셋을 없애기 위해 그림 4-29d와 같은 변형을 가끔 사용한다. 개념은 다음과 같다: 다이오드 D_2가 순방향으로 도전하여 약하게 바이어스 되어 대략 0.7 V를 갖는다. 이 0.7 V가 1 kΩ과 D_1과 직렬인 100 kΩ에 인가된다. 이것은 다이오드 D_1이 도전 직전의 상태임을 의미한다. 그러므로 신호가 들어오면, 다이오드 D_1은 0 V 근처에서 도전한다.

4-11 클램퍼

앞 절에서 설명한 다이오드 클램프는 입력에 민감한 회로를 보호한다. **클램퍼**(clamper)는 다르다. 발음이 비슷한 두 이름을 혼동해서는 안 된다. 클램퍼는 신호에 직류전압을 더한다.

양 클램퍼

그림 4-30*a*는 양 클램퍼의 기본개념을 나타낸 것이다. 사인파 입력이 들어올 때, 양 클램퍼는 사인파에 양의 직류전압을 더한다. 표현을 바꾸면, 양 클램퍼는 교류 기준레벨(정상적인 경우 영)을 직류레벨까지 위로 이동한다. 교류전압의 중심을 직류레벨에 두는 것과 같은 취지이다. 이것은 사인파의 각 점이 출력파형처럼 위로 이동하는 것을 의미한다.

    그림 4-30*b*는 양 클램퍼의 결과를 상상할 수 있도록 등가화한 것이다. 교류전원이 클램퍼의 입력 쪽을 구동한다. 클램퍼 출력에서 Thevenin 전압은 직류전원과 교류전원의 중첩이다. 교류신호가 들어오면 출력은 이 교류신호에 직류전압 V_p가 더해진다. 이 때문에 그림 4-30*a*의 사인파 전체가 위로 이동하여 양의 피크는 $2V_p$가 되고, 음의 피크는 영이 된다.

    그림 4-31*a*는 양 클램퍼이다. 이상적인 경우, 그 동작은 다음과 같다. 처음에는 커패시터가 충전되어 있지 않다. 입력전압의 첫 번째 음의 반 사이클에서 다이오드는 도전하고(그림 4-31*b*), 교류전원의 음의 피크에서 커패시터는 완전 충전하여 전압은 V_p가 되고 극성은 그림의 표시와 같다.

    음의 피크를 약간 지나면 다이오드는 개방된다(그림 4-31*c*). $R_L C$ 시정수를 신호의 주기 T보다 훨씬 더 크게 해준다. **훨씬 더 크다**(*much larger*)는 최소 100배 이상 큰 것으로 정의한다.

안정 클램퍼: $R_L C > 100T$ (4-19)

이 때문에 커패시터는 다이오드가 개방되어 있는 동안 거의 완전 충전상태를 유

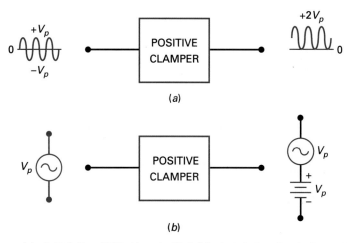

그림 4-30   (a) 양 클램퍼는 파형을 위로 이동한다; (b) 양 클램퍼는 신호에 직류성분을 더한다.

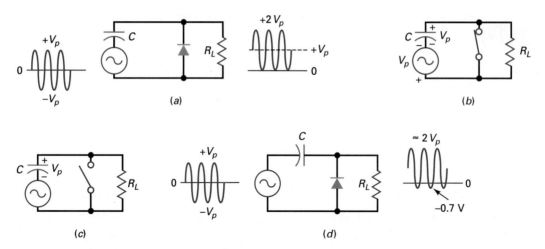

그림 4-31   (a) 이상적인 양 클램퍼; (b) 양의 피크일 때; (c) 양의 피크를 지났을 때; (d) 클램퍼는 완벽하지 않다.

지한다. 제1근사해석에 의하면, 커패시터는 V_p 볼트의 전지처럼 동작하므로 출력전압은 그림 4-31a와 같이 양으로 클램프된 신호가 된다. 식 (4-19)를 만족하는 클램퍼를 안정 클램퍼(*stiff clamper*)라 한다.

이 개념은 커패시터입력 필터를 가진 반파정류기의 동작과 비슷하다. 커패시터는 처음 1/4 사이클에서 완전 충전한 다음, 계속 이어지는 사이클 동안 충전을 거의 대부분 유지한다. 사이클과 사이클 사이에서 잃어버린 약간의 충전은 다이오드의 도전으로 회복된다.

그림 4-31c에서 충전된 커패시터는 마치 V_p의 전압을 가진 전지처럼 보인다. 이것이 신호에 더해지는 직류전압이다. 처음 1/4 사이클 이후, 출력전압은 기준레벨이 영이고, 양으로 클램프된 사인파형이다. 즉 출력전압은 0 V의 레벨 위에 앉는다.

그림 4-31d는 통상적인 방법대로 그린 회로이다. 다이오드가 도전할 때 0.7 V의 강하가 있으므로 커패시터 전압은 정확하게 V_p가 되지 않는다. 그러므로 클램핑이 완벽하지 않고, 음의 피크는 −0.7 V의 기준레벨을 갖는다.

음 클램퍼

그림 4-31d에서 다이오드의 방향을 반대로 하면 어떤 일이 일어날까? 그림 4-32와 같은 음의 클램퍼가 된다. 보다시피 커패시터의 전압은 역방향이고, 회로는 음 클램퍼가 된다. 한편 양의 피크가 0 V 대신 0.7 V의 기준레벨을 가지므로 클램핑 역시 완벽하지 않다.

그림 4-32   음 클램퍼

그림 4-33   피크-피크 검출기

기억을 돕는 의미에서 다이오드는 이동방향을 가리킨다고 생각하여라. 그림 4-32를 보면 다이오드는 아래 방향을 가리키고, 이것은 이동방향과 같다. 이것은 음 클램퍼를 표현한 것이다. 그림 4-31*a*를 보면 다이오드는 위로 향하고, 파형도 위로 이동한다. 그러므로 이 회로는 양 클램퍼이다.

양, 음 클램퍼 모두 광범위하게 쓰인다. 예를 들어 텔레비전 수상기는 비디오 신호의 기준레벨을 변경하기 위해 클램퍼를 사용한다. 클램퍼는 레이더와 통신회로에도 쓰인다.

최종 힌트. 지금까지 설명한 완벽하지 않은 클리핑과 클램핑은 문제가 되지 않는다. 연산증폭기를 설명한 후, 다시 클리퍼와 클램퍼를 살펴볼 것이다. 그때 전위장벽 문제를 쉽게 제거하는 방법을 알게 될 것이다. 다시 말하면 거의 완벽한 회로를 보게 될 것이다.

피크-피크 검출기

커패시터입력 필터를 가진 반파정류기는 입력신호의 피크와 거의 같은 직류 출력전압을 발생한다. 같은 회로에 소신호 다이오드를 사용할 때, 이것을 **피크 검출기**(peak detector)라 부른다. 대표적으로 피크 검출기는 60 Hz보다 더 높은 주파수에서 동작한다. 피크 검출기의 출력은 측정, 신호처리와 통신용에서 쓰인다.

클램프와 피크 검출기를 종속으로 접속하면 **피크-피크 검출기**(*peak to peak detector*)가 된다(그림 4-33 참조). 클램퍼의 출력이 피크 검출기의 입력으로 사용됨을 알 수 있다. 사인파가 양으로 클램프 되기 때문에, 피크 검출기의 입력은 $2V_p$이다. 이 때문에 피크 검출기의 출력은 직류전압 $2V_p$와 같다.

통상적으로 RC시정수는 신호의 주기보다 훨씬 더 커야 된다. 이 조건이 만족되면 클램핑 동작과 피크 검출은 양호하게 이루어지고, 따라서 출력리플은 작아진다.

이것은 비정현 신호 측정에 응용된다. 교류전압계는 대부분 교류신호의 실효값을 읽도록 되어있다. 만일 이 교류전압계로 비정현 신호를 측정한다고 하면 올바른 값이 읽혀지지 않을 것이다. 그러나 만일 피크-피크 검출기의 출력을 직류전압계의 입력으로 사용하면, 이 전압계는 피크-피크 전압을 지시할 것이다. 만일 비정현 신호가 −20 ∼ +50 V까지 스윙하면, 지시값은 70 V이다.

4-12 전압 배율기

피크-피크 검출기는 소신호 다이오드를 사용하고, 높은 주파수에서 동작한다. 정류다이오드를 사용하고, 60 Hz에서 동작하면 **배압기**(*voltage doubler*)라 불리는 새로운 방식의 전원을 만들 수 있다.

배압기

그림 4-34*a*는 배압기(*voltage doubler*)이다. 정류다이오드를 사용하고, 60 Hz에서 동작한다는 것을 제외하면, 회로 구성은 피크-피크 검출기와 같다. 클램퍼 구간에서 2차 전압에 직류성분이 더해진다. 피크 검출기는 2차 전압의 2배가 되는 직류 출력전압을 만든다.

출력전압을 높이기 위해 권선비를 바꾸려고 할때, 배압기의 사용을 왜 생각해 보지 않는가? 전압이 낮을 때는 배압기를 사용할 필요가 없지만 대단히 높은 직류 출력전압을 얻으려고 할 때 문제가 생긴다.

예를 들면 선전압이 120 V_{rms} 혹은 피크 170 V이다. 만일 직류 3,400 V를 얻으려면 1:20의 승압 변압기를 사용해야 할 것이다. 여기에 문제점이 있다. 2차 전압을 매우 높이려면, 덩치가 큰 변압기를 사용해야 한다. 이 경우 배압기와 소형 변압기를 사용하는 것이 더 간단한 방법이 될 수 있다.

3배압기

한 구간을 더 연결하면 그림 4-34*b*와 같은 **3배압기**(*voltage tripler*)가 된다. 처음 두 구간은 배압기처럼 동작한다. 음의 반 사이클의 피크에서 D_3는 순방향 바이어스가 되어 C_3을 그림 4-34*b*와 같은 극성으로 $2V_p$까지 충전한다. 3배압 출력은 C_1과 C_3에 나타난다. 부하저항을 3배압 출력에 연결하면, 시정수가 클 때 출력은 대략 $3V_p$가 된다.

4배압기

그림 4-34*c*는 4구간이 **종속**(*cascade*)(차례대로)인 **4배압기**(*voltage quadrupler*)이다. 처음 3구간은 3배압기이고, 네 번째 구간이 전체 회로를 4배압으로 만든다. 첫 번째 커패시터는 V_p까지 충전하고, 그 외에 다른 커패시터는 $2V_p$까지 충전한다. 4배압 출력은 C_2와 C_4의 직렬연결 양단에서 나온다. 부하저항을 4배압 출력에 연결하면, $4V_p$의 출력을 얻을 수 있다.

이론적으로 구간을 한없이 연결할 수 있지만, 구간이 더 늘어나면 리플이 악화된다. 저전압 전원에서 **전압 배율기**(voltage multipliers)(2배압, 3배압과 4배압)를 사용하지 않는 또 다른 이유는 리플의 증가 때문이다. 앞에서 설명한 바와 같이, 전압 배율기는 수백 혹은 수천 볼트의 고전압을 생산할 때 주로 사용한다. 텔레비전 수상기, 오실로스코프와 컴퓨터 모니터에 사용되는 음극선(CRT)과 같은 고전압 저전류 설비는 당연히 전압 배율기를 사용한다.

변형

그림 4-34의 모든 전압 배율기는 **부동**(*floating*) 부하저항을 사용한다. 이것은 부하의 어

그림 **4-34** 부동부하를 가진 전압 배율기; (a) 배압기; (b) 3배압기; (c) 4배압기

느 한 끝도 접지되지 않았다는 것을 의미한다. 그림 4-35*a*, *b*와 *c*는 전압 배율기의 변형이다. 그림 4-35*a*는 그림 4-34*a*에 접지를 추가하였다. 한편 그림 4-35*b*와 *c*는 3배압(그림 4-34*b*)과 4배압(그림 4-34*c*)을 재설계한 것이다. 응용분야에서 부동 부하 설계(CRT에서처럼) 혹은 접지 부하 설계가 사용되는 것을 볼 수 있을 것이다.

전파 배압기

그림 4-35*d*는 전파 배압기이다. 전원의 양의 반 사이클에서 위의 커패시터가 표시된 극성으로 피크전압까지 충전한다. 음의 반 사이클에서 아래의 커패시터가 표시된 극성으로 피크전압까지 충전한다. 가벼운 부하일 때 최종 출력전압은 대략 2 V_p가 된다.

앞에서 설명한 전압 배율기는 반파 설계이다. 즉 출력 리플주파수가 60 Hz이다. 한편, 그림 4-35*d*의 회로는 반 사이클 동안에 출력 커패시터 중에서 한 개가 충전하기 때문에 **전파 배압기**(*full-wave voltage doubler*)라 불린다. 이 때문에 출력리플은 120 Hz이다. 이 리플주파수는 여과가 쉽기 때문에 장점에 속한다. 전파 배압기의 또 다른 장점은 필요한 다이오드의 PIV 정격이 단지 V_p 이상이면 된다는 것이다.

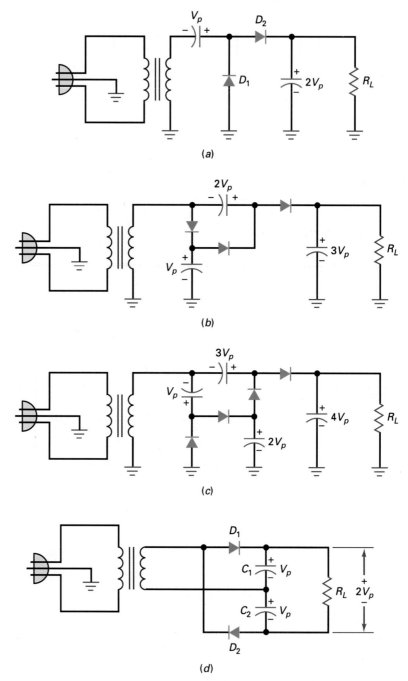

그림 **4-35**   접지된 부하를 가진 전압 배율기, 전파 배압기는 제외 (a) 배압기; (b) 3배압기; (c) 4배
압기; (d) 전파 배압기

요점 | Summary

4-1 반파정류기
반파정류기는 다이오드와 부하저항이 직렬 연결이다. 부하전압은 반파출력이다. 반파정류기에서 나오는 평균 또는 직류전압은 피크전압의 31.8%와 같다.

4-2 변압기
입력 변압기는 일반적으로 전압은 낮추고 전류는 높이는 강압변압기이다. 2차 전압은 1차 전압을 권선 비로 나눈 것과 같다.

4-3 전파정류기
전파정류기는 두 개의 다이오드와 부하저항이 연결된 중간 탭 변압기가 있다. 부하전압은 전파신호이고 그 피크값은 2차 전압의 반이다. 전파정류기에서 나오는 평균 또는 직류전압은 피크 전압의 63.6%와 같고, 리플 주파수는 60 Hz대신 120 Hz이다.

4-4 브리지정류기
브리지정류기는 네 개의 다이오드를 가지고 있다. 부하전압은 전파신호이고 그 피크값은 2차 전압과 같다. 브리지정류기에서 나오는 평균 또는 직류전압은 피크전압의 63.6%이고, 리플 주파수는 120 Hz이다.

4-5 초크입력 필터
초크입력 필터는 유도성 리액턴스가 용량성 리액턴스보다 훨씬 더 큰 LC 전압분배기이다. 이런 필터에서는 정류된 신호의 평균값이 부하저항을 통과한다.

4-6 커패시터입력 필터
이런 유형의 필터에서는 정류된 신호의 피크 값이 부하저항을 통과한다. 커패시터가 크면 리플은 작아진다. 대표적으로 직류전압의 10%보다 더 작다. 커패시터입력 필터는 전원에서 가장 광범위하게 사용된다.

4-7 피크 역전압과 서지전류
피크 역전압은 정류기 회로의 차단 다이오드에 나타나는 최대전압이다. 이 전압은 다이오드의 항복전압보다 분명히 작아야 한다. 서지전류는 전원이 맨 처음 켜질 때 나타나는 짧고 큰 전류이다. 필터 커패시터는 첫 번째 사이클, 혹은 많아야 처음의 몇 사이클 동안에 피크전압까지 충전되어야 하므로 짧고 큰 전류가 흐른다.

4-8 전원에 관한 다른 논제
일반적으로 실질적인 변압기는 정격 부하전류에 대한 2차 전압이 주어진다. 1차 전류를 계산할 때, 입력전력과 출력전력이 같다고 가정한다. 서지전류로부터 회로를 보호하기 위해 일반적으로 slow-blow 퓨즈를 사용한다. 반파정류기에 흐르는 평균 다이오드 전류는 직류 부하전류와 같다. 전파 혹은 브리지정류기에서 다이오드를 흐르는 평균전류는 직류 부하전류의 반이다. RC필터와 LC필터는 정류된 출력을 여과하는 데 가끔 사용된다.

4-9 고장 점검
커패시터입력 필터에서 측정할 수 있는 것은 직류 출력전압, 1차 전압, 2차 전압, 그리고 리플이다. 이 측정값으로 고장을 추론할 수 있다. 다이오드가 개방되면 출력전압이 0으로 감소한다. 필터 커패시터가 개방되면 출력은 정류된 신호의 평균값으로 줄어든다.

4-10 클리퍼와 리미터
클리퍼는 신호를 정형한다. 이것은 신호의 양 혹은 음의 부분을 잘라낸다. 리미터 혹은 다이오드 클램프는 너무 큰 입력으로부터 입력 민감 회로를 보호한다.

4-11 클램퍼
클램퍼는 신호에 직류전압을 더하여 그 신호를 양 혹은 음으로 이동한다. 피크-피크 검출기는 피크-피크 값과 같은 부하전압이 발생한다.

4-12 전압 배율기
배압기는 피크-피크 검출기를 재설계한 것이다. 소신호 다이오드 대신 정류 다이오드를 사용한다. 배압기는 정류된 신호의 피크값의 2배가 되는 출력을 발생한다. 3배압기와 4배압기는 입력 피크 값에 각각 3과 4를 곱한다. 전압 배율기를 주로 사용하는 곳은 대단히 높은 전압전원이다.

정의식 | Definitions

(4-14) 권선 비:

$$\frac{N_1}{N_2} = \frac{V_1}{V_2}$$

(4-17) 안정 클리퍼:

$$100R_B < R_S < 0.01R_L$$

(4-19) 안정 클램퍼:

$$R_LC > 100T$$

유도식 | Derivations

(4-1) 이상적인 반파:

$$V_{p(out)} = V_{p(in)}$$

(4-2) 반파:

$$V_{dc} = \frac{V_p}{\pi}$$

(4-3) 반파:

$$f_{out} = f_{in}$$

(4-4) 제2근사해석 반파:

$$V_{p(out)} = V_{p(in)} - 0.7 \text{ V}$$

(4-5) 이상적인 변압기:

$$V_2 = \frac{V_1}{N_1/N_2}$$

(4-6) 전파:

$$V_{dc} = \frac{2V_p}{\pi}$$

(4-7) 전파:

$$f_{out} = 2f_{in}$$

(4-8) 제2근사해석 브리지:

$$V_{p(out)} = V_{p(in)} - 1.4 \text{ V}$$

(4-9) 초크입력 필터:

$$V_{out} \approx \frac{X_C}{X_L} V_{in}$$

(4-10) 피크-피크 리플:

$$V_R = \frac{I}{fC}$$

(4-11) 반파:

$$PIV = 2V_p$$

(4-12) 전파:

$$PIV = V_p$$

(4-13) 브리지:

$$PIV = V_p$$

(4-15) 반파:

$$I_{diode} = I_{dc}$$

(4-16) 전파와 브리지:

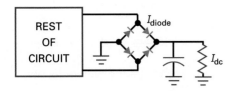

$$I_{diode} = 0.5 I_{dc}$$

(4-18) 바이어스된 클리퍼:

$$V_{bias} = \frac{R_2}{R_1 + R_2} V_{dc}$$

복습 문제 | Self-Test

1. 만약 $N_1/N_2 = 4$, 그리고 1차 전압이 120 V이면, 2차 전압은?
   a. 0 V
   b. 30 V
   c. 60 V
   d. 480 V

2. 강압 변압기에서 어느 것이 더 큰가?
   a. 1차 전압
   b. 2차 전압
   c. 없다.
   d. 대답할 수 없다.

3. 변압기의 권선 비가 2:1이다. 1차 권선에 115 V_{rms}가 인가되면, 2차 피크 전압은?
   a. 57.5 V
   b. 81.3 V
   c. 230 V
   d. 325 V

4. 부하저항에 반파 정류전압이 나타나면, 부하전류는 한 사이클의 얼마동안 흐르는가?
   a. 0S
   b. 90S
   c. 180S
   d. 360S

5. 반파정류기에서 선전압이 105 V_{rms}만큼 낮아지거나 혹은 125 V_{rms}만큼 높아질 수 있다고 가정한다. 5:1의 강압 변압기이면 최소 피크 부하전압은?
   a. 21 V b. 25 V
   c. 29.7 V d. 35.4 V

6. 브리지정류기의 출력전압은 어떤 신호인가?
   a. 반파신호
   b. 전파신호
   c. 브리지 정류된 신호
   d. 사인파

7. 만약 선전압이 115 V_{rms}이면, 권선 비 5:1일 때 실효 2차 전압은?
   a. 15 V
   b. 23 V
   c. 30 V
   d. 35 V

8. 만일 전파정류기에서 2차 전압이 20 V_{rms}이면, 피크 부하전압은 얼마인가?
   a. 0 V
   b. 0.7 V
   c. 14.1 V
   d. 28.3 V

9. 브리지정류기에서 40 V의 피크 부하전압을 얻으려고 할 때, 2차 전압의 근사적인 실효값은?
   a. 0 V
   b. 14.4 V
   c. 28.3 V
   d. 56.6 V

10. 부하저항에 전파 정류된 전압이 나타나면, 부하전류는 한 사이클의 얼마동안 흐르는가?
    a. 0S b. 90S
    c. 180S d. 360S

11. 2차 전압이 12.6 V_{rms}이면, 브리지정류기의 피크 부하전압은 얼마인가? (제2근사해석을 이용하여라.)
    a. 7.5 V
    b. 16.4 V
    c. 17.8 V
    d. 19.2 V

12. 만일 선주파수가 60 Hz이면, 반파 정류기의 출력주파수는?
    a. 30 Hz
    b. 60 Hz
    c. 120 Hz
    d. 240 Hz

13. 만일 선주파수가 60 Hz이면, 브리지정류기의 출력주파수는?
    a. 30 Hz
    b. 60 Hz
    c. 120 Hz
    d. 240 Hz

14. 2차 전압과 필터가 동일한 경우, 리플이 가장 많은 것은?
    a. 반파정류기
    b. 전파정류기
    c. 브리지정류기
    d. 말할 수 없다.

15. 2차 전압과 필터가 동일한 경우, 부하전압이 최소인 것은?
    a. 반파정류기
    b. 전파정류기
    c. 브리지정류기
    d. 말할 수 없다.

16. 여과된 부하전류가 10 mA일 때, 다이오드전류가 10 mA인 것은?

a. 반파정류기　b. 전파정류기
c. 브리지정류기　d. 말할 수 없다.

17. 만일 부하전류가 5 mA이고 필터커패시턴스가 1,000 μF이면, 브리지정류기의 출력에서 피크-피크 리플은?

a. 21.3 pV　　b. 56.3 nV
c. 21.3 mV　　d. 41.7 mV

18. 브리지정류기에 있는 다이오드의 최대 직류전류정격이 각각 2A이다. 이 때 최대직류 부하전류는?

a. 1 A　　　b. 2 A
c. 4 A　　　d. 8 A

19. 브리지정류기에서 2차 전압이 20 V_{rms}이면, 각 다이오드의 PIV는?

a. 14.1 V　　b. 20 V
c. 28.3 V　　d. 34 V

20. 만일 커패시터입력 필터가 있는 브리지정류기에서 2차 전압이 증가하면, 부하전압은?

a. 감소할 것이다.
b. 변함 없을 것이다.
c. 증가할 것이다.
d. 위 보기에는 해답이 없다.

21. 만일 필터 커패시턴스가 증가하면, 리플은?

a. 감소할 것이다.
b. 변함없을 것이다.
c. 증가할 것이다.
d. 위 보기에는 해답이 없다.

22. 파형의 양 혹은 음의 부분을 제거하는 회로는?

a. 클램퍼　　　b. 클리퍼
c. 다이오드 클램프　d. 리미터

23. 입력 사인파에 양 혹은 음의 직류전압을 더하는 회로는?

a. 클램퍼　　　b. 클리퍼
c. 다이오드 클램프　d. 리미터

24. 클램퍼 회로가 적절히 동작하려면, 시정수는?

a. 신호의 주기 T와 같아야 된다.
b. 신호의 주기 T보다 10배 이상 커야 된다.
c. 신호의 주기 T보다 100배 이상 커야 된다.
d. 신호의 주기 T보다 10배 이하 작아야 된다.

25. 전압 배율기는 _____를 생산하는 데 사용되는 제일 좋은 회로이다.

a. 저전압과 저전류
b. 저전압과 고전류
c. 고전압과 저전류
d. 고전압과 고전류

기본 문제 | Problems

4-1 반파정류기

4-1 ‖‖‖ **Multisim** 그림 4-36*a*에서 만약 다이오드가 이상적이면, 피크 출력전압은 얼마인가? 평균전압과 직류전압은? 출력파형을 스케치하여라.

4-2 ‖‖‖ **Multisim** 그림 4-36*b*에서 위의 문제를 반복하여라.

4-3 ‖‖‖ **Multisim** 그림 4-36*a*에서 다이오드에 제2근사해석을 적용하면 피크 출력전압은 얼마인가? 평균전압과 직류전압은? 출력파형을 스케치하여라.

그림 4-37

4-4 ‖‖‖ **Multisim** 그림 4-36*b*에서 위의 문제를 반복하여라.

4-2 변압기

4-5 만약 변압기의 권선 비가 6:1이면 실효 2차 전압은 얼마인가? 2차 피크전압은? 1차 전압은 120 V_{rms}라고 가정하여라.

4-6 변압기의 권선 비가 1:120이면 실효 2차 전압은 얼마인가? 피크 2차 전압은? 1차 전압은 120 V_{rms}라고 가정하여라.

4-7 그림 4-37에서 이상적인 다이오드일 때 피크 출력전압과 직류 부하전압을 계산하여라.

4-8 제2근사해석으로 그림 4-37에서 피크 출력전압과 직류 부하전압을 계산하여라.

그림 4-36

그림 4-38

그림 4-39

4-3 전파정류기

4-9 중간 탭이 있는 변압기의 입력이 120 V, 권선 비가 4 : 10다. 2차 권선의 위쪽 1/2의 실효전압은 얼마인가? 피크전압은? 2차 권선의 아래쪽 1/2의 실효전압은 얼마인가?

4-10 ‖‖ **Multisim** 만약 그림 4-38에서 다이오드가 이상적이면 피크 출력전압은 얼마인가? 평균값과 직류 값은? 출력파형을 스케치하여라.

4-11 ‖‖ **Multisim** 제2근사해석을 적용하여 위의 문제를 반복하여라.

4-4 브리지정류기

4-12 ‖‖ **Multisim** 그림 4-39에서 만일 다이오드가 이상적이면 피크 출력전압은 얼마인가? 평균전압과 직류 값은? 출력파형을 스케치하여라.

4-13 ‖‖ **Multisim** 제2근사해석으로 위의 문제를 반복하여라.

4-14 그림 4-39에서 만약 선전압이 105~125 V_{rms}까지 변한다면 최소 직류 부하전압은 얼마인가? 최대 직류 부하전압은?

4-5 초크입력 필터

4-15 초크입력 필터의 입력은 피크가 20 V인 반파신호이다. 만일 $X_L = 1$ kΩ 그리고 $X_C = 25$ Ω이면 커패시터에서 근사적인 피크-피크 리플은 얼마인가?

4-16 초크입력 필터의 입력은 피크가 14 V인 전파신호이다. 만일 $X_L = 2$ kΩ 그리고 $X_C = 50$ Ω이면 커패시터에서 근사적인 피크-피크 리플인 얼마인가?

4-6 커패시터입력 필터

4-17 그림 4-40a에서 직류 출력전압과 리플은 얼마인가? 출력파형을 스케치하여라.

4-18 그림 4-40b에서 직류 출력전압과 리플을 계산하여라.

4-19 그림 4-40a에서 만일 커패시턴스의 값이 반으로 줄어들면, 리플은 어떻게 되는가?

4-20 그림 4-40b에서 만일 저항이 500 Ω으로 감소하면 리플은 어떻게 되는가?

4-21 그림 4-41에서 직류 출력전압은 얼마인가? 리플은? 출력파형을 스케치하여라.

4-22 그림 4-41에서 선전압이 105 V로 감소하면 직류 출력전압은 얼마인가?

4-7 피크 역전압과 서지전류

4-23 그림 4-41에서 피크 역전압은 얼마인가?

(a)

(b)

그림 4-40

그림 4-41

4-24 그림 4-41에서 권선 비를 3 : 1로 바꾸면, 피크 역전압은 얼마인가?

4-8 전원장치에 관한 다른 논제

4-25 그림 4-41의 변압기를 F-25X로 교체한다. 2차 권선의 근사적인 피크 전압은 얼마인가? 근사적인 직류 부하전압의 근사값은? 변압기는 정격 출력전류에서 동작하고 있는가? 직류부하전압은 정상보다 높아지는가? 아니면 낮아지는가?

4-26 그림 4-41에서 1차 전류는 얼마인가?

4-27 그림 4-40a와 4-40b에서 각 다이오드를 흐르는 평균전류는 얼마인가?

4-28 그림 4-41의 각 다이오드를 흐르는 평균전류는 얼마인가?

4-9 고장 점검

4-29 만일 그림 4-41에서 필터커패시터가 개방이면 직류 부하전압은 얼마인가?

4-30 만약 그림 4-41에서 다이오드 한 개가 개방되면 직류 출력전압은 얼마인가?

4-31 만일 어떤 사람이 그림 4-41의 회로에서 전해 커패시터를 반대 방향으로 연결하였다면 어떤 고장이 일어날 것 같은가?

4-32 만약 그림 4-41에서 부하저항이 개방되면 출력전압은 어떻게 변할 것 같은가?

4-10 클리퍼와 리미터

4-33 그림 4-42a에서 출력파형을 스케치하여라. 최대 양전압은 얼마인가? 최대 음전압은?

4-34 그림 4-42b에서 위 문제를 반복하여라.

4-35 그림 4-42c의 다이오드 클램프는 입력에 민감한 회로를 보호한다. 제한레벨은 얼마인가?

4-36 그림 4-42d에서 최대 양의 출력전압은 얼마인가? 최대 음의 출력전압은? 출력파형을 스케치하여라.

4-37 만약 그림 4-42d의 사인파가 단지 20 mV이면 회로는 바이어스된 클리퍼가 아니고 다이오드 클램퍼로 동작할 것이다. 이 경우 출력전압의 보호범위는 얼마인가?

4-11 클램퍼

4-38 그림 4-43a에서 출력파형을 스케치하여라. 최대 양전압과 최대 음전압은 얼마인가?

4-39 그림 4-43b에서 위의 문제를 반복하여라.

4-40 그림 4-43c에서 클램퍼의 출력파형과 최종출력을 스케치하여라. 이상적인 다이오드일 때 직류 출력전압은 얼마인가? 제2근사해석을 적용하면?

(a)

(b)

(c)

(d)

그림 4-42

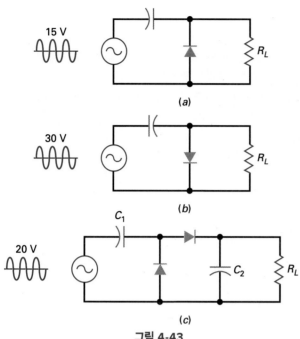

4-12 전압 배율기

4-41 그림 4-44*a*에서 직류 출력전압을 계산하여라.

4-42 그림 4-44*b*에서 3배압 출력은 얼마인가?

4-43 그림 4-44*c*에서 4배압 출력은 얼마인가?

그림 4-43

그림 4-44

응용 문제 | Critical Thinking

4-44 만약 그림 4-41에서 다이오드 중 한 개가 단락되면 어떤 결과가 나타나겠는가?

4-45 그림 4-45의 전원은 2개의 출력전압을 갖는다. 출력전압의 근사 값은 얼마인가?

4-46 그림 4-45에 4.7 Ω의 서지저항이 첨가된다. 서지전류의 최대 값은 얼마까지 가능한가?

4-47 전파전압의 피크 값이 15 V이다. 어떤 사람이 삼각함수표를 여러분에게 주었다. 그러면 18 간격으로 사인파의 값을 찾을 수 있다. 전파신호의 평균값이 피크 값의 63.6%임을 어떻게 증명하는지 설명해 보아라.

4-48 그림 4-46과 같은 스위치 위치에서 출력전압은 얼마인가? 만일 스위치가 다른 위치로 전환되면 출력전압은 얼마인가?

4-49 그림 4-47에서 V_{in}이 40 V_{rms}이고, 시정수 RC가 전원전압의 주기에 비해 대단히 크다고 하면 V_{out}은 무엇과 같은가? 그 이유는?

그림 4-45

그림 4-46

그림 4-47

고장 점검 | Troubleshooting

4-50 그림 4-48은 정상 회로 값과 T1-T8까지 8개의 고장이 있는 브리지정류 회로이다. 8개의 고장을 모두 찾아보아라.

그림 4-48 고장 점검

고장 점검

	V_1	V_2	V_L	V_R	f	R_L	C_1	F_1
정상	115	12.7	18	0.3	120	1k	정상	정상
T1	115	12.7	11.4	18	120	1k	∞	정상
T2	115	12.7	17.7	0.6	60	1k	정상	정상
T3	0	0	0	0	0	0	정상	∞
T4	115	12.7	0	0	0	1k	정상	정상
T5	0	0	0	0	0	1k	정상	∞
T6	115	12.7	18	0	0	∞	정상	정상
T7	115	0	0	0	0	1k	정상	정상
T8	0	0	0	0	0	1k	0	∞

Multisim 고장 점검 문제 | Multisim Troubleshooting Problems

멀티심 고장 점검 파일들은 *Connect for Electronic Principles* 저자 자료에 멀티심 고장 점검 회로(MTC)라는 폴더에서 찾을 수 있다. 좀 더 자세한 내용은 xiv페이지를 참조하라. 이 장에 관련된 파일은 MTC04-51~MTC04-55로 명칭되어 있고 모두 그림 4-48의 회로를 바탕으로 한다.

　각 파일을 열고 고장 점검을 실시한다. 결함이 있는지 결정하기 위해 측정을 실시하고 결함이 있다면 무엇인지를 찾아라.

4-51 MTC04-51 파일을 열고 고장 점검을 실시하라.

4-52 MTC04-52 파일을 열고 고장 점검을 실시하라.

4-53 MTC04-53 파일을 열고 고장 점검을 실시하라.

4-54 MTC04-54 파일을 열고 고장 점검을 실시하라.

4-55 MTC04-55 파일을 열고 고장 점검을 실시하라.

디지털/아날로그 실습 시스템 | Digital/Analog Trainer System

다음의 문제 4-56에서 4-60까지는 전자회로용 **Connect의 교수용 학습자료**에 있는 디지털/아날로그 실습 시스템의 회로도이다. 모델 XK-700 실습기용 전체 설명 매뉴얼은 www.elenco.com에서 찾을 수 있다.

4-56 D3는 어떤 종류의 정류기 회로에서 사용되었는가?

4-57 노란색과 흰색 변압기의 2차 권선 사이의 교류전압은 약 얼마인가?

4-58 D_5와 D_6은 어떤 종류의 정류기 회로를 형성하는가?

4-59 두 개의 빨간색 변압기 2차 권선 사이의 교류 전압이 12.6 V이면, C_3에 걸리는 피크전압은 약 얼마인가?

4-60 전압조정기 U_2의 입력에서 필요한 최소 직류전압은 얼마인가?

직무 면접 문제 | Job Interview Questions

1. 여기에 연필과 종이가 있다. 커패시터입력 필터가 있는 브리지 정류기가 어떻게 동작하는지 설명하여라. 설명을 할 때, 구성도와 회로상의 여러 점에 나타나는 파형을 보여 주기 바란다.

2. 실험대 위에 커패시터입력 필터가 있는 브리지정류기가 있다고 가정한다. 동작이 안 된다. 고장 점검을 어떻게 하는지 설명하여라. 사용해야 하는 기계와 일반적인 고장을 찾는 방법을 말하여라.

3. 전원에서 과전류나 과전압은 다이오드를 파손시킬 수 있다. 커패시터입력 필터가 있는 브리지정류기를 그림으로 그리고, 전류 혹은 전압이 다이오드를 어떻게 파손시키는지 설명하여라. 과잉 역방향 전압인 경우를 다시 설명해 보아라.

4. 클리퍼, 클램퍼와 다이오드 클램프에 대해 아는 대로 설명하여라. 대표적인 파형, 클리핑 레벨, 클램핑 레벨과 보호레벨을 말해 보아라.

5. 피크-피크 검출기의 동작을 설명하여라. 그리고 배압기와 피크-피크 검출기의 비슷한 점과 다른 점을 설명하여라.

6. 전원에서 반파정류기나 혹은 전파정류기대신 브리지정류기를 사용한다면 좋은 점은 무엇인가? 브리지정류기가 다른 정류기에 비해 효율이 더 좋은 이유는 무엇인가?

7. 전원을 응용할 때 *RC*형 필터보다 *LC*형 필터를 더 선호하는 경향이 있다. 그 이유는?

8. 반파정류기와 전파정류기는 어떤 관계가 있는가?

9. 어떤 경우에 전압 배율기를 전원의 일부분으로 사용하면 좋은가?

10. 직류전원의 출력이 5 V라고 가정한다. 직류전압계로 이 전원에서 나오는 5 V를 정확하게 측정하였다. 전원에 문제가 있을 수 있는가? 만일 있다면 어떻게 고장 점검을 해야 하는가?

11. 권선비가 큰 변압기와 일반 정류기 대신으로 전압 배율기를 사용하는 이유는 무엇인가?

12. *RC*필터와 *LC*필터의 장단점을 열거하여라.

13. 전원을 고장 점검하는 동안 검게 타버린 저항을 발견하였다. 측정해보니 저항이 끊어졌다. 저항을 교환하고 전원을 다시 켜 보았는가? 그래도 동작하지 않으면 다음은 무엇을 해야 하는가?

14. 브리지정류기에서 일어날 가능성이 있는 세 가지 결함을 열거하여라. 그리고 각각 어떤 증상이 나타나는지 말해 보아라.

복습 문제 해답 | Self-Test Answers

1.	b	**10.**	d	**19.**	c
2.	a	**11.**	b	**20.**	c
3.	b	**12.**	b	**21.**	a
4.	c	**13.**	c	**22.**	b
5.	c	**14.**	a	**23.**	a
6.	b	**15.**	b	**24.**	c
7.	b	**16.**	a	**25.**	c
8.	c	**17.**	d		
9.	c	**18.**	c		

연습 문제 해답 | Practice Problem Answers

4-1 $V_{dc} = 6.53$ V

4-2 $V_{dc} = 27$ V

4-3 $V_{p(in)} = 12$ V;
$V_{p(out)} = 11.3$ V

4-5 $V_{p(out)}$ 이상적 = 34 V;
제2조사해석 = 32.6 V

4-7 $V_L = 17$ V;
$V_R = 0.71$ V_{p-p}

4-9 $V_R = 0.165$ V_{p-p}

4-10 2배의 안전을 위해 1N4002 혹은 1N4003

5

특수 목적 다이오드
Special-Purpose Diodes

정류다이오드는 가장 일반적인 다이오드이다. 정류다이오드는 전원부에서 교류전압을 직류전압으로 변환하는 데 쓰인다. 그런데 다이오드는 정류만 하는 것이 아니다. 여기서는 다른 응용에 쓰이는 다이오드를 설명할 것이다. 이 단원에서는 항복특성을 가장 효과적으로 이용하는 제너 다이오드부터 시작한다. 제너 다이오드는 전압을 조정하는 중심 역할을 하므로 대단히 중요하다. 그리고 광전자 다이오드, 발광 다이오드(LED), 쇼트키 다이오드, 버랙터 및 그 외의 다이오드도 다룬다.

학습목표 | Objectives

이 단원을 공부하고 나면

- 제너 다이오드가 어떻게 사용되는지 설명하고, 이 다이오드의 동작과 관련이 있는 여러 값을 계산할 수 있어야 한다.
- 여러 가지 광전자 소자를 열거하고, 그 동작을 각각 설명할 수 있어야 한다.
- 쇼트키 다이오드가 일반 다이오드보다 우월한 두 가지 장점을 연상할 수 있어야 한다.
- 버랙터가 어떻게 동작하는지 설명할 수 있어야 한다.
- 배리스터의 주된 용도를 설명할 수 있어야 한다.
- 기술자들이 관심을 가지는 네 개의 항목을 제너 다이오드의 자료표에서 찾아서 열거할 수 있어야 한다.
- 다른 반도체 다이오드의 기본 기능을 열거하고 설명할 수 있어야 한다.

주요용어 | Vocabulary

7세그먼트 디스플레이 (seven-segment display)

PIN다이오드(PIN diode)

경감인자(derating factor)

계단회복 다이오드 (step-recovery diode)

공통양극(common-anode)

공통음극(common-cathode)

광결합기(optocoupler)

광다이오드(photodiode)

광도(luminous intensity)

광전자공학(optoelectronics)

누설영역(leakage region)

레이저 다이오드(laser diode)

발광 다이오드 (light-emitting diode: LED)

발광효율(luminous efficacy)

배리스터(varistor)

버랙터(varactor)

부성저항(negative resistance)

쇼트키 다이오드(Schottky diode)

역 다이오드(back diode)

온도계수 (temperature coefficient)

전류조정 다이오드 (current regulator diode)

전장발광(electroluminescence)

전치조정기(preregulator)

제너 다이오드(zener diode)

제너 조정기(zener regulator)

제너저항(zener resistance)

제너효과(zener effect)

터널 다이오드(tunnel diode)

5-1 제너 다이오드

소신호 다이오드나 정류다이오드는 항복영역에서 손상을 받을 수 있으므로 고의적으로 이 영역에서 동작시키면 안 된다. 그러나 **제너 다이오드**(zener diode)는 다르다. 제너 다이오드는 항복영역에서 가장 효과적으로 동작하도록 만들어진 실리콘 다이오드이다. 제너 다이오드는 선전압과 부하저항이 크게 변하더라도 부하전압을 거의 일정하게 유지하는 회로, 즉 전압 조정기의 중추적인 역할을 한다.

I-V 그래프

그림 5-1*a*는 제너 다이오드의 도식적 기호이고, 그림 5-1*b*는 제너 다이오드의 다른 기호이다. 기호에서 z를 닮은 선은 "zener"를 상징한다. 실리콘 다이오드의 도핑 수준을 변화시키면 약 2~1,000 V 이상까지 항복전압을 갖는 제너 다이오드를 만들 수 있다. 제너 다이오드는 순방향, 누설, 그리고 항복의 세 영역 중 어느 영역에서도 동작이 가능하다.

그림 5-1*c*는 제너 다이오드의 *I-V*그래프이다. 순방향 영역에서는 일반 실리콘 다이오드처럼 0.7 V 근처에서 도전을 시작하고, **누설영역**(leakage region: 영과 항복 사이)에서는 작은 역방향 전류만 흐른다. 제너 다이오드에서 항복이 일어나면 전류는 거의 수직으로 증가하여 매우 가파른 무릎 모양이 된다. 항복영역에서 전압은 거의 일정하고, 대략 V_Z와 같다는 것을 기억하여라. 자료표에는 일반적으로 특정 시험전류 I_{ZT}에 대한 V_Z값이 있다.

그림 5-1*c*를 보면 최대 역방향 전류 I_{ZM}가 표시되어 있다. 역방향 전류가 I_{ZM}보다 작으면 다이오드는 안전영역에서 동작한다. 만일 역방향 전류가 I_{ZM}보다 크면 다이오

참고 사항

일반 다이오드와 마찬가지로 제조업자들은 단자식별을 위해 제너 다이오드의 음극단자 끝 부분을 띠로 표시한다.

DO-35 Glass case
COLOR BAND DENOTES CATHODE

DO-41 Glass case
COLOR BAND DENOTES CATHODE

SOD-123

(d)

© Brian Moeskau/Brian Moeskau Photography   © Brian Moeskau/Brian Moeskau Photography   © Brian Moeskau/Brian Moeskau Photography

그림 5-1   제너 다이오드 (a) 도식적 기호; (b) 다른 기호; (c) 전압 대 전류의 그래프; (d) 대표적인 제너 다이오드

드는 파손될 것이다. 과잉 역방향 전류를 방지하려면, **전류제한 저항**(*current-limiting resistor*)을 사용하여야 한다(뒤에서 설명한다).

제너저항

제3근사해석에서 실리콘 다이오드의 순방향 전압은 무릎전압과 벌크저항에서 추가되는 전압을 합한 것과 같다.

　　비슷하게 항복영역에서 다이오드의 역방향 전압은 항복전압과 벌크저항에서 추가되는 전압의 합과 같다. 역방향 영역에서 벌크저항을 **제너저항**(*zener resistance*)이라 일컫는다. 이 저항은 항복영역에서 기울기의 역수와 같다. 다시 말하면 항복영역이 수직일수록 제너저항은 더욱 더 작아진다.

　　그림 5-1c에서 제너저항을 흐르는 역방향 전류가 증가하면 역방향 전압도 조금 증가한다는 것을 알 수 있다. 전압의 증가는 매우 작고 일반적으로 수십 분의 1볼트 정도이다. 설계 시에는 미소한 증가도 중요하겠지만 고장 점검이나 예비해석에서는 그렇지 않다. 별 다른 지적이 없으면 여기서는 제너저항을 무시하고 설명할 것이다. 그림 5-1d는 대표적인 제너 다이오드를 보인 것이다.

제너 조정기

비록 제너 다이오드를 흐르는 전류가 변하더라도 출력전압은 일정하게 유지되기 때문에 제너 다이오드를 가끔 **전압조정 다이오드**(*voltage-regulator diode*)라 부른다. 정상적인 동작을 위하여 제너 다이오드는 그림 5-2a와 같이 역방향 바이어스 되어야 한다. 더욱이 전원전압 V_S가 제너 항복전압 V_Z보다 더 커야 항복 작용이 나타난다. 직렬저항 R_S는 제너전류를 최대 전류정격이하로 제한할 목적으로 사용한다. 그렇지 않으면 제너 다이오드는 과대한 전력손실 때문에 다른 소자와 마찬가지로 타버릴 것이다.

　　그림 5-2b는 이 회로를 접지하여 다르게 표현한 것이다. 회로에 접지가 있을 때는 언제든지 접지에 대한 전압을 측정할 수 있다.

　　예를 들어 그림 5-2b에서 직렬저항의 전압을 알고 싶을 때 전압을 구하는 방법은 다음과 같다. 첫째, R_S의 왼쪽 끝에서 접지까지 전압을 측정하고 둘째, R_S의 오른쪽 끝에서 접지까지 전압을 측정한다. 셋째, 두 전압의 차를 구하면 R_S양단의 전압이 얻어진다. 만약 부동 VOM이나 DMM이 있으면, 직렬저항 양단에 바로 연결하면 된다.

　　그림 5-2c는 전원의 출력에 직렬저항과 제너 다이오드가 연결되어 있는 것을 보여

그림5-2　제너 조정기 (a) 기본회로; (b) 접지가 있는 동일 회로; (c) 전원이 조정기를 구동한다.

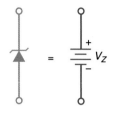

그림 5-3 제너 다이오드의 이상적 근사 해석

주고 있다. 이 회로는 전원의 출력전압보다 더 작은 직류 출력전압을 얻고 싶을 때 사용된다. 이와 같은 회로를 제너전압 조정기(*zener voltage regulator*)혹은 간단히 **제너 조정기**(zener regulator)라 부른다.

Ohm의 법칙 이용

그림 5-2에서, 직렬 혹은 전류제한 저항의 전압은 전원전압과 제너전압의 차이와 같기 때문에 저항을 흐르는 전류는 다음과 같다.

$$I_S = \frac{V_S - V_Z}{R_S} \tag{5-1}$$

그리고 직렬회로이므로 일단 직렬전류 값이 구해지면 제너전류 값도 알게 된다. I_S가 IZM보다 작아야 된다는 것을 기억해 두어라.

이상적인 제너 다이오드

고장진단이나 예비해석을 할 때 항복영역을 수직으로 근사화 할 수 있으므로, 흐르는 전류가 변하더라도 전압은 일정하다. 이것은 제너저항을 무시하는 것과 같다. 그림 5-3은 제너 다이오드의 이상적 근사해석이다. 이것은 항복영역에서 제너 다이오드는 마치 전지처럼 이상적으로 동작한다는 것을 의미한다. 회로에서 이것은 항복영역에서 동작하는 제너 다이오드를 마음속으로 전압원 V_Z로 대체할 수 있음을 의미한다.

예제 5-1

그림 5-4*a*에서 제너 다이오드의 항복전압을 10 V라고 가정한다. 최소와 최대 제너전류는 얼마인가?

그림 5-4 예제

풀이 인가전압은 20~40 V까지 변하고, 이상적인 경우 제너 다이오드는 그림 5-4*b*와 같이 전지처럼 동작한다. 그러므로 전원전압이 20~40 V 사이의 임의의 값이 되더라도 출력전압은 10 V이다.

전원전압이 최소일 때 최소전류가 흐른다. 저항의 왼쪽 끝이 20 V, 그리고 오른쪽 끝이 10 V이므로 저항 양단의 전압은 20 V − 10 V 혹은 10 V이다. Ohm의 법칙에 의해 전류는 다음과 같다.

$$I_S = \frac{10 \text{ V}}{820 \text{ } \Omega} = 12.2 \text{ mA}$$

전원전압이 40 V일 때 최대전류가 흐른다. 이 경우, 저항의 전압은 30 V이므로 흐르는 전류는 다음과 같다.

$$I_S = \frac{30\,V}{820\,\Omega} = 36.6\,mA$$

그림 5-4a와 같은 전압조정기는 전원전압이 20~40 V까지 변해도 출력전압은 10 V에 고정된다. 전원전압이 증가할수록 제너전류는 증가하지만, 출력전압은 10 V에서 요지부동이다(만약 제너저항이 포함되면, 전원전압이 증가할 때 출력전압도 조금씩 증가할 것이다).

연습 문제 5-1　그림 5-4에서, 만약 V_{in} = 30 V이면, 제너전류 I_S는 얼마인가?

5-2 부하가 있는 제너 조정기

그림 5-5a는 부하가 있는(*loaded*) 제너 조정기이고, 그림 5-5b는 이 회로를 접지시킨 것이다. 제너 다이오드는 항복영역에서 동작하고 부하전압은 일정하게 유지된다. 비록 전원전압이 변동하거나 혹은 부하저항이 변하더라도 부하전압은 일정하고, 제너전압과 같다.

항복동작

그림 5-5의 제너 다이오드가 항복영역에서 동작한다는 것을 어떻게 설명할 수 있는가? 전압분배기이므로 다이오드를 바라보는 Thevenin 전압은 다음과 같다.

$$V_{TH} = \frac{R_L}{R_S + R_L} V_S \tag{5-2}$$

이 식은 회로에서 제너 다이오드를 제거하고 다이오드가 있던 위치의 전압이다. 이 Thevenin 전압이 제너전압보다 더 커야 한다. 그렇지 않으면 항복이 일어날 수 없다.

직렬전류

특별한 지적이 없으면 다음의 모든 설명에서 제너 다이오드는 항복영역에서 동작한다고 가정한다. 그림 5-5에서 직렬저항을 흐르는 전류는 다음과 같다.

$$I_S = \frac{V_S - V_Z}{R_S} \tag{5-3}$$

그림 5-5 부하가 있는 제너 조정기 (a) 기본회로; (b) 실제 회로

이것은 전류제한 저항에 Ohm의 법칙을 적용한 것이다. 이 전류는 부하저항이 있건 없건 마찬가지다. 다시 말해서 만약에 부하저항을 제거한다면 직렬저항을 흐르는 전류는 저항양단의 전압을 저항으로 나눈 것과 같다.

부하전류

부하저항과 제너 다이오드가 병렬이므로 이상적으로 부하전압은 제너전압과 같다. 수식으로 나타내면 다음과 같다.

$$V_L = V_Z \tag{5-4}$$

Ohm의 법칙으로 부하전류를 계산한다.

$$I_L = \frac{V_L}{R_L} \tag{5-5}$$

제너전류

Kirchhoff의 전류법칙에 의하면

$$I_S = I_Z + I_L$$

제너 다이오드와 부하저항은 병렬이므로 두 전류의 합은 전체 전류와 같고, 전체 전류는 직렬저항을 흐르는 전류와 같다.

위의 식을 다시 정리하면 다음과 같은 중요한 공식을 얻을 수 있다.

$$I_Z = I_S - I_L \tag{5-6}$$

이 식은 제너전류와 직렬전류가 같지 않다는 것을 의미한다. 무부하 제너 조정기이면 제너전류와 직렬전류가 같지만 여기서는 부하저항 때문에 제너전류는 직렬전류에서 부하전류를 뺀 것과 같다.

표 5-1은 부하가 있는 제너 조정기의 해석 단계를 요약한 것이다. 직렬전류를 먼저 구하고 부하전압과 부하전류, 그리고 마지막으로 제너전류를 계산한다.

제너효과

항복전압이 6 V 이상일 때, 항복은 2장에서 설명한 애벌랜치 효과 때문에 나타난다. 기본개념은 소수캐리어가 다른 소수캐리어를 이탈시킬 정도로 고속으로 가속되어, 연쇄

> **참고 사항**
>
> 제너전압이 대략 3~8 V인 경우, 온도계수는 역방향 전류의 영향을 심하게 받는다. 전류가 증가할수록 온도계수는 더욱 양성적으로 반응한다.

요점정리 표 5-1	부하가 있는 제너 조정기 해석	
	과정	**설명**
단계 1	직렬전류를 계산한다. 식 (5-3)	Ohm의 법칙을 R_S에 적용한다.
단계 2	부하전압을 계산한다. 식 (5-4)	부하전압은 다이오드 전압과 같다.
단계 3	부하전류를 계산한다. 식 (5-5)	Ohm의 법칙을 R_L에 적용한다.
단계 4	제너전류를 계산한다. 식 (5-6)	전류법칙을 다이오드에 적용한다.

혹은 애벌랜치 효과를 일으켜 결과적으로 역방향으로 많은 전류를 흐르게 하는 것이다.

제너효과는 다르다. 다이오드가 고농도로 도핑될 때 공핍층이 매우 좁아진다. 이 때문에 공핍층의 전계(전압을 거리로 나눈 것)가 매우 강해진다. 전계의 세기가 대략 300,000 V/cm에 도달하면 전계는 매우 강해서 전자가 가전자 궤도 밖으로 이탈할 수 있다. 이러한 방법으로 자유전자가 생성되는 것을 **제너효과**(Zener effect)(역시 **고전계 방출**(*high-field emission*)로 알려져 있다)라고 한다. 이것은 고속의 소수캐리어에 의해 가전자가 이탈하는 애벌랜치 효과와 분명히 다르다.

항복전압이 4 V 이하일 때는 제너효과만 나타나고, 6 V 이상일 때는 애벌랜치 효과만 나타난다. 항복전압이 4와 6 V 사이에 있으면, 두 효과가 모두 나타난다.

제너효과는 애벌랜치 효과 이전에 발견되었다. 그러므로 항복영역에서 사용하고 있는 다이오드를 모두 제너 다이오드로 알고 있었다. 애벌랜치 다이오드(*avalanche diode*)라는 말을 가끔 들어보았겠지만, 일반적으로 모든 항복다이오드를 제너 다이오드(*Zener diode*)라 부른다.

온도계수

주위온도가 변할 때 제너전압도 약간 변한다. 자료표에서는 온도의 영향을 **온도계수** (temperature coefficient)로 표기한다, 이것은 도수 증가에 대한 항복전압의 변화로 정의한다. 항복전압이 4 V 이하(제너효과)이면 온도계수는 음이다. 예를 들면 항복전압이 3.9 V인 제너 다이오드는 온도계수가 −1.4 mV/°C 이다. 만일 온도가 1° 증가하면 항복전압은 1.4 mV 감소한다.

한편 항복전압이 6 V 이상(애벌랜치 효과)일 때 온도계수는 양이다. 예를 들어 항복전압이 6.2 V인 제너 다이오드는 온도계수가 2 mV/°C이다. 만일 온도가 1° 증가하면 항복전압은 2 mV 증가한다.

4와 6 V 사이에서 온도계수는 음에서 양으로 변한다. 다른 말로 표현하면, 항복전압 4와 6 V 사이에서 **온도계수가 영이 되는 제너 다이오드**도 있다. 이것은 넓은 온도범위에서 고정된 제너전압이 요구되는 응용 분야에서 중요하게 쓰인다.

참고 사항

대단히 안정된 기준전압을 요구하는 곳에서는, 제너 다이오드를 한 개 이상의 반도체 다이오드와 직렬로 연결한다. 여기서 반도체 다이오드의 전압 강하는 온도에 따라 V_Z의 변화와 반대방향으로 변한다. 결과적으로, 온도가 광범위하게 변해도 V_Z는 **매우** 안정하게 유지된다.

예제 5-2

|||| **Multisim**

그림 5-6*a*의 제너 다이오드는 항복영역에서 동작하는가?

그림 5-6   예제

풀이 식 (5-2)에 따라

$$V_{TH} = \frac{1 \text{ k}\Omega}{270 \, \Omega + 1 \text{ k}\Omega} (18 \text{ V}) = 14.2 \text{ V}$$

이 Thevenin 전압은 제너전압보다 크기 때문에, 제너 다이오드는 항복영역에서 동작한다.

예제 5-3   ‖‖‖ Multisim

그림 5-6*b*에서 제너전류는 얼마인가?

풀이 직렬저항의 양 끝에 전압이 주어져 있으므로 두 전압의 차를 구하면, 직렬저항에서 8 V이다. Ohm의 법칙에 의해

$$I_S = \frac{8 \text{ V}}{270 \, \Omega} = 29.6 \text{ mA}$$

이고, 부하전압이 10 V이므로, 부하전류는 다음과 같다.

$$I_L = \frac{10 \text{ V}}{1 \text{ k}\Omega} = 10 \text{ mA}$$

제너전류는 두 전류의 차와 같다.

$$I_Z = 29.6 \text{ mA} - 10 \text{ mA} = 19.6 \text{ mA}$$

연습 문제 5-3   그림 5-6*b*에서, 전원을 15 V로 바꾸고, I_S, I_L과 I_Z를 구하여라.

응용 예제 5-4   ‖‖‖ Multisim

그림 5-7의 회로는 어떤 작용을 하는가?

그림 5-7 전치조정기

풀이 이 회로는 제너 조정기(두 번째 제너 다이오드)를 구동하는 **전치조정기**(preregulator: 첫 번째 제너 다이오드)에 관한 예제이다. 먼저 전치조정기는 출력전압이 20 V이다. 이 전압은 두 번째 제너 조정기의 입력이고 그 출력은 10 V이다. 기본개념은 잘 조정된 입력을 두 번째 조정기에 공급하여 매우 잘 조정된 최종 출력을 얻는 것이다.

응용 예제 5-5

||||| Multisim

그림 5-8의 회로는 어떤 작용을 하는가?

그림 5-8 파형 정형에 사용되는 제너 다이오드

풀이 대부분의 응용에서 제너 다이오드는 항복영역에서 머무는 전압조정기로 사용된다. 그러나 예외가 있다. 제너 다이오드는 가끔 그림 5-8과 같이 파형 정형 회로에도 사용된다.

제너 다이오드 두 개가 직접 연결되어 있음에 주의하여라. 양의 반 사이클일 때, 위의 다이오드는 도전하고 아래 다이오드는 항복이 일어난다. 그러므로 출력이 그림과 같이 클리프된다. 클리핑 레벨은 제너전압(항복이 일어난 다이오드)에 0.7 V(순방향 바이어스된 다이오드)를 더한 전압과 같다.

음의 반사이클에서 반대로 동작한다. 아래 다이오드는 도전하고 위의 다이오드는 항복이 일어난다. 이와 같은 방법으로 출력은 거의 구형파가 된다. 입력 사인파가 클수록 출력은 더욱 구형파답게 보인다.

연습 문제 5-5 그림 5-8에서 다이오드의 V_Z가 3.3 V이다. R_L의 전압은 얼마인가?

응용 예제 5-6

그림 5-9에 있는 각 회로의 동작을 간단히 설명하여라.

그림 5-9 제너 응용 (a) 비표준 출력전압 발생; (b) 12-V 시스템에 6-V 계전기 사용; (c) 12-V 시스템에 6-V 커패시터 사용

풀이   그림 5-9*a*는 20-V 전원이 주어져 있고, 제너 다이오드와 일반 실리콘 다이오드를 이용하여 몇 가지 직류 출력 부하전압을 얻을 수 있는 방법을 제시하고 있다. 제일 아래에 있는 다이오드는 출력이 10 V이다. 각 실리콘 다이오드는 순방향 바이어스이므로 그림과 같이 10.7 V와 11.4 V의 출력이 나온다. 제일 위에 있는 다이오드는 2.4 V의 항복전압을 가지므로 출력이 13.8 V이다. 이 회로에서 제너 다이오드와 실리콘 다이오드의 결합을 다르게 하면, 또 다른 직류 출력전압을 얻을 수 있다.

만일 12-V 시스템에 6-V의 계전기를 연결한다고 하면 아마도 계전기에 손상이 올 것이다. 그러므로 전압의 일부를 강하시킬 필요가 있다. 그림 5-9*b*는 전압을 강하시키는 방법이다. 5.6-V인 제너 다이오드를 계전기와 직렬 연결하면 계전기에는 6.4 V만 나타난다. 이 전압은 일반적으로 계전기의 전압정격의 허용범위에 속한다.

용량이 큰 전해 커패시터는 흔히 전압정격이 낮다. 예를 들면 1,000 μF의 전해 커패시터는 전압정격이 겨우 6 V이다. 이것은 커패시터의 최대전압이 6 V 이하가 되어야 한다는 것을 의미한다. 그림 5-9*c*는 12 V 전원에 6 V의 전해 커패시터를 사용하는 방법을 보인 것이다. 앞에서와 같이 제너 다이오드를 사용하여 전압의 일부분을 강하한다. 이 경우 제너 다이오드에서 6.8 V가 강하되므로 커패시터에 걸리는 전압은 5.2 V이다. 이 방법으로 전해 커패시터는 전원을 여파하고 또 전압정격을 이용할 수 있다.

5-3 제너 다이오드의 제2근사해석

그림 5-10*a*는 제너 다이오드의 제2근사해석이다. 제너저항과 이상적인 전지가 직렬이다. 제너 다이오드의 전체 전압은 항복전압과 제너저항의 전압강하를 더한 것과 같다. 제너 다이오드에서 R_Z는 비교적 작기 때문에, 이것이 제너 다이오드의 전체 전압에 미치는 영향은 미미하다.

부하전압에 대한 영향

부하전압에서 제너저항의 영향을 계산할 수 있을까? 그림 5-10*b*는 전원이 부하를 가진 제너 조정기를 구동하는 그림이다. 이상적이면 부하전압은 항복전압 V_Z와 같다. 그러나 제2근사해석이면 그림 5-10*c*와 같이 제너저항이 포함된다. R_Z에서 전압강하가 추가되므로 부하전압이 약간 증가할 것이다.

그림 5-10*c*에서 제너저항으로 제너전류가 흐르기 때문에 부하전압은 다음과 같다.

$$V_L = V_Z + I_Z R_Z$$

보다시피 부하전압은 이상적인 경우보다

$$\Delta V_L = I_Z R_Z \tag{5-7}$$

만큼 변한다. 일반적으로 R_Z는 작고, 따라서 전압변화도 작아서, 대표적으로 수십 분의 1볼트이다. 예를 들어 만약 $I_Z = 10$ mA이고 $R_Z = 10$ Ω이면 $\Delta V_L = 0.1$ V이다.

리플에 대한 영향

리플만 따진다면 그림 5-11*a*와 같은 등가회로를 이용할 수 있다. 다시 말하면 리플에 영향을 주는 구성요소는 그림에 있는 세 저항이다. 이 회로를 더 간단히 할 수 있다. 표준

참고 사항

항복전압이 7 V 근처이면, 제너 다이오드는 최소의 제너 임피던스를 갖는다.

그림 5-10 제너 다이오드의 제2근사해석 (a) 등가회로; (b) 전원이 제너 조정기를 구동한다; (c) 해석에 제너저항이 포함된다.

그림 5-11 제너 조정기는 리플을 감소시킨다. (a) 전체 교류 등가회로; (b) 간략화된 교류 등가회로

설계라면 R_Z가 R_L보다 훨씬 작다. 그러므로 리플에 유효한 영향을 주는 구성요소는 그림 5-11b와 같이 직렬저항과 제너저항이다.

그림 5-11b는 전압 분배기이므로 출력리플은 다음과 같다.

$$V_{R(\text{out})} = \frac{R_Z}{R_S + R_Z} V_{R(\text{in})}$$

리플 계산은 정확하지 않아도 된다. 대표적인 설계에서는 R_S가 R_Z보다 대단히 크기 때문에 고장수리와 예비해석에서 다음의 근사식을 이용할 수 있다.

$$V_{R(\text{out})} \approx \frac{R_Z}{R_S} V_{R(\text{in})} \tag{5-8}$$

예제 5-7

그림 5-12의 제너 다이오드는 항복전압이 10 V이고, 제너저항이 8.5 Ω이다. 제2근사해석을 이용하여, 제너전류가 20 mA일 때 부하전압을 계산하여라.

그림 5-12　부하가 있는 제너 조정기

풀이　부하전압의 변화는 제너전류와 제너저항의 곱과 같다.

$$\Delta V_L = I_Z R_Z = (20\text{ mA})(8.5\text{ Ω}) = 0.17\text{ V}$$

제2근사해석에서 의하면 부하전압은 다음과 같다.

$$V_L = 10\text{ V} + 0.17\text{ V} = 10.17\text{ V}$$

연습 문제 5-7　제2근사해석을 이용하고, 그림 5-12에서 $I_Z = 12$ mA일 때 부하 전압을 계산하여라.

예제 5-8

그림 5-12에서 $R_S = 270$ V, $R_Z = 8.5$ Ω 그리고 $V_{R(\text{in})} = 2$ V이다. 부하의 근사적인 리플전압은 얼마인가?

풀이　부하 리플은 근사적으로 R_Z/R_S에 입력 리플을 곱한 것과 같다.

$$V_{R(\text{out})} \approx \frac{8.5\text{ Ω}}{270\text{ Ω}} 2\text{ V} = 63\text{ mV}$$

연습 문제 5-8　그림 5-12에서 $V_{R(\text{in})} = 3$ V이면, 근사적인 부하 리플 전압은 얼마인가?

응용 예제 5-9

그림 5-13의 제너 조정기는 $V_Z = 10$ V, $R_S = 270$ Ω, $R_Z = 8.5$ Ω 그리고 예제 5-7과 5-8에서 사용하였던 값들을 가지고 있다. 이 MultiSim 회로해석으로 구해진 측정값에 대해 설명하여라.

IIII Multisim 그림 5-13   제너 조정기에서 리플의 MultiSim 해석

풀이 만일 그림 5-13에서 이전에 설명한 방법대로 전압을 계산하면 다음과 같은 결과를 얻을 것이다. 8:1의 변압기이므로 피크 2차 전압은 21.2 V이다. 두 다이오드의 전압강하를 빼면 필터 커패시터의 피크 전압은 19.8 V이다. 390 Ω의 저항을 흐르는 전류는 51 mA이고, R_S를 흐르는 전류는 36 mA이다. 커패시터는 두 전류의 합 87 mA를 공급해야 한다. 식 (4-10)에 의하면 이 전류는 결과적으로 커패시터에 대략 2.7 V_{p-p}의 리플을 만든다. 이 리플에 대한 제너 조정기의 출력 리플을 계산하면 대략 85 mV_{p-p}이다.

리플이 크기 때문에 커패시터 전압은 19.8 V와 17.1 V 사이에서 스윙한다. 이 두 값을 평균하면 필터 커패시터의 대략적인 직류전압은 18.5 V이다. 이와 같이 직류전압이 낮아지면 앞에서 계산된 입력과 출력리플도 역시 낮아질 것이다. 앞 단원에서 설명한 바와 같이 이와 같은 계산은 추정값에 불과하다. 왜냐하면 정확한 해석은 고차의 영향까지 고려하여야 하기 때문이다.

그러면 거의 정확한 해답인 MultiSim의 측정값을 살펴보자. 멀티미터는 추정값 18.5 V에 매우 근접한 18.52 V를 지시하고 있다. 오실로스코프의 채널 1은 커패시터의 리플을 보여주고 있다. 리플은 대략 2.8 V_{p-p}이고, 이것은 추정된 2.7 V_{p-p}와 거의 같다. 마지막으로 제너 조정기의 출력 리플은 대략 85 mV_{p-p}이다(채널 2).

5-4 제너 이탈점

제너 조정기가 출력전압을 일정하게 유지하는 동안 제너 다이오드는 모든 동작조건 아래에서 항복영역에 계속 머물러있어야 한다. 이것은 모든 전원전압에서 제너전류가 흐르고 그리고 부하전류도 흘러야 한다는 말과 같다.

최악 경우 조건

그림 5-14a는 제너 조정기이다. 이 조정기는 다음과 같은 전류가 흐른다.

$$I_S = \frac{V_S - V_Z}{R_S} = \frac{20\,V - 10\,V}{200\,\Omega} = 50\,mA$$

$$I_L = \frac{V_L}{R_L} = \frac{10\,V}{1\,k\Omega} = 10\,mA$$

그리고

$$I_Z = I_S - I_L = 50\,mA - 10\,mA = 40\,mA$$

전원전압이 20에서 12 V로 감소할 때 어떤 일이 일어나는지 생각해보자. 앞의 계산에 의하면 I_S는 감소하고, I_L은 변함이 없고, 그리고 I_Z는 감소할 것이다. V_S가 12 V일 때, I_S는 10 mA고, $I_Z = 0$이 될 것이다. 이 낮은 전원전압에서 제너 다이오드는 항복영역을 벗어나려고 한다. 만일 전원이 더 감소하면 조정기능을 상실할 것이다. 다시 말하면, 부하전압이 10 V 이하로 될 것이다. 그러므로 낮은 전원전압은 제너회로의 조정기능 상실의 원인이 될 수 있다.

부하전류가 너무 많이 흘러도 조정기능이 상실된다. 그림 5-14a에서 부하저항이 1 kΩ에서 200 Ω으로 감소할 때, 어떤 일이 생기는지 알아보자. 부하저항이 200 Ω일 때 부하전류는 50 mA로 증가하고, 제너전류는 0으로 감소한다. 앞에서와 마찬가지로 제

그림 5-14　제너 조정기 (a) 정상동작; (b) 이탈 점에서 최악 경우 조건

너 다이오드는 항복영역을 벗어나려고 할 것이다. 그러므로 부하저항이 너무 작으면 제너회로는 조정능력을 상실한다.

　　마지막으로 R_S가 200 Ω에서 1 kΩ으로 증가할 때 어떤 일이 생기는지 알아보자. 이 경우 직렬전류는 50 mA에서 10 mA로 감소한다. 그러므로 직렬저항이 커도 회로 조정이 안된다.

　　그림 5-14b는 앞의 개념을 요약하는 뜻에서 최악 경우 조건으로 표시하였다. 제너 전류가 거의 0이 될 때, 제너조정은 이탈 혹은 정지 조건에 접근한다. 최악 경우 조건에서 회로를 해석하면 다음 방정식을 유도할 수 있다.

$$R_{S(\text{max})} = \left(\frac{V_{S(\text{min})}}{V_Z} - 1 \right) R_{L(\text{min})} \tag{5-9}$$

이 방정식의 다른 표현도 편리하다.

$$R_{S(\text{max})} = \frac{V_{S(\text{min})} - V_Z}{I_{L(\text{max})}} \tag{5-10}$$

위의 두 방정식은 어떤 동작조건 하에서 이탈 여부를 알고 싶을 때, 제너 조정기를 점검해 볼 수 있으므로 매우 유익하다.

예제 5-10

제너 조정기의 입력전압이 22~30 V까지 변한다. 만약 조정된 출력전압이 12 V이고, 부하저항이 140~10 kΩ까지 변한다면, 최대 허용 직렬저항은 얼마인가?

풀이　식 (5-9)를 사용하여 최대 직렬저항을 계산하면 다음과 같다.

$$R_{S(\text{max})} = \left(\frac{22\text{ V}}{12\text{ V}} - 1 \right) 140 \text{ Ω} = 117 \text{ Ω}$$

직렬저항이 117 Ω 이하이면, 제너 조정기는 모든 동작조건하에서 잘 동작할 것이다.

연습 문제 5-10　예제 5-10을 사용하고, 만일 조정된 출력전압이 15 V이면 최대 허용 직렬저항은 얼마인가?

예제 5-11

제너 조정기가 15~20 V 범위의 입력전압과 5~20 mA 범위의 부하전류를 가지고 있다. 제너전압이 6.8 V이면, 최대 허용 직렬저항은 얼마인가?

풀이 식 (5-10)을 사용하여 최대 직렬저항을 계산하면 다음과 같다.

$$R_S(\text{max}) = \frac{15\,V - 6.8\,V}{20\,mA} = 410\,\Omega$$

만일 직렬저항이 410 Ω 이하이면, 제너 조정기는 모든 조건아래에서 잘 동작할 것이다.

연습 문제 5-11 제너전압을 5.1 V라 하고, 예제 5-11을 반복하여라.

5-5 자료표 읽기

그림 5-15는 1N5221B와 1N4728A계열의 제너 다이오드에 대한 자료표이다. 다음 설명은 이 자료표를 참고한다. 다시 말하면 자료표에 있는 정보는 대부분 설계자를 위한 것이지만, 고장 점검자나 검사원이 알고 싶은 항목도 몇 개 있다.

최대전력

제너 다이오드의 전력손실은 제너 다이오드의 전압과 전류의 곱과 같다.

$$P_Z = V_Z I_Z \qquad (5\text{-}11)$$

예를 들어 만약 V_Z = 12 V이고, I_Z = 10 mA이면

$$P_Z = (12\,V)(10\,mA) = 120\,mW$$

P_Z가 전력성격보다 작으면 제너 다이오드는 언제나 힝복영역에서 손상없이 동작할 수 있다. 상업용 제너 다이오드는 전력정격이 1/4에서 50 W 이상 되는 것도 있다.

예를 들어 1N5221B 계열의 자료표를 보면 최대 전력정격이 500 mW로 되어 있다. 안전설계에서는 안전계수를 사용하여 전력손실이 최대 값 500 mW 이하를 유지하도록 한다. 다른 곳에서 언급한 바와 같이 보수적인 설계에서 사용하는 안전계수는 2 이상이다.

최대전류

자료표에는 가끔 제너 다이오드가 전력정격을 초과하지 않고 다룰 수 있는 **최대전류** (*maximum current*) I_{ZM}도 포함된다. 만약 이 값이 기재되어 있지 않으면, 최대전류는 다음 식으로 구할 수 있다.

$$I_{ZM} = \frac{P_{ZM}}{V_Z} \qquad (5\text{-}12)$$

Tolerance = 5%

July 2013

1N5221B - 1N5263B
Zener Diodes

DO-35 Glass case
COLOR BAND DENOTES CATHODE

Absolute Maximum Ratings

Symbol	Parameter	Value	Units
P_D	Power Dissipation	500	mW
	Derate above 50°C	4.0	mW/°C
T_{STG}	Storage Temperature Range	-65 to +200	°C
T_J	Operating Junction Temperature Range	-65 to +200	°C
	Lead Temperature (1/16 inch from case for 10 s)	+230	°C

Electrical Characteristics

Values are at T_A = 25°C unless otherwise noted .

Device	V_Z (V) @ I_Z [2]			Z_Z (Ω) @ I_Z (mA)		Z_{ZK} (Ω) @ I_{ZK}(mA)		I_R (µA) @ V_R (V)		T_C (%/°C)
	Min.	Typ.	Max.							
1N5221B	2.28	2.4	2.52	30	20	1,200	0.25	100	1.0	-0.085
1N5222B	2.375	2.5	2.625	30	20	1,250	0.25	100	1.0	-0.085
1N5223B	2.565	2.7	2.835	30	20	1,300	0.25	75	1.0	-0.080
1N5224B	2.66	2.8	2.94	30	20	1,400	0.25	75	1.0	-0.080
1N5225B	2.85	3	3.15	29	20	1,600	0.25	50	1.0	-0.075
1N5226B	3.135	3.3	3.465	28	20	1,600	0.25	25	1.0	-0.07
1N5227B	3.42	3.6	3.78	24	20	1,700	0.25	15	1.0	-0.065
1N5228B	3.705	3.9	4.095	23	20	1,900	0.25	10	1.0	-0.06
1N5229B	4.085	4.3	4.515	22	20	2,000	0.25	5.0	1.0	+/-0.055
1N5230B	4.465	4.7	4.935	19	20	1,900	0.25	2.0	1.0	+/-0.03
1N5231B	4.845	5.1	5.355	17	20	1,600	0.25	5.0	2.0	+/-0.03
1N5232B	5.32	5.6	5.88	11	20	1,600	0.25	5.0	3.0	0.038
1N5233B	5.7	6	6.3	7.0	20	1,600	0.25	5.0	3.5	0.038
1N5234B	5.89	6.2	6.51	7.0	20	1,000	0.25	5.0	4.0	0.045
1N5235B	6.46	6.8	7.14	5.0	20	750	0.25	3.0	5.0	0.05
1N5236B	7.125	7.5	7.875	6.0	20	500	0.25	3.0	6.0	0.058
1N5237B	7.79	8.2	8.61	8.0	20	500	0.25	3.0	6.5	0.062
1N5238B	8.265	8.7	9.135	8.0	20	600	0.25	3.0	6.5	0.065
1N5239B	8.645	9.1	9.555	10	20	600	0.25	3.0	7.0	0.068
1N5240B	9.5	10	10.5	17	20	600	0.25	3.0	8.0	0.075
1N5241B	10.45	11	11.55	22	20	600	0.25	2.0	8.4	0.076
1N5242B	11.4	12	12.6	30	20	600	0.25	1.0	9.1	0.077
1N5243B	12.35	13	13.65	13	9.5	600	0.25	0.5	9.9	0.079
1N5244B	13.3	14	14.7	15	9.0	600	0.25	0.1	10	0.080
1N5245B	14.25	15	15.75	16	8.5	600	0.25	0.1	11	0.082
1N5246B	15.2	16	16.8	17	7.8	600	0.25	0.1	12	0.083
1N5247B	16.15	17	17.85	19	7.4	600	0.25	0.1	13	0.084
1N5248B	17.1	18	18.9	21	7.0	600	0.25	0.1	14	0.085
1N5249B	18.05	19	19.95	23	6.6	600	0.25	0.1	14	0.085
1N5250B	19	20	21	25	6.2	600	0.25	0.1	15	0.086

V_F Forward Voltage = 1.2V Max. @ I_F = 200mA

Note:

1. These ratings are limiting values above which the serviceability of any semiconductor device may be impaired.

   Non-recurrent square wave Pulse Width = 8.3 ms, T_A = 50°C

2. Zener Voltage (V_Z)

   The zener voltage is measured with the device junction in the thermal equilibrium at the lead temperature (T_L) at 30°C ± 1°C and 3/8" lead length.

1N5221B - 1N5263B Rev. 1.2.0

www.fairchildsemi.com

그림 5-15　(a) 제너 자료표(Fairchild semiconductor의 저작권, 허가받고 사용함)

1N4728A - 1N4758A — Zener Diodes

April 2009

1N4728A - 1N4758A
Zener Diodes

Tolerance = 5%

DO-41 Glass case
COLOR BAND DENOTES CATHODE

Absolute Maximum Ratings * T_a = 25°C unless otherwise noted

Symbol	Parameter	Value	Units
P_D	Power Dissipation @ TL ≤ 50°C, Lead Length = 3/8"	1.0	W
	Derate above 50°C	6.67	mW/°C
T_J, T_{STG}	Operating and Storage Temperature Range	-65 to +200	°C

* These ratings are limiting values above which the serviceability of the diode may be impaired.

Electrical Characteristics T_a = 25°C unless otherwise noted

Device	V_Z (V) @ I_Z (Note 1)			Test Current I_Z (mA)	Max. Zener Impedance			Leakage Current		Non-Repetitive Peak Reverse Current I_{ZSM} (mA) (Note 2)
	Min.	Typ.	Max.		Z_Z @ I_Z (Ω)	Z_{ZK} @ I_{ZK} (Ω)	I_{ZK} (mA)	I_R (μA)	V_R (V)	
1N4728A	3.135	3.3	3.465	76	10	400	1	100	1	1380
1N4729A	3.42	3.6	3.78	69	10	400	1	100	1	1260
1N4730A	3.705	3.9	4.095	64	9	400	1	50	1	1190
1N4731A	4.085	4.3	4.515	58	9	400	1	10	1	1070
1N4732A	4.465	4.7	4.935	53	8	500	1	10	1	970
1N4733A	4.845	5.1	5.355	49	7	550	1	10	1	890
1N4734A	5.32	5.6	5.88	45	5	600	1	10	2	810
1N4735A	5.89	6.2	6.51	41	2	700	1	10	3	730
1N4736A	6.46	6.8	7.14	37	3.5	700	1	10	4	660
1N4737A	7.125	7.5	7.875	34	4	700	0.5	10	5	605
1N4738A	7.79	8.2	8.61	31	4.5	700	0.5	10	6	550
1N4739A	8.645	9.1	9.555	28	5	700	0.5	10	7	500
1N4740A	9.5	10	10.5	25	7	700	0.25	10	7.6	454
1N4741A	10.45	11	11.55	23	8	700	0.25	5	8.4	414
1N4742A	11.4	12	12.6	21	9	700	0.25	5	9.1	380
1N4743A	12.35	13	13.65	19	10	700	0.25	5	9.9	344
1N4744A	14.25	15	15.75	17	14	700	0.25	5	11.4	304
1N4745A	15.2	16	16.8	15.5	16	700	0.25	5	12.2	285
1N4746A	17.1	18	18.9	14	20	750	0.25	5	13.7	250
1N4747A	19	20	21	12.5	22	750	0.25	5	15.2	225
1N4748A	20.9	22	23.1	11.5	23	750	0.25	5	16.7	205
1N4749A	22.8	24	25.2	10.5	25	750	0.25	5	18.2	190
1N4750A	25.65	27	28.35	9.5	35	750	0.25	5	20.6	170
1N4751A	28.5	30	31.5	8.5	40	1000	0.25	5	22.8	150
1N4752A	31.35	33	34.65	7.5	45	1000	0.25	5	25.1	135
1N4753A	34.2	36	37.8	7	50	1000	0.25	5	27.4	125
1N4754A	37.05	39	40.95	6.5	60	1000	0.25	5	29.7	115
1N4755A	40.85	43	45.15	6	70	1500	0.25	5	32.7	110
1N4756A	44.65	47	49.35	5.5	80	1500	0.25	5	35.8	95
1N4757A	48.45	51	53.55	5	95	1500	0.25	5	38.8	90
1N4758A	53.2	56	58.8	4.5	110	2000	0.25	5	42.6	80

Notes:

1. Zener Voltage (V_Z)
   The zener voltage is measured with the device junction in the thermal equilibrium at the lead temperature (T_L) at 30°C ± 1°C and 3/8" lead length.

2. 2 Square wave Reverse Surge at 8.3 msec soak time.

그림 5-15 (b) (계속)

여기서 I_{ZM} = 최대 정격 제너전류

P_{ZM} = 전력정격

V_Z = 제너전압

예를 들어 1N4742A의 제너전압이 12 V 그리고 전력정격이 1 W이다. 그러므로 이 제너 다이오드의 최대 전류정격은 다음과 같다.

$$I_{ZM} = \frac{1\,\text{W}}{12\,\text{V}} = 83.3\,\text{mA}$$

만약 여러분이 전류정격을 충족시키면 자동적으로 전력정격도 충족된다. 예를 들어 만약 최대 제너전류를 83.3 mA 이하로 유지하면 최대 전력손실 역시 1 W 이하로 유지된다. 만약 안전계수 2를 적용하면 다이오드가 끊어지는 한계설계(marginal design)에 대한 걱정을 하지 않아도 된다. 자료표에 기재되었거나 계산된 I_{ZM}은 연속적인 전류정격을 의미한다. 이 소자의 테스트 조건을 포함한 비반복적인 역방향피크전류는 자료표에 종종 기재되어 있다.

허용오차

대부분의 제너 다이오드는 제너전압의 허용오차를 표시하는 접미사 A, B, C, 혹은 D를 갖는다. 이 접미사의 표식은 일관성이 없기 때문에, 특정 허용오차를 지적하는 별도의 주석이 제너 다이오드의 자료표에 있는지 확인해야 된다. 예를 들면 1N4728A 계열에 대한 자료표를 보면 허용오차는 ±5%이고, 1N5221B 계열 역시 허용오차가 ±5%이다. 일반적으로 접미사 C는 ±2%, D는 ±1%, 그리고 접미사가 없으면 ±20%를 가리킨다.

제너저항

제너저항(제너 임피던스(*zener impedance*)라고도 한다)은 R_{ZT} 혹은 Z_{ZT}로 표기되어 있다. 예를 들면 1N5237B는 시험전류 20.0 mA에서 측정한 제너저항이 8.0 Ω이다. 제너전류가 곡선의 무릎점을 지나면, 언제든지 8.0 Ω을 제너저항의 근사 값으로 사용할 수 있다. 그러나 곡선의 무릎점에서는 제너저항이 증가한다(1,000 Ω)는 사실을 알아야 한다. 힌트는 이것: 가능하면 시험전류 또는 그 근처에서 동작을 시켜야 한다. 그래야 제너저항이 상대적으로 작다는 사실을 알게 된다.

자료표에는 많은 정보가 더 들어 있지만 주로 설계자를 위한 것이다. 만일 설계작업에 참여하였다면 물리량을 측정하는 방법을 기술한 주석이 있는 자료표를 주의 깊게 읽어야 한다.

경감

자료표에서 **경감인자**(derating factor)는 소자의 전력정격을 얼마나 감소시켜야 하는가를 알려주는 것이다. 예를 들면 1N4728A 계열은 도선 온도 50°C에서 전력정격이 1 W이다. 경감인자는 6.67 mW/°C로 주어져 있다. 이것은 50°C 이상이 되면 1°C마다 6.67 mW씩 줄여야 한다는 것을 의미한다. 비록 설계에 참여하지 않았다 하더라도 온도에 대한 영향은 알고 있어야 한다. 만일 도선의 온도가 50°C 이상으로 올라가면, 설계자는 필히 제너 다이오드의 전력정격을 경감하거나 혹은 감소시켜야 한다.

+18 V
A

R_S ≶ 270 Ω

B   C

D_1 R_L
10 V   1 kΩ

그림 5-16   제너 조정기의 고장 점검

5-6 고장 점검

그림 5-16은 제너 조정기이다. 회로가 정상적으로 동작할 때, A와 접지 간의 전압은 +18 V, B와 접지 간의 전압은 +10 V, C와 접지 간의 전압 역시 +10 V이다.

단일증상

그림 회로에서 생길 수 있는 고장에 대해 알아보자. 회로가 이미 고장이 나 있을 때는 일반적으로 전압을 먼저 측정한다. 고장 점검에 도움이 되는 단서가 측정전압에서 나온다. 예를 들어 측정한 전압이 아래와 같다고 하자.

$$V_A = +18\,V \qquad V_B = +10\,V \qquad V_C = 0$$

위의 전압을 측정한 다음, 마음속으로 다음과 같이 확인해 볼 것이다.

만일 부하저항이 개방되면 전압이 어떻게 될까? 개방되면 부하전압이 10 V가 되므로 아니다. 그럼 만일 부하저항이 단락되면? B와 C가 접지되어 0 V이므로 역시 아니다. 그렇다면, B와 C 사이의 연결 도선이 끊어지면 어떻게 되나? 맞아. 그렇게 되겠다.

이런 전압들을 B와 C 사이의 연결이 끊어진 경우에만 나타날 것이므로, 이 고장은 단일증상이다.

분명하지 않은 증상

그러나 고장은 반드시 단일증상만 있는 것이 아니다. 경우에 따라 두 가지 이상의 고장에서 같은 전압들이 나타나는 경우도 있다. 예를 들어 고장 점검자가 다음과 같은 전압을 측정했다고 하자.

$$V_A = +18\,V \qquad V_B = 0 \qquad V_C = 0$$

어떤 고장인가? 잠시 고장에 대해 생각해 보아라. 답을 구할 때 다음을 읽어보아라.

고장 점검자가 고장을 찾을 때 사용할 수 있는 추론은 아래와 같다.

A는 전압이 있고, B와 C는 전압이 없다. 만약 직렬저항이 개방이면 어떻게 될까? B와 C는 전압이 나타날 수 없다. 그러나 A와 접지 사이는 18 V가 측정되겠다. 그래, 아마도 직렬저항이 개방되었겠다.

여기서 직렬저항을 떼어 내어서 저항계로 저항을 측정한다. 운이 좋으면 저항이 개방되어 있다. 그러나 저항이 정상으로 측정되었다고 가정하자. 그러면 다음과 같이 생각을 계속한다.

거참 이상하다. 그렇다면 A에서 18 V, B와 C에서 0 V가 될 수 있는 경우는 어떤 것들이 있는가? 만일 제너 다이오드가 단락되면 어떻게 될까? 만일 부하저항이 단락이면? 납땜이 튀어서 B 혹은 C와 접지 사이가 붙는다면? 이러한 고장들은 모두 위와 같은 증상이 될 것 같다.

그리고 고장 점검자는 고장 가능성이 있는 곳을 더 점검해서 결국 고장을 발견할 것이다.

부품이 녹으면 개방된다고 생각하겠지만, 반드시 그렇지는 않다. 어떤 반도체 소자는 내부가 단락된다. 이 경우 소자는 0 저항과 같다. 프린트 회로기판 위의 배선 사이에 납이 튀어 붙어서, 즉 동그란 납이 두 배선에 닿아 단락을 일으키는 경우도 있고, 그외 다른 경우도 있다. 이 때문에 단락소자나 개방소자는 what-if 의문(만일 ~이면 어떻게 될까?)을 가져야 한다.

고장 도표

표 5-2는 그림 5-16의 제너 조정기에서 일어날 수 있는 고장들이다. 전압을 구할 때 이 점을 기억하여라: 단락된 부품은 0 저항과 같고, 개방된 부품은 무한대 저항과 같다. 0과 ∞로 고장을 계산하는 경우에는 0.001 Ω과 1,000 MΩ을 사용하여라. 다시 말하면, 단락은 매우 작은 저항을 사용하고, 개방은 매우 큰 저항을 사용하여라.

그림 5-16에서 직렬저항 R_S가 단락 혹은 개방일 수 있다. 이 고장을 각각 R_{SS}와 R_{SO}로 표기하자. 마찬가지로 제너 다이오드도 단락 혹은 개방일 수 있으며, 기호는 D_{1S}와 D_{1O}이다. 역시 부하저항의 단락 혹은 개방을 R_{LS}와 R_{LO}, 마지막으로 B와 C 사이의 연결도선이 끊어질 수 있으며, 이것을 BC_O로 표기한다.

표 5-2에서 제2행은 고장이 R_{SS}, 즉 직렬저항이 단락일 때 나타나는 전압이다. 그림 5-16에서 직렬저항이 단락일 때 B와 C에 18 V가 나타난다. 아마도 이 전압 때문에 제너 다이오드와 부하저항이 파손될 것이다. 이 고장과 관련된 전압은 표 5-2와 같다.

만일 그림 5-16에서 직렬저항이 개방되면 점 B에는 전압이 걸리지 않기 때문에 B와 C는 표 5-2에 보인 바와 같이 0 전압이 될 것이다. 이와 같이 계속 점검해 나가면 표 5-2의 나머지 값들도 구할 수 있을 것이다.

표 5-2에서 주석은 원래의 회로가 단락일 때 일어날 수 있는 고장을 지적한 것이다. 예를 들면 R_S가 단락되면 제너 다이오드가 손상될 것이며, 부하저항도 개방될지 모

요점정리 표 5-2	제너 조정기의 고장과 증상			
고장	V_A, V	V_B, V	V_C, V	설명
없음	18	10	10	고장 없음
R_{SS}	18	18	18	아마도 D_1과 R_L 개방
R_{SO}	18	0	0	
D_{1S}	18	0	0	아마도 R_S 개방
D_{1O}	18	14.2	14.2	
R_{LS}	18	0	0	아마도 R_S 개방
R_{LO}	18	10	10	
BC_O	18	10	0	
전원 없음	0	0	0	전원 검사

그림 5-17 커브 트레이서

른다. 이것은 부하저항의 전력정격에 달려 있다. R_S가 단락되면 1 kΩ에 18 V가 걸리고, 여기서 0.324 W의 전력이 발생한다. 만일 부하저항의 정격이 0.25 W이면 개방될 것이다.

표 5-2에서 어떤 고장은 유일한 전압을 갖는다. 그리고 나머지 다른 고장들은 애매한 전압을 나타낸다. 이것은 두 가지 이상의 고장에서 똑같은 전압이 나타날 수 있다는 것을 의미한다. 예를 들면 R_{SS}, D_{1O}, BC_O와 전원 없음이 유일한 전압들이다. 만약에 이와 같은 유일한 전압들이 측정되면 저항을 직접 측정하지 않더라도 고장을 바로 알 수 있다.

표 5-2에서 나머지 다른 고장들은 전압이 애매하다. 이것은 두 개 혹은 그 이상의 고장에서 똑같은 전압이 나올 수 있다는 것을 의미한다. 만약 애매한 전압을 측정하게 되면, 회로에 들어가서 의심되는 부분의 저항을 측정할 필요가 있다. 예를 들어 A에서 18 V, B에서 0 V, 그리고 C에서 0 V를 측정했다고 가정하자. 이 전압이 나올 수 있는 고장은 R_{SO}, D_{1S}와 R_{LS}이다.

제너 다이오드는 여러 방법으로 점검할 수 있다. DMM을 다이오드 범위에 놓으면 다이오드가 개방인지 혹은 단락인지를 검사할 수 있다. 정상이면 순바이어스 방향일 때 대략 0.7 V, 그리고 역바이어스 방향일 때 개방(범위 초과)을 지시할 것이다. 그러나 이 검사는 제너 다이오드가 적당한 항복전압 V_Z를 가지고 있으면 지시하지 않을 것이다.

그림 5-17에 보인 것과 같은 반도체 커브 트레이서는 제너의 순방향/역방향 바이어스 특성을 정확하게 화면에 나타낼 것이다. 커브 트레이서를 이용할 수 없을 때 회로에 연결되어 있는 동안 제너 다이오드의 전압강하를 측정하면 간단히 검사할 수 있다. 전압강하는 틀림없이 정격값에 근접할 것이다.

5-7 부하선

그림 5-18*a*의 제너 다이오드에 흐르는 전류는 다음과 같다.

$$I_Z = \frac{V_S - V_Z}{R_S}$$

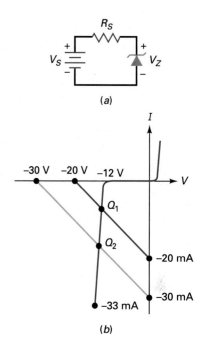

$V_S = 20$ V이고, $R_S = 1$ kΩ이면, 위의 식은 다음과 같다.

$$I_Z = \frac{20 - V_Z}{1000}$$

여기서 V_Z를 영으로 놓고 I_Z에 대해 풀면 20 mA인 포화점(수직 절편)이 구해지고, 비슷한 방법으로 I_Z를 영으로 놓고 V_Z에 대해 풀면 20 V의 차단점(수평 절편)이 구해진다.

부하선의 양 끝을 다음과 같이 다른 방법으로 구할 수 있다. 그림 5-18*a*에서 $V_S = $ 20 V, $R_S = 1$ kΩ라 하자. 제너 다이오드가 단락이면 최대 다이오드전류는 20 mA이고, 다이오드가 개방이면 최대 다이오드전압은 20 V이다.

제너 다이오드의 항복전압을 12 V라고 가정하면, 제너 다이오드의 그래프는 그림 5-18*b*와 같다. $V_S = 20$ V와 $R_S = 1$ kΩ에 대한 부하선은 Q_1에서 교점을 갖는 위쪽에 그어진 부하선이다. 곡선이 약간 경사져 있으므로 제너 다이오드의 전압은 항복 시의 무릎전압보다 조금 더 높다.

전압조정 작용을 이해하기 위해 전원전압을 30 V로 변경해 보자. 그러면 제너전류도 다음과 같이 변할 것이다.

$$I_Z = \frac{30 - V_Z}{1,000}$$

이 식에 의하면 부하선의 양 끝은 그림 5-18*b*에 보인 바와 같이 30 mA와 30 V이다. 새로운 교점은 Q_2이다. Q_2를 Q_1과 비교해 보면, 제너 다이오드를 흐르는 전류는 더 증가되었지만 제너전압은 거의 변함이 없음을 알 수 있다. 그러므로 전원전압이 20에서 30 V로 변하더라도 제너전압은 12 V와 거의 같다. 전압조정의 기본개념은 비록 입력전압이 큰 값으로 변해도 출력전압은 거의 일정하게 유지된다는 것이다.

그림 5-18 (a) 제너 조정기 회로; (b) 부하선

5-8 발광 다이오드(LEDs)

광전자공학(optoelectronics)은 광학과 전자공학을 결합한 기술이다. 이 분야에는 *pn* 접합의 작용을 기본으로 하는 소자가 많이 있다. 광전자 소자를 예를 들면, **발광 다이오드 (LED)**, 광다이오드, 광결합기 그리고 레이저 다이오드가 있다. LED부터 먼저 설명한다.

발광 다이오드

LEDs는 백열등보다 낮은 에너지 소모, 작은 크기, 빠른 스위칭 및 긴 수명 때문에 많은 응용에서 백열등을 대체했다. 그림 5-19는 표준 저전력 LED부품을 보여준다. 일반적

그림 5-19   LED 부품

(c)

그림 5-20   LED 지시기 (a) 기본회로; (b) 실제회로; (c) 대표적인 LED

인 다이오드처럼 LED도 적절히 바이어스 되어야 하는 애노드와 캐소드로 구성된다. 일반적으로 플라스틱 케이스 외부에 LED의 캐소드 부분을 나타내는 평평한 점이 있다. LED의 특성은 반도체에 사용되는 재료가 결정한다.

　그림 5-20a는 전원에 저항과 LED를 연결한 회로이다. 밖으로 향하는 화살표는 빛이 나가는 것을 상징한다. LED가 순방향 바이어스이면 자유전자는 접합을 지나 정공 속으로 떨어진다. 이 자유전자들이 높은 에너지 준위에서 낮은 에너지 준위로 떨어질 때 에너지를 방사한다. 일반 다이오드는 이 에너지가 열의 형태로 방사되지만, LED에서는 에너지가 빛으로 방사된다. 이 효과를 **전장발광**이라 한다.

광자의 파장에너지에 대응하는 빛의 색깔은 사용된 반도체 물질의 에너지 밴드 갭 (energy band gap)에 의해 본질적으로 결정된다. 갈륨, 비소, 인과 같은 원소를 사용하여 빨간색, 초록색, 노란색, 파란색, 오렌지색, 백색 혹은 적외선(눈에 보이지 않는)이 나오는 LED를 만들 수 있다. 가시적인 방사를 하는 LED는 기기 판넬, 인터넷 라우터와 같은 응용에서 지시기로 사용된다. 적외선 LED는 도난경보 시스템, 원거리 제어, 산업 제어 시스템 그리고 비가시적 방사가 필요한 다른 소자에서 응용되고 있다.

LED 전압과 전류

그림 5-20b의 저항은 전류가 다이오드의 최대 전류정격을 초과하지 않도록 하기 위해 사용하는 전류제한 저항이다. 저항의 왼쪽 마디 전압은 V_S이고, 오른쪽 마디 전압이 V_D이므로 저항의 전압은 두 전압의 차와 같다. Ohm의 법칙에 의하면 직렬전류는 다음과 같다.

$$I_S = \frac{V_S - V_D}{R_S} \tag{5-13}$$

상업용으로 사용하는 대부분의 저전력 LED는 10에서 50 mA 사이의 전류에서, 대표적으로 1.5에서 2.5 V까지의 전압강하가 나타난다. 정확한 전압강하는 LED전류, 색깔, 허용오차 및 기타에 따라 결정된다. 특별한 지적이 없으면 이 교재에서는 LED회로를 고장 점검하거나 해석할 때 공칭 강하 2 V를 사용할 것이다. 그림 5-19c는 각 색의 방사에 도움을 주는 외관을 갖는 대표적인 저전력 LED를 보인 것이다.

LED 밝기

LED의 밝기는 전류에 의해 결정된다. 발광 양은 cd(candelas)로 **정격화된 광도** I_V로 표시된다. 저전력 LEDs는 일반적으로 mcd(millicandelas)의 정격으로 표시된다. 예를 들어 TLDR5400은 1.8 V의 순방향 전압강하를 갖는 빨간색 LED이고 20 mA에서 70 mcd의 I_V (광도) 정격을 갖는다. 1 mA의 전류에서는 3 mcd까지 광도가 떨어진다. 식 (5-13)에서 V_S가 V_D보다 훨씬 더 크면 LED의 밝기는 대략 일정하다. 그림 5-20b와 같은 회로가 TLDR5400을 이용하여 대량 생산한다고 할 때, V_S가 V_D보다 훨씬 더 크면 LED의 밝기는 거의 일정하지만, V_S가 V_D보다 조금 더 크면 LED의 밝기는 회로마다 눈으로 확인할 수 있을 정도로 차이가 있다.

밝기를 조절하는 최선의 방법은 LED를 전류원으로 구동하는 것이다. 이 방법은 전류가 일정하므로 밝기도 일정하다. 트랜지스터(전류원처럼 동작하는 트랜지스터)를 설명할 때 트랜지스터로 LED를 구동하는 방법을 보게 될 것이다.

LED 명세서와 특성

표준 TLDR5400 5 mm T-1¾ 빨간색 LED의 자료표의 일부분이 그림 5-21에서 보여준다. 이러한 종류의 LED는 관통-구멍 리드선을 가지고 있으며 많은 응용에서 사용될 수 있다.

최대 정격표에서 LED의 최대 순방향 전류 I_F는 50 mA이고 최대 역방향 전압은 단지 6 V임을 명시하고 있다. 이 소자의 수명을 연장하기 위해서는 적절한 안정계수를 사용해야 한다. LED의 최대 전력정격은 주위온도 25°C에서 100 mW이고, 더 높은 온도에서는 경감되어야 한다.

www.vishay.com

TLDR5400

Vishay Semiconductors

High Intensity LED, Ø 5 mm Tinted Diffused Package

19223

APPLICATIONS

- Bright ambient lighting conditions
- Battery powered equipment
- Indoor and outdoor information displays
- Portable equipment
- Telecommunication indicators
- General use

ABSOLUTE MAXIMUM RATINGS (T_{amb} = 25 °C, unless otherwise specified)
TLDR5400

PARAMETER	TEST CONDITION	SYMBOL	VALUE	UNIT
Reverse voltage [1]		V_R	6	V
DC forward current		I_F	50	mA
Surge forward current	$t_p \leq 10$ μs	I_{FSM}	1	A
Power dissipation		P_V	100	mW
Junction temperature		T_j	100	°C
Operating temperature range		T_{amb}	- 40 to + 100	°C

Note
[1] Driving the LED in reverse direction is suitable for a short term application

OPTICAL AND ELECTRICAL CHARACTERISTICS (T_{amb} = 25 °C, unless otherwise specified)
TLDR5400, RED

PARAMETER	TEST CONDITION	SYMBOL	MIN.	TYP.	MAX.	UNIT
Luminous intensity	I_F = 20 mA	I_V	35	70	-	mcd
Luminous intensity	I_F = 1 mA	I_V	-	3	-	mcd
Dominant wavelength	I_F = 20 mA	λ_d	-	648	-	nm
Peak wavelength	I_F = 20 mA	λ_p	-	650	-	nm
Spectral line half width		$\Delta\lambda$	-	20	-	nm
Angle of half intensity	I_F = 20 mA	φ	-	± 30	-	deg
Forward voltage	I_F = 20 mA	V_F	-	1.8	2.2	V
Reverse current	V_R = 6 V	I_R	-	-	10	μA
Junction capacitance	V_R = 0 V, f = 1 MHz	C_j	-	30	-	pF

95 10016

Fig. 6 - Relative Luminous Intensity vs. Forward Current

95 10018

Fig. 4 - Relative Intensity vs. Wavelength

95 10015

Fig. 8 - Relative Luminous Intensity vs. Ambient Temperature

Rev. 1.8, 29-Apr-13

Document Number: 83003

그림 **5-21** TLDR5400 자료표의 일부분. Vishay Intertechnology의 자료표.

광학 및 전기적 특성표에서 이 LED는 20 mA에서 70 mcd의 전형적인 광도 I_V를 가지며 1 mA에서 3 mcd까지 떨어진다. 또한 이 표에서는 빨간색 LED의 우성 파장이 648 nm이고 30°각도에서 약 50%까지 빛의 세기가 떨어지는 것을 나타낸다. 순방향 전류대 광도의 그래프는 LED의 순방향 전류에 의해 광도가 어떻게 영향을 받는지를 보여주고 있다. 파장대 광도의 그래프는 약 650 nm의 파장에서 광도가 어떻게 최고치에 도달하는지를 시각적으로 보여주고 있다.

LED의 주위온도가 증가하거나 감소할 때 무슨 일이 일어나는가? 주위온도에 대한 광도 그래프에 따르면 주위온도의 증가가 LED 빛의 출력에 상당히 부정적인 영향을 준다. LED가 큰 온도변화의 응용에서 사용될 때 이것은 중요한 사항이다.

응용 예제 5-12

그림 5-22a는 전압극성 시험기이다. 이것은 미지의 극성을 가진 직류전압을 검사하는 데 사용될 수 있다. 직류전압이 양일 때 녹색 LED가 켜지고, 음일 때 적색 LED가 켜진다. 만일 직류 입력전압이 50 Ω이고, 직렬저항이 2.2 kΩ이면, LED 전류는 대략 얼마인가?

그림 5-22 (a) 극성 지시기; (b) 단락 시험기

풀이 각 LED에서 약 2 V의 순방향 전압을 사용한다. 식 (5-13)에 의해

$$I_S = \frac{50\ V - 2\ V}{2.2\ k\Omega} = 21.8\ mA$$

응용 예제 5-13 |||| **Multisim**

그림 5-22b는 단락 시험기이다. 실험할 회로의 모든 전원을 끈 다음, 케이블, 컨넥터와 스위치의 단락 여부를 점검하는 데 이 회로를 사용할 수 있다. 만일 직렬저항이 470 Ω 이면 LED 전류는 얼마인가?

풀이 입력단자가 단락일 때, 내부 9 V전지에서 나오는 LED전류는 다음과 같다.

$$I_S = \frac{9\ V - 2\ V}{470\ \Omega} = 14.9\ mA$$

연습 문제 5-13 그림 5-22b에서 LED 전류가 21 mA일 때 직렬 저항값은 얼마인가?

응용 예제 5-14

교류전압이 들어왔다는 것을 알리는 데 흔히 LED를 사용한다. 그림 5-23은 교류전압원이 LED 지시기를 구동하는 회로이다. 교류전압의 양의 반 사이클일 때, LED에 전류가 흐른다. 음의 반 사이클일 때 정류다이오드가 동작하므로 LED는 과도한 역방향 전압을 피할 수 있다. 만일 교류 전원전압이 20 V_{rms}이고 직렬저항이 680 Ω이면 평균 LED 전류는 얼마인가? 그리고 직렬저항의 내략적인 전력소모는 얼마인가?

그림 5-23 낮은 교류전압 지시기

풀이 LED전류는 정류된 반파신호이다. 피크 전원전압은 1.414 × 20 V이므로 대략 28 V이다. LED 전압강하를 무시하면 피크전류는 대략 다음과 같다.

$$I_S = \frac{28\ V}{680\ \Omega} = 41.2\ mA$$

LED를 흐르는 반파전류의 평균은

$$I_S = \frac{41.2\ mA}{\pi} = 13.1\ mA$$

이다.

그림 5-23에서 다이오드 강하를 무시하면, 즉 이것은 직렬저항의 오른쪽 끝이 접지된다는 말과 같다. 그러면 직렬저항의 전력소모는 전원전압의 제곱을 저항으로 나눈 것과 같다.

$$P = \frac{(20\ V)^2}{680\ \Omega} = 0.588\ W$$

그림 5-23에서 전원전압이 증가하면 직렬저항의 전력소모도 몇 와트까지 증가할 것이다. 이와 같이 고-와트 수의 저항은 부피가 크고 전력소모가 있기 때문에 대부분의 응용에서 불리한 조건이 된다.

연습 문제 5-14 그림 5-23의 교류 입력전압이 120 V이고 직렬저항이 2 kΩ일 때, 평균 LED 전류와 직렬저항의 근사적인 전력소모를 구하여라.

응용 예제 5-15

그림 5-24의 회로는 교류 전력선에서 사용하는 LED 지시기이다. 기본적인 개념은 그림 5-23과 같고, 다만 저항 대신 커패시터를 사용한다. 만약 커패시턴스가 0.68 μF이면, 평균 LED 전류는 얼마인가?

그림 5-24 교류 고전압 지시기

풀이 용량성 리액턴스를 계산한다.

$$X_C = \frac{1}{2\pi f C} = \frac{1}{2\pi(60 \text{ Hz})(0.68 \ \mu\text{F})} = 3.9 \text{ k}\Omega$$

LED 전압강하를 무시하면, 근사적인 피크 LED 전류는 다음과 같다.

$$I_S = \frac{170 \text{ V}}{3.9 \text{ k}\Omega} = 43.6 \text{ mA}$$

평균 LED 전류는 다음과 같다.

$$I_S = \frac{43.6 \text{ mA}}{\pi} = 13.9 \text{ mA}$$

직렬저항을 직렬커패시터로 바꾸면 어떤 이점이 있는가? 커패시터에서 전압과 전류는 90°의 위상차가 있으므로, 커패시터에서는 전력손실이 없다. 만일 커패시터 대신 3.9 kΩ의 저항을 사용한다면, 약 3.69 W의 전력손실이 발생할 것이다. 커패시터는 소형이고, 이상적인 경우 열을 발생하지 않으므로 대부분의 설계자들은 커패시터 사용을 선호한다.

응용 예제 5-16

그림 5-25의 회로는 어떤 동작을 하는가?

그림 5-25 끊어진 퓨즈 지시기

풀이 이것은 끊어진 퓨즈 지시기(*blown-fuse indicator*)이다. 만일 퓨즈가 정상이면 LED 지시기의 전압은 대략 영이 되어 LED가 꺼진다. 반대로 휴즈가 끊어지면 선전압의 일부가 LED 지시기에 나타나므로 LED는 켜진다.

그림 5-26 LUXEON TX 고전력 방사체

고출력 LEDs

지금까지 설명한 LED의 전형적인 전력 소비 수준은 낮은 mW 범위이다. 예로서 TLDR5400 LED는 100 mW의 최대 전력정격을 가지며 일반적으로는 약 20 mA에서 동작하고 1.8 V 순방향 전압강하가 발생한다. 이것은 36 mW의 전력을 소비하는 셈이다.

고전력 LED는 1 W 이상의 전력정격을 연속적으로 이용 가능하다. 이러한 전력 LED는 수백 mA에서 1 A 이상의 전류까지 동작한다. 자동차의 내부, 외부, 전조등, 건축 실내외 조명, 디지털 영상 및 디스플레이 백라이트 등 응용이 증가하고 개발되고 있다.

그림 5-26은 다운라이트(천장에 설치된 스포트라이트)와 실내등과 같이 방향성 응용에서 고휘도의 이점을 갖는 고전력 LED 방사체를 보여준다. 이와 같은 LED는 큰 입력전력을 다루기 위해 훨씬 더 큰 반도체 다이(die) 크기를 사용한다. 이 소자는 1 W 이상의 전력을 소비할 것이기 때문에 열방출을 위한 적절한 마운팅(mounting) 기술을 사용하는 것이 중요하다. 그렇지 않으면 LED는 짧은 기간 안에 망가지게 될 것이다.

대부분의 응용에서 광원의 효율은 필수적인 요소이다. LED는 빛과 열을 생산하기 때문에 얼마나 많은 전력이 빛을 생산하는 데 사용되는지 이해하는 것은 중요하다. 이것을 **발광효율**이라 한다. 발광효율은 전력(W)에 대한 광속(luminous flux(lm))의 비(lm/W)로 나타낸다. 그림 5-27은 LUXEON TX 고전력 LED 방사체의 전형적인 성능

Product Selection Guide for LUXEON TX Emitters, Junction Temperature = 85°C

Table 1.

Base Part Number	Nominal ANSI CCT	Min CRI	Min Luminous Flux (lm)	Typical Luminous Flux (lm)			Typical Forward Voltage (V)			Typical Efficacy (lm/W)		
		700 mA	700 mA	350 mA	700 mA	1000 mA	350 mA	700 mA	1000 mA	350 mA	700 mA	1000 mA
L1T2-3070000000000	3000K	70	230	135	245	327	2.71	2.80	2.86	142	125	114
L1T2-4070000000000	4000K	70	250	147	269	360	2.71	2.80	2.86	155	137	126
L1T2-5070000000000	5000K	70	260	151	275	369	2.71	2.80	2.86	159	140	129
L1T2-5770000000000	5700K	70	260	151	275	369	2.71	2.80	2.86	159	140	129
L1T2-6570000000000	6500K	70	260	151	275	369	2.71	2.80	2.86	159	140	129
L1T2-2780000000000	2700K	80	200	118	216	289	2.71	2.80	2.86	124	110	101
L1T2-3080000000000	3000K	80	210	124	227	304	2.71	2.80	2.86	131	116	106
L1T2-3580000000000	3500K	80	220	130	238	319	2.71	2.80	2.86	137	121	112
L1T2-4080000000000	4000K	80	230	136	247	331	2.71	2.80	2.86	143	126	116
L1T2-5080000000000	5000K	80	230	135	247	332	2.71	2.80	2.86	142	126	116

Notes for Table 1:

1. Philips Lumileds maintains a tolerance of ± 6.5% on luminous flux and ± 2 on CRI measurements.

그림 5-27 LUXEON TX 방사체의 자료표 일부분

특성을 나타내는 표의 일부분이다. 표는 350 mA, 700 mA 및 1,000 mA에서 성능 특성을 보여준다. 700 mA의 시험 전류에서 LIT2-3070000000000 방사체는 전형적인 245 lm의 광속 출력을 갖는다. 이 순방향 전류에서 전형적인 순방향 전압강하는 2.80 V이다. 그러므로 소비된 전력량은 $P_D = I_F \times V_F = 700$ mA $\times 2.80$ V $= 1.96$ W이다. 이 방사체의 효율값은 다음과 같다.

$$\text{Efficacy} = \frac{\text{lm}}{\text{W}} = \frac{245 \text{ lm}}{1.96 \text{ W}} = 125 \text{ lm/W}$$

하나의 예로 일반적인 백열전구의 발광효율은 16 lm/W이고 소형 형광 전구는 60 lm/W이다. LED 형태의 전반적인 효율을 볼 때, LED의 전류와 빛 출력을 제어하는 데 요구되는 구동기(driver)라는 전자회로는 매우 중요하다. 이런 구동기 역시 전력을 사용하기 때문에 전체 시스템 효율은 감소된다.

5-9 광전자 소자

저전력에서부터 고전력 표준 LED 이외에 *pn*접합의 광자운동을 기반으로 하는 많은 다른 광전자 소자들이 있다. 이러한 소자들은 엄청나게 다양한 전자응용에서 빛을 공급하고 검출하고 제어하는 데 사용된다.

7세그먼트 디스플레이

그림 5-28*a*는 7개(*A*에서 *G*)의 사각형 LED가 들어있는 **7세그먼트 디스플레이**(seven-segment display)이다. 표시되는 문자의 각부분이 LED로 되어있기 때문에 각 LED를 세그먼트(*segment*)라 부른다. 그림 5-28*b*는 7세그먼트 디스플레이의 구성도이다. 전류를 안전수준 이내로 제한하기 위해 외부에 저항을 직렬로 연결하였다. 한 개 혹은 그 이상의 저항을 접지하여 0에서 9까지의 숫자를 만들 수 있다. 예를 들면 *A*, *B*와 *C*를 접지하면 7이 되고, *A*, *B*, *C*, *D*와 *G*를 접지하면 3이 된다.

7세그먼트 디스플레이는 대문자 *A*, *C*, *E*, *F*와 소문자 *b*, *d*도 디스플레이 할 수 있다. 마이크로프로세서 훈련생들은 가끔 0에서 9까지의 모든 숫자와 *A*, *b*, *C*, *d*, *E*와 *F*를 보여주는 7세그먼트 디스플레이를 사용한다.

그림 5-28*b*의 7세그먼트 지시기는 모든 양극이 함께 연결되어 있기 때문에 **공통**

그림 5-28 7세그먼트 지시기 (a) 세그먼트의 실제 레이아웃; (b) 구성도; (c) 소수점을 갖는 실제 디스플레이. Fairchild Semiconductor사 제공.

양극(common-anode)형이라 부르고, 모든 음극이 함께 연결된 **공통음극**(common-cathode)형도 있다. 그림 5-28c는 소켓에 고정하거나 PCB에 납땜을 위한 핀이 있는 실제 7세그먼트 지시기를 보여준다. 점(dot) 세그먼트는 소수점을 위한 것이다.

광다이오드

그림 5-29 입사광은 광다이오드에서 역방향 전류를 증가시킨다.

앞에서 설명한 바와 같이, 다이오드에 흐르는 역방향 전류의 한 성분은 소수캐리어의 흐름이다. 열에너지에 의해 가전자가 궤도를 이탈하고, 그 과정에서 자유전자와 정공이 생성되어 이와 같은 소수캐리어가 존재한다. 소수캐리어의 수명은 짧다. 그러나 존속하는 동안 역방향 전류에 기여할 수 있다.

광에너지가 pn 접합에 충격을 줄 때, 가전자가 이탈할 수 있다. 접합에 부딪치는 빛이 강할수록 다이오드의 역방향 전류가 증가한다. **광다이오드**(photodiode)는 빛의 감도를 최대로 활용한 다이오드이다. 이 다이오드에서 창문은 빛이 패키지를 통과하여 접합에 닿도록 한다. 입사광이 자유전자와 정공을 생성한다. 빛이 강할수록 소수캐리어의 수가 많아지고, 역방향 전류도 증가한다.

그림 5-29은 광다이오드의 그림기호이며, 화살은 입사광을 나타낸다. 특히 전원과 직렬저항이 다이오드를 역바이어스하고 있다는 것이 중요하다. 빛이 밝아질수록 역방향 전류는 증가한다. 일반적인 광다이오드에서 역방향 전류는 수십 마이크로암페어 수준이다.

광결합기

광결합기(광절연체(optoisolator)라고도 한다)는 LED와 광다이오드를 단일 패키지 안에 결합해 놓은 것이다. 그림 5-30은 광결합기이다. 입력 측에 LED가 있고, 출력 측에 광다이오드가 있다. 왼쪽의 전원전압과 직렬저항에 의해 LED에 전류가 흐르면, LED에서 나온 빛이 광다이오드를 비춘다. 그러면 출력회로에 역방향 전류가 흐르고, 이 역방향 전류에 의해 출력저항에서 전압이 발생한다. 이때 출력전압은 출력전원 전압에서 저항양단 전압을 뺀 것과 같다.

입력전압이 변하면 발광량이 변화하므로 출력전압은 입력전압의 변화에 따라 변한다. 이 때문에 LED와 광다이오드의 결합을 **광결합기**(optocoupler)라 부른다. 광결합기는 입력신호를 출력회로에 연결할 수 있다. 출력회로 쪽에 광트랜지스터, 광사이리스터, 그 외의 다른 광소자를 사용하는 광결합기도 있다. 이 소자들은 뒷장에서 설명할 것이다.

광결합기의 가장 중요한 이점은 입력회로와 출력회로사이의 전기적인 절연이다. 광결합기에서 입력과 출력 사이를 접촉하는 것은 광빔이다. 이 때문에 두 회로 간의 절연저항이 수천 메가옴이 될 수 있다. 이와 같은 절연은 두 회로의 전위가 수천 볼트 정

그림 5-30 광결합기는 LED와 광다이오드를 결합한다.

도 차이가 나는 고전압 분야에 응용된다.

레이저 다이오드

LED에서 자유전자가 높은 에너지 준위에서 낮은 에너지 준위로 떨어질 때 빛을 발한다. 자유전자는 무질서하게 그리고 연속적으로 떨어지므로, 결과적으로 0과 360° 사이의 모든 위상을 가진 광파가 된다. 다른 위상을 많이 가진 빛을 **비코히어런트 빛**(*noncoherent light*)이라 한다. LED에서 비코히어런트 빛이 나온다.

레이저 다이오드(laser diode)는 이와 다르다. 레이저 다이오드에서는 **코히어런트 빛**(*coherent light*)이 나온다. 이것은 **모든 광파가 서로 동위상**(*in phase with each other*)임을 의미한다. 레이저 다이오드의 기본적 개념은 동일 위상의 단일 주파수에서 광파의 발산을 강화시키는 거울공진기를 사용하는 것이다. 공진 때문에 대단히 강하고, 집속되고 순수한, 좁은 광빔이 레이저 다이오드에서 나온다.

레이저 다이오드는 **반도체 레이저**(*semiconductor laser*)로 알려져 있다. 이 다이오드에서 가시광(적, 녹 혹은 청색)과 비가시광(적외선)이 나온다. 레이저 다이오드는 매우 광범위하게 응용된다. 이 다이오드는 원거리 통신, 데이터 통신, 광대역 접속, 공업, 항공우주 산업, 검사와 측정, 의학과 국방 산업에 사용된다. 이 다이오드는 레이저 프린트와 그리고 컴팩트디스크(CD)와 디지털 비디오디스크(DVD) 플레이어 같은 대용량 광디스크 시스템이 들어가는 소비자 제품에 사용된다. 광대역 통신에서는 인터넷의 속도를 증가시키는 섬유-광케이블로 사용된다.

섬유−광 케이블(*fiber-optic cable*)은 자유전자 대신 광빔을 전송하는 유리 혹은 플라스틱의 가늘고 유연한 섬유로 된 여러 가닥의 실을 제외하면, 표준전선 케이블과 유사하다. 구리 케이블보다 섬유-광 케이블을 이용하면 대단히 많은 정보를 보낼 수 있는 것이 장점이다.

가시광선 스펙트럼의 낮은 부분에서 가시적인 레이저 다이오드(VLO)를 이용한 레이저 파장의 새로운 응용분야를 찾고 있다. 근적외선 다이오드는 기계 시각 시스템, 센서와 보안 시스템에 사용되고 있다.

5-10 쇼트키 다이오드

주파수가 증가하면 소신호 정류다이오드의 기능이 나빠지기 시작한다. 그리고 정류다이오드는 명확한 반파신호를 만들 수 있을 정도로 빨리 차단되지 않는다. 이 문제를 **쇼트키 다이오드**(*schottky diode*)가 해결한다. 이 특수 목적 다이오드를 설명하기 전에 일반적인 소신호 다이오드에서 일어나는 문제점들을 살펴보자.

전하축적

그림 5-31*a*는 소신호 다이오드이고, 그림 5-31*b*는 이 다이오드의 에너지대역을 설명한 것이다. 보다시피 전도대역의 전자가 접합으로 확산하여 *p*영역으로 들어가서 재결합한다(경로 *A*). 비슷하게 정공이 접합을 넘어 *n*영역으로 들어가서 재결합한다(경로 *B*). 수

참고 사항

쇼트키 다이오드는 비교적 고전류 소자로서 약 50 A의 순방향 전류가 흐르는 동안에도 빨리 스위칭 할 수 있다. 그리고 종래의 *pn*접합 다이오드에 비해 더 낮은 항복전압정격을 갖는다는 것을 알아 둘 필요가 있다.

그림 5-31 전하축적 (a) 순방향 바이어스 때문에 축적전하가 생성된다; (b) 고에너지 대역과 저에너지 대역에 축적된 전하

명이 길면 길수록 전하는 더 멀리 들어가서 재결합한다.

예를 들어 민일 수명이 $1 \mu s$이면 자유전자와 정공은 재결합이 일어나기 전 평균 $1 \mu s$ 동안 생존한다. 이 수명 동안 자유전자는 p영역으로 깊숙이 스며들어 더 높은 에너지 준위에서 일시적으로 저장된다. 비슷하게 정공은 n영역으로 깊숙이 스며들어 더 낮은 에너지 준위에서 일시적으로 저장된다.

순방향 전류가 증가할수록 접합을 넘어가는 전하의 수가 더 많아진다. 수명이 길면 길수록 전하의 침투가 더 깊어지고, 높고 낮은 에너지 준위에서 전하는 더 오래 존속한다. 상위 에너지대역에서 자유전자의 일시적인 저장과 하위 에너지대역에서 정공의 일시적인 저장을 **전하축적**(*charge storage*)이라 한다.

역방향 전류를 흐르게 하는 전하축적

다이오드를 도전에서 차단으로 전환하려고 할 때, 전하축적 때문에 문제가 생긴다. 왜? 만일 다이오드를 갑작스럽게 역바이어스 하면, 축적된 전하가 잠깐 역방향으로 이동하기 때문이다. 수명이 길수록 이 전하에 의한 역방향 전류도 더 오래 지속 된다.

예를 들면 그림 5-32a와 같이 순바이어스 된 다이오드를 갑자기 역바이어스 한다고 하자. 그러면 그림 5-32b에서 축적된 전하의 이동 때문에 잠시 동안 역방향으로 전류가 흐를 수 있다. 축적된 전하가 접합을 넘거나 혹은 재결합할 때까지 역방향 전류는 지속될 것이다.

그림 5-32 축적된 전하 때문에 짧은 순간 역방향 전류가 흐른다. (a) 전원전압의 갑작스런 반전; (b) 축적된 전하의 역방향 흐름

역회복시간

순바이어스 된 다이오드를 차단하는 데 걸리는 시간을 **역회복시간**(*reverse recovery time*) t_{rr}이라 한다. t_{rr}을 측정하는 조건은 제조업자마다 다르다. 지침에 따르면 t_{rr}은 역 방향 전류가 순방향 전류의 10%까지 떨어지는 데 걸리는 시간이다.

예를 들어 1N4148은 t_{rr}이 4 ns이다. 이 다이오드의 순방향 전류가 10 mA인데 만 약 갑자기 역바이어스 되면, 역방향 전류가 1 mA까지 감소하는 데 약 4 ns의 시간이 걸 릴 것이다. 소신호 다이오드에서 역회복시간은 대단히 짧기 때문에 10 MHz 이하의 주 파수에서는 그 영향을 고려하지 않아도 된다. 10 MHz 이상이면 t_{rr}을 고려해야 한다.

고주파에서 정류기능 저하

역회복시간이 정류에 미치는 영향을 알아보자. 그림 5-33a의 반파정류기를 살펴보자. 주파수가 낮으면, 출력은 반파정류신호이다. 주파수가 MHz로 올라가면, 출력신호는 반파모양이 그림 5-33b와 같이 달라지기 시작한다. 역방향 반 사이클의 시작 부근에서 무시할 수 없을 정도의 역전도(꼬리(*tail*)라 부른다)가 나타난다.

문제는 역회복시간이 주기의 상당부분을 차지하고, 음의 반 사이클의 앞부분에 서 도전한다는 것이다. 예를 들어 만약 t_{rr} = 4 ns이고 주기가 50 ns이면 역방향 반 사 이클의 앞부분은 그림 5-33b와 비슷한 꼬리를 가질 것이다. 주파수가 계속 증가하면 정 류기는 쓸모없게 된다.

전하축적 제거

꼬리 문제를 **쇼트키 다이오드**(schottky diode)라 불리는 특수목적 소자가 해결한다. 이런 종류의 다이오드는 접합의 한 쪽에 금, 은 또는 백금과 같은 금속을 사용하고 다 른 쪽에는 도핑된 실리콘(대표적으로 n형)을 사용한다. 접합의 한 쪽에 있는 금속 때문 에 쇼트키 다이오드는 공핍층이 없다. 공핍층이 없다는 것은 **접합에 축적된 전하가 없다** 는 것을 의미한다.

쇼트키 다이오드가 바이어스되지 않았을 때, n쪽의 자유전자는 금속 쪽에 있는 자유전자보다 더 작은 궤도에 있다. 이 궤도 크기의 차이를 **쇼트키 장벽**(*schottky barrier*) 이라 부르며, 약 0.25 V이다. 다이오드가 순방향 바이어스일 때, n쪽의 자유전자는 더 큰 궤도로 이동할 수 있을 정도의 충분한 에너지를 얻는다. 이 때문에 자유전자는 접합 을 넘어 금속 안으로 들어갈 수 있으며, 따라서 순방향으로 큰 전류가 흐른다. 금속에는 정공이 없으므로, 전하축적이 없고, 역회복시간도 없다.

(a)   (b)

그림 5-33 축적된 전하는 고주파에서 정류기의 성능을 저하시킨다. (a) 일반적인 소신호 다이오드 가 있는 정류회로; (b) 고주파일 때 음의 반 사이클에서 꼬리가 나타난다.

그림 5-34 쇼트키 다이오드는 고주파에서 꼬리를 제거한다. (a) 쇼트키 다이오드가 있는 회로; (b) 300 MHz에서 반파신호

핫 캐리어 다이오드

쇼트키 다이오드는 가끔 핫 캐리어 다이오드(*hot-carrier diode*)라 불린다. 이 이름의 유래는 다음과 같다. 순방향으로 바이어스하면 *n*쪽에 있는 전자의 에너지가 증가하여 접합의 금속 쪽에 있는 전자의 에너지보다 더 높은 순위로 된다. 이와 같이 에너시가 멋지게 증가하기 때문에 *n*쪽 전자를 핫 캐리어(*hot carrier*)라 부른다. 이 높은 에너지를 가진 전자는 접합을 건너자마자 바로 보다 낮은 에너지 전도대역을 가진 금속 안으로 떨어진다.

고속 턴-오프

전하축적이 없다는 것은 쇼트키 다이오드가 보통 다이오드보다 더 빨리 차단될 수 있다는 것을 의미한다. 실제로 쇼트키 다이오드는 300 MHz 이상의 주파수를 쉽게 정류할 수 있다. 그림 5-34*a*와 같이 회로에 쇼트키 다이오드를 사용하면 비록 주파수가 300 MHz 이상이 되어도 그림 5-34*b*와 같이 반파신호가 명확하게 출력된다.

그림 5-34*a*는 쇼트키 다이오드의 그림기호이다. 음극 쪽을 잘 보면 **쇼트키**(*schottky*)를 뜻하는 직각 *S*와 비슷한 선이 있다. 그림기호를 기억하기 쉽게 되어있다.

응용

쇼트키 다이오드의 가장 중요한 응용분야는 디지털 컴퓨터이다. 컴퓨터의 속도는 다이오드나 트랜지스터가 얼마나 신속하게 온-오프로 전환하는가에 달려있다. 이 때문에 쇼트키 다이오드를 컴퓨터에 사용한다. 쇼트키 다이오드는 전하축적이 없기 때문에 디지털 소자에 널리 사용되고 있는 저전력 쇼트키 TTL그룹의 주부품이 되었다.

최종 힌트. 쇼트키 다이오드는 전위장벽이 겨우 0.25 V이므로 제2근사해석을 적용할 때, 각 다이오드에서 평소 0.7 V 대신 0.25 V를 빼기 때문에 저전압 브리지 정류기에서 가끔 사용한다. 저전압 전원에서는 이와 같은 낮은 다이오드 전압강하가 장점이 될 수도 있다.

5-11 버랙터

버랙터(전압 가변 커패시턴스(*voltage-variable capacitance*), **배리캡**(*varicap*), **에피캡**(*epicap*) 그리고 **동조 다이오드**(*tuning diode*)라고도 한다)는 전자 동조에 사용될 수 있

으므로 텔레비전 수상기, FM수신기와 기타 통신장비에 널리 사용된다.

기본개념

그림 5-35*a*을 보면 *p*영역과 *n*영역 사이에 공핍층이 있다. *p*와 *n*영역은 마치 커패시터의 극판과 같고, 공핍층은 유전체와 같다. 다이오드가 역바이어스일 때, 공핍층의 폭은 역방향 전압과 함께 증가한다. 역방향 전압이 증가하면 공핍층이 넓어지므로 커패시턴스는 작아진다. 이것은 마치 커패시터의 극판을 멀리 떼어 놓은 것과 같다. 중요한 개념은 역방향 전압으로 커패시턴스를 제어한다는 것이다.

등가회로와 기호

그림 5-35*b*는 역바이어스된 다이오드의 교류 등가회로이다. 다른 말로 표현하면, 교류 신호일 경우 버랙터는 가변 커패시턴스와 거의 같은 동작을 한다. 그림 5-35*c*는 버랙터의 그림기호이다. 다이오드와 커패시터의 직렬연결 표시는 버랙터가 가변 커패시턴스의 성질을 최대로 활용하고 있는 소자라는 것을 암시한다.

높은 역방향 전압으로 인한 커패시턴스 감소

그림 5-35*d*는 역방향 전압에 대한 커패시턴스의 변화를 보인 것이다. 역방향 전압이 증가할 때, 커패시턴스가 감소한다는 것을 보여 주고 있다. 여기서 정말로 중요한 개념은 역방향 직류전압으로 커패시턴스를 제어한다는 것이다.

버랙터는 어떻게 사용하는가? 버랙터와 인덕터를 병렬 연결하여 병렬공진 회로를 구성한다. 이 회로는 오직 한 주파수에서 임피던스가 최대로 된다. 이 주파수를 공진주파수(*resonant frequency*)라 부른다. 만일 버랙터의 직류 역방향 전압이 변하면, 공진주파수도 변한다. 이것이 무선국, TV채널 등에서 시행하는 전자동조 원리이다.

버랙터의 특성

커패시턴스가 전압으로 제어되기 때문에 버랙터는 텔레비전 수상기나 자동차 라디오와 같은 많은 응용분야에서 기계적으로 동조되는 커패시터 대신으로 쓰이고 있다. 버랙터의 자료표에는 대표적으로 −3 V에서 −4 V의 특정 역방향 전압에서 측정한 기준 커패시턴스의 값이 기입되어 있다. 그림 5-36은 MV209 버랙터 다이오드에 관한 자료표의 일부분이다. −3 V에서 기준 커패시턴스 C_t가 29 pF이다.

자료표에는 커패시턴스의 기준값 외에 커패시턴스 비 C_R 혹은 전압범위와 관련이 있는 동조범위도 기입되어 있다. 예로 MV209의 자료표를 보면 기준 값 29 pF와 더불어 −3 V에서 −25 V의 전압범위에서 최소 커패시턴스 비는 5:1이다. 이것은 전압이 −3 V에서 −25 V까지 변할 때 커패시턴스 혹은 동조범위가 29에서 6 pF까지 감소한다는 것을 의미한다.

버랙터의 동조범위는 도핑수준에 따라 다르다. 예를 들면 그림 5-37*a*는 계단접합 다이오드(다이오드의 일반형)의 도핑 측면도이다. 측면도를 보면 접합의 양쪽에서 도핑이 균일하다. 계단접합 다이오드의 동조범위는 3:1과 4:1 사이에 있다.

동조범위를 확대하기 위해 어떤 버랙터는 그림 5-37*b*와 같은 도핑측면도를 갖는

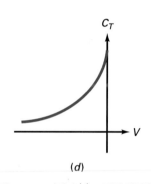

그림 5-35 버랙터 (a) 도핑된 영역은 유전체에 의해 격리된 커패시터 극판과 같다; (b) 교류 등가회로; (c) 그림기호; (d) 역방향 전압 대 커패시턴스의 그래프

	C_t, 다이오드 커패시턴스 V_R = 3.0 Vdc, f = 1.0 MHz pF			Q, 성능 지수 V_R = 3.0 Vdc f = 50 MHz	C_R,커패시턴스 비 C_3/C_{25} f = 1.0 MHz (주1)	
소자	최소	정상	최대	최소	최소	최대
MMBV109LT1, MV209	26	29	32	200	5.0	6.5

1. C_R은 3 Vdc에서 측정된 C_t를 25 Vdc에서 측정된 C_t로 나눈 비

DIODE CAPACITANCE

그림 5-36 MV209 자료표의 일부분 (저작권: SCILLC dba ON Semiconductor로부터 허가 받고 사용함.)

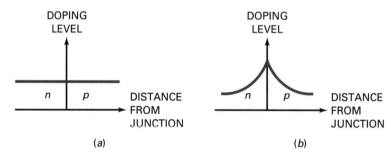

그림 5-37 도핑측면도. (a) 계단접합; (b) 초계단접합

초계단 접합(*hyperabrupt junction*)을 이룬다. 이 측면도는 접합에 가까울수록 도핑수준이 증가한다. 도핑이 고농도일수록 공핍층은 더 좁아지고 커패시턴스는 더욱 증가한다. 더욱이 전압을 역방향으로 변화시키면 커패시턴스에서 효과가 더 뚜렷하게 나타난다. 초계단 버랙터는 동조범위가 대략 10:1인데, 이 정도이면 AM 라디오를 535에서 1,605 kHz 주파수범위에서 충분히 동조시킬 수 있다(주: 공진주파수가 커패시턴스의 제곱근에 반비례하므로 10:1의 범위가 필요하다).

응용 예제 5-17

그림 5-38a의 회로는 어떤 동작을 하는가?

풀이 트랜지스터는 전류원처럼 동작하는 반도체소자이다. 그림 5-38a에서 트랜지스터는 일정 양의 밀리암페어 전류를 공진 LC 탱크회로로 보낸다. 음의 직류전압으로 버랙터를 역바이어스한다. 이 직류 제어전압이 변하면 LC회로의 공진주파수가 변한다.

교류신호라 하면 그림 5-38b와 같은 등가회로를 이용할 수 있다. 결합 커패시터는 단락회로처럼 동작하고, 교류전류원이 공진 LC 탱크회로를 구동한다. 버랙터는 가변 커패시턴스처럼 동작하므로, 직류 제어전압을 조정하여 공진주파수를 바꿀 수 있다. 이것이 라디오와 텔레비전 수상기를 동조하는 기본개념이다.

그림 5-38 버랙터는 공진회로를 동조시킬 수 있다. (a) 트랜지스터(전류원)가 동조된 LC탱크를 구동한다; (b) 교류 등가회로

5-12 다른 다이오드

지금까지 설명한 특수목적 다이오드 외에 꼭 알아두어야 할 여러 다이오드가 있다. 이러한 다이오드들은 매우 특수하므로, 여기서는 간단히 소개만 한다.

배리스터

번개, 전력선 장애 그리고 과도현상이 나타나면 정상적인 120 V rms에 딥과 스파이크가 중첩되어 교류 선전압이 일그러질 수 있다. 딥(*dip*)은 마이크로초 혹은 그보다 더 짧은 시간 동안 지속되는 심한 전압강하이고, 스파이크(*spike*)는 2,000 V 이상이 되는 대

그림 5-39 (a) 배리스터는 교류선 과도현상으로부터 1차측을 보호한다; (b) 전류조정 다이오드

단히 짧은 과전압이다. 어떤 장비는 교류선(ac line) 과도현상으로 생기는 문제점들을 해결하기 위해 전력선과 변압기의 1차 사이에 필터를 사용한다.

배리스터(varistor)(과도 억제기(*transient suppressor*)라고도 한다)는 선 여과(line filtering)를 위해 사용되는 소자의 일종이다. 이 반도체 소자는 두 방향에서 높은 항복 전압을 갖는 두 개의 제너 다이오드가 직접 연결된 것과 같다. 상용으로 쓰이는 배리스터는 항복전압이 10~1000 V까지 이고, 수백 혹은 수천 암페어의 피크 과도전류를 처리할 수 있다.

예를 들면 V130LA2는 항복전압이 184 V(130 V rms와 등가)이고, 피크 전류정격이 400 A인 배리스터이다. 이 배리스터 한 개를 그림 5-39*a*와 같이 1차 권선에 연결하여라. 그러면 스파이크는 걱정할 필요가 없다. 배리스터는 모든 스파이크를 184 V 수준에서 자르고 전원을 보호할 것이다.

전류조정 다이오드

이 다이오드는 제너 다이오드의 동작에 정반대되는 동작을 한다. 이 다이오드는 전압을 일정하게 유지하는 것이 아니라 전류를 일정하게 유지한다. **전류조정 다이오드**(current-regulator diode)(혹은 정전류 다이오드: *constant-current diode*)로 알려져 있는 이 소자는 전압이 변해도 흐르는 전류는 일정하다. 예를 들어 1N5305는 2~100 V까지의 전압범위에서 대표적으로 2 mA의 전류를 흘리는 정전류 다이오드이다. 그림 5-39*b*는 전류조정 다이오드의 그림기호이다. 그림 5-39*b*에서 부하저항이 1~49 kΩ까지 변하더라도 다이오드는 부하전류를 2 mA에 고정시킨다.

계단회복 다이오드

계단회복 다이오드(*step-recovery diode*)는 그림 5-40*a*와 같이 독특한 도핑 측면도를

그림 5-40 계단회복 다이오드. (a) 도핑 측면도는 접합 근처에서 도핑이 약해지는 것을 보여준다; (b) 교류 입력신호를 정류하는 회로; (c) 스냅오프는 고조파가 많은 양의 전압 계단을 만든다.

갖는다. 즉 캐리어 밀도가 접합근처에서 감소한다. 이러한 비정상적인 캐리어 분포 때문에 역방향 스냅오프(*reverse snap-off*)라는 현상이 생긴다.

그림 5-40b는 계단회복 다이오드의 그림기호이다. 양의 반 사이클 동안 다이오드는 일반 실리콘 다이오드처럼 도전한다. 그러나 음의 반 사이클에서는 축적된 전하 때문에 역방향으로 전류가 잠시 나타났다가 갑자기 영으로 떨어진다.

그림 5-40c는 출력전압이다. 다이오드가 전류를 역방향으로 잠시 흘리다가 갑자기 뚝 끊어진다. 이 때문에 계단회복 다이오드를 스냅 다이오드(*snap diode*)라 부른다. 갑작스런 계단형의 전류는 고조파성분을 많이 포함하므로, 이를 여과하면 높은 주파수의 사인파를 얻을 수 있다(고조파(*harmonics*)는 $2f_{in}$, $3f_{in}$, $4f_{in}$과 같이 입력주파수의 배수를 말한다). 이 때문에 계단회복 다이오드는 출력주파수가 입력주파수의 배수가 되는 회로, 즉 주파수 체배기에 이용된다.

역다이오드

제너 다이오드는 정상적으로 2 V 이상의 항복전압을 갖는다. 도핑수준을 증가하면 영 근처에서 생기는 제너효과를 얻을 수 있다. 순방향 전도는 마찬가지로 약 0.7 V에서 일어나지만, 역방향 전도(항복)는 대략 −0.1 V에서 시작한다.

그림 5-41a와 같은 그래프를 갖는 다이오드는 순방향보다도 역방향에서 전도가 더 잘 되기 때문에 **역다이오드**(back diode)라 부른다. 그림 5-41b는 0.5 V의 피크를 가진 사인파로 역 다이오드와 부하저항을 구동하는 회로이다(제너기호가 역다이오드에 사용된다는 것을 주의하여라). 0.5 V는 다이오드가 순방향으로 동작하는 데 부족하지만, 다이오드가 역방향으로 항복하는 데 충분하다. 그러므로 출력이 그림 5-41b와 같은 0.4 V의 피크를 가진 반파신호의 출력이 나온다.

그림 5-41 역다이오드 (a) 항복이 −0.1 V에서 일어난다; (b) 약한 교류신호를 정류하는 회로

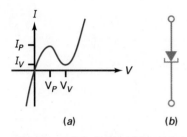

그림 5-42　터널 다이오드 (a) 0 V에서 항복이 일어난다; (b) 그림기호

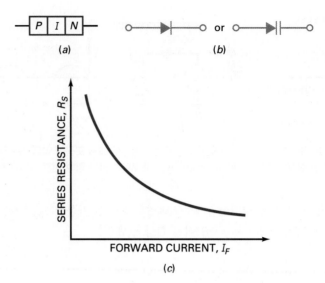

그림 5-43　PIN 다이오드 (a) 구성; (b) 그림기호; (c) 직렬저항

　　　역다이오드는 0.1과 0.7 V 사이의 피크 진폭을 갖는 약한 신호를 정류할 때 가끔 사용된다.

터널 다이오드

역다이오드의 도핑 수준을 증가함으로써, 0 V에서 나타나는 항복을 얻을 수 있다. 더욱이 고농도로 도핑하면 그림 5-42*a*와 같이 순방향 곡선이 일그러진다. 이와 같은 그래프를 가진 다이오드를 **터널 다이오드**(tunnel diode)라 부른다.

　　　그림 5-42*b*는 터널 다이오드의 그림기호이다. 이러한 유형의 다이오드에서는 **부성저항**(negative resistance)이라고 알려진 현상이 나타난다. 이것은 순방향 전압이 증가하면, 그래프의 V_P와 V_V 사이에서 순방향 전류가 감소한다는 것을 의미한다. 터널 다이오드의 부성저항은 발진기(oscillator)라 불리는 고주파회로에 사용한다. 이러한 회로는 교류 발전기의 출력과 같은 정현신호를 발생할 수 있다. 그러나 교류발전기는 기계적인 에너지를 정현신호로 변환하지만, 발진기는 직류 에너지를 정현신호로 변환한다. 뒤의 단원에서 발진기 구성 방법을 배우게 될 것이다.

PIN 다이오드

PIN 다이오드(PIN diode)는 RF와 마이크로파 주파수에서 가변 저항처럼 동작하는 반도체 소자이다. 그림 5-43*a*는 이 소자의 구성을 나타낸 것이다. 이 다이오드는 진성(순수)반도체 재료가 *p*형과 *n*형 재료 사이에 끼워져 있다. 그림 5-43*b*는 PIN 다이오드의 그림기호이다.

　　　다이오드가 순방향 바이어스일 때, 전류제어 저항처럼 동작한다. 그림 5-43*c*는 순방향 전류가 증가할 때 PIN 다이오드의 직렬저항 R_S가 감소하는 것을 주고 있다. 역방향 바이어스일 때, PIN 다이오드는 고정 커패시터처럼 동작한다. PIN 다이오드는 RF와 마이크로파 변조회로에서 광범위하게 사용된다.

요점정리 표 5-3	특수 목적 소자	
소자	**주요 개념**	**응용**
제너 다이오드	항복영역에서 동작한다.	전압조정기
LED	비코히어런트 빛이 나온다.	직류 혹은 교류 지시기, 효율적인 광원
7세그먼트 지시기	숫자를 디스플레이 할 수 있다.	측정계기
광다이오드	빛이 소수캐리어를 생성한다.	광검출기
광결합기	LED와 광다이오드를 결합한다.	입력/출력 절연체
레이저 다이오드	코히어런트 빛이 나온다.	CD/DVD플레이어, 광대역 통신
쇼트키 다이오드	전하축적이 없다.	고주파 정류기(300 MHz)
버랙터	가변 커패시턴스처럼 동작한다.	TV와 수신기 튜너
배리스터	양방향으로 항복이 일어난다.	선스파이크 보호기
전류조정 다이오드	전류를 일정하게 유지한다.	전류조정기
계단회복 다이오드	역방향 전도에서 뚝 끊어진다	주파수 체배기
역 다이오드	역방향으로 전도가 잘 된다.	약한 신호 정류기
터널 다이오드	부성저항 영역을 갖는다.	고주파 발진기
PIN 다이오드	저항이 제어된다.	마이크로파 통신

소자 도표

요점정리 표 5-3은 이 단원에 있는 모든 특수목적 소자를 나열한 것이다. 제너 다이오드는 전압 조정기에 쓰이고, 직류 혹은 교류 지시기에 LED, 측정계기에 7세그먼트 지시기 등이 사용된다. 표를 유심히 보고, 그 속에 담긴 개념을 알아두어야 한다.

요점 | Summary

5-1 제너 다이오드

제너 다이오드는 항복영역에서 동작이 최적화된 특수 다이오드이다. 이 다이오드는 부하전압을 일정하게 유지하는 전압조정기 회로에 주로 사용된다. 이상적인 경우, 역바이어스 된 제너 다이오드는 완벽한 전지와 같다. 제2근사해석에서 제너 다이오드는 약간의 추가전압이 나오는 벌크저항을 갖는다.

5-2 부하가 있는 제너 조정기

제너 다이오드가 부하저항과 병렬일 때, 전류제한 저항으로 흐르는 전류는 제너전류와 부하전류의 합과 같다. 제너 조정기의 해석 과정은 직렬전류, 부하전류, 그리고 제너전류를 구하는 것(순서대로)으로 되어 있다.

5-3 제너 다이오드의 제2근사해석

제2근사해석인 경우, 제너 다이오드는 전지 V_Z와 저항 R_Z의 직렬로 가시화된다. R_Z를 흐르는 전류 때문에, 다이오드의 전압이 증가한다. 그러나 이 전압은 일반적으로 작다. 제너저항은 리플감소 계산에 필요하다.

5-4 제너 이탈점

만일 제너 다이오드가 항복을 벗어나면, 제너 조정기는 조정이 불가능하다. 최악의 동작 조건은 전원전압이 최소, 직렬저항이 최대, 그리고 부하저항이 최소일 때 나타난다. 제너 조정기가 모든 동작 조건에서 잘 동작하기 위해서는, 최악의 조건 아래서 제너전류가 흘러야 한다.

5-5 자료표 읽기

제너 다이오드의 자료표에서 가장 중요한 물리량은 제너전압, 최대 전력정격, 최대 전류정격, 그리고 허용오차이다. 설계자는 제너저항, 경감인자 및 기타 일부 항목들도 필요하다.

5-6 고장 점검

고장 점검은 기술이면서 과학이다. 그러므로 책에서 많은 부분을 배우고, 나머지 부분은 고장이 있는 회로에서 경험을 통해 직접 배워야 한다. 고장 점검은 기술이므로 가끔 what if?(만일~이면 어떨까?)로 물어보고, 또 해결하기 위한 자신의 방법을 터득해야 한다.

5-7 부하선

부하선과 제너 다이오드의 그래프가 만나는 곳이 Q점이다. 전원전압이 변하면 부하선이 달라지고, Q점도 바뀐다. 두 Q점에서 전류는 비록 다르지만, 전압은 거의 같다. 이 사실로부터 전압조정을 직접 검증할 수 있다.

5-8 발광다이오드(LEDs)

LED는 계기, 계산기 그리고 다른 전자장비에서 지시기로 광범위하게 쓰인다. 고휘도 LEDs는 높은 광의 효율(lm/W)을 제공하므로 많은 응용 분야에서 사용된다.

5-9 광전자 소자

7세그먼트 지시기는 패키지 안에 7개의 LED를 결합해 놓은 것이다. 결합기는 다른 중요한 광전자 소자이다. 이 소자를 이용하면 절연된 두 회로를 신호로 결합할 수 있다.

5-10 쇼트키 다이오드

역회복시간은 갑자기 순방향에서 역방향 바이어스로 스위칭한 후, 다이오드가 차단되는데 걸리는 시간이다. 이 시간은 단지 수 나노초이므로, 정류 회로에서 사용할 수 있는 높은 주파수를 제한한다. 쇼트키 다이오드는 역회복시간이 거의 영인 특수 다이오드이다. 이 때문에 쇼트키 다이오드는 짧은 스위칭 시간이 요구되는 고주파에 잘 사용된다.

5-11 버랙터

공핍층의 폭은 역방향 전압과 함께 증가한다. 그러므로 역방향 전압으로 버랙터의 커패시턴스를 조정할 수 있다. 주로 라디오와 텔레비전 세트의 미세 동조에 응용된다.

5-12 다른 다이오드

배리스터는 과도 억제기로 사용된다. 정전류 다이오드는 전압보다 오히려 전류를 일정하게 유지한다. 계단회복 다이오드는 스냅오프로 고조파가 많이 함유된 계단전압을 발생한다. 역다이오드는 순방향보다 역방향에서 도전을 더 잘한다. 터널 다이오드는 고주파 발진기에서 이용할 수 있는 부성저항이 나타난다. PIN 다이오드는 고주파 및 마이크로파 통신회로에서 순바이어스로 전류를 제어하여 저항을 가변하는데 사용된다.

유도식 | Derivations

(5-3) 직렬전류:

$$I_S = \frac{V_S - V_Z}{R_S}$$

(5-4) 부하전압:

$$V_L = V_Z$$

(5-5) 부하전류:

$$I_L = \frac{V_L}{R_L}$$

(5-6) 제너전류:

$$I_Z = I_S - I_L$$

(5-7) 부하전압의 변화:

$$\Delta V_L = I_Z R_Z$$

(5-8) 출력리플:

$$V_{R(out)} \approx \frac{R_Z}{R_S} V_{R(in)}$$

(5-9) 최대 직렬저항:

$$R_{S(max)} = \left(\frac{V_{S(min)}}{V_Z} - 1 \right) R_{L(min)}$$

(5-10) 최대 직렬저항:

$$R_{S(max)} = \frac{V_{S(min)} - V_Z}{I_{L(max)}}$$

(5-13) LED 전류:

$$I_S = \frac{V_S - V_D}{R_S}$$

복습 문제 | Self-Test

1. 제너 다이오드에서 항복전압의 설명으로 올바른 것은?

a. 전류가 증가할 때 감소한다.

b. 다이오드를 파손한다.

c. 전류와 저항의 곱과 같다.

d. 대략 일정하다.

2. 제너 다이오드를 가장 잘 묘사한 것은?

a. 정류 다이오드이다.

b. 정전압 소자이다.

c. 정전류 소자이다.

d. 순방향 영역에서 동작한다.

3. 제너 다이오드는 ____

a. 전지이다.

b. 항복영역에서 일정전압을 갖는다.

c. 1 V의 전위장벽을 갖는다.

d. 순방향 바이어스이다.

4. 제너저항의 전압은 일반적으로 ____

a. 작다.

b. 크다.

c. 볼트단위에서 측정된다.

d. 항복전압에서 뺀다.

5. 무부하 제너 조정기에서 직렬저항이 증가하면, 직렬전류는?

a. 감소한다.

b. 변함이 없다.

c. 증가한다.

d. 전압을 저항으로 나눈 것과 같다.

6. 제2근사해석에서 제너 다이오드의 전체 전압은 항복전압과 ____전압의 합이다.

a. 전원

b. 직렬저항

c. 제너저항

d. 제너 다이오드

7. 제너 다이오드가 ____, 부하 전압은 대략 일정하다.

a. 순방향 바이어스일 때

b. 역방향 바이어스일 때

c. 항복영역에서 동작할 때

d. 바이어스가 없을 때

8. 부하가 있는 제너 조정기에서 가장 큰 전류는?

a. 직렬전류

b. 제너전류

c. 부하전류

d. 위의 보기에는 없다.

9. 제너 조정기에서 부하저항이 증가하면, 제너전류는?

a. 감소한다.

b. 변함이 없다.

c. 증가한다.

d. 전원전압을 직렬저항으로 나눈 것과 같다.

10. 제너 조정기에서 부하저항이 감소하면, 직렬전류는?

a. 감소한다.

b. 변함이 없다.

c. 증가한다.

d. 전원전압을 직렬저항으로 나눈 것과 같다.

11. 제너 조정기에서 전원전압이 증가할 때, 대략 일정하게 유지되는 전류는?

a. 직렬전류

b. 제너전류

c. 부하전류

d. 전체전류

12. 제너 조정기에서 제너 다이오드의 극성이 잘못 연결되었을 때 부하전압에 가장 가까운 전압은?

a. 0.7 V

b. 10 V

c. 14 V

d. 18 V

13. 제너 다이오드가 전력 정격 온도보다 더 높은 온도에서 동작할 때, ____

a. 제너 다이오드는 즉시 파손될 것이다.

b. 전력 정격을 내려야 한다.

c. 전력 정격을 올려야 한다.

d. 영향이 없을 것이다.

14. 제너 다이오드의 항복전압을 지시하지 않는 것은?

a. 회로에서의 전압강하

b. 커브 트레이서

c. 역바이어스 검사회로

d. DMM

15. 일반 다이오드는 높은 주파수에서 ____때문에 잘 동작하지 않는다.

a. 순방향 바이어스

b. 역방향 바이어스

c. 항복

d. 전하축적

16. 버랙터 다이오드의 커패시턴스는 역방향 전압이 ____ 증가한다.

a. 감소할 때

b. 증가할 때

c. 항복일 때

d. 전하가 축적할 때

17. 제너전류가 ____ 보다 작게 흐르면, 제너 다이오드는 항복으로 인한 손상을 받지 않는다.

a. 항복전압
b. 제너 시험전류
c. 최대 제너전류정격
d. 전위장벽

18. 실리콘 정류다이오드에 비해, LED는 ____을 갖는다.

a. 더 낮은 순방향 전압과 더 낮은 항복 전압
b. 더 낮은 순방향 전압과 더 높은 항복 전압
c. 더 높은 순방향 전압과 더 낮은 항복 전압
d. 더 높은 순방향 전압과 더 높은 항복 전압

19. 7세그먼트 표시기로 숫자 0을 나타내려면 ____

a. *C*가 꺼져야 한다.
b. *G*가 꺼져야 한다.
c. *F*가 켜져야 한다.
d. 모든 세그먼트에 불이 켜져야 한다.

20. 고휘도 LED의 주위온도가 올라가면 LED의 광속(luminous flux) 출력은?

a. 증가한다.
b. 감소한다.
c. 반대가 된다.
d. 일정한 값을 유지한다.

21. 빛이 감소할 때 광다이오드에서 역방향 소수캐리어 전류는?

a. 감소한다.
b. 증가한다.

c. 영향을 받지 않는다.
d. 방향이 반대이다.

22. 전압제어 커패시턴스와 관련이 있는 소자는?

a. 발광 다이오드
b. 광다이오드
c. 버랙터 다이오드
d. 제너 다이오드

23. 공핍층의 폭이 좁아지면, 커패시턴스는?

a. 감소한다. b. 변함 없다.
c. 증가한다. d. 변한다.

24. 역방향 전압이 감소할 때, 커패시턴스는?

a. 감소한다.
b. 변함 없다.
c. 증가한다.
d. 대역폭이 증가한다.

25. 버랙터는 일반적으로 _____

a. 순방향 바이어스이다.
b. 역방향 바이어스이다.
c. 바이어스가 없다.
d. 항복영역에서 동작한다.

26. 약한 교류신호의 정류에 사용하는 소자는?

a. 제너 다이오드
b. 발광 다이오드
c. 배리스터
d. 역 다이오드

27. 부성저항영역을 갖는 것은?

a. 터널 다이오드
b. 계단회복 다이오드

c. 쇼트키 다이오드
d. 광결합기

28. 끊어진 퓨즈 지시기는 ____를 사용한다.

a. 제너 다이오드
b. 정전류 다이오드
c. 발광 다이오드
d. PIN 다이오드

29. 입력회로와 출력회로를 절연하기 위해 사용하는 소자는?

a. 역다이오드
b. 광결합기
c. 7세그먼트 지시기
d. 터널 다이오드

30. 약 0.25 V의 순방향 전압강하를 갖는 다이오드는?

a. 계단회복 다이오드
b. 쇼트키 다이오드
c. 역다이오드
d. 정전류 다이오드

31. 일반적인 동작에서 역방향 바이어스를 사용 하는 것은?

a. 제너 다이오드
b. 광다이오드
c. 버랙터
d. 위의 모두

32. PIN 다이오드를 흐르는 순방향 전류가 감소하면, 이 다이오드의 저항은?

a. 증가한다.
b. 감소한다.
c. 일정하다.
d. 결정할 수 없다.

기본 문제 | Problems

5-1 제너 다이오드

5-1 |||| **Multisim** 무부하 제너 조정기의 전원전압이 24 V, 직렬저항이 470 V, 그리고 제너전압이 15 V일 때 제너전류는 얼마인가?

5-2 문제 5-1에서 만약 전원전압이 24에서 40 V까지 변한다면, 최대 제너전류는 얼마인가?

5-3 만약 문제 5-1의 직렬저항이 ±5%의 허용오차를 갖는다면, 최대 제너전류는 얼마인가?

그림 5-44

5-2 부하가 있는 제너 조정기

5-4 IIII **Multisim** 만약 그림 5-44에서 제너 다이오드가 제거되면 부하전압은 얼마인가?

5-5 IIII **Multisim** 그림 5-44에서 세 전류를 모두 계산하여라.

5-6 그림 5-44의 두 저항의 허용오차가 ±5%이면, 최대 제너전류는 얼마인가?

5-7 그림 5-44에서 전원전압이 24~40 V까지 변한다고 가정한다. 최대 제너전류는 얼마인가?

5-8 그림 5-44의 제너 다이오드를 1N4742A로 대치한다. 부하전압과 제너전류는 얼마인가?

5-9 전원전압 20 V, 직렬저항 330 Ω, 제너전압 12 V, 그리고 부하저항이 1 kΩ인 제너 조정기의 구성도를 그려라. 부하전압과 제너전류는 얼마인가?

5-3 제너 다이오드의 제2근사해석

5-10 그림 5-44에서 제너 다이오드는 14 Ω의 제너저항을 가지고 있다. 만일 전원의 리플이 1 V_{p-p}이면, 부하저항의 리플은 얼마인가?

5-11 낮 동안에 교류 선전압이 변한다. 이유는 전원의 무조정 24 V 출력이 21.5~25 V까지 변하기 때문이다. 만일 제너저항이 14 Ω이면, 앞의 범위에서 전압의 변화는 얼마인가?

5-4 제너 이탈점

5-12 그림 5-44의 전원전압을 24에서 0 V까지 감소시킨다고 가정하자. 감소되는 어떤 순간에 제너 다이오드의 조정 기능이 중지될 것이다. 조정이 중지되는 전원전압을 구하여라.

5-13 그림 5-44에서 전원에서 나오는 무조정 전압이 20~26 V까지 변하고, 부하저항이 500 Ω~1.5 kΩ까지 변한다. 이 조건에서 제너 조정기는 조정이 안 되는가? 만일 그렇다면 직렬저항값을 얼마로 하여야 하는가?

5-14 그림 5-44에서 무조정 전압이 18~25 V까지 변하고, 그리고 부하전류가 1~25 mA까지 변한다. 이 조건에서 제너 조정기는 조정을 중지하는가? 만일 그렇다면 R_S의 최대값은 얼마인가?

5-15 그림 5-44에서 제너 조정이 중지되지 않으려면 최소 부하저항은 얼마가 되어야 하는가?

5-5 자료표 읽기

5-16 제너 다이오드의 전압이 10 V, 전류가 20 mA이다. 전력소모를 계산하여라.

5-17 1N5250B에 5 mA의 전류가 흐른다. 전력은 얼마인가?

5-18 그림 5-44에서 저항과 제너 다이오드의 전력소모는 얼마인가?

5-19 그림 5-44의 제너 다이오드는 1N4744A 이다. 최소 제너전압과 최대 제너전압은 얼마인가?

5-20 만약 1N4736A 제너 다이오드의 인입선 온도가 100℃까지 상승한다면, 다이오드의 새로운 전력정격은 얼마인가?

5-6 고장 점검

5-21 그림 5-44에서 다음의 각 조건에 대한 부하전압을 구하여라.
a. 제너 다이오드 단락
b. 제너 다이오드 개방
c. 직렬저항 개방
d. 부하저항 단락

5-22 그림 5-44에서 부하전압을 측정한 값이 대략 18.3 V이면, 어떤 고장이라고 생각하는가?

5-23 그림 5-44의 부하에서 24 V를 측정하였다. 저항계로 제너 다이오드를 점검한 결과 개방상태였다. 제너 다이오드를 교체하기 전에 무엇을 점검하여야 하는가?

5-24 그림 5-45에서 LED에 불이 켜지지 않는다. 일어날 수 있는 고장은 다음 중 어느 것인가?

그림 5-45

a. V130LA2 개방
b. 접지와 브리지의 왼쪽 두 다이오드 사이 개방
c. 필터 커패시터 개방
d. 필터 커패시터 단락
e. 1N5314 개방
f. 1N5314 단락

5-8 발광 다이오드(LEDs)

5-25 |||| Multisim 그림 5-46에서 LED를 흐르는 전류는 얼마인가?

5-26 만약 그림 5-46의 전원전압이 40 V까지 증가하면, LED전류는 얼마인가?

그림 5-46

5-27 만약 그림 5-46에서 저항이 1 kΩ으로 감소하면, LED전류는 얼마인가?

5-28 그림 5-46에서 LED전류가 13 mA일 때까지 저항을 감소시킨다. 저항값은 얼마인가?

응용 문제 | Critical Thinking

5-29 그림 5-44의 제너 다이오드는 제너저항이 14 Ω이다. 계산과정에 R_Z를 포함시키면 부하전압은 얼마인가?

5-30 그림 5-44의 제너 다이오드는 1N4744A이다. 만일 부하저항이 1에서 10 kΩ까지 변한다면, 최소 부하전압과 최대 부하전압은 얼마인가?(제2근사해석을 이용하여라.)

5-31 다음의 조건을 만족하는 제너 조정기를 설계하여라: 부하전압 6.8V, 전원전압 20 V, 그리고 부하전류 30 mA

5-32 TIL312는 7세그먼트 지시기이다. 각 세그먼트는 20 mA에서 1.5와 2 V 사이의 전압강하가 있다. 공급전압은 +5 V이다. 최대전류 소모가 140 mA인 on-off 스위치에 의하여 제어되는 7세그먼트 디스플레이 회로를 설계하여라.

5-33 압이 115 V_{rms}일 때 그림 5-45의 2차 전압이 12.6 V_{rms}이다. 낮에는 전력선이 ±10% 까지 변한다. 저항의 허용오차는 ±5%, 1N4733A의 허용오차는 ±5% 그리고 제너저항은 7 Ω이다. 만일 R_2가 560 Ω이면, 낮의 어느 순간에 일어날 수 있는 제너전류의 최대 값은 얼마인가?

5-34 그림 5-45에서, 2차 전압이 12.6V_{rms}이고 다이오드의 전압강하가 각각 0.7 V이다. 1N5314는 4.7 mA의 전류가 흐르는 정전류 다이오드이다. LED 전류는 15.6 mA이며, 제너전류는 21.7 mA이다. 필터 커패시터는 ±20%의 허용오차를 갖는다. 최대 피크-피크 리플은 얼마인가?

5-35 그림 5-47은 2사이클 발광시스템의 일부분이고, 다이오드는 쇼트키 다이오드이다. 제2근사해석을 이용하여 필터 커패시터 전압을 계산하여라.

그림 5-47

고장 점검 | Troubleshooting

그림 5-48의 고장도표는 회로고장 $T_1 \sim T_8$까지, 회로 상의 각 표시점의 전압과 다이오드 D_1의 조건을 나열한 것이다. 첫 번째 행은 정상동작조건에서 구해진 값이다.

5-36 그림 5-48에서 고장 1~4까지의 고장을 찾아라.

5-37 그림 5-48에서 고장 5~8까지의 고장을 찾아라.

	V_A	V_B	V_C	V_D	D_1
OK	18	10.3	10.3	10.3	OK
T1	18	0	0	0	OK
T2	18	14.2	14.2	0	OK
T3	18	14.2	14.2	14.2	∞
T4	18	18	18	18	∞
T5	0	0	0	0	OK
T6	18	10.5	10.5	10.5	OK
T7	18	14.2	14.2	14.2	OK
T8	18	0	0	0	0

그림 5-48 고장 점검

Multisim 고장 점검 문제 | Multisim Troubleshooting Problems

멀티심 고장 점검 파일들은 *Connect for Electronic Principles* 저자 자료에 멀티심 고장 점검 회로(MTC)라는 폴더에서 찾을 수 있다. 좀 더 자세한 내용은 xiv페이지를 참조하라. 이 장에 관련된 파일은 MTC05-38~MTC05-42로 명칭되어 있고 모두 그림 5-48의 회로를 바탕으로 한다.

각 파일을 열고 고장 점검을 실시한다. 결함이 있는지 결정하기 위해 측정을 실시하고 결함이 있다면 무엇인지를 찾아라.

5-38 MTC05-38 파일을 열고 고장 점검을 실시하라.

5-39 MTC05-39 파일을 열고 고장 점검을 실시하라.

5-40 MTC05-40 파일을 열고 고장 점검을 실시하라.

5-41 MTC05-41 파일을 열고 고장 점검을 실시하라.

5-42 MTC05-42 파일을 열고 고장 점검을 실시하라.

디지털/아날로그 실습 시스템 | Digital/Analog Trainer System

다음의 문제 5-43에서 5-47까지는 전자회로용 **Connect의 교수용 학습자료**에 있는 디지털/아날로그 실습 시스템의 회로도이다. 모델 XK-700 실습기용 전체 설명 매뉴얼은 www.elenco.com에서 찾을 수 있다.

5-43 LEDs D_{18}에서 D_{25}는 공통 애노드로 연결되었는가? 공통 캐소드로 연결되었는가?

5-44 74HC04 U8A의 출력전압이 +5 V이면, D_{18}은 켜지는가? 꺼지는가?

5-45 U8E의 출력전압이 0 V이면, D_{22}에 흐르는 전류는 약 얼마인가?

5-46 5-46 D_{24}에 전류가 약 15 mA 흐르도록 하는 데 필요한 R_{42}의 저항값은 얼마인가?

5-47 U2의 12 V 직류 출력에 LED 12 V 표시등을 연결하는 데 필요한 저항값과 전력량은 얼마인가? LED 전류는 약 21 mA로 설계하라.

직무 면접 문제 | Job Interview Questions

1. 제너 조정기를 그려라. 그리고 어떻게 동작하는지, 목적이 무엇인지 설명하여라.

2. 직류 25 V의 출력이 나오는 전원이 있다. 대략 15 V, 15.7 V와 16.4V의 정류된 세 출력이 필요하다. 이 출력들을 얻을 수 있는 회로를 구성하여라.

3. 낮 시간에는 조정을 하지 않는 제너 조정기가 있다. 우리 지역은 교류 선전압이 105~125 Vrms까지 변한다. 그리고 제너 조정기의 부하저항도 100 Ω~1 kΩ까지 변한다. 낮 시간에 제너 조정기가 동작하지 않는 이유들을 설명하여라.

4. 오늘 아침, LED 지시기를 구성하고 있었다. LED를 연결하고 전원을 넣어보니, LED에 불이 켜지지 않았다. LED를 점검해보니 LED가 끊어져 있었다. 다른 LED를 사용해도 같은 현상이 나타났다. 왜 이런 일이 일어날 수 있는지 그 이유를 설명하여라.

5. 텔레비전 수상기 동조에 버랙터를 사용할 수 있다는 이야기를 들었다. 버랙터가 공진회로를 어떻게 동조하는지 기본개념을 설명하여라.

6. 전자회로에서 광결합기를 사용하는 이유는 무엇인가?

7. 표준 플라스틱-돔(dome) LED 패키지가 있다. 음극을 확인하는 두 방법은 무엇인가?

8. 정류다이오드와 쇼트키 다이오드가, 만약 차이가 있다면, 그것을 설명하여라.

9. 그림 5-4*a*와 같은 회로를 그려라. 단, 직류전원을 피크 값이 40 V인 교류전원으로 대치하여라. 제너전압이 10V일 때 출력전압의 그래프를 그려라.

복습 문제 해답 | Self-Test Answers

1.	d	**12.**	a	**23.**	c
2.	b	**13.**	b	**24.**	c
3.	b	**14.**	d	**25.**	b
4.	a	**15.**	d	**26.**	d
5.	a	**16.**	a	**27.**	a
6.	c	**17.**	c	**28.**	c
7.	c	**18.**	c	**29.**	b
8.	a	**19.**	b	**30.**	b
9.	c	**20.**	b	**31.**	d
10.	b	**21.**	a	**32.**	a
11.	c	**22.**	c		

연습 문제 해답 | Practice Problem Answers

5-1 $I_S = 24.4$ mA

5-3 $I_S = 18.5$ mA;
$I_L = 10$ mA;
$I_Z = 8.5$ mA

5-5 $V_{RL} = 8$ V$_{p-p}$ 구형파

5-7 $V_L = 10.1$ V

5-8 $V_{R\,(out)} = 94$ mV$_{p-p}$

5-10 $R_{S\,(max)} = 65\ \Omega$

5-11 $R_{S\,(max)} = 495\ \Omega$

5-13 $R_S = 330\ \Omega$

5-14 $I_S = 27$ mA;
$P = 7.2$ W

BJT 기초 지식들

BJT Fundamentals

1951년에, William Schockley는 라디오나 텔레비전 신호 같은 전자 신호를 증폭(확대)할 수 있는 반도체 소자인 접합 트랜지스터(junction transistor)를 처음으로 발명하였다. 트랜지스터의 발명은 수천 개의 소형화된 트랜지스터를 내장하는 조그마한 소자인 집적회로(integrated circuit: IC)를 포함한 다른 많은 반도체의 발명을 이끌어왔다. 현대의 컴퓨터나 다른 전자 기기의 기적도 IC 덕분에 가능하였다.

이 단원은 자유전자와 정공을 모두 이용하는 바이폴라 트랜지스터(bipolar junction transistor: BJT)에 대해 소개한다. 단어 bipolar는 two polarities(두 극성)의 줄임 말이다. 또한 본 단원에서 바이폴라 트랜지스터가 증폭기로, 그리고 스위치로 적절히 동작하기 위해서 어떻게 전압 인가(bias)를 할 것인가에 대해 설명할 것이다.

학습목표 | Objectives

이 단원을 공부하고 나면

- 바이폴라 접합 트랜지스터의 베이스, 이미터, 그리고 컬렉터전류 사이의 관계를 설명할 수 있어야 한다.

- CE 회로의 도형을 그리고 각 단자, 전압과 저항에 이름을 붙일 수 있어야 한다.

- 가설적인 베이스 곡선과 일련의 컬렉터 곡선을 그리고, 곡선의 양 축에 레이블을 붙일 수 있어야 한다.

- 바이폴라 접합 트랜지스터의 컬렉터 곡선에서 세 동작 영역의 이름을 붙일 수 있어야 한다.

- 이상적인 트랜지스터와 제2트랜지스터 근사해석을 이용하여 CE 트랜지스터 전류와 전압값을 각각 계산할 수 있어야 한다.

- 기술자들이 사용하는 바이폴라 트랜지스터 정격을 몇 가지 열거할 수 있어야 한다.

- 베이스 바이어스가 증폭회로에서 잘 동작하지 못하는 이유를 설명할 수 있어야 한다.

- 주어진 베이스 바이어스 회로에 대한 포화점과 차단점을 알아낼 수 있어야 한다.

- 주어진 베이스 바이어스 회로의 Q점을 구할 수 있어야 한다.

주요용어 | Vocabulary

h 파라미터(h parameter)

공통 이미터(common emitter: CE)

과소포화(soft saturation)

두상태 회로(two-state circuit)

바이폴라 접합 트랜지스터(bipolar junction transistor: BJT)

방열판(heat sink)

베이스 바이어스(base bias)

베이스(base)

부하선(load line)

소신호 트랜지스터 (small-signal transistor)

스위칭회로(switching circuit)

열저항(thermal resistance)

이미터 다이오드(emitter diode)

이미터(emitter)

전력 트랜지스터(power transistor)

전류이득(current gain)

접합 트랜지스터(junction transistor)

정지점(quiescent point)

증폭 회로(amplifying circuit)

직류 베타(dc beta)

직류 알파(dc alpha)

집적회로(integrated circuit)

차단 영역(cutoff region)

차단점(cutoff point)

컬렉터 다이오드(collector diode)

컬렉터(collector)

포화영역(saturation region)

포화점(saturation point)

표면 부착형 트랜지스터 (surface-mount transistors)

항복영역(breakdown region)

활성영역(active region)

6-1 바이어스되지 않은 트랜지스터

그림 6-1에서와 같이 트랜지스터는 세 개의 도핑 영역을 가지고 있다. 아래 영역을 **이미터**(emitter), 가운데 영역을 **베이스**(base), 그리고 맨 위의 영역을 **컬렉터**(collector)라 한다. 실제 트랜지스터에서 베이스 영역은 컬렉터와 이미터 영역에 비해 대단히 얇다. 그림 6-1의 트랜지스터는 두 n영역 사이에 p영역이 있기 때문에 npn소자(npn $device$)이다. 다수캐리어는 n형 재료에서 자유전자, p형 재료에서 정공이라는 것을 기억하라.

　　　pnp소자로 만든 트랜지스터도 있다. pnp 트랜지스터는 두 p영역 사이에 n영역이 있다. npn과 pnp 트랜지스터 사이의 혼동을 피하기 위해 본 장의 초기 설명은 npn 트랜지스터에 집중할 것이다.

도핑 수준

그림 6-1에서 이미터는 고농도로 도핑되고, 다른 한편으로 베이스는 저농도로 도핑된다. 컬렉터의 도핑 수준은 이미터의 고농도 도핑과 베이스의 저농도 도핑 사이의 중간 정도가 된다. 물리적으로 컬렉터가 세 영역 중에서 가장 크다.

이미터와 컬렉터 다이오드

그림 6-1의 트랜지스터는 두 접합부가 있다. 하나는 이미터와 베이스 사이에 있고, 다른 하나는 컬렉터와 베이스 사이에 있다. 따라서 트랜지스터는 두 다이오드가 서로 마주하고(back-to-back) 있는 것과 같다. 아래 다이오드를 이미터-베이스 다이오드($emitter$-$base$ $diode$) 혹은 간단히 **이미터 다이오드**(emitter diode)라 하고, 위의 다이오드를 컬렉터-베이스 다이오드($collector$-$base$ $diode$) 혹은 **컬렉터 다이오드**($collector$ $diode$)라 부른다.

참고 사항

Walter H. Brattain과 John Bardeen은 1947년 12월 23일 오후에 Bell Telephone 사의 실험실에서 최초 트랜지스터의 증폭 작용을 증명하였다. 최초 트랜지스터를 점-접촉 트랜지스터라 불렀으며, 이것은 Schockley가 발명한 접합 트랜지스터 이전의 트랜지스터이다.

참고 사항

그림 6-1의 트랜지스터를 가끔 쌍극 접합 트랜지스터 혹은 BJT라 부른다. 그러나 전자 산업에 종사하는 대부분의 사람들은 쌍극 접합 트랜지스터라 하지 않고 간단히 트랜지스터라 한다.

그림 6-1 트랜지스터 구조

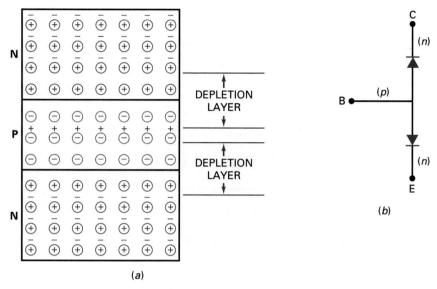

그림 6-2   바이어스가 안 된 트랜지스터 (a) 공핍층들; (b) 다이오드 등가회로

확산 전과 후

그림 6-1은 확산이 일어나기 전의 트랜지스터 영역들을 나타낸다. 동일 영역에 존재하는 전자들은 서로 밀어내려고 하는 성질이 있으므로 n영역에 존재하는 자유전자는 모든 방향으로 퍼져 나간다. n영역에 존재하는 자유전자 중 일부는 접합면을 가로질러 확산하고 p영역에 존재하는 정공과 재결합할 것이다. 각 n영역에 존재하는 자유전자가 접합면을 넘어가서 정공과 재결합하는 과정을 상상해 보아라.

　　그 결과 그림 6-2a와 같은 두 공핍층이 형성된다. 각 공핍층에서 전위장벽은 실리콘 트랜지스터는 25°C에서 약 0.7 V(게르마늄 트랜지스터인 경우 25°C에서 0.3 V)이다. 앞에서 설명했던 것과 같이 요즘은 게르마늄 소자보다 실리콘 소자를 더 많이 사용하기 때문에 실리콘 소자에 대해 더 많은 비중을 두고자 한다.

6-2 바이어스된 트랜지스터

바이어스가 안 된 트랜지스터는 그림 6-2b와 같이 두 개의 다이오드가 서로 마주 보는 형상을 갖는다. 각 다이오드는 대략 0.7 V의 전위장벽을 갖는다. 디지털 멀티미터 (Digital Multimeter(DMM))를 가지고 npn형 트랜지스터를 테스트 하고자 할 때 위에서 언급한 다이오드 등가회로로 생각하라. 외부 전압원을 트랜지스터에 연결하면 트랜지스터의 여러 부분에서 전류가 측정될 것이다.

이미터 전자

그림 6-3은 바이어스된 트랜지스터이다. 음의 부호는 자유전자를 상징한다. 고농도로 도핑된 이미터는 자유전자를 베이스 안으로 방출 혹은 주입시키는 일을 한다. 저농도로

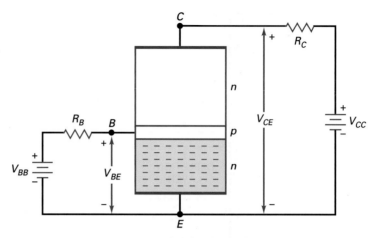

그림 6-3 바이어스된 트랜지스터

도핑된 베이스는 이미터에서 주입된 전자를 컬렉터까지 통과시키는 역할을 한다. 컬렉터는 베이스로부터 대부분의 전자를 수집하거나 끌어 모으기 때문에 붙여진 이름이다.

그림 6-3은 트랜지스터를 바이어스하는 일반적인 방법이다. 그림 6-3의 왼쪽 전원 V_{BB}는 이미터 다이오드를 순방향으로 바이어스하고 오른쪽 전원 V_{CC}는 컬렉터 다이오드를 역방향으로 바이어스한다. 다른 바이어스 방법도 가능하지만, 이미터 다이오드를 순방향 바이어스하고, 컬렉터 다이오드를 역방향 바이어스하는 것이 가장 많이 사용되고 있다.

베이스 전자

그림 6-3에서 이미터 다이오드에 순방향 바이어스가 인가되는 순간, 이미터 영역에 존재하는 전자는 아직은 베이스 영역으로 들어가지는 않는다. 그림 6-3에서 만일 V_{BB}가 이미터-베이스 전위장벽보다 더 높으면, 그림 6-4에 보인 것과 같이 이미터 전자가 베이스 영역으로 들어갈 것이다. 이론적으로 이러한 자유전자들은 두 방향으로 흐를 수 있다. 하나는 왼쪽으로 흘러 베이스를 빠져 나와 R_B를 지나 양의 전원 단자까지 이동할 수 있고, 다른 하나는 자유전자가 컬렉터 안으로 흐를 수 있다.

자유전자들은 어느 길로 갈 것인가? 대부분은 컬렉터까지 계속 간다. 왜? 두 가지 이유가 있다. 베이스 영역이 **저농도로 도핑**되어 있고 **매우 얇기** 때문이다. 저농도 도핑은 베이스 영역에서 자유전자의 수명이 길다는 것을 의미하고(홀의 개수가 적음), 베이스가 매우 얇다는 것은 자유전자가 컬렉터에 도달할 때까지 이동 거리가 짧다는 것을 의미한다. 이와 같은 두 가지 이유 때문에, 이미터에서 주입된 전자들은 거의 모두 베이스를 지나 컬렉터까지 가게 된다.

소수의 자유전자가 그림 6-4의 저농도로 도핑된 베이스에서 정공과 재결합할 것이다. 그리고 나서 자유전자들은 가전자 상태로 베이스 저항을 통해 V_{BB}전원의 양의 단자까지 흐를 것이다.

참고 사항

트랜지스터에서 이미터-베이스 공핍층은 컬렉터-베이스 공핍층보다 더 좁다. 그 이유는 이미터와 컬렉터 영역의 도핑 수준이 다르기 때문이다. 이미터 영역을 더욱 고농도로 도핑하므로, 자유전자가 더 많아져서 n 재료 쪽으로 침투하는 것은 극소수이다. 그러나 컬렉터 쪽에서는 자유전자가 적다. 그리고 공핍층을 전위장벽을 형성하기 위해 더 깊숙이 침투해야 한다.

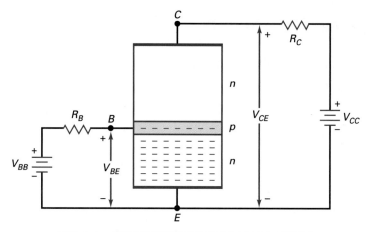

그림 6-4 이미터가 자유전자를 베이스 안으로 주입한다.

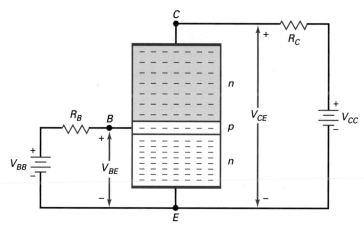

그림 6-5 자유전자들이 베이스에서 컬렉터 안으로 흐른다.

컬렉터 전자

그림 6-5에 보인 바와 같이 거의 모든 자유전자들은 컬렉터 안으로 들어간다. 전자들이 일단 컬렉터 안으로 들어가면 전원전압 V_{CC}의 인력을 느낀다. 이 때문에 자유전자는 컬렉터를 통과하여 흐르고 R_C를 거쳐 컬렉터 공급전압의 양의 단자에 도달하게 된다.

지금까지 설명을 요약하면 다음과 같다. 그림 6-5에서 V_{BB}가 이미터 다이오드를 순방향으로 바이어스 하여 이미터에 있는 자유전자들을 베이스 안으로 들여 보낸다. 베이스는 얇고 저농도 도핑된 베이스 구조는 거의 모든 전자들이 컬렉터까지 확산할 수 있는 충분한 시간을 갖게 한다. 이 전자들이 컬렉터를 지나고, R_C를 거쳐 전원전압 V_{CC}의 양의 단자로 흐른다.

(a)

(b)

(c)

그림 6-6 트랜지스터의 세 전류 (a) 일반적인 전류 흐름; (b) 전자 흐름; (c) *pnp* 전류

6-3 트랜지스터의 전류

그림 6-6*a*와 6-6*b*는 *npn* 트랜지스터의 도식 기호이다. 만일 일반적인 전류 흐름을 좋아하면 그림 6-6*a*를 사용하고, 전자 흐름을 좋아하면 그림 6-6*b*를 사용하여라. 그림 6-6에서, 트랜지스터는 서로 다른 세 전류 즉, 이미터전류 I_E, 베이스전류 I_B와 컬렉터전류 I_C가 있다.

전류 크기 비교

이미터는 전자의 원천이므로 가장 큰 전류를 갖는다. 대부분의 이미터 전자들은 컬렉터로 흐르기 때문에, 컬렉터전류는 거의 이미터전류만큼 크다. 베이스전류는 앞의 두 전류에 비해 대단히 적고, **일반적으로 컬렉터전류의 1%보다 작다**.

전류의 관계

Kirchhoff의 전류법칙에 의하면 한 점 혹은 접합 점으로 흘러 들어오는 모든 전류의 합은 그 점 혹은 접합 점에서 흘러 나가는 모든 전류의 합과 같다. 이 법칙을 트랜지스터에 적용하면 Kirchhoff의 전류법칙은 다음과 같은 중요한 관계식이 갖게 한다.

$$I_E = I_C + I_B \tag{6-1}$$

즉 이미터전류는 컬렉터전류와 베이스전류의 합이다. 베이스전류는 대단히 적기 때문에 컬렉터전류는 이미터전류와 거의 같다.

$$I_C \approx I_E$$

그리고 베이스전류는 컬렉터전류보다 훨씬 더 작다.

$$I_B << I_C$$

(주: <<은 보다 훨씬 더 적다는 의미이다)

그림 6-6*c*는 *pnp* 트랜지스터의 도식 기호와 전류를 나타낸 것이다. 전류 방향이 *npn* 트랜지스터와 반대 방향임을 유념하여라. 또한 식 (6-1)은 *pnp* 트랜지스터의 전류 관계식으로도 성립한다.

알파(Alpha)

직류 알파(dc alpha)(기호화하면 α_{dc})는 직류 컬렉터전류를 직류 이미터전류로 나눈 것으로 정의한다. 즉

$$\alpha_{dc} = \frac{I_C}{I_E} \tag{6-2}$$

컬렉터전류와 이미터전류가 거의 같기 때문에 직류 알파는 1보다 약간 작다. 예를 들면 직류 알파는 일반적으로 저전력 트랜지스터에서 0.99보다 크고, 고전력 트랜지스터에서 0.95보다 크다.

베타(Beta)

트랜지스터의 **직류 베타**(dc beta)(기호 β_{dc})는 직류 컬렉터전류와 직류 베이스전류의 비율로 정의한다. 즉

$$\beta_{dc} = \frac{I_C}{I_B} \tag{6-3}$$

직류 베타는 작은 베이스전류가 훨씬 더 큰 컬렉터전류를 제어하기 때문에 **전류이득**(current gain)이라고도 한다.

　　전류이득은 트랜지스터의 중요한 이점이며, 이 때문에 트랜지스터는 많은 응용분야에 적용되고 있다. 저전력 트랜지스터(1 W 이하)인 경우, 전류이득은 일반적으로 100~300이고 고전력 트랜지스터(1 W 이상)는 일반적으로 20~100의 전류이득을 갖는다.

두 유도식

식 (6-3)은 두 개의 등가 식으로 재정리될 수 있다. 첫째, β_{dc}와 I_B의 값을 알고 있을 때, 다음의 유도식으로 컬렉터전류를 계산할 수 있다.

$$I_C = \beta_{dc}I_B \tag{6-4}$$

　　둘째, β_{dc}와 I_C의 값을 알고 있을 때 다음의 유도식으로 베이스전류를 계산할 수 있다.

$$I_B = \frac{I_C}{\beta_{dc}} \tag{6-5}$$

예제 6-1

10 mA의 컬렉터전류와 40 μA의 베이스전류를 갖는 트랜지스터가 있다. 이 트랜지스터의 전류이득은 얼마인가?

풀이　컬렉터전류를 베이스전류로 나누면

$$\beta_{dc} = \frac{10 \text{ mA}}{40 \text{ }\mu\text{A}} = 250$$

연습 문제 6-1　예제 6-1의 트랜지스터에 대해 베이스전류가 50 μA이면 전류이득은 얼마인가?

예제 6-2

트랜지스터의 전류이득이 175이다. 베이스 전류가 0.1 mA일 때 컬렉터전류는 얼마인가?

풀이 전류이득과 베이스전류를 곱하면

$$I_C = 175(0.1 \text{ mA}) = 17.5 \text{ mA}$$

연습 문제 6-2 예제 6-2에서 $\beta_{dc} = 100$일 때 I_C을 구하라.

예제 6-3

트랜지스터의 컬렉터전류가 2 mA이다. 전류이득이 135일 때 베이스전류는 얼마인가?

풀이 컬렉터전류를 전류이득으로 나누면

$$I_B = \frac{2 \text{ mA}}{135} = 14.8 \ \mu\text{A}$$

연습 문제 6-3 예제 6-3에서 $I_C = 10$ mA일 때 트랜지스터의 베이스전류를 구하라.

6-4 CE 회로 연결

참고 사항

베이스 루프를 입력 루프로 컬렉터 루프를 출력 루푸라고 부르기도 한다. CE 회로 연결에서는 입력 루프가 출력 루프를 컨트롤 한다.

트랜지스터의 회로 연결은 CE(common emitter), CC(common collector), CB(common base)의 세 방식이 있다. CC와 CB 회로 연결은 이후의 단원에서 설명하고, 이 단원에서는 가장 광범위하게 이용되고 있는 CE 회로 연결에 집중할 것이다.

공통이미터

그림 6-7a에서 각 전압원의 공통 혹은 접지부가 이미터와 연결되어 있기 때문에 이 회로를 **공통이미터**(common emitter: CE) 회로 연결이라 부른다. 이 회로에는 두 개의 루프가 있다. 왼쪽 루프는 베이스 루프이고, 오른쪽 루프는 컬렉터 루프이다.

베이스 루프에서 V_{BB}전원은 진류 제한지항 R_B와 연결되어 이미터 다이오드에 순방향으로 바이어스 한다. V_{BB} 혹은 R_B를 변화시키면 베이스전류가 변하고, 베이스 전류가 변하면 컬렉터전류가 변한다. 이를 다시 표현하면, **베이스전류가 컬렉터전류를 제어**할 수 있다. 이 사실은 중요한 것으로 소전류(베이스)가 대전류(컬렉터)를 제어한다는 것을 의미한다.

컬렉터 루프에서 전원전압 V_{CC}는 R_C와 연결되고 컬렉터 다이오드에 역방향으로 바이어스 한다. 전원전압 V_{CC}는 그림과 같이 컬렉터 다이오드에 역방향으로 바이어스 해야 한다. 그렇지 않으면 트랜지스터가 적절하게 동작하지 않는다. 다른 방법으로 표현하면, 컬렉터는 베이스 안으로 주입된 자유전자를 대부분 끌어 모으기 위해 그림 6-7a에서와 같이 양극이 되어야 한다.

참고 사항

트랜지스터란 용어는 벨 연구서에서 일하던 John Pierce에 의해 최초로 이름 지어졌다. 이 새로운 장치는 이중 진공관의 구조를 가졌다. 진공관은 "트랜스 컨덕턴스(transconductance)"의 특징을 가졌고, 새로운 장치였던 트랜지스터는 "트랜스 레지스턴스(transresistance)"의 특징을 가졌다.

그림 6-7a에서 왼쪽 루프에 존재하는 베이스전류의 흐름은 베이스저항 R_B에 그림에서 표시된 것과 같은 극성의 전압이 발생한다. 마찬가지로 오른쪽 루프에서 컬렉터

그림 6-7   CE 접속 (a) 기본 회로; (b) 접지가 있는 회로

전류의 흐름은 컬렉터저항 R_C에 그림과 같은 극성으로 전압이 발생하게 된다.

이중 첨자

이중 첨자 표기법은 트랜지스터 회로를 설명하는 데 이용되고 있다. 첨자들이 같을 때의 전압은 전원(V_{BB}와 V_{CC})을 나타내고, 첨자들이 다를 때는 두 점 사이의 전압(V_{BE}와 V_{CE})을 나타낸다.

예를 들면 V_{BB}의 첨자들은 같다. 이것은 V_{BB}가 베이스 전압원이라는 것을 의미한다. 마찬가지로 V_{CC}는 컬렉터 전압원이다. 한편 V_{BE}는 점 B와 E, 즉 베이스와 이미터 사이의 전압이다. 마찬가지로 V_{CE}는 점 C와 E, 즉 컬렉터와 이미터 사이의 전압이다.

단일 첨자

단일 첨자는 마디 전압, 즉 첨자 표시점과 접지 사이의 전압을 나타낸다. 예를 들어 만일 접지가 있는 그림 6-7a을 다시 그리면 그림 6-7b가 된다. 전압 V_B는 베이스와 접지 사이의 전압이고, 전압 V_C는 컬렉터와 접지 사이의 전압, 전압 V_E는 이미터와 접지 사이의 전압이다(이 회로에서 V_E는 0이다).

두 개의 다른 첨자로 표기된 이중 첨자 전압은 각 단일 첨자 전압을 빼서 구할 수 있다. 여기에 세 가지 예가 있다.

$$V_{CE} = V_C - V_E$$
$$V_{CB} = V_C - V_B$$
$$V_{BE} = V_B - V_E$$

이와 같은 이중 첨자 전압 계산은 모든 트랜지스터 회로에 적용될 수 있다. 이 CE 회로 연결에서 V_E는 0이므로(그림 6-7b), 전압은 다음과 같이 간단하게 된다.

$$V_{CE} = V_C$$

$$V_{CB} = V_C - V_B$$

$$V_{BE} = V_B$$

6-5 베이스 곡선

I_B 대 V_{BE}의 그래프가 어떤 모양일 것이라고 생각하는가? 그것은 그림 6-8a와 같은 일반 다이오드의 그래프처럼 보일 것이다. 왜 그러한 그래프가 생성될까? 이미터 다이오드가 순방향 바이어스이므로 일반 다이오드의 전압 대 전류의 그래프와 같을 것이라고 예상할 수 있다. 이것은 앞에서 설명한 다이오드의 근사 해석을 사용할 수 있음을 의미한다.

그림 6-8b의 베이스저항에 Ohm의 법칙을 적용하면 다음 유도식이 얻어진다.

$$I_B = \frac{V_{BB} - V_{BE}}{R_B} \tag{6-6}$$

만일 이상적인 다이오드이면 $V_{BE} = 0$이고 제2근사해석을 이용하면 $V_{BE} = 0.7$ V이다.

대체적으로 제2근사해석을 사용한 해석 방법이 이상적인 다이오드를 적용한 해

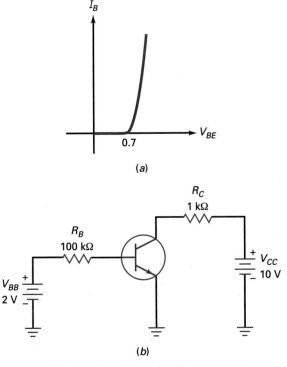

그림 6-8   (a) 다이오드 곡선; (b) 회로의 예

석의 신속성과 높은 차수를 이용한 근사 해석의 정확성을 절충한 방법임을 알 수 있을 것이다. 제2근사해석을 적용하기 위해 기억해야 할 것은 그림 6-8a에서 보는 바와 같이 V_{BE}는 0.7 V이다.

예제 6-4 |||| Multisim

그림 6-8b에 흐르는 베이스전류를 제2근사해석을 이용하여 계산하여라. 베이스저항에 인가되는 전압은 얼마인가? 만일 β_{dc} = 200이면 컬렉터전류는?

풀이   2 V의 베이스 전원전압이 100 kΩ의 전류 제한저항을 통해 이미터 다이오드를 순방향으로 바이어스 한다. 이미터 다이오드에 인가되는 전압은 0.7 V이므로, 베이스저항에 인가되는 전압은

$$V_{BB} - V_{BE} = 2\ V - 0.7\ V = 1.3\ V$$

이고, 베이스저항에 흐르는 전류는 다음과 같다.

$$I_B = \frac{V_{BB} - V_{BE}}{R_B} = \frac{1.3\ V}{100\ k\Omega} = 13\ \mu A$$

전류이득이 200이므로, 컬렉터전류는 다음과 같다.

$$I_C = \beta_{dc}I_B = (200)(13\ \mu A) = 2.6\ mA$$

연습 문제 6-4   베이스 전원전압 V_{BB} = 4 V일 때, 예제 6-4를 반복하여라.

6-6 컬렉터 곡선

그림 6-9a 회로에서 베이스전류를 계산하는 방법은 이미 공부하였다. V_{BB}가 이미터 다이오드를 순방향으로 바이어스하므로, 베이스저항 R_B를 통해 흐르는 전류를 계산할 수 있다. 지금부터 컬렉터 루프로 관심을 돌려보자.

그림 6-9a에서 V_{BB}와 V_{CC}를 변화시키면서 트랜지스터의 다른 전압과 전류를 만들 수 있다. I_C와 V_{CE}를 측정함으로써 I_C 대 V_{CE}의 그래프에 필요한 데이터를 얻을 수 있다.

예를 들어 I_B = 10 μA가 되도록 V_{BB}를 변화시킨다고 가정하자. 베이스 전류값을 고정시키고, V_{CC}를 변화시키면서 I_C와 V_{CE}를 측정하면 그 데이터를 이용하여 그림 6-9b를 그릴 수 있다(주: 이 그래프는 광범위하게 사용되는 저전력 트랜지스터 2N3904의 그래프이다. 다른 트랜지스터를 사용하면 각 수치는 변하지만 그래프 곡선의 모양은 비슷할 것이다).

V_{CE}가 0일 때 컬렉터 다이오드는 역방향으로 바이어스 되지 않는다. 이 때문에 그

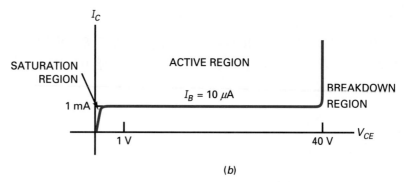

그림 6-9   (a) 기본 트랜지스터 회로; (b) 컬렉터 곡선

래프에서 V_{CE}가 0일 때, 컬렉터전류는 0이 된다. V_{CE}가 0에서 점차 증가할 때 컬렉터 전류는 그림 6-9b에서 보이는 것과 같이 가파르게 상승하게 된다. V_{CE}가 수십분의 일 볼트일 때 컬렉터전류는 거의 1 mA의 **일정한 값**을 갖게 된다.

그림 6-9b에서 일정한 전류 값을 갖는 영역은 앞에서 설명한 트랜지스터 동작에 의해 이해될 수 있다. 컬렉터 다이오드가 역방향으로 바이어스 되면, 공핍층에 존재하는 모든 전자들은 컬렉터에 도달하게 된다. V_{CE}가 더 큰 값으로 증가하여도 컬렉터전류는 증가하지 않는다. 왜냐하면 컬렉터는 이미터에서 베이스로 주입된 자유전자만 끌어 모을 수 있기 때문이다. 이 주입된 전자의 수는 컬렉터 회로와 상관 없고, 베이스 회로의 영향만 받는다. 이러한 이유 때문에 그림 6-9b에서 보이는 것과 같이 1 V보다 작은 V_{CE}로부터 40 V보다 큰 V_{CE} 사이의 범위에서 컬렉터전류는 일정한 값을 갖게 된다.

만일 V_{CE}가 40 V 이상이 되면 컬렉터 다이오드는 절연파괴가 일어나고 트랜지스터는 정상적인 동작을 잃게 된다. 즉 트랜지스터는 항복영역에서 동작할 수 없다. 그러므로 트랜지스터 자료표에서 최대정격 중의 하나인 컬렉터-이미터 항복전압 $V_{CE(\max)}$을 찾아보아야 한다. 만일 트랜지스터가 절연파괴가 되면 트랜지스터는 손상되어 사용할 수 없게 된다.

컬렉터 전압과 전력

Kirchhoff의 전압법칙에 의하면 루프 혹은 폐회로에 존재하는 전압의 합은 0이다. 그림 6-9a의 컬렉터 회로에 Kirchhoff의 전압법칙을 적용하면 다음과 같은 유도식이 얻어진다.

$$V_{CE} = V_{CC} - I_C R_C \tag{6-7}$$

이 식에 의하면 컬렉터-이미터 전압은 컬렉터 전원 전압에서 컬렉터저항의 전압을 뺀 것과 같다.

그림 6-9a에서 트랜지스터의 전력손실은 대략 다음과 같다.

$$P_D = V_{CE}I_C \tag{6-8}$$

이 식에 의하면 트랜지스터 전력은 컬렉터-이미터 전압에 컬렉터전류를 곱한 것과 같다. 이 전력손실은 컬렉터 다이오드의 접합 온도를 상승시키는 원인이 된다. 즉 전력이 클수록 접합 온도는 더 올라가게 된다.

접합 온도가 150~200°C일 때 트랜지스터는 열 손상을 받게 된다. 자료표에 있는 가장 중요한 정보 중의 하나가 최대 전력정격 $P_{D(max)}$이다. 식 (6-8)에 의해 주어진 전력 손실은 $P_{D(max)}$보다 작아야 한다. 그렇지 않으면 트랜지스터는 파괴될 것이다.

동작영역들

그림 6-9b의 곡선에는 트랜지스터의 동작이 바뀌는 여러 영역이 있다. 첫 번째 변화 영역은 V_{CE}가 1과 40 V 사이의 중간 영역이다. 이 영역은 트랜지스터가 정상 동작되는 곳이다. 이 영역에서 이미터 다이오드는 순방향 바이어스되고, 컬렉터 다이오드는 역방향 바이어스 된다. 이 영역에서 이미터에서 베이스로 주입된 거의 모든 전자는 컬렉터에 모이게 된다. 따라서 컬렉터전압을 변화시켜도 컬렉터전류에는 아무런 영향이 나타나지 않게 된다. 이 영역을 **활성영역**(active region)이라 부른다. 그래프적으로 활성 영역은 곡선의 수평부분이다. 다른 말로 표현하면 이 영역에서 컬렉터전류는 항상 일정(constant)하다.

다른 동작 영역으로 **항복영역**(breakdown region)이 있다. 트랜지스터는 항복영역에서 파괴되므로 절대 이 영역에서 동작되지 않는다. 항복 동작에 최적화되어 있는 제너 다이오드와 달리 트랜지스터는 항복영역에서 동작하면 안 된다.

마지막으로 V_{CE}가 0 V와 수십분의 1 V 사이의 곡선 초기 상승부분이다. 곡선의 이러한 경사부분을 **포화영역**(saturation region)이라 부른다. 이 영역에서 베이스로 주입된 모든 자유전자를 컬렉터로 모을 수 있는 충분한 양전압이 컬렉터 다이오드에 인가되지 않는다. 이 영역에서 베이스전류 I_B는 정상치보다 크고 전압이득 β_{dc}는 정상치보다 작다.

이외의 곡선들

$I_B = 20\ \mu A$일 때 I_C와 V_{CE}를 측정하면 그림 6-10의 두 번째 곡선을 그릴 수 있다. 이 곡선은 활성영역에서 컬렉터전류가 2 mA라는 것 외에는 첫 번째 곡선과 유사하다. 다시 말하지만, 컬렉터전류는 활성영역에서 일정하다.

베이스전류를 다르게 하고 곡선을 몇 개 더 그리면 그림 6-10과 같은 일련의 컬렉터 곡선들이 얻어진다. **커브 트레이서**(*curve tracer*)(어느 트랜지스터에 대해 V_{CE} 대 I_C를 디스플레이 할 수 있는 검사 장비)를 이용해도 이와 같은 일련의 곡선들을 볼 수 있다. 그림 6-10의 활성영역에서 각 컬렉터전류는 해당 베이스전류보다 100배 더 크다. 예를 들어 맨 위의 곡선은 컬렉터전류가 7 mA이고 베이스전류는 70 μA이다. 그러므로 전류이득은 다음과 같다.

참고 사항

커브 트레이서를 이용하여 컬렉터 곡선을 디스플레이하면, 실질적으로는 그림 6-10의 컬렉터 곡선은 V_{CE} 증가함에 따라 약간 상승 기울기를 갖게 된다. 이러한 기울기의 상승은 V_{CE}가 증가하면 베이스 영역은 약간 작아지기 때문이다(V_{CE}가 증가하면 CB 공핍층은 넓어지고, 베이스는 좁아진다). 베이스 영역이 작아지면 재결합에 이용되는 정공수가 더욱 적어진다. 각 곡선에서 베이스전류는 일정하기 때문에 컬렉터전류가 증가하는 것처럼 보인다.

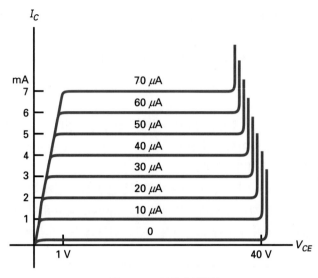

그림 6-10 컬렉터 곡선들

$$\beta_{dc} = \frac{I_C}{I_B} = \frac{7\ mA}{70\ \mu A} = 100$$

다른 곡선들을 검사해도 같은 결과, 즉 전류이득은 100이다.

트랜지스터가 다르면 전류이득은 100과 다를 수 있지만, 곡선의 모양은 비슷할 것이다. 모든 트랜지스터는 활성영역, 포화영역, 그리고 항복영역을 갖는다. 신호의 증폭(확대)은 활성영역에서 가능하므로 활성영역이 가장 중요하다.

차단영역

그림 6-10의 맨 아래에 있는 곡선은 예상하지 못한 것으로서, 이것은 제 4의 동작 가능 영역을 나타낸다. 베이스전류가 영일 때라도 아주 미약한 컬렉터전류가 흐른다는 사실에 유념하라. 커브 트레이서를 사용할 경우에는 일반적으로 이 전류가 대단히 작기 때문에 나타나지 않는다. 여기에서는 제일 아래 곡선을 과장하여 실제보다 크게 그렸다. 이 곡선을 트랜지스터의 **차단영역**(cutoff region)이라 하고, 이러한 미소 컬렉터전류를 **컬렉터 차단전류**(*collector cutoff current*)라 부른다.

컬렉터 차단전류는 왜 존재하는가? 컬렉터 다이오드에 역방향 소수캐리어 전류와 표면 누설전류가 흐르기 때문이다. 잘 설계된 회로에서 컬렉터 차단전류는 무시할 정도로 매우 작다. 예를 들어 2N3904의 컬렉터 차단전류는 50 nA이다. 만약 실제 컬렉터전류를 1 mA라 하면, 50 nA의 컬렉터 차단전류를 무시해도 계산오차는 5% 미만이다.

요점 정리

트랜지스터는 **활성, 차단, 포화**, 그리고 **항복**의 네 개 동작 영역을 갖는다. 트랜지스터가 약한 신호 증폭용으로 사용될 때 트랜지스터는 활성영역에서 동작한다. 입력신호 변화에 따라 출력신호가 비례적으로 변화하므로 활성영역을 가끔 **선형영역**(*linear region*)

이라 부른다. 포화와 차단영역은 **스위칭회로**(switching circuits)라 불리는 디지털과 컴퓨터 회로에서 유용하게 사용된다.

예제 6-5

그림 6-11a의 트랜지스터는 $\beta_{dc} = 300$이다. I_B, I_C, V_{CE}와 P_D를 계산하여라.

그림 6-11 트랜지스터 회로
(a) 기본 도식 다이아그램; (b) 접지가 있는 회로; (c) 간략화된 도식 다이아그램

풀이   그림 6-11b는 그림 6-11a를 여러 개의 접지를 갖는 회로로 표현한 것이다. 베이스전류를 구하면

$$I_B = \frac{V_{BB} - V_{BE}}{R_B} = \frac{10\text{ V} - 0.7\text{ V}}{1\text{ M}\Omega} = 9.3\ \mu A$$

이고, 컬렉터전류는 다음과 같다.

$$I_C = \beta_{dc}I_B = (300)(9.3\ \mu A) = 2.79\text{ mA}$$

그리고 컬렉터-이미터 전압은

$$V_{CE} = V_{CC} - I_C R_C = 10\text{ V} - (2.79\text{ mA})(2\text{ k}\Omega) = 4.42\text{ V}$$

이고, 컬렉터 전력소모는 다음과 같다.

$$P_D = V_{CE}I_C = (4.42\text{ V})(2.79\text{ mA}) = 12.3\text{ mW}$$

참고로 그림 6-11b처럼 베이스와 컬렉터 전원전압이 같으면 그림 6-11c와 같이 회로를 더 간결하게 할 수 있다.

연습 문제 6-5 R_B를 680 kΩ으로 바꾸고, 예제 6-5를 반복하여라.

응용 예제 6-6   ‖‖‖ **Multisim**

그림 6-12는 MultiSim을 이용하여 컴퓨터 스크린 상에서 구성한 트랜지스터 회로이다. 2N4424의 전류이득을 구하여라.

그림 6-12   2N4424의 전류이득을 계산하기 위한 MultiSim회로

그림 6-12   계속

풀이   먼저 다음과 같이 베이스전류를 구한다.

$$I_B = \frac{10\,V - 0.7\,V}{330\,k\Omega} = 28.2\,\mu A$$

다음으로 컬렉터전류를 구하자. 멀티미터가 나타내는 컬렉터-이미터 전압은 5.45 V(세 자리에서 반올림)이므로 컬렉터저항 양단의 전압은

$$V = 10\,V - 5.45\,V = 4.55\,V$$

이다. 컬렉터전류는 컬렉터저항을 통해 흐르기 때문에 Ohm의 법칙으로 컬렉터전류를 구할 수 있다.

$$I_C = \frac{4.55\,V}{470\,\Omega} = 9.68\,mA$$

이제 전류이득을 계산할 수 있다.

$$\beta_{dc} = \frac{9.68\,mA}{28.2\,\mu A} = 343$$

2N4424는 높은 전류이득을 가진 트랜지스터 예이다. 소신호 트랜지스터에서 β_{dc}의 전형적인 범위는 100~300이다.

연습 문제 6-6   MultiSim을 이용하여 그림 6-12의 베이스저항을 560 kΩ으로 바꾸고, 2N4424의 전류이득을 계산하여라.

6-7 트랜지스터의 근사해석

그림 6-13a는 트랜지스터를 나타낸 것이다. 전압 V_{BE}는 이미터 다이오드 양단에 나타나고, 전압 V_{CE}는 컬렉터-이미터 단자에 나타난다. 이 트랜지스터의 등가회로는 어떤 모습일까?

이상적인 근사 해석

그림 6-13b는 트랜지스터의 이상적인 근사 해석이다. 이미터 다이오드를 이상적이라고 가정하면, $V_{BE} = 0$이다. 이렇게 가정하면 베이스전류는 빠르고 쉽게 계산 가능하다. 이러한 등가회로는 고장 점검 시 베이스전류의 대략적인 근사치가 필요할 때 사용한다.

그림 6-13b에서 보는 바와 같이 트랜지스터의 컬렉터 쪽은 컬렉터저항 통해 $\beta_{dc}I_B$의 컬렉터전류를 공급하는 전류원처럼 동작한다. 그러므로 베이스전류를 계산한 후 전류이득을 곱하면 컬렉터전류를 구할 수 있다.

제2근사해석

그림 6-13c는 트랜지스터의 제2근사 해석이다. 이것은 베이스 전원전압이 작을 때 해석을 상당히 개선할 수 있으므로 더욱 일반적으로 이용된다.

여기에서는 베이스전류를 계산할 때 다이오드의 제2근사 해석을 이용한다. 실리콘 트랜지스터인 경우 $V_{BE} = 0.7$ V(게르마늄 트랜지스터인 경우, $V_{BE} = 0.3$ V)를 사용한다. 제2근사 해석에서 베이스와 컬렉터전류는 이상적인 해석에 의한 값보다 약간 작아진다.

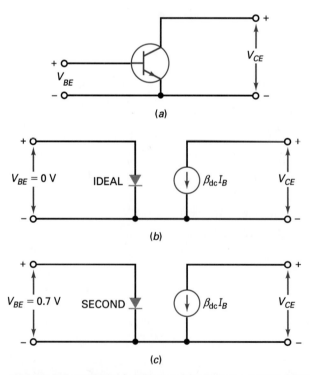

그림 6-13 트랜지스터의 근사해석 (a) 원래 소자; (b) 이상적인 근사해석; (c) 제2근사해석

고차 근사 해석

이미터 다이오드의 벌크저항은 전류가 많이 흐르는 고전력 응용에서는 중요하다. 이미터 다이오드의 벌크저항 영향으로 V_{BE}는 0.7 V 이상으로 증가한다. 예를 들면 어떤 고전력 회로에서 베이스-이미터 다이오드의 V_{BE}는 1 V 이상이 될 수도 있다.

마찬가지로 컬렉터 다이오드의 벌크저항도 어떤 회로 설계에 상당한 영향을 줄 수 있다. 이미터와 컬렉터의 벌크저항 외에도 트랜지스터는 오랜 시간 동안 지루하게 손으로 계산해야 되는 다른 고차적인 영향들도 많이 가지고 있다. 이 때문에 제2근사 해석보다 더 복잡한 계산은 컴퓨터 해석을 활용해야 한다.

예제 6-7

그림 6-14에서 컬렉터-이미터 전압은 얼마인가? 이상적인 트랜지스터라고 가정한다.

그림 6-14   예제

풀이   이상적인 이미터 다이오드는

$$V_{BE} = 0$$

이므로 R_B에 인가되는 전체전압은 15 V이다. Ohm의 법칙에 의해

$$I_B = \frac{15\,V}{470\,k\Omega} = 31.9\,\mu A$$

이다. 컬렉터전류는 전류이득과 베이스전류의 곱과 같다.

$$I_C = 100(31.9\,\mu A) = 3.19\,mA$$

다음으로 컬렉터-이미터 전압을 계산하자. 이 전압은 컬렉터 전원전압에서 컬렉터저항의 전압 강하를 뺀 것과 같다.

$$V_{CE} = 15\,V - (3.19\,mA)(3.6\,k\Omega) = 3.52\,V$$

그림 6-14와 같은 회로에서 이미터전류 값은 그다지 중요하지 않으므로 사람들은 대부분 계산을 하지 않는다. 그러나 예제이므로 이미터전류를 계산한다. 이미터전류는 컬렉터전류와 베이스전류의 합이다.

$$I_E = 3.19 \text{ mA} + 31.9 \text{ } \mu\text{A} = 3.22 \text{ mA}$$

이 값은 컬렉터 전류값에 매우 가깝고 또 계산하는 것이 귀찮기 때문에 대부분의 사람들은 이미터전류를 대략적으로 컬렉터 전류값과 같은 3.19 mA라 한다.

예제 6-8   IIIII **Multisim**

그림 6-14에서 제2근사 해석을 적용할 때, 컬렉터-이미터 전압은 얼마인가?

풀이 그림 6-14에서, 제2근사 해석을 이용하여 전류와 전압을 계산하는 방법은 다음과 같다. 이미터 다이오드 양단전압은

$$V_{BE} = 0.7 \text{ V}$$

이므로, R_B 양단의 전체전압은 15 V에서 0.7 V를 뺀 14.3 V이다. 베이스전류는

$$I_B = \frac{14.3 \text{ V}}{470 \text{ k}\Omega} = 30.4 \text{ } \mu\text{A}$$

이고, 컬렉터전류는 전류이득과 베이스전류의 곱과 같다.

$$I_C = 100(30.4 \text{ } \mu\text{A}) = 3.04 \text{ mA}$$

컬렉터-이미터 전압은 다음과 같다.

$$V_{CE} = 15 \text{ V} - (3.04 \text{ mA})(3.6 \text{ k}\Omega) = 4.06 \text{ V}$$

이 전압은 이상적인 해답보다 약 0.5 V(3.52 V 대 4.06 V) 개선된다. 이 0.5 V는 중요한가? 고장 점검, 설계, 기타 작업에 따라 그 중요성이 달라진다.

예제 6-9

V_{BE}의 측정값을 1 V라고 가정하자. 그림 6-14에서 컬렉터-이미터 전압은 얼마인가?

풀이 R_B 양단의 전체전압은 15 V에서 1 V를 뺀 14 V이다. Ohm의 법칙으로 베이스전류를 구하면

$$I_B = \frac{14 \text{ V}}{470 \text{ k}\Omega} = 29.8 \text{ } \mu\text{A}$$

이고, 컬렉터전류는 전류이득과 베이스전류의 곱과 같다.

$$I_C = 100(29.8 \text{ } \mu\text{A}) = 2.98 \text{ mA}$$

컬렉터-이미터 전압은 다음과 같다.

$$V_{CE} = 15 \text{ V} - (2.98 \text{ mA})(3.6 \text{ k}\Omega) = 4.27 \text{ V}$$

예제 6-10

만일 베이스 전원전압이 5 V이면 앞의 세 예제에서 컬렉터-이미터 전압은 얼마인가?

풀이   이상적인 다이오드를 사용하면

$$I_B = \frac{5 \text{ V}}{470 \text{ k}\Omega} = 10.6 \text{ }\mu\text{A}$$

$$I_C = 100(10.6 \text{ }\mu\text{A}) = 1.06 \text{ mA}$$

$$V_{CE} = 15 \text{ V} - (1.06 \text{ mA})(3.6 \text{ k}\Omega) = 11.2 \text{ V}$$

제2근사 해석을 사용하면

$$I_B = \frac{4.3 \text{ V}}{470 \text{ k}\Omega} = 9.15 \text{ }\mu\text{A}$$

$$I_C = 100(9.15 \text{ }\mu\text{A}) = 0.915 \text{ mA}$$

$$V_{CE} = 15 \text{ V} - (0.915 \text{ mA})(3.6 \text{ k}\Omega) = 11.7 \text{ V}$$

측정된 V_{BE}를 사용하면

$$I_B = \frac{4 \text{ V}}{470 \text{ k}\Omega} = 8.51 \text{ }\mu\text{A}$$

$$I_C = 100(8.51 \text{ }\mu\text{A}) = 0.851 \text{ mA}$$

$$V_{CE} = 15 \text{ V} - (0.851 \text{ mA})(3.6 \text{ k}\Omega) = 11.9 \text{ V}$$

이 예제를 통해 베이스전원 전압이 낮은 경우 세 가지 근사 해석법을 비교해 볼 수 있다. 해석 결과를 보면 모든 해답은 서로 1 V 범위 안에 있다. 이 결과는 어느 근사 해석을 이용하는 것이 좋은가를 결정하는 첫 번째 단서가 된다. 만약 이 회로를 고장 점검한다면, 아마도 이상적인 해석이 적당할 것이다. 그러나 만약 회로를 설계한다면 정확해야 하므로 컴퓨터 해석을 하고 싶을 것이다. 요점 정리 표 6-1은 트랜지스터의 이상적인 근사 해석과 제2근사 해석의 차이점을 설명한 것이다.

연습 문제 6-10   베이스 전원전압을 7 V로 하고, 예제 6-10을 반복하여라.

요점정리 표 6-1	트랜지스터 회로의 근사 해석	
	이상적	**제2**
Circuit		
언제	고장 점검 혹은 어림셈	더 정확한 계산이 필요할 때, 특히 V_{BB}가 작을 때.
$V_{BE} =$	0 V	0.7 V
$I_B =$	$\dfrac{V_{BB}}{R_B} = \dfrac{12 \text{ V}}{220 \text{ k}\Omega} = 54.5 \ \mu\text{A}$	$\dfrac{V_{BB} - 0.7 \text{ V}}{R_B} = \dfrac{12 \text{ V} - 0.7 \text{ V}}{220 \text{ k}\Omega} = 51.4 \ \mu\text{A}$
$I_C =$	$(I_B)(\beta_{dc}) = (54.5 \ \mu\text{A})(100) = 5.45 \text{ mA}$	$(I_B)(\beta_{dc}) = (51.4 \ \mu\text{A})(100) = 5.14 \text{ mA}$
$V_{CE} =$	$V_{CC} - I_C R_C$ $= 12 \text{ V} - (5.45 \text{ mA})(1 \text{ k}\Omega) = 6.55 \text{ V}$	$V_{CC} - I_C R_C$ $= 12 \text{ V} - (5.14 \text{ mA})(1 \text{ k}\Omega) = 6.86 \text{ V}$

6-8 자료표 읽기

소신호 트랜지스터(small-signal transistor)는 1 W 이하를 소모할 수 있고, **전력 트랜지스터**(power transistor)는 1 W 이상을 소모할 수 있다. 트랜지스터가 어느 형이든 자료표에서 최대정격들을 먼저 찾아야 한다. 왜냐하면 최대정격들은 트랜지스터의 전류, 전압과 다른 물리량들의 한계값이기 때문이다.

항복정격

그림 6-15의 자료표를 보면, 2N3904의 최대정격이 아래와 같이 주어져있다.

V_{CEO}	40 V
V_{CBO}	60 V
V_{EBO}	6 V

이 전압정격들은 역방향 항복전압이고, V_{CEO}는 베이스가 개방일 때, 컬렉터와 이미터 사이의 전압이다. 두 번째 정격 V_{CBO}는 이미터가 개방일 때, 컬렉터에서 베이스까지의 전압을 의미한다. 마찬가지로 V_{EBO}는 컬렉터가 개방일 때, 이미터에서 베이스까지의 최대 역

October 2011

2N3904 / MMBT3904 / PZT3904
NPN General Purpose Amplifier

Features

- This device is designed as a general purpose amplifier and switch.
- The useful dynamic range extends to 100 mA as a switch and to 100 MHz as an amplifier.

Absolute Maximum Ratings* T_a = 25°C unless otherwise noted

Symbol	Parameter	Value	Units
V_{CEO}	Collector-Emitter Voltage	40	V
V_{CBO}	Collector-Base Voltage	60	V
V_{EBO}	Emitter-Base Voltage	6.0	V
I_C	Collector Current - Continuous	200	mA
T_J, T_{stg}	Operating and Storage Junction Temperature Range	-55 to +150	°C

* These ratings are limiting values above which the serviceability of any semiconductor device may be impaired.

NOTES:

1) These ratings are based on a maximum junction temperature of 150 degrees C.

2) These are steady state limits. The factory should be consulted on applications involving pulsed or low duty cycle operations.

Thermal Characteristics T_a = 25°C unless otherwise noted

Symbol	Parameter	Max. 2N3904	Max. *MMBT3904	Max. **PZT3904	Units
P_D	Total Device Dissipation Derate above 25°C	625 5.0	350 2.8	1,000 8.0	mW mW/°C
$R_{\theta JC}$	Thermal Resistance, Junction to Case	83.3			°C/W
$R_{\theta JA}$	Thermal Resistance, Junction to Ambient	200	357	125	°C/W

* Device mounted on FR-4 PCB 1.6" X 1.6" X 0.06".

** Device mounted on FR-4 PCB 36 mm X 18 mm X 1.5 mm; mounting pad for the collector lead min. 6 cm^2.

그림 6-15　(a) 2N3904 자료표 (© Fairchild Semiconducto. 사용 허가됨)

Electrical Characteristics T_a = 25°C unless otherwise noted

Symbol	Parameter	Test Condition	Min.	Max.	Units
OFF CHARACTERISTICS					
$V_{(BR)CEO}$	Collector-Emitter Breakdown Voltage	I_C = 1.0mA, I_B = 0	40		V
$V_{(BR)CBO}$	Collector-Base Breakdown Voltage	I_C = 10∝A, I_E = 0	60		V
$V_{(BR)EBO}$	Emitter-Base Breakdown Voltage	I_E = 10∝A, I_C = 0	6.0		V
I_{BL}	Base Cutoff Current	V_{CE} = 30V, V_{EB} = 3V		50	nA
I_{CEX}	Collector Cutoff Current	V_{CE} = 30V, V_{EB} = 3V		50	nA
ON CHARACTERISTICS*					
h_{FE}	DC Current Gain	I_C = 0.1mA, V_{CE} = 1.0V	40		
		I_C = 1.0mA, V_{CE} = 1.0V	70		
		I_C = 10mA, V_{CE} = 1.0V	100	300	
		I_C = 50mA, V_{CE} = 1.0V	60		
		I_C = 100mA, V_{CE} = 1.0V	30		
$V_{CE(sat)}$	Collector-Emitter Saturation Voltage	I_C = 10mA, I_B = 1.0mA		0.2	V
		I_C = 50mA, I_B = 5.0mA		0.3	V
$V_{BE(sat)}$	Base-Emitter Saturation Voltage	I_C = 10mA, I_B = 1.0mA	0.65	0.85	V
		I_C = 50mA, I_B = 5.0mA		0.95	V
SMALL SIGNAL CHARACTERISTICS					
f_T	Current Gain - Bandwidth Product	I_C = 10mA, V_{CE} = 20V, f = 100MHz	300		MHz
C_{obo}	Output Capacitance	V_{CB} = 5.0V, I_E = 0, f = 1.0MHz		4.0	pF
C_{ibo}	Input Capacitance	V_{EB} = 0.5V, I_C = 0, f = 1.0MHz		8.0	pF
NF	Noise Figure	I_C = 100∝A, V_{CE} = 5.0V, R_S = 1.0kΩ, f = 10Hz to 15.7kHz		5.0	dB
SWITCHING CHARACTERISTICS					
t_d	Delay Time	V_{CC} = 3.0V, V_{BE} = 0.5V		35	ns
t_r	Rise Time	I_C = 10mA, I_{B1} = 1.0mA		35	ns
t_s	Storage Time	V_{CC} = 3.0V, I_C = 10mA,		200	ns
t_f	Fall Time	I_{B1} = I_{B2} = 1.0mA		50	ns

* Pulse Test: Pulse Width ≤ 300∝s, Duty Cycle ≤ 2.0%

Ordering Information

Part Number	Marking	Package	Packing Method	Pack Qty
2N3904BU	2N3904	TO-92	BULK	10000
2N3904TA	2N3904	TO-92	AMMO	2000
2N3904TAR	2N3904	TO-92	AMMO	2000
2N3904TF	2N3904	TO-92	TAPE REEL	2000
2N3904TFR	2N3904	TO-92	TAPE REEL	2000
MMBT3904	1A	SOT-23	TAPE REEL	3000
MMBT3904_D87Z	1A	SOT-23	TAPE REEL	10000
PZT3904	3904	SOT-223	TAPE REEL	2500

2N3904 / MMBT3904 / PZT3904 — NPN General Purpose Amplifier

그림 6-15 (b) (계속)

방향 전압이다. 일반적으로 안전 설계에서는 전압이 위의 최대정격에 결코 근접하지 않도록 한다. 최대정격에 가까워지면 소자의 수명이 단축될 수 있다는 것이 상기될 것이다.

최대 전류와 전력

자료표에는 다음의 값도 주어져 있다.

I_C　　　200 mA
P_D　　　625 mW

여기서 I_C는 최대 직류 컬렉터 전류정격이다. 이것은 2N3904가 규정된 전력정격 범위 내에서 직류전류를 200 mA까지 처리할 수 있다는 것을 의미한다. 그 다음 정격 P_D는 소자의 최대 전력정격이다. 이 전력정격은 트랜지스터를 냉각하는 방법에 따라 다르다. 만일 송풍기로 트랜지스터를 냉각하지 않고, 방열판(뒤에서 설명한다)도 없다면, 용기 온도 T_C는 주위 환경 온도 T_A보다 훨씬 더 높을 것이다. 2N3904와 같은 소신호 트랜지스터는 실제로 응용할 때, 송풍기로 냉각하지 않고 방열판도 없는 것이 대부분이다. 이 경우 2N3904는 주위 환경 온도 T_A가 25°C일 때 전력정격이 625 mW이다.

용기 온도 T_C는 트랜지스터의 패키지 혹은 외장 온도를 말한다. 대부분의 응용에서는 트랜지스터의 내부열 때문에 용기 온도가 상승하므로, 용기 온도는 대부분 25°C보다 더 높다.

주위 환경 온도가 25°C일 때 용기 온도를 25°C로 유지하는 유일한 방법은 송풍기 냉각 혹은 대형 방열판 사용이다. 송풍기 냉각이나 대형 방열판을 사용하면 트랜지스터의 용기 온도를 25°C까지 내릴 수 있다. 이 조건이면 전력정격은 1.5 W까지 증가될 수 있다.

경감인자

왜 경감인자가 중요한가? 5장에서 설명한 바와 같이, 경감인자는 소자의 전력정격을 얼마나 감소시켜야 하는가를 알려준다. 2N3904의 경감인자는 5 mW/°C이다. 이것이 의미하는 것은 25°C 이상이면 625 mW의 전력정격을 온도 1°C마다 5 mW씩 감소시킨다는 것이다.

방열판

트랜지스터의 전력정격을 증가시키는 하나의 방법은 내부열을 더 빨리 제거하는 것이다. 이 목적을 위해 **방열판**(heat sink)(금속 덩어리)을 사용한다. 트랜지스터 용기의 표면적을 크게 하면, 공기가 있는 주변으로 열을 더 쉽게 방출할 수 있다. 그림 6-16a는 방열판의 한 형태의 예를 나타낸다. 이러한 방열판을 트랜지스터 용기에 올려 놓으면 방열판 핀(fin)에 의해 표면적이 증가하여 열이 더 빨리 방출하게 된다.

그림 6-16b는 다른 방식의 방열판이다. 이것은 전력-탭 트랜지스터(power-tab transistor)의 외형이다. 금속 탭(metal tab)은 트랜지스터에서 열이 빠져나갈 수 있는 통로 구실을 한다. 이 금속 탭을 전자 장비의 섀시(chassis)에 밀착하여 고정시킬 수 있다. 섀시는 부피가 큰 방열판이므로, 열이 트랜지스터로부터 섀시로 쉽게 빠져 나갈 수 있다.

그림 6-16c와 같은 큰 전력 트랜지스터는 열을 가능한 쉽게 방출시킬 목적으로 ☛

(a)

METAL TAB

1　2　3
TO-220　　　1. BASE
　　　　　　2. COLLECTOR
　　　　　　3. EMITTER

(b)

TO-204AA (TO-3)
CASE 1-07

EMITTER

BASE　　COLLECTOR/CASE

(c)

그림 6-16　(a) 푸시 온(push-on) 방열판; (b) 전력 탭 트랜지스터; (c) 컬렉터를 용기에 연결한 전력 트랜지스터

컬렉터를 용기에 연결한다. 그리고 트랜지스터 용기를 섀시에 밀착하여 고정시킨다. 컬렉터와 섀시 접지가 전기적으로 연결되는 것을 막기 위해 트랜지스터 용기와 섀시 사이에 얇은 절연 와셔(washer)와 열 전도성 복합 물질을 사용한다. 여기서 중요한 것은 트랜지스터에서 가능한 빨리 열을 없애는 것이다. 이것은 동일한 대기 온도에서 트랜지스터의 전력정격이 더 커짐을 의미한다. 가끔 트랜지스터를 핀을 갖는 큰 방열판에 밀착하여 붙인다. 그러면 트랜지스터에서 열을 제거하는데 더욱 효율적이다. 그림 6-16c의 용기 외장도는 트랜지스터 아래쪽에서 올려봤을 때 (연결 단자가 당신을 향함) 베이스와 이미터 연결 단자를 나타내고 있다. 베이스와 이미터 단자가 케이스의 중앙에서 다소 떨어져 존재함을 유의하자.

비록 사용되는 방열판이 어떤 방식이든 간에 그 목적은 용기 온도를 더 낮게 하여 결과적으로 트랜지스터의 내부 혹은 접합 온도를 더 낮게 하는 것이다. 자료표를 보면 **열저항**(thermal resistance)이라는 다른 물리량이 있다. 이 정보를 이용하면 여러 종류의 방열판에 대한 용기 온도를 계산할 수 있다.

전류이득

h 파라미터(h parameter)라 불리는 다른 해석 시스템에서는 전류이득에 대한 기호를 β_{dc}보다 오히려 h_{FE}로 정의한다. 두 물리량은 같다.

$$\beta_{dc} = h_{FE} \tag{6-9}$$

자료표는 전류이득을 h_{FE} 기호로 표기하기 때문에 이 관계를 기억하고 있어야 한다.

2N3904의 자료표를 보면, 'On Characteristics' 부분에서 h_{FE}의 값이 다음과 같이 기재되어 있다.

I_C, mA	Min. h_{FE}	Max. h_{FE}
0.1	40	—
1	70	—
10	100	300
50	60	—
100	30	—

2N3904는 컬렉터전류가 10 mA 근처일 때 최상의 동작을 한다. 이 전류 수준에서 최소 전류이득은 100, 그리고 최대 전류이득은 300이다. 이것은 무엇을 의미하는가? 만일 컬렉터전류가 10 mA이고, 2N3904을 사용하는 회로를 대량 생산한다고 하면 어떤 트랜지스터의 전류이득이 100만큼 낮고, 어떤 트랜지스터의 전류이득은 300만큼 클 수 있다는 것을 의미한다. 그러나 대부분의 트랜지스터는 전류이득이 이 범위의 중간쯤 된다.

컬렉터전류가 10 mA보다 작거나 혹은 크면 최소 전류이득이 작아진다는 사실에 유념하자. 0.1 mA일 때 최소 전류이득은 40이고, 100 mA일 때 30이다. 최소값은 최악의 경우를 표현하기 때문에 자료표에서 10 mA가 아닌 전류는 최소 전류이득만을 나타내고 있다. 설계자는 일반적으로 최악의 경우를 설계한다. 즉 그들은 전류이득과 같은 트랜지스터 특성이 최악의 경우일 때, 회로가 어떻게 동작하는지를 알고자 한다.

예제 6-11

2N3904가 $V_{CE} = 10$ V와 $I_C = 20$ mA일 때, 전력소모를 구하여라. 주위 온도가 25°C 이면 이 전력소모 수준은 안전한가?

풀이 V_{CE}와 I_C를 곱하면

$$P_D = (10\text{ V})(20\text{ mA}) = 200\text{ mW}$$

이것은 안전한가? 주위 온도가 25°C이면, 트랜지스터의 전력정격은 625 mW이다. 이것은 트랜지스터가 전력정격의 범위 내에서 안전하다는 것을 의미한다.

알다시피 좋은 설계는 트랜지스터의 동작 수명을 길게 하기 위해 안전계수를 포함한다. 안전계수는 보통 2 혹은 그 이상이 일반적이다. 안전계수 2는 설계 시 625 mW의 반, 즉 312 mW까지 허용하는 것을 의미한다. 그러므로 전력 200 mW은 매우 안정적인 값이고, 주위 온도를 25°C에서 유지할 수 있다.

예제 6-12

예제 6-11에서 주위 온도가 100°C이면, 전력소모 수준은 얼마나 안전한가?

풀이 먼저 주어진 주위 온도가 기준 온도 25°C보다 몇 도 더 높은가를 계산한다.

$$100°C - 25°C = 75°C$$

때로는, 이것을 다음과 같이 표기한 것도 보았을 것이다.

$$\Delta T = 75°C$$

여기서 Δ는 "차이"를 의미하고, 이 식을 온도 차이가 75°C와 같다고 읽어라.

경감인자를 온도 차이에 곱하면

$$(5\text{ mW/°C})(75°C) = 375\text{ mW}$$

가 되고, 이것을 다시 쓰면

$$\Delta P = 375\text{ mW}$$

이다. 여기서 ΔP는 전력의 차이를 의미한다. 마지막으로 25°C에서의 전력정격에서 전력 차이를 빼면

$$P_{D(\text{max})} = 625\text{ mW} - 375\text{ mW} = 250\text{ mW}$$

이 된다. 이 값은 주위 온도 100℃일 때 트랜지스터의 전력정격이다.

이 설계는 어느 정도 안전한가? 최대정격 250 mW에 비해 전력은 200 mW이므로 트랜지스터는 정상적으로 동작한다. 그러나 안전계수 2를 얻지는 못했다. 만일 주위 온도가 더 올라가거나 또는 전력소모가 증가하면, 트랜지스터는 파괴점에 가까워져서 위험할 수 있다. 그러므로 설계자는 안전계수 2를 가질 수 있게 회로를 재설계하여야 한다. 트랜지스터의 전력소모가 250 mW의 절반, 즉 125 mW가 되게 회로값을 변경하여야 함을 의미한다.

연습 문제 6-12   안전계수 2를 사용할 때, 주위 온도가 75℃이면 예제 6-12의 2N3094 트랜지스터를 안전하게 사용할 수 있는가?

6-9 표면부착형 트랜지스터

일반적으로 표면부착형 트랜지스터는 단순 세 단자, 갈매기 날개 모양(gull-wing)의 패키지 안에 들어 있다. SOT-23 패키지는 작고 밀리와트 범위의 정격을 갖는 트랜지스터에 사용되고, SOT-233은 패키지가 크고 1 W 정도의 정격전력에 사용된다.

그림 6-17은 대표적인 SOT-23 패키지이다. 위에서 보면 반시계 방향으로 단자 번호를 붙이고 한 쪽에 따로 떨어져 있는 단자를 3번으로 한다. 바이폴라 트랜지스터의 단자에 번호를 할당하는 것은 표준화가 잘 되어 있다. 1은 베이스, 2는 이미터, 3은 컬렉터이다.

SOT-233 패키지는 1 W 정도에서 동작되는 트랜지스터에서 발생하는 열을 잘 방출할 수 있도록 설계되었다. 이 패키지는 SOT-23 패키지보다 표면적을 더 넓게 하여 열의 발산 능력을 향상시킨다. 열의 일부분은 위 표면으로 방출하고 대부분의 열은 소자와 그 밑에 있는 회로 기판과의 접촉면을 통해 방출된다. 그러나 특수 형태의 SOT-233 패키지는 주 단자의 반대쪽에서 뻗어 나온 별도의 컬렉터 탭이 있다. 그림 6-18의 밑면도를 보면 두 컬렉터 단자가 전기적으로 동일하다는 것을 알 수 있다.

표준 단자 할당 방식은 SOT-23과 SOT-223 패키지가 다르다. 한 모서리에 있는 세 개의 단자는 위에서 보았을 때 왼쪽에서 오른쪽으로 차례대로 번호가 붙여진다. 단자 1은 베이스, 2는 컬렉터(다른 모서리에 있는 큰 탭과 전기적으로 동일하다), 그리고 3은 이미터이다. 그림 6-15를 다시 보면 2N3904는 두 가지의 표면부착형 패키지로 생산되고 있다. MMBT3904는 최대 전력소모가 350 mW인 SOT-23 패키지이고 PZT3904 전력소모 정격이 1,000 mW인 SOT-233 패키지이다.

SOT-23 패키지는 너무 작아서 표준 부품 식별 코드가 패키지에 새겨져 있지 않다. 일반적으로 표준 식별 코드를 알 수 있는 유일한 방법은 회로기판 위에 인쇄된 부품 번호를 읽고 회로에 대한 부품 목록을 참고하는 것이다. SOT-223 패키지는 크기가 충

그림 6-17　SOT–23 패키지는 전력정격이 1 W 미만인 SM트랜지스터에 적합하다.

그림 6-18　SOT–233 패키지는 1 W 정도에서 동작되는 트랜지스터에서 발생하는 열을 잘 방출할 수 있도록 설계 되었다.

분하므로 식별코드를 그 위에 새겼지만 이 코드가 표준 트랜지스터 식별코드인 경우는 드물다. SOT-223 패키지 트랜지스터에 대해서 더 알고 싶은 경우, 크기가 작은 SOT-23 구성과 같은 절차를 거쳐야 한다.

　가끔 어떤 회로는 다수의 트랜지스터를 함께 수용하는 SOIC 패키지를 사용한다. SOIC 패키지는 IC와 오래된 관통접속(feed-through)회로 기술에 주로 사용되고 있는 조그마한 이중 인라인 패키지(dual-inline package)와 매우 유사하다. 그러나 SOIC의 단자는 표면부착 기술에서 요구하는 갈매기 날개형이다.

6-10 전류이득의 변화

트랜지스터의 전류이득 β_{dc}는 트랜지스터, 컬렉터전류, 온도의 세 가지 요소에 의해 결정된다. 예를 들어 트랜지스터를 같은 형의 다른 것으로 바꾸면 전류이득이 달라진다. 마찬가지로 컬렉터전류나 온도가 변화하면 전류이득도 변한다.

최악의 경우와 최선의 경우

구체적인 예로 2N3904의 경우 데이터시트에 온도가 25℃이고 컬렉터전류가 10 mA일 때, h_{FE}의 최소값은 100, 최대값은 300으로 적혀 있다. 2N3904로 수많은 회로를 제작하는 경우 트랜지스터에 따라 적게는 100(최악의 경우), 많게는 300(최선의 경우) 정도의 전류이득을 갖는다.

　그림 6-19는 최악의 경우(최소 h_{FE})에 대한 2N3904의 그래프로 나타내고 있다.

참고 사항

기호 h_{FE}는 트랜지스터의 공통 이미터 구조에서 순방향 전류 전달 비율(전류 증폭률)을 나타낸다. 기호 h_{FE}는 하이브리드(h)-파라미터 기호이다. h-파라미터 시스템은 오늘날 트랜지스터 파라미터를 규정하기 위해 가장 보편적으로 사용되는 시스템이다.

그림 6-19 전류이득의 변화

주위 온도가 25°C일 때의 전류이득을 나타내는 가운데 곡선을 살펴보자. 컬렉터전류가 10 mA일 때 2N3904의 최악의 경우 전류이득은 100이다(최선의 경우 10 mA와 25°C 에서 전류이득이 300인 2N3904도 있다).

전류와 온도의 영향

온도가 25°C일 때(가운데 곡선) 0.1 mA에서 전류이득은 50이다. 전류가 0.1 mA에서 10 mA로 증가함에 따라 h_{FE}는 최대 100까지 증가한다. 그 이후 200 mA에서 20 미만 으로 감소한다.

온도의 영향도 알아보자. 온도가 감소하면 전류이득이 감소한다(아래 곡선). 반면에 온도가 증가하면, h_{FE}는 거의 모든 범위의 전류에 걸쳐 증가하게 된다(위 곡선).

중요 개념

앞에서 살펴본 바와 같이 트랜지스터 교체, 컬렉터전류 변화, 온도 변화는 h_{FE} 또는 β_{dc} 에 큰 변동이 발생될 수 있다. 주어진 온도에서 트랜지스터가 교체될 때 3:1의 변화가 가능하다. 온도가 변화하면 추가적으로 3:1의 변화가 가능하다. 그리고 컬렉터전류가 변화하면 3:1 이상의 변화가 가능하다. 결과적으로 2N3904는 10 미만에서 300 이상 의 전류이득을 가질 수 있다. 이러한 이유로 대량 생산에서 정확한 값의 전류이득을 얻기 위한 설계는 항상 실패하게 된다.

6-11 부하선

트랜지스터가 증폭기 혹은 스위치로 동작하기 위해서는 먼저 트랜지스터의 직류 조건을 적절히 세워야 한다. 이는 적절히 트랜지스터를 바이어싱하면 나타낼 수 있다. 다양한 바이어싱 방법이 존재하고 각각의 방법은 장단점을 갖고 있다. 이 장에서 베이스 바이어스를 이용하여 시작해 보자.

베이스 바이어스

그림 6-20a의 회로는 **베이스전류**를 일정한 값으로 고정시키는 베이스 바이어스의 예이다. 예를 들어 $R_B = 1\ M\Omega$의 경우 베이스전류는 14.3 μA(제2근사 해석)이다. 트랜지스터가 교체되거나 온도가 변화하더라도 모든 동작 조건에서 베이스전류는 대략 14.3 μA의 고정된 값을 유지한다.

그림 6-20a에서 $\beta_{dc} = 100$이면 컬렉터전류는 대략 1.43 mA이며, 컬렉터-이미터 전압은

$$V_{CE} = V_{CC} - I_C R_C = 15\ V - (1.43\ mA)(3\ k\Omega) = 10.7\ V$$

이다. 따라서 그림 6-20a에서 정지점 또는 Q점은 다음과 같다.

$$I_C = 1.43\ mA\ \ 그리고\ \ V_{CE} = 10.7\ V$$

그래프적 해(Graphical Solution)

트랜지스터의 I_C와 V_{CE} 관계를 나타내는 **부하선**을 바탕으로 한 그래프적 해를 이용하여 Q점을 찾을 수도 있다. 그림 6-20a에서 컬렉터-이미터 전압은

$$V_{CE} = V_{CC} - I_C R_C$$

이다. I_C에 대해서 정리하면 다음과 같다.

$$I_C = \frac{V_{CC} - V_{CE}}{R_C} \tag{6-10}$$

이 식을 I_C와 V_{CE}에 대해 그래프화하면 직선을 얻게 된다. 이 직선은 I_C와 V_{CE}에 따른 부하의 영향을 나타내기 때문에 **부하선**(load line)이라 한다.

예를 들어 그림 6-20a의 값을 식 (6-10)에 대입하면, 다음과 같은 식을 얻을 수 있다.

$$I_C = \frac{15\ V - V_{CE}}{3\ k\Omega}$$

(a) *(b)*

그림 6-20 베이스 바이어스 (a) 회로; (b) 부하선

이 식은 선형 방정식이다. 즉 식의 그래프는 직선이다(주: **선형 방정식**은 일반형인 $y = mx + b$의 꼴로 나타내어질 수 있는 모든 식을 말한다). 앞의 식을 컬렉터 곡선 위에 그래프로 그리면 그림 6-20b를 얻을 수 있다.

부하선의 끝점들은 찾기 쉽다. 부하선의 식(앞의 식)에서 $V_{CE} = 0$이면

$$I_C = \frac{15\,\text{V}}{3\,\text{k}\Omega} = 5\,\text{mA}$$

이다. $I_C = 5$ mA, $V_{CE} = 0$은 그림 6-20b에서 부하선의 위쪽 끝에 그려진다.

$I_C = 0$일 때, 부하선의 식은

$$0 = \frac{15\,\text{V} - V_{CE}}{3\,\text{k}\Omega}$$

이 되므로

$$V_{CE} = 15\,\text{V}$$

이다. $I_C = 0$과 $V_{CE} = 15$ V에 대한 좌표는 그림 6-20b에서 부하선의 아래쪽 끝에 그려진다.

모든 동작점의 시각적 집약

부하선이 유용한 이유는 무엇일까? 회로의 모든 가능한 동작점을 포함하기 때문이다. 달리 말하면 베이스저항이 0에서 무한대까지 변화할 때 I_B를 변화시켜 I_C와 V_{CE}가 전 범위에 걸쳐 변화하게 된다. 가능한 모든 I_B 값에 대해 I_C와 V_{CE} 값을 점으로 찍어 그려주면 부하선을 얻을 수 있다. 따라서 부하선은 **트랜지스터의 동작 가능한 모든 동작점**의 시각적 집약이다.

포화점

베이스저항이 매우 작다면 컬렉터전류는 대단히 커지고, 컬렉터-이미터 전압은 거의 0에 가깝게 된다. 이 경우 트랜지스터는 **포화**된다. 이는 컬렉터전류가 허용 가능한 최대값까지 증가함을 의미한다.

포화점(saturation point)은 그림 6-20b에서 부하선과 컬렉터 곡선의 포화영역과 만나는 점이다. 포화 상태에서 컬렉터-이미터 전압이 매우 작기 때문에 포화점은 부하선의 거의 위쪽 끝에 놓인다. 이제부터 약간의 오차가 있더라도 포화점을 포화선의 위쪽 끝으로 근사화하겠다.

포화점은 회로에서 허용 가능한 최대 컬렉터전류를 의미한다. 예를 들어 그림 6-21a의 트랜지스터는 컬렉터전류가 약 5 mA일 때 포화된다. 이 전류에서 V_{CE}는 거의 0으로 감소한다.

그림 6-21b와 같이 컬렉터와 이미터 사이를 가상 단락시키면 포화점에서의 전류를 쉽게 구할 수 있다. 이때 V_{CE}는 0이 되므로 컬렉터 전원전압 15 V가 모두 3 kΩ 양단에 나타날 것이다. 따라서 컬렉터전류는

참고 사항

트랜지스터가 포화되면 베이스전류가 증가하더라도 컬렉터전류는 더 이상 증가하지 않는다.

그림 6-21 부하선의 끝을 찾는 방법 (a) 회로; (b) 컬렉터 포화전류 계산; (c) 컬렉터-이미터 차단 전압 계산

$$I_C = \frac{15\,V}{3\,k\Omega} = 5\ mA$$

가 된다. 이 '가상단락(mental short)' 방법은 어떠한 베이스-바이어스 회로에도 적용할 수 있다.

베이스-바이어스 회로에서 포화전류에 대한 식은 다음과 같다.

$$I_{C(sat)} = \frac{V_{CC}}{R_C} \tag{6-11}$$

이 식은 컬렉터전류의 최대값이 컬렉터 전원전압을 컬렉터저항으로 나눈 것과 같다는 것을 뜻한다. 이는 컬렉터저항에 옴의 법칙을 적용한 것에 불과하다. 그림 6-21b는 이 식을 시각적으로 상기시킨다.

참고 사항

트랜지스터의 컬렉터전류가 0일 때, 트랜지스터는 차단 상태이다.

차단점

차단점(cutoff point)은 그림 6-20b에서 부하선이 컬렉터 곡선의 차단영역과 교차하는 점이다. 차단영역에서 컬렉터전류는 매우 작기 때문에, 차단점은 부하선의 거의 아래쪽 끝에서 만난다. 이제부터 차단점을 부하선의 아래쪽 끝으로 근사화하겠다.

차단점은 회로에서 허용 가능한 최대 컬렉터-이미터 전압을 말한다. 그림 6-21a에서 허용 가능한 최대 V_{CE}는 컬렉터 전원전압인 약 15 V가 된다.

그림 6-21a의 트랜지스터를 컬렉터와 이미터 사이가 개방된 것으로 보면 간단하게 차단전압을 찾을 수 있다(그림 6-21 참조). 이 개방 조건에서 컬렉터저항에 흐르는 전류는 없으므로, 컬렉터 전원전압 15 V가 모두 컬렉터와 이미터 단자 사이에 나타날 것이다.

그러므로 컬렉터와 이미터 사이의 전압은 15 V가 된다. 즉

$$V_{CE(\text{cutoff})} = V_{CC} \tag{6-12}$$

예제 6-13

그림 6-22a에서 포화전류와 차단전압을 구하라.

풀이   컬렉터와 이미터 사이가 단락된 것으로 보면, 포화전류는 다음과 같다.

$$I_{C(\text{sat})} = \frac{30\,\text{V}}{3\,\text{k}\Omega} = 10\,\text{mA}$$

다음으로 컬렉터-이미터 단자가 개방된 것으로 보면, 차단전압은 다음과 같다.

$$V_{CE(\text{cutoff})} = 30\,\text{V}$$

그림 6-22   컬렉터저항이 같은 경우의 부하선 (a) 컬렉터 전원전압이 30 V일 때; (b) 컬렉터 전원전압이 9 V일 때; (c) 부하선은 같은 기울기를 갖는다.

(c)

그림 6-22 계속

예제 6-14

그림 6-22b의 경우 포화값과 차단값을 구하라. 이 예제와 앞의 예제에 대한 부하선을 그려라.

풀이 포화값은 컬렉터와 이미터를 단락된 것으로 생각하면

$$I_{C(\text{sat})} = \frac{9\text{ V}}{3\text{ k}\Omega} = 3\text{ mA}$$

이고, 차단값은 컬렉터와 이미터 사이가 개방된 것으로 생각하면 다음과 같다.

$$V_{CE(\text{cutoff})} = 9\text{ V}$$

그림 6-22c는 두 개의 부하선을 나타낸다. 컬렉터저항은 그대로 두고 컬렉터 전원전압을 바꾸면, 기울기는 같지만 포화값과 차단값이 다른 두 개의 부하선을 얻게 된다.

연습 문제 6-14 그림 6-22b에서 컬렉터저항이 2 kΩ이고 V_{CC}가 12 V인 경우, 포화전류와 차단전압을 구하라.

예제 6-15

그림 6-23a에서 포화전류와 차단전압을 구하라.

풀이 포화전류는

$$I_{C(\text{sat})} = \frac{15\text{ V}}{1\text{ k}\Omega} = 15\text{ mA}$$

이며, 차단전압은 다음과 같다.

$$V_{CE(\text{cutoff})} = 15\text{ V}$$

그림 6-23 컬렉터전압이 같을 때의 부하선 (a) 컬렉터저항이 1 kΩ인 경우; (b) 컬렉터저항이 3 kΩ인 경우; (c) R_C가 작을수록 기울기가 더 가파르다.

예제 6-16

그림 6-23b에서 포화값과 차단값을 계산하라. 그 다음 이 예제의 부하선과 앞 예제의 부하선을 비교하라.

풀이 계산식은 다음과 같다.

$$I_{C(\text{sat})} = \frac{15\,\text{V}}{3\,\text{k}\Omega} = 5\,\text{mA}$$

또한

$$V_{CE(\text{cutoff})} = 15\,\text{V}$$

그림 6-23c는 두 개의 부하선을 나타낸다. 컬렉터 전원전압은 그대로 두고 컬렉터저항을 바꾸면, 기울기는 다르지만 차단값은 같은 두 개의 부하선이 생긴다. 또한 컬렉터저항이 작아질수록 기울기가 더 커진다는(더 가파르게 또는 더 수직에 가깝게) 것에 주목하라. 이 현상은 부하선의 기울기가 컬렉터저항의 역과 같기 때문이다. 즉

$$\text{Slope} = \frac{1}{R_C}$$

연습 문제 6-16 그림 6-23b에서 컬렉터저항을 5 kΩ으로 바꾸면, 회로의 부하선에 어떤 일이 일어나는가?

6-12 동작점

모든 트랜지스터 회로는 부하선을 갖는다. 회로가 주어지면 포화전류와 차단전압을 구한다. 이 값들을 가로축과 세로축 상에 점으로 찍는다. 그 다음 이 두 점을 연결하는 직선을 그려주면 부하선이 얻어진다.

Q점 그리기

그림 6-24a는 베이스저항이 500 kΩ인 베이스-바이어스 회로를 나타낸다. 앞에 나왔던 과정에 따라 포화전류와 차단전압을 구한다. 우선 컬렉터-이미터 단자가 단락된 것으로 가상한다. 그러면 모든 컬렉터 전원전압이 컬렉터저항에 나타나게 되며, 이는 포화전류가 5 mA라는 것을 뜻한다. 두 번째로 컬렉터-이미터 단자가 개방된 것으로 가상하자. 그러면 전류가 흐르지 않으며 모든 전원전압이 컬렉터-이미터 단자에 나타나고, 이는 차단전압이 15 V임을 의미한다. 이 포화전류와 차단전압을 점으로 나타내면, 그림 6-24b와 같은 부하선을 그릴 수 있다.

　이제부터 이상적인 트랜지스터로 가정하여 간단하게 검토하자. 이는 모든 베이스전원 전압이 베이스저항에 나타남을 의미한다. 따라서 베이스전류는 다음과 같다.

$$I_B = \frac{15\ V}{500\ k\Omega} = 30\ \mu A$$

　전류이득을 알아야 다음 과정을 진행할 수 있으므로, 트랜지스터의 전류이득이 100이라고 가정하자. 그러면 컬렉터전류는

$$I_C = 100(30\ \mu A) = 3\ mA$$

이다. 3 kΩ에 흐르는 이 전류는 컬렉터저항 양단에 9 V의 전압을 만들어 준다. 컬렉터 전원전압에서 이 전압을 빼면 트랜지스터 양단전압을 얻을 수 있고 계산식은 다음과 같다.

$$V_{CE} = 15\ V - (3\ mA)(3\ k\Omega) = 6\ V$$

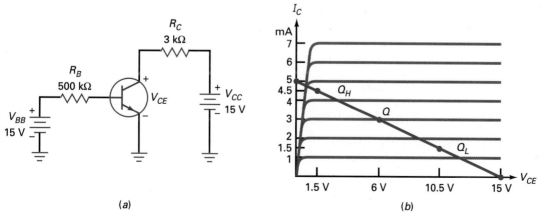

그림 6-24　Q점 구하기 (a) 회로; (b) 전류이득의 변화는 Q점을 이동시킨다.

3 mA와 6 V(컬렉터전류와 컬렉터전압)를 점으로 나타내면 그림 6-24*b*의 부하선상에 있는 동작점을 얻을 수 있다. 이 동작점은 흔히 **정지점**(quiescent point)이라고 불리기 때문에 *Q*라고 표기한다(*Quiescent*는 '조용한', '멈춘', '정지한' 등을 의미한다).

왜 *Q*점이 변하는가

앞에서 전류이득이 100이라고 가정했었다. 만약 전류이득이 50 또는 150이라면 어떤 일이 일어날까? 우선 전류이득이 베이스전류에 아무런 영향을 주지 않기 때문에 베이스전류는 변하지 않는다. 이상적인 경우 베이스전류는 30 μA로 고정된다. 전류이득이 50인 경우

$$I_C = 50(30 \ \mu A) = 1.5 \ mA$$

이며, 컬렉터-이미터 전압은

$$V_{CE} = 15 \ V - (1.5 \ mA)(3 \ k\Omega) = 10.5 \ V$$

이다. 이 값을 그래프에 표기하면 그림 6-24*b*와 같이 낮은 점 Q_L을 얻을 수 있다.

전류이득이 150인 경우

$$I_C = 150(30 \ \mu A) = 4.5 \ mA$$

이며, 컬렉터-이미터 전압은

$$V_{CE} = 15 \ V - (4.5 \ mA)(3 \ k\Omega) = 1.5 \ V$$

이다. 이 값을 그래프에 표기하면 그림 6-24*b*와 같이 높은 점 Q_H를 얻을 수 있다.

그림 6-24*b*에서 세 개의 *Q*점은 베이스-바이어스된 트랜지스터의 동작점이 β_{dc}의 변화에 대해서 얼마나 민감한지를 설명해준다. 전류이득이 50에서 150까지 변화할 때 컬렉터전류는 1.5 mA에서 4.5 mA까지 변한다. 만약 전류이득의 변화가 훨씬 더 커지면 동작점은 쉽게 포화영역이나 차단영역으로 이동될 수 있다. 이 경우 활성영역을 벗어난 영역에서 전류이득의 손실 때문에 증폭 회로는 쓸모없게 된다.

공식들

*Q*점을 계산하기 위한 공식은 다음과 같다.

$$I_B = \frac{V_{BB} - V_{BE}}{R_B} \tag{6-13}$$

$$I_C = \beta_{dc}I_B \tag{6-14}$$

$$V_{CE} = V_{CC} - I_C R_C \tag{6-15}$$

예제 6-17

그림 6-24a의 베이스저항이 1 MΩ으로 증가된다고 가정하자. β_{dc}가 100일 때, 컬렉터-이미터 전압은 어떻게 되는가?

풀이 이상적인 경우 베이스전류는 15 μA까지 감소하고, 컬렉터전류는 1.5 mA까지 감소하며, 컬렉터-이미터 전압은 다음과 같이 증가한다.

$$V_{CE} = 15 - (1.5 \text{ mA})(3 \text{ k}\Omega) = 10.5 \text{ V}$$

제2근사 해석의 경우, 베이스전류가 14.3 μA까지 감소하고, 컬렉터전류는 1.43 mA로 감소하며, 컬렉터-이미터 전압은 다음과 같이 증가할 것이다.

$$V_{CE} = 15 - (1.43 \text{ mA})(3 \text{ k}\Omega) = 10.7 \text{ V}$$

연습 문제 6-17 예제 6-17의 β_{dc} 값이 온도 변화로 인해 150으로 변했을 때, 새로운 V_{CE} 값을 구하라.

6-13 포화상태의 식별

트랜지스터 회로는 기본적으로 **증폭 회로**와 **스위칭회로** 두 가지 종류가 있다. 증폭 회로의 경우 Q점은 모든 동작 조건에서 반드시 활성영역에 있어야 한다. 그렇지 않을 경우, 출력신호는 포화나 차단 상태가 발생하는 피크에서 왜곡된다. 스위칭회로에서 Q점은 보통 포화 상태와 차단 상태를 스위칭 한다. 스위칭회로가 어떻게 동작하는지, 무슨 일을 하는지, 왜 사용되는지는 나중에 검토하기로 한다.

불가능한 답

그림 6-25a의 트랜지스터가 20 V보다 큰 항복전압(breakdown voltage)을 가진다고 가정하자. 그러면 트랜지스터가 항복영역(breakdown region)에서 동작하고 있지 않다는 것을 알 수 있다. 게다가 한 눈에 바이어스 전압 때문에 트랜지스터가 차단영역에서 동작하고 있지 않다는 것을 알 수 있다. 그러나 트랜지스터가 활성영역과 포화영역 중의 어느 영역으로 동작하고 있는지는 바로 명확히 알 수 없다. 이 회로는 이 영역들 중의 한 영역으로 동작하는 것은 틀림없다. 하지만 어느 영역에서 동작할까?

고장 점검자나 설계자들은 트랜지스터가 활성영역과 포화영역 중 어느 영역에서 동작하는지를 판별하기 위해 다음과 같은 방법을 사용한다. 판별 단계는 다음과 같다.

1. 트랜지스터가 활성영역에서 동작하고 있다고 가정한다.
2. 전류와 전압을 계산한다.
3. 계산 중에 불가능한 답이 나온다면, 가정은 잘못된 것이다.

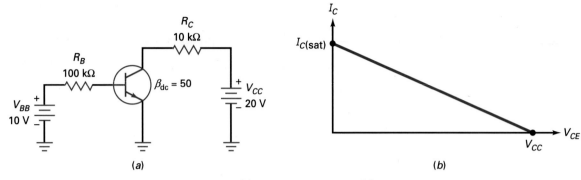

그림 6-25 (a) 베이스-바이어스 회로; (b) 부하선

불가능한 답은 트랜지스터가 포화되어 있음을 의미한다. 반대로 가정이 맞을 경우, 트랜지스터는 활성영역에서 동작하고 있다.

포화-전류법

예를 들어 그림 6-25a는 베이스-바이어스 회로를 나타낸다. 먼저 포화전류를 계산하면

$$I_{C(sat)} = \frac{20\text{ V}}{10\text{ k}\Omega} = 2\text{ mA}$$

이다. 이상적인 경우 베이스전류는 0.1 mA이다. 그림에서와 같이 전류이득이 50이라고 가정하면, 컬렉터전류는 다음과 같다.

$$I_C = 50(0.1\text{ mA}) = 5\text{ mA}$$

컬렉터전류는 포화전류보다 클 수 없기 때문에 이 결과는 불가능하다. 따라서 트랜지스터는 활성영역에서 동작할 수 없고, 포화영역에서 동작하고 있음이 틀림없다.

컬렉터-전압법

그림 6-25a에서 V_{CE}를 계산한다고 가정하자. 이번에는 다음과 같은 과정을 밟을 수 있다. 이상적인 경우 베이스전류는 0.1 mA이다. 그림에서와 같이 전류이득이 50이라고 가정하면, 컬렉터전류는

$$I_C = 50(0.1\text{ mA}) = 5\text{ mA}$$

이고, 컬렉터-이미터 전압은

$$V_{CE} = 20\text{ V} - (5\text{ mA})(10\text{ k}\Omega) = -30\text{ V}$$

이다. 컬렉터-이미터 전압은 부(−)의 값이 될 수 없기 때문에 이 결과는 불가능하다. 그러므로 트랜지스터는 활성영역에서 동작하고 있을 수 없다. 트랜지스터는 포화영역에서 동작하고 있는 것이 틀림없다.

포화영역에서 전류이득의 감소

전류이득이 주어질 때, 이는 보통 활성영역에서의 값이다. 예를 들어 그림 6-25a의 전류 이득이 50으로 주어져 있다. 이것은 트랜지스터가 활성영역에서 동작하고 있을 때, 컬렉터전류가 베이스전류의 50배임을 의미한다.

트랜지스터가 포화되면 전류이득은 활성영역에서의 전류이득보다 작아진다. 포화된 전류이득은 다음 식으로 구할 수 있다.

$$\beta_{dc(sat)} = \frac{I_{C(sat)}}{I_B}$$

그림 6-25a에서 포화된 전류이득은 다음과 같다.

$$\beta_{dc(sat)} = \frac{2 \text{ mA}}{0.1 \text{ mA}} = 20$$

과대 포화

트랜지스터가 어떤 조건하에서도 포화영역에서 동작하도록 하려면 전류이득이 10이 되는 베이스저항을 선택하면 된다. 이 경우 트랜지스터를 포화시키기에 충분한 베이스전류보다 더 큰 전류가 흐르기 때문에 **과대 포화**(hard saturation)라 한다. 예를 들어 그림 6-25a의 베이스저항이 50 kΩ인 경우 전류이득은 다음과 같다.

$$\beta_{dc} = \frac{2 \text{ mA}}{0.2 \text{ mA}} = 10$$

그림 6-25a의 트랜지스터를 포화시키기 위한 베이스전류는 단지

$$I_B = \frac{2 \text{ mA}}{50} = 0.04 \text{ mA}$$

이면 된다. 따라서 0.2 mA의 베이스전류는 트랜지스터를 더 크게 포화시킨다.

설계하는 사람들이 과대 포화를 사용하는 이유는 무엇일까? 컬렉터전류, 온도 변화, 트랜지스터 교체에 따라 전류이득이 변화한다는 것을 상기해 보자. 설계자는 트랜지스터가 작은 컬렉터전류, 낮은 온도 등에서 포화로부터 벗어나지 않도록 하기 위하여 모든 동작조건에서 포화가 보장되는 과대 포화 상태로 설계한다.

이제부터 **과대 포화**는 포화된 전류이득이 약 10이 되도록 설계하는 것으로 한다. **과소 포화**(soft saturation)는 트랜지스터가 거의 포화되도록 하는 설계, 즉 포화된 전류이득이 활성영역의 전류이득보다 조금 작게 설계하는 것을 말한다.

과대 포화의 신속한 식별

트랜지스터가 과대 포화 상태에 있는지를 신속하게 알아볼 수 있는 방법은 다음과 같다. 보통 베이스 전원전압과 컬렉터 전원전압은 같다. 즉 $V_{BB} = V_{CC}$인 경우 베이스저항이 컬렉터저항의 약 10배가 되도록 10 : 1 법칙을 사용하여 설계한다.

그림 6-26a는 10 : 1 법칙을 이용하여 설계되었다. 그러므로 R_B와 R_C 비율이 10 : 1인 회로는 포화되어 있다는 것을 예측할 수 있다.

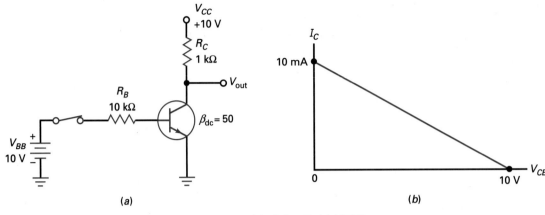

그림 6-26   (a) 과대 포화; (b) 부하선

예제 6-18

그림 6-25a의 베이스저항을 1 MΩ으로 증가시켰다. 트랜지스터가 여전히 포화되어 있는가?

풀이   트랜지스터가 활성영역에서 동작한다고 가정하고 모순이 있는지를 살펴보자. 이상적인 경우, 베이스전류는 10 V를 1 MΩ으로 나누어주면 10 μA가 되므로, 컬렉터전류는 10 μA의 50배인 0.5 mA가 된다. 이 전류로 인한 컬렉터저항 양단의 전압은 5 V이다. 20 V에서 5 V를 빼면

$$V_{CE} = 15 \text{ V}$$

를 얻을 수 있다. 여기에는 모순이 없다. 만약 트랜지스터가 포화되었다면 음수나 0 V 정도가 나왔을 것이다. 계산 결과가 15 V이므로 트랜지스터는 활성영역에서 동작하고 있다는 것을 알 수 있다.

예제 6-19

그림 6-25a의 컬렉터저항을 5 kΩ으로 감소시킨다면, 트랜지스터가 포화영역에 머물러 있는가?

풀이   트랜지스터가 활성영역에서 동작한다고 가정하고 모순이 있는지를 살펴보자. 예제 6-18에서와 같은 접근 방법을 이용할 수도 있으나, 다양성을 위해 두 번째 방법을 이용하기로 하자.

먼저 컬렉터전류의 포화값부터 계산하자. 컬렉터와 이미터 사이를 단락시키면 5 kΩ의 양단전압은 20 V가 된다. 따라서 컬렉터 포화전류는

$$I_{C(\text{sat})} = 4 \text{ mA}$$

가 된다. 이상적인 베이스전류는 10 V를 100 kΩ으로 나눈 0.1 mA이고, 컬렉터전류는 0.1 mA의 50배인 5 mA이다.

여기에는 모순이 있다. 트랜지스터는 I_C = 4 mA일 때 포화되므로 컬렉터전류는 4 mA를 초과할 수 없다. 따라서 트랜지스터는 여전히 포화되어 있다. 지금 변화시킬 수 있는 것은 전류이득뿐이다. 베이스전류는 그대로 0.1 mA이지만 전류이득은 다음과 같이 감소한다.

$$\beta_{dc(sat)} = \frac{4 \text{ mA}}{0.1 \text{ mA}} = 40$$

이것은 앞에서 검토했던 개념을 보완해준다. 트랜지스터는 두 가지의 전류이득을 갖는데, 하나는 활성영역에서의 값이며 나머지는 포화영역에서의 값이다. 포화영역의 전류이득은 활성영역의 전류이득보다 작거나 같다.

연습 문제 6-19 그림 6-25a의 컬렉터저항이 4.7 kΩ인 경우, 10 : 1 규칙을 적용하여 트랜지스터가 과대 포화되기 위한 베이스 저항값을 구하라.

6-14 트랜지스터 스위치

베이스 바이어스 회로는 일반적으로 포화영역과 차단영역에서 동작하도록 설계되므로 디지털 회로에 유용하다. 이 때문에 이 회로들은 낮은 출력전압이나 높은 출력전압을 갖는다. 다시 말해서 포화점과 차단점 사이에 있는 Q점은 사용되지 않는다. 이런 이유로 전류이득이 변할 때에도 트랜지스터는 포화영역이나 차단영역에 머무르게 되므로 Q점의 변이는 문제가 되지 않는다.

포화영역과 차단영역 사이를 스위칭하기 위해 사용하는 베이스-바이어스 회로의 예에 대해 살펴보자. 그림 6-26a는 과대 포화 상태에 있는 트랜지스터의 예를 나타낸다. 따라서 출력전압은 거의 0 V에 가깝다. 이것은 Q점이 부하선의 위쪽 끝에 위치한다는 것을 의미한다(그림 6-26b 참조).

스위치가 개방될 때, 베이스전류는 0으로 감소한다. 이 때문에 컬렉터전류도 0으로 감소한다. 1 kΩ에 전류가 흐르지 않으므로 모든 컬렉터 전원전압이 컬렉터-이미터 단자 양단에 나타난다. 따라서 출력전압은 +10 V로 상승한다. 이제 Q점은 부하선의 아래쪽 끝에 위치한다(그림 6-26b 참조).

회로는 오직 0 또는 +10 V의 두 가지 출력전압만을 가질 수 있다. 이것으로 디지털 회로를 인지할 수 있다. 디지털 회로는 '낮다' 또는 '높다'라는 두 종류의 출력을 가진다. 두 출력전압의 정확한 값은 중요하지 않다. 중요한 것은 전압이 낮은가 높은가를 판별할 수 있으면 된다.

디지털 회로는 Q점이 부하선의 두 점을 스위치하기 때문에 **스위칭회로**라고도 한다. 대부분의 설계에서 그 두 점은 포화점과 차단점이다. 또 다른 명칭으로 '낮은', '높은' 출력을 나타내는 **두 상태 회로**(two-state circuit)라고도 한다.

예제 6-20

그림 6-26a의 컬렉터 전원전압이 5 V로 감소되는 경우, 두 가지의 출력전압값은? 만일 포화전압 $V_{CE(sat)}$이 0.15 V이고 컬렉터 누설전류 I_{CEO}가 50 nA이면, 두 가지의 출력전압값은?

풀이 트랜지스터는 포화점과 차단점을 스위칭한다. 이상적인 경우, 두 가지의 출력전압은 0과 5 V이다. 첫 번째 전압은 포화된 트랜지스터 양단전압이고, 두 번째 전압은 차단된 트랜지스터 양단전압이다.

만일 포화전압과 컬렉터 누설전류의 영향을 고려하면 출력전압은 0.15 V와 5 V이다. 첫 번째 전압은 포화된 트랜지스터 양단전압으로 0.15 V이다. 두 번째 전압은 1 kΩ을 통해 흐르는 50 nA에 의해 생성된 컬렉터-이미터 전압으로

$$V_{CE} = 5 \text{ V} - (50 \text{ nA})(1 \text{ k}\Omega) = 4.99995 \text{ V}$$

가 되며, 반올림하면 5 V가 된다.

설계하는 경우가 아니면 스위칭회로의 계산에 포화전압과 누설전류를 포함시키는 것은 시간낭비이다. 스위칭회로에서 필요한 것은 하나는 낮고 다른 것은 높은 두 개의 구분이 확실한 전압이다. 낮은 전압이 0, 0.1, 0.15 V 등인지는 중요하지 않다. 마찬가지로 높은 전압이 5, 4.9, 4.5 V 등인지도 중요하지 않다. 스위칭회로의 해석에서 항상 문제가 되는 것은 높은 전압과 낮은 전압을 구분할 수 있는지의 여부이다.

연습 문제 6-20 그림 6-26a의 회로에서 컬렉터와 베이스 전원전압으로 12 V를 사용했다. 스위치된 두 출력전압의 값은? ($V_{CE(sat)} = 0.15$ V와 $I_{CEO} = 50$ nA)

6-15 고장 점검

그림 6-27은 여러 개의 접지가 있는 공통이미터 회로이다. 베이스전원 15 V가 470 kΩ의 저항을 통해 이미터 다이오드를 순방향 바이어스하고, 컬렉터전원 15 V는 1 kΩ의 저항을 통해 컬렉터 다이오드를 역방향 바이어스 한다. 이상적인 근사 해석으로 컬렉터-이미터 전압을 계산하면 다음과 같다.

$$I_B = \frac{15 \text{ V}}{470 \text{ k}\Omega} = 31.9 \ \mu\text{A}$$

$$I_C = 100(31.9 \ \mu\text{A}) = 3.19 \text{ mA}$$

$$V_{CE} = 15 \text{ V} - (3.19 \text{ mA})(1 \text{ k}\Omega) = 11.8 \text{ V}$$

그림 6-27 고장 점검하는 회로

일반적인 고장

만일 그림 6-27과 같은 회로를 고장 점검한다고 가정하면, 가장 먼저 해야 할 측정은 컬렉터-이미터 전압이다. 이 전위는 11.8 V 근처가 될 것이다. 더 정확한 답을 구하기 위해 제2 혹은 제3근사 해석을 적용하면 어떤가? 일반적으로 저항에서 최소 ±5%의 허용 오차가 있기 때문에 어떤 근사 해석을 적용하더라도 컬렉터-이미터 전압은 계산값과 차이가 있다.

실제의 고장은 대부분 단락이나 개방과 같은 큰 고장이다. 단락은 손상된 소자 혹은 저항 양단에 튀어 붙은 땜납(solder splashes) 때문에 생기고, 개방은 부품이 탈 때 생긴다. 이러한 고장은 전류와 전압에 큰 변화를 발생시킨다. 예를 들면 가장 흔한 고장으로 컬렉터에 전원전압이 공급되지 않는 경우가 있다. 이 고장은 전원 자체의 고장, 전원과 컬렉터저항 사이에서 단선, 컬렉터저항의 개방 등과 같이 여러 형태로 일어날 수 있다. 어느 경우라도 컬렉터에 전압이 공급되지 않기 때문에 그림 6-27에서 컬렉터전압은 거의 0이 된다.

그 외에 더 일어날 수 있는 고장은 베이스저항이 개방되는 경우다. 이렇게 되면 베이스전류는 0으로 떨어지고, 따라서 컬렉터전류도 0으로 떨어지며, 결과적으로 컬렉터-이미터 전압은 컬렉터 전원전압값 15 V까지 상승한다. 트랜지스터가 개방되어도 동일한 결과가 나타난다.

고장 점검자는 어떤 생각을 하는가?

요점은 이렇다: 대표적인 고장이 발생하면 트랜지스터의 전류와 전압이 크게 차이가 난다. 고장 점검자는 수십 분의 일볼트 정도 차이가 있는 전압은 거의 찾지 않고, 이상적인 값과 차이가 큰 전압만 찾는다. 고장 점검을 시작할 때 이상적인 트랜지스터를 적용하는 이유가 바로 이 때문이다. 더욱이 고장 점검자들이 컬렉터-이미터 전압을 구하기 위해 계산기를 사용하지 않는 이유도 여기에 있다.

만약 계산기를 사용하지 않으면 어떻게 하는가? 이들은 마음속으로 컬렉터-이미터 전압값을 추정한다. 경험이 많은 고장 점검자는 그림 6-27에서 다음과 같은 생각으로 컬렉터-이미터 전압을 추정한다.

베이스저항의 전압은 약 15 V이다. 베이스 저항이 1 MΩ이라면 베이스전류가 약 15 μA 흐른다. 470 kΩ은 1 MΩ의 반이므로, 베이스전류는 2배가 되어 약 30 μA가 된다. 전

요점정리 표 6-2		고장과 증상	
고장	V_B, V	V_C, V	설명
없음	0.7	12	고장 없음
R_{BS}	15	15	트랜지스터 손상
R_{BO}	0	15	베이스 혹은 컬렉터전류 없음
R_{CS}	0.7	15	
R_{CO}	0.7	0	
V_{BB} 없음	0	15	전원과 배선 검사
V_{CC} 없음	0.7	0	전원과 배선 검사

류이득이 100이므로 컬렉터전류는 약 3 mA가 된다. 이 전류가 1 kΩ 저항에 흐르면, 3 V의 전압 강하가 나타난다. 15 V에서 3 V를 빼면 컬렉터-이미터 단자에 12 V가 남는다. 그러므로 V_{CE}를 측정하면 12 V 근처가 될 것이고, 그렇지 않으면 이 회로는 고장이다.

고장도표

단락된 부품은 0 저항과 같고, 반면에 개방된 부품은 무한대의 저항과 같다. 예를 들어 베이스저항 R_B가 단락 혹은 개방되었을 때, 그 고장을 각각 R_{BS}와 R_{BO}로 표기한다. 마찬가지로 컬렉터저항이 단락 또는 개방되었을 때, R_{CS}와 R_{CO}로 표기한다.

요점정리 표 6-2은 그림 6-27와 같은 회로에서 생길 수 있는 몇 가지 고장을 나타낸 것이다. 전압은 제2근사 해석으로 계산하였다. 회로가 정상적으로 동작할 때, 컬렉터전압을 측정하면 약 12 V가 된다. 만일 베이스저항이 단락되었다면, 베이스에 +15 V가 나타난다. 이 높은 전압 때문에 이미터 다이오드는 파괴되고, 결과적으로 컬렉터 다이오드도 개방되어 컬렉터전압은 15 V까지 상승한다. 고장 R_{BS}와 관련 전압을 표 6-2에 나타내었다.

만약 베이스저항이 개방되면 베이스전압이 없거나 혹은 베이스전류가 흐르지 않는다. 더욱이 컬렉터전류가 영이 되고, 컬렉터전압은 15 V로 상승한다. 고장 R_{BO}와 이 고장에 따른 전압들을 요점정리 표 6-2에 나타내었다. 이와 같이 계속하면 표의 나머지 값도 구할 수 있다.

트랜지스터는 많은 고장이 발생될 수 있다. 트랜지스터에 두 개의 다이오드가 존재하므로 항복전압, 최대전류, 전력정격의 초과에 의해 하나 혹은 두 다이오드가 손상을 입게 된다. 이러한 고장은 단락, 개방, 높은 누설전류, β_{dc}의 감소 등이다.

회로 이외의 테스트

트랜지스터는 다이오드 테스트 범위에서 DMM을 사용하여 테스트된다. 그림 6-28 *npn* 트랜지스터가 두 개의 다이오드가 마주 보고 있는 구조와 유사함을 보여준다. 각 *pn*접합은 순방향 혹은 정방향 바이어스 되었는지를 테스트한다. 컬렉터와 이미터 사이에서

그림 6-28　*NPN* 트랜지스터

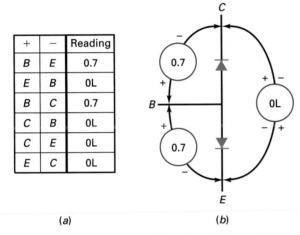

+	−	Reading
B	E	0.7
E	B	0L
B	C	0.7
C	B	0L
C	E	0L
E	C	0L

(a)　　　　　　　*(b)*

그림 6-29　*NPN* DMM 수치들 (a) 극성 연결; (b) *pn* 접합 수치들

DMM에 나타나는 극성에 의해 트랜지스터가 동작 범위에 있는지 없는지를 알 수 있다. 그림 6.29*a*에 보이는 것과 같이, 트랜지스터는 3개의 단자가 있고 총 6개의 DMM 극성 연결이 가능하다. 여기에서 단지 두 개의 극성 연결만이 거의 0.7 V를 나타낼 수 있음을 유의하라. 또한 그림 6-29*b*에 보여지는 것과 같이 0.7 V를 나타내는 경우에는 베이스 단자가 (+) 극성에 연결되어 있음도 유의하라.

　　pnp 트랜지스터의 경우에도 똑 같은 방식으로 테스트한다. 그림 6-30에 보여지는 것과 같이 *pnp* 트랜지스터도 두 개의 다이오드가 마주 보고 있는 구조를 갖는다. 다이오드 테스트 범위에서 DMM을 이용하여 그림 6-31*a*와 6-31*b*와 같이 일반 트랜지스터를 테스트한다.

　　많은 DMM은 β_{dc} 또는 h_{FE}를 테스트할 수 있는 특수 성능이 있다. 적절한 위치에 트랜지스터의 단자를 연결하면 순방향 전류이득을 구할 수 있다. 전류이득은 특별한 베이스전류, 컬렉터전류, V_{CE}를 구하는데 사용된다. 이러한 특별한 성능이 여러분의 DMM에 있는지 매뉴얼을 확인해보기 바란다.

　　트랜지스터를 평가하는 다른 방법은 ohmmeter를 사용하는 것이다. 먼저 컬렉터와 이미터 사이의 저항을 측정하면서 시작하자. 컬렉터와 이미터 다이오드가 마주보는

그림 6-30 *PNP* 트랜지스터

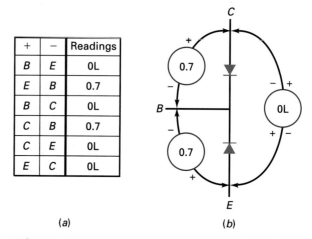

+	−	Readings
B	E	0L
E	B	0.7
B	C	0L
C	B	0.7
C	E	0L
E	C	0L

(a)   (b)

그림 6-31 *PNP* DMM 수치들 (a) 극성 연결; (b) *pn* 접합 수치들

형태로 직렬로 연결되어 있어 두 방향에서 측정한 저항값은 매우 클 것이다. 가장 일반적인 문제점 중 하나는 컬렉터와 이미터 단락으로 전력정격이 초과되는 것이다. 저항값이 영에서 수천 옴이면 트랜지스터는 단락되었고 교체하여야 한다.

만약 컬렉터-이미터 저항이 두 방향 모두에서 매우 큰 값(보통 $M\Omega$)이면 컬렉터 다이오드(컬렉터-베이스 단자)와 이미터 다이오드(베이스-이미터 단자)의 역방향과 순방향 저항을 측정하라. 두 다이오드에 대해 매우 큰 역방향/순방향 비, 전형적으로 1,000 : 1의 값을 갖게 된다. 그렇지 않다면 트랜지스터는 결함이 있는 것이다.

트랜지스터가 ohmmeter 테스트를 통과했을지라도 몇 가지 결함이 있을 수 있다. 무엇보다도 ohmmeter는 단지 직류 조건 하에서 각 트랜지스터 접합을 측정한다. 좀 더 세밀한 결함들, 예를 들면 너무 큰 누설전류, 낮은 β_{dc}, 불충분한 항복전압 같은 것을 찾기 위해서는 커브 트레이셔(curve tracer)를 사용하라. 그림 6-32는 커브 트레이셔를 사용하여 트랜지스터를 테스트하는 것을 보여준다. 상용화된 트랜지스터 측정기도 물론 가능하다. 측정기는 누설전류, 전류이득(β_{dc}), 다른 양들을 측정한다.

그림 6-32　트랜지스터 커브 트레이셔 테스트

요점 | Summary

6-1 바이어스되지 않은 트랜지스터

트랜지스터는 세 개의 도핑 영역 즉 이미터, 베이스, 컬렉터를 갖는다. 한 개의 pn접합이 베이스와 이미터 사이에 있고, 트랜지스터의 이 부분을 이미터 다이오드라 부른다. 또 다른 pn접합은 베이스와 컬렉터 사이에 있으며, 트랜지스터의 이 부분을 컬렉터 다이오드라 부른다.

6-2 바이어스된 트랜지스터

정상동작을 위해 이미터 다이오드는 순방향으로 바이어스하고, 컬렉터 다이오드는 역방향으로 바이어스한다. 이러한 조건에서 이미터는 자유전자를 베이스로 보낸다. 이 자유전자 중 대부분은 베이스를 지나 컬렉터로 간다. 그러므로 컬렉터전류는 이미터전류와 거의 같다. 베이스전류는 매우 작고, 일반적으로 이미터전류의 5% 미만이다.

6-3 트랜지스터의 전류

컬렉터전류와 베이스전류의 비율을 전류이득이라 부르며, 기호는 β_{dc} 혹은 h_{FE}이다. 저전력 트랜지스터인 경우 전류이득은 일반적으로 100에서 300이다. 이미터전류는 세 전류 중에서 가장 크고, 컬렉터전류는 이미터전류와 거의 크기가 같고, 베이스전류는 매우 작다.

6-4 CE 회로 연결

CE 회로에서 이미터는 접지 혹은 공통이다. 트랜지스터의 베이스-이미터 부분은 거의 일반 다이오드처럼 동작한다. 베이스-컬렉터 부분은 β_{dc}에 베이스전류를 곱한 것과 같은 크기를 가진 전류원처럼 동작한다. 트랜지스터는 활성영역, 포화영역, 차단영역과 항복영역을 갖는다. 활성영역은 선형 증폭기에 이용되고, 포화와 차단영역은 디지털 회로에 이용된다.

6-5 베이스 곡선

베이스-이미터 전압 대 베이스전류의 그래프는 일반 다이오드의 그래프와 비슷하다. 그러므로 베이스전류 계산에 세 가지 다이오드 근사 해석을 모두 적용할 수 있다. 대부분 이상적인 해석과 제2근사 해석을 이용한다.

6-6 컬렉터 곡선

트랜지스터의 동작영역은 활성영역, 포화영역, 차단영역과 항복영역으로 구분된다. 증폭기로 사용될 때, 트랜지스터는 활성영역에서 동작한다. 디지털 회로에서 사용될 때, 트랜지스터는 보통 포화와 차단영역에서 동작한다. 항복영역은 트랜지스터를 파괴할 위험이 너무 크기 때문에 피한다.

6-7 트랜지스터의 근사해석

대부분의 전자공학 작업에서 정확한 해답은 시간 낭비에 지나지 않는다. 근사해가 대부분의 응용에 적당하므로 사람들은 거의 근사해석을 이용한다. 이상적인 트랜지스터는 기본 고장 점검에 사용한다. 제3근사 해석은 정밀설계에서 필요하다. 제2근사 해석은 고장 점검과 설계를 절충한 것이다.

6-8 자료표 읽기

트랜지스터는 전압, 전류와 전력에 관한 최대정격이 있다. 소신호 트랜지스터는 1 W 이하를 소모할 수 있다. 전력 트랜지스터는 1 W 이상을 소모할 수 있다. 온도는 트랜지스터의 특성값을 변화시킬 수 있다. 최대전력은 온도가 증가하면 감소한다. 역시 전류이득도 온도에 따라 크게 변한다.

6-9 표면부착형 트랜지스터

표면부착형 트랜지스터(Surface-mount transistors: SMT)는 다양한 패키지가 존재한다. 갈매기 날개 모양을 한 단순한 세 단자의 패키지가 일반적이다. 어떤 SMT는 1 W 이상의 전력을 소모할 수 있는 패키지로 되어 있다. 또 다른 표면부착형 소자들은 다수의 트랜지스터가 연결된 것도 있다.

6-10 전류이득의 변화

트랜지스터의 전류이득은 예측할 수 없는 양이다. 제조 과정의 오차로 인해 하나의 트랜지스터를 동일한 형태의 다른 트랜지스터로 바꿀 때, 트랜지스터의 전류이득은 3 : 1 범위 이상으로 변할 수도 있다. 온도와 컬렉터 전류의 변화는 직류 전류이득의 추가적인 변화를 유발한다.

6-11 부하선

직류 부하선은 트랜지스터 회로의 가능한 모든 직류 동작점을 포함하고 있다. 부하선(load line)의 위쪽 끝을 포화점, 아래쪽 끝을 차단점이라 한다. 포화전류를 구하는 핵심적인 과정은 컬렉터와 이미터 사이를 가상적으로 단락시키는 것이다. 차단전압을 구하는 핵심적인 과정은 컬렉터와 이미터 사이를 가상적으로 개방시키는 것이다.

6-12 동작점

트랜지스터의 동작점(Operating Point)은 직류 부하선 상에 위치한다. 이 점의 정확한 위치는 직류 컬렉터전류와 직류 컬렉터-이미터 전압에 의해 결정된다. 베이스 바이어스의 경우 Q점은 회로의 어떤 값이 변화할 때마다 변이를 갖는다.

6-13 포화상태의 식별

npn 트랜지스터가 활성영역에서 동작하고 있는 것으로 가정한다. 이 가정이 모순이면(컬렉터-이미터 전압이 음수든지, 컬렉터전류가 포화전류보다 크든지), 이때 트랜지스터는 포화영역에서 동작하고 있음을 알아야 한다. 포화 상태를 식별하기 위한 또 다른 방법은 베이스저항을 컬렉터저항과 비교해보는 것이다. 이 비율이 약 10 : 10이면 트랜지스터는 아마 포화되어 있다.

6-14 트랜지스터 스위치

베이스 바이어스는 트랜지스터를 스위치로 이용하려 할 때 사용한다. 스위칭 동작은 차단점과 포화점 사이에서 일어난다. 이런 형태의 동작은 디지털 회로에 유익하다. 스위칭회로의 또 다른 명칭은 두 상태 회로(two-state circuits)이다.

6-15 고장 점검

트랜지스터를 테스트하기 위해 DMM 또는 ohmmeter를 사용하라. 이러한 테스팅은 회로로부터 분리된 트랜지스터를 사용할 경우 최대의 결과를 얻는다. 트랜지스터가 전원이 연결된 회로에 존재할 때 전압들을 측정할 수 있으며 존재하는 고장을 찾을 수 있는 실마리가 된다.

정의식 | Definitions

(6-2) 직류 알파:

$$\alpha_{dc} = \frac{I_C}{I_E}$$

(6-3) 직류 베타(전류이득):

$$\beta_{dc} = \frac{I_C}{I_B}$$

유도식 | Derivations

(6-1) 이미터전류:

$$I_E = I_C + I_B$$

(6-5) 베이스전류:

$$I_B = \frac{I_C}{\beta_{dc}}$$

(6-4) 컬렉터전류:

$$I_C = \beta_{dc}I_B$$

(6-6) 베이스전류:

$$I_B = \frac{V_{BB} - V_{BE}}{R_B}$$

(6-7)　컬렉터-이미터 전압:

$$V_{CE} = V_{CC} - I_C R_C$$

(6-8)　CE 전력손실:

$$P_D = V_{CE} I_C$$

(6-9)　전류이득:

$$\beta_{dc} = h_{FE}$$

(6-10)　부하선 해석

$$I_C = \frac{V_{CC} - V_{CE}}{R_C}$$

(6-11)　포화전류 (베이스 바이어스)

$$I_{C(sat)} = \frac{V_{CC}}{R_C}$$

(6-12)　차단 전압 (베이스 바이어스)

$$V_{CE(cutoff)} = V_{CC}$$

(6-13)　베이스전류

$$I_B = \frac{V_{BB} - V_{BE}}{R_B}$$

(6-14)　전류이득

$$I_C = \beta_{dc} I_B$$

(6-15)　컬렉터-이미터 전압

$$V_{CE} = V_{CC} - I_C R_C$$

복습 문제 | Self-Test

1. 트랜지스터에는 *pn*접합이 몇 개 있는가?
　a. 1
　b. 2
　c. 3
　d. 4

2. *npn* 트랜지스터에서 이미터의 다수 캐리어는?
　a. 자유전자
　b. 정공
　c. 둘 다 아니다.
　d. 자유전자와 정공

3. 실리콘 공핍층의 전위장벽은?
　a. 0
　b. 0.3 V
　c. 0.7 V
　d. 1 V

4. 이미터 다이오드는 일반적으로 ____
   a. 순방향 바이어스이다.
   b. 역방향 바이어스이다.
   c. 도전하지 않는다.
   d. 항복영역에서 동작한다.

5. 트랜지스터가 정상동작을 하기 위해, 컬렉터 다이오드는 ____
   a. 순방향 바이어스이어야 한다.
   b. 역방향 바이어스이어야 한다.
   c. 도전하지 않아야 한다.
   d. 항복영역에서 동작하여야 한다.

6. *npn* 트랜지스터의 베이스는 얇고, ____
   a. 고농도로 도핑된다.
   b. 저농도로 도핑된다.
   c. 금속성이다.
   d. 5가 재료로 도핑된다.

7. *npn* 트랜지스터의 베이스에 있는 대부분의 전자들은 _____ 흐른다.
   a. 베이스 도선 밖으로
   b. 컬렉터로
   c. 이미터로
   d. 베이스전원으로

8. 트랜지스터의 베타는 ____의 비율이다.
   a. 컬렉터전류 대 이미터전류
   b. 컬렉터전류 대 베이스전류
   c. 베이스전류 대 컬렉터전류
   d. 이미터전류 대 컬렉터전류

9. 컬렉터 전원전압이 증가하면?
   a. 베이스전류가 증가한다.
   b. 컬렉터전류가 증가한다.
   c. 이미터전류가 증가한다.
   d. 위의 보기는 해당 없다.

10. 트랜지스터의 이미터 영역에 많은 자유전자가 있다는 사실은 이미터가 ____는 것을 의미한다.
   a. 저농도로 도핑되었다
   b. 고농도로 도핑되었다
   c. 도핑되지 않았다
   d. 위의 보기는 해당 없다

11. *pnp* 트랜지스터에서 이미터의 다수 캐리어는?
   a. 자유전자
   b. 정공
   c. 모두 아니다.
   d. 자유전자와 정공

12. 컬렉터전류에 대하여 가장 중요한 사실은?
   a. 밀리암페어로 측정된다.
   b. 베이스전류를 전류이득으로 나눈 값과 같다.
   c. 작은 양이다.
   d. 대략 이미터전류와 같다.

13. 전류이득이 100이고, 컬렉터전류가 10 mA이면 베이스전류는?
   a. 10 μA
   b. 100 μA
   c. 1 A
   d. 10 A

14. 베이스-이미터 전압은 일반적으로?
   a. 베이스 전원전압보다 작다.
   b. 베이스 전원전압과 같다.
   c. 베이스 전원전압보다 크다.
   d. 대답할 수 없다.

15. 컬렉터-이미터 전압은 일반적으로?
   a. 컬렉터 전원전압보다 작다.
   b. 컬렉터 전원전압과 같다.
   c. 컬렉터 전원전압보다 크다.
   d. 대답할 수 없다.

16. 트랜지스터에 의해 소모된 전력은 대략 컬렉터전류에 ____을 곱한 것과 같다.
   a. 베이스-이미터 전압
   b. 컬렉터-이미터 전압
   c. 베이스 전원전압
   d. 0.7 V

17. 트랜지스터는 한 개의 다이오드와 한 개의 ____처럼 동작한다.
   a. 전압원
   b. 전류원
   c. 저항
   d. 전원

18. 활성영역에서 컬렉터전류는 ____에 의해 많이 변하지 않는다.
   a. 베이스 전원전압
   b. 베이스전류
   c. 전류이득
   d. 컬렉터저항

19. 제2근사 해석에서 베이스-이미터 전압은?
   a. 0
   b. 0.3 V
   c. 0.7 V
   d. 1 V

20. 베이스저항이 개방되면 컬렉터전류는?
   a. 0
   b. 1 mA
   c. 2 mA
   d. 10 mA

21. 2N3904 트랜지스터의 전력손실을 PZT 3904 표면부착형 버전과 비교할 때, 2N3904는?
   a. 더 낮은 전력을 취급할 수 있다.
   b. 더 높은 전력을 취급할 수 있다.
   c. 같은 전력을 취급할 수 있다.
   d. 평가되지 않는다.

22. 트랜지스터의 전류이득은 컬렉터전류와 무엇과의 비율로 정의된다.
   a. 베이스전류
   b. 이미터전류
   c. 전원전류
   d. 컬렉터전류

23. 전류이득 대 컬렉터전류의 그래프에서 전류이득은 어떠한가?
   a. 일정하다.
   b. 약간 변화한다.
   c. 크게 변화한다.
   d. 컬렉터전류를 베이스전류로 나누어 준 것과 같다.

24. 컬렉터전류가 증가할 때, 전류이득은?
   a. 감소한다.
   b. 변화 없다.
   c. 증가한다.
   d. a, b, c 모두 해당한다.

25. 온도가 상승할 때, 전류이득은?

　a. 감소한다.

　b. 변화 없다.

　c. 증가한다.

　d. a, b, c 모두 가능하다.

26. 베이스저항을 증가시키면, 컬렉터전압은?

　a. 감소한다.

　b. 변화 없다.

　c. 증가한다.

　d. a, b, c 모두 해당한다.

27. 베이스저항이 매우 작을 때, 트랜지스터의 동작영역은?

　a. 차단영역

　b. 활성영역

　c. 포화영역

　d. 항복영역

28. 부하선 상에 서로 다른 세 개의 *Q*점이 있을 때, 위쪽의 *Q*점은 다음 중 어느 것을 나타내는가?

　a. 최소 전류이득

　b. 중간 전류이득

　c. 최대 전류이득

　d. 차단점

29. 트랜지스터가 부하선의 중앙에서 동작하고 있다면, 베이스저항의 감소는 *Q*점을 어떻게 이동시키는가?

　a. 아래로 이동

　b. 위로 이동

　c. 이동 없음

　d. 부하선을 벗어난다.

30. 베이스 전원전압을 제거시키면, 컬렉터-이미터 전압은?

　a. 0 V

　b. 6 V

　c. 10.5 V

　d. 컬렉터 전원전압과 같다.

31. 베이스저항이 0이면, 트랜지스터는?

　a. 포화된다.

　b. 차단된다.

　c. 파괴된다.

　d. a, b, c 중에 답이 없다.

32. 컬렉터전류가 1.5 mA이고 전류이득이 50일 때, 베이스전류는 얼마인가?

　a. 3 μA

　b. 30 μA

　c. 150 μA

　d. 3 mA

33. 베이스전류가 50 μA이고 전류이득이 100일 때, 컬렉터전류의 근사치는?

　a. 50 μA

　b. 500 μA

　c. 2 mA

　d. 5 mA

34. *Q*점이 부하선을 따라 이동할 때, 컬렉터전류가 어떻게 되는 경우 V_{CE}가 증가하는가?

　a. 감소할 때

　b. 변함 없을 때

　c. 증가할 때

　d. a, b, c 모두 해당없다.

35. 트랜지스터 스위치에서 베이스전류가 흐르지 않을 때, 트랜지스터의 출력전압은?

　a. 저(Low)

　b. 고(High)

　c. 변함 없다.

　d. 알 수 없다.

기본 문제 | Problems

6-3　트랜지스터의 전류

6-1 트랜지스터의 이미터전류가 10 mA이고, 컬렉터전류가 9.95 mA이다. 베이스전류는 얼마인가?

6-2 컬렉터전류가 10 mA이고, 베이스전류가 0.1 mA이다. 전류이득은 얼마인가?

6-3 트랜지스터의 전류이득이 150이고, 베이스전류가 30 μA이다. 컬렉터전류는 얼마인가?

6-4 컬렉터전류가 100 mA이고, 전류이득이 65이면, 이미터전류는 얼마인가?

6-5　베이스 곡선

6-5 |||| **Multisim** 그림 6-33에서 베이스전류는 얼마인가?

그림 6-33

6-6 |||| **Multisim** 그림 6-33에서 전류이득이 200에서 100으로 감소하면, 베이스전류는 얼마인가?

6-7 그림 6-33에서 470kΩ의 허용 오차가 ±5%이면, 최대 베이스전류는 얼마인가?

6-6 컬렉터 곡선

6-8 **▮▮▮ Multisim** 그림 6-33과 비슷한 트랜지스터 회로에서 컬렉터 전원전압이 20 V, 컬렉터저항이 1.5 kΩ 그리고 컬렉터 전류가 6 mA일 때, 컬렉터-이미터 전압은 얼마인가?

6-9 트랜지스터의 컬렉터전류가 100 mA, 컬렉터-이미터 전압이 3.5 V이면 전력손실은 얼마인가?

6-7 트랜지스터의 근사해석

6-10 그림 6-33에서 컬렉터-이미터 전압과 트랜지스터의 전력소모는 얼마인가? (이상적인 경우와 제2근사 해석으로 계산하여라).

6-11 그림 6-34*a*는 트랜지스터 회로를 간편한 방법으로 그린 것이다. 이 회로는 이미 앞에서 설명한 회로와 같은 동작을 한다. 컬렉터-이미터 전압은 얼마인가? 트랜지스터의 전력손실은? (이상적인 경우와 제2근사 해석으로 계산하여라.)

6-12 베이스와 컬렉터 전원전압이 같을 때, 트랜지스터는 그림 6-34*b*처럼 그릴 수 있다. 이 회로에서 컬렉터-이미터 전압은 얼마인가? 트랜지스터의 전력은? (이상적인 경우와 제2근사 해석으로 계산하여라.)

(a)

(b)

그림 6-34

6-8 자료표 읽기

6-13 2N3904의 저장 온도 범위는 얼마인가?

6-14 2N3903의 컬렉터전류가 1 mA이고, 컬렉터-이미터 전압이 1 V일 때 최소 h_{FE}는 얼마인가?

6-15 트랜지스터의 전력정격이 1 W이다. 만일 컬렉터-이미터 전압이 10 V이고, 컬렉터전류가 120 mA이면, 트랜지스터에 어떤 일이 일어나는가?

6-16 방열판이 없을 때, 2N3904의 전력손실이 150 mW이다. 만일 주위 온도가 65°C이면, 전력정격은 얼마인가?

6-10 전류이득의 변화

6-17 그림 6-19에서 컬렉터전류가 100 mA이고 접합부 온도가 125°C일 때, 2N3904의 전류이득은 얼마인가?

6-18 그림 6-19에서 접합부 온도가 25°C이고 컬렉터전류가 1.0 mA일 때, 전류이득은 얼마인가?

6-11 부하선

6-19 그림 6-35*a*에 대한 부하선을 그려라. 포화점에서의 컬렉터 전류는 얼마인가? 또 차단점에서 컬렉터-이미터 전압은 얼마인가?

(a)

(b)

그림 6-35

6-20 그림 6-35*a*에서 컬렉터 전원전압을 25 V로 감소시키면, 부하선에 어떤 일이 일어나는가?

6-21 그림 6-35*a*에서 컬렉터저항을 4.7 kΩ으로 증가시키면, 부하선에 어떤 일이 일어나는가?

6-22 그림 6-35*a*의 베이스저항을 500 kΩ으로 감소시키면, 부하선에 어떤 일이 일어나는가?

6-23 그림 6-35*b*에 대한 부하선을 그려라. 포화점에서 컬렉터전류와 차단점에서 컬렉터-이미터 전압은 얼마인가?

6-24 그림 6-35*b*에서 컬렉터 전원전압을 2배로 하면, 부하선에 어떤 일이 일어나는가?

6-25 그림 6-35*b*에서 컬렉터저항을 1 kΩ으로 증가시키면, 부하선에 어떤 일이 일어나는가?

6-12 동작점

6-26 그림 6-35*a*에서 전류이득이 200인 경우, 컬렉터와 접지 사이의 전압은 얼마인가?

6-27 그림 6-35a에서 전류이득이 25에서 300까지 변화할 때, 컬렉터와 접지 사이의 최소전압과 최대전압은 얼마인가?

6-28 그림 6-35a에서 저항은 ±5%, 전원전압은 ±10%의 오차를 갖고 있다. 만일 전류이득이 50에서 150까지 변화할 수 있다면, 컬렉터와 접지 사이의 가능한 최소전압과 최대전압은 얼마인가?

6-29 그림 6-35b에서 전류이득이 150인 경우, 컬렉터와 접지 사이의 전압은 얼마인가?

6-30 그림 6-35b에서 전류이득이 100에서 300까지 변화할 때, 컬렉터와 접지 사이의 최소전압과 최대전압은 얼마인가?

6-31 그림 그림 6-35b에서 저항은 ±5%, 전원전압은 ±10%의 오차를 갖고 있다. 만일 전류이득이 50에서 150까지 변화할 수 있다면, 컬렉터와 접지 사이의 가능한 최소전압과 최대전압은 얼마인가?

6-13 포화 상태의 식별

6-32 그림 6-35a에서 회로값의 변화가 각각 다음과 같을 때, 트랜지스터의 포화 여부를 결정하라.

    a. R_B = 33 kΩ, h_{FE} = 100

    b. V_{BB} = 5 V, h_{FE} = 200

    c. R_C = 10 kΩ, h_{FE} = 50

    d. V_{CC} = 10 V, h_{FE} = 100

6-33 그림 6-35b에서 회로값의 변화가 각각 다음과 같을 때, 트랜지스터의 포화 여부를 결정하라.

    a. R_B = 51 kΩ, h_{FE} = 100

    b. V_{BB} = 10 V, h_{FE} = 500

    c. R_C = 10 kΩ, h_{FE} = 100

    d. V_{CC} = 10 V, h_{FE} = 100

6-14 트랜지스터 스위치

6-34 그림 6-35b에서 680 kΩ을 4.7 kΩ과 직렬 스위치로 대체시킨다. 이상적인 트랜지스터로 가정하였을 때, 스위치가 개방된 경우 컬렉터전압은 얼마인가? 또 스위치가 단락된 경우 컬렉터전압은 얼마인가?

6-15 고장 점검

6-35 ||||| **Multisim** 그림 6-33에서 다음과 같은 고장이 있을 때, 컬렉터-이미터 전압은 증가하는가, 감소하는가 아니면 변함이 없는가?

    a. 470 kΩ이 단락

    b. 470 kΩ이 개방

    c. 820 Ω이 단락

    d. 820 Ω이 개방

    e. 베이스 공급전압이 없다.

    f. 컬렉터 공급전원이 없다.

응용 문제 | Critical Thinking

6-36 전류이득이 200인 트랜지스터의 직류 알파는 얼마인가?

6-37 직류 알파가 0.994인 트랜지스터의 전류이득은 얼마인가?

6-38 V_{BB} = 5 V, V_{CC} = 15 V, h_{FE} = 120, I_C = 10 mA와 V_{CE} = 7.5 V를 만족하는 CE 회로를 설계하여라.

6-39 그림 6-33에서, V_{CE} =6.7 V가 되도록 하려면, 베이스저항 값을 얼마로 하여야 하는가?

6-40 2N3904는 실온(25℃)에서 전력정격이 350 mW이다. 컬렉터-이미터 전압이 10 V이면, 주위 온도 50℃에서 트랜지스터가 처리할 수 있는 최대전류는 얼마인가?

6-41 그림 6-33에서 LED를 820 Ω에 직렬로 연결한다고 가정할 때, LED 전류는 얼마인가?

6-42 컬렉터전류가 50 mA일 때 2N3904의 컬렉터-이미터 포화전압은 얼마인가? 자료표를 이용하여라.

Multisim 고장 점검 문제 | Multisim Troubleshooting Problems

멀티심 고장 점검 파일들은 Connect for Electronic Principles 저자 자료에 멀티심 고장 점검 회로(MTC)라는 폴더에서 찾을 수 있다. 좀 더 자세한 내용은 xiv페이지를 참조하라. 이 장을 관련된 파일은 MTC06-43~MTC06-47로 명칭되어 있고 모두 그림 6-33의 회로를 바탕 한다.

    각 파일을 열고 고장 점검을 실시한다. 결함이 있는지 결정하기 위해 측정을 실시하고, 결함이 있다면 회로의 결함이 무엇인지를 찾아라.

6-43 MTC06-43 파일을 열고 고장 점검을 실시하라.

6-44 MTC06-44 파일을 열고 고장 점검을 실시하라.

6-45 MTC06-45 파일을 열고 고장 점검을 실시하라.

6-46 MTC06-46 파일을 열고 고장 점검을 실시하라.

6-47 MTC06-47 파일을 열고 고장 점검을 실시하라.

디지털/아날로그 실습 시스템 | Digital/Analog Trainer System

문제 6-48～6-52에서는 *Connect for Electronic Principles* 저자 자료에서 찾을 수 있는 디지털/아날로그 트레이너 시스템의 도식 다이아그램을 소개한다. 모델 XK-700 트레이너에 대한 완벽한 지침 매뉴얼은 www.elenco.com 웹사이트에서 찾을 수 있다.

6-48 Q_3는 2N3904 *npn* 트랜지스터이다. 어떤 형태의 바이어스 구조가 이 회로에 사용되었는가?

6-49 2N3904에 인가되는 입력신호를 뭐라 부르는가? 2N3904의 출력은 어떤 것인가? 트랜지스터의 컬렉터에서 찾은 것은 무엇인가?

6-50 R_{10}에 인가된 전압이 +5 V일 때, 이 트랜지스터에 대한 제2근사 해석법을 이용하여 베이스 및 컬렉터전류 레벨을 구하라.

6-51 +5 V 직류가 R_{10}에 인가되었을 때, Q_3는 활성, 차단, 포화 영역중 어디 영역에서 동작되는가?

6-52 0 V 직류가 R_{10}에 인가되었을 때, Q_3의 컬렉터에 존재하는 근사 전압은 얼마인가?

직무 면접 문제 | Job Interview Questions

1. *n*과 *p* 영역으로 된 *npn* 트랜지스터를 그려보아라. 그리고 트랜지스터를 적당하게 바이어스하고, 그 동작을 설명하여라.

2. 일련의 컬렉터 곡선을 그리고, 이 곡선에서 트랜지스터의 네 동작영역은 각각 어디인가?

3. 활성영역에서 동작하는 트랜지스터를 나타내는 두 등가회로 (이상적 그리고 제2근사 해석)를 그려라. 그리고 트랜지스터의 전류와 전압을 계산하기 위해 이 회로를 언제, 어떻게 사용하는지 말하여라.

4. CE 접속 트랜지스터 회로를 그려라. 이 회로는 어떤 고장이 있을 수 있는가? 그리고 각 고장을 찾기 위해 어떤 것들을 측정해야 하는가?

5. *npn*과 *pnp* 트랜지스터의 구성도에서 볼 때 트랜지스터의 형을 어떻게 구별하는가? 전자(혹은 전류) 흐름의 방향을 말해 보아라.

6. 트랜지스터에서 V_{CE} 대 I_C의 일련의 컬렉터 곡선을 디스플레이 할 수 있는 검사 장비의 이름은 무엇인가?

7. 트랜지스터의 전력손실 공식을 알고 있는가? 이 관계를 알면, 부하선 상에서 전력손실이 최소가 되는 곳은 어디라고 생각하는가?

8. 트랜지스터에서 세 전류는? 그리고 이 전류 사이에는 어떤 관계가 있는가?

9. *npn*과 *pnp* 트랜지스터를 그려라. 모든 전류의 명칭을 기입하고, 전류 흐름의 방향을 표시하여라.

10. 트랜지스터는 공통이미터, 공통컬렉터, 그리고 공통베이스 중의 어느 한 방법으로 연결된다. 가장 일반적인 구성은 어느 것인가?

11. 베이스 바이어스된 회로를 그려라. 그 다음 컬렉터-이미터 전압의 계산 방법을 설명하라. 전류이득의 정밀한 값이 요구되는 경우, 이 회로가 대량 생산에 실패하리라는 이유는?

12. 또 다른 베이스 바이어스된 회로를 그려라. 이 회로에 대한 부하선을 그리고, 포화점과 차단점의 계산 방법을 설명하라. Q점의 위치에 따른 전류이득의 변화 효과를 검토하라.

13. 트랜지스터 회로 외부 시험 방법에 대하여 설명하라. 트랜지스터가 전원이 공급되는 회로에 꽂혀있는 동안 어떤 방법으로 시험할 수 있는가?

14. 온도는 전류이득에 어떤 영향을 미치는가?

복습 문제 해답 | Self-Test Answers

1.	b	**7.**	b	**13.**	b	**19.**	c
2.	a	**8.**	b	**14.**	a	**20.**	a
3.	c	**9.**	d	**15.**	a	**21.**	a
4.	a	**10.**	b	**16.**	b	**22.**	a
5.	b	**11.**	b	**17.**	b	**23.**	b
6.	b	**12.**	d	**18.**	d	**24.**	d

25.	d	**28.**	c	**31.**	c	**34.**	c
26.	c	**29.**	b	**32.**	b	**35.**	b
27.	c	**30.**	d	**33.**	d		

연습 문제 해답 | Practice Problem Answers

6-1 $\beta_{dc} = 200$

6-2 $I_C = 10$ mA

6-3 $I_B = 74.1\ \mu A$

6-4 $V_B = 0.7$ V;

$I_B = 33\ \mu A$;

$I_C = 6.6$ mA

6-5 $I_B = 13.7\ \mu A$;

$I_C = 4.11$ mA;

$V_{CE} = 1.78$ V;

$P_D = 7.32$ mW

6-6 $I_B = 16.6\ \mu A$;

$I_C = 5.89$ mA;

$\beta_{dc} = 355$

6-10 이상적: $I_B = 14.9\ \mu A$;

$I_C = 1.49$ mA;

$V_{CE} = 9.6$ V

제 2: $I_B = 13.4\ \mu A$;

$I_C = 1.34$ mA;

$V_{CE} = 10.2$ V

6-12 $P_{D(max)} = 375$ mW; 안전계수 2의 범위를 벗어난다.

6-14 $I_{C(sat)} = 6$ mA;

$V_{CE(cutoff)} = 12$ V

6-16 $I_{C(sat)} = 3$ mA; 기울기는 감소한다.

6-17 $V_{CE} = 8.25$ V

6-19 $R_B = 47$ kΩ

6-20 $V_{CE} = 11.999$ V와 0.15V

7

BJT 바이어싱

BJT Biasing

프로토타입(prototype)은 더 발전된 회로를 얻기 위해 수정 가능한 기본 회로 디자인이다. 베이스 바이어스는 스위칭 회로의 디자인에 사용되는 프로토타입이다. 이미터 바이어스는 증폭 회로의 디자인에 사용되는 프로토타입이다. 이 장에서는 이미터 바이어스와 이를 바탕으로 설계된 실제적인 회로에 집중할 것이다.

학습목표 | Objectives

이 단원을 공부하고 나면

- 이미터 바이어스 회로를 그리고 증폭 회로로 잘 동작하는 이유를 설명할 수 있어야 한다.
- 전압분배 바이어스 회로도를 그릴 수 있어야 한다.
- *npn* VDB 회로에 대한 분배기 전류, 베이스전압, 이미터전압, 이미터전류, 컬렉터전압 및 컬렉터-이미터전압을 계산할 수 있어야 한다.
- 주어진 VDB 회로에 대해 부하선을 그리는 방법과 Q점의 계산 방법을 알 수 있어야 한다.
- 설계 지침을 이용하여 VDB 회로를 설계할 수 있어야 한다.
- 양전원 이미터 바이어스 회로를 그리고 V_{RE}, I_E, V_C 및 V_{CE}를 계산할 수 있어야 한다.
- 여러 가지 다른 형태의 바이어스를 비교하고, 이들이 어떻게 잘 작동하는지를 설명할 수 있어야 한다.
- *pnp* VDB 회로의 Q점을 계산할 수 있어야 한다.
- 트랜지스터 바이어스 회로를 고장 점검할 수 있어야 한다.

주요용어 | Vocabulary

고질적 문제를 근절하다
　　(swamp out)
매우 안정 전압분배기
　　(stiff voltage divider)
보정계수(correction factor)
비교적 안정 전압분배기
　　(firm voltage divider)

양전원 이미터 바이어스(two-supply emitter bias: TSEB)
이미터 바이어스(emitter bias)
이미터귀환 바이어스
　　(emitter-feedback bias)
자기 바이어스(self-bias)

전압분배 바이어스
　　(voltage-divider bias: VDB)
증폭단(stage)
컬렉터귀환 바이어스
　　(collector-feedback bias)
포토트랜지스터(phototransistor)
프로토타입(prototype)

7-1 이미터 바이어스

디지털 회로는 컴퓨터에 이용되는 회로들의 형태이다. 이 분야에서 베이스 바이어스와 베이스 바이어스로부터 유도되는 회로가 유용하다. 그러나 증폭기가 되면 Q점이 전류이득의 변화에 영향을 받지 않는 회로가 필요하다.

그림 7-1는 **이미터 바이어스**를 나타낸다. 보다시피 저항이 베이스 회로로부터 이미터 회로로 이동되었다. 이 한 가지 변화가 모든 것을 다르게 바꾸어 놓는다. 이 새로운 회로의 Q점이 고정되면, 전류이득이 50에서 150까지 변할지라도, Q점은 부하선을 따라 거의 이동하지 않는다.

기본 개념

이제 베이스 전원전압은 베이스에 직접 인가된다. 그러므로 고장 점검원은 베이스와 접지 사이의 전압을 V_{BB}로 판독할 것이다. 이미터는 더 이상 접지되어 있지 않고 접지 위쪽에 위치하며, 이미터전압은 다음과 같다.

$$V_E = V_{BB} - V_{BE} \qquad\qquad (7\text{-}1)$$

만일 V_{BB}가 V_{BE}의 20배 이상이면, 이상적인 근사 해석은 정확해진다. 만일 V_{BB}가 V_{BE}의 20배가 안되면, 제2근사 해석을 이용하는 것이 좋다. 그렇지 않는다면 오차가 5%이상 있게 될 것이다.

Q점 찾기

그림 7-2의 이미터-바이어스 회로를 해석해 보자. 베이스 전원전압이 5 V 밖에 안되므로 제2근사 해석을 이용한다. 베이스와 접지 사이의 전압은 5 V이다. 이제부터 베이스-접지 전압을 베이스전압 V_B라 한다. 베이스-이미터 단자 사이의 전압은 0.7 V이다. 이 전압을 베이스-이미터전압, V_{BE}라 한다.

이미터와 접지 사이의 전압은 이미터전압이라 하며, 이 전압은 다음과 같다.

$$V_E = 5\,\text{V} - 0.7\,\text{V} = 4.3\,\text{V}$$

그림 7-1 이미터 바이어스

그림 7-2 Q점 찾기

이 전압은 이미터저항 양단전압이므로, 이미터전류를 구하기 위하여 옴의 법칙을 이용할 수 있다. 즉

$$I_E = \frac{4.3\ \text{V}}{2.2\ \text{k}\Omega} = 1.95\ \text{mA}$$

이것은 컬렉터전류가 1.95 mA에 매우 정밀 근사함을 의미한다. 이 컬렉터전류가 컬렉터저항을 통해 흐를 때 1.95 V의 전압 강하가 생긴다. 컬렉터 전원전압에서 이것을 빼면, 컬렉터와 접지 사이의 전압은 다음과 같다.

$$V_C = 15\ \text{V} - (1.95\ \text{mA})(1\ \text{k}\Omega) = 13.1\ \text{V}$$

이제부터 이 컬렉터-접지 전압을 **컬렉터전압**이라고 하자.

이 컬렉터전압은 고장 점검자가 트랜지스터 회로를 점검할 때 측정되는 전압이다. 전압계의 한 리드를 컬렉터에 연결하고, 다른 리드를 접지점에 연결시켜 측정한다. 만약 컬렉터-이미터 전압을 알고 싶다면, 다음과 같이 컬렉터전압에서 이미터전압을 빼주어야 한다.

$$V_{CE} = 13.1\ \text{V} - 4.3\ \text{V} = 8.8\ \text{V}$$

따라서 그림 7-2의 이미터-바이어스 회로는 좌표가 $I_C = 1.95$ mA, $V_{CE} = 8.8$ V인 Q점을 갖는다.

컬렉터-이미터 전압은 부하선을 그릴 때와 트랜지스터의 데이터시트(data sheet)를 읽을 때 이용되는 전압이다. 공식은 다음과 같다.

$$V_{CE} = V_C - V_E \tag{7-2}$$

전류이득의 변화에 무관한 회로

이미터 바이어스가 뛰어난 이유는 이미터 바이어스된 회로의 Q점이 전류이득의 변화에 영향을 받지 않는다는 것이다. 이에 대한 증명은 회로를 해석하는 과정에 나타난다. 앞에서 사용했던 과정은 다음과 같다.

1. 이미터전압을 구한다.

참고 사항

이미터 바이어스 회로에서 I_C와 V_{CE} 값은 베타값에 영향을 받지 않으므로, 이러한 형태의 회로를 '**베타 독립**(beta-independent)'이라고 한다.

2. 이미터전류를 계산한다.
3. 컬렉터전압을 구한다.
4. V_{CE}를 구하기 위하여 컬렉터전압에서 이미터전압을 빼준다.

앞의 과정에서 한 번도 전류이득을 사용할 필요가 없다. 이미터전류와 컬렉터전류 등을 구하기 위해 전류이득을 사용하지 않기 때문에, 전류이득의 정확한 값은 이제 중요하지 않다.

저항을 베이스에서 이미터 회로로 옮김으로써 베이스-접지 전압을 베이스 전원전압과 같게 만든다. 앞의 베이스 바이어스에서는 이 전원전압 거의 모두가 베이스저항 양단전압이 되어 **고정된 베이스전류**를 설정하였다. 이제는 모든 전원전압에서 0.7 V를 뺀 값이 이미터저항 양단전압이 되어 **고정된 이미터전류**를 설정한다.

전류이득의 미소한 영향

전류이득은 컬렉터전류에 미소한 영향을 미친다. 모든 동작조건에서 트랜지스터의 세 전류의 관계는 다음과 같다.

$$I_E = I_C + I_B$$

이를 다시 정리하면

$$I_E = I_C + \frac{I_C}{\beta_{dc}}$$

이 된다. 이를 컬렉터전류에 대해 다시 정리하면

$$I_C = \frac{\beta_{dc}}{\beta_{dc} + 1} I_E \tag{7-3}$$

가 된다. 이 식에서 우변의 I_E에 곱해진 양을 **보정계수**(correction factor)라 하며, 이 값으로 I_C와 I_E의 차를 알 수 있다. 전류이득이 100일 때, 보정계수는

$$\frac{\beta_{dc}}{\beta_{dc} + 1} = \frac{100}{100 + 1} = 0.99$$

로, 이는 컬렉터전류가 이미터전류의 99%라는 뜻이다. 그러므로 보정계수를 무시하거나 컬렉터전류가 이미터전류와 같다고 하더라도 오차는 단지 1%가 생긴다.

예제 7-1   ‖‖‖ Multisim

그림 7-3의 MultiSim에서 컬렉터와 접지 사이의 전압은 얼마인가? 컬렉터와 이미터 사이의 전압은 얼마인가?

풀이   베이스전압은 5 V이다. 이미터전압은 이보다 0.7 V가 적다. 즉

$$V_E = 5\,V - 0.7\,V = 4.3\,V$$

그림 7-3 계측기의 값

이 전압은 1 kΩ의 이미터저항 양단에 나타난다. 그러므로 이미터전류는 4.3 V 나누기 1 kΩ이 되어

$$I_E = \frac{4.3 \text{ V}}{1 \text{ k} \Omega} = 4.3 \text{ mA}$$

이 된다. 컬렉터전류도 거의 4.3 mA로 같다. 이 전류가 컬렉터저항(이제 2 kΩ)에 흐를 때, 컬렉터저항 양단전압은

$$I_C R_C = (4.3 \text{ mA})(2 \text{ k} \Omega) = 8.6 \text{ V}$$

가 된다. 컬렉터 전원전압에서 이 전압을 빼주면 컬렉터전압이 된다. 즉

$$V_C = 15 \text{ V} - 8.6 \text{ V} = 6.4 \text{ V}$$

이 전압값은 MultiSim 계측기로 측정된 값에 매우 가깝다. 이 전압은 컬렉터와 접지 사이의 전압이라는 것을 잊지 말아라. 이 전압이 고장 점검할 때 측정할 컬렉터전압이다.

　높은 입력저항과 플로팅 접지 리드를 가진 전압계가 없다면, 전압계를 컬렉터와 이미터 사이에 직접 접속하지 말아야 하는데 그 이유는 전압계가 이미터를 접지로 단

락시킬 수 있기 때문이다. 만일 V_{CE} 값을 알고 싶으면, 컬렉터와 접지 사이의 전압을 측정한 다음 이미터와 접지 사이의 전압을 측정하여 빼주면 된다. 이 경우는 다음과 같다.

$$V_{CE} = 6.4\,\text{V} - 4.3\,\text{V} = 2.1\,\text{V}$$

연습 문제 7-1 **IIII Multisim** 그림 7-3의 베이스 전원전압을 3 V로 감소시켜, 새로운 V_{CE}값을 예측하고 측정하라.

7-2 LED 구동기

베이스 바이어스 회로는 베이스전류를 일정하게 해주며, 반면에 이미터 바이어스 회로는 이미터전류를 일정하게 한다는 것은 이미 공부한 바 있다. 전류이득에 대한 문제 때문에 보통 베이스 바이어스 회로는 포화와 차단 상태 사이를 스위치하도록 설계되나, 이미터 바이어스 회로는 활성영역에서 동작하도록 설계된다.

이 절에서는 LED 구동기(LED driver)로 사용할 수 있는 두 가지 회로에 대해서 검토한다. 첫 번째 회로는 베이스 바이어스를, 두 번째 회로는 이미터 바이어스를 사용한다. 따라서 이 회로들이 똑같은 응용에서 어떻게 동작하는지를 알게 해 줄 것이다.

베이스 바이어스된 LED 구동기

그림 7-4a에서 베이스전류는 0으로, 이는 트랜지스터가 차단 상태에 있음을 의미한다. 그림 7-4a에서 스위치를 닫았을 때 트랜지스터는 과대 포화 상태로 돌입한다. 컬렉터와 이미터가 단락된 것으로 생각하면 컬렉터 전원전압(15 V)은 1.5 kΩ과 LED가 직렬 연결된 양단에 나타난다. 만일 LED 양단의 전압 강하를 무시하면 이상적인 컬렉터전류는 10 mA가 된다. 그러나 LED 양단의 전압 강하가 2 V라면 1.5 kΩ 양단전압은 13 V가 되며, 컬렉터전류는 13 V를 1.5 kΩ으로 나눈 8.67 mA가 된다.

이 회로는 잘못되어 있지 않다. 이 회로는 과대포화 상태로 설계되었기 때문에 전류이득이 문제되지 않아 훌륭한 LED 구동기를 형성한다. 만일 이 회로에서 LED 전류를 변화시키려면 컬렉터저항이나 컬렉터 전원전압을 변화시킨다. 스위치를 닫았을 때 과대 포화 상태가 되어야 하기 때문에 베이스저항은 컬렉터저항보다 10배 이상 되도록 해야 한다.

이미터 바이어스된 LED 구동기

그림 7-4b에서 이미터전류는 0으로, 이는 트랜지스터가 차단 상태임을 의미한다. 그림 7-4b에서 스위치를 닫았을 때 트랜지스터는 활성영역으로 동작한다. 이상적인 경우 이미터전압은 15 V, 이미터전류는 10 mA가 된다. 이때 LED 전압 강하는 영향을 미치지 않는다. LED 전압 강하가 정확하게 1.8 V, 2 V, 2.5 V인지는 문제가 되지 않는다. 이 점이 베이스 바이어스 설계보다 이미터 바이어스 설계가 유리한 점이다. 이 회로에

그림 7-4   (a) 베이스–바이어스; (b) 이미터–바이어스

서 LED 전류는 LED 전압에 무관하다. 또 다른 장점은 회로에 컬렉터저항이 필요치
않은 점이다.

그림 7-4b의 이미터 바이어스된 회로는 스위치를 닫았을 때 활성영역으로 동작
한다. LED 전류를 변화시키려면 베이스 전원전압이나 이미터저항을 바꾸면 된다. 예
를 들어 베이스 전원전압을 변화시키면 LED전류는 전압에 직접 비례하여 변화한다.

응용 예제 7-2

그림 7-4b에서 스위치를 닫았을 때, 약 25 mA의 LED 전류가 흐르도록 하려면 어떻게 해야 하는가?

풀이   한 가지 방법은 베이스 전원전압을 증가시켜, 1.5 kΩ의 이미터저항을 통해 25 mA의 전류가 흐르게 한다. 이미터전압은
Ohm의 법칙에 의해

$$V_E = (25 \text{ mA})(1.5 \text{ k}\Omega) = 37.5 \text{ V}$$

가 된다. 따라서 이상적인 경우는 V_{BB} = 37.5 V, 제2근사 해석인 경우는 V_{BB} = 38.2 V이다. 이 전압은 전형적인 전원공급 장치
로는 조금 높은 편이다. 그러나 이 정도의 큰 전원전압이 허용되는 특수한 응용에서는 사용할 수 있다.

15 V의 전원전압이 전자공학에서 일반적으로 사용하는 것이다. 그러므로 대부분의 응용에서 이미터저항을 감소시키는 것이 더 좋은 해결 방법이다. 이상적인 경우 이미터전압은 15 V이며, 이미터저항에 25 mA의 전류가 흐르게 하려면 Ohm의 법칙에 따라

$$R_E = \frac{15\ \text{V}}{25\ \text{mA}} = 600\ \Omega$$

이 되며, 5%의 오차 수준으로 가장 근접한 표준값은 620 Ω이다. 제2근사 해석을 사용하는 경우, 이미터저항은

$$R_E = \frac{14.3\ \text{V}}{25\ \text{mA}} = 572\ \Omega$$

이 되며, 가장 근접한 표준값은 560 Ω이다.

연습 문제 7-2   그림 7-4*b*에서 21 mA의 LED 전류가 흐르게 하기 위해 R_E 값을 얼마로 해야 하는가?

응용 예제 7-3

그림 7-5의 회로는 어떻게 동작하는가?

그림 7-5   베이스 바이어스된 LED 구동기

풀이   이 회로는 직류 전원 공급장치에서 퓨즈가 끊어지면 LED가 점등되는 퓨즈 단절 표시기이다. 퓨즈가 손상되지 않았을 때, 트랜지스터는 베이스-바이어스되고 포화된다. 이때 녹색 LED에 불이 켜져 있으면 모두 정상임을 알려준다. 점 A와 접지 사이의 전압은 대략 2 V이다. 이 전압으로는 붉은색 LED에 불을 켜기에 충분치 않다. 직렬로 연결된 두 개의 다이오드(D_1과 D_2)가 동작하려면 1.4 V의 전압 강하가 필요하기 때문에 붉은색 LED가 켜지지 않게 한다.

퓨즈가 끊어졌을 때, 트랜지스터는 차단 상태로 되어 녹색 LED는 꺼진다. 점 A의 전압은 전원전압으로 상승하게 된다. 이제 이 전압은 두 개의 직렬 다이오드와 퓨즈가 끊어졌음을 나타내는 붉은색 LED를 작동시키기에 충분해진다. 요점정리 표 7-1에 베이스 바이어스와 이미터 바이어스의 차이를 예시해 놓았다.

특성	고정된 베이스전류	고정된 이미터전류
$\beta_{dc} = 100$	$I_B = 9.15 \ \mu A$ $I_C = 915 \ \mu A$	$I_B = 21.5 \ \mu A$ $I_E = 2.15 \ mA$
$\beta_{dc} = 300$	$I_B = 9.15 \ \mu A$ $I_C = 2.74 \ mA$	$I_B = 7.17 \ \mu A$ $I_E = 2.15 \ mA$
사용 모드	차단영역과 포화영역	활성영역 또는 선형영역
응용	스위칭/디지털 회로	I_C 제어 구동기와 증폭기

표 상단 제목: **요점정리 표 7-1   베이스 바이어스: 이미터 바이어스**

회로

7-3 이미터 바이어스 회로 고장 점검

트랜지스터가 회로와 연결을 잃게 되면 DMM이나 Ohmmeter를 사용하여 트랜지스터를 테스트한다. 전원이 연결된 회로에 트랜지스터가 존재하면 전압을 측정하여라. 이러한 전압은 가능한 고장에 대한 충분한 실마리를 줄 것이다.

회로 내부 시험

가장 간단한 회로 내부 시험 방법은 접지점에 대한 트랜지스터 전압을 측정하는 것이다. 예를 들어 컬렉터전압 V_C와 이미터전압 V_E를 측정하는 것이 좋은 출발이다. 이들의 차 $V_C - V_E$는 1 V보다 크고 V_{CC}보다는 작아야 트랜지스터가 활성영역으로 동작한다. 만일 증폭 회로에서 이 값이 1 V보다 작으면 트랜지스터는 단락 상태일 수 있고, V_{CC}와 같으면 개방 상태일 수 있다.

앞의 테스트는 일반적으로 직류 고장에 한정된다. 또 V_{BE} 테스트는 다음과 같이 행한다. 즉 베이스전압 V_B와 이미터전압 V_E를 측정하면 이들의 차는 V_{BE}가 되며, 활성영역에서 소신호 동작하는 트랜지스터의 경우 이 값은 0.6~0.7 V이어야 한다. 전력 트랜지스터의 경우 V_{BE}는 이미터 다이오드의 벌크저항(bulk resistance) 때문에 1 V 또는 그 이상일 수 있다. 만일 V_{BE}가 0.6 V보다 작으면 이미터 다이오드는 순방향으로 바이어스되지 않는다. 이러한 고장은 트랜지스터나 바이어스 회로 소자에 존재할 수 있다.

어떤 사람들은 차단 테스트를 포함시키는데, 이는 다음과 같이 행한다. 즉 베이스-이미터 단자를 점퍼선으로 단락시켜라. 이 경우 이미터 다이오드에서 순방향 바이어스는 제거되고 트랜지스터는 차단 상태로 된다. 이때 컬렉터와 접지점 사이의 전압은 V_{CC}와 같아야 한다. 만약 같지 않으면 트랜지스터나 회로에 어떤 결함이 있는 것이다.

이 테스트를 할 때 조심해야 한다. 만일 또 다른 소자나 회로가 컬렉터 단자에 직접 연결되어 있다면, 컬렉터-접지 전압의 증가로 어떤 손상도 입히지 않아야 한다.

고장표

기본 전자공학에 의하면 단락된 소자는 등가적으로 저항이 0이고, 개방된 소자는 등가적으로 저항이 무한대이다. 예를 들어 이미터저항은 단락될 수도 있고 개방될 수도 있는데 이 상태의 저항을 각각 R_{ES}, R_{EO}라 하자. 마찬가지로 컬렉터저항도 단락될 수도 있고 개방될 수도 있는데, 이 상태의 저항을 각각 기호로 R_{CS}, R_{CO}라고 나타내자.

트랜지스터에 결함이 있으면 무엇이든 일어날 수 있다. 예를 들어, 하나 또는 두 개의 다이오드가 내부적으로 단락되거나 개방될 수 있다. 결함이 일어날 수 있는 몇 가지의 가능성을 다음과 같이 제한한다. 즉 컬렉터-이미터 단락(CES)은 베이스, 컬렉터, 이미터 세 단자가 모두 서로 단락됨을 나타내고, 컬렉터-이미터 개방(CEO)는 세 단자가 모두 개방됨을 나타낸다. 베이스-이미터 개방(BEO)은 베이스-이미터 다이오드가 개방됨을, 컬렉터-베이스 개방(CBO)은 컬렉터-베이스 다이오드가 개방됨을 의미한다.

표 7-2는 그림 7-6과 같은 회로에서 발생할 수 있는 몇 가지 고장을 나타낸다. 전압은 제2근사 해석으로 계산하였다. 회로가 정상적으로 동작하고 있을 때, 베이스전압은 2 V, 이미터전압은 1.3 V, 컬렉터전압은 약 10.3 V로 측정되어야 한다. 만일 이미터저항이 단락되면, 이미터 다이오드에 +2 V가 나타난다. 이 큰 전압은 트랜지스터를 파괴시켜 십중팔구 컬렉터-이미터 사이를 개방 상태로 만든다. 이 고장 R_{ES}와 전압을 표 7-2에 나타내었다.

만일 이미터저항이 개방되면 이미터전류가 흐르지 않는다. 따라서 컬렉터전류도 흐르지 않게 되며, 컬렉터전압은 15 V로 증가한다. 이 고장 R_{EO}와 전압을 표 7-2에 나타내었다. 이와 같이 계속하면 표의 나머지 부분을 채울 수 있다.

No V_{CC}란에 기입된 내용을 주목해 보자. 컬렉터 전원전압을 인가하지 않기 때문에 직관적으로 컬렉터전압이 0으로 보일지도 모른다. 그러나 그것은 컬렉터전압을 전압계로 측정한 것이 아니다. 컬렉터와 접지 사이에 전압계를 접속하면, 베이스 전원전압은 전압계와 직렬인 컬렉터 다이오드에 약간의 순방향 전류를 흐르게 한다. 베이스전압은 2 V로 고정되어 있기 때문에, 컬렉터전압은 이보다 0.7 V만큼 적다. 그러므로 전압계는 컬렉터와 접지 사이를 1.3 V로 나타낼 것이다. 다시 말해서 전압계는 컬렉터 다이오드와 직렬로 놓인 매우 큰 저항과 같아 보이기 때문에 전압계는 회로를 접지점으로 연결시킨다.

그림 7-6 회로 내부 시험

요점정리 표 7-2		고장과 증상			
고장	V_B, V	V_E, V	V_C, V	해설	
없음	2	1.3	10.3	고장 없음	
R_{ES}	2	0	15	트랜지스터 파괴(CEO)	
R_{EO}	2	1.3	15	베이스전류, 컬렉터전류 안 흐름	
R_{CS}	2	1.3	15		
R_{CO}	2	1.3	1.3		
No V_{BB}	0	0	15	전원전압, 리드 확인	
No V_{CC}	2	1.3	1.3	전원전압, 리드 확인	
CES	2	2	2	모든 트랜지스터 단자 단락	
CEO	2	0	15	모든 트랜지스터 단자 개방	
BEO	2	0	15	베이스-이미터 다이오드 개방	
CBO	2	1.3	15	컬렉터-베이스 다이오드 개방	

7-4 여러 가지 광전소자

앞에서 언급한 바와 같이, 베이스가 개방된 트랜지스터는 열생성된 소수캐리어와 표면 누설 성분으로 이루어진 미소한 컬렉터전류를 흐르게 한다. 컬렉터 접합부를 빛에 노출시킴으로써 포토다이오드보다 빛에 더 민감한 **포토트랜지스터**(photo transistor)를 만들 수 있다.

포토트랜지스터의 기본 개념

그림 7-7a는 베이스가 개방된 트랜지스터를 나타낸다. 앞에서도 언급한 바와 같이 미소한 컬렉터전류가 흐른다. 표면 누설 성분은 무시하고, 컬렉터 다이오드에서 열생성된 소수캐리어에 중점을 두자. 이 소수캐리어에 의한 역방향 전류는 이상적인 전류원으로서 이상적인 트랜지스터의 컬렉터-베이스 접합과 병렬로 연결된다고 가정하자(그림 7-7b).

베이스 단자가 개방되어 있기 때문에 역방향 전류 전부가 트랜지스터의 베이스로 유입되므로, 이에 따른 컬렉터전류는

$$I_{CEO} = \beta_{dc}I_R$$

이 된다. 여기서 I_R은 역방향 소수캐리어 전류이다. 따라서 컬렉터전류가 원래의 역방향 전류보다 β_{dc}배 크다고 말할 수 있다.

컬렉터 다이오드는 빛뿐만 아니라 열에 대해서도 민감하다. 포토트랜지스터에서 빛은 창(windows)을 통과해서 컬렉터-베이스 접합에 충돌한다. 빛이 증가하면 I_R이 증가하여 I_{CEO}도 증가한다.

그림 7-7 (a) 베이스가 개방된 트랜지스터; (b) 등가회로

포토트랜지스터와 포토다이오드

포토트랜지스터와 포토다이오드의 중요한 차이점은 전류이득 β_{dc}에 있다. 두 소자에 동일한 양의 빛이 충돌하면, 포토트랜지스터가 포토다이오드보다 β_{dc}배 더 많은 전류를 생성시킨다. 포토트랜지스터의 큰 장점은 포토다이오드보다 감도가 높다는 것이다.

그림 7-8a는 포토트랜지스터의 도식적인 기호이다. 포토트랜지스터를 동작시키기 위한 일반적인 방법은 그림과 같이 베이스를 개방시키는 것이다. 그림 7-8b와 같은 가변 베이스저항으로 감도를 조절할 수 있으나, 빛에 대한 감도를 최대로 하기 위하여 보통 베이스는 개방시켜 놓는다.

증가된 감도에 대한 대가는 속도가 감소하는 것이다. 포토트랜지스터는 포토다이오드보다 감도면에서는 우수하나, 스위칭(on/off) 속도는 늦다. 포토다이오드의 전형적인 출력전류는 mA, 스위칭 속도는 ns인데 반해, 포토트랜지스터의 전형적인 출력전류는 mA, 스위칭 속도는 ms이다. 전형적인 포토트랜지스터를 그림 7-8c에 나타내었다.

광결합기

그림 7-9a는 포토트랜지스터를 구동시키는 LED를 나타내며, 이는 앞에서 검토했던 LED-포토다이오드보다 훨씬 더 민감한 광결합기이다. 이 회로의 동작 개념은 간단하다. V_S의 변화는 LED 전류를 변화시켜 포트트랜지스터에 흐르는 전류를 변화시킨다. 이로 인해 컬렉터-이미터 양단전압이 변화하므로 신호전압은 입력 회로로부터 출력 회로로 결합된다.

다시 한 번 강조하면, 광결합기의 큰 장점은 입·출력 회로 사이의 전기적인 절연이다. 달리 말하면 입력 회로에 대한 공통점과 출력 회로에 대한 공통점이 다르기 때문에 두 회로 사이에는 어떠한 도전통로도 존재하지 않는다. 이는 회로의 한 쪽은 접지시키고 나머지 한 쪽은 접지시키지 않을 수 있음(float)을 의미한다. 예를 들어 입력 회로는 전자 장치의 섀시에 접지될 수 있는 반면 출력 회로의 공통점은 접지하지 않는다. 그림 7-9b는 전형적인 IC 광결합기를 나타낸다.

© Brian Moeskau/Brian Moeskau Photography

그림 7-8 포토트랜지스터 (a) 베이스 개방은 최대 감도를 보임; (b) 가변 베이스저항은 감도를 변화시킴; (c) 전형적인 포토트랜지스터

(a)

(b)

© Brian Moeskau/Brian Moeskau Photography

그림 7-9　(a) LED와 포토트랜지스터로 구성된 광결합기; (b) *IC* 광결합기

응용 예제 7-4

그림 7-10의 회로가 행하는 동작은?

　　그림 7-10*a*의 4N24 광결합기는 전력선(power line)에 대해 절연되어 있고, 선전압(line voltage)의 0(zero) 교차점을 검출한다. 그림 7-10*b*의 그래프는 컬렉터전류와 LED 전류와의 관계를 나타낸다. 광결합기로부터 피크 출력전압을 계산하는 방법은 다음과 같다.

　　브리지 정류기는 LED를 통해 전파 정류된 전류가 흐르게 한다. 다이오드 전압 강하를 무시하면, LED에 흐르는 피크 전류는

$$I_{\text{LED}} = \frac{1.414(115\ \text{V})}{16\ \text{k}\Omega} = 10.2\ \text{mA}$$

이며, 포토트랜지스터의 포화전류는 다음과 같다.

$$I_{C(\text{sat})} = \frac{20\ \text{V}}{10\ \text{k}\Omega} = 2\ \text{mA}$$

　　그림 7-10*b*는 세 개의 서로 다른 광결합기에 대한 포토트랜지스터 전류 대 LED 전류의 정특성 곡선(static curve)을 나타낸다. 4N24의 경우(맨 위쪽 곡선) 부하저항이 0일 때, 10.2 mA의 LED 전류는 약 15 mA의 컬렉터전류를 흐르게 한다. 그

(a)

그림 7-10　(a) 0–교차점 검출기; (b) 광결합기 특성 곡선; (c) 검출기의 출력

그림 7-10 계속

림 7-10*a*에서 포토트랜지스터는 2 mA에서 포화되므로 포토트랜지스터 전류는 결코 15 mA에 도달하지 못한다. 다시 말해서 LED 전류는 포토트랜지스터를 포화시키기에 충분하다. 피크 LED 전류는 10.2 mA이므로 포토트랜지스터는 입력주기의 대부분 동안 포화된다. 이때 출력전압은 그림 7-10*c*와 같이 거의 0이다.

0(zero) 교차점은 선전압이 (+)에서 (−) 또는 그 반대로 극성이 변화할 때 생긴다. 이 교차점에서 LED 전류는 0이 된다. 이 순간 포토트랜지스터는 개방 회로가 되며, 출력전압은 그림 7-10*c*에 나타낸 것처럼 거의 20 V로 증가한다. 그림에서 보는 것처럼 입력 주기의 대부분 동안 출력전압은 거의 0이다. 0 교차점에서 출력전압은 급속히 20 V로 증가하였다가 그 다음 기준선(출력전압이 0인 선)으로 감소한다.

그림 7-10*a*와 같은 회로는 인입선으로부터 절연시키기 위해 변압기를 필요로 하지 않기 때문에 유익하다. 더구나 이 회로는 임의의 회로를 선전압의 주파수에 동기시키고자 하는 응용에서 바람직한 0 교차점을 검출한다.

7-5 전압분배 바이어스

그림 7-11*a*는 가장 폭넓게 사용되는 바이어스 회로이다. 베이스 회로가 전압분배기(R_1과 R_2)를 포함하고 있음에 주목하라. 이 때문에 이 회로를 **전압분배 바이어스**(VDB)라 한다.

간단한 해석

고장 점검이나 예비 해석의 경우 다음 방법을 이용한다. 잘 설계된 VDB 회로에서 베이스전류는 전압분배기에 흐르는 전류보다 훨씬 적게 흐른다. 베이스전류는 전압분배기 전류보다 무시할 정도로 적으므로 전압분배기와 베이스 사이가 개방된 것으로 상상할 수 있으며 그림 7-11*b*의 등가회로를 얻을 수 있다. 이 회로에서 전압분배기의 출력전압은

$$V_{BB} = \frac{R_2}{R_1 + R_2} V_{CC}$$

참고 사항

$V_E \cong I_C R_E$이므로, 식 (7-9)는 다음과 같이 나타낼 수도 있다.

$V_{CE} = V_{CC} - I_C R_C - I_C R_E$

또는 $V_{CE} = V_{CC} - I_C(R_C + R_E)$

이다. 이상적인 경우 이 전압은 그림 7-11c에 나타낸 것처럼 베이스 전원전압이 된다.

전압분배 바이어스는 실제로 이미터 바이어스나 다름없다. 다시 말해서 그림 7-11c는 그림 7-11a에 대한 등가회로이다. 이런 이유로 VDB는 이미터전류를 일정하게 하여, Q점이 전류이득에 무관하게 일정하게 된다.

이와 같은 간략한 해석에서는 오차가 발생하며, 다음 절에서 이에 대한 검토를 하겠다. 중요한 점은 잘 설계된 회로에서 그림 7-11c와 같은 회로는 오차가 매우 적다는 것이다. 다시 말해서, 그림 7-11a를 설계할 때는 그림 7-11c처럼 동작하도록 회로값들을 신중히 선택한다.

결론

V_{BB}를 계산한 후, 나머지 해석은 앞의 이미터 바이어스에 대하여 검토하였던 것과 똑같다. VDB 해석에 이용할 수 있는 수식들을 요약하면 다음과 같다.

$$V_{BB} = \frac{R_2}{R_1 + R_2} V_{CC} \qquad (7\text{-}4)$$

$$V_E = V_{BB} - V_{BE} \qquad (7\text{-}5)$$

$$I_E = \frac{V_E}{R_E} \qquad (7\text{-}6)$$

$$I_C \approx I_E \qquad (7\text{-}7)$$

$$V_C = V_{CC} - I_C R_C \qquad (7\text{-}8)$$

$$V_{CE} = V_C - V_E \qquad (7\text{-}9)$$

앞의 식들은 옴의 법칙과 Kirchhoff의 법칙에 기초하고 있으며, 해석하는 단계는 다음과 같다.

1. 전압분배기에 의해 발생하는 베이스전압 V_{BB}를 계산한다.
2. 이미터전압을 구하기 위해 0.7 V(Ge의 경우는 0.3 V)를 빼준다.
3. 이미터전류를 구하기 위해 이미터전압을 이미터저항으로 나눈다.
4. 컬렉터전류는 대략 이미터전류와 같다고 가정한다.
5. 컬렉터 전원전압에서 컬렉터저항 양단전압을 빼줌으로써 컬렉터전압(V_C)을 계산한다.
6. 컬렉터전압에서 이미터전압을 빼줌으로써 컬렉터와 이미터 사이의 전압(V_{CE})을 계산한다.

이 여섯 단계는 논리적이어서 기억하기 쉬울 것이다. 몇 가지 VDB 회로를 해석해보고 나면 자연스럽게 이 과정을 수행할 수 있게 된다.

(a)

(b)

(c)

그림 7-11 전압분배 바이어스 (a) 회로;
(b) 전압분배기; (c) 간략한 회로

V_{CC}
+10 V

R_1
10 kΩ

R_C
3.6 kΩ

2N3904

R_2
2.2 kΩ

R_E
1 kΩ

그림 7-12 예제

예제 7-5 |||| **Multisim**

그림 7-12에서 컬렉터-이미터 전압을 구하라.

풀이 전압분배기의 무부하 출력전압(베이스 단자 개방시 R_2 양단전압)은

$$V_{BB} = \frac{2.2 \text{ k}\Omega}{10 \text{ k}\Omega + 2.2 \text{ k}\Omega} 10 \text{ V} = 1.8 \text{ V}$$

이다. 여기서 0.7 V를 빼면

$$V_E = 1.8 \text{ V} - 0.7 \text{ V} = 1.1 \text{ V}$$

이다. 이미터전류는

$$I_E = \frac{1.1 \text{ V}}{1 \text{ k}\Omega} = 1.1 \text{ mA}$$

이다. 컬렉터전류는 이미터전류와 거의 같으므로, 컬렉터전압은 다음과 같다.

$$V_C = 10 \text{ V} - (1.1 \text{ mA})(3.6 \text{ k}\Omega) = 6.04 \text{ V}$$

따라서 컬렉터-이미터 전압은 다음과 같다.

$$V_{CE} = 6.04 - 1.1 \text{ V} = 4.94 \text{ V}$$

중요한 점은 이 해석에서의 계산값들은 트랜지스터, 컬렉터전류나 온도 변화에 따라 달라지지 않는다는 것이다. 이것이 이 회로의 Q점이 거의 고정되어 안정한 이유이다.

연습 문제 7-5 그림 7-12의 전원전압을 10 V에서 15 V로 변화시키고, V_{CE}에 대하여 풀어라.

예제 7-6 |||| **Multisim**

앞의 예제에서 해석한 것과 동일한 회로의 MultiSim 해석을 나타내는 그림 7-13의 의미를 검토하라.

풀이 실질적인 핵심은 숙제로 돌리고, 여기서는 회로를 해석하기 위하여 컴퓨터를 이용하면 거의 동일한 답이 얻어진다. 그림에서 전압계는 6.07 V(셋째 자리에서 반올림)를 가리킨다. 이 값을 앞 예제의 6.04 V와 비교하면, 검토해야할 핵심을 알 수 있다. 간략한 해석은 본래 컴퓨터 해석과 동일한 결과를 얻게 된다.

VDB 회로가 잘 설계된 때에는 이와 같이 거의 일치함을 기대할 수 있다. 결국 VDB의 전체적인 요점은 트랜지스터, 컬렉터전류 및 온도 변화 효과를 실질적으로 제거하기 위한 이미터 바이어스처럼 동작할 수 있다는 것이다.

연습 문제 7-6 MultiSim을 이용하여 그림 7-13의 전원전압을 15 V로 변화시키고, V_{CE}를 측정하라. 측정된 값을 연습 문제 7-5의 답과 비교하라.

그림 7-13 MultiSim 예제

7-6 정확한 VDB 해석

잘 설계된 VDB 회로란 전압분배기가 베이스의 입력저항에 대해 안정해(*stiff*) 보이는 회로를 말한다. 이 말의 의미를 새겨볼 필요가 있다.

신호원 저항

매우 안정적 전압원에서는 전원저항이 부하저항보다 100배 더 작으면 전원저항은 무시할 수 있다.

매우 안정한 전압원: $R_S < 0.01 R_L$

조건이 만족될 때, 부하전압은 이상적인 전압(= 전원전압)의 거의 1% 이내이다. 이제 이러한 개념을 전압분배기로 확장해 보자.

그림 7-14*a*에서 전압분배기의 Thevenin 저항은 얼마인가? V_{CC}를 접지시키고 전압분배기쪽으로 들여다보면, R_1과 R_2가 병렬로 보인다. 즉

$$R_{TH} = R_1 \| R_2$$

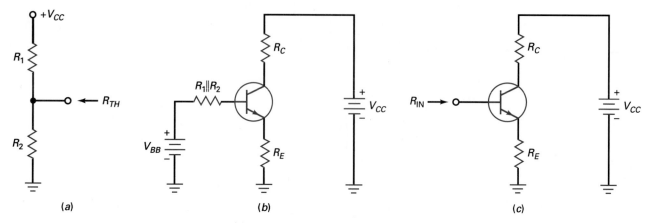

그림 7-14 (a) Thevenin 저항; (b) 등가회로; (c) 베이스 입력저항

이 저항 때문에 전압분배기의 출력전압은 이상적인 값으로 될 수 없다. 좀 더 정확한 해석에서는 그림 7-14b에 나타낸 것과 같은 Thevenin 저항을 포함시킨다. 이 Thevenin 저항에 흐르는 전류는 베이스전압을 이상적인 값 V_{BB}로부터 감소시킨다.

부하저항

베이스전압이 이상적인 값 V_{BB}보다 얼마나 작아질까? 전압분배기는 그림 7-14b의 베이스전류를 공급해야 한다. 전압분배기는 그림 7-14c에 나타낸 것처럼 부하저항 R_{IN}을 바라보게 달리 그릴 수 있다. 베이스에 대해 매우 안정된 전압분배기의 경우 100 : 1 규칙은

$$R_S < 0.01R_L$$

으로, 이는 다음과 같이 바꾸어 쓸 수 있다.

$$R_1\|R_2 < 0.01R_{IN} \tag{7-10}$$

잘 설계된 VBD 회로는 이 조건을 만족할 것이다.

매우 안정한 전압분배기(Stiff Voltage Divider)

그림 7-14c에서 트랜지스터의 전류이득이 100이라면, 컬렉터전류는 베이스전류보다 100배 크다. 이는 이미터전류도 역시 베이스전류보다 100배 크다는 것을 의미한다. 트랜지스터의 베이스 쪽에서 보면 이미터저항 R_E는 100배 크게 보인다. 따라서 베이스 쪽에서 바라본 입력저항은

$$R_{IN} = \beta_{dc}R_E \tag{7-11}$$

로 도출된다. 그러므로 식 (7-10)은 다음과 같이 쓸 수 있다.

매우 안정한(stiff) 전압분배기: $R_1\|R_2 < 0.01\beta_{dc}R_E$ (7-12)

가능하면 설계자는 100 : 1 규칙을 만족하도록 회로값을 선정하는데, 100 : 1 규칙은 매우 안정적인 Q점을 만들기 때문이다.

비교적 안정한 전압분배기(Firm Voltage Divider)

안정한 설계는 R_1과 R_2값이 작아서 가끔 다른 문제(나중에 검토)가 발생한다. 이 경우 다음과 같은 규칙을 이용한다. 즉

$$\text{비교적 안정한(firm) 전압분배기: } R_1 \| R_2 < 0.1\beta_{dc}R_E \qquad (7\text{-}13)$$

이러한 10 : 1 규칙을 만족하는 **전압분배기**를 비교적 안정한 전압분배기라 한다. 최악의 경우, 비교적 안정한 전압분배기를 사용하면 컬렉터전류가 매우 안정한 값(stiff value) 보다 약 10% 낮아지게 됨을 의미한다. VDB 회로가 여전히 꽤 안정한 Q점을 갖고 있기 때문에 많은 응용에서 사용되고 있다.

정밀한 근사

좀 더 정확한 값의 이미터전류를 얻으려면, 다음 식을 이용할 수 있다.

$$I_E = \frac{V_{BB} - V_{BE}}{R_E + (R_1\|R_2)/\beta_{dc}} \qquad (7\text{-}14)$$

이 I_E값은 $(R_1\|R_2)/\beta_{dc}$가 분모에 있기 때문에 매우 안정한 값과 다르다. 이 항이 0으로 근접할 때, 이 식은 간단히 안정한 값으로 가게 된다.

　　식 (7-14)로 해석은 개선되나, 수식이 상당히 복잡해진다. 컴퓨터로 안정한 해석을 얻기 위해 좀 더 정확한 해석이 필요하면 MultiSim이나 등가회로 시뮬레이터(equivalent circuit simulator)를 이용하라.

예제 7-7　　　　　　　　　　　　　　　　　　　　　**ⅠⅠⅠⅠ Multisim**

그림 7-15의 전압분배기는 매우 안정(stiff)한가? 식 (7-14)를 이용하여 이미터전류의 좀 더 정확한 값을 구하라.

풀이　100 : 1 규칙을 이용했는지 알아보자.

　　매우 안정한 전압분배기: $R_1\|R_2 < 0.01\beta_{dc}R_E$

전압분배기의 Thevenin 저항은

$$R_1\|R_2 = 10\text{ k}\Omega \| 2.2\text{ k}\Omega = \frac{(10\text{ k}\Omega)(2.2\text{ k}\Omega)}{10\text{ k}\Omega + 2.2\text{ k}\Omega} = 1.8\text{ k}\Omega$$

이다. 베이스의 입력저항은

$$\beta_{dc}R_E = (200)(1\text{ k}\Omega) = 200\text{ k}\Omega$$

이며, 이 값의 1/100은

$$0.01\beta_{dc}R_E = 2\text{ k}\Omega$$

그림 7-15　예제

이다. 1.8 kΩ이 2 kΩ보다 작으므로, 전압분배기는 매우 안정(stiff)하다.

식 (7-14)에 의한 이미터전류는

$$I_E = \frac{1.8\,V - 0.7\,V}{1\,k\Omega + (1.8\,k\Omega)/200} = \frac{1.1\,V}{1\,k\Omega + 9\,\Omega} = 1.09\,mA$$

이다. 이 값은 간단한 해석으로 얻어지는 값인 1.1 mA에 매우 가깝다.

중요한 점은 전압분배기가 매우 안정(stiff)할 때 이미터전류를 구하기 위해 식 (7-14)를 이용할 필요가 없다는 것이다. 전압분배기가 비교적 안정(firm)할 때일지라도, 식 (7-14)로 계산한 이미터전류는 기껏해야 10% 정도만 개선될 것이다. 별도의 지시가 없는 한 이제부터 VDB 회로의 해석은 간략한 방법을 사용하겠다.

7-7 VDB 부하선과 *Q*점

그림 7-16은 매우 안정한 전압분배기이므로 다음의 검토에서 이미터전압은 1.1 V의 일정한 값으로 고정된다.

*Q*점

7-5절에서 *Q*점의 컬렉터전류는 1.1 mA, 컬렉터-이미터 전압은 4.94 V로 계산되었다. *Q*점을 얻기 위해 그림 7-16에 이 값들을 그려 넣었다. 전압분배 바이어스는 이미터 바이어스로부터 얻어지기 때문에 *Q*점은 전류이득의 변화에 영향을 받지 않는다. 그림 7-16에서 *Q*점을 이동시키기 위한 방법은 이미터저항을 변화시키는 것이다.

예를 들어 이미터저항을 2.2 kΩ으로 변화시키면 이미터전류는

$$I_E = \frac{1.1\,V}{2.2\,k\Omega} = 0.5\,mA$$

로 감소하며, 컬렉터전압은

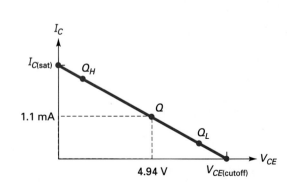

그림 7-16 *Q*점 계산

$$V_C = 10\,\text{V} - (0.5\,\text{mA})(3.6\,\text{k}\Omega) = 8.2\,\text{V}$$

로 변화한다. 따라서

$$V_{CE} = 8.2\,\text{V} - 1.1\,\text{V} = 7.1\,\text{V}$$

가 된다. 그러므로 새로운 Q점은 Q_L이 되며, Q_L의 좌표는 0.5 mA와 7.1 V이다.

한편 이미터저항이 510 Ω으로 감소하면, 이미터전류는

$$I_E = \frac{1.1\,\text{V}}{510\,\Omega} = 2.15\,\text{mA}$$

로 증가하며, 전압은

$$V_C = 10\,\text{V} - (2.15\,\text{mA})(3.6\,\text{k}\Omega) = 2.26\,\text{V}$$

$$V_{CE} = 2.26\,\text{V} - 1.1\,\text{V} = 1.16\,\text{V}$$

로 변화한다. 이 경우 Q점은 좌표가 2.15 mA와 1.16 V인 Q_H의 새로운 위치로 이동한다.

부하선 중앙의 위치한 Q점

V_{CC}, R_1, R_2 및 R_C는 포화전류와 차단전압을 제어한다. V_{CC}, R_1, R_2 및 R_C의 변화는 포화전류 $I_{C(\text{sat})}$와 차단전압 $V_{CE(\text{cutoff})}$를 변화시킨다. 앞의 변수값들이 정해지면, Q점이 부하선을 따라 임의의 위치에 놓이도록 하기 위해 **이미터저항**을 변화시켜준다. R_E가 너무 크면 Q점은 차단점으로 이동하고, R_E가 너무 작으면 포화점으로 이동한다. 보통 Q점은 부하선의 중앙에 위치하도록 설계한다. 트랜지스터 증폭기를 검사할 때 직류 부하선의 Q점은 최대의 출력 신호를 얻기 위해 직류 부하선 중앙으로부터 조절된다.

VDB 설계 지침

그림 7-17은 VDB회로를 나타낸다. 안정한 Q점을 얻기 위한 간단한 설계 지침을 설명하기 위해 이 회로를 이용하겠다. 이 설계 기술은 대부분의 회로에 적합하나 지침에 불과하고, 다른 설계 기술을 이용할 수도 있다.

설계를 시작하기 전에 회로 조건이나 사양을 결정하는 것이 중요하다. 보통 회로는 특정한 컬렉터전류가 직류 부하선의 중앙점 값에 놓이도록 V_{CE}로 바이어스된다. 또한 사용할 트랜지스터에 적합한 V_{CC}값과 β_{dc}의 범위를 알 필요가 있다. 또 회로가 트랜지스터를 정격전력 한계를 초과시키지 않아야 한다.

이미터전압이 전원전압의 약 1/10이 되게 하는 것으로 출발한다. 즉,

$$V_E = 0.1\,V_{CC}$$

다음 Q점에 해당하는 컬렉터전류를 설정하기 위한 R_E값을 구한다.

$$R_E = \frac{V_E}{I_E}$$

Q점이 대략 직류 부하선의 중앙에 놓여야 하므로, 컬렉터-이미터 단자 사이에는 약 0.5 V_{CC}가 나타난다. 나머지 0.4 V_{CC}는 컬렉터저항 양단에 나타난다. 따라서

참고 사항

Q점을 트랜지스터 부하선의 중앙에 위치하게 하는 것은 증폭기로부터 일그러짐이 발생하지 않는 최대의 교류 출력전압을 얻을 수 있기 때문에 중요하다. Q점을 직류 부하선의 중앙에 위치하게 하는 것을 때로는 중앙점 바이어스라고 한다.

그림 7-17　VDB design

$$R_C = 4\,R_E$$

다음, 100 : 1 규칙을 이용하여 매우 안정한 전압분배기로 설계한다.

$$R_{TH} \leq 0.01\,\beta_{dc}\,R_E$$

항상 R_2는 R_1보다 작다. 그러므로 매우 안정한 전압분배기 식은 다음과 같이 간단해질 수 있다.

$$R_2 \leq 0.01\,\beta_{dc}\,R_E$$

또한 10 : 1 규칙을 이용하여 비교적 안정한 전압분배기로 설계를 택하여도 된다. 이때는

$$R_2 \leq 0.1\,\beta_{dc}\,R_E$$

로, 두 경우 특징한 컬렉터전류에서 최소정격의 β_{dc}값을 이용한다.

마지막으로 다음의 비례식을 이용하여 R_1을 구한다.

$$R_1 = \frac{V_1}{V_2} R_2$$

응용 예제 7-8

그림 7-17과 같은 회로에서 다음 사양을 만족하는 저항값들을 설계하라.

$V_{CC} = 10\ \text{V}$	V_{CE}는 중앙점에 위치
$I_C = 10\ \text{mA}$	2N3904의 $\beta_{dc} = 100 \sim 300$

풀이   우선 다음과 같이 이미터전압을 구한다.

$$V_E = 0.1\,V_{CC}$$
$$V_E = (0.1)\,(10\ \text{V}) = 1\ \text{V}$$

이미터저항은 다음으로 구해진다.

$$R_E = \frac{V_E}{I_E}$$

$$R_E = \frac{1\ \text{V}}{10\ \text{mA}} = 100\ \Omega$$

따라서 컬렉터저항은

$$R_C = 4\,R_E$$
$$R_C = (4)\,(100\ \Omega) = 400\ \Omega \quad \text{(표준 저항 390 } \Omega\text{을 사용하라)}$$

다음, 매우 안정한 전압분배기나 비교적 안정한 전압분배기 중 하나를 택하라. 매우 안정한 전압분배기를 택할 때 R_2값은

$$R_2 \leq 0.01 \, \beta_{dc} \, R_E$$

$$R_2 \leq (0.01)(100)(100 \, \Omega) = 100 \, \Omega$$

이다. 이제 R_1값은 다음과 같이 구한다.

$$R_1 = \frac{V_1}{V_2} R_2$$

$$V_2 = V_E + 0.7 \, \text{V} = 1 \, \text{V} + 0.7 \, \text{V} = 1.7 \, \text{V}$$

$$V_1 = V_{CC} - V_2 = 10 \, \text{V} - 1.7 \, \text{V} = 8.3 \, \text{V}$$

$$R_1 = \left(\frac{8.3 \, \text{V}}{1.7 \, \text{V}}\right)(100 \, \Omega) = 488 \, \Omega \, (\text{표준저항 } 490 \, \Omega\text{을 사용하라})$$

연습 문제 7-8   주어진 VDB 설계 지침을 이용하여 다음 사양을 만족하는 그림 7-17의 VDB 회로를 설계하라.

$V_{CC} = 10 \, \text{V}$	V_{CE}는 중앙점에 위치	매우 안정한 전압분배기 사용
$I_C = 10 \, \text{mA}$	$\beta_{dc} = 70 \sim 200$	

7-8 양전원 이미터 바이어스

어떤 전자 장치는 정(+), 부(−)의 두 전원전압을 발생하는 전원장치를 갖고 있다. 예를 들어, 그림 7-18은 +10 V와 −2 V의 두 전원장치를 갖고 있는 트랜지스터 회로이다. 부(−)의 전원전압은 이미터 다이오드를 순방향으로, 정(+)의 전원전압은 컬렉터 다이오드를 역방향으로 바이어스해 준다. 이 회로는 이미터 바이어스로부터 얻어지기 때문에 **양전원 이미터 바이어스**(two-supply emitter bias: TSEB)라 한다.

그림 7-18   양전원 이미터 바이어스

해석

먼저 할 일은 원래 회로를 일반적인 도식도(schematic diagram)로 다시 그려주는 것이다. 이는 그림 7-19와 같이 건전지 기호를 없애주면 된다. 복잡한 회로에서는 건전지 기호를 그려줄 여백이 부족하기 때문에 도식도로 그려줄 필요가 있다. 이 압축된 형태의 도식도에는 모든 정보가 그대로 담겨있다. 즉 −2 V의 전원전압은 1 kΩ 저항의 아래에 인가되며, +10 V의 전원전압은 3.6 kΩ 저항의 위에 인가된다.

이런 형태의 회로가 정확히 설계되면 베이스전류는 무시할 정도로 충분히 작다. 이것은 그림 7-20에 나타낸 것처럼 베이스전압이 거의 0 V와 같다고 할 수 있다.

이미터 다이오드 양단전압이 0.7 V이므로, 이미터 단자는 −0.7 V가 된다. 이것이 이해되지 않으면 멈추어서 좀 더 생각해 보아야 한다. 이미터 다이오드 양단전압 0.7 V는 베이스를 (+), 이미터를 (−)로 하는 전압 강하이므로 베이스전압이 0 V이면 이미터 전압은 −0.7 V로 되어야 한다.

그림 7-20에서 이미터저항은 이미터전류를 결정하는 중요한 역할을 한다. 이미터전류를 구하기 위해 다음과 같이 이미터저항에 대해 옴의 법칙을 적용한다. 이미터저항의 위쪽이 −0.7 V이고 아래쪽이 −2 V이므로 이미터저항 양단전압은 두 전압의 차와 같다. 이미터저항 양단전압은 높은 전위(−0.7 V)에서 낮은 전위(−2 V)를 빼주어야 하므로

$$V_{RE} = -0.7\,V - (-2\,V) = 1.3\,V$$

이다.

이 전압을 구하고 나면, 옴의 법칙으로 이미터전류를 다음과 같이 계산한다.

$$I_E = \frac{1.3\,V}{1\,k\Omega} = 1.3\,mA$$

이 전류는 3.6 kΩ을 통해 흐르며, 컬렉터전압은 이 저항의 전압 강하를 다음과 같이 +10 V에서 빼주면

$$V_C = 10\,V - (1.3\,mA)(3.6\,k\Omega) = 5.32\,V$$

이다. 컬렉터-이미터 전압은 컬렉터전압과 이미터전압의 차가 된다. 즉

그림 7-19 다시 그린 TSEB 회로

그림 7-20 이상적인 베이스전압은 0 V이다.

$$V_{CE} = 5.32 \text{ V} - (-0.7 \text{ V}) = 6.02 \text{ V}$$

양전원 이미터 바이어스가 잘 설계되면, 전압분배 바이어스와 유사하며 $100:1$ 규칙을 만족한다. 즉

$$R_B < 0.01\beta_{dc}R_E \tag{7-15}$$

이 경우, 해석에 필요한 간략화된 식은 다음과 같다.

$$V_B \approx 0 \tag{7-16}$$

$$I_E = \frac{V_{EE} - 0.7 \text{ V}}{R_E} \tag{7-17}$$

$$V_C = V_{CC} - I_C R_C \tag{7-18}$$

$$V_{CE} = V_C + 0.7 \text{ V} \tag{7-19}$$

베이스전압

간단한 해석방법에서 오차의 한 가지 원인은 그림 7-20의 베이스저항 양단전압이 작다는 것이다. 작은 베이스전류가 이 저항을 통해 흐르므로 (−) 전압이 베이스와 접지 사이에 나타난다. 잘 설계된 회로에서 이 베이스전압은 −0.1 V 미만이다. 만일 더욱 큰 베이스저항을 사용한다면, 이 전압은 −0.1 V보다 더 큰 (−)로 될 수 있다. 이런 회로를 고장 점검한다면 베이스와 접지 사이의 전압은 낮은 값을 나타낼 것이다. 그렇지 않으면 회로에 무엇인가 잘못이 있는 것이다.

예제 7-9 |||| Multisim

그림 7-20에서 이미터저항이 1.8 kΩ으로 증가된 경우, 컬렉터전압은 얼마인가?

풀이 이미터저항 양단전압은 그대로 1.3 V이다. 이미터전류는

$$I_E = \frac{1.3 \text{ V}}{1.8 \text{ k}\Omega} = 0.722 \text{ mA}$$

이고, 컬렉터전압은 다음과 같다.

$$V_C = 10 \text{ V} - (0.722 \text{ mA})(3.6 \text{ k}\Omega) = 7.4 \text{ V}$$

연습 문제 7-9 그림 7-20의 이미터저항을 2 kΩ로 바꾸었을 때, V_{CE}를 구하라.

예제 7-10

증폭회로는 트랜지스터와 이에 연결된 수동 소자들로 이루어진다. 그림 7-21은 양전원 이미터 바이어스를 사용한 3단 증폭회로이다. 이 증폭회로에서 각 단의 컬렉터-접지 전압은 얼마인가?

풀이　우선 커패시터는 직류전압과 전류에 대해 개방회로처럼 보이므로 모든 커패시터는 무시한다. 그러면 각 단이 양전원 이미터 바이어스를 사용한 세 개의 분리된 트랜지스터로 남게 된다. 첫 번째 단의 이미터전류와 컬렉터전압은 다음과 같다.

$$I_E = \frac{15\ V - 0.7\ V}{20\ k\Omega} = \frac{14.3\ V}{20\ k\Omega} = 0.715\ mA$$

$$V_C = 15\ V - (0.715\ mA)(10\ k\Omega) = 7.85\ V$$

다른 증폭단도 동일한 회로값을 갖고 있으므로, 각 단은 약 7.85 V의 컬렉터-접지 전압을 갖는다.

요점정리 표 7-3은 네 개의 중요한 바이어스 형태를 나타낸다.

연습 문제 7-10　그림 7-21의 전원전압을 +12 V와 −12 V로 바꾸었을 때, 각 트랜지스터의 V_{CE}를 구하라.

그림 7-21　3단 증폭회로

요점정리 표 7-3		주요 바이어스 회로		
종류	**회로**	**계산식**	**특성**	**용도**
베이스 바이어스		$I_B = \dfrac{V_{BB} - 0.7\ V}{R_B}$ $I_C = \beta I_B$ $V_{CE} = V_{CC} - I_C R_C$	작은 부품 수; β 의존; 고정 베이스전류	스위치; 디지털

요점정리 표 7-3	계속		
종류　　　　　회로	계산식	특성	용도
이미터 바이어스　$+V_{CC}$ R_C $+V_{BB}$ R_E	$V_E = V_{BB} - 0.7\text{ V}$ $I_E = \dfrac{V_E}{R_E}$ $V_C = V_C - I_C R_C$ $V_{CE} = V_C - V_E$	이미터전류 일정; β에 무관	I_C 구동기; 증폭기
전압분배 바이어스　$+V_{CC}$ R_1　R_C R_2　R_E	$V_B = \dfrac{R_2}{R_1 + R_2} V_{CC}$ $V_E = V_B - 0.7\text{ V}$ $I_E = \dfrac{V_E}{R_E}$ $V_C = V_{CC} - I_C R_C$ $V_{CE} = V_C - V_E$	많은 저항 필요; β에 무관; 하나의 전원만 필요	증폭기
양전원 이미터 바이어스　$+V_{CC}$ R_C R_B　R_E $-V_{EE}$	$V_B \approx 0\text{ V}$ $V_E = V_B - 0.7\text{ V}$ $V_{RE} = V_{EE} - 0.7\text{ V}$ $I_E = \dfrac{V_{RE}}{R_E}$ $V_C = V_{CC} - I_C R_C$ $V_{CE} = V_C - V_E$	양전원이 필요; β에 무관	증폭기

7-9 다른 형태의 바이어스

이 절에서는 몇 가지 다른 형태의 바이어스를 검토하겠다. 이들은 새로운 설계에 아주 드물게 이용되기 때문에 이 형태의 바이어스들에 대한 상세한 해석은 필요치 않다. 그러나 이들을 회로도에서 보게 되면 적어도 이런 바이어스도 있었다는 것을 알고 있어야 한다.

이미터귀환 바이어스

앞에서 검토했던 베이스 바이어스 회로(그림 7-22a)를 기억해보자. 이 회로는 고정된 Q점을 설정할 때 가장 나쁜 바이어스법이다. 베이스전류가 고정되어 있으므로, 전류이득이 변화할 때 컬렉터전류도 변화한다. 이와 같은 회로에서 Q점은 트랜지스터 교체나 온도 변화에 따라 부하선 전체에 걸쳐 이동한다.

역사적으로 Q점을 안정화시키기 위한 첫 번째 시도가 그림 7-22b와 같은 **이미터 귀환 바이어스**였다. 이미터저항이 이 회로에 추가된 점에 주목하라. 이 회로의 기본적인 개념은 다음과 같다. 만일 I_C가 증가하면, V_E가 증가하여 V_B를 증가시킨다. V_B의 증가는 R_B 양단전압이 낮아짐을 의미한다. 그 결과 I_B가 감소하여 처음 I_C의 증가 변화를 반대로 감소하게 한다. 이미터전압의 변화가 베이스 회로로 되돌아가기 때문에, 이런 현상을 귀환(*feedback*)이라 한다. 그리고 컬렉터전류의 원래 증가를 반대로 감소시키므로 이러한 귀환을 부귀환(*negative feedback*)이라 한다.

이미터귀환 바이어스는 많이 쓰이는 편은 아니다. 이 바이어스에서 Q점의 이동은 대량 생산되어야 하는 대부분의 응용에 사용하기에는 여전히 너무 크다. 이미터귀환 바이어스 해석에 필요한 식들은 다음과 같다.

$$I_E = \frac{V_{CC} - V_{BE}}{R_E + R_B/\beta_{dc}} \tag{7-20}$$

$$V_E = I_E R_E \tag{7-21}$$

$$V_B = V_E + 0.7 \text{ V} \tag{7-22}$$

$$V_C = V_{CC} - I_C R_C \tag{7-23}$$

그림 7-22 (a) 베이스 바이어스; (b) 이미터귀환 바이어스

이미터귀환 바이어스의 목적은 고질적인 문제인 β_{dc}의 변화를 제거시키는 데 있다. 즉 R_E가 R_B/β_{dc}보다 훨씬 커야 한다. 이 조건이 만족된다면, 식 (7-20)은 β_{dc}의 변화에 무관할 수 있다. 그러나 실제회로에서 β_{dc}의 영향을 제거시키기 위해 R_E를 충분히 크게 할 수 없다.

그림 7-23a는 이미터귀환 바이어스회로의 예를 나타낸다. 그림 7-23b는 부하선과 두 가지 다른 전류이득에 대한 Q점을 나타낸다. 보다시피 전류이득의 3 : 1 변화는 큰 컬렉터전류의 변화를 일으킨다. 이 회로는 베이스 바이어스보다 훨씬 좋은 것은 못 된다.

컬렉터귀환 바이어스

그림 7-24a는 **컬렉터귀환 바이어스**(자기 바이어스라고도 함)를 나타낸다. 역사적으로 이 회로는 Q점을 안정화시키기 위한 또 다른 시도였다. 또한 기본적인 개념은 컬렉터전

그림 7-23 (a) 이미터귀환 바이어스의 예; (b) Q점이 전류이득의 변화에 민감하다.

그림 7-24 (a) 컬렉터귀환 바이어스; (b) 예; (c) Q점이 전류이득의 변화에 덜 민감하다.

류의 변화를 없애주기 위해 베이스로 전압을 귀환시키는 것이다. 예를 들어 컬렉터전류가 증가한다고 가정하자. 이때 컬렉터전압이 감소하여 베이스저항 양단전압을 감소시킨다. 이는 베이스전류를 감소시켜서 처음 컬렉터전류의 증가를 반대로 감소시킨다.

이미터귀환 바이어스처럼 컬렉터귀환 바이어스는 원래의 컬렉터전류 변화를 감소시키기 위해 부귀환을 사용한다. 컬렉터귀환 바이어스 해석에 필요한 식들은 다음과 같다.

$$I_E = \frac{V_{CC} - V_{BE}}{R_C + R_B/\beta_{dc}} \tag{7-24}$$

$$V_B = 0.7 \text{ V} \tag{7-25}$$

$$V_C = V_{CC} - I_C R_C \qquad (7\text{-}26)$$

보통 Q점은 부하선의 거의 중앙에 놓이게 하며, 이를 위한 베이스저항은 다음과 같다.

$$R_B = \beta_{dc} R_C \qquad (7\text{-}27)$$

그림 7-24b는 컬렉터귀환 바이어스의 예를 나타낸다. 그림 7-24c는 부하선과 두 가지 다른 전류이득에 대한 Q점을 나타낸다. 보다시피 전류이득의 3 : 1 변화는 이미터귀환 때보다 컬렉터전류의 변화가 덜하다(그림 7-23b 참조).

Q점을 안정화시킴에 있어서 컬렉터귀환 바이어스가 이미터귀환 바이어스보다 좀 더 효과적이다. 이 회로가 여전히 전류이득의 변화에 민감한 편일지라도 회로의 간단성 때문에 실제로 이용된다.

컬렉터와 이미터귀환 바이어스

이미터귀환 바이어스와 컬렉터귀환 바이어스는 트랜지스터 회로가 좀 더 안정하게 하기 위한 첫 번째 단계였다. 부귀환의 개념이 좋더라도 이 회로들은 기능을 다하기 위해 부귀환이 충분하지 않으므로 미흡하다. 이것이 다음 단계의 바이어스로 그림 7-25와 같은 회로가 되는 이유이다. 이 회로의 기본적인 개념은 회로 동작을 개선시키기 위해 이미터와 컬렉터귀환 두 가지를 이용하는 것이다.

모두가 알다시피, 많다고 항상 더 좋은 것은 아니다. 두 형태의 귀환을 하나의 회로로 묶는 것은 유익하나 여전히 대량 생산에 요구되는 기능에는 미흡하다. 이 회로를 사용한다면 이 회로의 해석에 관한 식들은 다음과 같다.

$$I_E = \frac{V_{CC} - V_{BE}}{R_C + R_E + R_B/\beta_{dc}} \qquad (7\text{-}28)$$

$$V_E = I_E R_E \qquad (7\text{-}29)$$

$$V_B = V_E + 0.7 \,\text{V} \qquad (7\text{-}30)$$

$$V_C = V_{CC} - I_C R_C \qquad (7\text{-}31)$$

그림 7-25 컬렉터-이미터귀환 바이어스

7-10 VDB 회로 고장 점검

전압분배 바이어스법이 가장 폭넓게 이용되므로 이 회로의 고장 점검에 대해 검토한다. 그림 7-26은 앞에서 해석했던 VDB 회로를 나타낸다. 표 7-4는 MultiSim으로 모의 실험했을 때, 이 회로에 대한 전압들을 기록한 것이다. 측정에 사용된 전압계의 입력임피던스는 10 MΩ이다.

특이한 고장

흔히 개방 또는 단락된 소자는 특이한 전압을 나타낸다. 예를 들어 그림 7-26의 트랜지

그림 7-26 VDB 고장 점검

요점정리 표 7-4	고장과 증상			
고장	V_B	V_E	V_C	내용
없음	1.79	1.12	6	고장 없음
R_{1S}	10	9.17	9.2	트랜지스터 포화
R_{1O}	0	0	10	트랜지스터 차단
R_{2S}	0	0	10	트랜지스터 차단
R_{2O}	3.38	2.68	2.73	이미터귀환 바이어스로 축소
R_{ES}	0.71	0	0.06	트랜지스터 포화
R_{EO}	1.8	1.37	10	10 MΩ 전압계가 V_E를 감소시킴
R_{CS}	1.79	1.12	10	컬렉터저항 단락
R_{CO}	1.07	0.4	0.43	베이스전류 커짐
CES	2.06	2.06	2.06	모든 트랜지스터 단자 단락
CEO	1.8	0	10	모든 트랜지스터 단자 개방
V_{CC} 공급 안됨	0	0	0	전원과 접속선 점검

스터의 베이스에서 10 V를 얻기 위한 유일한 방법은 R_1 단락이다. 다른 어떤 소자를 단락 또는 개방시키더라도 똑같은 결과를 얻을 수 없다. 요점정리 표 7-4에 들어있는 대부분은 일련의 특이한 전압들을 만들어내므로 회로를 더 시험해보지 않고서도 이 전압들을 확인할 수 있다.

모호한 고장

요점정리 표 7-4에 있는 두 가지 고장 R_{1O}와 R_{2S}는 유일한 전압을 만들지 않는다. 이 두 경우 측정된 전압은 0, 0 및 10 V이다. 이와 같은 모호한 경우 의심되는 소자 중의 하나를 떼어내 저항계나 다른 장비를 이용해서 테스트한다. 예를 들어 R_1을 떼어내서 저항계로 저항을 측정한다. 만일 저항이 개방 상태이면 고장을 발견한 것이다. 만일 저항이 정상이면, 이때는 R_2가 단락된 것이다.

전압계의 부하 작용

전압계를 사용할 때는 새로운 저항을 회로에 연결하는 것과 같다. 이 새로운 저항은 회로로부터 전류를 끌어낼 것이다. 만일 회로가 큰 저항을 갖고 있다면, 측정되는 전압은 정상일 때보다 낮을 것이다.

예를 들어 그림 7-26의 이미터저항이 개방되었다고 가정하자. 이때 베이스전압은 1.8 V이다. 개방된 이미터저항에는 이미터전류가 흐를 수 없으므로, 이미터와 접지 사이의 예상 전압은 역시 1.8 V임이 틀림없다. 내부저항이 10 MΩ인 전압계로 V_E를 측정할 때, 이미터와 접지 사이에 10 MΩ의 저항을 연결한 것이나 같다. 이것은 매우 작은 이

그림 7-27 *PNP* 트랜지스터

그림 7-28 *PNP* 전류

그림 7-29 *PNP* 회로 (a) 부(−)의 전원 전압; (b) 정(+)의 전원 전압

미터전류가 흐르도록 하여 이미터 다이오드 양단에 전압을 발생시킨다. 이것이 요점정리 표 7-4에서 R_{EO}의 경우 V_E가 1.8 V 대신 V_E = 1.37 V가 되는 이유이다.

7-11 *PNP* 트랜지스터

이제까지는 *npn* 트랜지스터를 사용한 바이어스 회로에 집중해 왔다. 많은 회로에 *pnp* 트랜지스터도 사용한다. 이런 형태의 트랜지스터는 흔히 전자 장비가 부(−)의 전원전압을 갖고 있을 때 사용된다. 또한 *pnp* 트랜지스터는 양전원(+와 −)이 사용될 때 *npn* 트랜지스터와 상보(complements)로 사용된다.

그림 7-27은 *pnp* 트랜지스터의 구조를 도식적 기호로 나타낸 것이다. 도핑된 영역이 *npn* 트랜지스터와 반대 형태이므로 지금까지의 생각을 바꾸어야 한다. 특히 자유전자가 아니라 정공이 이미터의 다수캐리어(majority carrier)이다. *npn* 트랜지스터와 같이, *pnp* 트랜지스터를 적절하게 바이어스하기 위해 그림 7-27에 보이는 것과 같이 베이스-이미터 다이오드는 순방향 바이어스하고 베이스-컬렉터 다이오드는 역방향으로 바이어스 한다.

기본 개념

간략하게 원자 레벨에서 일어나는 현상을 살펴보면, 이미터는 정공을 베이스로 주입시킨다. 다수캐리어인 이 정공들은 컬렉터로 이동한다. 이런 이유로 컬렉터전류는 이미터전류와 거의 같다.

그림 7-28은 세 가지 트랜지스터 전류를 나타낸다. 실선 화살표는 일반적인 전류를, 점선 화살표는 전자의 흐름으로 나타낸 전류이다.

부(−)의 전원전압

그림 7-29a는 *pnp* 트랜지스터와 부(−)의 전원전압이 −10 V인 전압분배 바이어스를 나타낸다. 2N3906은 2N3904와 상보(complement)이다. 즉 그 특성이 2N3904와 동일한 절대값을 가지나, 모든 전류와 전압의 극성은 반대로 된다. 이 *pnp* 회로와 그림 7-26의 *npn* 회로와 비교해 보면 차이점은 전원전압과 트랜지스터뿐이다.

중요한 점은 회로가 *npn* 트랜지스터로 되어 있을 때 흔히 똑같은 회로를 부(−)의 전원전압과 *pnp* 트랜지스터로 구성하여 사용할 수 있다.

부(−)의 전원전압을 사용하고 부(−)의 회로값들이 발생하기 때문에, 회로 해석을 위한 계산을 할 때 조심할 필요가 있다. 그림 7-29a의 Q점을 결정하는 단계는 다음과 같다.

$$V_B = \frac{R_2}{R_1 + R_2} V_{CC} = \frac{2.2 \text{ k}\Omega}{10 \text{ k}\Omega + 2.2 \text{ k}\Omega}(-10 \text{ V}) = -1.8 \text{ V}$$

pnp 트랜지스터의 경우, V_E가 V_B보다 0.7 V 높을 때 베이스-이미터 접합이 순방향으로 바이어스될 것이다. 그러므로

$$V_E = V_B + 0.7 \text{ V}$$

$$V_E = -1.8\ \text{V} + 0.7\ \text{V}$$

$$V_E = -1.1\ \text{V}$$

다음, 이미터전류와 컬렉터전류를 구한다.

$$I_E = \frac{V_E}{R_E} = \frac{-1.1\ \text{V}}{1\ \text{k}\Omega} = 1.1\ \text{mA}$$

$$I_C \approx I_E = 1.1\ \text{mA}$$

이제, 컬렉터전압과 컬렉터-이미터 전압을 구한다.

$$V_C = -V_{CC} + I_C R_C$$

$$V_C = -10\ \text{V} + (1.1\ \text{mA})(3.6\ \text{k}\Omega)$$

$$V_C = -6.04\ \text{V}$$

$$V_{CE} = V_C - V_E$$

$$V_{CE} = -6.04\ \text{V} - (-1.1\ \text{V}) = -4.94\ \text{V}$$

정(+)의 전원전압

정(+)의 전원전압은 트랜지스터 회로에서 부(−)의 전원전압보다 좀 더 흔하게 이용된다. 이 때문에 *pnp* 트랜지스터를 흔히 그림 7-29*b*처럼 위아래를 전도시킨다. 이 회로의 동작 방법은 다음과 같다. R_2 양단전압은 이미터 다이오드와 이미터저항에 인가된다. 이로부터 이미터전류가 설정된다. 컬렉터전류는 R_C로 흘러 컬렉터-접지 전압을 발생시킨다. 고장 점검하는 경우 V_C, V_B 및 V_E는 다음과 같이 계산할 수 있다.

1. R_2 양단전압을 구한다.
2. 이미터저항 양단전압을 구하기 위해 R_2 양단전압에서 0.7 V를 빼준다.
3. 이미터전류를 구한다.
4. 컬렉터-접지 전압 V_C를 계산한다.
5. 베이스-접지 전압 V_B를 계산한다.
6. 이미터-접지 전압 V_E를 계산한다.

예제 7-11　　||||| **Multisim**

그림 7-29*b*와 같은 *pnp* 회로에 대한 세 가지 트랜지스터 전압을 구하라.

풀이　전압분배식을 이용하여 R_2 양단전압을 구하는 것으로부터 시작한다.

$$V_2 = \frac{R_2}{R_1 + R_2}\, V_{EE}$$

또는 다른 방법으로 이 전압을 구할 수 있는데, 전압분배기에 흐르는 전류를 구하여 R_2

를 곱해주면 된다. 즉

$$I = \frac{10\text{ V}}{12.2\text{ k}\Omega} = 0.82\text{ mA}$$

$$V_2 = (0.82\text{ mA})(2.2\text{ k}\Omega) = 1.8\text{ V}$$

다음 이미터저항 양단전압을 구하기 위하여, 이 전압에서 0.7 V를 빼준다.

$$1.8\text{ V} - 0.7\text{ V} = 1.1\text{ V}$$

그 다음 이미터전류를 구한다.

$$I_E = \frac{1.1\text{ V}}{1\text{ k}\Omega} = 1.1\text{ mA}$$

컬렉터전류가 컬렉터지항에 흐를 때, 컬렉터-접지 전압은

$$V_C = (1.1\text{ mA})(3.6\text{ k}\Omega) = 3.96\text{ V}$$

가 발생되고, 베이스와 접지 사이의 전압은

$$V_B = 10\text{ V} - 1.8\text{ V} = 8.2\text{ V}$$

이고, 이미터와 접지 사이의 전압은 다음과 같다.

$$V_E = 10\text{ V} - 1.1\text{ V} = 8.9\text{ V}$$

연습 문제 7-11 그림 7-29a와 그림 7-29b의 두 회로에서 전원전압을 10 V에서 12 V로 변화시켜 V_B, V_E, V_C, V_{CE}를 구하라.

요점 | Summary

7-1 이미터 바이어스

이미터 바이어스는 실질적으로 전류이득의 변화가 없다. 이미터 바이어스를 해석하는 과정은 이미터전압, 이미터전류, 컬렉터전압 및 컬렉터-이미터 전압의 순서로 구한다. 이 과정에서 필요한 것은 Ohm의 법칙이다.

7-2 LED 구동기

베이스 바이어스된 LED 구동기는 포화되거나 차단된 트랜지스터가 LED에 흐르는 전류를 제어하는 데 사용한다. 이미터 바이어스된 LED 구동기는 LED에 흐르는 전류를 제어하기 위해 활성영역과 차단영역을 이용한다.

7-3 이미터 바이어스 회로 고장 점검

트랜지스터를 시험하기 위해 DMM이나 저항계를 사용할 수 있다. 이때 트랜지스터를 회로에서 떼어내 시험하는 것이 가장 좋다. 트랜지스터가 전원을 인가한 채 회로에 꽂혀있을 때, 트랜지스터의 전압을 측정할 수 있으나 이것은 고장을 일으킬 수 있는 단서가 된다.

7-4 여러 가지 광전소자

β_{dc} 때문에 포토트랜지스터는 포토다이오드보다 빛에 대해 더욱 민감하다. LED와 결합되면 포토트랜지스터는 더욱 민감한 광결합기(optocoupler)가 된다. 포토트랜지스터의 단점은 포토다이오드보다 빛의 세기(light intensity)에 대한 변화에 좀 더 늦게 반응하는 것이다.

7-5 전압분배 바이어스

이미터 바이어스를 기본으로 한 가장 잘 알려진 회로를 전압분배 바이어스라 한다. 베

이스 회로에 있는 전압분배기로부터 이 바이어스를 이해할 수 있다.

7-6 정확한 VDB 해석
핵심적인 개념은 베이스전류가 전압분배기의 전류보다 훨씬 적다는 것이다. 이 조건이 만족될 때 전압분배기는 거의 일정한 베이스전압을 유지하고, 이 전압은 전압분배기의 무부하전압과 같다. 이로써 모든 동작 조건하에서도 Q점을 고정시킨다.

7-7 VDB 부하선과 Q점
부하선은 포화점과 차단점을 이어놓은 직선이다. Q점은 바이어스 회로에 의해 결정되는 정확한 위치의 부하선상에 놓인다. 이 바이어스회로는 일정한 이미터전류를 흐르게

하므로 전류이득이 크게 변하더라도 Q점에 거의 영향을 미치지 않는다.

7-8 양전원 이미터 바이어스
이 설계는 두 개의 전원전압을 이용한다. 하나는 정(+), 다른 하나는 부(−)의 전원전압을 이용한다. 이 개념은 일정한 값의 이미터전류를 설정하는 것이다. 이 회로는 앞에서 검토한 이미터 바이어스의 변형이다.

7-9 다른 형태의 바이어스
이 절에서는 출력량의 증가가 입력량의 감소를 유발할 때 나타나는 현상인 부귀환을 소개했다. 부귀환은 전압분배 바이어스를 이끌어낸 멋진 생각이다. 다른 형태의 바이어스들은 충분한 부귀환을 이용할 수 없으므

로, 전압분배 바이어스 정도의 성능을 얻지 못한다.

7-10 VDB 회로 고장 점검
고장 점검은 하나의 예술이다. 이 때문에 일련의 규칙으로 정리될 수 없고, 대부분 경험으로부터 고장 점검을 배우게 된다.

7-11 *PNP* 트랜지스터
pnp 소자는 모든 전류와 전압이 *npn* 소자와 반대이다. *pnp* 소자는 부(−)의 전원전압이 이용된다. 위 아래 전도시킨 구조에서는 정(+)의 전원전압을 사용하는 것이 좀더 일반적이다.

유도식 | Derivations

(7-1) 이미터전압:

$$V_E = V_{BB} - V_{BE}$$

(7-3) β_{dc}에 대한 I_C의 둔감:

$$I_C = \frac{\beta_{dc}}{\beta_{dc} + 1} I_E$$

(7-2) 컬렉터-이미터 전압:

$$V_{CE} = V_C - V_E$$

VDB 유도식 | VDB Derivations

(7-4) 베이스전압:

$$V_{BB} = \frac{R_2}{R_1 + R_2} V_{CC}$$

(7-5) 이미터전압:

$$V_E = V_{BB} - V_{BE}$$

(7-6) 이미터전류:

$$I_E = \frac{V_E}{R_E}$$

(7-8) 컬렉터전압:

$$V_C = V_{CC} - I_C R_C$$

(7-7) 컬렉터전류:

$$I_C \approx I_E$$

(7-9) 컬렉터-이미터 전압:

$$V_{CE} = V_C - V_E$$

TSEB 유도식 | Test Derivations

(7-10) 베이스전압:

$$V_B \approx 0$$

(7-12) 컬렉터전압(TSEB):

$$V_C = V_{CC} - I_C R_C$$

(7-11) 이미터전류:

$$I_E = \frac{V_{EE} - 0.7\ V}{R_E}$$

(7-13) 컬렉터-이미터 전압(TSEB):

$$V_{CE} = V_C + 0.7\ V$$

복습 문제 | Self-Test

1. 트랜지스터 회로에서 일정한 이미터 전류가 흐르도록 하는 바이어스법은?
a. 베이스 바이어스
b. 이미터 바이어스
c. 트랜지스터 바이어스
d. 2전원 바이어스

2. 이미터 바이어스 회로 해석에서, 첫 번째 단계로 구해야 하는 것은?
a. 베이스전류
b. 이미터전압
c. 이미터전류
d. 컬렉터전류

3. 이미터 바이어스 회로에서 전류이득을 모르면 계산할 수 없는 것은?
a. 이미터전압
b. 이미터전류
c. 컬렉터전류
d. 베이스전류

4. 이미터저항이 개방된 경우, 컬렉터전압은 어떠한가?
a. 저(Low)
b. 고(High)
c. 변함 없다.
d. 알 수 없다.

5. 컬렉터저항이 개방된 경우, 컬렉터전압은?
a. 저(Low)
b. 고(High)
c. 변함 없다.
d. 알 수 없다.

6. 이미터 바이어스 회로에서 전류이득이 50에서 300으로 증가할 때, 컬렉터전류는?
a. 거의 변화 없다.
b. 6배 감소한다.
c. 6배 증가한다.
d. 0이 된다.

7. 이미터저항이 증가하는 경우, 컬렉터전압은?
a. 감소한다.
b. 변화 없다.
c. 증가한다.
d. 트랜지스터를 항복(breakdown)시킨다.

8. 이미터저항이 감소하는 경우, 나타나는 현상은?
a. Q점이 부하선의 위쪽으로 이동한다.
b. 컬렉터전류가 감소한다.
c. Q점은 그대로 머물러 있다.
d. 전류이득이 증가한다.

9. 포토트랜지스터를 포토다이오드와 비교할 때 중요한 장점은?
a. 더 높은 주파수에 대한 응답
b. 교류 동작
c. 감도 증가
d. 내구성

10. 이미터 바이어스에서 이미터 저항 양단전압은 이미터와 _____ 사이의 전압과 같다.
a. 베이스
b. 컬렉터
c. 이미터
d. 접지

11. 이미터 바이어스에서 이미터전압은 _____ 보다 0.7 V만큼 적다.
a. 베이스전압
b. 이미터전압
c. 컬렉터전압
d. 접지전압

12. 전압분배 바이어스에서 베이스전압은?
a. 베이스 전원전압보다 적다.
b. 베이스 전원전압과 같다.
c. 베이스 전원전압보다 크다.
d. 컬렉터 전원전압보다 크다.

13. VDB에서 주목받는 것은 어느 것인가?
a. 불안정한 컬렉터전압
b. 이미터전류의 변화
c. 큰 베이스전류
d. 안정한 Q점

14. VDB에서 컬렉터저항의 증가는?
a. 이미터전압을 감소시킨다.
b. 컬렉터전압을 감소시킨다.
c. 이미터전압을 증가시킨다.
d. 이미터전류를 감소시킨다.

15. VDB는 _____와 같이 안정한 Q 점을 갖는다.
a. 베이스 바이어스
b. 이미터 바이어스
c. 컬렉터귀환 바이어스
d. 이미터귀환 바이어스

16. VDB가 필요로 하는 것은?
a. 단지 3개의 저항
b. 단지 하나의 전원
c. 정밀한 저항들
d. 더 잘 동작하기 위한 더 많은 저항

17. 보통 VDB는 어느 영역에서 동작하는가?
a. 활성영역
b. 차단영역
c. 포화영역
d. 항복영역

18. VDB 회로의 컬렉터전압은 다음 중 어느 변화에 민감하지 않은가?
a. 전원전압
b. 이미터저항
c. 전류이득
d. 컬렉터저항

19. VDB 회로에서 이미터저항이 감소하면, 컬렉터전압은?
a. 감소한다.
b. 변함 없다.
c. 증가한다.
d. 2배로 된다.

20. 베이스 바이어스와 관련있는 것은?

a. 증폭기

b. 스위칭 회로

c. 안정한 Q점

d. 고정된 이미터전류

21. VDB 회로에서 이미터저항이 1/2로 감소되면, 컬렉터전류는?

a. 2배로 된다.

b. 반으로 줄어든다.

c. 변함 없다.

d. 증가한다.

22. VDB 회로에서 컬렉터저항이 증가하면, 컬렉터전압은?

a. 감소한다.

b. 변함 없다.

c. 증가한다.

d. 2배로 된다.

23. VDB 회로의 Q점은?

a. 전류이득의 변화에 극도로 민감

b. 전류이득의 변화에 다소 민감

c. 전류이득의 변화에 거의 영향을 안 받는다.

d. 온도 변화에 상당히 영향을 받는다.

24. 양전원 이미터 바이어스(TSEB)의 베이스전압은?

a. 0.7 V

b. 매우 크다.

c. 거의 0 V

d. 1.3 V

25. TSEB에서 이미터저항이 두 배로 되면, 컬렉터전류는?

a. 반으로 줄어든다.

b. 변함 없다.

c. 2배로 된다.

d. 증가한다.

26. 납이 녹아 튄 것이 TSEB의 컬렉터저항을 단락시키면, 컬렉터전압은?

a. 0으로 줄어든다.

b. 컬렉터 전원전압과 같다.

c. 변함 없다.

d. 2배로 된다.

27. TSEB에서 이미터저항이 증가하면, 컬렉터전압은?

a. 감소한다.

b. 변함 없다.

c. 증가한다.

d. 컬렉터 전원전압과 같다.

28. TSEB에서 이미터저항이 개방되면, 컬렉터전압은?

a. 감소한다.

b. 변함 없다.

c. 약간 증가한다.

d. 컬렉터 전원전압과 같다.

29. TSEB에서 베이스전류는 매우 ____ 한다.

a. 작아야

b. 커야

c. 불안정해야

d. 안정해야

30. TSEB의 Q점은 _____에 의존하지 않는다(무관하다).

a. 이미터저항

b. 컬렉터저항

c. 전류이득

d. 이미터전압

31. pnp 트랜지스터에서 이미터의 다수 캐리어는?

a. 정공

b. 자유전자

c. 3가 원자

d. 5가 원자

32. pnp 트랜지스터의 전류이득은?

a. npn 트랜지스터 전류이득의 (−)값이다.

b. 컬렉터전류를 이미터전류로 나눈 값이다.

c. 거의 0이다.

d. 베이스전류에 대한 컬렉터전류의 비이다.

33. pnp 트랜지스터에서 가장 큰 전류는?

a. 베이스전류

b. 이미터전류

c. 컬렉터전류

d. 정답 없음

34. pnp 트랜지스터의 전류는?

a. 일반적으로 npn 전류보다 적다.

b. npn 전류와 반대이다.

c. 일반적으로 npn 전류보다 크다.

d. 부(−)이다.

35. pnp 전압분배 바이어스에서는 ____ 을 사용해야만 한다.

a. 부(−)의 전원전압

b. 정(+)의 전원전압

c. 저항들

d. 접지들

36. $-V_{CC}$ 전원을 사용한 TSEB pnp 회로의 경우, 이미터전압은?

a. 베이스전압과 같다.

b. 베이스전압보다 0.7 V 높다.

c. 베이스전압보다 0.7 V 낮다.

d. 컬렉터전압과 같다.

37. 잘 설계된 VDB 회로에서 베이스전류는?

a. 전압분배기 전류보다 훨씬 크다.

b. 이미터전류와 같다.

c. 전압분배기 전류보다 훨씬 적다.

d. 컬렉터전류와 같다.

38. VDB 회로에서 베이스 입력저항 R_{IN}은?

a. $\beta_{dc} R_E$와 같다.

b. 보통 R_{TH}보다 작다.

c. $\beta_{dc} R_C$와 같다.

d. β_{dc}와 무관하다.

39. TSEB 회로에서, 다음 중 어느 때 베이스전압이 약 0 V가 되는가?

a. 베이스저항이 매우 클 때

b. 트랜지스터가 포화될 때

c. β_{dc}가 매우 작을 때

d. $R_B < 0.01 \beta_{dc} R_E$일 때

기본 문제 | Problems

7-1 이미터 바이어스

7-1 ⫼⫼ **Multisim** 그림 7-30a에서 컬렉터전압과 이미터전압은 얼마인가?

(a)

(b)

(c)

그림 7-30

7-2 ⫼⫼ **Multisim** 그림 7-30a에서 이미터저항을 2배로 하였을 때, 컬렉터-이미터 전압은 얼마인가?

7-3 ⫼⫼ **Multisim** 그림 7-30a에서 컬렉터 전원전압을 15 V로 감소시키면, 컬렉터전압은 얼마인가?

7-4 ⫼⫼ **Multisim** 그림 7-30b에서 V_{BB} = 2 V일 때, 컬렉터전압은 얼마인가?

7-5 ⫼⫼ **Multisim** 그림 7-30b에서 이미터저항을 2배로 해주면, 베이스 전원전압 V_{BB} = 2.3 V에 대한 컬렉터-이미터 전압은 얼마인가?

7-6 ⫼⫼ **Multisim** 그림 7-30b에서 컬렉터 전원전압을 15 V로 증가시키면, V_{BB} = 1.8 V에 대한 컬렉터-이미터 전압은 얼마인가?

7-2 LED 구동기

7-7 ⫼⫼ **Multisim** 그림 7-30c에서 V_{BB} = 2 V일 때, LED에 흐르는 전류는 얼마인가?

7-8 ⫼⫼ **Multisim** 그림 7-30c에서 V_{BB} = 1.8 V일 때, LED 전류와 대략적인 컬렉터전압 V_C는 얼마인가?

(a)

(b)

그림 7-31

7-3 이미터 바이어스 회로 고장 점검

7-9 그림 7-31a의 컬렉터에서 전압계의 지시는 10 V이다. 이와 같은 높은 전압이 읽힐 수 있는 고장에는 어떤 것들이 있는가?

7-10 그림 7-31a에서 이미터가 접지되지 않으면 어떻게 되겠는가? 이때 베이스전압과 컬렉터전압에 대한 전압계의 지시는 어떻게 되겠는가?

7-11 그림 7-31a의 컬렉터에서 직류 전압계로 매우 낮은 전압이 측정되었다. 가능한 고장에는 어떤 것들이 있는가?

7-12 그림 7-31b의 컬렉터에서 전압계의 지시가 10 V이다. 이와 같은 높은 전압이 읽힐 수 있는 고장에는 어떤 것들이 있는가?

7-13 그림 7-31b에서 이미터저항이 개방되면 어떻게 되겠는가? 전압계는 베이스전압과 컬렉터전압을 얼마로 지시하겠는가?

7-14 그림 7-31b의 컬렉터에서 직류 전압계로 1.1 V가 측정되었다. 가능한 고장에는 어떤 것들이 있는가?

그림 7-32 **그림 7-33**

그림 7-34 **그림 7-35**

7-5 전압분배 바이어스

7-15 |||| **Multisim** 그림 7-32에서 이미터전압과 컬렉터전압을 구하라.

7-16 |||| **Multisim** 그림 7-33에서 이미터전압과 컬렉터전압을 구하라.

7-17 |||| **Multisim** 그림 7-34에서 이미터전압과 컬렉터전압을 구하라.

7-18 |||| **Multisim** 그림 7-35에서 이미터전압과 컬렉터전압을 구하라.

7-19 그림 7-34의 모든 저항이 ±5%의 오차를 갖는다. 컬렉터전압의 가장 낮은 값과 가장 높은 값을 구하라.

7-20 그림 7-35의 전원전압이 ±10%의 오차를 갖는다. 컬렉터전압의 가장 낮은 값과 가장 높은 값을 구하라.

7-7 VDB 부하선과 Q점

7-21 그림 7-32의 Q점을 구하라.

7-22 그림 7-33의 Q점을 구하라.

7-23 그림 7-34의 Q점을 구하라.

7-24 그림 7-35의 Q점을 구하라.

7-25 그림 7-34의 모든 저항이 ±5%의 오차를 갖는다. 컬렉터전류의 가장 낮은 값과 가장 높은 값을 구하라.

7-26 그림 7-35의 전원전압이 ±10%의 오차를 갖는다. 컬렉터전류의 가장 낮은 값과 가장 높은 값을 구하라.

7-8 양전원 이미터 바이어스(TSEB)

7-27 그림 7-36의 이미터전류와 컬렉터전압을 구하라.

7-28 그림 7-36의 모든 저항을 2배가 되게 하는 경우, 이미터전류와 컬렉터전압을 구하라.

7-29 그림 7-36의 모든 저항이 ±5%의 오차를 갖는다. 컬렉터전압의 가장 낮은 값과 가장 높은 값을 구하라.

7-9 다른 형태의 바이어스

7-30 그림 7-35에서 다음 각각의 작은 변화에 대하여 컬렉터전압이 증가하는가, 감소하는가, 변함 없는가?

a. R_1 증가 d. R_C 감소
b. R_2 감소 e. V_{CC} 증가
c. R_E 증가 f. β_{dc} 감소

7-31 그림 7-37에서 다음 회로값 각각의 작은 증가에 대하여 컬렉터전압이 증가하는가, 감소하는가, 변함 없는가?

a. R_1 d. R_C
b. R_2 e. V_{EE}
c. R_E f. β_{dc}

그림 7-36 **그림 7-37**

7-10　VDB 회로 고장 점검

7-32 그림 7-35에서 다음 고장에 대한 컬렉터전압의 대략적인 값을 구하라.

　a. R_1 개방　　　　d. R_C 개방
　b. R_2 개방　　　　e. 컬렉터-이미터 개방
　c. R_E 개방

7-33 그림 7-37에서 다음 고장에 대한 컬렉터전압의 대략적인 값을 구하라.

　a. R_1 개방　　　　d. R_C 개방
　b. R_2 개방　　　　e. 컬렉터-이미터 개방
　c. R_E 개방

7-11　PNP 트랜지스터

7-34 그림 7-37의 컬렉터전압을 구하라.

7-35 그림 7-37의 컬렉터-이미터 전압을 구하라.

7-36 그림 7-37의 컬렉터 포화전류와 컬렉터-이미터 차단전압을 구하라.

7-37 그림 7-38의 이미터전압과 컬렉터전압을 구하라.

그림 7-38

응용 문제 | Critical Thinking

7-38 그림 7-35의 회로를 $R_1 = 150\ \text{k}\Omega$, $R_2 = 33\ \text{k}\Omega$으로 바꾸어주면, 베이스전압(전압분배기의 이상적인 출력전압)이 2.16 V가 아닌 0.8 V로 되는 이유를 설명하라.

7-39 2N3904를 이용하여 그림 7-35의 회로를 만든다면, 어떤 점을 고려해야 하는가?

7-40 그림 7-35의 컬렉터-이미터 전압을 측정하고자 전압계를 컬렉터와 이미터 사이에 접속하면, 읽히는 값은?

7-41 그림 7-35에서 임의의 회로값을 변화시켜, 트랜지스터를 파괴시킬 수 있는 모든 방법을 생각해보라.

7-42 그림 7-35의 전원장치로 트랜지스터에 전원전류를 공급해야 하는데, 이 전류를 구할 수 있는 모든 방법을 생각해보라.

7-43 그림 7-39의 각 트랜지스터에 대한 컬렉터전압을 구하라. (힌트: 직류에 대해 모든 커패시터는 개방됨)

7-44 그림 7-40a의 회로에서 실리콘 다이오드를 사용했을 때, 이미터전류와 컬렉터전압을 구하라.

7-45 그림 7-40b의 출력전압을 구하라.

7-46 그림 7-41a의 LED에 흐르는 전류를 구하라.

7-47 그림 7-41b의 LED에 흐르는 전류를 구하라.

7-48 Q점을 변화시키지 않고 그림 7-34의 전압분배기가 안정(stiff)하기 위한 R_1과 R_2를 구하라.

그림 7-39

그림 7-40

그림 7-41

고장 점검 | Troubleshooting

다음 문제에 대하여 그림 7-42을 이용하라.

7-49 고장 1을 찾아라.

7-50 고장 2를 찾아라.

7-51 고장 3과 4를 찾아라.

7-52 고장 5와 6을 찾아라.

7-53 고장 7과 8을 찾아라.

7-54 고장 9와 10을 찾아라.

7-55 고장 11과 12를 찾아라.

MEASUREMENTS

Trouble	V_B (V)	V_E (V)	V_C (V)	R_2 (Ω)
OK	1.8	1.1	6	OK
T1	10	9.3	9.4	OK
T2	0.7	0	0.1	OK
T3	1.8	1.1	10	OK
T4	2.1	2.1	2.1	OK
T5	0	0	10	OK
T6	3.4	2.7	2.8	∞
T7	1.83	1.212	10	OK
T8	0	0	10	0
T9	1.1	0.4	0.5	OK
T10	1.1	0.4	10	OK
T11	0	0	0	OK
T12	1.83	0	10	OK

그림 7-42

Multisim 고장 점검 문제 | Multisim Troubleshooting Problems

멀티심 고장 점검 파일들은 *Connect for Electronic Principles* 저자 자료에 멀티심 고장 점검 회로(MTC)라는 폴더에서 찾을 수 있다. 좀 더 자세한 내용은 xiv페이지를 참조하라. 이 장에 관련된 파일은 MTC07-56~MTC07-60로 명칭되어 있고 모두 그림 7-42의 회로를 바탕으로 한다.

각 파일을 열고 고장 점검을 실시한다. 결함이 있는지 결정하기 위해 측정을 실시하고 결함이 있다면 무엇인지를 찾아라.

7-56 MTC07-56 파일을 열고 고장 점검을 실시하라.

7-57 MTC07-57 파일을 열고 고장 점검을 실시하라.

7-58 MTC07-58 파일을 열고 고장 점검을 실시하라.

7-59 MTC07-59 파일을 열고 고장 점검을 실시하라.

7-60 MTC07-60 파일을 열고 고장 점검을 실시하라.

직무 면접 문제 | Job Interview Questions

1. VDB 회로를 그리고, 컬렉터-이미터 전압 V_{CE}를 구하는 모든 단계를 설명하라. 이 회로가 매우 안정한 Q점을 갖는 이유는 무엇인가?

2. TSEB 회로를 그리고 회로 동작을 설명하라. 트랜지스터가 교체되거나 온도가 변화할 때, 컬렉터전류는 어떻게 되는가?

3. 몇 가지 다른 종류의 바이어스 예를 들어 설명하라. 또 이 바이어스들의 Q점에 대해 설명하라.

4. 두 가지 형태의 귀환바이어스로 어떤 것이 있고, 이들이 개발된 이유가 무엇인지 설명하라.

5. 개별(discrete) 쌍극성 트랜지스터 회로에 사용된 최초의 바이어스 형식은 어떤 것이 있는가?

6. 스위칭 회로에 사용되고 있는 트랜지스터는 활성영역으로 바이어스되어야 하는가? 만일 그렇지 않다면, 부하선과 관련된 두 점이 스위칭 회로에서 왜 중요한가를 설명하라.

7. VDB에서 베이스전류가 전압분배 회로에 흐르는 전류에 비해 적지 않다. 이와 같은 회로의 결점은 무엇인가? 이 결점을 고치기 위해 무엇을 변화시켜야 하는가?

8. 가장 일반적으로 사용되는 트랜지스터 바이어스 형태는 무엇이고, 또 이 바이어스를 많이 사용하는 이유에 대하여 설명하라.

9. *npn* 트랜지스터를 사용한 VDB 회로를 그리고, 분배기, 베이스, 이미터 및 컬렉터전류의 방향을 표시하라.

10. R_1과 R_2가 R_E보다 100배 큰 VDB 회로에서 잘못된 점은 무엇인가?

복습 문제 해답 | Self-Test Answers

1.	b	11.	a	21.	a	31.	a
2.	b	12.	a	22.	c	32.	d
3.	d	13.	d	23.	c	33.	b
4.	b	14.	b	24.	c	34.	b
5.	a	15.	b	25.	a	35.	c
6.	a	16.	b	26.	b	36.	b
7.	c	17.	a	27.	a	37.	c
8.	a	18.	c	28.	d	38.	a
9.	c	19.	a	29.	a	39.	d
10.	d	20.	b	30.	c		

연습 문제 해답 | Practice Problem Answers

7-1 $V_{CE} = 8.1$ V

7-2 $R_E = 680\ \Omega$

7-5 $V_B = 2.7$ V;

   $V_E = 2$ mA;

   $V_C = 7.78$ V;

   $V_{CE} = 5.78$ V

7-6 $V_{CE} = 5.85$ V;

   예상값에 매우 가깝다.

7-8 $R_E = 1\ \text{k}\Omega$;

   $R_C = 4\ \text{k}\Omega$;

   $R_2 = 700\ \Omega\ (680)$;

   $R_1 = 3.4\ \text{k}\ \Omega\ (3.3\ \text{k})$

7-9 $V_{CE} = 6.96$ V

7-10 $V_{CE} = 7.05$ V

7-11 7-29a에 대해;

   $V_B = 2.16$ V;

$V_E = -1.46$ V;

$V_C = -6.73$ V;

$V_{CE} = -5.27$ V

7-29b에 대해;

$V_B = 9.84$ V;

$V_E = 10.54$ V;

$V_C = 5.27$ V;

$V_{CE} = -5.27$ V

기본 BJT 증폭기

Basic BJT Amplifiers

트랜지스터가 부하선의 중앙 부근에 Q점이 놓이도록 바이어스된 후, 소신호 교류전압을 베이스로 결합시킬 수 있다. 이로부터 교류 컬렉터전압이 얻어진다. 이 교류 컬렉터전압은 진폭이 더 커진 것을 제외하고는 교류 베이스전압과 비슷하다. 다시 말해서 교류 컬렉터전압은 교류 베이스전압의 증폭된 형태이다.

이 단원은 주어진 회로값을 이용하여 전압이득과 교류전압들의 계산방법을 제시한다. 이러한 계산법은 측정값들이 이론적인 값들과 적절히 일치하는지를 알아보기 위하여 교류전압을 측정할 수 있기 때문에 고장 점검할 때 중요하다. 또한 이 단원에서는 증폭기의 입력임피던스 및 부귀환에 대하여 검토한다.

학습목표 | Objectives

이 단원을 공부하고 나면

- 트랜지스터 증폭기를 그리고 동작 방법을 설명할 수 있어야 한다.
- 결합커패시터와 바이패스커패시터의 역할을 설명할 수 있어야 한다.
- 교류단락과 교류접지의 예를 제시할 수 있어야 한다.
- 직류 등가회로와 교류 등가회로를 그리기 위하여 중첩의 정리를 이용할 수 있어야 한다.
- 소신호 동작을 정의하고, 소신호 동작이 바람직한 이유를 설명할 수 있어야 한다.
- VDB를 사용한 증폭기를 그리고, 그 다음 그 교류 등가회로도 그릴 수 있어야 한다.
- CE 증폭기의 중요한 특성에 관하여 논할 수 있어야 한다.
- CE 증폭기의 전압이득을 계산하고 예측하는 방법을 보일 수 있어야 한다.
- 스웜프 증폭기의 동작 방법을 설명하고 세 가지 장점을 적을 수 있어야 한다.
- CE 증폭기에서 발생할 수 있는 두 커패시터와 관련된 문제를 설명할 수 있어야 한다.
- CE 증폭기 회로들을 고장 점검할 수 있어야 한다.

단원 목차 | Chapter Outline

주요용어 | Vocabulary

CB 증폭기(CB amplifier)

CC 증폭기(CC amplifier)

CE 증폭기(CE amplifier)

π 모델(π model)

T 모델(T model)

결합커패시터(coupling capacitor)

교류 등가회로(ac equivalent circuit)

교류 이미터귀환
  (ac emitter feedback)

교류 이미터저항
  (ac emitter resistance)

교류 전류이득(ac current gain)

교류 컬렉터저항
  (ac collector resistance)

교류단락(ac short)

교류접지(ac ground)

귀환저항(feedback resistor)

바이패스커패시터(bypass capacitor)

소신호 증폭기(small-signal amplifier)

스웜프 증폭기(swamped amplifier)

스웜핑(swamping)

에버스-몰 모델(Ebers-Moll model)

왜곡(distortion)

전압이득(voltage gain)

중첩의 정리(superposition theorem)

직류 등가회로(dc equivalent circuit)

8-1 베이스 바이어스 증폭기

이 절에서는 베이스 바이어스 증폭기에 대해 토론해보자. 베이스 바이어스 증폭기의 기본 개념이 좀 더 복잡한 증폭기를 구성하는 데 이용될 수 있기 때문에 이를 알아둘 가치가 있다.

결합커패시터

그림 8-1a는 커패시터와 저항에 연결된 교류 전압원을 볼 수 있다. 커패시터의 임피던스는 주파수에 반비례하기 때문에 커패시터는 효과적으로 직류전압을 차단하고 교류전압을 전송한다. 주파수가 충분히 높을 때, 용량성 리액턴스는 저항보다 훨씬 작다. 이 경우, 거의 모든 전원전압이 저항 양단에 나타난다. 커패시터가 이런 역할을 하는 데 사용될 때, 교류신호를 저항으로 결합시키거나 전송하기 때문에 **결합커패시터**(coupling capacitor)라 한다. 결합커패시터는 Q점을 이동시키지 않으면서 교류신호를 증폭기로 결합시켜주기 때문에 중요하다.

결합커패시터가 적절히 동작하는 경우, 결합커패시터의 리액턴스는 교류 신호원의 **최저주파수**에서 저항보다 훨씬 작아야만 한다. 예를 들어 교류 신호원의 주파수가 20 Hz에서 20 kHz까지 변화한다면, 최악의 경우는 20 Hz에서 발생한다. 회로를 설계할 때는 20 Hz에서 커패시터의 리액턴스가 저항값보다 훨씬 작게 해야 한다.

얼마나 작게 할 것인가의 정의는 다음과 같다. 즉

양호한 결합조건: $X_C < 0.1R$　　　　　　　　　　　　　　　　　　**(8-1)**

이 관계식은 최저 동작주파수에서 리액턴스가 저항보다 최소한 10배 이상 작아야 한다는 뜻이다.

이러한 10 : 1 규칙이 만족될 때, 그림 8-1a는 그림 8-1b의 등가회로로 대체될 수 있다. 그 이유는 그림 8-1a에서 임피던스의 크기가

$$Z = \sqrt{R^2 + X_C^2}$$

로 주어지며, 최악의 경우를 이 식에 적용하면

$$Z = \sqrt{R^2 + (0.1R)^2} = \sqrt{R^2 + 0.01R^2} = \sqrt{1.01R^2} = 1.005R$$

이 된다. 최저주파수에서 이 임피던스는 R값의 0.5% 이내에 있으므로, 그림 8-1a의 전류는 그림 8-1b의 전류보다 단지 0.5%만큼 적다. 잘 설계된 회로가 10 : 1 규칙을 만족한다면, 모든 결합커패시터를 **교류단락**(그림 8-1b)으로 근사화할 수 있다.

결합커패시터에 대한 마지막 검토사항은 직류전압의 주파수가 0이기 때문에 주파수 0에서 결합커패시터의 리액턴스는 무한대이다. 그러므로 커패시터에 대해 다음 두 가지 근사를 이용하자. 즉

1. 직류 해석의 경우, 커패시터는 개방된다.
2. 교류 해석의 경우, 커패시터는 단락된다.

그림 8-1 (a) 결합커패시터; (b) 커패시터의 교류단락; (c) 직류개방과 교류단락

그림 8-1c는 이와 같은 두 중요한 개념을 요약한 것이다. 다른 언급이 없는 한, 이제부터 해석하는 모든 회로는 10 : 1 규칙을 만족하고 결합커패시터를 그림 8-1c처럼 나타낼 수 있다.

예제 8-1

그림 8-1a에서 R = 2 kΩ이고 주파수 범위가 20 Hz에서 20 kHz인 경우, 좋은 결합커패시터로 동작하는데 필요한 C값을 구하라.

풀이　10 : 1 규칙에 따라 X_C는 최저주파수에서 R보다 1/10 이하로 작아야 한다. 그러므로

　　20 Hz에서, $X_C < 0.1\,R$

　　20 Hz에서, $X_C < 200\,\Omega$이고

$X_C = \dfrac{1}{2\pi fC}$이므로, 이를 재정리하면

$$C = \frac{1}{2\pi f X_C} = \frac{1}{(2\pi)(20\text{ Hz})(200\,\Omega)}$$

따라서 C값은 다음과 같다.

$$C = 39.8\ \mu\text{F}$$

연습 문제 8-1　예제 8-1을 이용하여 최저주파수가 1 kHz이고 R이 1.6 kΩ일 때, C값을 구하라.

직류 회로

그림 8-2a는 베이스 바이어스된 회로를 나타낸다. 직류 베이스전압은 0.7 V이다. 30 V는 0.7 V보다 훨씬 크기 때문에, 베이스전류는 대략 30 V를 1 MΩ으로 나눈 것과 같다. 즉

$$I_B = 30\ \mu\text{A}$$

전류이득이 100인 경우, 컬렉터전류는

$$I_C = 3 \text{ mA}$$

이고, 컬렉터전압은

$$V_C = 30 \text{ V} - (3 \text{ mA})(5 \text{ k}\Omega) = 15 \text{ V}$$

이다. 따라서 Q점은 3 mA와 15 V에 위치한다.

증폭회로

그림 8-2b는 증폭기를 구성하기 위해 어떻게 소자들을 추가시키는가를 나타내는 그림이다. 우선 결합커패시터를 교류 신호원과 베이스 사이에 놓는다. 결합커패시터는 직류에 대해서 개방되므로, 커패시터와 교류 신호원이 있을 때나 없을 때나 직류 베이스전류는 같다. 마찬가지로 결합커패시터를 컬렉터와 100 kΩ의 부하저항 사이에 놓는다. 이 커패시터도 직류에 대해서 개방되므로 결합커패시터와 부하저항이 있을 때나 없을 때나 직류 컬렉터전압은 같다. 핵심은 결합커패시터가 교류 신호원과 부하저항에 의한 Q점의 변화를 방지해 주는 것이다.

그림 8-2b에서 교류 신호원 전압은 100 μV이다. 결합커패시터는 교류단락이므로

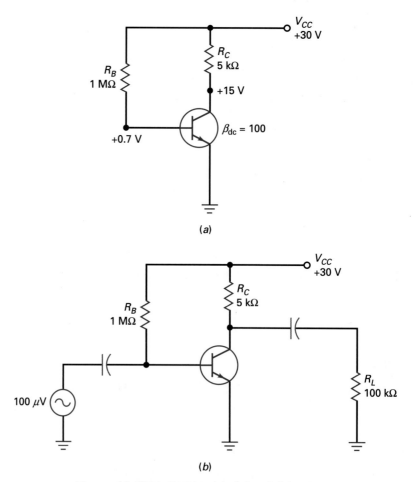

그림 8-2 (a) 베이스 바이어스; (b) 베이스 바이어스된 증폭기

모든 교류 신호원 전압은 베이스와 접지 사이에 나타난다. 이 교류전압은 교류 베이스전류를 만들어주며, 이 전류는 직류 전원전압에 의한 직류 베이스전류와 더해진다. 다시 말해서, 전체적인 베이스전류는 직류 성분과 교류 성분을 갖는다.

그림 8-3a는 교류 성분이 직류 성분에 중첩된 모양이다. (+)반주기에서 교류 베이스전류는 30 μA의 직류 베이스전류와 더해지고, (−)반주기에서는 빼진다.

교류 베이스전류는 전류이득으로 인해 컬렉터전류가 증폭된 변화를 일으킨다. 그림 8-3b에서 컬렉터전류의 직류 성분은 3 mA이다. 이 직류 성분에 중첩된 것이 교류 컬렉터전류이다. 이 증폭된 컬렉터전류는 컬렉터저항으로 흐르므로, 컬렉터저항 양단에 변화하는 전압이 발생된다. 전원전압에서 이 전압을 빼주면 그림 8-3c에 나타낸 컬

(a)

(b)

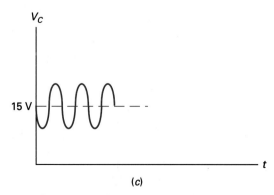

(c)

그림 8-3 직류와 교류 성분 (a) 베이스전류; (b) 컬렉터전류; (c) 컬렉터전압

렉터전압이 얻어진다.

이 경우에도 교류 성분은 직류 성분에 중첩된다. 컬렉터전압은 +15 V의 직류레벨 위와 아래로 주기적으로 스윙하고 있다. 또한 교류 컬렉터전압은 **반전**되어, 입력전압과 180°의 위상차를 나타낸다. 그 이유는 교류 베이스전류의 (+)반주기에 대해 컬렉터전류가 증가하여 컬렉터저항 양단전압을 더 크게 만들며, 이는 컬렉터와 접지 사이의 전압이 더 낮아짐을 의미한다. 마찬가지로 (−)반주기에 대해 컬렉터전류가 감소하여, 컬렉터저항 양단전압이 낮아지기 때문에 컬렉터전압이 증가한다.

전압 파형

그림 8-4는 베이스 바이어스된 증폭기에 대한 파형을 나타낸다. 교류 전압원은 진폭이 작은 정현파 전압이다. 이 전압은 베이스로 결합되며, 베이스에서 +0.7 V의 직류 성분과 중첩된다. 베이스전압의 변화는 베이스전류, 컬렉터전류 및 컬렉터전압의 주기적인 변화를 발생힌다. 전체적인 컬렉디전압은 +15 V의 직류 컬렉디전압에 **중첩**된 반전 사인(sine) 파형이다.

출력 결합커패시터의 동작에 주목하라. 출력 결합커패시터는 직류에 대해 개방되므로 컬렉터전압의 직류성분을 차단한다. 이 커패시터는 교류에 대해 단락되므로 교류 컬렉터전압은 부하저항에 결합된다. 따라서 부하전압이 평균치가 0인 순수한 교류 신호가 되는 이유이다.

전압이득

증폭기의 **전압이득**은 교류 출력전압을 교류 입력전압으로 나눈 것으로 정의된다.

$$정의: A_V = \frac{v_{out}}{v_{in}} \tag{8-2}$$

예를 들어 교류 입력전압이 100 μV인 경우 교류 부하전압이 50 mV로 측정된다면, 전압이득은

$$A_V = \frac{50 \text{ mV}}{100 \text{ }\mu\text{V}} = 500$$

그림 8-4 베이스 바이어스된 증폭기의 파형

이다. 이는 교류 출력전압이 교류 입력전압보다 500배 크다는 것을 뜻한다.

출력전압의 계산

식 (8-2)의 양변에 v_{in}을 곱하면 다음 식이 유도된다. 즉

$$v_{out} = A_V v_{in} \tag{8-3}$$

이 식은 A_V와 v_{in}값이 주어진 경우, v_{out} 값을 구하고자 할 때 유익하다.

예를 들어 그림 8-5a와 같은 삼각형 기호는 임의로 설계된 증폭기를 나타내기 위해 사용한다. 입력전압이 2 mV, 전압이득이 200으로 주어졌으므로 출력전압은 다음과 같이 계산할 수 있다.

$$v_{out} = (200)(2 \text{ mV}) = 400 \text{ mV}$$

입력전압의 계산

식 (8-3)의 양변을 A_V로 나누면 다음 식이 유도된다. 즉

$$v_{in} = \frac{v_{out}}{A_V} \tag{8-4}$$

이 식은 v_{out}와 A_V 값이 주어진 경우, v_{in}의 값을 구하고자 할 때 유익하다. 예를 들어 그림 8-5b에서 출력전압이 2.5 V이다. 전압이득이 350인 경우, 입력전압은 다음과 같다.

$$v_{in} = \frac{2.5 \text{ V}}{350} = 7.14 \text{ mV}$$

그림 8-5 (a) 출력전압의 계산; (b) 입력전압의 계산

8-2 이미터 바이어스 증폭기

베이스 바이어스 증폭기는 불안정한 Q점을 갖는다. 이런 이유로 증폭기로 많이 이용되지 않는다. 그 대신 Q점이 안정한 이미터 바이어스 증폭기(VDB 또는 TSEB)가 더 많이 이용된다.

바이패스커패시터

바이패스커패시터는 직류에 대해 개방, 교류에 대해 단락된 것처럼 보이기 때문에 결합커패시터와 유사하다. 그러나 신호를 두 점 사이에 결합시키는 데 이용되지는 않는다. 대신 **교류접지**(ac ground)를 만들어 주는 데 이용된다.

그림 8-6a는 저항과 커패시터에 접속된 교류 전압원을 나타낸다. 저항 R은 커패시터에서 바라본 테브난 저항을 나타낸다. 주파수가 충분히 높을 때 용량성 리액턴스는 저항보다 훨씬 작다. 이 경우 거의 모든 교류 신호원 전압이 저항 양단에 나타난다. 달리 말하면 E점이 효과적으로 접지로 단락된다.

이런 방법으로 이용될 때, 커패시터는 E점을 접지로 바이패스시키거나 단락시키기 때문에 **바이패스커패시터**(*bypass capacitor*)라 한다. 바이패스커패시터는 증폭기의

(a)

(b)

그림 8-6 (a) 바이패스커패시터; (b) E점은 교류접지이다.

Q점에 영향을 주지 않으면서 교류 접지를 만들어주기 때문에 중요하다.

바이패스커패시터가 적절히 동작하려면 그 리액턴스는 교류 신호원의 최소주파수에서 저항보다 훨씬 작아야 한다. 좋은 바이패싱에 대한 정의는 좋은 결합과 정의가 같다. 즉

좋은 바이패스 조건: $X_C < 0.1R$ (8-5)

이 조건이 만족될 때, 그림 8-6a는 그림 8-6b의 등가회로로 대체될 수 있다.

예제 8-2

그림 8-7에서 V의 입력 주파수가 1 kHz이다. E점을 접지로 효과적으로 단락시키기 위해 요구되는 C값을 구하라.

그림 8-7

풀이   우선 커패시터 C에서 바라본 테브난 저항을 구한다.

$$R_{TH} = R_1 \| R_2$$
$$R_{TH} = 600\ \Omega \| 1\ k\Omega = 375\ \Omega$$

다음, X_C가 R_{TH}보다 1/10만큼 작아야 하므로, 1 kHz에서 $X_C < 37.5\ \Omega$이다. 이제 C에 대하여 풀면 다음과 같다.

$$C = \frac{1}{2\pi f X_C} = \frac{1}{(2\pi)(1\ kHz)(37.5\ \Omega)}$$

$$C = 4.2\ \mu F$$

연습 문제 8-2   그림 8-7에서 $R_1 = 50\ \Omega$인 경우, 요구되는 C값을 구하라. V의 입력주파수는 1 kHz이다.

VDB 증폭기

그림 8-8은 전압분배 바이어스(VDB)된 증폭기를 나타낸다. 직류전압과 전류를 구하기 위해 모든 커패시터를 개방시켜 보면, 트랜지스터 회로는 7장에서 해석했던 VDB 회로로 간단해진다. 이 회로에 대한 정지값 또는 직류값은 다음과 같다.

$$V_B = 1.8\ V$$
$$V_E = 1.1\ V$$
$$V_C = 6.04\ V$$
$$I_C = 1.1\ mA$$

앞에서처럼 하나의 결합커패시터는 신호원과 베이스 사이에 다른 결합커패시터는 컬렉터와 부하저항 사이에 사용한다. 또한 이미터와 접지 사이에 바이패스커패시터

그림 8-8   VDB 증폭기와 각 지점의 파형

를 사용한다. 이 커패시터가 없으면 교류 베이스전류는 훨씬 작아진다. 그러나 바이패
스 커패시터를 달아주면 훨씬 큰 전압이득이 얻어진다.

그림 8-8에서 교류 신호원 전압은 100 μV로서, 이 전압은 베이스로 결합된다. 바
이패스커패시터 때문에 이러한 교류전압의 전부가 베이스-이미터 다이오드 양단에 나
타난다. 그러면 교류 베이스전류는 앞에서 검토한 바와 같이 증폭된 교류 컬렉터전압
을 만들어 준다.

VDB 파형

그림 8-8의 전압 파형을 살펴보자. 교류 신호원 전압은 평균값이 0인 소신호 전압이다.
베이스전압은 +1.8 V의 직류전압에 중첩된 교류전압이다. 컬렉터전압은 반전 증폭된
교류전압으로 +6.04 V의 직류 컬렉터전압에 중첩된다. 부하전압은 평균값이 0이라는
것 외에는 컬렉터전압과 같다.

또한 순수한 직류전압이 +1.1 V인 이미터전압을 살펴보자. 이미터는 바이패스커
패시터를 사용한 결과로 교류 접지되기 때문에 이미터 교류전압은 나타나지 않는다. 이
점은 고장 점검하는 데 유익하므로 기억해 두는 것이 좋다. 만일 바이패스커패시터가
개방되면, 교류전압이 이미터와 접지 사이에 나타날 것이다. 이 증상은 특이한 고장으
로서, 바로 바이패스커패시터의 개방을 가리킨다.

개별회로와 집적회로

그림 8-8과 같은 VDB 증폭기는 개별 트랜지스터 증폭기를 만드는 가장 기본적인 방법
이다. **개별**(*discrete*)이란 저항, 커패시터 및 트랜지스터와 같은 모든 부품들을 분리 삽
입하여 연결해줌으로써 최종적인 회로가 구성되는 것을 의미한다. **개별회로**(*Discrete
Circuit*)는 모든 부품들이 반도체 물질인 하나의 **칩**(*chip*) 상에 동시에 만들어지고 결합
되는 **집적회로**(*Integrated Circuit*)와 다르다. 이 책의 뒷부분에서 100,000 이상의 전압
이득을 갖는 IC 증폭기인 **연산증폭기**(*op amp*)에 대해 토의할 것이다.

TSEB 회로

그림 8-9는 양전원 이미터 바이어스(TSEB)를 나타낸다. 7장에서 이 회로의 직류 해석을 했으며, 다음과 같은 정지값들을 구하였다.

$$V_B \approx 0 \text{ V}$$

$$V_E = -0.7 \text{ V}$$

$$V_C = 5.32 \text{ V}$$

$$I_C = 1.3 \text{ mA}$$

그림 8-9에는 두 개의 결합커패시터와 하나의 바이패스커패시터가 있다. 이 회로의 교류 동작은 VDB 증폭기의 교류 동작과 유사하다. 이 회로의 입력신호는 베이스로 결합되어 증폭된 컬렉터전압이 얻어진다. 그 다음 증폭된 신호는 부하로 결합된다.

파형에 살펴보자. 교류 신호원 전압은 소신호 전압이다. 베이스전압은 작은 교류성분이 거의 0 V의 직류 성분에 얹혀진 모양으로 나타난다. 전체적인 컬렉터전압은 반전 증폭된 정현파가 +5.32 V의 직류 컬렉터전압에 얹혀진 모양이 된다. 부하전압(V_{out})은 직류성분이 제거된 것과 같은 증폭된 신호전압이 나타난다.

또한 바이패스커패시터를 사용함으로써 나타나는 이미터의 직류전압에 대해 살펴보자. 만일 바이패스커패시터가 개방되면 이미터에는 교류전압이 나타날 것이다. 이는 전압이득을 크게 감소시킨다. 따라서 바이패스커패시터가 있는 증폭기를 고장 점검할 때, 모든 교류 접지는 교류전압이 0이 된다는 점을 기억해야 한다.

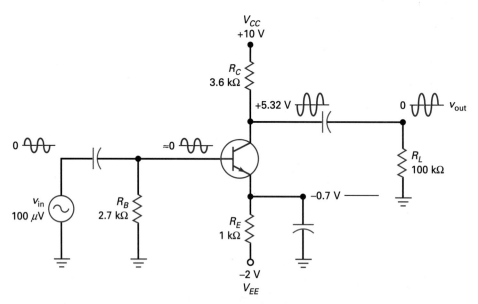

그림 8-9 TSEB 증폭기의 파형

8-3 소신호 동작

그림 8-10은 베이스-이미터 다이오드에 대한 전류와 전압의 관계를 나타낸 그래프이다. 교류전압이 트랜지스터의 베이스로 결합될 때, 교류전압은 베이스-이미터 다이오드 양단에 나타난다. 이것은 그림 8-10에 나타난 것과 같이 V_{BE} 정현파의 변이를 발생시킨다.

순간 동작점

정현파 전압이 (+) 피크로 증가할 때, 순간 동작점은 Q점에서 그림 8-10에 나타낸 위쪽 점까지 이동한다. 한편 정현파가 (−) 피크로 감소할 때, 순간 동작점은 Q점에서 아래 점까지 이동한다.

그림 8-10의 전체 베이스-이미터 전압은 직류전압에 중심을 둔 교류전압이다. 교류전압의 크기는 순간 동작점이 Q점으로부터 얼마나 멀리 떨어져 있는가로 결정된다. 진폭이 큰 교류 베이스전압은 큰 변화를, 작은 교류 베이스전압은 작은 변화를 만들어낸다.

왜곡

베이스의 교류전압은 그림 8-10에 나타낸 교류 이미터전류를 만들어낸다. 이 교류 이미터전류의 주파수는 교류 베이스전압의 주파수와 같다. 예를 들어 베이스를 구동하는 교류 발생기의 주파수가 1 kHz라면 교류 이미터전류는 1 kHz의 주파수를 가진다. 또한 교류 이미터전류는 교류 베이스전압의 모양과 거의 같다. 만일 교류 베이스전압이 정현파라면, 교류 이미터전류도 거의 정현파이다.

교류 이미터전류는 그래프의 곡선부분 때문에 교류 베이스전압을 그대로 복사한 모양이 되지 않는다. 그래프가 위쪽으로 완만하게 굽었기 때문에 교류 이미터전류의 (+) 반주기는 길게 늘어지고(신장되고), (−) 반주기는 압축된다. 교류 반주기의 신장(stretching)과 압축(compressing)을 **왜곡**(distortion)이라 한다. 왜곡은 음성과 음악의 소리를 변질시키기 때문에 Hi-Fi 증폭기(high-fidelity amplifier; 고충실도 증폭기)에는 바람직하지 않다.

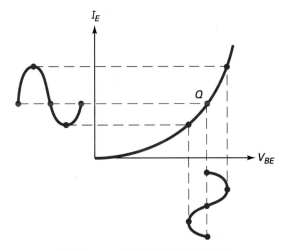

그림 8-10   신호가 너무 클 때의 왜곡

왜곡의 감소

그림 8-10에서 왜곡을 감소시키기 위한 한 가지 방법은 교류 베이스전압을 작게 유지하는 것이다. 베이스전압의 피크치를 감소시킬 때, 순간 동작점의 이동을 감소시킨다. 이 스윙(swing)이나 변화가 작을수록 그래프는 곡면성은 더 작아진다. 만일 신호의 피크치가 충분히 작다면 그래프는 직선으로 보이게 된다.

이것이 중요한 이유는 소신호의 경우 왜곡을 무시할 수 있기 때문이다. 소신호일 때 그래프는 거의 직선이기 때문에 교류 이미터전류의 변화는 교류 베이스전압의 변화에 정비례한다. 다시 말해서 교류 베이스전압이 충분히 작은 정현파라면, 교류 이미터전류는 역시 반주기 동안 주목할 만한 신장이나 압축이 안된 작은 정현파가 된다.

10% 법칙

그림 8-10의 전체 이미터전류는 직류 성분과 교류 성분으로 구성되어 있으며, 이는 다음과 같은 수식으로 표현할 수 있다.

$$I_E = I_{EQ} + i_e$$

여기서 I_E = 전체적인 이미터전류
$\qquad I_{EQ}$ = 직류 이미터전류
$\qquad i_e$ = 교류 이미터전류

왜곡을 최소화하기 위해 i_e의 피크-피크 값은 I_{EQ}에 비해 작아야 한다. 소신호 동작의 정의는 다음과 같다.

소신호: $i_{e(p\text{-}p)} < 0.1 I_{EQ}$ (8-6)

즉 교류 이미터전류의 피크-피크가 직류 이미터전류의 10% 미만일 때의 교류신호를 소신호(small signal)라 한다. 예를 들어 그림 8-11에 나타난 것과 같이, 직류 이미터전류가 10 mA라면, 소신호 동작을 위한 이미터전류의 피크-피크는 1 mA 미만이어야 한다.

10% 법칙을 만족하는 증폭기를 **소신호 증폭기**(small signal amplifier)라 하겠다. 이런 형태의 증폭기는 라디오나 TV 수상기의 앞 단에 사용된다. 이는 안테나로부터 유입되는 신호가 매우 미약한 신호이기 때문이다. 이 신호가 트랜지스터 증폭기에 결합될 때, 미약한 신호는 매우 작은 이미터전류의 변화를 나타내게 되는데, 10% 법칙이 요구하는 것보다도 훨씬 작다.

그림 8-11   소신호 동작의 정의

예제 8-3

그림 8-9를 이용하여 최대 소신호 이미터전류를 구하라.

풀이 우선 Q점에서의 이미터전류 I_{EQ}를 구한다.

$$I_{EQ} = \frac{V_{EE} - V_{BE}}{R_E} \qquad I_{EQ} = \frac{2\,V - 0.7\,V}{1\,k\Omega} \qquad I_{EQ} = 1.3\,mA$$

그 다음 소신호 이미터전류 $i_{e(pp)}$에 대하여 푼다.

$$i_{e(p\text{-}p)} < 0.1\,I_{EQ}$$

$$i_{e(p\text{-}p)} = (0.1)(1.3\,mA)$$

$$i_{e(p\text{-}p)} = 130\,\mu A_{p\text{-}p}$$

연습 문제 8-3 그림 8-9에서 R_E가 1.5 kΩ일 때, 최대 소신호 이미터전류를 구하라.

8-4 교류 베타

이제까지 검토한 모든 전류이득은 **직류 전류이득**으로 다음과 같이 정의되었다. 즉

$$\beta_{dc} = \frac{I_C}{I_B} \tag{8-7}$$

이 식의 전류들은 그림 8-12에 있는 Q점의 전류이다. I_C 대 I_B그래프에서 곡선 부분 때문에 직류 전류이득은 Q점의 위치에 따라 달라진다.

정의

교류 전류이득은 직류 전류이득과 다르며, 다음과 같이 정의된다.

$$\beta = \frac{i_c}{i_b} \tag{8-8}$$

즉 교류 전류이득은 교류 컬렉터전류를 교류 베이스전류로 나눈 것과 같다. 그림 8-12에서 교류신호는 Q점의 양쪽 그래프의 작은 부분만 이용한다. 이 때문에 교류 전류이득 값은 그래프의 거의 전체를 이용하는 직류 전류이득과 다르다.

그래프적으로 β는 그림 8-12의 Q점에서 특성 곡선의 기울기와 같다. 만일 트랜지스터를 다른 Q점에 바이어스 한다면, 곡선의 기울기가 변화하며 이는 β가 변한다는 의미이다. 다시 말해서 β값은 직류 컬렉터 전류량에 따라 달라진다.

데이터시트에 β_{dc}는 h_{FE}로, β는 h_{fe}로 표기되어 있다. 대문자의 첨자는 직류 전류이득에, 소문자의 첨자는 교류 전류이득에 사용한다. 두 전류이득은 크게 차이 나지 않는 비슷한 값을 갖는다. 이 때문에 한 가지 값을 알면, 예비 해석에서 이 값을 다른 전류

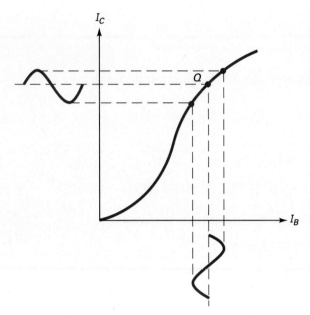

그림 8-12 교류 전류이득은 변화 비율과 같다.

이득과 같은 값으로 사용할 수 있다.

표기법

직류량을 교류량과 구별하기 위해 직류량의 경우 기호와 첨자를 대문자로 표기하는 것이 기준적인 관례이다. 예를 들어,

직류전류에 대해 I_E, I_C 및 I_B

직류전압에 대해 V_E, V_C 및 V_B

단자 사이의 직류전압에 대해 V_{BE}, V_{CE} 및 V_{CB}

로 표기해 오고 있으며, 교류량에 대해 다음과 같이 기호와 첨자를 소문자로 표기한다.

교류전류에 대해 i_e, i_c 및 i_b

교류전압에 대해 v_e, v_c 및 v_b

단자 사이의 교류전압에 대해 v_{be}, v_{ce} 및 v_{cb}

또한 직류저항에 대해 대문자 R을, 교류저항에 대해 소문자 r을 사용한다는 것도 알아둘 필요가 있으며, 교류저항은 다음 절에서 검토할 것이다.

8-5 이미터 다이오드의 교류저항

그림 8-13은 이미터 다이오드에 대한 전류와 전압의 그래프를 나타낸다. 작은 교류전압이 이미터 다이오드에 인가되면 교류 이미터전류는 그림과 같다. 이 교류 이미터전류의

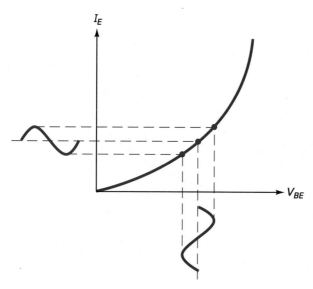

그림 8-13 이미터 다이오드의 교류저항

크기는 Q점의 위치에 따라 달라진다. 곡률(curvature) 때문에 Q점이 그래프의 위쪽에 위치할수록 교류 이미터전류의 피크-피크값은 더욱 커진다.

정의

8-3절에서 검토한 바와 같이 전체적인 이미터전류는 직류 성분과 교류 성분으로 이루어져 있으며, 이를 기호로 나타내면 다음과 같다.

$$I_E = I_{EQ} + i_e$$

여기서 I_{EQ}는 직류 이미터전류이고, i_e는 교류 이미터전류이다.

같은 방법으로 그림 8-13의 전체적인 베이스-이미터 전압은 직류 성분과 교류 성분으로 이루어져 있으며, 이를 수식으로 나타내면 다음과 같다.

$$V_{BE} = V_{BEQ} + v_{be}$$

여기서 V_{BEQ}는 직류 베이스-이미터 전압이고, v_{be}는 교류 베이스-이미터 전압이다.

그림 8-13에서 V_{BE}의 주기적인 변화는 I_E의 주기적인 변화를 유발한다. i_e의 피크-피크값은 Q점의 위치에 따라 달라진다. Q점이 특성 곡선의 위쪽에 위치하도록 바이어스될 때 그래프의 곡률 때문에 똑같은 v_{be}값에서도 좀 더 큰 i_e가 발생한다. 다시 말해서 직류 이미터전류가 증가할 때 이미터 다이오드의 교류저항은 감소한다.

이미터 다이오드의 **교류 이미터저항**은 다음과 같이 정의된다. 즉

$$r_e' = \frac{v_{be}}{i_e} \tag{8-9}$$

이는 이미터 다이오드의 교류저항이 교류 베이스-이미터 전압을 교류 이미터전류로 나눈 것과 같다는 뜻이다. r_e'에서 프라임 기호($'$)는 트랜지스터 내부저항임을 나타내는 일반적인 표시 방법이다.

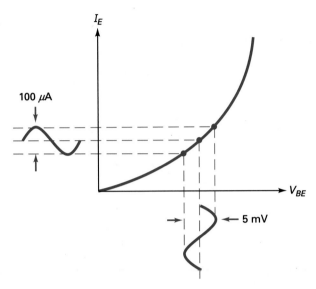

그림 8-14 r_e'의 계산

예를 들어 그림 8-14는 교류 베이스-이미터 전압의 피크-피크가 5 mV임을 나타낸다. 주어진 Q점에서 이 전압에 따른 교류 이미터전류의 피크-피크는 100 μA가 된다. 이때 이미터 다이오드의 교류저항은

$$r_e' = \frac{5\,\text{mV}}{100\,\mu\text{A}} = 50\,\Omega$$

이 된다. 또 다른 예로 그림 8-14의 좀 더 높은 Q점에서 v_{be} = 5 mV, i_e = 200 μA라고 가정하면, 이때 교류저항은 다음으로 감소한다.

$$r_e' = \frac{5\,\text{mV}}{200\,\mu\text{A}} = 25\,\Omega$$

중요한 점은 본래 v_{be}가 일정한 값이기 때문에 직류 이미터전류가 증가할 때 교류 이미터 저항은 언제나 감소한다는 것이다.

교류 이미터저항에 대한 공식

고체물리와 수학을 이용하면 교류 이미터저항에 대한 다음의 매우 중요한 공식을 유도할 수 있다.

$$r_e' = \frac{25\,\text{mV}}{I_E} \tag{8-10}$$

이는 이미터 다이오드의 교류저항이 25 mV를 직류 이미터전류로 나눈 것과 같다는 뜻이다.

이 식은 간단하고 모든 형태의 트랜지스터에 적용할 수 있다는 사실 때문에 주목할 만하다. 이 식은 이미터 다이오드의 교류저항에 대한 예비값(preliminary value)을 계산하기 위해 산업 현장에서도 폭넓게 이용된다. 이 식은 소신호 동작, 상온 및 계단형(abrupt rectangular) 베이스-이미터 접합이란 가정으로부터 유도된다. 상용트랜지스터는

비계단형(gradual and nonrectangular) 접합이므로 식 (8-10)과 다소 차이가 있을 것이다. 실제로 거의 모든 상용트랜지스터의 교류 이미터저항은 $25\ \text{mV}/I_E$와 $50\ \text{mV}/I_E$ 사이이다.

r_e'는 전압이득을 결정하기 때문에 중요하다. r_e'가 작을수록 전압이득은 더욱 커진다. 8-9절에서 트랜지스터의 전압이득을 계산하기 위해 r_e'를 이용하는 방법에 대해 살펴볼 것이다.

예제 8-4   ‖‖‖ Multisim

그림 8-15a와 같은 베이스 바이어스된 증폭기에서 r_e'를 구하라.

그림 8-15   (a) 베이스 바이어스된 증폭기; (b) VDB 증폭기; (c) TSEB 증폭기

풀이   앞에서 이 회로에 대한 직류 이미터전류는 약 3 mA로 구했다. 식 (8-10)을 이용하면, 이미터 다이오드의 교류저항은 다음과 같다.

$$r_e' = \frac{25\ \text{mV}}{3\ \text{mA}} = 8.33\ \Omega$$

예제 8-5   ‖‖‖ Multisim

그림 8-15b에서 r_e'를 구하라.

풀이   앞에서 이 VDB 증폭기의 해석 시 직류 이미터전류는 1.1mA로 구했다. 따라서 이미터 다이오드의 교류저항은 다음과 같다.

$$r_e' = \frac{25\ \text{mV}}{1.1\ \text{mA}} = 22.7\ \Omega$$

(b)

(c)

그림 8-15   계속

예제 8-6   ‖‖‖ Multisim

그림 8-15c의 양전원 이미터바이어스 증폭기에 대한 이미터 다이오드의 교류저항을 구하라.

풀이   앞의 계산에서 직류 이미터전류는 1.3 mA였으므로, 이미터 다이오드의 교류저항은 다음과 같다.

$$r_e' = \frac{25\ mV}{1.3\ mA} = 19.2\ \Omega$$

연습 문제 8-6   그림 8-15c에서 V_{EE}를 −3 V로 바꾸었을 때, r_e'를 구하라.

8-6 두 가지 트랜지스터 모델

트랜지스터 증폭기의 교류 동작을 해석하기 위해 트랜지스터의 교류 등가회로가 필요하다. 다시 말해서 교류신호로 동작하는 트랜지스터를 시뮬레이션 해보기 위해 트랜지스터에 대한 모델이 필요하다.

T 모델

최초의 교류 모델 중의 하나가 그림 8-16으로 나타낸 **Ebers-Moll 모델**이다. 교류 소신호에 대하여 트랜지스터의 이미터 다이오드는 교류저항 r'_e처럼 작용하고, 컬렉터 다이오드는 전류원 i_c처럼 동작한다. 이 Ebers-Moll 모델은 옆에서 보면 T처럼 보이므로, 이 등가회로를 **T 모델**이라고도 한다.

　트랜지스터 증폭기를 해석할 때, 각 트랜지스터를 T 모델로 대체할 수 있다. 그 다음 r'_e 값과 전압이득과 같은 다른 교류량을 계산할 수 있다. 상세한 것은 다음에 검토될 것이다.

　교류 입력신호가 트랜지스터 증폭기를 구동할 때, 교류 베이스-이미터 전압 v_{be}는 그림 8-17a와 같이 이미터 다이오드 양단에 나타난다. 이 전압은 교류 베이스전류를 흐르게 한다. 교류 전압원은 트랜지스터 증폭기가 적절하게 동작하도록 이 교류 베이스전류 i_b를 공급해야 한다. 다시 말해서, 교류 전압원은 베이스의 입력임피던스에 인가되어야 한다.

　그림 8-17b은 이러한 개념을 나타낸다. 트랜지스터의 베이스에서 들여다보면, 교류 전압원은 입력임피던스 $z_{in(base)}$를 바라보게 된다. 낮은 주파수에서 이 임피던스는 순수한 저항성이며, 다음과 같이 정의한다.

$$z_{in(base)} = \frac{v_{be}}{i_b} \tag{8-11}$$

그림 8-17a의 이미터 다이오드에 Ohm의 법칙을 적용하면

$$v_{be} = i_e r'_e$$

가 되며, 이 식을 앞의 식에 대입하면

$$z_{in(base)} = \frac{v_{be}}{i_b} = \frac{i_e r'_e}{i_b}$$

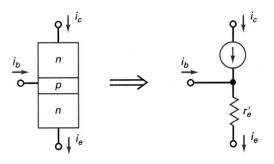

그림 8-16 트랜지스터의 T 모델

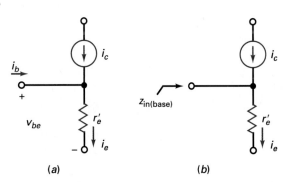

그림 8-17 베이스의 입력임피던스 정의

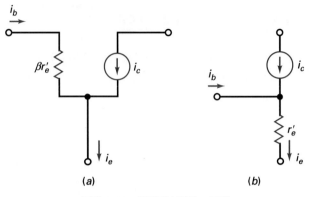

그림 8-18 트랜지스터의 π 모델

가 된다. $i_e \approx i_c$ 이므로, 앞의 식은 다음과 같이 간단해진다.

$$z_{\text{in(base)}} = \beta r_e' \tag{8-12}$$

이 식은 베이스의 입력임피던스가 교류 전류이득과 이미터 다이오드의 교류저항의 곱과 같다는 것을 뜻한다.

π 모델

그림 8-18a는 트랜지스터의 **π 모델**을 나타낸다. 이 그림은 식 (8-12)의 시각적 표현이다. T 모델을 보면 입력임피던스가 분명하지 않기 때문에, π 모델이 T 모델(그림 8-18b)보다 이용하기 더 쉽다. 반면에 π 모델은 $\beta r_e'$의 입력임피던스가 베이스를 구동하는 교류 전압원의 부하 작용을 한다는 것을 분명히 나타낸다.

π 모델과 T 모델은 트랜지스터에 대한 교류 등가회로이므로, 증폭기를 해석할 때 어느 것을 사용해도 된다. 대부분의 경우 π 모델을 사용한다. 17장의 차동증폭기(differential amplifier)와 같은 몇 가지 회로의 경우, T 모델이 회로 동작을 간파하기가 더 좋다. 두 가지 모델은 산업 현장에서 폭넓게 이용된다.

8-7 증폭기 해석

증폭기 해석은 직류원과 교류원이 동일한 회로에 함께 존재하므로 복잡하다. 증폭기를 해석하기 위해서 먼저 직류원에 의한 영향을, 그 다음 교류원에 의한 영향을 계산한다. 이 해석에서 중첩의 정리를 이용할 때, 각 전원의 개별 동작효과를 합치면 모든 전원 동작의 전체적인 효과를 동시에 얻게 된다.

직류 등가회로

증폭기를 해석하기 위한 가장 간단한 방법은 직류 해석과 교류 해석의 두 부분으로 나누어 해석하는 것이다. 직류 해석에서 직류전압과 직류전류를 구한다. 이를 위해 모든 커패시터를 개방된 것으로 가상하면 남은 회로가 **직류 등가회로**이다.

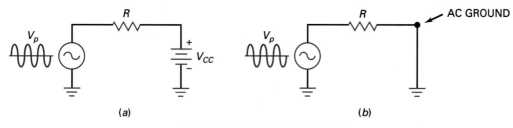

그림 8-19   직류 전압원의 교류단락

직류 등가회로에서 트랜지스터 직류전류와 직류전압을 구할 수 있다. 고장 점검하고 있는 경우는 근사적인 값으로 충분하다. 직류 해석에서 가장 중요한 전류는 직류 이미터전류로, 이 전류는 교류 해석에서 r_e'를 구할 때 필요하다.

직류 전압원의 교류 효과

그림 8-19a는 교류원과 직류원으로 구성된 회로를 나타낸다. 이와 같은 회로에서 교류전류는 얼마일까? 교류전류에 대해서만 생각하면 그림 8-19b의 직류 전압원은 교류단락처럼 작용한다. 왜냐하면 직류 전압원 양단은 전압이 일정하기 때문이다. 그러므로 직류 전압원을 통해 흐르는 어떠한 교류전류도 직류 전압원 양단에 교류전압을 만들어낼 수 없다. 교류전압이 존재할 수 없다면 직류 전압원은 교류단락과 등가이다.

이 개념을 이해하기 위한 또 다른 방법은 기초전자공학에서 검토된 **중첩의 정리** (superposition theorem)를 이용하는 것이다. 그림 8-19a에 중첩의 정리를 적용하면, 다른 전원을 0으로 인가하고 각 전원의 동작 효과를 개별적으로 계산할 수 있다. 직류 전압원을 0으로 감소시킨다는 것은 이를 단락시키는 것과 등가이다. 따라서 그림 8-19a에서 교류원의 효과를 계산하기 위해 직류 전압원을 단락시킬 수 있다.

이제부터 증폭기의 교류 동작을 해석할 때, 모든 직류 전압원은 단락시킨다. 이것은 그림 8-19b에서 보는 바와 같이 각 직류전압 공급지점이 교류접지처럼 작용한다는 것을 의미한다.

교류 등가회로

직류 등가회로를 해석한 후 다음 단계는 **교류 등가회로** 해석이다. 모든 커패시터와 직류 전압원을 가상적으로 단락시켜 놓은 회로가 교류 등가회로이다. 트랜지스터는 π 모델이나 T 모델로 대체될 수 있다.

베이스-바이어스 증폭기

그림 8-20a는 베이스 바이어스 증폭기이다. 모든 커패시터가 개방된 것으로 가정하고 직류 등가회로를 해석한 다음, 교류 해석을 시작한다. 교류 등가회로를 얻기 위해 모든 커패시터와 직류 전압원을 단락시킨다. 이때 $+V_{CC}$로 표시된 지점은 교류 접지된다.

그림 8-20b는 교류 등가회로를 나타낸다. 보다시피 트랜지스터는 π 모델로 교체되었다. 베이스 회로에서 교류 입력전압은 r_e'와 병렬로 연결된 R_B양단에 나타난다. 컬렉터 회로에서 전류원은 R_L과 병렬 연결된 R_C를 통해서 교류전류 i_c를 공급한다.

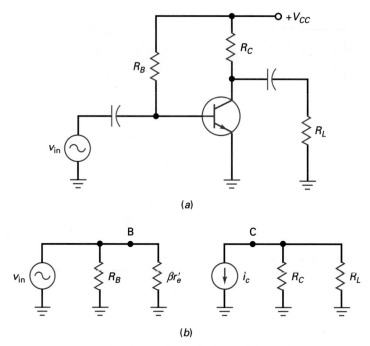

그림 8-20 (a) 베이스 바이어스된 증폭기; (b) 교류 등가회로

그림 8-21 (a) VDB 증폭기; (b) 교류 등가회로

VDB 증폭기

그림 8-21a는 VDB 증폭기이며, 그림 8-21b는 이의 교류 등가회로이다. 보다시피 모든 커패시터는 단락되었고, 직류전원은 교류접지 되었으며, 트랜지스터는 π 모델로 대체되었다. 베이스 회로에서 교류 입력전압은 R_1, R_2 및 $\beta r_e'$가 병렬로 되어있는 양단에 나타난다. 컬렉터 회로에서 전류원은 R_L과 병렬 연결된 R_C를 통해서 교류전류 i_c를 공급한다.

TSEB 증폭기

마지막 예는 그림 8-22a와 같은 양전원 이미터 바이어스 회로이다. 직류 등가회로를 해석한 다음 그림 8-22b와 같은 교류 등가회로를 그릴 수 있다. 역시 모든 커패시터는 단락되고, 직류 전원전압은 접지되며, 트랜지스터는 π 모델로 대체되었다. 베이스회로에서 교류 입력전압은 $\beta r_e'$와 병렬로 연결된 R_B 양단에 나타난다. 컬렉터회로에서 전류원은 R_L과 병렬 연결된 R_C를 통해서 교류전류 i_c를 공급한다.

CE 증폭기

그림 8-20, 8-21 및 8-22와 같은 세 가지 증폭기들은 **공통이미터**(CE; Common Emitter) **증폭기**의 예이다. 이들의 이미터는 교류 접지되기 때문에 곧바로 CE 증폭기임을 알 수 있다. CE 증폭기에서 교류신호는 베이스로 결합되며, 증폭된 신호는 컬렉터에 나타난다.

　　두 가지 다른 트랜지스터 기본증폭기로 **공통베이스**(CB; Common Base) **증폭기**와 **공통컬렉터**(CC; Common Collector) **증폭기**가 있다. CB 증폭기는 베이스가 교류

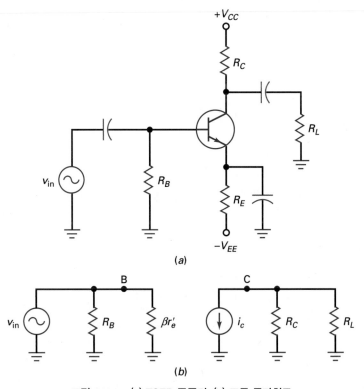

그림 8-22　(a) TSEB 증폭기; (b) 교류 등가회로

접지되며, CC 증폭기는 컬렉터가 교류 접지된다. 이 증폭기들은 몇 가지 응용에는 유익하나, CE 증폭기처럼 일반적으로 사용하지는 않는다. CB 증폭기와 CC 증폭기는 나중에 검토하자.

중요 개념

앞의 해석 방법은 모든 증폭기에 유효하다. 먼저 직류 등가회로부터 시작하여 직류전압과 전류를 구한 다음, 교류 등가회로를 해석한다. 교류 등가회로를 구하기 위한 중요한 아이디어는 다음과 같다.

1. 모든 결합커패시터와 바이패스커패시터를 단락시킨다.
2. 모든 직류 전원전압을 교류접지된 것으로 본다.
3. 트랜지스터를 π 모델이나 T 모델로 교체시킨다.
4. 교류 등가회로를 그린다.

VDB 회로를 해석하기 위하여 중첩의 정리를 이용하는 단계를 요점정리 표 8-1에 나타내었다.

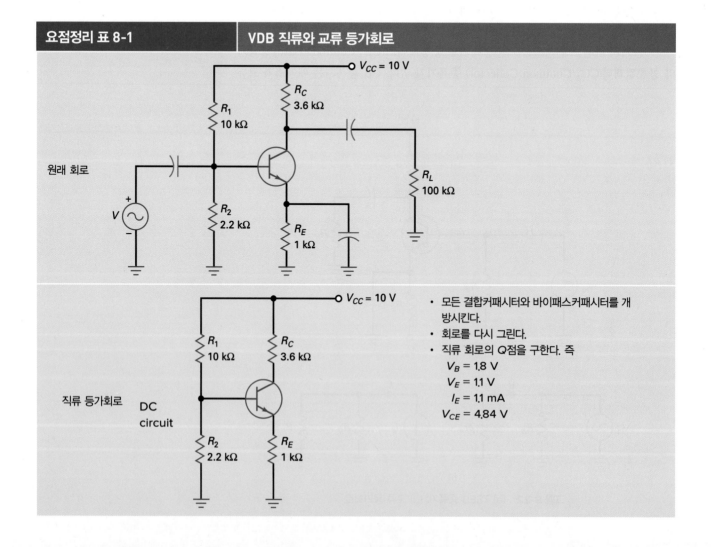

요점정리 표 8-1	VDB 직류와 교류 등가회로

원래 회로

직류 등가회로 DC circuit

- 모든 결합커패시터와 바이패스커패시터를 개방시킨다.
- 회로를 다시 그린다.
- 직류 회로의 Q점을 구한다. 즉
  $$V_B = 1.8 \text{ V}$$
  $$V_E = 1.1 \text{ V}$$
  $$I_E = 1.1 \text{ mA}$$
  $$V_{CE} = 4.84 \text{ V}$$

요점정리 표 8-1	계속

교류 π 모델

교류 T 모델

- 모든 결합 커패시터와 바이패스 커패시터를 단락시킨다.
- 모든 직류 전원전압을 교류 접지시킨다.
- 트랜지스터를 π 모델이나 T 모델로 바꾼다.
- 교류 등가회로를 그린다.
- $r'_e = \dfrac{25 \text{ mV}}{I_{EQ}} = 22.7 \ \Omega.$

8-8 데이터 시트의 교류량

이 절의 내용을 검토하는 동안 그림 8-23에 보여지는 2N3904의 데이터 시트(data sheet)를 참조하라. 교류량들은 '소신호 특성'이라고 표기된 부분에 있으며, 이 부분에서 h_{fe}, h_{ie}, h_{re}, 및 h_{oe}로 표기된 네 개의 새로운 양을 발견할 것이다. 이들을 h 파라미터라 한다. h 파라미터가 무엇인지 알아보자.

H 파라미터

트랜지스터가 처음 발명되었을 때, 트랜지스터를 해석하고 설계하기 위하여 h 파라미터로 알려진 접근 방법이 이용되었다. 이 수학적 접근은 트랜지스터를 내부에서 일어나는 물리적 과정을 고려하지 않고, 단자에서 일어나는 현상으로 모형을 만든 것이다.

좀 더 실질적인 접근 방법은 이 책에서 사용하고 있는 r' 파라미터 방법이라고 부르는 것으로, β와 r'_e와 같은 양들을 사용한다. 이 접근 방법을 이용하면 트랜지스터 해석과 설계 시 Ohm의 법칙이나 다른 기본 개념을 사용할 수 있으므로 r' 파라미터가 대부분의 사람에게 더 만족되는 이유이다.

이는 h 파라미터가 쓸모없다는 것을 뜻하지는 않는다. h 파라미터는 r' 파라미터보다 측정이 용이하기 때문에 데이터시트에는 h 파라미터로 나타낸다. 그러므로 데이터시트를 읽을 때 β와 r_e' 및 다른 r' 파라미터를 찾을 수 없는 대신 h_{fe}, h_{ie}, h_{re}, 및 h_{oe}를 찾을 수 있을 것이다. 이 네 개의 h 파라미터는 r' 파라미터로 환산할 때 유익한 정보를 제공한다.

R 파라미터와 H 파라미터의 관계

예를 들어, 데이터 시트의 '소신호 특성' 부분에 주어진 h_{fe}는 교류 전류이득과 같다.

이를 기호로 나타내면 다음과 같다. 즉,

$$\beta = h_{fe}$$

데이터시트에 h_{fe}의 최소값이 100, 최대값이 400으로 적혀있다. 그러므로 β는 100 정도로 낮거나 400 정도로 높다. 이들은 1 mA의 컬렉터전류와 10 V의 컬렉터-이미터 전압인 경우의 값이다.

또 다른 h 파라미터는 입력임피던스와 등가인 h_{ie}가 있다. 데이터 시트에 h_{ie}의 최소값이 1 kΩ이고 최대값은 10 kΩ으로 적혀있다. h_{ie}와 r' 파라미터와의 관계는 다음과 같다.

$$r_e' = \frac{h_{ie}}{h_{fe}} \tag{8-13}$$

예를 들어 h_{ie}와 h_{fe}의 최대값이 10 kΩ과 400이므로

$$r_e' = \frac{10 \text{ k}\Omega}{400} = 25 \text{ }\Omega$$

가 된다. 나머지 두 개의 h 파라미터 h_{re}와 h_{oe}는 값이 매우 작아 고장 점검이나 기초설계에는 필요치 않다.

다른 양들

"소신호 특성"에 적혀있는 다른 양들은 f_T, C_{ibo}, C_{obo} 및 NF가 있다. 첫 번째 f_T는 2N3904의 고주파 한계(high-frequency limitation)에 관한 정보를 제공한다. 두 번째와 세 번째 양인 C_{ibo}와 C_{obo}는 소자의 입력 및 출력커패시턴스이다. 마지막 양 NF는 잡음지수(Noise Figure)로서 2N3904가 얼마나 많은 잡음을 발생하는가를 나타낸다.

2N3904의 데이터시트에는 살펴볼 가치가 있는 많은 그래프가 주어져 있다. 예를 들어 전류이득이라고 표시된 데이터시트의 그래프는 컬렉터전류가 0.1 mA에서 10 mA까지 증가할 때, h_{fe}는 약 70에서 160까지 증가함을 나타낸다. 컬렉터전류가 1 mA일 때 h_{fe}가 약 125임에 주목하라. 이 그래프는 상온에서 전형적인 2N3904에 대한 경우의 것이다. 만일 h_{fe}의 최소값과 최대값이 100과 400으로 주어졌음을 기억한다면, 대량 생산시 h_{fe}가 큰 변화를 가질 수 있음을 알 수 있다. 또한 h_{fe}가 온도에 따라 변화한다는 것도 기억해 둘 만하다.

2N3904의 데이터시트에 입력임피던스라고 표시된 그래프를 살펴보면 컬렉터전류가 0.1 mA에서 10 mA까지 증가할 때, h_{ie}가 약 20 kΩ에서 500 Ω까지 어떻게 감소하는가에 주목하라. 식 (8-13)은 r_e'의 계산 방법이며, r_e'를 구하려면 h_{ie}를 h_{fe}로 나누어주면 된다. 만일 데이터시트의 그래프로부터 컬렉터전류 1 mA에서 h_{fe}와 h_{ie}값을 읽으면, 이들의 대략적인 값은 $h_{fe} = 125$와 $h_{ie} = 3.6$ kΩ이 된다. 식 (8-13)에 의해

2N3903, 2N3904

Characteristic		Symbol	Min	Max	Unit
ELECTRICAL CHARACTERISTICS (T$_A$ = 25°C unless otherwise noted)					
SMALL–SIGNAL CHARACTERISTICS					
Current–Gain–Bandwidth Product (I_C = 10 mAdc, V_{CE} = 20 Vdc, f = 100 MHz)	2N3903 2N3904	f_T	250 300	– –	MHz
Output Capacitance (V_{CB} = 0.5 Vdc, I_E = 0, f = 1.0 MHz)		C_{obo}	–	4.0	pF
Input Capacitance (V_{EB} = 0.5 Vdc, I_C = 0, f = 1.0 MHz)		C_{ibo}	–	8.0	pF
Input Impedance (I_C = 1.0 mAdc, V_{CE} = 10 Vdc, f = 1.0 kHz)	2N3903 2N3904	h_{ie}	1.0 1.0	8.0 10	kΩ
Voltage Feedback Ratio (I_C = 1.0 mAdc, V_{CE} = 10 Vdc, f = 1.0 kHz)	2N3903 2N3904	h_{re}	0.1 0.5	5.0 8.0	×10^{-4}
Small–Signal Current Gain (I_C = 1.0 mAdc, V_{CE} = 10 Vdc, f = 1.0 kHz)	2N3903 2N3904	h_{fe}	50 100	200 400	–
Output Admittance (I_C = 1.0 mAdc, V_{CE} = 10 Vdc, f = 1.0 kHz)		h_{oe}	1.0	40	μmhos
Noise Figure (I_C = 100 μAdc, V_{CE} = 5.0 Vdc, R_S = 1.0 kΩ, f = 1.0 kHz)	2N3903 2N3904	NF	– –	6.0 5.0	dB

H PARAMETERS
V_{CE} = 10 Vdc, f = 1.0 kHz, T_A = 25°C

Current Gain

Output Admittance

Input Impedance

Voltage Feedback Ratio

그림 8-23 2N3904 데이터시트의 일부(SCILLC dba ON Semiconductor의 허가에 의해 사용됨)

$$r'_e = \frac{3.6 \text{ k}\Omega}{125} = 28.8 \ \Omega$$

이며, r'_e의 이상적인 값은 다음과 같다.

$$r'_e = \frac{25 \text{ mV}}{1 \text{ mA}} = 25 \ \Omega$$

8-9 전압이득

그림 8-24a는 전압분배 바이어스(**VDB**) 증폭기를 나타낸다. **전압이득**은 출력전압을 입력전압으로 나눈 것으로 정의하였다. 이 정의를 이용하여 고장 점검 시 유익한 전압이득에 대한 또 다른 식을 유도할 수 있다.

π 모델에 의한 전압이득 유도

그림 8-24b는 트랜지스터의 π 모델을 이용한 교류 등가회로이다. 교류 베이스전류 i_b는 베이스의 입력임피던스($\beta r'_e$)를 통해서 흐른다. Ohm의 법칙을 이용하면, 다음과 같이 쓸 수 있다. 즉

$$v_{\text{in}} = i_b \beta r'_e$$

컬렉터 회로에서 전류원은 R_C와 R_L 병렬을 통하여 교류전류 i_c를 흘러 보낸다. 그러므로 교류 출력전압은

$$v_{\text{out}} = i_c(R_C \| R_L) = \beta i_b(R_C \| R_L)$$

와 같다. 이제 v_{out}을 v_{in}으로 나누면

$$A_V = \frac{v_{\text{out}}}{v_{\text{in}}} = \frac{\beta i_b(R_C \| R_L)}{i_b \beta r'_e}$$

가 얻어지며, 이를 간단히 정리하면 다음 식이 얻어진다.

$$A_V = \frac{(R_C \| R_L)}{r'_e} \tag{8-14}$$

교류 컬렉터저항

그림 8-24b의 컬렉터에서 바라본 전체 교류 부하저항은 R_C와 R_L의 병렬 연결에 의해 구해진다. 이 전체적인 저항을 **교류 컬렉터저항**이라 하며, 기호로 r_c를 사용한다.

$$r_c = R_C \| R_L \tag{8-15}$$

라 하면, 이제 식 (8-14)를 다음과 같이 다시 쓸 수 있다.

$$A_V = \frac{r_c}{r'_e} \tag{8-16}$$

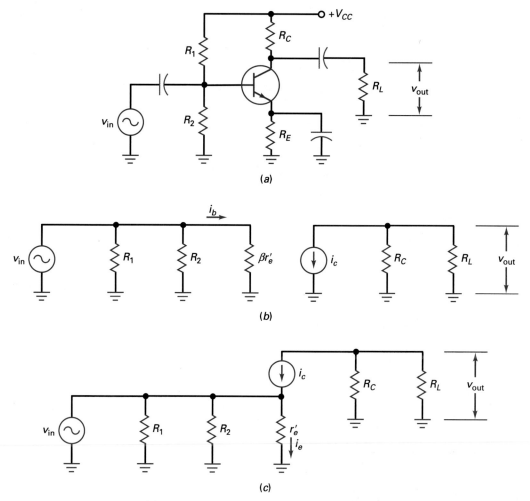

그림 8-24 (a) CE 증폭기; (b) π 모델 교류 등가회로; (c) T 모델 교류 등가회로

이 식을 말로 표현하면, 전압이득은 교류 컬렉터저항을 이미터 다이오드의 교류저항으로 나눈 것과 같다.

T 모델에 의한 전압이득 유도

어느 트랜지스터 모델이든 똑같은 결과를 나타낸다. 나중에 차동증폭기를 해석할 때 T 모델을 사용할 것이다. 실제로 T 모델을 이용해서 전압이득의 식을 유도해 보자.

그림 8-24c는 트랜지스터의 T 모델을 이용한 교류 등가회로이다. 입력전압 v_{in}은 r_e' 양단에 나타난다. Ohm의 법칙에 따라

$$v_{in} = i_e r_e'$$

로 쓸 수 있으며, 컬렉터회로에서 전류원은 교류 컬렉터저항을 통해서 교류전류 i_c를 흐르게 한다. 그러므로 교류 출력 전압은 다음과 같다.

$$v_{out} = i_c r_c$$

참고 사항

공통 이미터 증폭기의 전류이득 A_i는 입력전류 i_{in}에 대한 i_{out}의 비이다. 그러나 생각하는 것과 같이 출력전류는 i_c가 아니다. 출력전류 i_{out}은 부하 R_L에 흐르는 전류이다. A_i에 대한 식은 다음과 같이 유도된다.

$$A_i = \frac{V_{out}/R_L}{V_{in}/Z_{in}}$$

또는

$$A_i = V_{out}/V_{in} \times Z_{in}/R_L$$

$A_v = V_{out}/V_{in}$이므로, A_i를 $A_i = A_v \times Z_{in}/R_L$으로 나타낼 수 있다.

이제 v_out을 v_in으로 나누면 다음 식이 얻어진다.

$$A_V = \frac{v_\text{out}}{v_\text{in}} = \frac{i_c r_c}{i_e r'_e}$$

$i_c \approx i_e$이므로, 이 식은 다음과 같이 간단해진다.

$$A_V = \frac{r_c}{r'_e}$$

이 식은 π 모델에서 유도된 식과 같다. 이 식은 모든 CE 증폭기에 적용하는데, 그 이유는 모든 CE 증폭기의 교류 컬렉터저항이 r_c이고 이미터 다이오드의 교류저항이 r'_e이기 때문이다.

예제 8-7 ‖‖ Multisim

그림 8-25a에서 전압이득과 부하저항 양단의 출력전압은 얼마인가?

(a)

그림 8-25 (a) VDB 증폭기의 예; (b) TSEB 증폭기의 예

풀이 교류 컬렉터저항은

$$r_c = R_C \parallel R_L = (3.6\ \text{k}\Omega \parallel 10\ \text{k}\Omega) = 2.65\ \text{k}\Omega$$

이다. 예제 8-2에서 r'_e는 22.7 Ω으로 계산되었으므로 전압이득은 다음과 같다.

$$A_V = \frac{r_c}{r'_e} = \frac{2.65\ \text{k}\Omega}{22.7\ \Omega} = 117$$

출력전압은 다음과 같다.

$$v_\text{out} = A_V v_\text{in} = (117)(2\ \text{mV}) = 234\ \text{mV}$$

그림 8-25 계속

연습 문제 8-7 그림 8-25a를 이용하여, R_L을 6.8 kΩ으로 바꾸어 전압이득 A_v를 구하라.

예제 8-8

그림 8-25b에서 전압이득과 부하저항 양단의 출력전압은 얼마인가?

풀이 교류 컬렉터저항은

$$r_c = R_C \parallel R_L = (3.6 \text{ k}\Omega \parallel 2.2 \text{ k}\Omega) = 1.37 \text{ k}\Omega$$

이며, 직류 이미터전류는 대략

$$I_E = \frac{9 \text{ V} - 0.7 \text{ V}}{10 \text{ k}\Omega} = 0.83 \text{ mA}$$

이다. 이미터 다이오드의 교류저항은

$$r_e' = \frac{25 \text{ mV}}{0.83 \text{ mA}} = 30 \ \Omega$$

이며, 전압이득은

$$A_V = \frac{r_e}{r_e'} = \frac{1.37 \text{ k}\Omega}{30 \ \Omega} = 45.7$$

이므로, 출력전압은 다음과 같다.

$$v_{\text{out}} = A_V v_{\text{in}} = (45.7)(5 \text{ mV}) = 228 \text{ mV}$$

연습 문제 8-8 그림 8-25*b*에서 이미터저항 R_E를 10 kΩ에서 8.2 kΩ으로 바꾸어 새로운 출력전압 v_{out}을 계산하라.

8-10 입력임피던스의 부하 효과

지금까지 신호원의 저항이 0인 이상적인 교류 전압원을 가정해왔다. 이 절에서는 증폭기의 입력임피던스가 교류원에 어떻게 부하로 작용하는지, 즉 이미터 다이오드 양단에 나타나는 전압을 어떻게 감소시키는지에 대해 검토한다.

입력임피던스

그림 8-26*a*에서 교류 전압원 v_g의 내부저항이 R_G이다(첨자 *g*는 소스(*Source*)와 동의어인 전원에 해당하는 말이다). 교류발생기가 안정하지 않을 때, 교류 전원전압의 일부는 내부저항에서 전압 강하를 일으킨다. 결과적으로 베이스와 접지 사이의 교류전압은 이상적인 전압보다 낮아진다.

　　교류발생기는 증폭단의 입력임피던스 $z_{\text{in(stage)}}$를 구동시켜야 한다. 이 임피던스는 베이스의 입력임피던스 $z_{\text{in(base)}}$와 병렬로 연결된 R_1과 R_2에 연결된 바이어스 저항도 포함한다. 그림 8-26*b*는 그 개념을 나타낸 것으로, 증폭단의 입력임피던스는 다음과 같다.

$$z_{\text{in(stage)}} = R_1 \parallel R_2 \parallel \beta r_e'$$

(a)

그림 8-26 CE 증폭기 (a) 회로; (b) 교류 등가회로; (c) 입력임피던스 효과

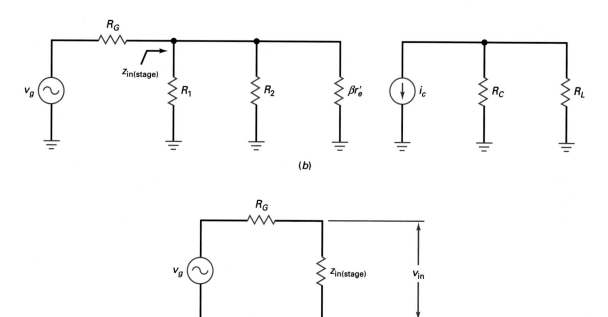

(b)

(c)

그림 8-26　계속

입력전압의 식

교류발생기가 안정하지 않을 때, 그림 8-26c의 교류 입력전압 v_{in}은 v_g보다 작다. 전압분배기 정리를 이용하면 다음과 같이 쓸 수 있다.

$$v_{in} = \frac{z_{in(stage)}}{R_G + z_{in(stage)}} v_g \tag{8-17}$$

이 식은 어떠한 증폭기에도 타당하다. 증폭단의 입력임피던스를 계산하거나 어림셈한 후 입력전압이 얼마인지를 결정할 수 있다(주: R_G가 0.01 $z_{in(stage)}$보다 작을 때, 교류발생기는 안정하다).

예제 8-9

그림 8-27에서 교류발생기의 내부저항이 600 Ω이다. $\beta = 300$이면 출력전압은 얼마인가?

풀이　앞의 예제에서, $r_e' = 22.7\ \Omega$, $A_v = 117$임을 이미 계산했다. 이 문제를 푸는 데 있어서 이 값들을 그대로 사용한다.

$\beta = 300$일 때, 베이스의 입력임피던스는

$$z_{in(base)} = (300)(22.7\ \Omega) = 6.8\ k\Omega$$

이며, 증폭단의 입력임피던스는

$$z_{in(stage)} = 10\ k\Omega \parallel 2.2\ k\Omega \parallel 6.8\ k\Omega = 1.42\ k\Omega$$

그림 8-27 예제

이다. 식 (8-17)을 이용하면, 입력전압을 구할 수 있다.

$$v_{\text{in}} = \frac{1.42 \text{ k}\Omega}{600 \ \Omega + 1.42 \text{ k}\Omega} \ 2 \text{ mV} = 1.41 \text{ mV}$$

이것은 트랜지스터의 베이스에 나타나는 교류전압으로 이미터 다이오드 양단의 교류전압과 같다. 증폭된 교류 출력전압은 다음과 같다.

$$v_{\text{out}} = A_V v_{\text{in}} = (117)(1.41 \text{ mV}) = 165 \text{ mV}$$

연습 문제 8-9 그림 8-27의 R_G 값을 50 Ω으로 바꿔 증폭된 출력전압을 구하라.

예제 8-10

$\beta = 50$인 경우, 앞의 예제를 반복하라.

풀이 $\beta = 50$일 때, 베이스의 입력임피던스는

$$z_{\text{in(base)}} = (50)(22.7 \ \Omega) = 1.14 \text{ k}\Omega$$

으로 감소하며, 증폭단의 입력임피던스는

$$z_{\text{in(stage)}} = 10 \text{ k}\Omega \parallel 2.2 \text{ k}\Omega \parallel 1.14 \text{ k}\Omega = 698 \ \Omega$$

으로 감소한다. 식 (8-27)을 이용하면 입력전압을 계산할 수 있다.

$$v_{\text{in}} = \frac{698 \ \Omega}{600 \ \Omega + 698 \ \Omega} \ 2 \text{ mV} = 1.08 \text{ mV}$$

출력전압은 다음과 같다.

$$v_{\text{out}} = A_V v_{\text{in}} = (117)(1.08 \text{ mV}) = 126 \text{ mV}$$

이 예제는 트랜지스터의 교류 전류이득이 출력전압을 얼마나 변화시킬 수 있는가를 나타낸다. β가 감소할 때 베이스의 입력임피던스, 증폭단의 입력임피던스, 입력전압 및 출력전압이 감소한다.

연습 문제 8-10　그림 8-27에서 β를 400으로 바꾸고, 출력전압을 구하라.

8-11 스웜프 증폭기

CE 증폭기의 전압이득은 정지전류, 온도 변화, 트랜지스터 교체에 따라 변화하는데, 그 이유는 이들이 r_e'와 β를 변화시키기 때문이다.

교류 이미터귀환

전압이득을 안정하게 하기 위한 한 가지 방법은 **교류 이미터귀환**이 일어나도록 그림 8-28a와 같이 이미터저항 일부를 바이패스 되지 않게 남겨놓는 것이다. 교류 이미터전류가 바이패스 되지 않는 이미터저항 r_e를 통해 흐를 때, 교류전압이 r_e양단에 나타난다. 이것이 **부귀환**을 일으킨다. r_e양단의 교류전압은 전압이득에 반대되는 변화를 일으킨다. 그 때문에 바이패스 되지 않는 저항 r_e를 **귀환저항**(feedback resistor)이라 한다.

　　예를 들어 온도 증가로 교류 컬렉터전류가 증가한다고 가정하자. 이는 출력전압을 더욱 커지게 할 것이고 또한 r_e양단 교류전압도 더욱 커지게 할 것이다. v_{be}는 v_{in}과 v_e의 차(差)와 같기 때문에 v_e의 증가는 v_{be}를 감소시킬 것이다. 이 v_{be} 감소는 교류 컬렉터전류를 감소시킨다. 이는 교류 컬렉터전류의 원래 증가를 감소시키므로 부귀환(negative feedback)이 생긴 것이다.

전압이득

그림 8-28b는 트랜지스터를 T 모델로 나타낸 교류 등가회로이다. 분명히 교류 이미터전류는 r_e'와 r_e로 흘러야 한다. 옴의 법칙을 이용하면, 다음과 같이 쓸 수 있다.

$$v_{\text{in}} = i_e(r_e + r_e') = v_b$$

컬렉터 회로에서 전류원은 교류 컬렉터저항을 통해 교류전류 i_c를 흘러 보내므로, 교류 출력전압은 다음과 같다.

$$v_{\text{out}} = i_c r_c$$

이제 전압이득을 구하기 위해 v_{out}을 v_{in}으로 나눌 수 있다.

$$A_V = \frac{v_{\text{out}}}{v_{\text{in}}} = \frac{i_c r_e}{i_e(r_e + r_e')} = \frac{v_c}{v_b}$$

$i_c \approx i_e$이므로, 이 식을 간단하게 할 수 있다.

$$A_V = \frac{r_c}{r_e + r_e'} \tag{8-18}$$

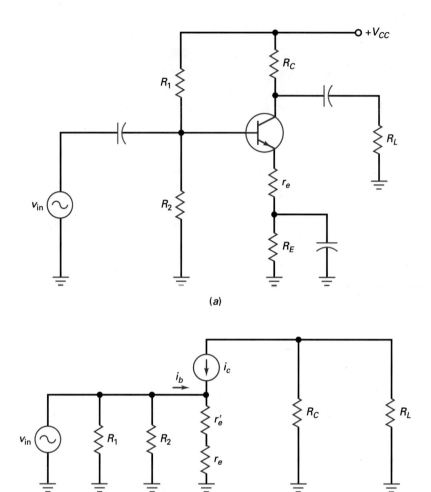

그림 8-28 (a) 스웜프 증폭기; (b) 교류 등가회로

r_e가 r_e'보다 훨씬 클 때, 앞의 식은 다음과 같이 간단해진다.

$$A_V = \frac{r_c}{r_e} \tag{8-19}$$

이는 전압이득이 교류 컬렉터저항을 귀환저항으로 나눈 것과 같다는 말이다. r_e'가 전압이득의 식에서 빠졌으므로, r_e'는 더 이상 전압이득에 영향을 미치지 않는다.

이상의 내용은 **스웜핑**(swamping)의 예로서, 하나의 양을 두 번째 양보다 훨씬 크게 하면 두 번째 양의 변화는 무시될 수 있다. 식 (8-18)에서 r_e의 큰 값이 r_e'의 변화를 늪과 같이 흡수해 버린다. 그 결과 전압이득이 안정해져 온도 변화나 트랜지스터 교체에도 전압이득은 변하지 않는다.

베이스의 입력임피던스

부귀환은 전압이득을 안정하게 할 뿐만 아니라 베이스의 입력임피던스도 증가시킨다. 그림 8-28*b*에서, 베이스의 입력임피던스는

$$z_{\text{in(base)}} = v_{\text{in}}/i_b$$

이다. 그림 8-28b의 이미터 다이오드에 Ohm의 법칙을 적용하면

$$v_{\text{in}} = i_e(r_e + r_e')$$

이 되므로, 이 식을 앞의 식에 대입하면 다음이 얻어진다.

$$z_{\text{in(base)}} = \frac{v_{\text{in}}}{i_b} = \frac{i_e(r_e + r_e')}{i_b}$$

$i_e \approx i_c$이므로,

$$z_{\text{in(base)}} = \beta(r_e + r_e') \tag{8-20}$$

이 된다. **스웜프 증폭기**에서 이 식은 다음과 같이 간략해진다.

$$z_{\text{in(base)}} = \beta r_e \tag{8-21}$$

이는 베이스의 입력임피던스가 전류이득과 귀환저항의 곱과 같다는 말이다.

대신호에서 작은 왜곡

이미터 다이오드 특성곡선의 비직선성은 대신호 왜곡의 원인이 된다. 이미터 다이오드를 스웜핑(r_e가 r_e'의 변화를 흡수하는 작용)시킴으로써, 이미터 다이오드가 전압이득에 미치는 영향을 줄여주어 대신호 동작에서 발생하는 일그러짐이 감소한다.

이상의 내용을 다음과 같이 정리하자. 즉 귀환저항이 없을 때 전압이득은

$$A_V = \frac{r_c}{r_e'}$$

이다. r_e'는 전류에 민감하기 때문에 그 값이 대신호 동작 시 변화한다. 이는 전압이득이 주기적인 대신호 동안 변한다는 것을 의미한다. 다시 말해서, r_e'의 변화는 대신호시 일그러짐의 원인이 된다.

그러나 귀환저항이 있는 경우, 스웜프된 전압이득은

$$A_V = \frac{r_c}{r_e}$$

이다. 이 식에는 r_e'가 없기 때문에 대신호 일그러짐이 제거된다. 따라서 스웜프 증폭기에는 다음과 같은 세 가지 이점이 있다. 즉 **전압이득이 안정**하고, **베이스의 입력임피던스가 증가**하며, **대신호 일그러짐이 적다.**

응용 예제 8-11 |||| **Multisim**

$\beta = 200$인 경우, MultiSim 그림 8-29의 부하저항 양단의 출력전압을 구하라. 계산에서 r'_e를 무시하라.

그림 8-29   단일증폭기 예

풀이   베이스의 입력임피던스는

$$z_{\text{in(base)}} = \beta r_e = (200)(180 \ \Omega) = 36 \ \text{k}\Omega$$

이고, 증폭단의 입력임피던스는

$$z_{\text{in(stage)}} = 10 \ \text{k}\Omega \parallel 2.2 \ \text{k}\Omega \parallel 36 \ \text{k}\Omega = 1.71 \ \text{k}\Omega$$

이다. 베이스에 대한 교류 입력전압은

$$v_{\text{in}} = \frac{1.71 \ \text{k}\Omega}{600 \ \Omega + 1.71 \ \text{k}\Omega} \, 50 \ \text{mV} = 37 \ \text{mV}$$

이고, 전압이득은

$$A_V = \frac{r_c}{r_e} = \frac{2.65 \ \text{k}\Omega}{180 \ \Omega} = 14.7$$

이므로, 출력전압은 다음과 같다.

$$v_{out} = (14.7)(37 \text{ mV}) = 544 \text{ mV}$$

연습 문제 8-11 그림 8-29를 이용하여 β 값이 300으로 바뀔때 10 kΩ 부하 양단의 출력전압을 구하라.

응용 예제 8-12

앞의 예제를 반복하되, 이번 계산에서는 r_e'를 포함시켜라.

풀이 베이스의 입력임피던스는

$$z_{in(base)} = \beta(r_e + r_e') = (200)(180 \text{ Ω} + 22.7 \text{ Ω}) = 40.5 \text{ kΩ}$$

이고, 증폭단의 입력임피던스는

$$z_{in(stage)} = 10 \text{ kΩ} \| 2.2 \text{ kΩ} \| 40.5 \text{ kΩ} = 1.72 \text{ kΩ}$$

이다. 베이스에 대한 교류 입력전압은

$$v_{in} = \frac{1.72 \text{ kΩ}}{600 \text{ Ω} + 1.72 \text{ kΩ}} 50 \text{ mV} = 37 \text{ mV}$$

이고, 전압이득은

$$A_V = \frac{r_c}{r_e + r_e'} = \frac{2.65 \text{ kΩ}}{180 \text{ Ω} + 22.7 \text{ Ω}} = 13.1$$

이므로, 출력전압은 다음과 같다.

$$v_{out} = (13.1)(37 \text{ mV}) = 485 \text{ mV}$$

계산에서 r_e'가 있을 때와 없을 때를 비교해 보면, r_e'가 최종 답에 미치는 영향이 적다는 것을 알 수 있다. 이것은 스웜프 증폭기에서 예측되는 바이다. 고장 점검 시 이미터에 귀환저항이 사용되면 증폭기가 스웜프된 것으로 가정할 수 있다(r_e'가 무시된 식을 이용). 만일 좀 더 정확한 답이 필요하면, r_e'를 포함시킬 수 있다.

연습 문제 8-12 계산으로 구한 v_{out}와 MultiSim을 이용하여 측정된 v_{out} 값을 비교하라.

8-12 고장 점검

단일단 증폭기가 동작하고 있지 않을 때, 고장 점검자는 직류 전원전압을 포함하여 직류전압들을 측정하는 것으로 시작할 수 있다. 이 전압들을 앞에서 검토한 바와 같이 머리속으로 예측해 보고, 그 다음 예상 값들이 근사적으로 정확한지를 알아보기 위해 이 전압들을 측정한다. 만일 이 직류전압들이 예상 전압과 현격하게 차이가 있다면, 고장은 저항 개방(타버려서), 저항 단락(녹은 납에 의해 저항 양단 단락), 부정확한 배선, 커패시터 단락 및 트랜지스터 결함이 있을 수 있다. 결합커패시터나 바이패스커패시터 양단의 단락은 직류 등가회로를 변화시킬 것이며, 이는 직류전압들이 급격히 달라짐을 의미한다.

측정한 모든 직류전압이 정상이면, 교류 등가회로에 무슨 잘못이 있을 수 있는지를 생각하면서 고장 점검을 계속한다. 만일 신호발생기 전압이 인가되는데도 교류 베이스전압이 나타나지 않으면, 신호발생기와 베이스 사이에 어떤 것이 개방되어 있을 수 있다. 아마도 결선이 잘못되었거나 입력측 결합커패시터가 개방되었을 수 있다. 마찬가지로 만일 최종 출력전압은 없으나 교류 컬렉터전압이 있다면, 출력측 결합커패시터가 개방되었거나 결선이 잘못되었을 수 있다.

보통 이미터가 교류 접지될 때 이미터와 접지 사이에 교류전압은 나타나지 않는다. 증폭기가 적절히 동작하고 있지 않을 때 오실로스코프로 점검하는 것 중 하나가 이미터전압이다. 만일 바이패스커패시터에 어떤 교류전압이 나타난다면, 바이패스커패시터가 동작하고 있지 않다는 것을 의미한다.

예를 들어 바이패스커패시터 개방은 이미터가 이미 교류 접지상태에 있지 않음을 의미한다. 이 때문에 교류 이미터전류는 바이패스커패시터 대신 R_E를 통해 흐른다. 이것이 오실로스코프로 볼 수 있는 교류 이미터전압을 만들어낸다. 따라서 만일 교류 베이스전압과 비슷한 크기의 교류 이미터전압을 보게 되면, 이미터 바이패스커패시터를 점검하라. 부품 결함이나 접속 불량일 수 있다.

정상조건 하에서 전원공급선은 전원장치의 필터커패시터 때문에 교류 접지점이 된다. 만일 필터커패시터에 결함이 있으면 리플(ripple)이 커진다. 이 원치 않는 리플은 전압분배기를 통해 베이스에 도달한다. 이때 리플은 신호발생기의 신호와 함께 증폭된다. 증폭기가 스피커에 연결되면 이 증폭된 리플은 60 Hz나 120 Hz의 험(hum)을 만들어낸다. 따라서 스피커로부터 과도한 험이 들리면, 가장 주목해야 할 원인 중 하나는 전원장치의 필터커패시터가 개방된 것이다.

예제 8-13

그림 8-30의 CE 증폭기는 교류 부하전압이 0이다. 만일 직류 컬렉터전압이 6 V이고 교류 컬렉터전압이 70 mV라면, 어떤 고장이 있는가?

풀이 직류 및 교류 컬렉터전압이 정상이므로 고장날 수 있는 소자는 C_2나 R_L 두 소자

뿐이다. 이 소자들에 대해 네 가지의 고장상태를 의심해 보면 고장을 발견할 수 있다. 네 가지 의문이 되는 고장상태는 다음과 같다.

C_2가 단락되면 어떻게 될까?
C_2가 개방되면 어떻게 될까?
R_L이 단락되면 어떻게 될까?
R_L이 개방되면 어떻게 될까?

그 답은 다음과 같다.

C_2가 단락되면 직류 컬렉터전압이 급격히 감소한다.
C_2가 개방되면 교류 통로가 차단되나 직류 및 교류 컬렉터전압은 변하지 않는다.
R_L이 단락되면 교류 컬렉터전압이 나타나지 않는다.
R_L이 개방되면 교류 컬렉터전압이 급격히 증가한다.

그림 8-30 고장 점검 예

따라서 고장은 C_2가 개방되어 있다. 처음 고장 점검하는 방법을 배울 때, 고장을 없애기 위해 의문시되는 질문(~하면 어떻게 될까?)을 자문해 보는 것이 좋다. 경험을 쌓은 다음에는 모든 과정이 기계적으로 이루어진다. 경험 많은 고장 점검자라면 이러한 고장은 거의 순간적으로 발견해낸다.

예제 8-14

그림 8-30의 CE 증폭기에서 교류 이미터전압이 0.75 mV이고 교류 컬렉터전압이 2 mV이다. 어떤 고장이 있는가?

풀이 고장 점검은 일종의 기술이기 때문에, 뜻이 통하고 고장을 찾는 데 도움이 되려면 어떻게 해야 하는지 질문을 해 보아야만 한다. 만일 그래도 이 고장을 생각해 내지 못한다면, 각 소자에 대해 의문이 드는 질문을 해보면서 고장을 찾을 수 있는지 알아보라. 그리고 다음의 내용을 읽어보라.

어떤 소자를 선택하든, 어떤 질문을 해보든 간에 다음의 질문을 해보기까지 여기서 주어진 징후는 나타나지 않을 것이다.

C_3가 단락되면 어떻게 될까?

C_3가 개방되면 어떻게 될까?

C_3가 단락되면 고장일 수 없으나, C_3가 개방되면 고장일 수 있다. 그 이유는 C_3가 개방되면 베이스의 입력임피던스가 훨씬 커지고 교류 베이스전압이 0.625 mV에서 0.75 mV로 증가한다. 이때 이미터는 교류 접지가 아니기 때문에 0.75 mV의 거의 모두가 이미터에 나타난다. 증폭기의 스웜프된 전압이득은 2.65이므로 교류 컬렉터전압은 약 2 mV가 된다.

연습 문제 8-14 그림 8-30의 CE 증폭기에서 트랜지스터의 이미터 다이오드가 개방되면 트랜지스터의 직류전압과 교류전압에 어떤 일이 일어나는가?

요점 | Summary

8-1 베이스 바이어스 증폭기
최고의 전원 결합(coupling)은 교류원의 최저주파수에서 결합커패시터의 리액턴스가 저항보다 훨씬 작을 때 발생한다. 베이스 바이어스된 증폭기에서 입력신호는 베이스로 결합되어 교류 컬렉터전압을 발생시킨다. 이때 반전 증폭된 교류 컬렉터전압은 부하저항으로 결합된다.

8-2 이미터 바이어스 증폭기
최고의 바이패스작용(bypassing)은 교류원의 최저주파수에서 바이패스커패시터의 리액턴스가 저항보다 훨씬 작을 때 발생한다. 바이패스된 지점은 교류 접지된다. VDB나 TSEB 증폭기의 경우 교류신호는 베이스로 결합된다. 이때 증폭된 교류신호는 부하저항으로 결합된다.

8-3 소신호 동작
교류 베이스전압은 직류 성분과 교류 성분으로 되어 있다. 이 전압은 이미터전류의 직류 성분과 교류 성분을 결정한다. 과도한 왜곡을 피하기 위한 한 가지 방법은 소신호 동작을 이용하는 것이다. 소신호 동작이란 피크-피크 교류 이미터전류가 직류 이미터전류의 1/10 미만으로 유지하는 것을 의미한다.

8-4 교류 베타
트랜지스터의 교류 베타는 교류 컬렉터전류를 교류 베이스전류로 나눈 것으로 정의된다. 교류 베타 값은 보통 직류 베타 값과 아주 작은 차이를 보인다. 고장 점검 시 직류 교류에 상관 없이 같은 베타 값을 사용할 수 있다. 데이터 시트의 h_{FE}는 β_{dc}, h_{fe}는 β와 같다.

8-5 이미터 다이오드의 교류저항
트랜지스터의 베이스-이미터 전압은 직류 성분 V_{BEQ}와 교류 성분 v_{be}로 되어있다. 교류 베이스전압은 교류 이미터전류 i_e를 결정한다. 이미터 다이오드의 교류저항은 v_{be}를 i_e로 나눈 것으로 정의된다. 수학적으로 이미터 다이오드의 교류저항이 25 mV를 직류 이미터전류로 나눈 것과 같다는 것을 증명할 수 있다.

8-6 두 가지 트랜지스터 모델
교류신호에 대해 트랜지스터는 π 모델이나 T 모델의 두 가지 등가회로 중 어느 하나로 대체될 수 있다. π 모델에서 베이스의 입력임피던스는 $\beta r'_e$이다.

8-7 증폭기 해석
증폭기를 해석하기 위한 가장 간단한 방법은 직류 해석과 교류 해석의 두 부분으로 나누어 해석하는 것이다. 직류해석 시 커패시터는 개방된다. 교류 해석 시 커패시터는 단락되며, 직류전원 점들은 교류 접지된다.

8-8 데이터시트의 교류량
h 파라미터는 r' 파라미터보다 측정이 용이하기 때문에 데이터시트에 이용된다. r' 파라미터는 Ohm의 법칙과 다른 기본 개념을 이용할 수 있기 때문에 회로 해석시 용이하게 이용된다. 데이터시트에 있는 가장 중요한 양은 h_{fe}와 h_{ie}이다. 이들은 β와 r'_e로 쉽게 변환될 수 있다.

8-9 전압이득
CE 증폭기의 전압이득은 교류 컬렉터저항을 이미터 다이오드의 교류저항으로 나눈 것과 같다.

8-10 입력임피던스의 부하 효과

증폭기의 입력임피던스는 바이어스저항과 베이스의 입력임피던스를 포함한다. 신호원이 입력임피던스에 비해 안정하지 않을 때, 증폭기의 입력전압은 신호원 전압보다 적다.

8-11 스웜프 증폭기

이미터저항의 일부를 바이패스되지 않도록 옮겨줌으로써 부귀환을 얻는다. 부귀환은 전압이득을 안정시키고, 입력임피던스를 증가시키며, 대신호 일그러짐을 줄여준다.

8-12 고장 점검

단일단 증폭기의 경우, 직류 측정부터 시작한다. 만일 직류 측정으로 고장을 발견하지 못하면, 고장을 발견할 때까지 교류 측정을 계속한다.

정의식 | Definitions

(8-1)　양호한 결합 조건:

$$X_C < 0.1\,R$$

(8-2)　전압이득:

$$A_V = \frac{v_{out}}{v_{in}}$$

(8-5)　양호한 바이패스 조건:

$$X_C < 0.1\,R$$

(8-6)　소신호:

$$i_{e(p\text{-}p)} < 0.1 I_{EQ}$$

(8-7)　직류 전류이득:

$$\beta_{dc} = \frac{I_C}{I_B}$$

(8-8)　교류 전류이득:

$$\beta = \frac{i_c}{i_b}$$

(8-9)　교류저항:

$$r'_e = \frac{v_{be}}{i_e}$$

(8-11)　입력임피던스:

$$z_{in(base)} = \frac{v_{be}}{i_b}$$

(8-15)　교류 컬렉터 저항

$$r_c = R_C \parallel R_L$$

유도식 | Derivations

(8-3) 교류 출력전압:

$$v_{out} = A_v v_{in}$$

(8-4) 교류 입력전압:

$$v_{in} = \frac{v_{out}}{A_v}$$

(8-10) 교류저항:

$$r'_e = \frac{25\,mV}{I_E}$$

(8-12) 입력임피던스:

$$z_{in(base)} = \beta r'_e$$

(8-16) CE 전압이득:

$$A_v = \frac{r_c}{r'_e}$$

(8-17) 부하 효과:

$$v_{in} = \frac{z_{in(stage)}}{R_G + z_{in(stage)}} v_g$$

(8-18) 단일 증폭단의 귀환:

$$A_v = \frac{r_c}{r_e + r'_e}$$

(8-19) 스웜프 증폭기:

$$A_v = \frac{r_c}{r_e}$$

(8-20) 입력임피던스:

$$z_{in(base)} = \beta(r_e + r'_e)$$

(8-21) 스웜프된 입력임피던스:

$$z_{in(base)} = \beta r_e$$

복습 문제 | Self-Test

1. 직류에 대한 결합회로의 전류는?
 a. 0
 b. 최대
 c. 최소
 d. 평균치

2. 고주파수(high frequency)인 경우 결합회로의 전류는?
 a. 0
 b. 최대
 c. 최소
 d. 평균치

3. 결합커패시터는?
 a. 직류단락
 b. 교류개방
 c. 직류개방, 교류단락
 d. 직류단락, 교류개방

4. 바이패스회로에서 커패시터의 위쪽 부분은?
 a. 개방 상태이다.
 b. 단락 상태이다.
 c. 교류접지 상태이다.
 d. 기계적인 접지 상태이다.

5. 교류접지가 되는 커패시터를 무엇이라 부르는가?
 a. 바이패스커패시터
 b. 결합커패시터
 c. 직류 개방
 d. 교류 개방

6. CE 증폭기의 커패시터는?
 a. 교류에 대해 개방
 b. 직류에 대해 단락
 c. 전원전압에 대해 개방
 d. 교류에 대해 단락

7. 모든 직류 전압원을 0으로 감소시키는 것은 다음 중 어느 것을 얻기 위한 단계에 속하는가?
 a. 직류 등가회로
 b. 교류 등가회로
 c. 완전한 증폭회로

 d. 전압분배 바이어스회로

8. 교류 등가회로는 원래의 회로에서 다음 중 어느 것들을 단락시켜 얻어지는가?
 a. 저항
 b. 커패시터
 c. 인덕터
 d. 트랜지스터

9. 교류 베이스전압이 너무 크면 교류 이미터전류는?
 a. 정현파
 b. 일정
 c. 왜곡된다.
 d. 변화한다.

10. 대신호 입력이 가해진 CE 증폭기에서 교류 이미터전류의 (+) 반주기는?
 a. 음의 반주기와 같다.
 b. 음의 반주기보다 작다.
 c. 음의 반주기보다 크다.
 d. 음의 반주기와 같거나 작다.

11. 교류 이미터저항은 25 mV를 다음 어느 것으로 나눈 것과 같은가?
 a. 정지 베이스전류
 b. 직류 이미터전류
 c. 교류 이미터전류
 d. 컬렉터전류의 변화

12. CE 증폭기에서 왜곡을 줄여주려면 다음 어느 것을 줄여야 하는가?
 a. 직류 이미터전류
 b. 베이스-이미터 전압
 c. 컬렉터전류
 d. 교류 베이스전압

13. 이미터 다이오드 양단의 교류전압이 1 mV, 교류 이미터전류가 100 μA일 때, 이미터 다이오드의 교류저항은?
 a. 1 Ω
 b. 10 Ω
 c. 100 Ω
 d. 1 kΩ

14. 교류 이미터전류 대 교류 베이스-이미터 전압의 그래프는 다음 어느 것에 적용하는가?
 a. 저항
 b. 이미터 다이오드
 c. 컬렉터 다이오드
 d. 전원공급 장치

15. CE 증폭기의 출력전압은?
 a. 증폭된다
 b. 반전된다
 c. 입력과 180°의 위상차가 있다.
 d. 앞의 보기가 모두 맞는다.

16. CE 증폭기의 이미터에 교류전압이 나타나지 않는 이유는?
 a. 이미터상의 직류전압 때문
 b. 바이패스커패시터 때문
 c. 결합커패시터 때문
 d. 부하저항 때문

17. 커패시터와 결합된 CE 증폭기의 부하 양단 전압은?
 a. 직류 및 교류
 b. 직류뿐
 c. 교류뿐
 d. 직류도 교류도 아니다.

18. 교류 컬렉터전류는 대략 다음 어느 것과 같은가?
 a. 교류 베이스전류
 b. 교류 이미터전류
 c. 교류원 전류
 d. 교류 바이패스전류

19. 교류 이미터전류와 교류 이미터저항의 곱은 다음 어느 것과 같은가?
 a. 직류 이미터전압
 b. 교류 베이스전압
 c. 교류 컬렉터전압
 d. 전원전압

20. 교류 컬렉터전류는 교류 베이스전류와 다음 어느 것의 곱과 같은가?

a. 교류 컬렉터저항

b. 직류 전류이득

c. 교류 전류이득

d. 신호발생기 전압

21. 이미터저항 R_E가 2배로 될 때, 교류 이미터저항은?

a. 증가한다.

b. 감소한다.

c. 변화 없다.

d. 결정될 수 없다.

22. 이미터가 교류 접지되는 것은?

a. CB 증폭단

b. CC 증폭단

c. CE 증폭단

d. 답이 없음

23. 일반적으로 이미터 바이패스되는 CE 증폭기의 출력전압은?

a. 일정하다.

b. r'_e에 따른다.

c. 작다.

d. 1 미만이다.

24. 베이스의 입력임피던스가 감소하는 때는 다음 중 어느 경우인가?

a. β가 증가할 때

b. 전원전압이 증가할 때

c. β가 감소할 때

d. 교류 컬렉터저항이 증가할 때

25. 전압이득은 다음 어느 것에 비례하는가?

a. β

b. r'_e

c. 직류 컬렉터전압

d. 교류 컬렉터저항

26. 이미터 다이오드의 교류저항에 비해서, 스웜프 증폭기의 귀환저항은?

a. 작아야 한다.

b. 같아야 한다.

c. 커야 한다.

d. 0이어야 한다.

27. CE 증폭기에 비해서 스웜프 증폭기의 입력임피던스는?

a. 더 작다.

b. 같다.

c. 더 크다.

d. 0

28. 증폭된 신호의 일그러짐을 줄여주려면, 다음 어느 것을 증가시켜야 하는가?

a. 컬렉터저항

b. 이미터 귀환저항

c. 신호발생기 저항

d. 부하저항

29. 스웜프 증폭기의 이미터는?

a. 접지된다.

b. 직류전압이 나타나지 않는다.

c. 교류전압이 나타난다.

d. 교류전압이 나타나지 않는다.

30. 스웜프 증폭기는 다음 어느 것을 이용하는가?

a. 베이스 바이어스

b. 정귀환

c. 부귀환

d. 접지된 이미터

31. 귀환저항은?

a. 전압이득을 증가시킨다.

b. 일그러짐을 감소시킨다.

c. 컬렉터저항을 감소시킨다.

d. 입력임피던스를 감소시킨다.

32. 귀환저항은?

a. 전압이득을 안정시킨다.

b. 일그러짐을 증가시킨다.

c. 컬렉터저항을 증가시킨다.

d. 입력임피던스를 감소시킨다.

33. 이미터 바이패스커패시터가 개방되면, 교류 출력전압은?

a. 감소한다.

b. 증가한다.

c. 변화 없다.

d. 0이다.

34. 부하저항이 개방되면, 교류 출력전압은?

a. 감소한다.

b. 증가한다.

c. 변화 없다.

d. 0이다.

35. 출력측 결합커패시터가 개방되면, 교류 입력전압은?

a. 감소한다.

b. 증가한다.

c. 변화 없다.

d. 0이다.

36. 이미터저항이 개방되면, 베이스에서 교류 입력전압은?

a. 감소한다.

b. 증가한다.

c. 변화 없다.

d. 0이다.

37. 컬렉터저항이 개방되면, 베이스에서 교류 입력전압은?

a. 감소한다.

b. 증가한다.

c. 변화 없다.

d. 거의 0이다.

기본 문제 | Problems

8-1 베이스 바이어스 증폭기

8-1 |||| **Multisim** 그림 8-31에서 양호한 결합이 되는 최저주파수는 얼마인가?

그림 8-31

8-2 |||| **Multisim** 그림 8-31에서 부하저항을 1 kΩ으로 바꾸면, 양호한 결합이 되는 최저주파수는 얼마인가?

8-3 |||| **Multisim** 그림 8-31에서 커패시터를 100 μF로 바꾸면, 양호한 결합이 되는 최저주파수는 얼마인가?

8-4 그림 8-31의 최저 입력주파수가 100 Hz인 경우, 양호한 결합에 필요한 C값은 얼마인가?

8-2 이미터 바이어스 증폭기

8-5 그림 8-32에서 양호하게 바이패스되는 최저주파수는 얼마인가?

8-6 그림 8-32에서 직렬저항을 10 kΩ으로 바꾸면, 양호하게 바이패스(bypassing)되기 위한 최저주파수는 얼마인가?

8-7 그림 8-32에서 커패시터를 47 μF로 바꾸면, 양호하게 바이패스되기 위한 최저주파수는 얼마인가?

그림 8-32

8-8 그림 8-32의 최저 입력주파수가 1 kHz인 경우, 효과적인 바이패스에 필요한 C값은 얼마인가?

8-3 소신호 동작

8-9 그림 8-33의 회로가 소신호 동작을 하기 위한 허용 가능한 최대 교류 이미터전류는 얼마인가?

8-10 그림 8-33에서 이미터저항을 2배로 하였다. 증폭기가 소신호 동작을 하기 위한 허용 가능한 최대 교류 이미터전류는 얼마인가?

8-4 교류 베타

8-11 100 μA의 교류 베이스전류가 15 mA의 교류 컬렉터전류를 흐르게 한다면, 교류 β는 얼마인가?

8-12 교류 β가 200이고, 교류 베이스전류가 12.5 μA라면, 교류 컬렉터전류는 얼마인가?

8-13 교류 컬렉터전류가 4 mA이고 교류 β가 100일 때, 교류 베이스전류는 얼마인가?

8-5 이미터 다이오드의 교류저항

8-14 |||| **Multisim** 그림 8-33에서 이미터 다이오드의 교류저항은 얼마인가?

8-15 |||| **Multisim** 그림 8-33의 이미터저항을 2배로 하면, 이미터 다이오드의 교류저항은 얼마인가?

8-6 두 가지 트랜지스터 모델

8-16 그림 8-33에서 β = 200인 경우, 베이스의 입력임피던스는 얼마인가?

8-17 그림 8-33에서 이미터저항을 2배로 하면, β = 200인 경우 베이스의 입력임피던스는 얼마인가?

8-18 그림 8-33에서 1.2 kΩ 저항을 680 Ω으로 바꾸면, β = 200인 경우 베이스의 입력임피던스는 얼마인가?

8-7 증폭기 해석

8-19 |||| **Multisim** β = 150인 경우 그림 8-33의 교류 등가회로를 그려라.

8-20 그림 8-33에서 모든 저항을 2배로 했을 때, β = 300인 경우의 교류 등가회로를 그려라.

그림 8-33

8-8 데이터시트의 교류량

8-21 2N3903의 경우 그림 8-23의 '소신호 특성'에 적혀있는 h_{fe}의 최소값과 최대값은 얼마인가? 이 값들은 컬렉터전류와 온도가 얼마인 경우의 값인가?

8-22 다음 물음에 대해 2N3904의 데이터시트를 참조하라. 트랜지스터의 컬렉터전류가 5 mA로 동작하는 경우, h 파라미터로 계산한 r_e' 값은 얼마인가? 이 값은 25 mV/I_E로 계산한 이상적인 r_e' 값보다 작은가? 큰가?

8-9 전압이득

8-23 |||| **Multisim** 그림 8-34의 교류 전원전압을 두 배로 하면 출력전압은 얼마인가?

8-24 |||| **Multisim** 그림 8-34에서 부하저항을 반으로 감소시키는 경우, 전압이득은 얼마인가?

8-25 |||| **Multisim** 그림 8-34에서 전원전압이 +15 V로 증가되면 출력전압은 얼마인가?

8-10 입력 임피던스의 부하 효과

8-26 |||| **Multisim** 그림 8-35의 전원전압이 +15 V로 되는 경우, 출력전압은 얼마인가?

8-27 |||| **Multisim** 그림 8-35에서 이미터저항이 두 배로 되는 경우, 출력전압은 얼마인가?

8-28 |||| **Multisim** 그림 8-35의 신호발생기 저항이 반으로 감소되는 경우, 출력전압은 얼마인가?

8-11 스웜프 증폭기

8-29 |||| **Multisim** 그림 8-36의 신호발생기 전압이 반으로 감소되는 경우, 출력전압은 얼마인가? r_e'는 무시하라.

8-30 |||| **Multisim** 그림 8-36의 신호발생기 저항이 50 Ω인 경우, 출력전압은 얼마인가?

8-31 |||| **Multisim** 그림 8-36의 부하저항이 3.6 kΩ으로 감소되는 경우, 전압이득은 얼마인가?

8-32 |||| **Multisim** 그림 8-36의 전원전압이 3배로 되는 경우 전압이득은 얼마인가?

8-12 고장 점검

8-33 그림 8-36에서 첫째 단의 이미터 바이패스커패시터가 개방되었다. 이 회로의 직류전압, 교류 출력전압에 어떤 일이 일어나는가?

8-34 그림 8-36에서 교류 부하전압이 나타나지 않는다. 교류 입력전압이 정상보다 약간 높다. 가능한 고장을 말하여라.

그림 8-34

그림 8-35

그림 8-36

응용 문제 | Critical Thinking

8-35 그림 8-31의 회로를 제작하여 전원이 0(zero) 주파수에서 2 V일 때 10 kΩ 양단에서 매우 작은 직류전압이 측정되었다면, 그 이유를 설명하라.

8-36 실험실에서 그림 8-32의 회로를 실험하고 있다고 하자. 신호발생기의 주파수를 증가시킬 때, A점의 전압이 측정할 수 없을 만큼 작게 감소한다. 만일 주파수를 10 MHz까지 계속 증가시키면, A점의 전압도 증가하기 시작한다. 그 이유를 설명하라.

8-37 그림 8-33에서 바이패스커패시터에서 바라본 Thevenin 저항이 30 Ω이다. 만일 이미터가 20 Hz∼20 kHz의 주파수 범위에 걸쳐 교류 접지된다고 가정할 때, 바이패스커패시터 값은 얼마이어야 하는가?

8-38 그림 8-34에서 모든 저항이 두 배로 되는 경우, 전압이득은 얼마인가?

8-39 그림 8-35에서 모든 저항이 두 배로 되는 경우, 출력전압은 얼마인가?

고장 점검 | Troubleshooting

다음 질문에 대해 그림 8-37을 참조하라.

8-40 고장 1 ~6을 찾아라.

8-41 고장 7~12를 찾아라.

	V_B	V_E	V_C	v_b	v_e	v_c
OK	1.8	1.1	6	0.6 mV	0	73 mV
T1	1.8	1.1	6	0	0	0
T2	1.83	1.13	10	0.75 mV	0	0
T3	1.1	0.4	10	0	0	0
T4	0	0	10	0.8 mV	0	0
T5	1.8	1.1	6	0.6 mV	0	98 mV
T6	3.4	2.7	2.8	0	0	0
T7	1.8	1.1	6	0.75 mV	0.75 mV	1.93 mV
T8	1.1	0.4	0.5	0	0	0
T9	0	0	0	0.75 mV	0	0
T10	1.83	0	10	0.75 mV	0	0
T11	2.1	2.1	2.1	0	0	0
T12	1.8	1.1	6	0	0	0

그림 8-37 고장 점검

Multisim 고장 점검 문제 | Multisim Troubleshooting Problems

멀티심 고장 점검 파일들은 *Connect for Electronic Principles* 저자 자료에 멀티심 고장 점검 회로(MTC)라는 폴더에서 찾을 수 있다. 좀 더 자세한 내용은 xiv페이지를 참조하라. 이 장에 관련된 파일은 MTC08-42~MTC08-46로 명칭되어 있고 모두 그림 8-37의 회로를 바탕으로 한다.

각 파일을 열고 고장 점검을 실시한다. 결함이 있는지 결정하기 위해 측정을 실시하고 결함이 있다면 무엇인지를 찾아라.

8-42 MTC08-42 파일을 열고 고장 점검을 실시하라.

8-43 MTC08-43 파일을 열고 고장 점검을 실시하라.

8-44 MTC08-44 파일을 열고 고장 점검을 실시하라.

8-45 MTC08-45 파일을 열고 고장 점검을 실시하라.

8-46 MTC08-46 파일을 열고 고장 점검을 실시하라.

직무 면접 문제 | Job Interview Questions

1. 결합커패시터와 바이패스커패시터가 사용되는 이유는?

2. VDB 증폭기의 파형을 그려라. 그 다음 파형이 다른 이유를 설명하라.

3. 소신호 동작이 의미하는 바를 설명하라. 설명 과정에 그림을 그려 설명하는 것도 포함시켜라.

4. 트랜지스터를 교류 부하선의 거의 중앙으로 바이어스해 주는 것이 중요한 이유를 설명하라.

5. 결합커패시터와 바이패스커패시터를 비교하여 설명하라.

6. VDB 증폭기를 그리고 동작 방법을 설명하라. 설명 과정에 전압이득과 입력임피던스를 포함시켜라.

7. 스웜프 증폭기를 그리고 전압이득과 입력임피던스는 얼마인가? 또 전압이득이 안정한 이유를 설명하라.

8. 증폭기에서 부귀환을 이용할 때 세 가지 개선점은 무엇인가?

9. 스웜핑저항이 전압이득에 미치는 영향은 무엇인가?

10. 오디오 증폭기에서 요구되는 특성은 무엇인가? 또 그 이유는 무엇인가?

복습 문제 해답 | Self-Test Answers

1.	a	**11.**	b	**21.**	a	**31.**	b
2.	b	**12.**	d	**22.**	c	**32.**	a
3.	c	**13.**	b	**23.**	b	**33.**	a
4.	c	**14.**	b	**24.**	c	**34.**	b
5.	a	**15.**	d	**25.**	d	**35.**	c
6.	d	**16.**	b	**26.**	c	**36.**	b
7.	b	**17.**	c	**27.**	c	**37.**	a
8.	b	**18.**	b	**28.**	b		
9.	c	**19.**	b	**29.**	c		
10.	c	**20.**	c	**30.**	c		

연습 문제 해답 | Practice Problem Answers

8-1 $C = 1\,\mu F$

8-2 $C = 33\,\mu F$

8-3 $i_{e(p\text{-}p)} = 86.7\,\mu A_{p\text{-}p}$

8-6 $r'_e = 28.8\,\Omega$

8-7 $A_v = 104$

8-8 $v_{out} = 277\,mV$

8-9 $v_{out} = 226\,mV$

8-10 $v_{out} = 167\,mV$

8-11 $v_{out} = 547\,mV$

8-12 계산된 값은 MultiSim으로 측정한 값과 대략 같다.

부하저항이 컬렉터저항에 비하여 작을 때, CE 증폭단의 전압이득은 작아지고 증폭기는 과부하 상태로 될 수도 있다. 과부하를 방지하기 위한 한 가지 방법은 공통컬렉터(CC) 증폭기나 이미터 팔로워를 사용하는 것이다. 이와 같은 형태의 증폭기는 입력임피던스가 크고 작은 부하저항을 구동시킬 수 있다. 이미터 팔로워에 덧붙여서 이 장에서는 달링턴 증폭기, 개선된 전압 레귤레이션 및 공통베이스(CB) 증폭기에 대하여 검토한다.

주요용어 | Vocabulary

2단 귀환(two-stage feedback)

공통베이스 증폭기(common-base(CB)amplifier)

공통컬렉터 증폭기(common-collector(CC)amplifier)

다단 증폭기(multistage amplifier)

달링턴 트랜지스터(Darlington transistor)

달링턴쌍(Darlington pair)

달링턴 연결(Darlington connection)

버퍼(buffer)

보달링턴(complementary Darlington)

이미터 팔로워(emitter follower)

전체 전압이득(total voltage gain)

제너 팔로워(zener follower)

종속연결(cascading)

직접 결합(direct coupled)

9-1 다단 증폭기

좀 더 큰 전압이득을 얻기 위하여 2단 이상의 증폭기를 **종속연결**(cascading)하여 **다단 증폭기**를 만들 수 있다. 이는 첫 번째 증폭단의 출력을 두 번째 증폭단의 입력으로 이용하는 것을 의미한다. 다음에는 두 번째 증폭단의 출력이 세 번째 증폭단의 입력으로 사용되고 이후 더 많은 단이 있는 경우는 같은 법칙을 적용할 수 있다.

그림 9-1a는 2단 증폭기이다. 첫 번째 증폭단의 반전 증폭된 신호는 두 번째 증폭단의 베이스로 결합된다. 그 다음 두 번째 증폭단의 반전 증폭된 출력은 부하저항으로 결합된다. 부하저항 양단의 신호는 발생기 신호와 동위상이다. 그 이유는 각 CE 증폭단은 신호를 $180°$만큼 반전시키므로, 2단 증폭기는 신호를 $0°$와 같은 $360°$만큼 반전시킨다(동위상).

첫 번째 증폭단의 전압이득

그림 9-1b는 2단 증폭기의 교류 등가회로이다. 두 번째 단의 입력임피던스가 첫 번째 단의 부하로 작용함에 주목하라. 다시 말해서, 두 번째 단의 z_{in}(stage)는 첫 번째 단의 R_C와 병렬이다. 첫 번째 증폭단의 교류 컬렉터저항은 다음과 같다.

$$r_c = R_C \parallel z_{in(stage)}$$

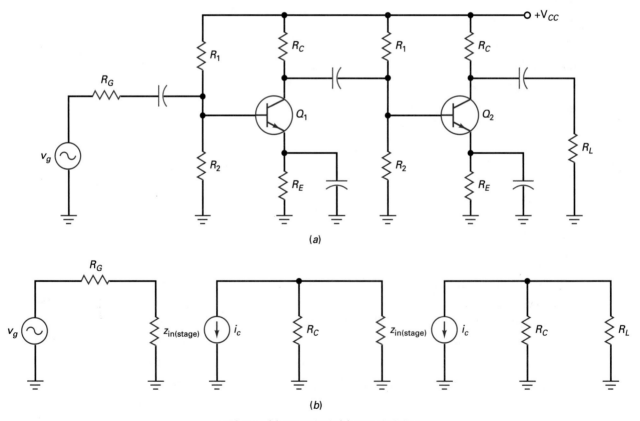

그림 9-1   (a) 2단 증폭기; (b) 교류 등가회로

첫 번째 증폭단의 전압이득은 다음과 같다.

$$A_{V_1} = \frac{R_C \parallel z_{\text{in(stage)}}}{r'_e}$$

두 번째 증폭단의 전압이득

두 번째 증폭단의 교류 컬렉터저항은

$$r_c = R_C \parallel R_L$$

이며, 전압이득은 다음과 같다.

$$A_{V_2} = \frac{R_C \parallel R_L}{r'_e}$$

전체 전압이득

증폭기의 **전체 전압이득**은 각 증폭단의 이득을 곱으로 주어진다. 즉

$$A_V = (A_{V_1})(A_{V_2}) \tag{9-1}$$

예를 들어 각 단의 전압이득이 50이면 전체 전압이득은 2,500이다.

예제 9-1

그림 9-2의 첫 번째 증폭단에서 교류 컬렉터전압은 얼마인가? 또 부하저항 양단의 교류 출력전압은 얼마인가?

그림 9-2   예제

풀이   회로에 대한 직류 해석의 결과는

$$V_B = 1.8 \text{ V}$$
$$V_E = 1.1 \text{ V}$$
$$V_{CE} = 4.94 \text{ V}$$
$$I_E = 1.1 \text{ mA}$$
$$r_e' = 22.7 \ \Omega$$

첫 번째 베이스의 입력임피던스는

$$z_{\text{in(base)}} = (100)(22.7 \ \Omega) = 2.27 \text{ k}\Omega$$

이며, 첫 번째 증폭단의 입력임피던스는

$$z_{\text{in(stage)}} = 10 \text{ k}\Omega \parallel 2.2 \text{ k}\Omega \parallel 2.27 \text{ k}\Omega = 1 \text{ k}\Omega$$

이다. 첫 번째 베이스에 나타나는 입력신호는 다음과 같다.

$$v_{\text{in}} = \frac{1 \text{ k}\Omega}{600 \ \Omega + 1 \text{ k}\Omega} 1 \text{ mV} = 0.625 \text{ mV}$$

두 번째 베이스의 입력임피던스는 첫 번째 증폭단과 같다.

$$z_{\text{in(stage)}} = 10 \text{ k}\Omega \parallel 2.2 \text{ k}\Omega \parallel 2.27 \text{ k}\Omega = 1 \text{ k}\Omega$$

이 입력임피던스는 첫 번째 증폭단의 부하저항으로 작용한다. 다시 말해서 첫 번째 증폭단의 교류 컬렉터저항은 다음과 같다.

$$r_c = 3.6 \text{ k}\Omega \parallel 1 \text{ k}\Omega = 783 \ \Omega$$

첫 번째 증폭단의 전압이득은

$$A_{V_1} = \frac{783 \ \Omega}{22.7 \ \Omega} = 34.5$$

이므로, 첫 번째 증폭단의 교류 컬렉터전압(= 둘째 단의 교류 베이스전압)은

$$v_c = A_{V_1} v_{\text{in}} = (34.5)(0.625 \text{ mV}) = 21.6 \text{ mV}$$

이 된다. 두 번째 증폭단의 교류 컬렉터저항은

$$r_c = 3.6 \text{ k}\Omega \parallel 10 \text{ k}\Omega = 2.65 \text{ k}\Omega$$

이며, 전압이득은 다음과 같다.

$$A_{V_2} = \frac{2.65 \text{ k}\Omega}{22.7 \ \Omega} = 117$$

따라서, 부하저항 양단의 교류 출력전압은 다음과 같다.

$$v_{\text{out}} = A_{V_2} v_{b_2} = (117)(21.6 \text{ mV}) = 2.52 \text{ V}$$

최종 출력전압을 구하기 위한 또 다른 방법은 전체적인 전압이득을 이용하는 것이다.

$$A_V = (34.5)(117) = 4037$$

부하저항 양단의 교류 출력전압은 다음과 같다.

$$v_{out} = A_V v_{in} = (4037)(0.625\,mV) = 2.52\,V$$

연습 문제 9-1 그림 9-2에서 두 번째 증폭단의 부하저항 10 kΩ을 6.8 kΩ으로 바꾸어, 최종 교류 출력전압을 계산하라.

예제 9-2

$\beta = 200$인 경우, 그림 9-3의 출력전압을 구하라. 계산에서 r_e'를 무시하라.

풀이 첫 번째 베이스의 입력임피던스는

$$z_{in(base)} = \beta r_e = (200)(180\,\Omega) = 36\,k\Omega$$

이며, 첫 번째 증폭단의 입력임피던스는

$$z_{in(stage)} = 10\,k\Omega \,\|\, 2.2\,k\Omega \,\|\, 36\,k\Omega = 1.71\,k\Omega$$

이다. 첫 번째 베이스에 나타나는 교류 입력전압은 다음과 같다.

$$v_{in} = \frac{1.71\,k\Omega}{600\,\Omega + 1.71\,k\Omega}\,1\,mV = 0.74\,mV$$

두 번째 베이스의 입력임피던스는 첫 번째 증폭단과 같다.

$$r_c = 3.6\,k\Omega \,\|\, 1.71\,k\Omega = 1.16\,k\Omega$$

그러므로 첫 번째 증폭단의 교류 컬렉터저항은 다음과 같다.

$$A_{V_1} = \frac{1.16\,k\Omega}{180\,\Omega} = 6.44$$

첫 번째 증폭단의 전압이득은

$$v_c = (6.44)(0.74\,mV) = 4.77\,mV$$

이므로, 첫 번째 증폭단의 컬렉터와 둘째 단의 베이스에 반전 증폭된 교류전압은

$$r_c = R_C \,\|\, R_L = 3.6\,k\Omega \,\|\, 10\,k\Omega = 2.65\,k\Omega$$

이 된다. 그러므로 두 번째 증폭단의 전압이득은 다음과 같다.

$$A_{V_2} = \frac{2.65\,k\Omega}{180\,\Omega} = 14.7$$

최종 출력전압은 다음과 같다.

$$v_{out} = (14.7)(4.77\,mV) = 70\,mV$$

최종 출력전압을 구하기 위한 또 다른 방법은 전체적인 전압이득을 이용하는 것이다.

$$A_V = (A_{V_1})(A_{V_2}) = (6.44)(14.7) = 95$$

따라서

$$v_{out} = A_V v_{in} = (95)(0.74\ mV) = 70\ mV$$

그림 9-3 2단 스웜프된 증폭기의 예

9-2 2단 귀환

스웜프 증폭기는 단일 증폭단 귀환(single-stage feedback)의 예이다. 이 회로는 전압이득을 안정하게 하고, 입력임피던스를 증가시키며, 일그러짐을 줄여주는 효과가 상당히 있다. **2단 귀환**(two-stage feedback)은 더욱 좋은 효과를 갖는다.

기본 개념

그림 9-4는 2단 귀환증폭기이다. 첫째 단은 바이패스되지 않는 이미터저항 r_e가 있다. 이러한 첫째 단을 종종 전단증폭기(preamplifier)라 일컫는다. 첫째 단은 전원으로부터 입력 신호를 얻어 전원의 값을 감소시키지 않고 더 큰 증폭을 얻기 위해 두 번째 단으로 입력 신호를 전달하는 역할을 한다. 둘째 단은 최대이득을 얻기 위해 이미터가 교류 접지되게 하는 CE 증폭단이다. 출력신호는 귀환저항 r_f를 통하여 첫째 단의 이미터로 결합된다. 전압분배기로 인해 첫째 단의 이미터와 접지 사이의 교류전압은 존재하고 다음과 같다.

$$v_e = \frac{r_e}{r_f + r_e} v_{out}$$

그림 9-4 2단 귀환증폭기

2단 귀환 회로의 동작에 대한 기본 개념은 다음과 같다. 온도의 상승으로 출력전압이 증가한다고 가정하자. 출력전압의 일부가 첫째 단의 이미터로 귀환되기 때문에 v_e가 증가한다. 이는 첫째 단의 v_{be}를 감소시켜 첫째 단의 v_c도 감소시키며 v_{out}을 감소시킨다. 한편 출력전압이 감소하려 한다면, v_{be}가 증가하고 v_{out}도 증가한다.

어느 경우이든 출력전압의 임의의 변화는 귀환되며, 증폭된 변화는 원래의 변화에 반대 작용을 한다. 전체적인 효과로 출력전압은 부귀환이 없을 때보다 훨씬 적은 양으로 변할 것이다.

전압이득

잘 설계된 2단 귀환증폭기에서 전압이득은 다음과 같이 유도된다.

$$A_V = \frac{r_f}{r_e} + 1 \qquad\qquad (9\text{-}2)$$

대부분의 설계에서 이 식 우변의 첫째 항은 1보다 훨씬 크므로, 다음과 같이 간단해진다.

$$A_V = \frac{r_f}{r_e}$$

연산증폭기(op amp)를 검토할 때 부귀환을 상세하게 해석할 것이다. 그때 잘 설계된 귀환증폭기가 어떤 의미를 갖는지 알게 될 것이다.

식 (9-2)에 대하여 중요한 것은 **전압이득이 단지 외부저항 r_f와 r_e에만 의존한다는 것**이다. 이 저항들은 고정된 값이므로 전압이득도 고정된다.

예제 9-3

그림 9-5의 가변저항은 0~10 kΩ까지 변화될 수 있다. 2단 증폭기의 최소 전압이득과 최대 전압이득을 구하라.

그림 9-5 2단 귀환증폭기의 예

풀이 귀환저항 r_f는 1 kΩ과 가변저항의 합이 된다. 최소 전압이득은 가변저항기가 0이 될 때 얻어진다. 즉

$$A_V = \frac{r_f}{r_e} = \frac{1 \text{ k}\Omega}{100 \text{ }\Omega} = 10$$

가변저항이 10 kΩ일 때, 최대 전압이득은 다음과 같다.

$$A_V = \frac{r_f}{r_e} = \frac{11 \text{ k}\Omega}{100 \text{ }\Omega} = 110$$

연습 문제 9-3 그림 9-5에서 전압이득 50이 되기 위한 가변저항에 필요한 저항값은 얼마인가?

응용 예제 9-4

그림 9-5의 회로를 휴대용 마이크로폰의 프리앰프(전치증폭기)로 이용하기 위하여 어떻게 수정하여야 하는가?

풀이 10 V 직류 전원장치는 9 V 배터리와 on/off 스위치로 대체될 수 있다. 적절한 크기로 만들어진 마이크로폰 잭을 프리앰프의 입력 결합커패시터와 접지에 연결시켜라. 마이크로폰은 이상적으로 낮은 임피던스의 다이나믹형이어야 한다. 만일 일렉트렛(electret: 잔류분극 유도체) 마이크로폰을 사용하는 경우, 마이크로폰에 연결된 직렬저항을 통해 9 V 배터리로부터 전원을 공급할 필요가 있을 것이다. 양호한 저주파 응답의 경우, 결합커패시터와 측로커패시터는 낮은 용량성 리액턴스를 필요로

한다. 각 결합커패시터로 47 μF를, 각 바이패스커패시터로는 100 μF를 사용할 수 있다. 10 kΩ 출력부하는 출력 레벨을 변화시키기 위하여 10 kΩ 포텐시오미터로 바꿀 수 있다. 만일 좀 더 큰 전압이득이 필요하면, 10 kΩ 귀환 포텐시오미터를 더 큰 값으로 바꾸어라. 출력은 가정용 스테레오앰프의 line/CD/aux/tape 입력을 구동시킬 수 있을 것이다. 요구되는 적절한 입력에 대하여 시스템의 사양을 체크하라. 모든 부품을 작은 금속 박스 안에 배치하고 실드선(shielded cables)을 사용하면 외부 잡음과 간섭을 감소시킬 것이다.

9-3 CC 증폭기

이미터 팔로워는 **공통컬렉터 증폭기**(common-collector(CC) amplifier)라고도 한다. 입력신호는 베이스로 결합되며, 출력신호는 이미터로부터 얻어진다.

기본 개념

그림 9-6a는 이미터 팔로워를 나타낸다. 컬렉터가 교류 접지되어 있기 때문에 이 회로는 CC 증폭기이다. 입력전압은 베이스로 결합된다. 이 입력전압은 교류 이미터전류를 흐르게 하고 이미터저항 양단에 교류전압을 발생시킨다. 이 교류전압은 부하저항으로 결합된다.

그림 9-6b는 베이스와 접지 사이의 전체 전압을 나타낸다. 이 전압은 직류 성분과 교류 성분으로 되어있다. 그림에서와 같이 교류 입력전압은 정지 베이스전압 V_{BQ}에 중첩된다. 마찬가지로 그림 9-6c는 이미터와 접지 사이의 전체 전압을 나타내며, 이번에는 교류 입력전압은 정지 이미터전압 V_{EQ}의 중앙에 위치한다.

교류 이미터전압은 부하저항에 인가되고 이 출력전압은 그림 9-6d와 같이 순수한 교류전압이다. 이 출력전압은 입력전압과 동위상이며 파형이 거의 일치한다. 이 회로를 이미터 팔로워(emitter follower)라고 부르는 이유는 출력전압이 입력전압과 유사하기 때문이다.

컬렉터저항이 없으므로 컬렉터와 접지 사이의 전체 전압은 전원전압과 같다. 오실로스코프를 사용하여 컬렉터전압을 보면, 그림 9-6e와 같은 일정한 직류전압을 보게 될 것이다. 컬렉터가 교류 접지점이 되므로 교류신호가 나타나지 않는다.

부귀환

스웜프 증폭기와 마찬가지로 이미터 팔로워도 부귀환을 사용한다. 그러나 이미터 팔로워의 경우에는 귀환저항이 전체 이미터저항과 같기 때문에 부귀환이 크다. 결과적으로 전압이득은 극도로 안정하고, 왜곡이 거의 없으며, 베이스의 입력임피던스가 매우 높게 된다. 이러한 특성 때문에 이미터 팔로워는 주로 프리앰프로 사용된다. 단점은 전압이득의 최대값이 1이다.

교류 이미터저항

그림 9-6a에서 이미터에서 나오는 교류신호는 병렬로 연결되어 있는 R_E와 R_L에 나타난

> **참고 사항**
>
> 어떤 이미터 팔로워 회로에서는 이미터와 접지 사이에 단락이 발생하는 경우를 고려하여 트랜지스터에서 직류 컬렉터전류를 제한할 수 있도록 작은 컬렉터저항을 사용하기도 한다. 만일 R_C의 저항값을 작은 것으로 사용하면 교류접지용의 바이패스커패시터가 필요할 것이다. 작은 R_C 값은 회로의 직류 동작에만 약간 영향을 미칠 뿐 교류 동작에는 전혀 영향이 없다.

그림 9-6   이미터 팔로워와 파형

다. 교류 이미터저항을 정의하면 다음과 같다.

$$r_e = R_E \parallel R_L \tag{9-3}$$

이것은 외부 교류 이미터저항으로, 내부 교류 이미터저항 r_e'와는 다르다.

전압이득

그림 9-7a는 T 모델로 나타낸 교류 등가회로이다. Ohm의 법칙을 이용하면 다음과 같은 두 식을 만들 수 있다.

$$v_{out} = i_e r_e$$
$$v_{in} = i_e(r_e + r_e')$$

첫 번째 식을 두 번째 식으로 나누면 이미터 팔로워의 전압이득을 구할 수 있다. 즉

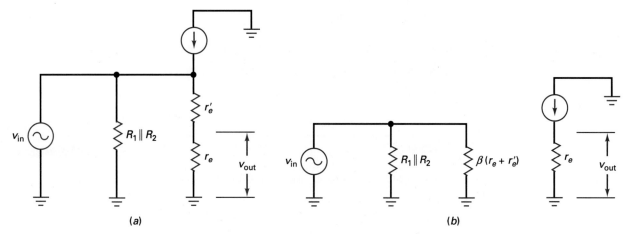

그림 9-7 이미터 팔로워의 교류 등가회로

$$A_V = \frac{r_e}{r_e + r_e'}$$ (9-4)

일반적으로 설계자는 항상 r_e를 r_e'에 비해 매우 크게 해서 전압이득이 거의 1이 되게 한다. 이 값은 모든 예비 해석과 고장 점검 시 사용하는 값이다.

왜 전압이득이 겨우 1인 이미터 팔로워를 **증폭기**라고 부를까? 그 이유는 전류이득 β가 있기 때문이다. 시스템의 끝쪽의 증폭단은 최종 부하가 보통 낮은 임피던스를 갖기 때문에 더 많은 전류를 필요로 한다. 이미터 팔로워는 저임피던스 부하에 필요한 큰 출력전류를 만들어낸다. 요약하면 이미터 팔로워는 전압증폭기는 아니지만 전류증폭기나 전력증폭기이다.

베이스의 입력임피던스

그림 9-7b는 트랜지스터 π 모델로 나타낸 교류 등가회로이다. 베이스의 입력임피던스에 관한 한 동작은 스웝프 증폭기와 같다. 전류이득은 전체 이미터저항을 β배 만큼 증가시킨다. 따라서 유도과정은 스웝프 증폭기와 같다.

$$z_{\text{in(base)}} = \beta(r_e + r_e')$$ (9-5)

고장 점검하는 경우 r_e가 r_e' 보다 매우 크다고 가정할 수 있으며, 이는 이 입력임피던스가 약 βr_e 임을 의미한다.

임피던스를 증가할 수 있다는 것은 이미터 팔로워의 가장 큰 장점이다. CE 증폭기를 과부하로 만들만큼 작은 부하저항도 이미터 팔로워에 사용할 수 있는데, 이는 이미터 팔로워가 임피던스를 증가시켜 과부하를 막아주기 때문이다.

증폭단의 입력임피던스

교류원이 안정하지 않을 때 교류신호의 일부는 내부저항에서 약간의 손실이 있다. 내부저항에 의한 영향을 계산하려면 다음과 같은 증폭단의 입력임피던스를 사용해야 한다.

참고 사항

그림 9-8에서 바이어스저항 R_1과 R_2는 z_{in}을 스웝프 CE 증폭기와 별로 차이가 없는 값으로 낮게 한다. 이러한 단점은 대부분의 이미터 팔로워 설계에서 간단히 바이어스저항 R_1과 R_2를 사용하지 않음으로써 극복한다. 대신 이미터 팔로워는 이미터 팔로워를 구동하는 증폭단에 의해 직류 바이어스된다.

$$z_{\text{in(stage)}} = R_1 \,\|\, R_2 \,\|\, \beta(r_e + r_e')$$ (9-6)

이 입력임피던스와 교류원 저항을 전압분배기로 이용하여 베이스로 도달하는 입력전압을 계산할 수 있다. 계산은 앞 장에서 보인 바와 같이한다.

예제 9-5 |||| Multisim

그림 9-8에서 $\beta = 200$일 때, 베이스의 입력임피던스와 증폭단의 입력임피던스는 얼마인가?

그림 9-8 예제

풀이 전압분배기의 저항이 각각 10 kΩ이기 때문에 직류 베이스전압은 전원전압의 1/2인 5 V이고, 직류 이미터전압은 0.7 V가 적은 4.3 V이다. 직류 이미터전류는 4.3 V를 4.3 kΩ으로 나눈 값으로 1 mA이다. 따라서 이미터 다이오드의 교류저항은

$$r_e' = \frac{25 \text{ mV}}{1 \text{ mA}} = 25 \ \Omega$$

이다. 외부 교류 이미터저항은 R_E와 R_L의 병렬등가로 다음과 같다.

$$r_e = 4.3 \text{ k}\Omega \,\|\, 10 \text{ k}\Omega = 3 \text{ k}\Omega$$

트랜지스터 교류 전류이득이 200이므로, 베이스의 입력임피던스는 다음과 같다.

$$z_{\text{in(base)}} = 200(3 \text{ k}\Omega + 25 \ \Omega) = 605 \text{ k}\Omega$$

베이스의 입력임피던스는 두 바이어스 저항과 병렬이고 증폭단의 입력임피던스는

$$z_{\text{in(stage)}} = 10 \text{ k}\Omega \,\|\, 10 \text{ k}\Omega \,\|\, 605 \text{ k}\Omega = 4.96 \text{ k}\Omega$$

이다. 605 kΩ은 5 kΩ에 비해 매우 크므로, 고장 점검 시 보통 증폭단의 입력임피던스를 바이어스 저항의 병렬만으로 근사화한다. 즉

$$z_{\text{in(stage)}} = 10\ \text{k}\Omega \parallel 10\ \text{k}\Omega = 5\ \text{k}\Omega$$

연습 문제 9-5   그림 9-8에서 β가 100으로 변화한 경우, 베이스의 입력임피던스와 증폭단의 입력임피던스를 구하라.

예제 9-6   ‖‖ **Multisim**

β를 200이라고 하면, 그림 9-8의 이미터 팔로워에 대한 교류 입력전압은 얼마인가?

풀이   그림 9-9는 교류 등가회로이다. 교류 베이스전압은 z_{in} 양단에 나타난다. 증폭단의 입력임피던스는 신호발생기 저항에 비해 매우 크므로, 신호발생기 전압의 대부분이 베이스에 나타난다. 전압분배기 정리에 의해 다음과 같은 값을 얻을 수 있다.

$$v_{\text{in}} = \frac{5\ \text{k}\Omega}{5\ \text{k}\Omega + 600\ \Omega}\, 1\ \text{V} = 0.893\ \text{V}$$

그림 9-9   예제

연습 문제 9-6 β값이 100인 경우, 그림 9-8의 교류 입력전압을 구하라.

예제 9-7   ‖‖ **Multisim**

그림 9-10에서 이미터 팔로워의 전압이득은 얼마인가? 만일 $\beta = 150$인 경우, 교류 부하전압은 얼마인가?

그림 9-10   예제

풀이 직류 베이스전압은 전원전압의 절반이다.

$$V_B = 7.5 \text{ V}$$

직류 이미터전류는

$$I_E = \frac{6.8 \text{ V}}{2.2 \text{ k}\Omega} = 3.09 \text{ mA}$$

이고, 이미터 다이오드의 교류저항은

$$r_e' = \frac{25 \text{ mV}}{3.09 \text{ mA}} = 8.09 \ \Omega$$

이다. 외부 교류 이미터저항은

$$r_e = 2.2 \text{ k}\Omega \parallel 6.8 \text{ k}\Omega = 1.66 \text{ k}\Omega$$

이므로, 전압이득은 다음과 같다.

$$A_V = \frac{1.66 \text{ k}\Omega}{1.66 \text{ k}\Omega + 8.09 \ \Omega} = 0.995$$

베이스의 입력임피던스는

$$z_{\text{in(base)}} = 150(1.66 \text{ k}\Omega + 8.09 \ \Omega) = 250 \text{ k}\Omega$$

이다. 이것은 바이어스저항보다 훨씬 크다. 그러므로 정밀한 근사 해석에 따른 이미터 팔로워의 입력임피던스는

$$z_{\text{in(stage)}} = 4.7 \text{ k}\Omega \parallel 4.7 \text{ k}\Omega = 2.35 \text{ k}\Omega$$

이며, 교류 입력전압은

$$v_{\text{in}} = \frac{2.35 \text{ k}\Omega}{600 \ \Omega + 2.35 \text{ k}\Omega} 1 \text{ V} = 0.797 \text{ V}$$

이다. 따라서 교류 출력전압은 다음과 같다.

$$v_{\text{out}} = 0.995(0.797 \text{ V}) = 0.793 \text{ V}$$

연습 문제 9-7 R_G 값을 50 Ω으로 하여, 예제 9-7을 반복하라.

9-4 출력임피던스

증폭기의 출력임피던스는 증폭기의 Thevenin 임피던스와 같다. 이미터 팔로워의 장점 중의 하나는 출력임피던스가 작다는 것이다.

전자공학 선수 과정에서 논의되었듯이, 최대 전력 전달은 부하 임피던스가 신호

원 (Thevenin) 임피던스와 **정합될**(같아질) 때 일어난다. 가끔 설계 시 최대 부하전력이 필요할 때 부하 임피던스를 이미터 팔로워의 출력임피던스에 정합시키곤 한다. 예를 들어 스피커에 최대 전력을 전달하기 위하여 스피커의 낮은 임피던스를 이미터 팔로워의 출력임피던스에 정합시킬 수 있다.

기본 개념

그림 9-11*a*는 증폭기를 구동하는 교류발생기이다. 신호원이 안정하지 않으면 교류전압의 일부가 내부저항 R_G 양단에서 전압 강하로 나타난다. 이 경우 입력전압 v_{in}을 구하기 위해 그림 9-11*b*의 전압분배기를 해석해야 한다.

증폭기의 출력측도 비슷하게 생각하면 된다. 그림 9-11*c*에서 부하단에 Thevenin의 정리를 적용할 수 있다. 부하단에서 증폭기를 들여다본 것이 출력임피던스 z_{out}이다. Thevenin 등가회로에서 이 출력임피던스는 그림 9-11*d*에서와 같이 부하저항과 전압분배기를 이룬다. z_{out}이 R_L보다 매우 작은 경우, 출력 신호원은 안정적이고 v_{out}은 v_{th}와 같다.

CE 증폭기

그림 9-12*a*는 CE 증폭기 출력측에 대한 교류 등가회로이다. Thevenin의 정리를 적용하면 그림 9-12*b*가 된다. 즉 부하저항에서 바라본 출력임피던스는 R_C이다.

그림 9-11 입력 및 출력임피던스

그림 9-12 CE 증폭기의 출력임피던스

CE 증폭기의 전압이득은 R_C에 따라 결정되므로, 설계할 때 전압이득의 손실 없이 R_C를 작게 할 수 없다. 다시 말해서 CE 증폭기에서는 작은 출력임피던스를 얻기 어렵다. 이런 이유로 CE 증폭기는 작은 부하저항을 구동시키기에 적합하지 않다.

이미터 팔로워

그림 9-13a는 이미터 팔로워의 교류 등가회로이다. A점에 Thevenin의 정리를 적용하면 그림 9-13b가 된다. 출력임피던스 z_out은 CE 증폭기에 비해 매우 작으며, 다음과 같다.

$$z_\text{out} = R_E \parallel \left(r'_e + \frac{R_G \parallel R_1 \parallel R_2}{\beta} \right) \tag{9-7}$$

베이스 회로의 임피던스는 $R_G \parallel R_1 \parallel R_2$이다. 트랜지스터의 전류이득에 의해 이 임피던스는 β배 만큼 낮추어진다. 임피던스를 베이스로부터 이미터로 옮긴다는 점을 제외하면 스웜프된 증폭기와 유사한 효과를 얻으므로 임피던스가 증가하지 않고 감소한다. 식 (9-7)에 나타나 있듯이 감소된 임피던스 $(R_G \parallel R_1 \parallel R_2)/\beta$는 r'_e와 직렬이다.

이상적인 동작

어떤 설계에서는 바이어스 저항과 이미터 다이오드의 교류저항을 무시할 수 있다. 이 경우 이미터 팔로워의 출력임피던스는 다음과 같이 근사화될 수 있다.

$$z_\text{out} = \frac{R_G}{\beta} \tag{9-8}$$

(a)

(b)

그림 9-13 이미터 팔로워의 출력임피던스

참고 사항

트랜스포머를 교류원과 부하 사이에 임피던스 정합시키는데 사용할 수도 있다. 트랜스포머 내부로 들여다본 임피던스, 즉 트랜스포머의 1차측으로 환산한 임피던스 z_in은 다음과 같다.

$$z_\text{in} = \left(\frac{N_p}{N_s} \right)^2 R_L$$

이것이 이미터 팔로워의 핵심 아이디어로 이미터 팔로워의 출력임피던스는 교류원의 임피던스를 $1/\beta$만큼 낮춘다. 그 결과 이미터 팔로워는 교류원을 안정하게 한다. 설계할 때 부하전압을 최대로 만드는 안정한 교류원을 사용하는 방법 대신 부하전력을 최대로 하는 방법을 선호할 수도 있다. 이러한 경우에는

$z_{out} \ll R_L$　　(안정 전압원)

를 만족하도록 설계하는 대신 다음 조건을 만족하게 한다.

$z_{out} = R_L$　　(최대 전력 전달)

이 조건을 만족할 경우에 이미터 팔로워는 스테레오 스피커와 같이 낮은 임피던스의 부하에 최대 전력을 전달할 수 있다.

식 (9-8)은 이상적인 공식이다. 이 식은 이미터 팔로워의 출력임피던스에 대한 근사값을 구하는 데 사용할 수 있다. 개별회로에서 이 식은 단지 출력임피던스의 예상값을 알 수 있을 뿐이다. 그럼에도 불구하고 이 식은 고장 점검이나 예비 해석에 적합하다. 필요하다면 식 (9-7)을 이용하여 정확한 출력임피던스를 구할 수 있다.

예제 9-8

그림 9-14a의 이미터 팔로워에서 출력임피던스를 예상해보자.

풀이　이상적인 경우, 출력임피던스는 신호발생기 저항을 트랜지스터의 전류이득으로 나눈 값과 같다. 즉

$$z_{out} = \frac{600\Omega}{300} = 2\ \Omega$$

그림 9-14b는 등가적인 출력회로이다. 출력임피던스는 부하저항보다 매우 작아서 대부분의 신호가 부하저항에 나타난다. 보다시피 신호원 저항에 대한 부하저항의 비율이 50이므로 그림 9-14b의 출력 신호원은 거의 안정하다.

연습 문제 9-8　그림 9-14에서 전원저항을 1 kΩ으로 바꾸어 z_{out} 근사값을 구하라.

예제 9-9

식 (9-7)을 이용하여 그림 9-14a의 출력임피던스를 구하라.

풀이　정지 베이스전압은 대략 다음의 값을 갖는다.

$V_{BQ} = 15\ V$

V_{BE}를 무시하면, 정지 이미터전류는 대략

$$I_{EQ} = \frac{15\ V}{100\ \Omega} = 150\ mA$$

(a)

(b)

그림 9-14 예제

이며, 이미터 다이오드의 교류저항은

$$r_e' = \frac{25\ \text{mV}}{150\ \text{mA}} = 0.167\ \Omega$$

이다. 베이스에서 신호원쪽으로 들여다 본 임피던스는

$$R_G \parallel R_1 \parallel R_2 = 600\ \Omega \parallel 10\ \text{k}\Omega \parallel 10\ \text{k}\Omega = 536\ \Omega$$

이다. 전류이득은 이것을 다음과 같이 낮춘다.

$$\frac{R_G \parallel R_1 \parallel R_2}{\beta} = \frac{536\ \Omega}{300} = 1.78\ \Omega$$

이것은 r_e'와 직렬이므로, 이미터에서 증폭기쪽으로 들여다 본 임피던스는

$$r_e' + \frac{R_G \parallel R_1 \parallel R_2}{\beta} = 0.167\ \Omega + 1.78\ \Omega = 1.95\ \Omega$$

이다. 이것은 직류 이미터저항과 병렬이므로, 출력임피던스는

$$z_\text{out} = R_E \parallel \left(r_e' + \frac{R_G \parallel R_1 \parallel R_2}{\beta} \right) = 100\ \Omega \parallel 1.95\ \Omega = 1.91\ \Omega$$

이 된다.

이 정확한 답은 이상적인 답인 2 Ω에 매우 근접한다. 이 결과는 많은 설계를 대표하는 상징성을 지닌다. 모든 고장 점검이나 예비 해석의 경우 출력임피던스를 예측하기 위해 이상적인 방법을 사용할 수 있다.

연습 문제 9-9 R_G값을 1 kΩ으로 하여 예제 9-9를 반복하라.

9-5 CE와 CC 종속 연결

CC 증폭기의 완충 작용을 설명하기 위하여 그림 9-15와 같이 부하저항을 270 Ω으로 가정하자. 만일 CE 증폭기의 출력을 이 부하저항에 직접 연결시키려 한다면 증폭기를 과부하가 되게 할지도 모른다. 이 과부하를 피하기 위한 한 가지 방법은 CE 증폭기와 부하 사이에 이미터 팔로워를 사용하는 것이다. 신호는 용량 결합되거나(이는 결합커패시터를 이용하여 연결한다는 의미이다) 그림 9-15에 나타낸 것처럼 **직접 연결**할 수 있다.

보다시피 두 번째 트랜지스터의 베이스가 첫 번째 트랜지스터의 컬렉터로 직접 연결되어 있다. 이 때문에 첫 번째 트랜지스터의 직류 컬렉터전압은 두 번째 트랜지스터를 바이어스하는데 이용된다. 만일 두 번째 트랜지스터의 직류 전류이득이 100이라면 두 번째 트랜지스터의 베이스로 바라본 직류저항은 $R_{in} = 100(270\ \Omega) = 27\ \text{k}\Omega$이다.

27 kΩ은 3.6 kΩ에 비해 크기 때문에 첫 번째 증폭단의 직류 컬렉터전압은 약간만 영향을 받는다.

그림 9-15에서 첫 번째 증폭단에서 증폭된 전압은 이미터 팔로워를 구동시키고 270 Ω의 최종 부하저항 양단에 나타난다. 이미터 팔로워가 없는 경우, 270 Ω의 부하는 첫 번째 증폭단을 과부하로 만들 것이다. 그러나 이미터 팔로워가 있는 경우, 그 임

그림 9-15 직접연결된 출력 증폭단

피던스 효과는 β배 만큼 증가된다. 270 Ω이 아니라, 이제는 직류 및 교류 등가회로 모두에서 27 kΩ으로 보인다.

　　이는 이미터 팔로워가 높은 출력임피던스와 낮은 부하 저항 사이에서 어떻게 **완충기**(buffer)로 작용할 수 있는지를 입증한다.

　　이상은 CE 증폭기의 과부하 영향을 보여준다. 최대의 전압이득을 얻으려면 부하저항은 직류 컬렉터저항보다 훨씬 커야한다. 지금까지 해 온 것은 반대로 부하저항(270 Ω)이 직류 컬렉터저항(3.6 kΩ)보다 훨씬 작다.

응용 예제 9-10　　　||||| **Multisim**

그림 9-15에서 β가 100인 경우, CE 증폭단의 전압이득을 구하라.

풀이　CE 증폭단의 직류 베이스전압은 1.8 V이고; 직류 이미터전압은 1.1 V이다. 직류 이미터전류는 $I_E = \dfrac{1.1\ \text{V}}{680\ \Omega} = 1.61$ mA이고, 이미터 다이오드의 교류저항은 $r_e' = \dfrac{25\ \text{mV}}{1.61\ \text{mA}} = 15.5$ Ω이다. 다음으로 이미터 팔로워의 입력임피던스를 계산할 필요가 있다. 바이어스 저항이 없음으로 이미터 팔로워의 입력임피던스는 베이스로 바라본 입력임피던스 $z_{\text{in}} = (100)(270\ \Omega) = 27$ kΩ과 같다. CE 증폭기의 교류 컬렉터저항은 $r_c = 3.6\ \text{k}\Omega\ \|\ 27\ \text{k}\Omega = 3.18$ kΩ이므로 이 증폭단의 전압이득은 다음과 같다.

$$A_v = \frac{3.18\ \text{k}\Omega}{15.5\ \Omega} = 205$$

연습 문제 9-10　그림 9-15를 이용하여 β가 300인 CE 증폭단의 전압이득을 구하라.

응용 예제 9-11

그림 9-15에서 이미터 팔로워를 제거하고 교류 신호를 270 Ω 부하저항으로 인가하기 위하여 커패시터를 사용한 것으로 가정하라. CE 증폭기의 전압이득에 어떤 일이 일어나는가?

풀이　CE 증폭단의 r_e' 값은 앞에서 구한 값과 같은 15.5 Ω이다. 그러나 교류 컬렉터저항은 매우 낮다. 교류 컬렉터저항은 3.6 kΩ과 270 Ω의 병렬 합성 저항이다. 즉, 교류 컬렉터저항이 매우 낮기 때문에 전압이득은 다음과 같이 감소한다.

$$A_v = \frac{251\ \Omega}{15.5\ \Omega} = 16.2.$$

연습 문제 9-11　부하저항이 100 Ω일 때 응용 예제 9-11을 반복하라.

9-6 달링턴 연결

달링턴 연결은 전체 전류이득이 각 트랜지스터 전류이득의 곱과 같은 두 트랜지스터를 연결하는 것이다. 달링턴 연결의 전류이득이 매우 크므로, 달링턴 연결은 매우 높은 입력임피던스를 가지며 매우 큰 출력전류를 생성한다. 달링턴 연결은 종종 전압 레귤레이터, 전력증폭기 및 큰 전류 스위칭 응용에 이용된다.

달링턴쌍

그림 9-16a는 **달링턴쌍**(Darlington pair)을 나타낸다. Q_1의 이미터전류는 Q_2의 베이스 전류가 되므로 달링턴쌍의 전체 전류이득은 다음과 같다.

$$\beta = \beta_1\beta_2 \tag{9-9}$$

예를 들어 각 트랜지스터가 전류이득이 200이라면, 전체 전류이득은 다음과 같다.

$$\beta = (200)(200) = 40,000$$

반도체를 제조할 때 그림 9-16b처럼 달링턴쌍을 한 케이스 안에 만들어 놓는다. **달링턴 트랜지스터**로 알려진 이 소자는 높은 전류이득을 갖는 하나의 트랜지스터처럼 동작한다. 예를 들어 2N6725는 200 mA에서 전류이득이 25,000인 달링턴 트랜지스터 이다. 다른 예로, TIP102는 3 A에서 전류이득이 1,000인 전력 달링턴이다.

이것을 그림 9-17의 데이터시트에 나타내었다. 이 소자는 TO-220 케이스형을 사용하고, 내부 다이오드와 베이스-이미터 사이에 트랜지스터 제작 시 동시에 만든 분류 저항(shunt resistor)을 넣었다는 것에 주목하라. 이 내부 부품들은 이 소자를 저항계로 테스트할 때 고려되어야 한다.

달링턴 트랜지스터를 이용한 회로 해석은 이미터 팔로워의 해석과 거의 같다. 달링턴 트랜지스터에는 두 개의 트랜지스터가 있으므로 두 번의 V_{BE} 강하가 일어난다. Q_2의 베이스전류는 Q_1의 이미터전류와 같다. 또한 식 (9-9)를 이용하면 Q_1의 베이스에서의 입력임피던스는 $z_{\text{in(base)}} \cong \beta_1\beta_2r_e$이거나 다음과 같이 나타낼 수 있다.

$$z_{\text{in(base)}} \cong \beta r_e \tag{9-10}$$

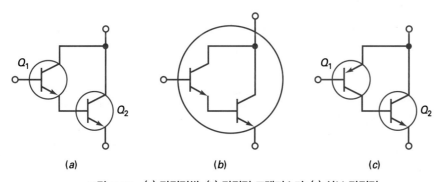

그림 9-16　(a) 달링턴쌍; (b) 달링턴 트랜지스터; (c) 상보 달링턴

October 2008

TIP100/TIP101/TIP102
NPN Epitaxial Silicon Darlington Transistor

- Monolithic Construction With Built In Base-Emitter Shunt Resistors
- High DC Current Gain : h_{FE}=1000 @ V_{CE}=4V, I_C=3A (Min.)
- Collector-Emitter Sustaining Voltage
- Low Collector-Emitter Saturation Voltage
- Industrial Use
- Complementary to TIP105/106/107

TO-220

1.Base   2.Collector   3.Emitter

Equivalent Circuit

$R1 \cong 10k\Omega$
$R2 \cong 0.6k\Omega$

Absolute Maximum Ratings* T_a = 25°C unless otherwise noted

Symbol	Parameter		Ratings	Units
V_{CBO}	Collector-Base Voltage	: TIP100	60	V
		: TIP101	80	V
		: TIP102	100	V
V_{CEO}	Collector-Emitter Voltage	: TIP100	60	V
		: TIP101	80	V
		: TIP102	100	V
V_{EBO}	Emitter-Base Voltage		5	V
I_C	Collector Current (DC)		8	A
I_{CP}	Collector Current (Pulse)		15	A
I_B	Base Current (DC)		1	A
P_C	Collector Dissipation (T_a=25°C)		2	W
	Collector Dissipation (T_C=25°C)		80	W
T_J	Junction Temperature		150	°C
T_{STG}	Storage Temperature		- 65 ~ 150	°C

* These ratings are limiting values above which the serviceability of any semiconductor device may be impaired.

Electrical Characteristics* T_a=25°C unless otherwise noted

Symbol	Parameter	Test Condition	Min.	Typ.	Max.	Units
V_{CEO}(sus)	Collector-Emitter Sustaining Voltage					
	: TIP100	I_C = 30mA, I_B = 0	60			V
	: TIP101		80			V
	: TIP102		100			V
I_{CEO}	Collector Cut-off Current					
	: TIP100	V_{CE} = 30V, I_B = 0			50	μA
	: TIP101	V_{CE} = 40V, I_B = 0			50	μA
	: TIP102	V_{CE} = 50V, I_B = 0			50	μA
I_{CBO}	Collector Cut-off Current					
	: TIP100	V_{CE} = 60V, I_E = 0			50	μA
	: TIP101	V_{CE} = 80V, I_E = 0			50	μA
	: TIP102	V_{CE} = 100V, I_E = 0			50	μA
I_{EBO}	Emitter Cut-off Current	V_{EB} = 5V, I_C = 0			2	mA
h_{FE}	DC Current Gain	V_{CE} = 4V, I_C = 3A	1000		20000	
		V_{CE} = 4V, I_C = 8A	200			
V_{CE}(sat)	Collector-Emitter Saturation Voltage	I_C = 3A, I_B = 6mA			2	V
		I_C = 8A, I_B = 80mA			2.5	V
V_{BE}(on)	Base-Emitter On Voltage	V_{CE} = 4V, I_C = 8A			2.8	V
C_{ob}	Output Capacitance	V_{CB} = 10V, I_E = 0, f = 0.1MHz			200	pF

* Pulse Test: Pulse Width≤300μs, Duty Cycle≤2%

www.fairchildsemi.com

그림 9-17   Darlington transistor. (Courtesy Fairchild Semiconductor Corporation)

예제 9-12

그림 9-18의 각 트랜지스터의 β값이 100이라면 전체 전류이득, Q_1의 베이스전류, Q_1의 베이스에서 입력임피던스는 얼마인가?

그림 9-18 예제

풀이   전체 전류이득은 다음과 같이 구해진다.

$$\beta = \beta_1\beta_2 = (100)(100) = 10,000$$

Q_2의 직류 이미터전류는

$$I_{E2} = \frac{10\,V - 1.4\,V}{60\,\Omega} = 143\,mA$$

이다. Q_1의 이미터전류는 Q_2의 베이스전류와 같고, 다음과 같이 구해진다.

$$I_{E1} = I_{B2} \cong \frac{I_{E2}}{\beta_2} = \frac{143\,mA}{100} = 1.43\,mA$$

Q_1의 베이스전류는

$$I_{B1} = \frac{I_{E1}}{\beta_1} = \frac{1.43\,mA}{100} = 14.3\,\mu A$$

이다. Q_1의 베이스에서 입력임피던스를 구하기 위하여 먼저 교류 이미터저항 r_e를 다음과 같이 구한다.

$$r_e = 60\,\Omega \,\|\, 30\,\Omega = 20\,\Omega$$

Q_1 베이스의 입력임피던스는 다음과 같다.

$$z_{in(base)} = (10,000)(20 \text{ } \Omega) = 200 \text{ k}\Omega$$

연습 문제 9-12 각 트랜지스터의 전류이득이 75인 달링턴쌍을 사용하여 예제 9-12 을 반복하라.

상보달링턴

그림 9-16c는 *npn*과 *pnp* 트랜지스터를 연결한 **상보달링턴**(complementary Darlington) 이라 부르는 또 다른 달링턴 연결이다. Q_1의 컬렉터전류는 Q_2의 베이스전류가 된다. 만 일 *pnp* 트랜지스터가 β_1의 전류이득을 갖고, *npn* 출력 트랜지스터가 β_2의 전류이득 을 갖는다면, 상보달링턴은 전류이득이 $\beta_1\beta_2$인 하나의 *pnp* 트랜지스터처럼 동작한다.

    *npn*과 *pnp* 달링턴 트랜지스터는 서로 상보가 되도록 만들어져야 한다. 예를 들 어, TIP105/106/107 *pnp* 달링턴 시리즈는 TIP100/101/102 *npn* 시리즈와 상보이다.

9-7 전압 레귤레이션

이미터 팔로워는 완충 회로와 임피던스 정합 증폭기에 사용되는 외에도 전압 레귤레이 터로 널리 사용된다. 이미터 팔로워는 제너 다이오드와 결합하여 훨씬 큰 출력전류로 조절된 출력전압을 얻을 수 있다.

제너팔로워

그림 9-19a는 제너 레귤레이터와 이미터 팔로워를 결합시킨 회로인 **제너 팔로워**(zener follower)이다. 동작되는 방식은 다음과 같다. 제너전압은 이미터 팔로워의 베이스에 대 한 입력전압이다. 이미터 팔로워의 직류 출력전압은 다음과 같다.

$$V_{out} = V_Z - V_{BE} \tag{9-11}$$

    이 출력전압은 제너전압에서 트랜지스터의 V_{BE}전압 강하를 빼준 값으로 고정된 다. 전원전압이 변하더라도 제너전압은 거의 일정하므로 출력전압도 거의 변하지 않는 다. 다시 말해서 출력전압이 항상 제너전압보다 V_{BE}만큼 작으므로 회로가 전압 레귤레 이터로 동작한다.

    제너 팔로워는 보통의 제너 레귤레이터에 비해서 두 가지 장점을 가진다. 첫째 그 림 9-19a의 제너 다이오드는 다음 식과 같은 베이스전류로 부하전류를 유발시켜야 한다.

$$I_B = \frac{I_{out}}{\beta_{dc}} \tag{9-12}$$

이 베이스전류는 출력전류보다 훨씬 작으므로 더 작은 정격전류의 제너 다이오드를 사 용할 수 있다.

그림 9-19 (a) 제너 팔로워; (b) 교류 등가회로

예를 들어 부하저항에 수 암페어의 전류를 흐르게 하려면 보통의 제너 레귤레이터는 수 암페어를 조절할 수 있는 제너 다이오드를 필요로 한다. 반면에 그림 9-19a와 같은 개선된 레귤레이터에서 제너 다이오드는 수십 밀리암페어만 조절할 수 있으면 된다.

제너 팔로워의 두 번째 장점은 낮은 출력임피던스이다. 보통의 제너 레귤레이터의 경우 부하저항은 대략 제너임피던스 R_Z인 출력임피던스를 만나게 된다. 그러나 제너 팔로워에서 출력임피던스는 다음과 같다.

$$z_{out} = r'_e + \frac{R_Z}{\beta_{dc}} \tag{9-13}$$

그림 9-19b는 출력 등가회로이다. 일반적으로 z_{out}는 R_L에 비해서 매우 작고 전원이 안정되어 있기 때문에 이미터 팔로워는 직류 출력전압을 거의 일정하게 할 수 있다.

요약하면 제너 팔로워는 이미터 팔로워의 향상된 전류 조절 능력과 함께 제너 다이오드에 의해 전압을 조절해 준다.

두 트랜지스터 전압레귤레이터

그림 9-20은 또 다른 전압 레귤레이터이다. 직류 입력전압 V_{in}은 커패시터 입력필터가 있는 브리지 정류회로와 같은 조절되지 않은 전원장치로부터 공급된다. 전형적으로 V_{in}은 직류전압에 약 10% 정도의 피크-피크 리플이 있다. 최종 출력전압 V_{out}은 입력전압과 부하전류가 크게 변화함에도 불구하고 거의 리플이 없고 일정한 값이 된다.

어떻게 그 동작을 하는가? 출력전압의 어떤 변화는 원래의 변화에 반대하는 증폭된 귀환전압을 생성시킨다. 예를 들어 출력전압이 증가하면 이때 Q_1의 베이스에 나타나는 전압이 증가한다. Q_1과 R_2가 CE 증폭기를 형성하므로 Q_1의 컬렉터전압은 전압이득 때문에 감소한다.

Q_1의 컬렉터전압이 감소하므로 Q_2의 베이스전압도 감소한다. Q_2는 이미터 팔로워이므로 출력전압이 감소한다. 다른 말로 나타내면 부귀환이 존재하게 된다. 출력전압의 증가는 그 반대로 출력전압의 감소를 유발한다. 전체적인 효과는 출력전압이 약간 증가하는데, 이는 부귀환이 없을 때 증가보다 훨씬 적다.

반대로 출력전압이 감소하려고 하면 Q_1의 베이스전압이 감소하고, Q_1의 컬렉터전압은 증가하며, Q_2의 이미터전압이 증가한다. 또한 출력전압의 원래 변화에 반대되

그림 9-20 두 트랜지스터 전압레귤레이터

는 귀환전압이 생긴다. 따라서 출력전압은 약간 감소하는데, 이는 부귀환이 없을 때 감소보다 **훨씬** 적다.

제너 다이오드 때문에 Q_1의 이미터전압은 V_Z와 같다. Q_1의 베이스전압은 V_{BE}만큼 더 높으므로, R_4의 양단전압은

$$V_4 = V_Z + V_{BE}$$

이다. **Ohm**의 법칙에 의해 R_4에 흐르는 전류는

$$I_4 = \frac{V_Z + V_{BE}}{R_4}$$

이다. 이 전류는 R_4와 직렬인 R_3를 통하여 흐르므로, 출력전압은

$$V_{out} = I_4(R_3 + R_4)$$

이다. 이 식을 정리하면 다음과 같다.

$$V_{out} = \frac{R_3 + R_4}{R_4}(V_Z + V_{BE}) \tag{9-14}$$

예제 9-13 |||| Multisim

그림 9-21은 일반적인 회로도로 그려지는 제너 팔로워다. 출력전압은 얼마인가? $\beta_{dc} = 100$일 때, 제너전류는 얼마인가?

그림 9-21 예제

풀이 출력전압은 대략

$$V_{out} = 10\ V - 0.7\ V = 9.3\ V$$

이다. 부하저항이 15 Ω인 경우, 부하전류는

$$I_{out} = \frac{9.3\ V}{15\ \Omega} = 0.62\ A$$

이며, 베이스전류는

$$I_B = \frac{0.62\ A}{100} = 6.2\ mA$$

이다. 직렬저항에 흐르는 전류는

$$I_S = \frac{20\ V - 10\ V}{680\ \Omega} = 14.7\ mA$$

이며, 제너전류는 다음과 같다.

$$I_Z = 14.7\ mA - 6.2\ mA = 8.5\ mA$$

연습 문제 9-13 8.2 V 제너 다이오드와 15 V의 입력전압을 이용하여 예제 9-13을 반복하라.

예제 9-14 |||| **Multisim**

그림 9-22의 출력전압은 얼마인가?

그림 9-22   예제

풀이 식 (9-14)를 이용하여 출력전압을 구하면

$$V_{out} = \frac{2\ k\Omega\ + 1\ k\Omega}{1\ k\Omega}\,(6.2\ V + 0.7\ V) = 20.7\ V$$

또 문제를 다음과 같이 풀 수도 있다. 1 kΩ의 저항에 흐르는 전류는

$$I_4 = \frac{6.2 \text{ V} + 0.7 \text{ V}}{1 \text{ k}\Omega} = 6.9 \text{ mA}$$

이다. 이 전류가 총 저항 3 kΩ에 흐르므로, 출력전압은 다음과 같다.

$$V_{\text{out}} = (6.9 \text{ mA})(3 \text{ k}\Omega) = 20.7 \text{ V}$$

연습 문제 9-14 그림 9-22를 이용하여 제너전압을 5.6 V로 바꾸고, 이때의 출력전압 V_{out}을 구하라.

9-8 공통베이스 증폭기

그림 9-23*a*는 양극성이나 분할전원을 사용한 **공통베이스**(common-base : CB) 증폭기를 나타낸다. 베이스가 접지되어 있기 때문에 이 회로를 베이스접지 증폭기라고도 부른다. 동작점 *Q*는 그림 9-23*b*의 직류 등가회로로 나타난 것과 같이 이미터 바이어스에 의해 결정된다. 따라서 직류 이미터전류는 다음 식으로 구해진다.

$$I_E = \frac{V_{EE} - V_{BE}}{R_E} \tag{9-15}$$

그림 9-23*c*는 단일전원을 사용한 전압분배 바이어스된 CB 증폭기를 나타낸다. R_2 양단에 바이패스커패시터가 연결되어 있음을 주목하라. 이 바이패스커패시터는 베이스를 교류 접지시킨다. 그림 9-23*d*에 나타낸 것과 같은 직류 등가회로를 그려줌으로써 전압분배 바이어스 구성임을 알 수 있다.

어느 증폭기에서든 베이스는 교류접지이다. 입력신호는 이미터를 구동시키고, 출력신호는 컬렉터로부터 얻어진다. 그림 9-24는 교류 입력전압 (+) 반주기 동안 CB 증폭기의 교류 등가회로를 나타낸다. 이 회로에서 교류 컬렉터전압 v_{out}은 다음과 같다.

$$v_{\text{out}} \cong i_c r_c$$

이 전압은 교류 입력전압 v_e와 동위상이다. 입력전압은

$$v_{\text{in}} = i_e r'_e$$

이므로, 전압이득은 다음과 같다.

$$A_v = \frac{v_{\text{out}}}{v_{\text{in}}} = \frac{i_c \, r_c}{i_e \, r'_e}$$

$i_c \cong i_e$이므로, 이 식은 다음과 같이 간단하게 된다.

$$A_v = \frac{r_c}{r'_e} \tag{9-16}$$

이 전압이득은 스윕되지 않은 CE 증폭기에서와 같은 크기를 갖는다는 점에 주

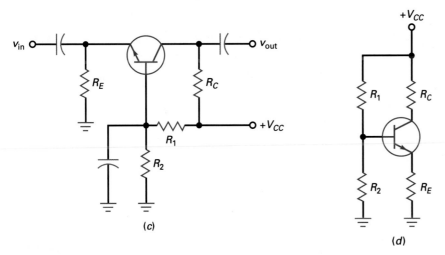

그림 9-23 CB 증폭기 (a) 분할 전원; (b) 이미터 바이어스된 직류 등가회로; (c) 단일 전원; (d) 전압분배 바이어스된 직류 등가회로

그림 9-24 교류 등가회로

목하라. 유일한 차이는 출력전압의 위상이다. CE 증폭기의 출력신호가 입력신호와 $180°$의 위상차가 있는 반면, CB 증폭기의 출력전압은 입력전압과 동위상이다.

　이상적으로 그림 9-24의 컬렉터 전류원은 무한대의 내부임피던스를 갖는다. 따라서 CB 증폭기의 출력임피던스는 다음과 같다.

$$z_{out} \cong R_C \tag{9-17}$$

CB 증폭기와 다른 증폭기 구성 사이에 중요한 차이 중의 하나는 CB 증폭기의 입력임피던스가 작다는 것이다. 그림 9-24의 이미터로 들여다본 입력임피던스는

$$z_{in(emitter)} = \frac{v_e}{i_e} = \frac{i_e r'_e}{i_e} \quad \text{또는} \quad z_{in(emitter)} = r'_e$$

이고, 증폭회로의 입력임피던스는 다음과 같다.

$$z_{in} = R_E \parallel r'_e$$

일반적으로 R_E가 r'_e 보다 훨씬 크므로, 증폭회로의 입력임피던스는 대략 다음과 같다.

$$z_{in} \cong r'_e \tag{9-18}$$

예로서, 만일 $I_E = 1$ mA인 경우 CB 증폭기의 입력 임피던스는 오직 25 Ω이다. 만일 교류 신호원의 입력이 매우 작지 않는 한 대부분의 신호는 신호원 저항에서 손실될 것이다.

보통 CB 증폭기의 입력임피던스는 매우 낮아서 대부분의 신호원을 과부하가 되게 한다. 이 때문에 낮은 주파수에서 CB 증폭기 일반적으로 단독으로 사용되지 않는다. CB 증폭기는 주로 신호원 임피던스가 작고 높은 주파수(10 MHz 이상) 응용에 이용된다. 또한 높은 주파수에서 베이스는 이 주파수에서 입력과 출력을 불리시켜 작은 값의 발진을 일으킨다.

이미터 팔로워는 큰 임피던스의 신호원이 작은 임피던스의 부하를 구동시킬 필요가 있는 곳의 응용에 이용된다. 반대로 공통베이스 회로는 작은 임피던스의 신호원을 큰 임피던스의 부하와 결합시키는 데 이용될 수 있다.

예제 9-15 |||| Multisim

그림 9-25의 출력전압을 구하라.

그림 9-25   예제

풀이 회로의 Q점을 결정할 필요가 있다.

$$V_B = \frac{2.2\ \text{k}\Omega}{10\ \text{k}\Omega + 2.2\ \text{k}\Omega}(+10\ \text{V}) = 1.8\ \text{V}$$

$$V_E = V_B - 0.7\ \text{V} = 1.8\ \text{V} - 0.7\ \text{V} = 1.1\ \text{V}$$

$$I_E = \frac{V_E}{R_E} = \frac{1.1\ \text{V}}{2.2\ \text{k}\Omega} = 500\ \mu\text{A}$$

따라서 $r'_e = \dfrac{25\ \text{mV}}{500\ \mu\text{A}} = 50\ \Omega$

이제 교류 회로값의 경우로 풀면 다음과 같다.

$$z_{\text{in}} = R_E \,\|\, r'_e = 2.2\ \text{k}\Omega \,\|\, 50\ \Omega \cong 50\ \Omega$$

$$z_{\text{out}} = R_C = 3.6\ \text{k}\Omega$$

$$A_V = \frac{r_c}{r'_e} = \frac{3.6\ \text{k}\Omega \,\|\, 10\ \text{k}\Omega}{50\ \Omega} = \frac{2.65\ \text{k}\Omega}{50\ \Omega} = 53$$

$$v_{\text{in(base)}} = \frac{r'_e}{R_G}(v_g) = \frac{50\ \Omega}{50\ \Omega + 50\ \Omega}(2\ \text{mV}_{\text{p-p}}) = 1\ \text{mV}_{\text{p-p}}$$

$$v_{\text{out}} = (A_v)(v_{\text{in(base)}}) = (53)(1\ \text{mV}_{\text{p-p}}) = 53\ \text{mV}_{\text{p-p}}$$

연습 문제 9-15 그림 9-25에서 V_{CC}를 20 V로 바꾸고, v_{out}을 구하라.

네 가지의 공통 트랜지스터 증폭기 구성을 요약정리 표 9-1에 요약하여 나타내었다. 이 표는 증폭기의 구성을 인식할 수 있게 하고, 기본적인 특성을 알게 하며, 일반적인 응용을 이해하는데 중요하다.

요점정리 표 9-1	공통 증폭기 구성

형식 : CE 위상차 $[\theta]$: 180°
A_v: 중간 크기 z_{in}: 중간
A_i: β z_{out}: 중간
Ap: 높다 응용: 일반적인 목적의 전압 및
전류이득을 갖는 증폭기

요점정리 표 9-1 　　　　　　　　　　　　　　　**계속**

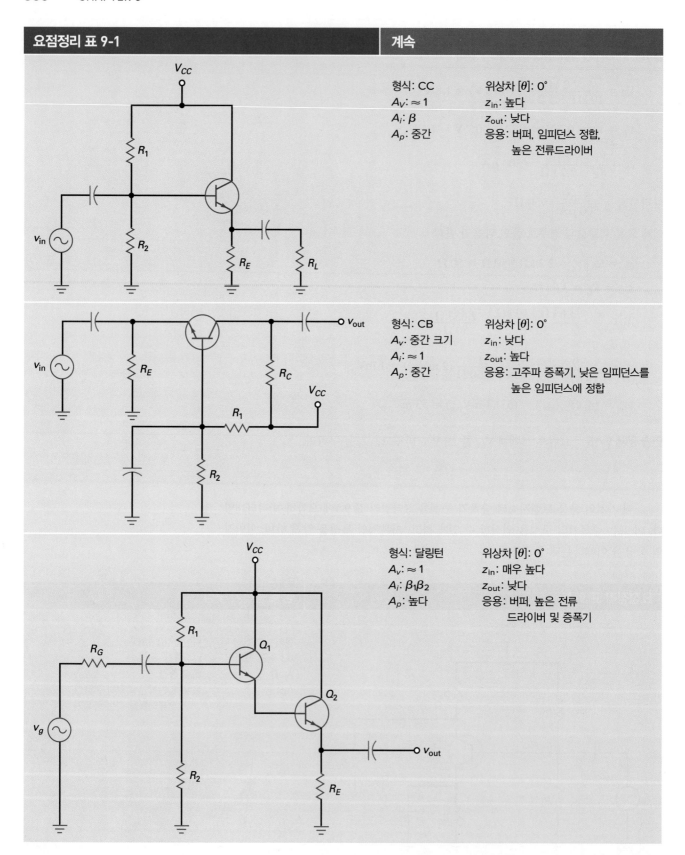

형식: CC 　　　　　　　　 위상차 $[\theta]$: 0°
A_V: ≈ 1 　　　　　　　　 z_{in}: 높다
A_i: β 　　　　　　　　　 z_{out}: 낮다
A_p: 중간 　　　　　　　　 응용: 버퍼, 임피던스 정합,
　　　　　　　　　　　　　　　　 높은 전류드라이버

형식: CB 　　　　　　　　 위상차 $[\theta]$: 0°
A_V: 중간 크기 　　　　　 z_{in}: 낮다
A_i: ≈ 1 　　　　　　　　 z_{out}: 높다
A_p: 중간 　　　　　　　　 응용: 고주파 증폭기, 낮은 임피던스를
　　　　　　　　　　　　　　　　 높은 임피던스에 정합

형식: 달링턴 　　　　　　　 위상차 $[\theta]$: 0°
A_V: ≈ 1 　　　　　　　　 z_{in}: 매우 높다
A_i: $\beta_1\beta_2$ 　　　　　　 z_{out}: 낮다
A_p: 높다 　　　　　　　　 응용: 버퍼, 높은 전류
　　　　　　　　　　　　　　　　 드라이버 및 증폭기

9-9 다단 증폭기의 고장 점검

증폭기가 둘 혹은 다단 증폭단을 가지고 있을 때 문제점을 효과적으로 점검하기 위해서는 어떤 기술을 사용해야 할까? 단일단 증폭기의 경우, 전원 소스 전압을 포함한 직류 전압을 측정하면서 진단을 시작하였다. 만일 증폭기가 둘 혹은 다단 증폭단을 가지고 있다면 진단의 시작점으로 직류전압을 측정하는 것은 그리 효율적이지 않다.

다단 증폭기의 경우, 먼저 신호 추적 혹은 신호 주입 기술을 사용하여 결함이 존재하는 단을 분리하는 것이 좋다. 예를 들어 4단 증폭기가 있다면, 두 번째 증폭기의 출력신호를 측정하거나 인가하는 방법으로 2개 증폭기로 분리하자. 그렇게 하면 문제가 측정 포인트에서 앞쪽 단인지 뒤쪽 단인지를 구분할 수 있다. 둘째 단의 출력에서 측정한 신호가 정상이라면 앞쪽 두 단은 정상적으로 동작하고 문제는 다음 두 단 중 하나에서 일어남을 알려준다. 이제 남겨진 단의 중간점에 다음의 고장 점검점을 위치시키자. 이러한 절반-분리 방법은 고장 점검에서 결점이 존재하는 증폭단을 빠르게 분리할 수 있다. 고장 단을 찾으면 직류전압이 거의 맞는지를 알기 위해 측정이 이루어져야 한다. 모든 직류전압이 맞는다면 교류 등가회로에서 무엇이 문제인지를 결정하기 위해 고장 점검이 더 이루어져야 한다. 이러한 종류의 문제는 주로 개방커플링이나 바이패스커패시터에 의해 발생한다.

마지막으로 다단 증폭기에서 각 단의 출력은 다음 단의 입력에 연결된다. 둘째 단의 입력에서 문제가 있다면 이는 첫째 단의 출력에 좋지 않은 결과가 발생하게 된다. 가끔은 부하의 문제가 존재하는지를 증명하기 위해 두 단 사이를 물리적으로 분리시킬 필요도 있다.

응용 예제 9-16

그림 9-26의 이단 증폭기에 존재하는 문제는 무엇인가?

그림 9-26 다단 증폭기의 고장 점검

풀이 그림 9-26을 살펴보면 첫째 단은 신호전원으로부터 입력신호를 받아 이를 증폭하고 둘째 단에 증폭된 값을 보내는 CE 프리앰프이다. 같은 CE인 둘째 단은 Q_1의 출력을 증폭하고 Q_2의 출력과 부하저항을 연결한다. 예제 9-2에서 교류 전압을 다음과 같이 계산하였다.

$$v_{in} = 0.74 \text{ mV}$$

$$v_c = 4.74 \text{ mV} \text{ (첫째 단의 출력)}$$

$$v_{out} = 70 \text{ mV}$$

이 값들은 증폭기가 정확하게 동작될 경우에 측정할 수 있는 근사 교류전압들이다. (가끔 교류와 직류 전압값이 고장 점검을 위해 회로도에 주어주기도 한다.)

이제, 회로의 출력전압을 측정하면 10 kΩ의 부하 양단 출력 신호는 13 mV이다. 측정된 입력 전압은 대략 0.74 mV로 정상적인 값이다. 다음으로 측정할 값은 무엇인가?

절반-분리 신호 추적 방법을 이용하여 증폭기의 중간섬에서 교류전압을 측정하라. 그렇게 하면 Q_1의 컬렉터의 출력전압과 Q_2 베이스에서의 입력전압은 4.90 mV로 정상적인 전압보다 약간 높게 측정된다. 이러한 측정은 첫째 단이 정상적으로 동작됨을 알려준다. 따라서 문제는 둘째 단에서 나온다.

Q_2 베이스, 이미터, 컬렉터에서의 직류전압은 모두 정상으로 측정된다. 이것은 둘째 단은 직류에서는 정상으로 동작되지만 교류에 문제가 존재함을 알려준다. 무엇이 이러한 문제를 야기했는가? 더 많은 교류 측정은 820 Ω의 저항 R_{E2} 양단전압이 대략 4 mV임을 보여준다. R_{E2} 양단에 연결된 바이패스커패시터를 제거한 후 테스트 해보면 개방됨이 나타난다. 이렇게 고장난 캐패시터에 의해 둘째 단의 이득이 크게 감소하게 된다. 또한 개방 커패시터는 둘째 단의 입력 임피던스를 증가시킨다. 이러한 증가는 첫째 단의 출력 신호가 정상보다 약간 커지게 한다. 증폭기가 두 단 혹은 더 많은 단으로 만들어진다해도 절반-분리 신호 추적 혹은 인가 기술은 매우 효율적인 고장 점검 방법이다.

요점 | Summary

9-1 다단 증폭기
전체적인 전압이득은 각 단의 전압이득의 곱과 같다. 둘째 단의 입력임피던스는 첫째 단의 부하저항이 된다. 2단 CE 증폭기는 동위상의 증폭된 신호를 발생시킨다.

9-2 2단 귀환
둘째 단 컬렉터의 출력전압을 전압분배기를 통하여 첫째 단의 이미터로 귀환시킬 수 있다. 이로써 부귀환이 형성되어 2단 증폭기의 전압이득을 안정하게 한다.

9-3 CC 증폭기
이미터 팔로워로 더 잘 알려진 CC 증폭기는 컬렉터가 교류 접지된다. 입력신호는 베이스를 구동시키며 출력신호는 이미터로부터 나온다. 이 증폭기는 심하게 스웝프되기 때문에 이미터 팔로워는 안정한 전압이득, 높은 입력 임피던스 및 적은 일그러짐을 갖는다.

9-4 출력임피던스
증폭기의 출력임피던스는 증폭기의 Thevenin 임피던스와 같다. 이미터 팔로워는 낮은 출력임피던스를 갖는다. 트랜지스터의 전류이득은 베이스를 구동시키는 신호원 임피던스를 이미터에서 보았을 때 훨씬 낮은 값으로 변환시킨다.

9-5 CE와 CC 종속 연결
낮은 저항부하가 CE 증폭기의 출력에 연결될 때 CE 증폭기는 과부하 상태가 되고 전압이득이 매우 작아진다. CE 증폭기의 출력과 부하 사이에 존재하는 CC 증폭기는 이 부하 효과를 상당히 감소시킬 것이다. 이 경우에 CC 증폭기는 버퍼로 작용한다.

9-6 달링턴 연결
두 개의 트랜지스터는 달링턴쌍으로 연결될 수 있다. 첫 번째 트랜지스터의 이미터는 두 번째 트랜지스터의 베이스로 연결된다. 달링턴쌍의 전체적인 전류이득은 각 트랜지스터의 전류이득을 곱한 것과 같다.

9-7 전압 레귤레이션
제너 다이오드와 이미터 팔로워를 결합시킴으로써 제너 팔로워가 된다. 이 회로는 큰 부하전류로 조절된 출력전압을 발생시킨다. 장점으로는 제너전류가 부하전류보다 훨씬 적다는 것이다. 전압 증폭단을 추가함으로써 전압 조절된 큰 출력전압이 발생될 수 있다.

9-8 공통베이스 증폭기

CB 증폭기 구조는 베이스가 교류 접지된다. 입력신호는 이미터를 구동하고, 출력신호는 컬렉터로부터 얻어진다. 이 회로는 전류이득이 없더라도 상당한 전압이득을 만들어 낼 수 있다. CB 증폭기는 낮은 입력임피던스와 높은 출력임피던스를 가지며, 고주파 응용에 이용된다.

9-9 다단 증폭기의 고장 점검

다단 증폭기 고장 점검에서 신호 추적 혹은 신호 인가 기술이 사용된다. 절반-분리 방법은 결점이 있는 단이 빠르게 결정할 수 있다. 전원전압 측정을 포함하는 직류전압 측정은 문제점을 쉽게 분리시킨다.

정의식 | Definitions

(9-3)   교류 이미터저항:

$$r_e = R_E \parallel R_L$$

유도식 | Derivations

(9-1)   이단 전압이득

$$A_V = (A_{V_1})(A_{V_2})$$

(9-2)   이단 귀환 이득:

$$A_V = \frac{r_f}{r_e} + 1$$

(9-4)   이미터 팔로워의 전압이득:

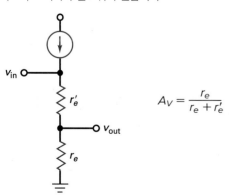

$$A_V = \frac{r_e}{r_e + r_e'}$$

(9-5)   이미터 팔로워의 베이스 입력임피던스:

$$z_{in(base)} = \beta(r_e + r_e')$$

(9-7)   이미터 팔로워의 출력임피던스:

$$z_{out} = R_E \parallel \left(r_e' + \frac{R_G \parallel R_1 \parallel R_2}{\beta} \right)$$

(9-9)   달링턴 전류이득:

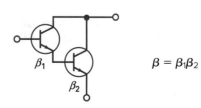

$$\beta = \beta_1 \beta_2$$

(9-11) 제너 팔로워:

$$V_{out} = V_Z - V_{BE}$$

(9-14) 전압 레귤레이터:

$$V_{out} = \frac{R_3 + R_4}{R_4}(V_Z + V_{BE})$$

(9-16) 공통베이스의 전압이득:

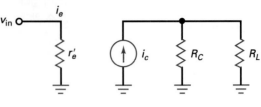

$$A_v = \frac{r_c}{r'_e}$$

(9-18) 공통베이스의 입력임피던스:

$$z_{in} \cong r'_e$$

복습 문제 | Self-Test

1. 두 번째 증폭단의 입력임피던스가 감소한다면, 첫째 단의 전압이득은?

a. 감소한다.
b. 증가한다.
c. 변화 없다.
d. 0이다.

2. 두 번째 증폭단의 BE 다이오드가 개방되면, 첫째 단의 전압이득은?

a. 감소한다.
b. 증가한다.
c. 변화 없다.
d. 0이다.

3. 두 번째 증폭단의 부하저항이 개방되면, 첫째 단의 전압이득은?

a. 감소한다.
b. 증가한다.
c. 변화 없다.
d. 0이다.

4. 이미터 팔로워의 전압이득은?

a. 1보다 훨씬 작다.
b. 약 10이다.
c. 1보다 크다.
d. 0이다.

5. 이미터 팔로워의 전체 교류 이미터 저항은?

a. r'_e
b. r_e
c. $r_e + r'_e$
d. R_E

6. 이미터 팔로워의 베이스의 입력임피던스는 항상?

a. 낮다.
b. 높다.
c. 접지로 단락된다.
d. 개방된다.

7. 이미터 팔로워의 직류 전류이득은?

a. 0이다.
b. ≈ 1이다.
c. β_{dc}이다.
d. r'_e에 따른다.

8. 이미터 팔로워의 교류 베이스전압은 다음 중 어느 양단 전압인가?

a. 이미터 다이오드
b. 직류 이미터저항
c. 부하저항
d. 이미터 다이오드와 외부교류 이미터저항

9. 이미터 팔로워의 출력전압은 다음 중 어느 양단 전압인가?

a. 이미터 다이오드
b. 직류 컬렉터저항
c. 부하저항
d. 이미터 다이오드와 외부 교류 이미터저항

10. $\beta = 200$, $r_e = 150\ \Omega$인 경우 베이스의 입력임피던스는?

a. 30 kΩ
b. 600 Ω
c. 3 kΩ
d. 5 kΩ

11. 이미터 팔로워에 대한 입력전압은?

a. 신호발생기 전압보다 작다.
b. 신호발생기 전압과 같다.
c. 신호발생기 전압보다 크다.
d. 전원전압과 같다.

12. 교류 이미터전류와 가장 가까운 것은?

a. V_G/r_e
b. V_{in}/r'_e
c. V_G/r'_e
d. V_{in}/r_e

13. 대략적인 이미터 팔로워의 출력전압은?
    a. 0
    b. V_G
    c. v_{in}
    d. V_{CC}

14. 이미터 팔로워의 출력전압은?
    a. v_{in}과 동위상이다.
    b. v_{in}보다 훨씬 크다.
    c. 180° 위상 차이가 있다.
    d. 일반적으로 v_{in}보다 훨씬 작다.

15. 일반적으로 이미터 팔로워 버퍼는 다음 중 어느 때 이용되는가?
    a. $R_G << R_L$
    b. $R_G = R_L$
    c. $R_L << R_G$
    d. R_L이 매우 클 때

16. 최대 전력 전달을 위해 CC 증폭기의 설계 조건은?
    a. $R_G << z_{in}$
    b. $z_{out} >> R_L$
    c. $z_{out} << R_L$
    d. $z_{out} = R_L$

17. 만일 CE 증폭기를 이미터 팔로워에 직접 결합시키면?
    a. 낮은 주파수와 높은 주파수가 통과될 것이다.
    b. 높은 주파수만 통과될 것이다.
    c. 고주파 신호는 차단될 것이다.
    d. 저주파 신호는 차단될 것이다.

18. 이미터 팔로워의 부하저항이 매우 큰 경우, 외부교류 이미터저항은 다음 어느 것과 같은가?
    a. 신호원 저항
    b. 베이스의 임피던스
    c. 직류 이미터저항
    d. 직류 컬렉터저항

19. 이미터 팔로워의 $r'_e = 10\ \Omega$, $r_e = 90\ \Omega$인 경우, 대략적인 전압이득은?
    a. 0
    b. 0.5

c. 0.9
d. 1

20. 이미터 팔로워 회로는 신호원 저항을
    a. β배 더 작게 만든다.
    b. β배 더 크게 만든다.
    c. 부하와 같게 만든다.
    d. 0으로 만든다.

21. 달링턴 트랜지스터는?
    a. 입력임피던스가 매우 작다.
    b. 세 개의 트랜지스터로 이루어져 있다.
    c. 전류이득이 매우 크다.
    d. V_{BE} 강하가 있다.

22. 180° 위상차를 보이는 증폭기는?
    a. CB
    b. CC
    c. CE
    d. 앞의 세 증폭기 모두

23. 이미터 팔로워에서 신호발생기 전압이 5 mV인 경우, 부하저항 양단의 출력전압으로 가장 가까운 값은?
    a. 5 mV
    b. 150 mV
    c. 0.25 V
    d. 0.5 V

24. 그림 9-6a의 부하저항이 단락되는 경우, 정상값과 달라지는 것은?
    a. 교류전압뿐
    b. 직류전압뿐
    c. 직류 및 교류전압 모두
    d. 직류전압이나 교류전압 모두 달라지지 않는다.

25. 이미터 팔로워에서 R_1이 개방되는 경우, 다음 중 맞는 것은?
    a. 직류 베이스전압은 V_{CC}이다.
    b. 직류 컬렉터전압은 0이다.
    c. 출력전압은 정상이다.
    d. 직류 베이스전압은 0이다.

26. 일반적으로 이미터 팔로워에서 일그러짐은?
    a. 매우 낮다.

b. 매우 높다.
c. 크다.
d. 매우 크다.

27. 이미터 팔로워에서 일그러짐은?
    a. 좀처럼 낮지 않다.
    b. 흔히 높다.
    c. 항상 낮다.
    d. 클리핑이 발생할 때 높다.

28. CE 증폭단이 이미터 팔로워에 직접 결합되는 경우, 두 증폭단 사이에 몇 개의 결합커패시터가 있어야 하는가?
    a. 0
    b. 1
    c. 2
    d. 3

29. 달링턴 트랜지스터의 β가 8000이다. $R_E = 1\ k\Omega$, $R_L = 100\ \Omega$인 경우, 베이스의 입력임피던스 중 가장 가까운 값은?
    a. 8 kΩ
    b. 80 kΩ
    c. 800 kΩ
    d. 8 MΩ

30. 이미터 팔로워의 교류 이미터저항은?
    a. 직류 이미터저항과 같다.
    b. 부하저항보다 더 크다.
    c. 부하저항보다 β배 더 작다.
    d. 항상 부하저항보다 작다.

31. CB 증폭기의 전압이득은?
    a. 1보다 훨씬 적다.
    b. 약 10이다.
    c. 1보다 훨씬 크다.
    d. 0이다.

32. CB 증폭기의 응용은 다음 중 어느 때 적합한가?
    a. $R_{source} >> R_L$일 때
    b. $R_{source} << R_L$일 때
    c. 큰 전류이득이 요구될 때
    d. 높은 주파수를 차단할 필요가 있을 때

33. CB 증폭기는 어느 때 이용되는가?

   a. 낮은 임피던스를 높은 임피던스에 정합시킬 때

   b. 전류이득 없이 전압이득이 요구될 때

   c. 고주파 증폭기가 필요할 때

   d. 앞의 보기가 모두 답이다.

34. 제너 팔로워에서 제너전류는?

   a. 출력전류와 같다.

   b. 출력전류보다 작다.

   c. 출력전류보다 크다.

   d. 열폭주를 일으키기 쉽다.

35. 두 트랜지스터 전압 레귤레이터에서 출력전압은?

   a. 조절된다.

   b. 입력전압보다 훨씬 적은 리플을 갖는다.

   c. 제너전압보다 더 크다.

   d. 앞의 보기가 모두 답이다.

36. 다단 증폭기의 고장 점검은 무엇을 시작점으로 할까?

   a. 모든 직류전압을 측정한다.

   b. 신호 추적 혹은 인가

   c. 저항 측정을 실시한다.

   d. 소자를 바꾼다.

기본 문제 | Problems

9-1 다단 증폭기

9-1 그림 9-27에서 첫 번째 베이스, 두 번째 베이스에서의 교류전압과 부하저항 양단의 교류전압은 얼마인가?

9-2 그림 9-27에서 전원전압이 +12 V로 증가하다면, 출력전압은 얼마인가?

9-3 그림 9-27에서 β = 300인 경우, 출력전압은 얼마인가?

9-2 2단 귀환

9-4 그림 9-4과 같은 귀환증폭기에서 r_f = 5 kΩ과 r_e = 50 Ω인 경우, 전압이득은 얼마인가?

9-5 그림 9-5과 같은 귀환증폭기에서 r_e = 125 Ω이다. 전압이득이 100이 되려면, r_f 값은 얼마이어야 하는가?

9-3 CC 증폭기

9-6 그림 9-28에서 β = 200인 경우, 베이스의 입력임피던스와 증폭기의 입력임피던스는 얼마인가?

9-7 그림 9-28에서 β = 150인 경우, 이미터 팔로워에 대한 교류 입력전압은 얼마인가?

9-8 그림 9-28에서 전압이득은 얼마인가? β = 175인 경우 교류 부하전압은 얼마인가?

9-9 β가 50~300의 범위에서 변화한다면 그림 9-28에서 입력전압은 얼마인가?

9-10 그림 9-28에서 모든 저항을 2배로 한다. β = 150인 경우 증폭기의 입력임피던스와 입력전압이 어떻게 되는가?

9-11 그림 9-29에서 β = 200인 경우, 베이스의 입력임피던스와 증폭기의 입력임피던스는 얼마인가?

9-12 그림 9-29에서 β = 150이고 v_g = 1 V인 경우, 이미터 팔로워에 대한 교류 입력전압은 얼마인가?

9-13 그림 9-29에서 전압이득은 얼마인가? β = 175인 경우, 교류 부하전압은 얼마인가?

그림 9-27

그림 9-28

그림 9-29

9-4 출력임피던스

9-14 그림 9-28에서 β = 200인 경우, 출력임피던스는 얼마인가?

9-15 그림 9-29에서 β = 100인 경우, 출력임피던스는 얼마인가?

9-5 CE와 CC 종속 연결

9-16 그림 9-30에서 두 번째 트랜지스터의 직류 및 교류 전류이득이 200인 경우, CE 증폭단의 전압이득은 얼마인가?

9-17 그림 9-30에서 두 트랜지스터의 직류와 교류 전류이득이 150인 경우, V_g = 10 mV일 때 출력전압은 얼마인가?

9-18 만일 그림 9-30에서 두 트랜지스터의 직류와 교류 전류이득이 200이라면, 부하저항이 125 Ω으로 낮아지는 경우 CE 증폭단의 전압이득은 얼마인가?

9-19 그림 9-30에서 이미터 팔로워 증폭단을 제거시키고 150 Ω 부하에 교류신호를 결합시키기 위하여 결합커패시터를 사용하는 경우, CE 증폭기의 전압이득에 어떤 일이 일어나는가?

9-6 달링턴 연결

9-20 그림 9-31에서 달링턴쌍의 전체적인 전류이득이 5,000인 경우, Q_1 베이스의 입력임피던스는 얼마인가?

9-21 그림 9-31에서 달링턴쌍의 전체적인 전류이득이 7,000인 경우, Q_1 베이스에 대한 교류 입력전압은 얼마인가?

9-22 그림 9-32에서 두 트랜지스터의 β값이 모두 150이다. 첫 번째 베이스의 입력임피던스는 얼마인가?

9-23 그림 9-32에서 달링턴쌍의 전체적인 전류이득이 2,000인 경우, Q_1 베이스에 대한 교류 입력전압은 얼마인가?

9-7 전압 레귤레이션

9-24 그림 9-33에서 트랜지스터의 전류이득이 150이다. 1N958의 제너전압이 7.5 V이면 출력전압과 제너전류는 얼마인가?

그림 9-30

그림 9-31

그림 9-32

그림 9-33

그림 9-34

9-25 그림 9-33의 입력전압이 25 V로 바뀌면, 출력전압과 제너 전류는 얼마인가?

9-26 그림 9-34의 포텐시오미터가 0~1 kΩ까지 변할 수 있다. 와이퍼가 중앙에 위치할 때, 출력전압은 얼마인가?

9-27 그림 9-34에서 와이퍼가 위쪽 끝에 위치할 때와 아래쪽 끝에 위치하는 경우, 출력전압은 얼마인가?

그림 9-35

9-8 공통베이스 증폭기

9-28 그림 9-35에서 Q점의 이미터전류는 얼마인가?

9-29 그림 9-35의 대략적인 전압이득은 얼마인가?

9-30 그림 9-35에서 이미터에서 바라본 입력임피던스와 증폭기의 입력임피던스는 얼마인가?

9-31 그림 9-35에서 신호발생기로부터의 입력이 2 mV인 경우, V_{out}은 얼마인가?

9-32 그림 9-35에서 전원전압 V_{CC}가 15 V로 증가되었다면, V_{out}은 얼마인가?

응용 문제 | Critical Thinking

9-33 그림 9-33에서 전류이득이 100이고 제너전압이 7.5 V이면, 트랜지스터의 소비전력은 얼마인가?

9-34 그림 9-36a에서 트랜지스터의 β_{dc}가 150이다. 직류 동작량 V_B, V_E, V_C, I_E, I_C 및 I_B를 계산하라.

9-35 5 mV의 피크-피크 입력신호가 그림 9-36a 회로를 구동하는 경우, 두 교류 출력전압은 얼마인가? 이 회로의 용도는 무엇인가?

9-36 그림 9-36b는 제어전압이 0 V 또는 +5 V인 회로이다. 오디오 입력전압이 10 mV인 경우, 제어전압이 0 V일 때와 +5 V일 때 오디오 출력전압은 각각 얼마인가? 그리고 이 회로가 무엇을 할 것으로 보는가?

9-37 그림 9-33에서 제너 다이오드가 개방되는 경우, 출력전압이 얼마로 되겠는가? (단 β_{dc} = 200)

(a)   (b)

그림 9-36

9-38 그림 9-33에서 33 Ω 부하가 단락되는 경우, 트랜지스터의 소비전력은 얼마인가? (단 β_{dc} =100)

9-39 그림 9-34에서 와이퍼가 중앙에 있고 부하저항이 100 Ω일 때, Q_2의 소비전력은 얼마인가?

9-40 그림 9-31를 이용하여 두 트랜지스터의 β가 100인 경우, 대략적인 증폭기의 출력임피던스는 얼마인가?

9-41 그림 9-30에서 신호발생기로부터 입력전압이 100 mV$_{p-p}$이고 이미터 바이패스커패시터가 개방된 경우, 부하 양단의 출력전압은 얼마로 되는가?

9-42 그림 9-35에서 베이스-바이패스 커패시터가 단락되는 경우, 출력전압은 얼마로 되는가?

고장 점검 | Troubleshooting

다음 문제들에 대해 그림 9-37을 이용하라. "Ac Millivolts"라고 쓰여진 표는 mV로 측정된 교류전압이다. 이 연습 문제에서 모든 저항은 정상적으로 동작한다. 고장은 커패시터, 결선(connecting wire) 및 트랜지스터가 개방되는 경우로 제한한다.

9-43 고장 T1~T3을 찾아라.

9-44 고장 T4~T7을 찾아라.

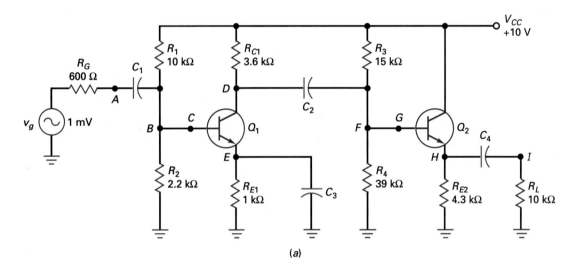

(a)

Ac Millivolts

Trouble	V_A	V_B	V_C	V_D	V_E	V_F	V_G	V_H	V_I
OK	0.6	0.6	0.6	70	0	70	70	70	70
T1	0.6	0.6	0.6	70	0	70	70	70	0
T2	0.6	0.6	0.6	70	0	70	0	0	0
T3	1	0	0	0	0	0	0	0	0
T4	0.75	0.75	0.75	2	0.75	2	2	2	2
T5	0.75	0.75	0	0	0	0	0	0	0
T6	0.6	0.6	0.6	95	0	0	0	0	0
T7	0.6	0.6	0.6	70	0	70	70	0	0

(b)

그림 9-37

Multisim 고장 점검 문제 | Multisim Troubleshooting Problems

멀티심 고장 점검 파일들은 *Connect for Electronic Principles* 저자 자료에 멀티심 고장 점검 회로(MTC)라는 폴더에서 찾을 수 있다. 좀 더 자세한 내용은 xiv페이지를 참조하라. 이 장에 관련된 파일은 MTC09-45~MTC09-49로 명칭되어 있고 모두 그림 9-37의 회로를 바탕으로 한다.

각 파일을 열고 고장 점검을 실시한다. 결함이 있는지 결정하기 위해 측정을 실시하고, 결함이 있다면 무엇인지를 찾아라.

9-45 MTC09-45 파일을 열어 고장 점검을 실시하라.

9-46 MTC09-46 파일을 열어 고장 점검을 실시하라.

9-47 MTC09-47 파일을 열어 고장 점검을 실시하라.

9-48 MTC09-48 파일을 열어 고장 점검을 실시하라.

9-49 MTC09-49 파일을 열어 고장 점검을 실시하라.

직무 면접 문제 | Job Interview Questions

1. 이미터 팔로워의 도식도(schematic diagram)를 그려라. 이 회로가 전력증폭기와 전압 레귤레이터에 폭넓게 이용되는 이유를 말하라.

2. 이미터 팔로워의 출력임피던스에 대하여 아는 바를 모두 말하라.

3. 달링턴쌍을 그리고, 전체적인 전류이득이 각 전류이득의 곱이 되는 이유를 설명하라.

4. 제너 팔로워를 그리고, 이 회로가 입력전압의 변화에 대하여 출력전압을 조절하는 이유를 설명하라.

5. 이미터 팔로워의 전압이득은 얼마인가? 이 경우, 이러한 회로가 어떤 응용에 유익한가?

6. 달링턴쌍이 단일 트랜지스터보다 더 큰 전력이득을 갖는 이유를 설명하라.

7. 음향회로에서 '팔로워'회로가 매우 중요한 이유는?

8. CC 증폭기에 대한 대략적인 전압이득은 얼마인가?

9. 공통컬렉터 증폭기에 대한 또 다른 이름은 무엇인가?

10. 교류신호 위상(입력에 대한 출력)과 공통컬렉터 증폭기 사이의 관계는 어떠한가?

11. CC 증폭기의 전압이득(출력전압을 입력전압으로 나눈 값)이 1로 측정되었다면, 어떤 문제가 있는가?

12. 달링턴 증폭기가 대부분의 고음질(higher-quality) 오디오 증폭기에서 전력이득을 증가시키기 때문에 최종 전력증폭기(final power amplifier: FPA)에 이용된다. 달링턴 증폭기가 어떻게 전력이득을 증가시키는가?

복습 문제 해답 | Self-Test Answers

1.	a	**10.**	a	**19.**	c	**28.**	a
2.	b	**11.**	a	**20.**	a	**29.**	c
3.	c	**12.**	d	**21.**	c	**30.**	d
4.	b	**13.**	c	**22.**	c	**31.**	c
5.	c	**14.**	a	**23.**	a	**32.**	b
6.	b	**15.**	c	**24.**	a	**33.**	d
7.	c	**16.**	d	**25.**	d	**34.**	b
8.	d	**17.**	a	**26.**	a	**35.**	d
9.	c	**18.**	c	**27.**	d	**36.**	b

연습 문제 해답 | Practice Problem Answers

9-1 $v_{out} = 2.24$ V

9-3 $r_f = 4.9$ kΩ

9-5 $z_{in(base)} = 303$ kΩ;
$z_{in(stage)} = 4.92$ kΩ

9-6 $v_{in} \approx 0.893$ V

9-7 $v_{in} = 0.979$ V;
$v_{out} = 0.974$ V

9-8 $z_{out} = 3.33$ Ω

9-9 $z_{out} = 2.86$ Ω

9-10 $A_v = 222$

9-11 $A_v = 6.28$

9-12 $\beta = 5625$ mV;
$I_{B1} = 14.3$ μA;
$z_{in(base)} = 112.5$ kVΩ

9-13 $V_{out} = 7.5$ V;
$I_z = 5$ mA

9-14 $V_{out} = 18.9$ V

9-15 v_{out} 5 = 76.9 mV$_{p-p}$

10 전력 증폭기

Power Amplifiers

대부분의 전자 시스템에 있어서 입력신호는 작다. 그러나 여러 단 전압증폭을 한 신호는 크게 되며 부하선 전체를 사용하게 된다. 시스템의 종단에서 부하임피던스가 매우 작기 때문에 컬렉터전류는 아주 크다. 예로서 스테레오 증폭기의 스피커 임피던스는 8 Ω 정도이다.

소신호 트랜지스터의 정격전력은 1 W 이하이고, 반면에 전력 트랜지스터의 정격전력은 1 W 이상이다. 소신호 트랜지스터는 전형적으로 신호전력이 낮은 시스템의 앞단에, 전력 트랜지스터는 신호전력과 전류가 크기 때문에 시스템의 종단 부근에 사용된다.

학습목표 | Objectives

이 단원을 공부하고 나면

- CE와 CC 전력 증폭기에 대한 직류 부하선, 교류 부하선 및 *Q*점의 결정 방법을 제시할 수 있어야 한다.

- CE와 CC 전력 증폭기에서 가능한 클리핑되지 않은 최대 피크-피크(MPP) 교류전압을 계산할 수 있어야 한다.

- 증폭 방식, 결합 방식 및 주파수 범위를 포함한 증폭기의 특성을 설명할 수 있어야 한다.

- B급/AB급 푸시-풀 증폭기의 회로도를 그리고 그 동작을 설명할 수 있어야 한다.

- 트랜지스터 전력 증폭기의 효율을 결정할 수 있어야 한다.

- 트랜지스터의 정격전력을 제한하는 요소들과 정격전력을 개선시키기 위한 방법을 검토할 수 있어야 한다.

주요용어 | Vocabulary

AB급 동작(class AB operation)

A급 동작(class A operation)

B급 동작(class B operation)

C급 동작(class C operation)

RF 동조 증폭기(tuned RF amplifier)

고조파(harmonics)

고주파(RF)증폭기(radio-frequency (RF) amplifier)

광대역 증폭기 (wideband amplifier)

교류 출력 컴플라이언스 (ac output compliance)

교류 부하선(ac load line)

교차 일그러짐 (crossover distortion)

대신호 동작 (large-signal operation)

듀티사이클(duty cycle)

드라이버단(driver stage)

변압기 결합(transformer coupling)

보상 다이오드 (compensating diode)

열폭주(thermal runaway)

오디오 증폭기(audio amplifier)

용량 결합(capacitive coupling)

전력 증폭기(power amplifier)

전력이득(power gain)

전류 흐름(current drain)

주파수 대역폭(bandwidth; BW)

직접 결합(direct coupling)

푸시-풀 회로(push-pull circuit)

프리앰프(preamp)

협대역 증폭기 (narrowband amplifier)

효율(efficiency)

10-1 증폭기 용어

증폭기를 설명하는 방법에는 여러 가지가 있다. 예를 들어 동작 등급이나 증폭단 간 결합, 주파수 범위로 증폭기를 설명할 수 있다.

동작 등급

증폭기의 **A급 동작**은 트랜지스터가 항상 활성영역(active region)에서 동작한다는 것을 뜻한다. 이는 컬렉터전류가 그림 10-1a와 같이 360°의 교류 한 주기 동안 흐른다는 것을 의미한다. A급 증폭기의 경우는 Q점을 부하선의 거의 중앙에 위치하도록 한다. 이같이 하면, 신호는 트랜지스터를 포화시키거나 차단시키지 않고 신호의 일그러짐 없이 가능한 최대 범위에 걸쳐 스윙할 수 있다.

B급 동작은 다르다. 이는 컬렉터전류가 그림 10-1b와 같이 교류 반주기(180°) 동안만 흐른다는 것을 의미한다. 이와 같이 동작하게 하려면 Q점을 차단점에 위치하게 한다. 그러면 교류 베이스전압의 (+) 반주기만이 컬렉터전류를 흐르게 할 수 있다. 이것은 전력 트랜지스터에서 소비되는 열을 줄여준다.

C급 동작은 컬렉터전류가 그림 10-1c와 같이 교류 한 주기의 180° 미만 동안 흐른다는 것을 의미한다. C급 동작의 경우, 교류 베이스전압의 (+) 반주기의 일부만이 컬렉터전류를 흐르게 한다. 결과적으로 그림 10-1c와 같은 짧은 펄스의 컬렉터전류를 얻게 된다.

결합 방식

그림 10-2a는 **용량 결합**(capacitive coupling)을 나타낸다. 결합커패시터는 증폭된 교류전압을 다음 단으로 전송한다. 그림 10-2b는 **변압기 결합**(transformer coupling)을 나타낸다. 여기서 교류전압은 변압기를 통해서 다음 단으로 결합된다. 용량 결합과 변압기 결합은 모두 직류전압을 차단하고 교류전압을 결합하는 예이다.

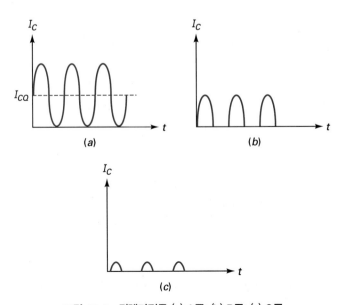

그림 10-1 컬렉터전류 (a) A급; (b) B급; (c) C급

그림 10-2　결합방식 (a) 용량 결합; (b) 변압기 결합; (c) 직접 결합

　　직접 결합(direct coupling)은 다르다. 그림 10-2c에서 첫 번째 트랜지스터의 컬렉터와 두 번째 트랜지스터의 베이스 사이는 직접 연결되어 있다. 이 때문에 직류전압과 교류전압이 모두 결합된다. 낮은 주파수의 한계가 없기 때문에 직접 결합 증폭기를 때로는 **직류 증폭기**(dc amplifier)라 부른다.

주파수 범위

증폭기를 설명하기 위한 또 다른 방법은 증폭기의 주파수 범위로 나타내는 것이다. 예를 들어, **오디오 증폭기**(audio amplifier)는 20 Hz에서 20 kHz의 범위에서 동작하는 증폭기를 말한다. 한편 **무선주파 증폭기**(radio frequency amplifier)는 20 kHz 이상의 주파수를 증폭하는 증폭기인데, 보통 20 kHz보다 훨씬 높은 주파수를 증폭한다. 예를 들어 AM 라디오에서 RF 증폭기는 535 kHz와 1605 kHz 사이의 주파수를 증폭하며, FM 라디오에서 RF 증폭기는 88 MHz와 108 MHz 사이의 주파수를 증폭한다.

　　또한 증폭기는 **협대역**(narrow band)과 **광대역**(wide band)으로 분류한다. 협대역 증폭기는 450 kHz에서 460 kHz 사이와 같은 좁은 주파수 범위에서 동작한다. 광대역 증폭기는 0에서 1 MHz 사이와 같은 넓은 주파수 범위에서 동작한다.

　　협대역 증폭기는 일반적으로 **RF 동조 증폭기**(tuned RF amplifier)인데, 이는 이들의 교류부하가 라디오방송국이나 TV채널에 동조된 Q값이 큰 동조회로임을 의미한다. 광대역 증폭기는 일반적으로 비동조 증폭기이다. 즉 이 증폭기의 교류부하는 저항성이다.

　　그림 10-3a는 RF 동조 증폭기의 예이다. LC 탱크(tank)는 임의의 주파수에서 공진한다. 만일 탱크회로의 Q가 높으면 대역폭은 좁다. 출력은 다음 단으로 용량 결합된다.

그림 10-3 RF 동조 증폭기: (a) 용량 결합형; (b) 변압기 결합형

그림 10-3b는 RF 동조 증폭기의 또 다른 예이다. 이번에는 협대역의 출력신호가 다음 단으로 변압기 결합된다.

신호 레벨

소신호 동작은 이미 설명된 바와 같이, 컬렉터전류의 피크-피크 스윙이 정지 컬렉터전류의 10% 미만이다. **대신호 동작**에서 피크-피크 신호는 부하선의 전부 또는 거의 대부분을 이용한다. 스테레오(stereo) 시스템에서 수신기 튜너 또는 컴팩트 디스크 플레이어로부터 나오는 소신호는 **프리앰프**(preamp)의 입력으로 사용된다. 프리앰프는 입력원으로부터 신호를 얻기 위한 적당한 입력임피던스를 가지고 일정 레벨로 증폭하고 다음 단으로 출력을 전달한다. 프리앰프 다음으로 단 혹은 다단 증폭단이 있어 소리톤이나 볼륨을 조정하는데 적합하도록 큰 출력을 만든다. 그 다음 이 신호는 수백 mW에서 수백 W까지의 출력전력을 발생시키는 **전력 증폭기**(power amplifier)의 입력으로 사용된다.

이 장의 나머지 부분은 전력 증폭기와 이에 관련된 교류 부하선, 전력이득, 효율 등과 같은 내용들을 검토할 것이다.

10-2 두 가지 부하선

증폭기마다 직류 등가회로와 교류 등가회로를 갖고 있다. 이 때문에 증폭기는 직류 부하선과 교류 부하선의 두 가지 부하선을 갖는다. 소신호 동작의 경우 Q점의 위치는 크게 중요하지 않으나, 대신호 증폭기의 경우 Q점은 가능한 최대 스윙출력을 얻기 위하여 교류 부하선(ac load line)의 중앙에 위치하여야 한다.

직류부하선

그림 10-4a는 전압분배 바이어스(VDB) 증폭기이다. Q점을 이동시키기 위한 한 가지 방법은 R_2 값을 변화시키는 것이다. R_2 값이 매우 큰 경우 트랜지스터는 포화되며, 포화전류는

그림 10-4　(a) VDB 증폭기; (b) 직류부하선; (c) 교류 등가회로; (d) 교류부하선

$$I_{C(\text{sat})} = \frac{V_{CC}}{R_C + R_E} \tag{10-1}$$

로 주어진다. 매우 작은 R_2 값은 트랜지스터를 차단시키며 차단 전압은

$$V_{CE(\text{cutoff})} = V_{CC} \tag{10-2}$$

로 주어진다. 그림 10-4b는 Q점을 갖고 있는 직류 부하선을 나타낸다.

교류 부하선

그림 10-4c는 VDB 증폭기에 대한 교류 등가회로이다. 이미터가 교류 접지되므로 R_E는 교류 동작에 영향을 미치지 않는다. 더욱이 교류 컬렉터저항이 직류 컬렉터저항보다 작으므로 교류신호가 인가될 때, 순간 동작점은 그림 10-4d의 **교류 부하선**(ac load line)을 따라 이동한다. 다시 말해서 주기적인 피크-피크 전류와 전압은 교류 부하선에 의해 결정된다.

　　그림 10-4d에서 보는 바와 같이 교류 부하선 상의 포화점과 차단점은 직류 부하선 상의 그것들과 다르다. 교류 컬렉터저항과 교류 이미터저항은 각각의 직류저항보다 작으므로 교류 부하선이 훨씬 가파르다. 교류 부하선과 직류 부하선이 Q점에서 교차한다는 점에 주목하는 것이 중요하다. 이는 교류 입력전압이 0에 교차할 때 생긴다.

교류 부하선의 끝점들(포화점과 차단점)을 결정하는 방법은 다음과 같다. 컬렉터 루프 전압 방정식은

$$v_{ce} + i_c r_c = 0$$

또는

$$i_c = -\frac{v_{ce}}{r_c} \tag{10-3}$$

이다. 교류 컬렉터전류는

$$i_c = \Delta I_C = I_C - I_{CQ}$$

교류 컬렉터전압은 다음과 같다.

$$v_{ce} = \Delta V_{CE} = V_{CE} - V_{CEQ}$$

이 식들을 식 (10-3)에 대입하여 정리하면 다음과 같다.

$$I_C = I_{CQ} + \frac{V_{CEQ}}{r_c} - \frac{V_{CE}}{r_c} \tag{10-4}$$

이 식은 교류 부하선의 식이다. 트랜지스터가 포화될 때 V_{CE}가 0이므로, 포화전류를 이용하면 식 (10-4)는 다음과 같다.

$$i_{c(sat)} = I_{CQ} + \frac{V_{CEQ}}{r_c} \tag{10-5}$$

여기서 $i_{c(sat)}$: 교류 포화전류

I_{CQ}: 직류 컬렉터전류

V_{CEQ}: 직류 컬렉터-이미터 전압

r_c: 교류 컬렉터저항

트랜지스터가 차단될 때 I_C가 0이다. 따라서

$$v_{ce(cutoff)} = V_{CEQ} + \Delta V_{CE}$$

이고

$$\Delta V_{CE} = (\Delta I_C)(r_c)$$

이다. 이를 다시 정리하면

$$\Delta V_{CE} = (I_{CQ} - 0\,A)(r_c)$$

차단전압은 식 (10-4)를 이용하면 다음과 같다.

$$v_{ce(cutoff)} = V_{CEQ} + I_{CQ}r_c \tag{10-6}$$

교류 부하선의 기울기가 직류 부하선의 기울기보다 더 가파르기 때문에 최대 피크-피크(MPP) 출력은 항상 전원전압보다 적다. 수식으로 나타내면

$$MPP < V_{CC} \tag{10-7}$$

와 같다. 예를 들어 전원전압이 10 V이면 최대 피크-피크 정현파 출력은 10 V 미만이다.

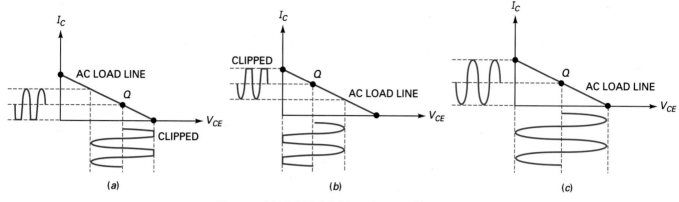

그림 10-5 (a) 차단 클리핑; (b) 포화 클리핑; (c) 최적한 *Q*점

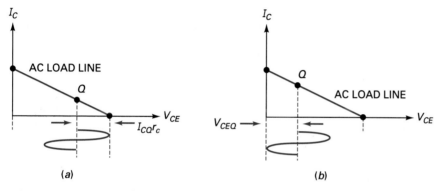

그림 10-6 교류 부하선의 중앙을 벗어난 *Q*점

대신호의 클리핑

*Q*점이 직류 부하선의 중앙에 위치할 때(그림 10-4*d*), 교류신호는 클리핑(clipping) 없이 교류 부하선 전체를 이용할 수 없다. 예를 들어 교류신호가 증가한다면 그림 10-5*a*에서 보는 바와 같이 차단 클리핑이 발생할 것이다.

만일 *Q*점이 그림 10-5*b*와 같이 더 위쪽으로 이동하면, 대신호는 트랜지스터를 포화 상태로 구동시킬 것이다. 이 경우 포화 클리핑이 발생한다. 차단 클리핑과 포화 클리핑은 신호를 일그러뜨리기 때문에 바람직하지 않다. 이와 같이 일그러진 신호가 스피커를 구동시킨다면 최악의 소리가 들릴 것이다.

잘 설계된 대신호 증폭기는 교류 부하선의 중앙에 *Q*점이 놓인다(그림 10-5*c*). 이 경우 클리핑이 발생되지 않는 최대 피크-피크 출력을 얻게 된다. 이러한 클리핑 되지 않은 최대 피크-피크 교류전압을 **교류 출력 컴플라이언스**(compliance)라고 한다.

최대 출력

*Q*점이 교류 부하선의 중앙보다 아래쪽에 위치할 때, 최대 피크(MP) 출력은 그림 10-6*a*에서 보는 바와 같이 $I_{CQ}r_c$이다. 한편 *Q*점이 교류 부하선의 중앙보다 위쪽에 위치하면 최대 피크 출력은 그림 10-6*b*에서 보는 바와 같이 V_{CEQ}이다.

그러므로 임의의 Q점에 대한 최대 피크출력은

$$\text{MP} = I_{CQ}r_c \text{ 혹은 } V_{CEQ}, \text{ 둘 중 더 작은 값} \tag{10-8}$$

최대 피크-피크 출력은 이 값의 두 배이다. 즉

$$\text{MPP} = 2\text{MP} \tag{10-9}$$

식 (10-8)과 (10-9)는 고장 점검 시 가능한 최대의 클리핑되지 않은 출력을 결정하는 데 유익하다.

Q점이 교류 부하선의 중앙에 위치할 때

$$I_{CQ}r_c = V_{CEQ} \tag{10-10}$$

가 된다. 설계 시 바이어스 저항들의 오차를 고려하여 이 조건에 가급적 근접하게 만족하도록 해야 할 것이다. 최적한 Q점을 구하기 위해 회로의 이미터저항을 조정하면 된다. 최적의 이미터저항을 구할 수 있는 공식은 다음과 같다.

$$R_E = \frac{R_C + r_c}{V_{CC}/V_E - 1} \tag{10-11}$$

예제 10-1   **IIII Multisim**

그림 10-7에서 I_{CQ}, V_{CEQ} 및 r_c는 얼마인가?

그림 10-7 예제

풀이

$$V_B = \frac{68\,\Omega}{68\,\Omega + 490\,\Omega}\,(30\,\text{V}) = 3.7\,\text{V}$$

$$V_E = V_B - 0.7\,\text{V} = 3.7\,\text{V} - 0.7\,\text{V} = 3\,\text{V}$$

$$I_E = \frac{V_E}{R_E} = \frac{3\,\text{V}}{20\,\Omega} = 150\,\text{mA}$$

$$I_{CQ} \cong I_E = 150 \text{ mA}$$

$$V_{CEQ} = V_C - V_E = 12 \text{ V} - 3 \text{ V} = 9 \text{ V}$$

$$r_c = R_C \| R_L = 120 \, \Omega \| 180 \, \Omega = 72 \, \Omega$$

연습 문제 10-1 그림 10-7에서 R_E를 20 Ω에서 30 Ω으로 바꾸어 I_{CQ}와 V_{CEQ}를 구하라.

예제 10-2

그림 10-7에서 교류 부하선의 포화점과 차단점을 구하라. 그리고 최대 피크-피크 출력 전압(MPP)을 구하라.

풀이 예제 10-1로부터 트랜지스터의 Q점은 다음과 같다.

$$I_{CQ} = 150 \text{ mA} \text{ 그리고 } V_{CEQ} = 9 \text{ V}$$

교류 포화점과 차단점을 구하기 위하여, 우선 교류 컬렉터저항 r_c는

$$r_c = R_C \| R_L = 120 \, \Omega \| 180 \, \Omega = 72 \, \Omega$$

이 되고, 다음에는 교류 부하선의 끝점들을 구한다.

$$i_{c(sat)} = I_{CQ} + \frac{V_{CEQ}}{r_c} = 150 \text{ mA} + \frac{9 \text{ V}}{72 \, \Omega} = 275 \text{ mA}$$

이제 MPP값을 구하자. 30 V의 전원전압인 경우

$$\text{MPP} < 30 \text{ V}$$

MP는

$$I_{CQ}r_c = (150 \text{ mA})(72 \, \Omega) = 10.8 \text{ V}$$

또는

$$V_{CEQ} = 9 \text{ V}$$

중에서 작은 값이다. 그러므로

$$\text{MPP} = 2 \,(9 \text{ V}) = 18 \text{ V}$$

연습 문제 10-2 예제 10-2를 이용하여 R_E를 30 Ω으로 바꾸어 $i_{c(sat)}$, $v_{ce(cutoff)}$ 및 MPP를 구하라.

10-3 A급 동작

그림 10-8a의 VDB 증폭기는 출력신호가 클리핑되지 않는 한 A급 증폭기로 동작한다. 이런 증폭기의 경우 컬렉터전류는 한 주기 동안 흐른다. 다시 말해서 출력신호의 클리핑은 한 주기 동안 어느 때에도 발생하지 않는다. 이제 A급 증폭기의 해석에 유용한 몇 가지 식을 검토한다.

전력이득

전압이득 외에 어떤 증폭기는 다음과 같이 정의되는 **전력이득**(power gain)을 갖는다.

$$A_p = \frac{p_{\text{out}}}{p_{\text{in}}} \tag{10-12}$$

즉 전력이득은 교류 출력전력을 교류 입력전력으로 나눈 것과 같다.

예를 들어 그림 10-8a와 같은 증폭기의 출력전력이 10 mW이고, 입력전력이 10 μW라면 전력이득은 다음과 같다.

$$A_p = \frac{10 \text{ mW}}{10 \text{ } \mu\text{W}} = 1,000$$

출력전력

만일 그림 10-8a의 출력전압을 실효치로 측정한다면, 출력전력은 다음으로 주어진다.

$$p_{\text{out}} = \frac{v_{\text{rms}}^2}{R_L} \tag{10-13}$$

보통 오실로스코프로 피크-피크 전압의 출력전압을 측정하므로, 이 경우 출력전력에 사용하는 좀 더 편리한 식은

$$p_{\text{out}} = \frac{v_{\text{out}}^2}{8R_L} \tag{10-14}$$

(a)　　　　　　　　　　(b)

그림 10-8　A급 증폭기

이다. 분모의 계수 8은 $v_\text{p-p} = 2\sqrt{2}\ v_\text{rms}$이기 때문에 생긴 것으로, $2\sqrt{2}$의 제곱은 8이 된다.

최대 출력전력은 그림 10-8b와 같이 증폭기가 최대 피크-피크 출력전압을 발생하고 있을 때 생긴다. 이 경우는 최대 피크-피크 출력전압과 같으며, 출력전력은 다음과 같다.

$$p_\text{out(max)} = \frac{\text{MPP}^2}{8R_L} \qquad (10\text{-}15)$$

트랜지스터 소비전력

그림 10-8a의 증폭기가 무신호로 구동될 때, 정지 소비전력(power dissipation)은

$$P_{DQ} = V_{CEQ}I_{CQ} \qquad (10\text{-}16)$$

로, 매우 잘 알려진 말로, 정지 소비전력이 직류전압과 직류전류의 곱과 같다는 뜻이다.

신호가 인가되면 트랜지스터가 정지전력의 일부를 신호전력으로 변환시키기 때문에 트랜지스터의 소비전력이 감소한다. 이러한 이유로 정지 소비전력은 최악이 된다. 그러므로 A급 증폭기에서 트랜지스터의 정격전력(power rating)은 P_{DQ}보다 커야 한다. 그렇지 않으면 트랜지스터는 파괴될 것이다.

전류 흐름

그림 10-8a에서 보는 바와 같이 직류 전압원은 증폭기로 직류전류 I_dc를 공급해 주어야 한다. 이 직류전류는 두 가지 성분으로 전압분배기로 흐르는 바이어스 전류와 트랜지스터로 흐르는 컬렉터전류이다. 이 직류전류를 증폭기의 **전류 흐름**(current drain)이라 한다. 다단 증폭기의 경우 전체 전류 흐름을 구하려면 각 단의 전류 흐름을 더해 주어야 한다.

효율

직류전원에 의해 증폭기로 공급되는 직류전력은

$$P_\text{dc} = V_{CC}I_\text{dc} \qquad (10\text{-}17)$$

이다. 전력 증폭기의 성능을 비교하기 위해 다음으로 정의되는 **효율**(efficiency)을 이용할 수 있다. 즉

$$\eta = \frac{p_\text{out}}{P_\text{dc}} \times 100\% \qquad (10\text{-}18)$$

이 식은 효율이 교류 출력전력을 직류 입력전력으로 나눈 것과 같다는 뜻이다.

임의의 증폭기의 효율은 0에서 100 사이의 값을 갖는다. 효율은 증폭기가 직류 입력전력을 교류 출력전력으로 얼마나 잘 변환시키는가를 나타낸다. 직류전력을 교류전력으로 변환시키는 작용이 우수한 증폭기일수록 효율이 더 높다. 높은 효율은 전지를 더 오랫동안 사용할 수 있다는 것을 의미하므로, 전지로 동작되는 장치에서는 효율이 중요하다.

부하저항을 제외한 모든 저항이 전력을 소비하기 때문에 A급 증폭기에서 효율은 100% 미만이다. 실제로 직류 컬렉터저항과 분리된 부하저항을 갖는 A급 증폭기의 최대효율은 25%이다.

어떤 응용에서는 낮은 효율의 A급 동작이 허용된다. 예를 들어 시스템의 앞단 부

참고 사항

효율은 직류 입력전력을 유용한 교류 출력전력으로 변환시키는 증폭기의 능력으로도 정의할 수 있다.

근에 있는 소신호 증폭단은 직류 입력전력이 적기 때문에 낮은 효율로도 항상 잘 동작한다. 실제로 시스템의 최종단에 수백 mW의 전력만을 전달해도 된다면, 전원에 의한 전류 흐름은 충분히 낮아도 된다. 그러나 최종단에 몇 W 정도의 전력을 전달할 필요가 있을 때, A급 동작의 경우 전류 흐름은 항상 지나치게 크게 된다.

예제 10-3

만일 피크-피크 출력전압이 18 V이고 베이스의 입력임피던스가 100 Ω이라면, 그림 10-9*a*의 전력이득은 얼마인가?

그림 10-9 예제

풀이 그림 10-9*b*와 같은 교류 등가회로에서 증폭기의 입력임피던스는

$$z_{\text{in(stage)}} = 490 \ \Omega \parallel 68 \ \Omega \parallel 100 \ \Omega = 37.4 \ \Omega$$

이다. 교류 입력전력은

$$P_{\text{in}} = \frac{(200 \ \text{mV})^2}{8 \ (37.4 \ \Omega)} = 133.7 \ \mu\text{W}$$

이며, 교류 출력전력은

$$P_{\text{out}} = \frac{(18 \text{ V})^2}{8 (180 \ \Omega)} = 225 \text{ mW}$$

이다. 따라서 전력이득은 다음과 같다.

$$A_p = \frac{225 \text{ mW}}{133.7 \ \mu\text{W}} = 1683$$

연습 문제 10-3　그림 10-9a에서 R_L이 100 Ω이고 피크-피크 출력전압이 12 V이면, 전력이득이 얼마인가?

예제 10-4

|||| **Multisim**

그림 10-9a의 트랜지스터 소비전력과 효율은 얼마인가?

풀이　직류 이미터전류는

$$I_E = \frac{3 \text{ V}}{20 \ \Omega} = 150 \text{ mA}$$

이고, 직류 컬렉터전압은

$$V_C = 30 \text{ V} - (150 \text{ mA})(120 \ \Omega) = 12 \text{ V}$$

이며, 직류 컬렉터-이미터 전압은

$$V_{CEQ} = 12 \text{ V} - 3 \text{ V} = 9 \text{ V}$$

이다. 따라서 트랜지스터 소비전력은 다음과 같다.

$$P_{DQ} = V_{CEQ} I_{CQ} = (9 \text{ V})(150 \text{ mA}) = 1.35 \text{ W}$$

증폭기 효율을 구하기 위하여 전압분배기에 흐르는 바이어스 전류는

$$I_{\text{bias}} = \frac{30 \text{ V}}{490 \ \Omega + 68 \ \Omega} = 53.8 \text{ mA}$$

이다. 따라서 전류 흐름은

$$I_{\text{dc}} = I_{\text{bias}} + I_{CQ} = 53.8 \text{ mA} + 150 \text{ mA} = 203.8 \text{ mA}$$

이다. 증폭기에 대한 직류 입력전력은

$$P_{\text{dc}} = V_{CC} I_{\text{dc}} = (30 \text{ V})(203.8 \text{ mA}) = 6.11 \text{ W}$$

이다. 교류 출력전력은(예제 10-3에서 구함) 225 mW이므로, 증폭기의 효율은 다음과 같다.

$$\eta = \frac{225 \text{ mW}}{6.11 \text{ W}} \times 100\% = 3.68\%$$

응용 예제 10-5

그림 10-10의 동작을 설명하라.

그림 10-10 A급 전력 증폭기

풀이 이 회로는 스피커를 구동시키는 A급 전력 증폭기이다. 증폭기는 전압분배 바이어스를 사용하고 교류 입력신호는 베이스로 변압기 결합된다. 트랜지스터는 변압기 출력측을 통해 스피커를 구동시키기 위하여 전압이득과 전력이득을 만들어준다.

3.2 V의 임피던스를 갖는 작은 스피커의 동작에 필요한 전력으로는 100 mW 정도면 된다. 8 V의 임피던스를 갖는 좀 더 큰 스피커가 적절히 동작하려면 300 내지 500 mW의 전력이 필요하다. 그러므로 만일 필요한 출력전력이 수백 mW라면, 그림 10-10과 같은 A급 전력 증폭기이면 충분하다. 또한 부하저항이 교류 컬렉터저항이기 때문에, 이 A급 증폭기의 효율은 앞에서 검토된 A급 증폭기의 효율보다 높다.

트랜스포머의 임피던스 반향 능력을 이용하면 스피커 부하저항은 컬렉터에 $\left(\dfrac{N_P}{N_S}\right)^2$ 배 더 크게 나타난다. 만일 트랜스포머의 권선비가 10 : 1이면 3.2 Ω 스피커는 컬렉터에 320 Ω으로 나타난다.

앞에서 검토된 A급 증폭기는 컬렉터저항 R_C와 부하저항 R_L이 분리되었다. 이 경우에 25%의 최대효율을 얻게 하려면 $R_L = R_C$가 되도록 임피던스를 정합(matching)시켜 준다. 그림 10-10에 보인 바와 같이 부하저항이 교류 컬렉터저항으로 될 때, 부하저항은 2배의 출력전력을 공급받으며 최대효율은 50%로 증가한다.

연습 문제 10-5 그림 10-10에서 트랜스포머의 권선비가 5 : 1이면, 8 Ω 스피커는 컬렉터에 얼마의 저항으로 보이는가?

이미터 팔로워 전력 증폭기

이미터 팔로워가 시스템의 종단에서 A급 증폭기로 이용될 때, 최대 피크-피크(MPP) 출력을 얻기 위해 보통 Q점을 교류 부하선의 중앙에 위치하게 한다.

그림 10-11 직류 및 교류 부하선

그림 10-11a에서 R_2 값이 크면 트랜지스터를 포화시켜 포화전류는

$$I_{C(sat)} = \frac{V_{CC}}{R_E} \qquad (10\text{-}19)$$

이 된다. R_2 값이 작은 경우, 트랜지스터를 차단시켜 다음과 같은 차단전압을 발생시킨다.

$$V_{CE(cutoff)} = V_{CC} \qquad (10\text{-}20)$$

그림 10-11b는 직류 부하선과 Q점을 나타낸다.

그림 10-11a에서 교류 이미터저항은 직류 이미터저항보다 적다. 그러므로 교류신호가 가해질 때, 순간 동작점은 그림 10-11c의 교류 부하선을 따라 이동한다. 피크-피크의 주기적인 전류와 전압은 교류부하선에 의해 결정된다.

그림 10-11c에 보인 바와 같이 교류 부하선의 두 끝점은 다음 식으로 구한다.

$$i_{c(sat)} = I_{CQ} + \frac{V_{CE}}{r_e} \qquad (10\text{-}21)$$

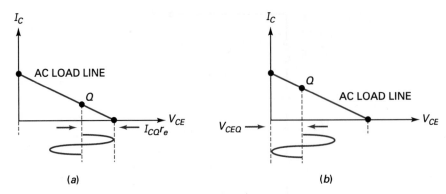

그림 10-12 최대 피크 진폭

그리고

$$V_{CE(\text{cutoff})} = V_{CE} + I_{CQ}\, r_e \tag{10-22}$$

교류 부하선은 직류 부하선보다 기울기가 크기 때문에 최대 피크-피크 출력은 전원전압보다 항상 작다. A급 CE 증폭기의 경우, MPP < V_{CC}이다.

Q점이 교류 부하선 중앙보다 아래쪽에 있을 경우, 최대 피크(MP)출력은 그림 10-12a와 같이 $I_{CQ}r_e$이다. 한편 Q점이 교류 부하선 중앙보다 위쪽에 있을 경우, 최대 피크 출력은 그림 10-12b와 같이 V_{CEQ}이다.

보다시피 이미터 팔로워의 경우 MPP 값을 결정하는 것은 본래 CE 증폭기의 경우와 같다. 차이라면 교류 컬렉터저항 r_c대신 교류 이미터저항 r_e를 이용하여야 한다는 점이다. 출력 전력 레벨을 증가시키기 위하여 이미터 팔로워를 다링턴 구조로 연결할 수도 있다.

예제 10-6 |||| Multisim

그림 10-13에서 I_{CQ}와 V_{CEQ} 및 r_e의 값은 얼마인가?

그림 10-13 이미터 팔로워 전력 증폭기

풀이

$$I_{CQ} = \frac{8\,\text{V} - 0.7\,v}{16\,\Omega} = 456\,\text{mA}$$

$$V_{CEQ} = 12\,\text{V} - 7.3\,\text{V} = 4.7\,\text{V}$$

그리고

$$r_e = 16\,\Omega \parallel 16\,\Omega = 8\,\Omega$$

연습 문제 10-6 그림 10-13에서 R_1을 100 Ω으로 바꾸어 I_{CQ}와 V_{CEQ} 및 r_e를 구하라.

예제 10-7

그림 10-13에서 교류 포화점과 차단점을 구하라. 또 회로의 MPP 출력전압을 구하라.

풀이 예제 10-6으로부터 직류 Q점은

$$I_{CQ} = 456\,\text{mA} \text{ 그리고 } V_{CEQ} = 4.7\,\text{V}$$

이다. 교류 부하선의 포화점과 차단점은 다음과 같이 구한다.

$$r_e = R_C \parallel R_L = 16\,\Omega \parallel 16\,\Omega = 8\,\Omega$$

$$i_{c(\text{sat})} = I_{CQ} + \frac{V_{CE}}{r_e} = 456\,\text{mA} + \frac{4.7\,\text{V}}{8\,\Omega} = 1.04\,\text{A}$$

$$v_{ce(\text{cutoff})} = V_{CEQ} + I_{CQ}r_e = 4.7\,\text{V} + (456\,\text{mA})(8\,\Omega) = 8.35\,\text{V}$$

MPP는 다음 MP 중에 작은 값의 2배이다.

$$\text{MP} = I_{CQ}r_e = (456\,\text{mA})(8\,\Omega) = 3.65\,\text{V}$$

또는

$$\text{MP} = V_{CEQ} = 4.7\,\text{V}$$

따라서 MPP = 2(3.65 V) = 7.3 $V_{\text{p-p}}$

연습 문제 10-7 그림 10-13에서 $R_1 = 100\,\Omega$인 경우, MPP값을 구하라.

10-4 B급 동작

A급은 가장 간단하고 가장 안정한 바이어스 회로가 되기 때문에 트랜지스터를 선형회로로 동작시키기 위한 가장 일반적인 방법이다. 그러나 A급은 트랜지스터를 동작시키기 위해 가장 효율적인 방식은 아니다. 전지로 전력을 공급하는 시스템과 같은 응용에서 설계 시 전류 흐름과 증폭기 효율은 중요하게 고려된다. 이 절에서는 B급 동작의 기본 개념을 소개한다.

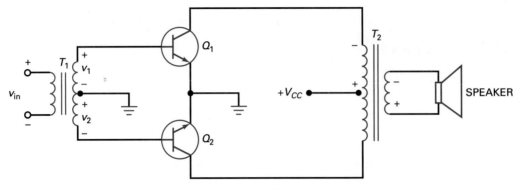

그림 10-14 B급 푸시—풀 증폭기

푸시-풀 회로

그림 10-14는 기본적인 B급 증폭기를 나타낸다. 트랜지스터가 B급으로 동작할 때 반주기가 잘린다. 이에 따른 일그러짐을 피하기 위하여 두 개의 트랜지스터를 그림 10-14처럼 푸시-풀 구조로 사용할 수 있다. **푸시-풀**(push-pull)이란 반주기 동안 한 트랜지스터가 동작하고 다른 트랜지스터는 차단되며, 다른 반주기 동안은 반대로 동작함을 의미한다.

회로 동작 방법은 다음과 같다. 입력전압의 (+) 반주기일 때, T_1의 2차측의 전압은 그림과 같이 v_1과 v_2가 된다. 그러므로 위쪽 트랜지스터는 동작(on)하고 아래쪽 트랜지스터는 차단(off)된다. Q_1을 통한 컬렉터전류는 출력 변압기 1차측의 위쪽 절반 부분을 통해 흐른다. 이것이 반전 증폭된 전압을 발생시켜 스피커로 변압기 결합된다.

입력전압의 다음 반주기일 때, T_1의 2차측 전압의 극성은 반대로 된다. 이번에는 아래쪽 트랜지스터가 동작(on)하고, 위쪽 트랜지스터가 차단(off)된다. 아래쪽 트랜지스터가 신호를 증폭하며 반전된 반주기가 스피커 양단에 나타난다.

각 트랜지스터는 입력 한 주기의 반씩만 증폭하므로 스피커에서는 증폭된 신호의 완전한 한 주기가 복원된다.

장점과 단점

그림 10-14에는 바이어스가 없기 때문에 입력신호가 없을 때 각 트랜지스터는 차단되므로, 신호가 0일 때 전류 흐름이 없는 장점이 있다. 또 다른 이점은 입력신호가 있을 때 효율이 개선되는 것이다. B급 푸시-풀 증폭기의 최대효율은 78.5%이므로, B급 푸시-풀 전력 증폭기가 A급 전력 증폭기보다 출력단에 좀 더 보편적으로 이용된다.

그림 10-14와 같은 증폭기의 중요한 단점은 변압기를 사용한다는 것이다. 오디오 변압기(audio transformer)는 부피가 크고 값이 비싸다. 그림 10-14와 같은 변압기 결합된 증폭기는 한때 폭넓게 이용되었지만 이제는 널리 쓰이지 않는다. 대부분의 응용에서 좀 더 새로운 설계는 변압기를 사용하지 않는다.

10-5 B급 푸시-풀 이미터 팔로워

B급 동작은 컬렉터전류가 교류 한 주기 중 180°에서만 흐른다는 것을 의미한다. 이 경우 Q점은 직류 및 교류 부하선의 차단점에 위치하게 된다. B급 증폭기의 장점은 전류 흐름 (current drain)이 적고 효율이 높다는 점이다.

푸시-풀(Push-Pull) 회로

그림 10-15a는 B급 푸시-풀 이미터 팔로워를 접속하기 위한 한 가지 방법이다. 여기에는 *npn* 이미터 팔로워와 *pnp* 이미터 팔로워가 푸시-풀 배열로 연결되어 있다.

　　그림 10-15b의 직류 등가회로로부터 해석을 시작하자. 설계할 때 Q점이 차단점에 위치하도록 바이어스 저항을 선택한다. 이것은 각 트랜지스터의 이미터 다이오드를 0.6~0.7 V 사이에서 바이어스하여 전기적 연결(conduction) 상태에 이르게 한다. 이상적인 경우

$$I_{CQ} = 0$$

이다. 바이어스 저항이 같으므로 각 이미터 다이오드는 같은 전압으로 바이어스된다. 결국 전원전압의 1/2이 각 트랜지스터의 컬렉터-이미터 단자 양단전압으로 나타난다. 즉

$$V_{CEQ} = \frac{V_{CC}}{2} \tag{10-23}$$

직류 부하선

그림 10-15b의 컬렉터나 이미터회로에 직류저항이 없으므로 직류 포화전류는 무한대이다. 이것은 직류 부하선이 그림 10-16a와 같이 수직임을 의미하며 위험한 상태이다. B급 증폭기를 설계할 때 가장 어려운 점은 차단점에 안정한 Q점이 놓이게 하는 것이다. 실리콘 *pn* 접합의 전위장벽는 섭씨 1도가 증가하면 2 mV가 감소한다. B급 증폭기가 출력신호를 발생시키면 온도가 증가한다. 온도 상승에 따른 V_{BE}의 현저한 감소는 Q점을 직류 부하선의 위쪽으로 이동시켜 위험할 정도로 큰 전류가 흐를 수 있다. 우선 Q점은 그림 10-16a와 같이 차단점에 고정되어 있는 것으로 가정한다.

그림 10-15 B급 푸시–풀 이미터 팔로워: (a) 완전한 회로; (b) 직류 등가회로

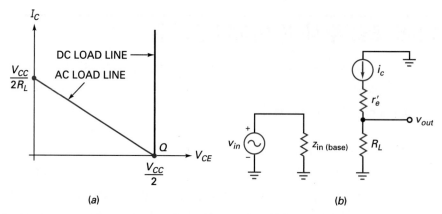

그림 10-16 (a) 직류 및 교류 부하선; (b) 교류 등가회로

교류 부하선

그림 10-16a에 교류 부하선을 나타내었다. 어느 한 쪽의 트랜지스터가 도통하고 있을 때, 그 동작점은 교류 부하선을 따라 올라간다. 도통된 트랜지스터의 스윙(swing) 전압은 차단점에서 포화점까지 가능하다. 다른 반주기 동안 다른 트랜지스터가 같은 동작을 한다. 이는 최대 피크-피크 출력이 다음과 같음을 의미한다. 즉

$$\textbf{MPP} = V_{CC} \tag{10-24}$$

교류 해석

그림 10-16b는 도통된 트랜지스터의 교류 등가회로이다. 이것은 A급 이미터 팔로워와 거의 같다. r_e'를 무시하면 전압이득은

$$A_v \approx 1 \tag{10-25}$$

이고, 베이스의 입력임피던스는 다음과 같다.

$$z_{\text{in(base)}} \approx \beta R_L \tag{10-26}$$

전체 동작

입력전압의 정(+)의 반주기 동안에는 그림 10-15a의 위쪽 트랜지스터가 도통하고 아래쪽 트랜지스터는 차단된다. 위쪽 트랜지스터는 일반적인 이미터 팔로워처럼 동작하여 출력전압은 입력전압과 거의 같다.

입력전압의 부(−)의 반주기 동안에는 위쪽 트랜지스터가 차단되고 아래쪽 트랜지스터가 도전한다. 아래쪽 트랜지스터는 일반적인 이미터 팔로워처럼 동작하여 부하전압이 입력전압과 거의 같다. 위쪽 트랜지스터는 입력전압의 정(+) 반주기 동안 동작하고, 아래쪽 트랜지스터는 부(−) 반주기 동안 동작한다. 각 반주기 동안 신호원은 베이스로 들여다 본 높은 입력임피던스를 만나게 된다.

교차 일그러짐(Crossover Distortion)

그림 10-17a는 B급 푸시-풀 이미터 팔로워의 교류 등가회로를 나타낸다. 이미터 다이

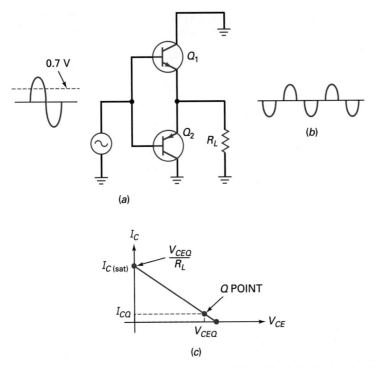

그림 10-17　(a) 교류 등가회로; (b) 교차 일그러짐; (c) Q점이 차단점 약간 위에 있음

오드가 바이어스되지 않는다면 교류 입력전압은 이미터 다이오드의 전위장벽을 극복하기 위해 약 0.7 V 이상이 되어야 한다. 이 때문에 입력신호가 0.7 V 이하일 때 Q_1에는 전류가 흐르지 않는다.

　　다른 반주기도 유사하게 동작한다. 교류 입력전압이 −0.7 V보다 더 음의 전압을 갖지 않는다면 Q_2에 전류가 흐르지 않는다. 이런 이유로 이미터다이오드가 바이어스되지 않으면, B급 푸시-풀 이미터폴로어의 출력은 그림 10-17b와 같이 된다.

　　반주기 사이의 클리핑 때문에 출력이 일그러짐된다. 클리핑이 트랜지스터가 차단되고 다른 하나가 동작하는 사이 (교차하는) 시간에 일어나므로, 이것을 **교차 일그러짐** (crossover distortion)이라고 부른다. 교차 일그러짐을 제거하려면 각 이미터 다이오드에 약간의 순방향 바이어스를 인가할 필요가 있다. 이것은 Q점을 그림 10-17c와 같이 차단점보다 약간 위에 위치하게 하는 것을 의미한다. 보통 I_{CQ}가 $I_{C(sat)}$의 1~5% 정도면 충분히 교차 일그러짐을 제거할 수 있다.

AB급

그림 10-17c에서 약간의 순방향 바이어스는 트랜지스터가 반주기보다 약간 더 도통하므로 도통각(conduction angle)이 180°보다 약간 크다는 것을 의미한다. 엄격하게 말하면 더 이상 B급 동작을 하지 않는다. 때문에 이 동작은 180°와 360° 사이의 도통각으로 정의되는 **AB급**이라고 부르기도 한다. 그러나 거의 **AB급**이라고 부르지는 않는다. 그러므로 대부분의 사람들은 동작이 B급과 거의 같기 때문에 여전히 이 회로를 B급 푸시-풀 증폭기라고 부른다.

참고 사항

일부 전력 증폭기는 출력신호의 직선성을 개선시키기 위하여 AB급 증폭기로 동작하도록 바이어스된다. AB급 증폭기는 약 210°의 도통각을 갖는다. 출력신호의 개선된 직선성은 회로 효율의 감소 없이 기대할 수 없다.

요점정리 표 10-1	증폭기의 전력 공식
공식	**값**
$A_p = \dfrac{p_{out}}{p_{in}}$	전력이득
$p_{out} = \dfrac{v_{out}^2}{8R_L}$	교류 출력전력
$p_{out(max)} = \dfrac{MPP^2}{8R_L}$	최대교류 출력전력
$P_{dc} = V_{CC}I_{dc}$	직류 입력전력
$\eta = \dfrac{p_{out}}{P_{dc}} \times 100\%$	효율

전력 공식

표 10-1에 나타낸 공식들은 B급 푸시-풀 동작을 포함한 모든 동작 방식에 적용한다.

B/AB급 푸시-풀 이미터 팔로워를 해석하기 위하여 이 공식들을 사용할 때, B/AB급 푸시-풀 증폭기가 그림 10-18a의 교류 부하선과 파형을 갖는다는 점을 명심하라. 각 트랜지스터는 반주기만 출력시킨다.

트랜지스터 소비전력

이상적인 경우, 입력신호가 없을 때 두 트랜지스터가 차단되므로 트랜지스터 소비전력은 0이다. 만일 교차 일그러짐을 방지하기 위해 약간의 순방향 바이어스를 인가한다면 각 트랜지스터의 정지 소비전력은 여전히 매우 작다.

입력신호가 있을 때 트랜지스터 소비전력은 현저히 커진다. 트랜지스터 소비전력은 얼마나 많이 교류 부하선이 이용되는가에 달려있다. 각 트랜지스터의 최대 트랜지스터 소비전력은 다음과 같다. 즉

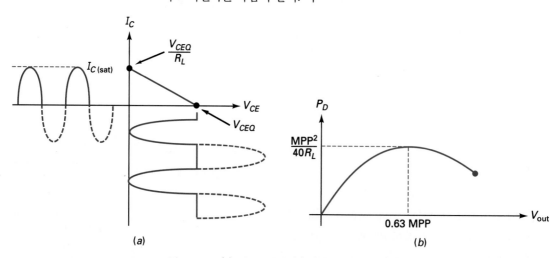

그림 10-18 (a) B급 부하선; (b) 트랜지스터 소비전력

$$P_{D(\max)} = \frac{\text{MPP}^2}{40R_L} \qquad (10\text{-}27)$$

그림 10-18*b*는 피크-피크 출력전압에 따라 트랜지스터 소비전력이 어떻게 변화하는지를 보여준다. 보다시피 P_D는 피크-피크 출력이 MPP의 63%일 때 최대에 도달한다. 이것은 최악의 경우이므로 B/AB급 푸시-풀 증폭기의 각 트랜지스터는 적어도 MPP^2/40R_L의 정격전력을 가져야 한다.

예제 10-8

그림 10-19의 가변저항은 두 이미터 다이오드가 겨우 도전될 정도로 조정한다. 최대 트랜지스터 소비전력과 최대 출력전력은 얼마인가?

그림 10-19 예제

풀이 최대 피크-피크 출력은 다음과 같다.

$$\text{MPP} = V_{CC} = 20\,\text{V}$$

식 (10-27)을 적용하면

$$P_{D(\max)} = \frac{\text{MPP}^2}{40R_L} = \frac{(20\,\text{V})^2}{40(8\,\Omega)} = 1.25\,\text{W}$$

이고, 최대 출력전력은 다음과 같다.

$$p_{\text{out}(\max)} = \frac{\text{MPP}^2}{8R_L} = \frac{(20\,\text{V})^2}{8(8\,\Omega)} = 6.25\,\text{W}$$

연습 문제 10-8 그림 10-19에서 V_{CC}를 +30 V로 바꾸어, $P_{D(\max)}$와 $P_{\text{out}(\max)}$를 구하라.

예제 10-9

가변저항이 15 Ω일 때, 앞의 예제에서 효율은 얼마인가?

풀이 바이어스 저항에 흐르는 직류전류는 다음과 같다.

$$I_{bias} \approx \frac{20 \text{ V}}{215 \text{ }\Omega} = 0.093 \text{ A}$$

다음으로 위쪽 트랜지스터에 흐르는 직류전류를 구한다. 그림 10-18a에서 보는 바와 같이 포화전류는

$$I_{C(sat)} = \frac{V_{CEQ}}{R_L} = \frac{10 \text{ V}}{8 \text{ }\Omega} = 1.25 \text{ A}$$

이다. 도통하는 트랜지스터의 컬렉터전류는 피크가 $I_{C(sat)}$인 반파신호이다. 따라서 평균값은

$$I_{av} = \frac{I_{C(sat)}}{\pi} = \frac{1.25 \text{ A}}{\pi} = 0.398 \text{ A}$$

이며, 전체 전류 흐름은

$$I_{dc} = 0.093 \text{ A} + 0.398 \text{ A} = 0.491 \text{ A}$$

이다. 직류 입력전력은

$$P_{dc} = (20 \text{ V})(0.491 \text{ A}) = 9.82 \text{ W}$$

이며, 증폭단의 효율은 다음과 같다.

$$\eta = \frac{p_{out}}{P_{dc}} \times 100\% = \frac{6.25 \text{ W}}{9.82 \text{ W}} \times 100\% = 63.6\%$$

연습 문제 10-9 V_{CC}로 +30 V를 사용하여 예제 10-9를 반복하라.

10-6 B/AB급 증폭기의 바이어스

앞에서 언급한 것과 같이 B/AB 증폭기를 설계할 때 가장 어려운 점은 안정한 Q점을 차단점 근처에 놓이게 하는 것이다. 이 절에서는 이 문제와 해결책에 대해 알아보도록 한다.

전압분배 바이어스

그림 10-20은 B/AB급 푸시-풀 회로의 전압분배 바이어스를 나타낸다. 두 트랜지스터는 상보(complementary)이어야 한다. 즉 두 트랜지스터는 유사한 V_{BE}곡선, 최대정격 등을 가져야 한다. 예를 들어 2N3904 Q_1와 2N3906 Q_2는 상보로서 첫 번째 것은 npn형 트랜지스터이고, 두 번째 것은 pnp형 트랜지스터이다. 이들은 유사한 V_{BE}곡선, 최대정

격 등을 갖는다. 이와 같은 상보쌍은 거의 모든 B/AB급 푸시-풀 설계에 이용할 수 있다.

그림 10-20에서 교차 일그러짐을 피하기 위해 0.6~0.7 V 사이의 정확한 V_{BE}를 고려하여 Q점을 차단점보다 약간 위쪽에 오도록 한다. 그러나 여기에 중요한 문제점이 있다. 컬렉터전류가 V_{BE}의 변화에 매우 민감하다. 데이터시트에 따르면 V_{BE}가 60 mV 만큼 증가하면 컬렉터전류는 10배가 변하게 된다. 이 때문에 정확한 Q점을 설정하기 위해 가변저항기가 필요하다.

그러나 가변저항기로는 온도 문제를 해결하지 못한다. Q점이 상온에서 완벽할지라도 온도가 변하면 Q점도 변한다. 앞서 검토된 바와 같이 V_{BE}는 온도가 1℃ 상승함에 따라 약 2 mV씩 감소한다. 그림 10-20에서 온도가 상승하면 각 이미터 다이오드에 대한 고정된 전압은 컬렉터전류를 급격히 증가시킨다. 온도가 30℃ 상승하면 고정된 바이어스가 60 mV만큼 높으므로 컬렉터전류는 10배 증가하게 된다. 따라서 전압분배기 바이어스에서 Q점은 매우 불안정하다.

그림 10-20에서 가장 위험한 것은 **열폭주**(thermal runaway)이다. 온도가 상승하면 컬렉터전류가 증가하며, 접합 온도는 더욱 상승하여 V_{BE}를 감소시킨다. 이러한 상승 현상은 컬렉터전류가 트랜지스터를 파괴시킬 만큼 큰 전력으로 증가하여 '폭주'함을 의미한다.

열폭주가 발생하는지의 여부는 트랜지스터의 온도 특성, 냉각 방식과 방열판의 형태에 달려있다. 그림 10-20과 같은 전압분배 바이어스는 종종 트랜지스터를 파괴시키는 열폭주 현상이 발생한다.

그림 10-20 B급 푸시-풀 증폭기의 전압분배 바이어스

다이오드 바이어스

열폭주 현상을 피하는 한 가지 방법은 그림 10-21과 같이 다이오드 바이어스를 이용하는 것이다. 그 개념은 이미터 다이오드의 바이어스 전압을 발생시키기 위해 **보상 다이오드**(compensating diode)를 사용하는 것이다. 이 경우 다이오드 곡선은 트랜지스터의 V_{BE}곡선과 일치해야 한다. 그러면 온도의 임의 상승은 보상 다이오드에 의해 발생하는 바이어스전압을 똑같은 양만큼 감소시킨다.

예를 들어 0.65 V의 바이어스 전압이 2 mA의 컬렉터전류를 흐르게 한다고 가정하자. 만약 온도가 30℃ 상승하면 각 보상 다이오드 양단전압은 60 mV만큼 낮아진다. 트랜지스터가 필요로 하는 V_{BE}역시 60 mV만큼 감소하므로 컬렉터전류는 여전히 2 mA로 고정되게 유지한다.

다이오드 바이어스가 온도의 변화에 영향을 받지 않으려면 다이오드 곡선은 넓은 온도 영역에서 반드시 V_{BE} 곡선과 일치해야 한다. 개별회로에서는 소자의 오차 때문에 이것이 쉽지 않다. 그러나 다이오드 바이어스는 집적회로의 경우 다이오드와 트랜지스터가 같은 칩에 있으므로 충족시키기 쉬우며, 이는 둘이 거의 같은 특성 곡선을 가짐을 의미한다.

다이오드 바이어스에서 그림 10-21의 보상 다이오드에 흐르는 바이어스 전류는 다음과 같다.

$$I_{\text{bias}} = \frac{V_{CC} - 2V_{BE}}{2R} \tag{10-28}$$

> **참고 사항**
>
> 실제적인 설계에서 보상 다이오드는 전력트랜지스터의 열이 올라가면 보상 다이오드의 열도 같이 올라가도록 전력트랜지스터의 케이스에 부착되어 있다. 이 보상 다이오드는 양호한 열전달 특성을 갖는 비도전성 접착제로 항상 전력트랜지스터에 부착되어 있다.

그림 10-21 B급 푸시–풀 증폭기의 다이오드 바이어스

보상 다이오드가 트랜지스터의 V_{BE} 곡선과 일치하면 I_{CQ}는 I_{bias}와 같은 값을 가진다. 앞서 언급한 바와 같이 I_{CQ}는 교차 일그러짐을 피하기 위해서 $I_{C(sat)}$의 1~5%의 값이어야 한다.

예제 10-10 **Multisim**

그림 10-22에서 정지 컬렉터전류와 증폭기의 최대 효율은 얼마인가?

그림 10-22 예제

풀이 보상 다이오드에 흐르는 바이어스 전류는

$$I_{bias} = \frac{20\,V - 1.4\,V}{2(3.9\,k\Omega)} = 2.38\,mA$$

이다. 이것은 보상 다이오드가 이미터 다이오드와 특성이 일치한다고 가정하였을 때 정지 컬렉터전류의 값과 같다.

컬렉터 포화전류는

$$I_{C(sat)} = \frac{V_{CEQ}}{R_L} = \frac{10\,V}{10\,\Omega} = 1\,A$$

이고, 반파 컬렉터전류의 평균값은

$$I_{av} = \frac{I_{C(sat)}}{\pi} = \frac{1\,A}{\pi} = 0.318\,A$$

이다. 전체 전류 흐름은

$$I_{dc} = 2.38\,mA + 0.318\,A = 0.32\,A$$

이므로, 직류 입력전력은

$$P_{dc} = (20\,V)(0.32\,A) = 6.4\,W$$

이다. 최대교류 출력전력은

$$p_{out(max)} = \frac{MPP^2}{8R_L} = \frac{(20\,V)^2}{8(10\,\Omega)} = 5\,W$$

이고, 증폭기의 효율은 다음과 같다.

$$\eta = \frac{p_{out}}{P_{dc}} \times 100\% = \frac{5\,W}{6.4\,W} \times 100\% = 78.1\%$$

연습 문제 10-10 V_{CC}로 +30 V를 사용하여 예제 10-10을 반복하라.

10-7 B/AB급 드라이버

B/AB급 푸시-풀 이미터 팔로워에 대한 앞의 검토에서 교류신호는 베이스로 용량 결합되었다. 이것은 B/AB급 푸시-풀 증폭기를 구동시키기 위한 좋은 방법은 아니다.

CE 드라이버

출력단 앞에 있는 증폭단를 **드라이버**(driver)라 부른다. 출력 푸시-풀 단에 용량 결합을 사용하지 않고 그림 10-23*a*와 같이 직접 결합된 CE 드라이버를 사용할 수 있다. 트랜지스터 Q_1은 다이오드에 흐르는 직류 바이어스 전류를 공급하는 전류원(current source)이다. R_2를 조절하여 R_4에 흐르는 직류 이미터전류를 조절할 수 있다. 이것은 Q_1이 보상 다이오드에 흐르는 바이어스 전류를 공급한다는 것을 의미한다.

교류신호가 Q_1의 베이스를 구동시키면, Q_1은 스윙프 증폭기로 동작한다. Q_1 컬렉터에서 반전 증폭된 교류신호는 Q_2와 Q_3의 베이스를 구동시킨다. 정(+)의 반주기 동안 Q_2는 도통하며 Q_3는 차단된다. 부(−)의 반주기 동안 Q_2는 차단되며 Q_3는 도통한다. 출력측 결합커패시터는 교류 단락되므로 교류신호는 부하저항으로 결합된다.

그림 10-23*b*는 CE 드라이버의 교류 등가회로이다. 다이오드가 직류전류에 의해 바이어스 되기 때문에 다이오드는 교류 이미터저항으로 대체되었다. 실제회로에 있어서 r'_e는 적어도 R_3보다 100배는 작으므로 교류 등가회로는 그림 10-23*c*로 간략화할 수 있다.

이제 드라이버단은 반전 증폭된 출력이 동일한 신호로 출력 트랜지스터의 두 베이스를 구동시키는 스윙프 증폭기임을 알 수 있다. 흔히 출력 트랜지스터의 입력임피던스는 매우 높으며, 드라이버의 전압이득은 다음과 같이 근사화할 수 있다.

$$A_V = \frac{R_3}{R_4}$$

요약하면 드라이버단은 출력 푸시-풀 증폭기에 필요한 큰 신호를 만들어 주는 스윙프된 전압증폭기이다.

그림 10-23 (a) 직접 결합된 CE 드라이버; (b) 교류 등가회로; (c) 간략화된 교류 등가회로

2단 부귀환

그림 10-24는 B/AB급 푸시-풀 이미터 팔로워를 구동시키기 위해 대신호 CE단을 이용한 또 다른 예이다. 입력신호는 Q_1 드라이버에 의해 반전 증폭된다. 그러면 푸시-풀 증폭단은 낮은 임피던스의 스피커를 구동시키기에 필요한 전류이득을 제공한다. 주의해야 할 점은 CE 드라이버의 이미터가 접지되어 있다는 것이다. 결과적으로 이 드라이버는 그림 10-23a의 드라이버보다 더 큰 전압이득을 가진다.

저항 R_2는 두 가지 유용한 역할을 한다. 첫째, 이것이 $+V_{CC}/2$의 직류전압과 연결되므로 이 저항은 Q_1에 직류 바이어스를 제공한다는 점이며 둘째, R_2가 교류신호에 대해 부귀환을 유발한다는 점이다. 그 이유는 Q_1 베이스의 정(+) 신호는 컬렉터에 부(−) 신호를 생성하기 때문이다. 따라서 이미터 팔로워의 출력은 부(−)이다. R_2를 통해 Q_1 베이스로 귀환이 일어나면 이 되먹임 신호는 원래의 입력신호와 반대이다. 이것이 부귀환이며, 부귀환은 바이어스와 전체 증폭기의 전압이득을 안정시킨다.

흔히 집적회로(IC) 오디오 전력 증폭기들은 중저급 전력 응용에 이용된다. LM380

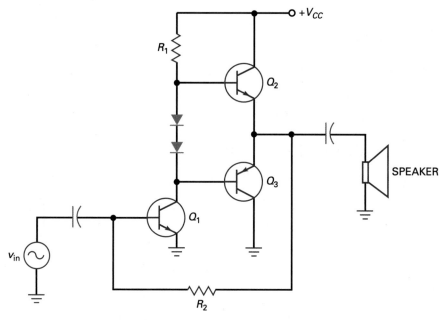

그림 10-24 CE 드라이버로 2단 부귀환

IC 와 같은 이 증폭기는 AB급으로 바이어스된 출력 트랜지스터들이 들어가 있으며, 16 장에서 검토할 것이다.

10-8 C급 동작

B급의 경우 푸시-풀 배열을 사용할 필요가 있다. 이것이 거의 모든 B급 증폭기가 푸시-풀 증폭기가 되는 이유이다. C급의 경우 부하를 위해 공진회로(resonant circuit)를 사용해 야 한다. 이것이 거의 모든 C급 증폭기가 동조 증폭기(tuned amplifier)로 되는 이유이다.

공진주파수

C급 동작의 경우 컬렉터전류는 반주기보다 적은 동안 흐른다. 병렬 공진회로는 컬렉터전 류의 펄스를 걸러내고 출력전압의 순수한 정현파를 발생시킬 수 있다. C급의 주된 응용은 RF 동조 증폭기(tuned RF amplifier)에 있다. C급 동조 증폭기의 최대효율은 100%이다.

그림 10-25a는 RF 동조 증폭기를 나타낸다. 교류 입력전압은 베이스를 구동시키 고 증폭된 출력전압은 컬렉터에 나타난다. 그 다음 반전 증폭된 신호는 부하저항으로 용량 결합된다. 병렬 공진회로 때문에 출력전압은 다음의 공진주파수에서 최대이다. 즉

$$f_r = \frac{1}{2\pi\sqrt{LC}} \tag{10-29}$$

공진주파수 f_r 이외의 주파수에서 전압이득은 그림 10-25b와 같이 감소한다. 이 때문에 C급 동조 증폭기는 항상 협대역의 주파수를 증폭하게 된다. 각 라디오 방송이 나 TV 채널이 중심주파수 양쪽의 협대역 주파수로 할당되기 때문에 라디오 신호나 TV

그림 10-25 (a) C급 동조 증폭기; (b) 전압이득 대 주파수; (c) 바이어스되지 않은 직류 등가회로; (d) 두 가지 부하선; (e) 교류 등가회로

신호를 증폭하는 데 C급 동조 증폭기를 사용하는 것이 이상적이다.

C급 증폭기는 그림 10-25c의 직류 등가회로에서 보다시피 바이어스되지 않는다. 컬렉터회로의 저항 R_S는 인덕터의 직렬저항이다.

부하선

그림 10-25d는 두 가지 부하선을 나타낸다. RF 인덕터(RF inductor)의 권선저항 R_S가 매우 작기 때문에 직류 부하선은 거의 수직이다. 트랜지스터가 바이어스되어 있지 않으므로 직류 부하선은 중요하지 않다. 중요한 것은 교류 부하선이다. 보다시피 Q점은 교류 부하선의 아래쪽 끝에 위치한다. 교류신호가 인가될 때, 순간 동작점은 교류 부하선을 따라 포화점을 향해 위로 이동한다. 컬렉터전류의 최대 펄스는 포화전류 V_{CC}/r_c로 주어진다.

입력신호의 직류 클램핑

그림 10-25e는 교류 등가회로이다. 입력신호는 이미터 다이오드를 구동하고, 증폭된 전류 펄스는 공진탱크회로(resonant tank circuit)를 구동한다. C급 동조 증폭기에서 입력 커패시터는 부(−) 직류 클램퍼(dc clamper)의 일부분이다. 이 때문에 이미터 다이오드 양단에 나타나는 신호는 부(−)로 클램프된다.

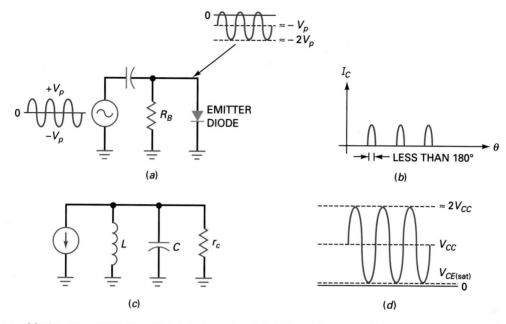

그림 10-26 (a) 입력신호는 베이스에서 부(−)로 클램프됨; (b) 컬렉터전류는 펄스로 흐름; (c) 교류 컬렉터회로; (d) 컬렉터전압 파형

그림 10-26a는 부(−) 클램핑을 나타낸다. 입력신호의 정(+) 피크만이 이미터 다이오드를 동작시킬 수 있으므로, 컬렉터전류는 그림 10-26b와 같이 짧은 펄스로 흐른다.

고조파의 필터링

그림 10-26b와 같은 비정현 파형에는 입력주파수의 정수배인 **고조파**(harmonics)가 많이 포함되어 있다. 다시 말해서 그림 10-26b의 펄스는 정현파에 $f, 2f, 3f, \cdots, nf$의 일군의 주파수를 포함하고 있는 것과 같다.

그림 10-26c의 탱크회로는 기본파 주파수 f에서만 높은 임피던스를 갖는다. 이는 기본파 주파수에서 큰 전압이득을 발생시킨다. 한편 탱크회로는 고차의 고조파에 대해 매우 낮은 임피던스를 가지므로, 이때 전압이득은 매우 작다. 이것이 탱크회로 양단전압이 거의 그림 10-26d의 순수한 정현파와 같게 보이는 이유이다. 모든 고차의 고조파는 제거되기(filtered) 때문에 탱크회로 양단에는 기본파 주파수만이 나타난다.

고장 점검

C급 동조 증폭기는 부(−)로 클램프된 입력신호를 갖기 때문에 이미터 다이오드 양단전압을 측정하기 위해 높은 임피던스의 직류 전압계 혹은 DMM을 사용할 수 있다. 만일 회로가 정확하게 동작하고 있다면, 대략 입력신호의 피크와 같은 (−) 전압이 읽혀야 한다.

방금 설명된 전압계 시험은 오실로스코프가 없을 때 유익하다. 그러나 오실로스코프가 있으면 더 좋은 시험은 이미터 다이오드 양단을 관측하는 것이다. 회로가 적절히 동작하고 있을 때 부(−)로 클램프된 파형이 관측되어야 한다. 회로부하를 방지하기 위해 10배 오실로스코프 프르브를 사용해야 함을 기억하라.

응용 예제 10-11

IIII Multisim

그림 10-27의 동작을 설명하라.

그림 10-27 예제

풀이 회로의 공진주파수는 다음과 같다.

$$f_r = \frac{1}{2\pi\sqrt{(2\ \mu H)(470\ pF)}} = 5.19\ MHz$$

만일 입력신호가 이 주파수와 같다면, C급 동조회로는 입력신호를 증폭할 것이다.

그림 10-27에서 입력신호는 10 V의 피크-피크 값을 갖고 있다. 이 신호는 트랜지스터의 베이스에서 +0.7 V의 피크와 −9.3 V의 피크로 부(−) 클램프 된다. 평균 베이스전압은 −4.3 V이며, 이 전압은 높은 임피던스의 직류 전압계로 측정할 수 있다.

회로가 CE 연결이므로 컬렉터신호는 반전된다. 컬렉터 파형의 직류전압 또는 평균전압은 전원전압인 +15 V이다. 그러므로 피크-피크 컬렉터전압은 30 V이다. 이 전압이 부하저항으로 용량 결합된다. 최종 출력전압은 +15 V의 양의 피크값과 −15V의 음의 피크값을 갖는다.

연습 문제 10-11 그림 10-27에서 470 pF를 560 pF로 그리고 V_{CC}를 +12 V로 바꾸어 회로의 f_r과 v_{out}의 피크-피크를 구하라.

10-9 C급 공식

C급 동조 증폭기는 항상 협대역 증폭기(narrowband amplifier)이다. C급 회로에서 입력신호는 100%에 가까운 효율을 갖는 대출력을 얻도록 증폭된다.

대역폭

기초 과정에서 검토한 바와 같이 동조회로의 **대역폭**(BW; bandwidth)은 다음으로 정의된다.

$$BW = f_2 - f_1 \qquad\qquad (10\text{-}30)$$

여기서 f_1 = 하측 반전력 주파수
　　　f_2 = 상측 반전력 주파수

반전력 주파수는 전압이득이 그림 10-28과 같이 최대이득의 0.707배가 되는 주파수와 같다. *BW*가 작을수록 증폭기의 대역폭은 더 좁아진다.

식 (10-30)을 이용하면 대역폭에 대한 새로운 관계의 유도가 가능하다. 즉

$$BW = \frac{f_r}{Q} \qquad\qquad (10\text{-}31)$$

여기서 Q는 회로의 품질계수(quality factor)이다. 식 (10-31)은 대역폭이 Q에 반비례함을 의미한다. 회로의 Q가 높을수록 대역폭은 더욱 좁아진다.

　　C급 증폭기는 대개 10 이상의 회로 Q를 갖는다. 이것은 대역폭이 동조주파수의 10% 미만임을 의미한다. 이런 이유로 C급 증폭기는 협대역 증폭기가 된다. 협대역 증폭기의 출력은 동조시 큰 정현파 전압이 되며 동조 위, 아래쪽에서는 급격히 감소한다.

동조 시 전류 급감소

탱크회로가 동조될 때, 컬렉터 전류원이 바라보는 교류 부하임피던스는 최대이며 순저항성이 된다. 그러므로 동조 시 컬렉터전류는 최소이다. 동조 위, 아래쪽에서 교류 부하임피던스는 감소하고 컬렉터전류는 증가한다.

　　탱크회로를 동조시키기 위한 한 가지 방법은 그림 10-29와 같은 회로에 공급되는 직류전류의 감소를 조사해보는 것이다. 기본적인 개념은 L이나 C를 변화시켜 회로를 동조시키는 동안 전원장치로부터 공급되는 전류 I_{dc}를 측정하는 것이다. 탱크회로가 입

그림 10-28　대역폭

그림 10-29　동조 시 전류 급감소

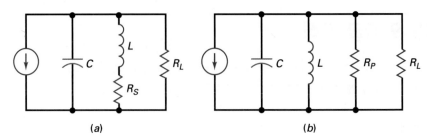

그림 10-30 (a) 인덕터에 대한 직렬 등가저항; (b) 인덕터에 대한 병렬 등가저항

력주파수에 동조될 때 전류계 표시값은 최소값으로 급격히 감소할 것이다. 이것은 탱크 회로가 동조점에서 최대임피던스를 가지므로 회로가 정확하게 동조되었음을 가리킨다.

교류 컬렉터저항

임의의 인덕터는 그림 10-30a에 나타낸 바와 같이 직렬 연결된 저항 R_S를 갖고 있다. 인덕터의 Q는 다음과 같이 정의된다.

$$Q_L = \frac{X_L}{R_S} \tag{10-32}$$

여기서 Q_L = 코일의 Q
  X_L = 유도성 리액턴스
  R_S = 코일저항

Q_L은 코일만의 Q임을 기억하라. 전체회로는 코일의 저항은 물론 부하저항 효과를 포함 시켜야 하므로 Q값은 더 낮아진다.

기초 교류회로에 대해서 토의했던 것과 같이 인덕터의 직렬저항은 그림 10-30b와 같이 병렬저항 R_P로 대체될 수 있다. Q가 10 이상일 때, 이 등가저항은

$$R_P = Q_L X_L \tag{10-33}$$

로 주어진다. 그림 10-30b에서 공진 시 X_L은 X_C와 상쇄되고 R_L과 병렬로 R_P만이 남는 다. 그러므로 공진 시 컬렉터에서 바라본 교류 컬렉터저항은 다음과 같다.

$$r_c = R_P \parallel R_L \tag{10-34}$$

전체 회로의 Q는

$$Q = \frac{r_c}{X_L} \tag{10-35}$$

로 주어진다. 이 회로 Q는 코일의 Q인 Q_L보다 낮다. 실제 C급 증폭기에서 전형적인 코 일의 Q는 50 이상이며, 회로의 Q는 10 이상이다. 전체적인 Q가 10 이상이므로 협대역 으로 동작한다.

듀티 사이클

각각의 정(+)의 피크에서 이미터 다이오드의 짧은 동안의 동작은 그림 10-31a와 같은 좁은 펄스의 컬렉터전류를 발생시킨다. 이와 같은 펄스의 경우, 듀티 사이클(duty cycle)

그림 10-31 듀티 사이클

은 다음과 같이 정의한다.

$$D = \frac{W}{T} \tag{10-36}$$

여기서 D = 듀티 사이클

　　　　W = 펄스폭

　　　　T = 펄스의 주기

예를 들어 오실로스코프가 0.2 μs의 펄스폭과 1.6 μs의 주기를 나타낸다면 듀티 사이클은 다음과 같다.

$$D = \frac{0.2\ \mu\text{s}}{1.6\ \mu\text{s}} = 0.125$$

　　듀티 사이클이 작을수록 주기와 비교하여 펄스폭은 더욱 좁아진다. 전형적인 C급 증폭기의 듀티 사이클은 작다. 실제로 듀티 사이클이 감소할 때 C급 증폭기의 효율은 증가한다.

도통각

듀티 사이클을 설명할 수 있는 등가적인 방법으로 그림 10-31b에 나타낸 도통각(conduction angle) ϕ를 사용한다.

$$D = \frac{\phi}{360°} \tag{10-37}$$

예를 들어, 도통각이 18°인 경우 듀티 사이클은 다음과 같다.

$$D = \frac{18°}{360°} = 0.05$$

트랜지스터 소비전력

그림 10-32a는 C급 트랜지스터 증폭기에서 이상적인 컬렉터-이미터 전압을 나타낸다. 그림 10-32a에서 최대출력은 다음으로 주어진다. 즉

$$\text{MPP} = 2V_{CC} \tag{10-38}$$

최대전압이 약 $2V_{CC}$이므로, 트랜지스터의 V_{CEO}정격은 $2V_{CC}$보다 더 커야 한다.

　　그림 10-32b는 C급 증폭기에 대한 컬렉터전류를 나타낸다. 전형적으로 도통각 ϕ는 180°보다 훨씬 작다. 컬렉터전류가 최대값 $I_{C(\text{sat})}$에 도달함에 주목하라. 트랜지스터의 피크 정격전류는 $I_{C(\text{sat})}$보다 커야 한다. 점선으로 되어있는 파형부분이 트랜지스터의

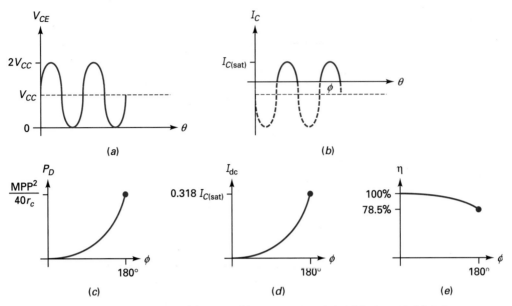

그림 10-32 (a) 최대출력; (b) 도통각; (c) 트랜지스터 소비전력; (d) 전류흐름; (e) 효율

차단(off)시간을 나타낸다.

트랜지스터의 소비전력은 도통각에 따라 다르다. 그림 10-32c에서 보다시피 소비전력은 180°까지 도통각에 따라 증가한다. 트랜지스터의 최대 소비전력은 다음과 같이 유도된다. 즉

$$P_D = \frac{\text{MPP}^2}{40r_c} \tag{10-39}$$

식 (10-39)는 최악의 경우를 나타낸다. C급으로 동작하는 트랜지스터의 정격전력은 이보다 커야 하며 그렇지 않으면 트랜지스터는 파괴될 것이다. 정상적인 구동 조건 하에서 도통각은 180°보다 훨씬 작을 것이며 트랜지스터 소비전력도 $\text{MPP}^2/40r_c$보다 작을 것이다.

증폭단 효율

직류 컬렉터전류는 도통각에 따라 다르다. 180°의 도통각(반파신호)의 경우 평균 또는 직류 컬렉터전류는 $I_{C(\text{sat})}/\pi$이다. 더 작은 도통각의 경우 직류 컬렉터전류는 그림 10-32d에서 보는 바와 같이 이보다 작다. C급 증폭기는 바이어스 저항이 없기 때문에 직류 컬렉터전류가 유일한 전류 흐름이다.

C급 증폭기에서 트랜지스터와 코일의 손실이 적기 때문에 대부분의 직류 입력전력은 교류 부하전력으로 변환된다. 이런 이유로 C급 증폭기의 효율은 높다.

그림 10-32e는 증폭기의 최적 효율이 도통각에 따라 어떻게 변화하는가를 나타낸다. 도통각이 180°일 때, 증폭기의 효율은 B급 증폭기의 이론적 최대값인 78.5%가 된다. 도통각이 감소할 때 증폭기의 효율은 증가한다. 지적한 것처럼 C급 증폭기의 최대 효율은 도통각이 매우 작을 때 100%이다.

다음의 요점정리 표 10-2은 A급, B/AB급, C급 증폭기의 특성을 나타낸다.

요점정리 표 10-2	증폭기의 증폭 방식	
회로	**특성**	**용도**
A급 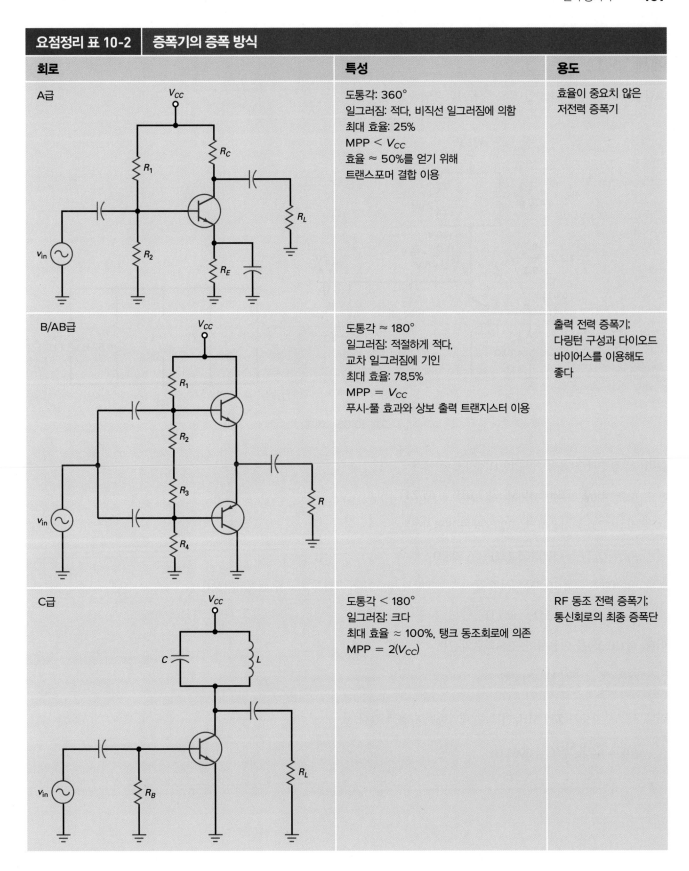	도통각: 360° 일그러짐: 적다, 비직선 일그러짐에 의함 최대 효율: 25% MPP $<$ V_{CC} 효율 $\approx$ 50%를 얻기 위해 트랜스포머 결합 이용	효율이 중요치 않은 저전력 증폭기
B/AB급	도통각 $\approx$ 180° 일그러짐: 적절하게 적다, 교차 일그러짐에 기인 최대 효율: 78.5% MPP $=$ V_{CC} 푸시-풀 효과와 상보 출력 트랜지스터 이용	출력 전력 증폭기; 다링턴 구성과 다이오드 바이어스를 이용해도 좋다
C급	도통각 $<$ 180° 일그러짐: 크다 최대 효율 $\approx$ 100%, 탱크 동조회로에 의존 MPP $=$ 2(V_{CC})	RF 동조 전력 증폭기; 통신회로의 최종 증폭단

예제 10-12

그림 10-33에서 Q_L이 100인 경우, 증폭기의 대역폭은 얼마인가?

그림 10-33   예제

풀이   공진주파수(응용 예제 10-11에서 구함)에서

$$X_L = 2\pi fL = 2\pi(5.19 \text{ MHz})(2 \text{ } \mu\text{H}) = 65.2 \text{ } \Omega$$

식 (10-33)을 이용하면, 코일의 등가 병렬저항은

$$R_P = Q_L X_L = (100)(65.2 \text{ } \Omega) = 6.52 \text{ k}\Omega$$

이다. 이 저항은 그림 10-33b에서와 같이 부하저항과 병렬이다. 그러므로 교류 컬렉터저항은

$$r_c = 6.52 \text{ k}\Omega \parallel 1 \text{ k}\Omega = 867 \text{ } \Omega$$

이다. 식 (10-35)를 이용하면, 전체회로의 Q는

$$Q = \frac{r_c}{X_L} = \frac{867 \text{ } \Omega}{65.2 \text{ } \Omega} = 13.3$$

이다. 동조주파수가 5.19 MHz이므로, 대역폭은 다음과 같다.

$$BW = \frac{5.19 \text{ MHz}}{13.3} = 390 \text{ kHz}$$

예제 10-13

그림 10-33a에서, 최악의 소비전력은 얼마인가?

풀이 최대 피크-피크 출력은 다음과 같다.

$$MPP = 2V_{CC} = 2(15\ V) = 30\ V_{p\text{-}p}$$

식 (10-39)로 트랜지스터의 최악의 경우 소비전력을 구할 수 있다.

$$P_D = \frac{MPP^2}{40r_c} = \frac{(30\ V)^2}{40(867\ \Omega)} = 26\ mW$$

연습 문제 10-13 그림 10-33에서 V_{CC}가 +12 V인 경우 최악의 소비전력은 얼마인가?

10-10 트랜지스터 정격전력

컬렉터 접합부의 온도는 허용 가능한 소비전력 P_D에 제한을 준다. 트랜지스터 종류에 따라 트랜지스터가 파괴되는 접합부 온도 범위는 150℃~200℃이다. 데이터시트에 이 최대 접합부 온도를 $T_{J(max)}$로 기재하고 있다. 예를 들어 2N3904의 데이터시트에 $T_{J(max)}$는 150℃, 2N3719의 데이터시트에 $T_{J(max)}$는 200℃로 게재되어 있다.

주위온도

접합부에서 발생된 열은 트랜지스터 케이스(금속 또는 플라스틱 하우징)를 통하여 대기중으로 방열된다. **주위온도**(*ambient temperature*)로 알려져 있는 이 대기 온도는 약 25℃이나 더운 날은 훨씬 높을 수 있다. 또한 주위온도는 전자 장비의 내부쪽 온도보다 훨씬 높을 수도 있다.

경감계수

데이터시트에는 흔히 주위온도 25℃에서 트랜지스터의 $P_{D(max)}$를 명시한다. 예를 들어 주위온도 25℃에 대한 2N1936의 $P_{D(max)}$는 4 W이다. 이것은 A급 증폭기에 쓰이는 2N1936은 4 W정도의 정지 소비전력을 가질 수 있다는 것을 의미한다. 주위온도가 25℃ 또는 그 이하인 때에는 트랜지스터는 명시된 정격전력내에서 동작한다.

　　주위온도가 25℃ 이상이 되면 정격전력을 경감시켜야(줄여야) 한다. 데이터시트에 그림 10-34와 같은 **경감곡선**(*derating curve*)을 제시하기도 한다. 보다시피 주위온도가 증가할 때 정격전력은 감소한다. 예를 들어 주위온도 100℃에서 정격전력은 2 W로 감소한다.

　　어떤 데이터시트에는 그림 10-34와 같은 경감곡선을 제시하지 않고, 대신 경감계수(derating factor) D를 표시한다. 예를 들어 2N1936의 경감계수는 26.7 mW/℃이다. 이것은 주위온도가 25℃ 이상일 때, 1℃ 상승할 때마다 26.7 mW씩 경감시켜야 함을

그림 10-34 정격전력 대 주위온도

의미한다. 이를 기호로 나타내면

$$\Delta P = D(T_A - 25°C) \tag{10-40}$$

여기서 ΔP = 정격전력의 감소량

D = 경감계수

T_A = 주위온도

예를 들어 주위온도가 75°C로 상승하면 정격전력을

$$\Delta P = 26.7 \text{ mW}(75 - 25) = 1.34 \text{ W}$$

만큼 경감시켜야 한다. 25°C에서 정격전력이 4 W이므로, 새로운 정격전력은

$$P_{D(\text{max})} = 4 \text{ W} - 1.34 \text{ W} = 2.66 \text{ W}$$

가 된다. 이것은 그림 10-34의 경감곡선과 일치한다.

경감된 정격전력을 그림 10-34와 같은 경감곡선으로 구하든, 식 (10-40)과 같은 공식으로 구하든 알아두어야 할 중요한 점은 주위온도가 상승할 때 정격전력이 경감한다는 것이다. 이것은 회로가 25°C에서 잘 동작한다고 해서 넓은 온도 범위에 걸쳐 잘 동작하리라는 것을 의미하지 않는다. 그러므로 회로를 설계할 때 동작 온도 범위는 모든 트랜지스터에 예상되는 가장 높은 주위온도보다 낮게 고려해야 한다.

방열판(Heat sinks)

트랜지스터의 정격전력을 증가시키기 위한 한 가지 방법은 열을 신속하게 제거시키는 것이다. 이것이 방열판(heat sink)을 사용하는 이유이다. 트랜지스터 케이스의 표면면적을 증가시키면 좀 더 쉽게 열을 대기 중으로 방열시킬 수 있다. 그림 10-35a와 같은 형태의 방열판을 트랜지스터 케이스 표면에 놓으면 열은 돌출부의 늘어난 표면면적으로 인해 좀 더 빠르게 방열된다.

그림 10-35b는 전력탭(power-tab) 트랜지스터를 나타낸다. 금속탭은 트랜지스터로

그림 10-35   (a) push-on 방열판; (b) 전력탭 트랜지스터; (c) 컬렉터가 케이스에 접속된 전력트랜지스터

부터 열에 대한 통로를 제공한다. 이 금속탭은 전자 장비의 섀시에 고정시킬 수 있다. 섀시는 큰 방열판 역할을 하기 때문에 열은 트랜지스터에서 섀시쪽으로 쉽게 빠져나갈 수 있다.

그림 10-35c와 같은 대전력 트랜지스터는 열을 가능한 한 쉽게 방열시킬 수 있도록 컬렉터를 케이스에 직접 연결한다. 그 다음 트랜지스터 케이스를 섀시에 고정시킨다. 그림 10-35c의 PIN 다이아그램은 트랜지스터의 밑부분에서 본 트랜지스터의 연결을 보여주고 있다. 컬렉터가 섀시로 단락되는 것을 방지하기 위하여 트랜지스터 케이스와 섀시 사이에 얇은 절연 워셔(washer)와 열전도성 페이스트를 사용한다. 여기서 중요한 생각은 열이 트랜지스터에서 좀 더 신속하게 제거될 수 있다는 것으로, 이는 동일한 주위 온도에서 트랜지스터가 좀 더 높은 정격전력을 갖게 된다는 것을 의미한다.

케이스 온도

트랜지스터에서 열이 발생하면, 열은 트랜지스터의 케이스를 지나 방열판으로 전달된 다음 대기 중으로 방열된다. 트랜지스터 케이스의 온도 T_C는 방열판의 온도 T_S보다 약간 높고, 또한 T_C는 주위온도 T_A보다 약간 높다.

대전력 트랜지스터의 데이터시트에는 주위온도보다는 케이스 온도에 대한 경감 곡선을 제시한다. 예를 들어 그림 10-36은 2N3055의 경감곡선을 나타낸다. 케이스 온도 25℃에서 정격전력은 115 W이며, 그 다음 이 정격전력은 케이스 온도 200℃에서 0으로 될 때까지 온도에 따라 직선적으로 감소한다.

때때로 경감곡선 대신 경감계수가 주어진다. 이 경우 정격전력의 감소량을 계산하기 위해 다음 식을 사용한다. 즉

$$\Delta P = D(T_C - 25°C) \tag{10-41}$$

여기서 ΔP = 정격전력의 감소량
D = 경감계수
T_C = 케이스 온도

대전력 트랜지스터의 경감곡선을 사용하기 위하여 어느 케이스 온도에서 최악의 경우로 되는지를 알 필요가 있다. 그 다음에 새로운 최대 정격전력에 도달하도록 트랜지스터의 정격전력을 낮출 수 있다.

그림 10-36   2N3055 경감곡선. SCILLC dba ON Semiconductor의 허가를 받아 사용함.

응용 예제 10-14

그림 10-37의 회로는 0~50℃의 주위온도 범위에 걸쳐 동작할 수 있다. 최악의 온도에 대한 트랜지스터의 최대 정격전력은 얼마인가?

그림 10-37   응용 예제

풀이   최악의 온도는 가장 높은 온도이다. 그 이유는 데이터시트에 주어진 정격전력을 낮추기 때문이다. 그림 6-15에 있는 2N3904의 데이터시트를 보면 최대 정격전력은

$$P_D = 625 \text{ mW (주위온도 25℃에서)}$$

그리고 경감계수는 다음과 같다.

$$D = 5 \text{ mW/℃}$$

식 (10-40)을 이용하여 계산하면

$$\Delta P = (5 \text{ mW})(50 - 25) = 125 \text{ mW}$$

이다. 그러므로 50℃에서 최대 정격전력은 다음과 같다.

$$P_{D(\text{max})} = 625 \text{ mW} - 125 \text{ mW} = 500 \text{ mW}$$

연습 문제 10-14   응용 예제 10-14에서 주위온도가 65℃일 때, 트랜지스터의 정격전력을 구하라.

요점 | Summary

10-1 증폭기 용어

동작 방식에는 A급, B급 및 C급이 있다. 결합 방식에는 용량 결합, 변압기 결합 및 직접 결합이 있다. 주파수 용어에는 오디오(audio), RF, 협대역 및 광대역을 포함한다. 몇 가지 형태의 오디오 증폭기에는 프리앰프(preamp)와 전력 증폭기(poweramp)가 있다.

10-2 두 가지 부하선

모든 증폭기는 직류 부하선과 교류 부하선을 갖고 있다. 최대 피크-피크 출력을 얻으려면 Q점은 교류 부하선의 중앙에 위치해야 한다.

10-3 A급 동작

전력이득은 교류 출력전력을 교류 입력전력으로 나눈 것과 같다. 트랜지스터의 정격전력은 정지 소비전력보다 커야 한다. 증폭기의 효율은 교류 출력전력을 직류 입력전력으로 나누어 100%를 곱한 것과 같다. 컬렉터저항과 부하저항을 갖는 A급 증폭기의 최대효율은 25%이다. 만일 부하저항이 컬렉터저항이거나 트랜스포머를 사용하면 최대효율은 50%로 증가한다.

10-4 B급 동작

대부분의 B급 증폭기는 두 트랜지스터를 푸시-풀로 접속하여 사용한다. 한 트랜지스터가 도통하는 동안 다른 트랜지스터가 차단되고 역(逆)도 또한 같다. 각 트랜지스터는 교류 반주기씩 증폭한다. B급의 최대효율은 78.5%이다.

10-5 B급 푸시-풀 이미터 팔로워

B급은 A급보다 효율이 높다. B급 푸시-풀 이미터 팔로워는 상보 npn과 pnp 트랜지스터로 이루어졌다. npn 트랜지스터는 한 반주기 동안 동작하고, pnp 트랜지스터는 다른 반주기 동안 동작한다.

10-6 B/AB급 증폭기의 바이어스

교차 일그러짐을 제거하기 위해 B급 푸시-풀 이미터 팔로워의 트랜지스터는 작은 정지전류를 갖는다. 이것을 AB급이라 한다. 전압분배 바이어스의 경우, Q점이 불안정하여 궁극적으로 열폭주 현상이 일어날 수도 있다. 다이오드 바이어스는 넓은 온도 범위에 걸쳐 Q점이 안정하므로 이 증폭기의 바이어스로 선호된다.

10-7 B/AB급 드라이버

신호를 출력단으로 용량 결합시키기보다 직접 결합된 드라이버단을 사용한다. 드라이버의 컬렉터전류는 보상 다이오드에 흐르는 정지전류를 결정한다.

10-8 C급 동작

대부분의 C급 증폭기는 RF 동조 증폭기이다. 입력신호는 부(−)로 클램프되며, 협대역 펄스의 컬렉터전류를 발생시킨다. 탱크회로는 기본파의 주파수에 동조되므로 모든 고차의 고조파는 제거된다.

10-9 C급 공식

C급 증폭기의 대역폭은 회로의 Q에 반비례한다. 교류 컬렉터저항은 인덕터와 부하저항의 병렬 등가저항을 포함한다.

10-10 트랜지스터 정격전력

온도가 증가할 때 트랜지스터의 정격전력은 감소한다. 트랜지스터의 데이터시트에는 경감계수를 적어주든가, 정격전력 대 온도의 그래프를 제공한다. 방열판은 열을 좀더 신속하게 제거시킬 수 있으며, 좀 더 높은 정격전력을 만들어 줄 수 있다.

정의식 | Definitions

(10-12) 전력이득:

$$A_p = \frac{p_{out}}{p_{in}}$$

(10-18) 효율:

$$\eta = \frac{p_{out}}{P_{dc}} \times 100\%$$

(10-30) 대역폭:

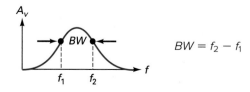

$$BW = f_2 - f_1$$

(10-32) 인덕터의 Q:

$$Q_L = \frac{X_L}{R_S}$$

(10-33) 등가 병렬저항:

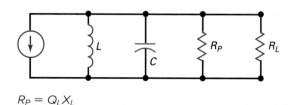

$$R_P = Q_L X_L$$

(10-34) 교류 컬렉터저항:

$$r_c = R_P \parallel R_L$$

(10-36) 듀티 사이클:

$$D = \frac{W}{T}$$

(10-35) 증폭기의 Q:

$$Q = \frac{r_c}{X_L}$$

유도식 | Derivations

(10-1) 포화전류:

$$I_{C(sat)} = \frac{V_{CC}}{R_C + R_E}$$

(10-2) 차단전압:

$$V_{CE(cutoff)} = V_{CC}$$

(10-7) 출력의 한계:

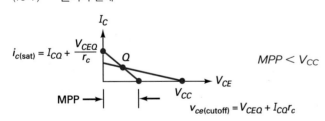

$$i_{c(sat)} = I_{CQ} + \frac{V_{CEQ}}{r_c}$$

$$MPP < V_{CC}$$

$$v_{ce(cutoff)} = V_{CEQ} + I_{CQ}r_c$$

(10-8) 최대 피크:

$$MP = I_{CQ}r_c \text{ or } MP = V_{CEQ}$$

(10-9) 최대 피크-피크 출력:

$$MPP = 2MP$$

(10-14) 출력전력:

$$p_{out} = \frac{v_{out}^2}{8R_L}$$

(10-15) 최대출력:

$$p_{out(max)} = \frac{MPP^2}{8R_L}$$

(10-16) 트랜지스터 전력:

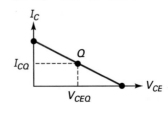

$$P_{DQ} = V_{CEQ}I_{CQ}$$

(10-17) 직류 입력전력:

$$P_{dc} = V_{CC}I_{dc}$$

(10-24) B급 최대출력:

$$MPP = V_{CC}$$

(10-27) B급 트랜지스터 출력:

$$P_{D(max)} = \frac{MPP^2}{40R_L}$$

(10-28) Class B 바이어스:

$$I_{bias} = \frac{V_{CC} - 2V_{BE}}{2R}$$

(10-29) 공진 주파수:

$$f_r = \frac{1}{2\pi\sqrt{LC}}$$

(10-31) 대역폭:

$$BW = \frac{f_r}{Q}$$

(10-38) 최대출력:

$$MPP = 2V_{CC}$$

(10-39) 소비전력:

$$P_D = \frac{MPP^2}{40r_c}$$

복습 문제 | Self-Test

1. B급 동작의 경우, 컬렉터전류는 다음 중 어느 동안 흐르는가?
 a. 전 주기
 b. 1/2 주기
 c. 1/2 주기 미만
 d. 1/4 주기 미만

2. 변압기 결합은 다음 중 어떤 결합의 예인가?
 a. 직접 결합
 b. 교류 결합
 c. 직류 결합
 d. 임피던스 결합

3. 오디오 증폭기의 동작주파수 범위는?
 a. 0~20 Hz
 b. 20 Hz~2 kHz
 c. 20 Hz~20 kHz
 d. 20 kHz 이상

4. RF 동조 증폭기는?

   a. 협대역이다.

   b. 광대역이다.

   c. 직접 결합된다.

   d. 직류 증폭기이다.

5. 프리앰프의 첫째단은?

   a. RF 동조증폭단이다.

   b. 대신호이다.

   c. 소신호이다.

   d. 직류 증폭기이다.

6. 최대 피크-피크 출력전압을 얻기 위한 Q점의 위치는 어디인가?

   a. 포화점 근처

   b. 차단점 근처

   c. 직류 부하선의 중앙

   d. 교류 부하선의 중앙

7. 증폭기가 두 가지 부하선을 갖는 이유는 무엇인가?

   a. 교류 및 직류 컬렉터저항을 갖기 때문이다.

   b. 두 가지 등가회로를 갖기 때문이다.

   c. 직류는 한 가지 상태로, 교류는 또 다른 상태로 동작하기 때문이다.

   d. 위의 보기가 모두 답이다.

8. Q점이 교류 부하선의 중앙에 있을 때, 최대 피크-피크 출력전압은?

   a. V_{CEQ} b. $2V_{CEQ}$

   c. I_{CQ} d. $2I_{CQ}$

9. 푸시-풀 증폭기는 보통 어떤 증폭 방식으로 사용하는가?

   a. A급

   b. B급

   c. C급

   d. 앞의 보기 모두 답이다.

10. B급 푸시-풀 증폭기의 한 가지 장점은?

   a. 정지 전류흐름이 없다.

   b. 최대 효율이 78.5%이다.

   c. A급보다 효율이 더 높다.

   d. 앞의 보기 모두 답이다.

11. C급 증폭기는 항상 거의?

   a. 증폭단 사이에 변압기 결합된다.

   b. 가청주파수에서 동작한다.

   c. RF 동조 증폭기이다.

   d. 광대역이다.

12. C급 증폭기의 입력신호는?

   a. 베이스에서 부(−)로 클램프된다.

   b. 반전 증폭된다.

   c. 짧은 펄스의 컬렉터전류를 발생시킨다.

   d. 앞의 보기가 모두 답이다.

13. C급 증폭기의 컬렉터전류는?

   a. 입력전압의 증폭된 변형이다.

   b. 고조파를 갖고 있다.

   c. 부(−)로 클램프된다.

   d. 반주기동안 흐른다.

14. C급 증폭기의 대역폭이 감소할 때는?

   a. 공진주파수가 증가할 때

   b. Q가 증가할 때

   c. X_L이 감소할 때

   d. 부하저항이 감소할 때

15. C급 증폭기의 트랜지스터 소비전력이 감소할 때는 언제인가?

   a. 공진주파수가 증가할 때

   b. 코일 Q가 증가할 때

   c. 부하저항이 감소할 때

   d. 커패시턴스가 증가할 때

16. 트랜지스터의 정격전력은 다음 어느 것에 의해 증가될 수 있는가?

   a. 온도 상승에 의해

   b. 방열판을 사용함으로써

   c. 경감곡선을 사용함으로써

   d. 0 입력신호로 동작시킴에 의해

17. 컬렉터저항이 다음 어느 것과 같을 때, 교류 부하선과 직류 부하선이 같아지는가?

   a. 직류 이미터저항

   b. 교류 이미터저항

   c. 직류 컬렉터저항

   d. 전원전압을 컬렉터전류로 나눈 값

18. $R_C = 100\ \Omega$이고 $R_L = 180\ \Omega$인 경우, 교류 부하저항은?

   a. $64\ \Omega$ b. $100\ \Omega$

   c. $90\ \Omega$ d. $180\ \Omega$

19. 정지 컬렉터전류와 같은 것은?

   a. 직류 컬렉터전류

   b. 교류 컬렉터전류

   c. 전체 컬렉터전류

   d. 전압분배기 전류

20. 일반적으로 교류 부하선은?

   a. 직류 부하선과 같다.

   b. 직류 부하선보다 기울기가 작다.

   c. 직류 부하선보다 기울기가 가파르다.

   d. 수평이다.

21. Q점이 CE 직류 부하선의 포화점보다 차단점에 위치할 때, 클리핑이 발생하는 곳은?

   a. 입력전압의 (+)피크

   b. 출력전압의 (−)피크

   c. 출력전압의 (−)피크

   d. 이미터전압의 (−)피크

22. A급 증폭기에서 흐르는 컬렉터 전류는?

   a. 반주기 미만   b. 반주기

   c. 한주기 미만   d. 한주기

23. A급 증폭기에서 출력신호는?

   a. 클리핑이 발생하지 않아야 한다.

   b. (+) 피크전압이 클리핑되어야 한다.

   c. (−) 피크전압이 클리핑되어야 한다.

   d. (−) 피크전류가 클리핑되어야 한다.

24. 순간 동작점은 다음 어느 것을 따라 스윙하는가?

   a. 교류 부하선

   b. 직류 부하선

   c. 두 부하선 모두

   d. 어느 부하선도 아님

25. 증폭기의 전류 흐름은?

   a. 신호발생기로부터의 전체 교류전류이다.

   b. 전원장치로부터의 전체 직류전류이다.

c. 베이스에서 컬렉터까지의 전류이득
이다.

d. 컬렉터에서 베이스까지의 전류이득
이다.

26. 증폭기의 전력이득은?

a. 전압이득과 같다.

b. 전압이득보다 적다.

c. 출력전력을 입력전력으로 나눈 것과
같다.

d. 부하전력과 같다.

27. 방열판이 감소시키는 것은 무엇인가?

a. 트랜지스터 전력

b. 주위온도

c. 접합부 온도

d. 컬렉터전류

28. 주위온도가 증가할 때, 트랜지스터 최대 정격전력은?

a. 감소한다.   b. 증가한다.

c. 변함 없다.   d. 답이 없다.

29. 부하전력이 300 mW이고 직류전력 이 1.5 W인 경우, 효율은?

a. 0   b. 2%

c. 3%   d. 20%

30. 이미터 팔로워의 교류 부하선은 항상

a. 직류 부하선과 같다.

b. 수직이다.

c. 직류 부하선보다 좀 더 수평이다.

d. 직류 부하선보다 더 가파르다.

31. 이미터 팔로워의 V_{CEQ} = 6 V, I_{CQ} = 200 mA, r_e = 10 V인 경우, 클 리핑이 없는 최대 피크-피크 출력전 압은?

a. 2 V   b. 4 V

c. 6 V   d. 8 V

32. 보상 다이오드의 교류저항은?

a. 포함되어야 한다.

b. 매우 크다.

c. 보통 무시할 정도로 충분히 작다.

d. 온도 변화를 보상한다.

33. Q점이 직류 부하선의 중앙에 위치 하는 경우, 클리핑이 처음 발생하는 곳은?

a. 왼쪽 전압 스윙

b. 위쪽으로 향하는 전류 스윙

c. 입력의 (+) 반주기

d. 입력의 (-) 반주기

34. B급 푸시풀 증폭기의 최대 효율은?

a. 25%   b. 50%

c. 78.5%   d. 100%

35. AB급 푸시풀 증폭기에 작은 정지전 류는 다음 중 무엇을 피하기 위해 필 요한가?

a. 교차 일그러짐

b. 보상 다이오드의 파괴

c. 과도한 전류 흐름

d. 드라이버단의 부하 효과

기본 문제 | Problems

10-2 두 가지 부하선

10-1 그림 10-38에서 직류 컬렉터저항과 직류 포화전류는 얼마 인가?

10-2 그림 10-38에서 교류 컬렉터저항과 교류 포화전류는 얼마 인가?

10-3 그림 10-38에서 최대 피크-피크 출력은 얼마인가?

10-4 그림 10-38에서 모든 저항을 2배로 할 때, 교류 컬렉터저 항은 얼마인가?

10-5 그림 10-38에서 모든 저항을 3배로 할 때, 최대 피크-피크 출력은 얼마인가?

그림 10-38

그림 10-39

10-6 그림 10-39에서 직류 컬렉터저항과 직류 포화전류는 얼마인가?

10-7 그림 10-39에서 교류 컬렉터저항과 교류 포화전류는 얼마인가?

10-8 그림 10-39에서 최대 피크-피크 출력은 얼마인가?

10-9 그림 10-39에서 모든 저항을 2배로 해주면, 교류 컬렉터저항은 얼마인가?

10-10 그림 10-39에서 모든 저항을 3배로 해주면, 최대 피크-피크 출력은 얼마인가?

10-3 A급 동작

10-11 증폭기의 입력전력이 4 mW이고 출력전력이 2 W일 때, 전력이득은 얼마인가?

10-12 1 kΩ의 부하저항 양단에서 증폭기의 피크-피크 출력전압이 15 V라면, 입력전력이 400 μW일 때 전력이득은 얼마인가?

10-13 그림 10-38의 전류 흐름은 얼마인가?

10-14 그림 10-38의 증폭기에 공급되는 직류전력은 얼마인가?

10-15 그림 10-38의 입력신호가 부하저항 양단에서 최대 피크-피크 출력전압이 될 때까지 증가된다면, 효율은 얼마인가?

10-16 그림 10-38의 정지 소비전력은 얼마인가?

10-17 그림 10-39의 전류 흐름은 얼마인가?

10-18 그림 10-39의 증폭기에 공급되는 직류전력은 얼마인가?

10-19 그림 10-39의 입력신호가 부하저항 양단에서 최대 피크-피크 출력전압이 될 때까지 증가된다면, 효율은 얼마인가?

10-20 그림 10-39의 정지 소비전력은 얼마인가?

그림 10-40

10-21 그림 10-40에서 V_{BE} = 0.7 V인 경우, 직류 이미터전류는 얼마인가?

10-22 그림 10-40의 스피커는 3.2 Ω의 부하저항과 같다. 스피커 양단전압이 5 $V_{P\text{-}P}$라면, 출력전력과 증폭기의 효율은 얼마인가?

그림 10-41

그림 10-42

그림 10-43

10-6 B/AB급 증폭기의 바이어스

10-23 B급 푸시풀 이미터 팔로워의 교류 부하선의 차단전압이 12 V이다. 최대 피크-피크 전압은 얼마인가?

10-24 그림 10-41에서 각 트랜지스터의 최대 소비전력은 얼마인가?

10-25 그림 10-41에서 최대 출력전력은 얼마인가?

10-26 그림 10-42에서 정지 컬렉터전류는 얼마인가?

10-27 그림 10-42에서 증폭기의 최대 효율은 얼마인가?

10-28 그림 10-42에서 바이어스 저항들을 1 kΩ으로 바꾸어주면, 정지 컬렉터전류와 증폭기의 효율은 얼마인가?

10-7 B/AB급 드라이버

10-29 그림 10-43에서 최대 출력전력은 얼마인가?

10-30 그림 10-43에서 β = 200인 경우, 프리앰프단의 전압이 득은 얼마인가?

10-31 그림 10-43에서 Q_3와 Q_4의 전류이득이 200인 경우, 드라이버 증폭단의 전압이득은 얼마인가?

10-32 그림 10-43에서 출력전력 증폭단에서의 정지 컬렉터전류는 얼마인가?

10-33 그림 10-43에서 3단 증폭기에 대한 전체 전압이득은 얼마인가?

10-8 C급 동작

10-34 ‖‖ **Multisim** 그림 10-44에서 입력전압이 5 V_{rms}라면, 피크-피크 입력전압은 얼마인가? 만일 베이스와 접지 사이에 직류전압이 측정된다면, DMM의 지시값은 얼마인가?

10-35 ‖‖ **Multisim** 그림 10-44에서 공진주파수는 얼마인가?

10-36 ‖‖ **Multisim** 그림 10-44에서 인덕턴스가 2배로 되면, 공진주파수는 얼마인가?

그림 10-44

10-37 ‖‖ **Multisim** 그림 10-44에서 C_3 커패시턴스를 100 pF로 변화시키면, 공진주파수는 얼마인가?

10-9 C급 공식

10-38 그림 10-44와 같은 C급 증폭기의 출력전력이 11 mW이고 입력전력이 50 μW이면, 전력이득은 얼마인가?

10-39 그림 10-44에서 출력전압이 50 V_{p-p}인 경우, 출력전력은 얼마인가?

10-40 그림 10-44에서 최대 교류 출력전력은 얼마인가?

10-41 그림 10-44에서 전류 흐름이 0.5 mA인 경우, 직류 입력전력은 얼마인가?

10-42 그림 10-44에서 전류 흐름이 0.4 mA이고 출력전압이 30 V_{p-p}인 경우, 효율은 얼마인가?

10-43 그림 10-44에서 인덕터의 Q가 125인 경우, 증폭기의 대역폭은 얼마인가?

10-44 그림 10-44(Q = 125)에서 최악의 경우의 트랜지스터 소비전력은 얼마인가?

10-10 트랜지스터 정격전력

10-45 그림 10-44에 2N3904를 사용한다. 만일 회로가 0∼100°C의 주위온도 범위에서 동작해야 한다면, 최악의 경우 트랜지스터의 최대 정격전력은 얼마인가?

10-46 트랜지스터가 그림 10-34와 같은 경감곡선을 갖는다. 주위 온도 100°C에 대한 최대 정격전력은 얼마인가?

10-47 2N3055의 데이터시트에 케이스 온도 25°C에 대한 정격 전력이 115 W로 적혀있다. 경감계수가 0.657 W/°C인 경우, 케이스 온도가 90°C일 때는 $P_{D(max)}$는 얼마인가?

응용 문제 | Critical Thinking

10-48 정현파 입력에 대한 증폭기의 출력이 구형파이다. 이를 어떻게 설명하겠는가?

10-49 그림 10-36에 있는 것과 같은 전력 트랜지스터가 증폭기로 이용된다. 누군가가 여러분에게 케이스가 접지되었으니까 안심하고 케이스를 만질 수 있다고 말해준다면, 이에 대해 어떻게 생각하는가?

10-50 여러분이 책방에 있고 전자공학 책에서 "어떤 전력 증폭기가 125%의 효율을 갖는다"라는 내용을 읽는다면, 이 책을 사겠는가? 대답의 이유를 설명하라.

10-51 보통 교류 부하선이 직류 부하선보다 좀 더 수직적이다. 학급친구가 회로의 교류 부하선이 직류 부하선보다 덜 수직적으로 그릴 수 있다고 내기를 하자고 하면, 내기를 할 것인가? 설명하라.

10-52 그림 10-38에 대한 직류 부하선과 교류 부하선을 그려라.

Multisim 고장점검 문제 | Multisim Troubleshooting Problems

멀티심 고장 점검 파일들은 *Connect for Electronic Principles* 저자 자료에 멀티심 고장 점검 회로(MTC)라는 폴더에서 찾을 수 있다. 좀 더 자세한 내용은 xiv페이지를 참조하라. 이 장에 관련된 파일은 MTC10-53∼MTC10-57로 명칭되어 있고 모두 그림 10-43의 회로를 바탕으로 한다.

각 파일을 열고 고장 점검을 실시한다. 결함이 있는지 결정하기 위해 측정을 실시하고, 결함이 있다면 무엇인지를 찾아라.

10-53 MTC10-53 파일을 열고 고장 점검을 실시하라.

10-54 MTC10-54 파일을 열고 고장 점검을 실시하라.

10-55 MTC10-55 파일을 열고 고장 점검을 실시하라.

10-56 MTC10-56 파일을 열고 고장 점검을 실시하라.

10-57 MTC10-57 파일을 열고 고장 점검을 실시하라.

디지털/아날로그 실습 시스템 | Digital/Analog Trainer System

문제 10-58∼10-62에서는 *Connect for Electronic Principles* 저자 자료에서 찾을 수 있는 디지털/아날로그 트레이너 시스템의 도식 다이아그램을 소개한다. 모델 XK-700 트레이너에 대한 완벽한 지침 매뉴얼은 www.elenco.com 웹사이트에서 찾을 수 있다.

10-58 트랜지스터 Q_1과 Q_2를 이용하여 형성한 회로의 형태는 무엇인가?

10-59 R_{46}과 R_{47}의 접합 지점에서 측정되는 MPP 출력 값은?

10-60 D_{16}과 D_{17} 다이오드의 사용 목적은?

10-61 D_{16}과 D_{17} 다이오드의 전압 강하를 위해 0.7 V를 사용하였다. Q_1과 Q_2에 대한 근사 정지 컬렉터 전류 값은?

10-62 파워앰프에 교류 입력신호가 없다면, R_{46}과 R_{47}의 접합 지점에 나타나는 정상 직류전압 레벨은?

직무 면접 문제 | Job Interview Questions

1. 증폭기의 세 가지 증폭 방식에 대하여 말해보라. 또 컬렉터 전류 파형을 그려서 증폭 방식을 설명하라.

2. 증폭단 사이에 이용되는 세 가지 결합 방식을 간단한 도식도(schematic)로 그려라.

3. VDB 증폭기를 그리고, 그 다음 직류 부하선과 교류 부하선을 그려라. Q점이 교류 부하선의 중앙에 있다고 가정하면, 교류 포화전류와 교류 차단전압 및 최대 피크-피크 전압은 얼마인가?

4. 2단 증폭기 회로를 그리고, 전원장치에 의한 전체 전류 흐름을 구하는 방법에 대하여 설명하라.

5. C급 동조 증폭기를 그리고, 공진주파수를 계산하는 방법과 베이스에서 교류신호에 무슨 일이 일어나는지를 말해보라. 또 짧은 펄스의 컬렉터전류가 공진 탱크회로에서 어떻게 정현파 전압의 발생이 가능한지를 설명하라.

6. C급 증폭기의 가장 일반적인 응용은 무엇인가? 이 형태의 증폭기가 오디오 응용에 이용될 수 있는가? 이용될 수 없으면, 그 이유는 무엇인가?

7. 방열판의 사용 목적을 설명하라. 또한 트랜지스터와 방열판 사이에 절연 워셔를 끼워 놓는 이유는 무엇인가?

8. 듀티 사이클은 무엇을 의미하며, 신호원에 의해 공급되는 전력과 어떤 관계가 있는가?

9. Q를 정의하라.

10. 어느 증폭기의 증폭 방식이 효율이 가장 높은가? 그 이유를 설명하라.

11. 트랜지스터와 방열판을 교체하는데 방열판 박스 안에 흰색 물질이 들어있는 패키지가 있다. 이것이 무엇인가?

12. A급 증폭기와 C급 증폭기를 비교하고, 이들 중 어느 것의 충실도(fidelity)가 더 탁월한가? 그 이유는 무엇인가?

13. 단지 좁은 주파수 범위만 증폭하고자 할 때, 어떤 형태의 증폭기를 이용하는가?

14. 여러분이 많이 다루어본 다른 형태의 증폭기에는 어떤 것이 있는가?

복습 문제 해답 | Self-Test Answers

1.	b	**13.**	b	**25.**	b
2.	b	**14.**	b	**26.**	c
3.	c	**15.**	b	**27.**	c
4.	a	**16.**	b	**28.**	a
5.	c	**17.**	c	**29.**	d
6.	d	**18.**	a	**30.**	d
7.	d	**19.**	a	**31.**	b
8.	b	**20.**	c	**32.**	c
9.	b	**21.**	b	**33.**	d
10.	d	**22.**	d	**34.**	c
11.	c	**23.**	a	**35.**	a
12.	d	**24.**	a		

연습 문제 해답 | Practice Problem Answers

10-1 $I_{CQ} = 100$ mA; $V_{CEQ} = 15$ V

10-2 $i_{c(sat)} = 350$ mA; $V_{CE(cutoff)} = 21$ V; MPP = 12 V

10-3 $Ap = 1122$

10-5 $R = 200\ \Omega$

10-6 $I_{CQ} = 331$ mA; $V_{CEQ} = 6.7$ V; $r_e = 8\ \Omega$

10-7 MPP = 5.3 V

10-8 $P_{D(max)} = 2.8$ W; $P_{out(max)} = 14$ W

10-9 효율 = 63%

10-10 효율 = 78%

10-11 $f_r = 4.76$ MHz; $v_{out} = 24$ V$_{p-p}$

10-13 $P_D = 16.6$ mW

10-14 $P_{D(max)} = 425$ mW

Chapter 11

접합 전계효과 트랜지스터

JFETs

바이폴라 트랜지스터(bipolar junction transistor: BJT)는 전자와 정공이란 두 가지 형의 전하에 의존하므로 **바이폴라**(*bipolar*: 쌍극성)라 부르는데 접두사 *bi*는 two를 의미한다. 이 장은 **전계효과 트랜지스터**(field-effect transistor: FET)라 불리는 **유니폴라**(*unipolar*: 단극성) 트랜지스터를 검토한다. 유니폴라 트랜지스터는 전자 또는 정공이란 한 가지 형의 전하에 의해 동작된다. 즉 전계효과 트랜지스터는 다수캐리어로 동작하는 소자이다.

대부분의 선형응용 분야에서 바이폴라 트랜지스터가 많이 애용되지만, 경우에 따라 높은 입력임피던스와 몇 가지 특성 때문에 FET가 더욱 잘 쓰이는 분야도 있다. 더구나 FET는 스위칭 분야에서 더 선호되어 쓰이고 있다. 그 이유는 FET에는 소수캐리어가 없기 때문이다. 그 결과 접합 부근에 축적된 전하가 없으므로 스위칭을 빨리 할 수 있다.

유니폴라 트랜지스터에는 JFET와 MOSFET이라는 두 종류가 있다. 이 장은 *JFET*와 응용 분야에 대해 검토하고 다음 장에서 **금속산화물 반도체 트랜지스터**(*MOSFET*)와 그 응용 분야에 대해 다룬다.

주요용어 | Vocabulary

게이트 바이어스(gate bias)

게이트(gate)

게이트소스 차단전압
  (gate-source cutoff voltage)

공통소스 증폭기
  (common-source amplifier)

드레인(drain)

병렬스위치(shunt switch)

소스(source)

소스폴로어(source follower)

자기 바이어스(self-bias)

자동이득 조절
  (automatic gain control:
  AGC)

저항영역(ohmic region)

전계효과 트랜지스터
  (field-effect transistor: FET)

전계효과(field effect)

전달컨덕턴스 곡선
  (transconductance curve)

전달컨덕턴스(transconductance)

전류원 바이어스
  (current-source bias)

전압분배 바이어스
  (voltage-divider bias)

전압제어장치
  (voltage-controlled device)

직렬스위치(series switch)

채널(channel)

초퍼(chopper)

핀치오프전압(pinchoff voltage)

11-1 기본 개념

먼저 JFET에 대해 고찰해보자. 그림 11-1a는 n형의 반도체 막대로서 이 막대의 상하단에 전극을 접촉시켜 아래쪽을 **소스**(source), 위쪽을 **드레인**(drain)이라 부른다. 이 두 전극 사이에 공급전압 V_{DD}를 인가하면 소스에서 드레인으로 다수캐리어인 자유전자의 흐름이 발생한다. JFET를 제작하기 위해 그림 11-1b와 같이 n형 반도체 내에 두 개의 p형 반도체 영역을 확산시킨다. 이 p형 영역은 내부적으로 **게이트**(gate) 단자에 연결되어 있다.

전계효과

그림 11-2는 JFET에 대한 통상적인 바이어스를 나타낸다. 드레인전압은 양이며 게이트전압은 음이다. **전계효과**란 단어는 각 p영역 부근의 공핍층과 관련이 있다. 이 공핍층은 n형에서 p형으로 자유전자가 확산되어 일어나는 효과이다. 색칠한 부분은 자유전자와 정공이 재결합되어 공핍층이 형성된다.

게이트의 역바이어스

그림 11-2에서 p형 게이트와 n형 게이트는 게이트-소스 다이오드를 만든다. JFET에서 게이트-소스 다이오드는 항상 **역바이스**이다. 역바이스이기 때문에 게이트 전류 I_G는 거의 0이다. 이것은 JFET가 거의 무한대의 입력저항을 가진다는 의미이다.

전형적인 JFET는 입력 저항으로 수백 MΩ을 가진다. 이런 특성은 JFET가 바이폴라 트랜지스터를 넘는 큰 장점이다. 이런 이유로 JFET는 높은 입력 임피던스가 요구되는 응용에서 뛰어나다. JFET의 가장 중요한 응용 중에 하나는 소스폴로어인데 이 회로는 저주파수에서 입력 임피던스가 수백 MΩ인 것을 제외하고 이미터폴로어와 비슷한 회로이다.

게이트전압이 드레인전류를 조절한다

그림 11-2에서 소스에서 드레인으로 흐르는 전자는 공핍층 사이의 좁은 **채널**을 통과해야 한다. 게이트전압이 더욱 음으로 되면 공핍층은 확장되고 채널은 더욱 좁아진다. 즉 게이트전압이 음이 되면 될수록 드레인소스 전류는 더욱 작아진다.

그림 11-1 (a) JFET의 부분; (b) 하나의 게이트를 갖는 JFET

그림 11-2 통상적인 JFET 바이어스

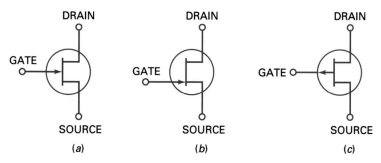

그림 11-3 (a) 도식적 기호; (b) 오프셋–게이트 기호; (c) P 채널기호

이와 같이 입력전압이 출력전류를 조절하므로 JFET는 **전압제어 소자**라 한다. JFET에서 게이트소스 전압 V_{GS}는 드레인에서 소스로 흐르는 전류를 조절한다. V_{GS}가 0일 때 최대의 드레인전류가 흐르며 V_{GS}가 충분히 음이면 공핍층은 서로 접촉하므로 드레인전류는 차단된다.

도식적 기호

그림 11-2는 드레인과 소스 사이의 채널이 n형 반도체이므로 n채널 JFET이라 부른다. 그림 11-3a는 n채널 JFET를 나타내는 도식적 기호이다. 저주파 응용 시에는 소스와 드레인을 서로 바꾸어 사용해도 관계없다.

그러나 고주파에서는 소스와 드레인단자를 서로 바꿔 사용할 수 없다. 거의 항상 제조자는 JFET에서 드레인쪽의 내부 커패시턴스를 최소화한다. 즉 게이트와 드레인 사이의 커패시턴스는 게이트와 소스 사이의 커패시턴스보다 작다. 뒷장에서 회로에 영향을 미치는 내부 커패시턴스효과를 배울 것이다.

그림 11-3b는 n채널 JFET를 나타내는 또 하나의 도식적 기호이다. 오프셋게이트를 가지는 기호는 공학자와 전문기술자에게 각광받고 있으며 이 오프셋게이트는 그림과 같이 화살표를 JFET 소자의 소스 끝 부분에 표시하며 특히 복잡한 다단회로 설계에 확실한 장점이 있다.

또한 p채널 JFET가 있으며 그림 11-3c와 같이 게이트의 화살표를 반대로 하면 된다. 이는 n채널과 상보이다. 즉 전압 및 전류가 n채널과 반대이다. 채널 JFET을 반대로 하기 위해 게이트는 소스에 대하여 양극으로 만들어진다. 그러므로 V_{GS}는 양극이 된다.

> **참고 사항**
>
> 공핍층은 실제로 p-형 재료의 상층부 근처에선 넓고 하층부에선 좁다. 이러한 폭의 차이는 드레인 전류가 채널의 길이에 따라 전압 강하를 야기한다는 것을 알면 이해가 될 것이다. 소스에 관해서는 드레인 말단을 향하여 채널을 움직이면 양 전압이 생긴다. 공핍층의 폭이 역바이어스 전압의 크기에 비례하기 때문에 pn접합부의 공핍층은 역바이어스 전압이 훨씬 큰 상층부보다 넓어야 한다.

예제 11-1

2N5486는 역방향 게이트전압이 20 V일 때 1 nA의 게이트전류가 흐른다. 이 JFET의 입력저항을 구하여라.

풀이 Ohm의 법칙을 사용하면 다음과 같다.

$$R_{in} = \frac{20 \text{ V}}{1 \text{ nA}} = 20,000 \text{ M}\Omega$$

연습문제 11-1 예제 11-1에서 JFET의 게이트 전류가 2 nA일 때의 입력저항을 구하여라.

11-2 드레인 곡선

그림 11-4a는 정상적인 바이어스를 가진 JFET를 나타낸다. 이 회로에서 게이트소스 전압 V_{GS}는 게이트 공급전압 V_{GG}와 같으며 드레인소스 전압 V_{DS}는 드레인 공급전압 V_{DD}와 같다.

최대 드레인전류

그림 11-4b와 같이 게이트를 소스에 단락시키면 $V_{GS} = 0$이므로 최대 드레인전류가 흐른다. 그림 11-4c는 게이트가 단락된 상태에서 드레인전류 I_D 대 드레인소스 전압 V_{DS}의 관계를 그래프로 나타낸 것이다. 드레인전류가 급격히 증가하고 V_{DS}가 V_P보다 크면 거의 수평을 이룬다.

왜 드레인전류는 거의 일정한가? 먼저 V_{DS}가 증가하면 공핍층이 넓어진다. $V_{DS} = V_P$일 때 공핍층은 거의 맞닿는다. 이로 인해 좁은 채널은 더 이상의 전류증가를 막아 최대전류 I_{DSS}를 가진다.

JFET의 활성영역은 V_P와 $V_{DS(max)}$ 사이이다. 최소전압 V_P를 **핀치오프전압**(pinch-off voltage)이라 부르고 최대전압 $V_{DS(max)}$를 **항복전압**이라 한다. 핀치오프와 항복 사이에서 JFET는 $V_{GS} = 0$일 때 거의 I_{DSS}값을 가지는 전류원과 같다.

I_{DSS}는 게이트가 단락된 상태에서 드레인으로부터 소스로 흐르는 전류이다. 이는 JFET가 가질 수 있는 최대 드레인전류이다. JFET 자료표는 이 값을 표시하고 있으며 몇몇 중요한 값 중의 하나이다. 여러분은 JFET에 흐르는 최대 전류값을 항상 자료표에서 찾아보아야 한다.

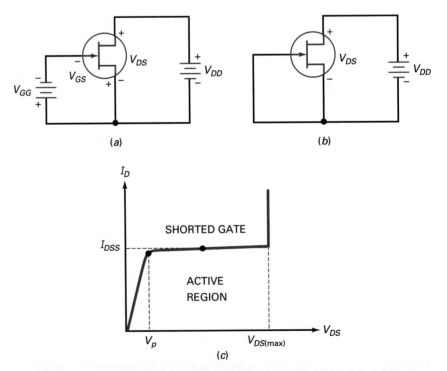

그림 11-4 (a) 정상적 바이어스; (b) 0 게이트전압; (c) 단락된 게이트에서 드레인전류

그림 11-5   드레인 곡선

옴영역

그림 11-5에서 핀치오프전압(V_P)은 두 개의 중요한 동작영역을 구분시킨다. 그림에서 거의 수평인 영역을 활성영역이라 하고 핀치오프전압보다 작은 부분에 해당하는 거의 수직인 영역을 **옴영역**이라 한다.

옴영역에서 동작될 때 JFET는 저항과 같다.

$$R_{DS} = \frac{V_P}{I_{DSS}} \tag{11-1}$$

여기서 R_{DS}를 JFET의 옴저항이라 한다. 그림 11-5에서 $V_P = 4$ V, $I_{DSS} = 10$ mA이면 옴저항은 다음과 같다.

$$R_{DS} = \frac{4\ V}{10\ mA} = 400\ \Omega$$

JFET가 옴영역 어느 곳에서든지 동작하면 400 V의 저항을 가진다.

게이트 차단전압

그림 11-5는 10 mA의 I_{DSS}를 가지는 드레인 곡선을 나타낸다. 맨 위의 곡선은 $V_{GS} = 0$일 경우로 핀치오프전압은 4 V이고 항복전압은 30 V이다. 그 아래 곡선은 $V_{GS} = -1$ V이고 그 다음은 $V_{GS} = -2$ V이다. 보다시피 게이트소스 전압이 음이 되면 될수록 드레인전류는 작아진다.

맨 마지막 곡선이 중요한데 $V_{GS} = -4$ V이면 드레인전류는 거의 0이다. 이 전압을 **게이트소스 차단전압**이라 부르며 자료표 $V_{GS(off)}$에로 나타낸다. 이 전압에서 공핍층은 서로 닿아 채널이 사라지며 드레인전류는 거의 0이 된다.

그림 11-5에서 $V_{GS(off)} = -4$ V이고 $V_P = 4$ V이다. 이는 우연이 아니다. 두 전압은 항상 공핍층이 만나느냐 안 만나느냐를 나타내므로 같은 크기를 가진다. 자료표에는 두 개의 값 중에서 어느 하나만을 나타내며 다른 한 값은 다음 식으로부터 얻기 바란다.

$$V_{GS(off)} = -V_P \tag{11-2}$$

예제 11-2

MPF4857는 $V_P = 6$ V이고 $I_{DSS} = 100$ mA이다. 옴저항과 게이트소스 차단전압을 구하여라.

풀이 옴저항은

$$R_{DS} = \frac{6\text{ V}}{100\text{ mA}} = 60\ \Omega\text{이며}$$

핀치오프전압이 6 V이므로 게이트소스 차단전압은 $V_{GS(\text{off})} = -6$ V이다.

$$V_{GS(\text{off})} = -6\text{ V}$$

연습 문제 11-2 2N5484는 $V_{GS(\text{off})} = -3.0$ V이고 $I_{DSS} = 5$ mA이다. 옴저항과 핀치오프전압을 구하여라.

11-3 전달컨덕턴스 곡선

JFET의 **전달컨덕턴스 곡선**은 드레인전류와 게이트소스 전압과의 관계를 나타내는 I_D-V_{GS} 그래프이다. 그림 11-5에서 각 곡선의 I_D와 V_{GS}값을 읽으면 그림 11-6a와 같은 곡선을 그릴 수 있다. V_{GS}가 0에 가까워짐에 따라 전류가 더욱 빨리 증가하므로 이 곡선은 이 비선형 특성을 가진다는 사실을 명심하기 바란다.

JFET는 그림 11-6b와 같은 전달컨덕턴스 곡선을 가진다. 이 곡선의 끝점은 $V_{GS(\text{off})}$와 I_{DSS}이다. 이 그래프의 방정식은 다음과 같다.

$$I_D = I_{DSS}\left(1 - \frac{V_{GS}}{V_{GS(\text{off})}}\right)^2 \tag{11-3}$$

이 방정식에서 제곱항으로 인하여 JFET를 종종 **제곱법칙 소자**로 부른다. 제곱항이 있으므로 그림 11-6b와 같이 비선형이다.

그림 11-6c는 JFET 특성을 **정규화**한 전달컨덕턴스 곡선이다. 여기서 정규화의 의미는 I_D/I_{DSS}와 $V_{GS}/V_{GS(\text{off})}$같이 이 비율을 그래프화한 것이다.
그림 13-6c의 그래프를 해석하면

$$\frac{V_{GS}}{V_{GS(\text{off})}} = \frac{1}{2}$$

일 때 정규화된 전류는

$$\frac{I_D}{I_{DSS}} = \frac{1}{4}$$

을 나타낸다. 즉 게이트전압이 차단전압의 반이 될 때 드레인전류는 최대 전류값의 1/4이 됨을 의미한다.

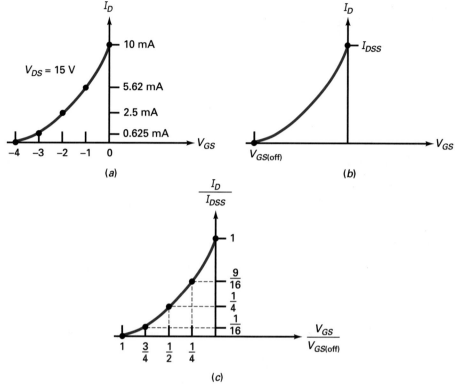

그림 11-6 전달컨덕턴스 곡선

예제 11-3

2N5668은 $V_{GS(\text{off})}$ = 24 V와 I_{DSS} = 5 mA이다. 차단점의 절반이 되는 지점에서 게이트전압과 드레인전류를 구하여라.

풀이 차단점의 절반 지점에서

$$V_{GS} = \frac{-4\text{ V}}{2} = -2\text{ V}$$

이며 드레인전류는 다음과 같다.

$$I_D = \frac{5\text{ mA}}{4} = 1.25\text{ mA}$$

예제 11-4

2N5459는 $V_{GS(\text{off})}$ = -8 V와 I_{DSS} = 16 mA이다. 차단점의 절반이 되는 지점에서 드레인전류를 구하여라.

풀이 드레인전류는 최대값의 1/4이므로 I_D = 4 mA이고
이 전류에서 게이트소스 전압은 차단전압의 반(1/2)인 −4 V이다.

연습 문제 11-4 $V_{GS(\text{off})}$ = −6 V이고 I_{DSS} = 12 mA인 JFET가 있다. 차단점의 절반이 되는 지점에서 드레인전류를 구하여라.

11-4 옴영역의 바이어스

JFET는 옴영역 혹은 활성영역에서 바이어스된다. 옴영역에서는 저항과 같으며 활성영역에서는 전류원과 같다. 여기서는 게이트 바이어스에 대해 검토하며 이 방법은 옴영역에서 JFET를 바이어스하는 데 사용되는 방식이다.

게이트 바이어스

그림 11-7a는 **게이트 바이어스**(Gate Bias)를 나타내며 게이트전압 $V_G = -V_{GG}$가 바이어스저항 R_G를 통하여 게이트에 가해진다. 이렇게 하면 드레인전류가 I_{DSS}보다 작은 값을 갖게 된다. 드레인전류가 R_D에 흐를 때 드레인전압은 다음과 같다.

$$V_D = V_{DD} - I_D R_D \tag{11-4}$$

게이트 바이어스는 동작점(Q점)이 불안정하므로 활성영역에서 동작시키는 가장 나쁜 방법이다.

　예를 들어, 2N5459는 I_{DSS}가 4 mA에서 16 mA까지 변하고 $V_{GS(off)}$가 −2 V에서 −8 V까지 변한다. 그림 11-7b는 전달컨덕턴스의 최대값과 최소값을 나타내며 게이트 바이어스가 −1 V이면 그림과 같은 최대 및 최소 동작점을 가진다. 이때 Q_1은 12.3 mA Q_2는 단지 1 mA의 드레인전류를 가진다.

과포화

활성영역 바이어스법으로서 게이트 바이어스는 적당하지 않지만 옴영역 바이어스법으로는 완벽하다. 그 이유는 동작점의 안정성이 문제가 되지 않기 때문이다. 그림 11-7c는 옴영역에서 JFET를 바이어스하는 방법을 나타낸다. 직류부하선의 위쪽 끝 부분의 드레인 포화전류는 드레인과 소스를 단락시켜 계산하면 다음과 같다.

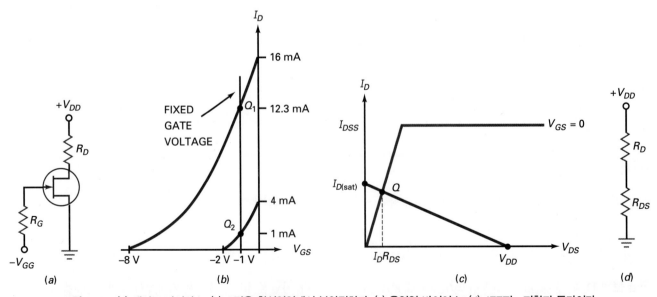

그림 11-7　(a) 게이트 바이어스; (b) Q점은 활성영역에서 불안정하다; (c) 옴영역 바이어스; (d) JFET는 저항과 등가이다.

$$I_{D(\text{sat})} = \frac{V_{DD}}{R_D}$$

옴영역에서 동작한다는 것을 확실히 하기 위해 필요한 조건은 다음과 같다. $V_{GS} = 0$,

$$I_{D(\text{sat})} \ll I_{DSS} \tag{11-5}$$

이 방정식은 드레인 포화전류가 최대 드레인전류보다 아주 작아야 한다는 것을 나타낸다. 예를 들어, $I_{DSS} = 10$ mA이면 과포화는 $V_{GS} = 0$, $I_{D(\text{sat})} = 1$ mA라도 일어난다.

　　JFET가 옴영역에서 바이어스되면 그림 11-7d와 같이 JFET를 저항 R_{DS}로 바꿀 수 있다. 이 등가회로에서 전압분배법칙을 사용하여 드레인전압을 계산하면 R_{DS}가 R_D보다 아주 작으므로 드레인전압은 0에 가깝다.

예제 11-5

그림 11-8a에서 드레인전압을 구하여라.

그림 11-8 예제

풀이 $V_P = 4$ V이므로 $V_{GS(off)} = -4$ V이다. A점 이전에는 입력전압이 -10 V이므로 JFET는 차단상태에 있다. 이 경우 드레인전압은

$$V_D = 10 \text{ V}$$

A점과 B점 사이에서는 입력전압이 0 V이므로 직류부하선에서 위쪽 끝의 포화전류는

$$I_{D(\text{sat})} = \frac{10 \text{ V}}{10 \text{ k}\Omega} = 1 \text{ mA}$$

이다. 그림 11-8b는 직류부하선을 나타내며 $I_{D(\text{sat})}$이 I_{DSS}보다 아주 작으므로 과포화되어 있다.

따라서 옴저항은

$$R_{DS} = \frac{4 \text{ V}}{10 \text{ mA}} = 400 \text{ }\Omega$$

그림 11-8c의 등가회로에서 드레인전압은

$$V_D = \frac{400 \text{ }\Omega}{10 \text{ k}\Omega + 400 \text{ }\Omega} 10 \text{ V} = 0.385 \text{ V}$$

이다.

연습 문제 11-5   그림11-8a를 이용하여 $V_p = 3$ V일 때 R_{DS}와 V_D를 구하여라.

11-5 활성영역의 바이어스

JFET 증폭기는 활성영역에 동작점(Q점)을 가질 필요가 있다. JFET에서 자료값의 변화 범위가 커서 게이트 바이어스는 사용할 수 없게 된다. 대신에 바이폴라 증폭기에서 사용된 방법과 유사한 방식을 사용할 필요가 있다.

분석 기술의 선택은 어느 정도 수준의 정확도를 필요로 하느냐에 달렸다. 예를 들어 바이어스된 회로의 수리나 사전분석을 할 때, 이상적인 수치 또는 근사치를 이용하는 것이 바람직하다. 이것은 우리가 종종 JFET 회로에서 게이트소스전압의 가치를 무시할 것이라는 것을 이야기한다. 보통 이상적인 결과는 10퍼센트 미만의 오차를 가질 것이다. closer 분석이 요구될 때는 회로의 Q점을 결정하기 위하여 도표를 이용할 수도 있다. JFET 회로를 설계하거나 좀 더 정확을 기한다면 MultiSim과 같은 회로시뮬레이션 프로그램을 이용하도록 한다.

자기 바이어스

그림 11-9a는 **자기 바이어스**(self-bias)를 나타내며 드레인전류가 소스저항을 통해 흐르므로 소스와 접지 사이에 전압이 존재한다.

$$V_S = I_D R_S \tag{11-6}$$

V_G는 0이므로

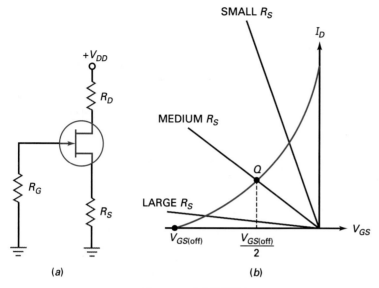

그림 11-9 자기 바이어스

$$V_{GS} = -I_D R_S \qquad (11\text{-}7)$$

이는 게이트소스 전압이 소스저항 양단전압을 음의 값으로 한 것과 같다. 기본적으로 이 회로는 양단전압을 사용하여 자체적으로 게이트를 역방향 바이어스하고 있다.

그림 11-9*b*는 서로 다른 소스저항에 대한 영향을 나타낸다. 게이트소스 전압이 차단전압의 반에 해당하는 값을 가지는 소스저항값이 있다. 근사적으로

$$R_S \approx R_{DS} \qquad (11\text{-}8)$$

이 방정식은 소스저항이 JFET의 옴저항과 같음을 의미하며 위 조건이 만족되면 V_{GS}는 차단전압의 반이며 드레인전류는 I_{DSS}의 1/4 정도 된다.

JEFT의 전달컨덕턴스 곡선을 알 때, 그래프법을 이용하여 자기 바이어스 회로를 분석할 수 있다. 자기 바이어스 JEFT가 그림 11-10과 같은 전달컨덕턴스 곡선을 가진다면, 드레인전류의 최대값은 4 mA이고, 게이트전압은 0과 −2 V 사이의 값을 가진다. 11-7의 식을 그래프로 나타내면, 이 식이 전달컨덕턴스 곡선과 어디서 교차하는지 찾을 수 있고, V_{GS}와 I_D의 값을 결정할 수 있다. 식 (11-7)이 1차 방정식이기 때문에 두 점을 잡고 그 점들을 통하는 직선을 그린다.

소스저항이 500 Ω이라고 가정하면 11-7의 식은

$$V_{GS} = -I_D \,(500\ \Omega)$$

임의의 두 점을 잡기 때문에 $I_D = -(0)(500\ \Omega) = 0$ 에 상응하는 두 개의 점을 잡는다. 그러므로 첫 번째 점의 좌표 (0, 0)는 이다. 두 번째 점을 찾기 위해 $I_D = I_{DSS}$에 대한 V_{GS}를 찾는다. 이 경우엔 $I_D = 4$ mA이고 $V_{GS} = -(4\ \text{mA})(500\ \Omega) = -2$ V이므로 두 번째 점의 좌표는 (4 mA, −2 V)이다.

식 (11-7)의 그래프 위에 두 점을 잡았다. 두 점은 (0, 0)과 (4 mA, −2 V)이다. 그림 11-10과 같이 이 두 점을 잡고 이 점들을 통하고 전달컨덕턴스 곡선과 교차하는 직선을 그릴 수 있다. 이 교차점은 자기 바이어스 JFET의 작동점이다. 그림 11-10에서 알 수

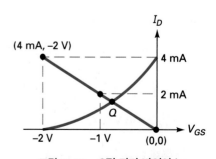

그림 11-10 *Q*점 자기 바이어스

있듯이, 드레인 전류는 2 mA보다 약간 작고, 게이트소스전압은 −1 V보다 약간 작다.

요약한다면, 전달컨덕턴스 곡선이 주어져 있을 때 자기 바이어스 JFET의 동작점 Q를 찾는 과정이다. 곡선이 유용하지 않다면, 식 (11-3)의 제곱방정식에 따라 $V_{GS(off)}$와 I_{DSS}의 정격값을 이용할 수 있다.

1. 두 번째 점에 대한 V_{GS}를 구하기 위해 R_S와 I_{DSS}를 곱한다.
2. 두 점을 잡는다(I_{DSS}, V_{GS}).
3. 원점과 두 번째 점을 통하는 선을 긋는다.
4. 교차점의 좌표를 읽는다.

자기 바이어스의 동작점 Q는 전압분배 바이어스, 2전원 소스 바이어스 또는 전류원 바이어스처럼 안정적이지는 않다. 이런 이유로 자기 바이어스는 단지 소신호 증폭기에 사용된다. 통신분야에서 작은 신호를 처리하는 수신부 앞단에 자기 바이어스된 JFET회로를 주로 사용한다.

예제 11-6

그림 11-11a에서 앞서 언급한 규칙을 사용하여 평균 소스저항을 구하여라. 이 소스저항을 가지는 드레인전압을 평가하여라.

그림 11-11 예제

풀이 앞에서 자기 바이어스는 소스저항이 JFET의 옴저항과 같게 하면 잘 동작한다고 배웠다.

$$R_{DS} = \frac{4\ V}{10\ mA} = 400\ \Omega$$

그림 11-11b는 소스저항을 400 Ω으로 하여 드레인전류는 10 mA의 1/4, 즉 2.5 mA이다. 또한 드레인전압은 대략 다음과 같다.

$$V_D = 30\ V - (2.5\ mA)(2\ k\Omega) = 25\ V$$

연습 문제 11-6 I_{DSS} = 8 mA을 가지는 JFET에서 소스저항과 드레인 전압을 구하여라.

응용 예제 11-7   IIII **Multisim**

그림 11-12a의 MultiSim을 이용하여 그림 11-12b에 나타난 2N5486 JFET에 대한 최대 최소 전달컨덕턴스 곡선에 따라 V_{GS}와 I_D값의 범위를 구하여라. 또한 이 JFET에 대한 최적의 소스저항은 무엇인가?

그림 11-12 (a) 자기 바이어스 예제; (b) 전달 컨덕턴스 곡선

풀이 첫째, V_{GS}값을 얻기 위해 I_{DSS}와 R_S의 값을 곱하여라.

$$V_{GS} = -(20 \text{ mA})(270 \ \Omega) = -5.4 \text{ V}$$

둘째, 두 번째 점(I_{DSS}, V_{GS})을 정한다.

$$(20 \text{ mA}, -5.4 \text{ V})$$

원점 (0, 0)과 두 번째 점을 통하는 선을 긋는다. 최대 최소 동작점 Q의 값과 교차하는 점의 좌표를 읽는다.

Q점(min)　$V_{GS} = -0.8\,V$　$I_D = 2.8\,mA$

Q점(max)　$V_{GS} = -2.1\,V$　$I_D = 8.0\,mA$

그림 11-12a의 MultiSim의 측정치는 최소값과 최고값 사이에 있음을 주의하라. 최적의 소스저항은 다음의 식을 이용하여 구할 수 있다.

$$R_S = \frac{V_{GS(\text{off})}}{I_{DSS}} \ \text{또는} \ R_S = \frac{V_P}{I_{DSS}}$$

최소값을 이용하면

$$R_S = \frac{2\,V}{8\,mA} = 250\,\Omega$$

최대값을 이용하면

$$R_S = \frac{6\,V}{20\,mA} = 300\,\Omega$$

그림 11-12a에서 R_S의 값은 $R_{S(\text{min})}$과 $R_{S(\text{max})}$ 사이의 중간값과 근사하다.

연습 문제 11-7　그림 11-12a에서, R_S를 390 Ω으로 변경하고 Q점 값을 찾아라.

전압분배 바이어스

그림 11-13a는 **전압분배 바이어스**를 나타낸다. 게이트전압은 저항을 사용하여 공급전원(VDD)을 분배한 값이다. 게이트전압에서 게이트소스 전압을 빼면 소스전압은 소스저항 양단전압과 같다.

$$V_S = V_G - V_{GS} \tag{11-9}$$

V_{GS}가 음이므로 위의 식 (11-9)를 이용하여 계산하면 소스전압은 게이트전압보다 조금 크다. 소스전압을 소스저항으로 나누면 드레인전류는 다음과 같다.

$$I_D = \frac{V_G - V_{GS}}{R_S} \approx \frac{V_G}{R_S} \tag{11-10}$$

V_G가 크면 V_{GS} 변화를 무시할 수 있다. 이상적으로 드레인전류는 게이트전압을 소스저항으로 나눈 값과 같다. 결과적으로 드레인전류는 그림 11-13b에서처럼 어떤 JFET에 대해서도 거의 일정하다.

그림 11-13c는 직류부하선을 나타낸다. 증폭기에서 동작점(Q점)은 활성영역에 있어야 한다. 이것은 V_{DS}가 $I_D R_{DS}$(옴영역)보다 크고 V_{DD}(차단영역)보다는 작아야 한다. 공급전압이 크면 게이트전압도 커지므로 전압분배 바이어스는 안정한 동작점을 얻을 수 있다.

전압분배 바이어스 회로에 대한 동작점 결정에 좀 더 정확을 요할 때에는 도표를 이용한 방법을 이용할 수 있다. JFET에 대한 V_{GS}의 최대값과 최소값이 서로 여러 전압으로 변할 때 이것은 사실이다. 그림 11-13a에서 게이트전압은

그림 11-13　전압분배 바이어스

그림 11-14　VOB Q 점

$$V_G = \frac{R_2}{R_1 + R_2}(V_{DD}) \tag{11-11}$$

그림 11-14의 전달컨덕턴스 곡선을 이용하여 그래프의 x축 또는 수직선 위에 V_G의 값을 정하여라. 이것은 바이어스 선 위의 한 점이 된다. 두 번째 점을 얻기 위하여 I_D를 구할 수 있는 $V_{GS} = 0$ V일 때의 식 (11-10)을 이용한다. $I_D = V_G/R_S$에서 두 번째 점은 전달컨덕턴스 곡선의 y축이나 수평인 부분에 잡는다. 다음으로 이 두 점 사이에 선을 긋고 연장하면 그것은 전달컨덕턴스 곡선이 교차하게 된다. 마지막으로 교차점의 좌표를 읽는다.

예제 11-8

그림 11-15*a* 회로에 대해 직류부하선과 동작점(*Q*점)을 그려라.

그림 11-15 예제

풀이 3:1 전압분배기를 사용하면 게이트전압은 10 V이다. 이상적으로 소스저항 양단전압은

$$V_S = 10 \text{ V}$$

드레인전류는

$$I_D = \frac{10 \text{ V}}{2 \text{ k}\Omega} = 5 \text{ mA}$$

드레인전압은

$$V_D = 30 \text{ V} - (5 \text{ mA})(1 \text{ k}\Omega) = 25 \text{ V}$$

드레인소스 전압은

$$V_{DS} = 25 \text{ V} - 10 \text{ V} = 15 \text{ V}$$

직류 포화전류는

$$I_{D(\text{sat})} = \frac{30 \text{ V}}{3 \text{ k}\Omega} = 10 \text{ mA}$$

차단전압은

$$V_{DS(\text{cutoff})} = 30 \text{ V}$$

이다.

그림 11-15*b*는 직류부하선과 동작점을 나타낸다.

연습 문제 11-8 11-15에서 V_{DD}를 24 V로 바꾸고 I_D와 V_{DS}를 구하여라.

응용 예제 11-9   ‖‖‖ **Multisim**

그림 11-15a와 그림 11-16a의 2N5486 JFET에 대한 전달컨덕턴스 곡선과 그래프 방법을 사용하여 동작점 Q의 최대값과 최소값을 구하여라. 그리고 MultiSim을 이용하여 측정한 값과 비교하여라.

(a)

(b)

그림 11-16 (a) 전달컨덕턴스; (b) MultiSim 결과

풀이 첫째, 아래 식으로부터 V_G의 값을 찾는다.

$$V_G = \frac{1\ \text{M}\Omega}{2\ \text{M}\Omega + 1\ \text{M}\Omega}(30\ \text{V}) = 10\ \text{V}$$

이 값은 x축 위에 잡는다.

다음으로 두 번째 점을 찾는다.

$$I_D = \frac{V_G}{R_S} = \frac{10\text{ V}}{2\text{ k}\Omega} = 5\text{ mA}$$

이 값은 y축 위에 잡는다.

이 두 점 사이의 선을 최대 최소의 전달컨덕턴스 곡선을 통하게 연장하여 그린다. 이를 통하여 다음을 구할 수 있다.

$$V_{GS(min)} = -0.4\text{ V} \qquad I_{D(min)} = 5.2\text{ mA}$$
$$V_{GS(max)} = -2.4\text{ V} \qquad I_{D(max)} = 6.3\text{ mA}$$

그림 11-16b는 측정된 MultiSim값은 계산된 최대 최소값 사이가 된다.

연습 문제 11-9 그림 11-15a를 이용하여 $V_{DD} = 24$ V일 때 I_D의 최대값을 그래프법을 사용하여 구하라.

그림 11-17 양전원 소스 바이어스

양전원 소스 바이어스

그림 11-17은 양전원 소스 바이어스를 나타낸다. 이 회로에서 드레인전류는 다음과 같다.

$$I_D = \frac{V_{SS} - V_{GS}}{R_S} \approx \frac{V_{SS}}{R_S} \qquad\qquad \textbf{(11-12)}$$

이것은 V_{SS}를 V_{GS}보다 아주 크게 하여 V_{GS} 변화로 인한 영향을 감소시키는 것이다. 이상적으로 드레인 전류는 소스공급전압을 소스저항으로 나눈 값과 같다. 이 경우 드레인 전류는 JFET를 교체하거나 온도 변화에도 상관 없이 거의 일정한 값을 가진다.

전류원 바이어스

드레인 공급전압(VDD)이 크지 않으면 게이트전압은 작아서 V_{GS} 변화로 인한 영향을 무시할 수 없다. 이 경우 설계자는 그림 11-18a과 같은 **전류원 바이어스**를 더 선호한다. 이 회로에서 바이폴라 트랜지스터는 일정한 전류를 JFET에 흐르게 하며 이때 드레인 전류는 다음과 같다.

(a)   (b)

그림 11-18 전류원 바이어스

$$I_D = \frac{V_{EE} - V_{BE}}{R_E} \qquad\qquad \text{(11-13)}$$

그림 11-18b는 전류원 바이어스가 얼마나 효과적인가를 나타내며 두 개의 동작
점은 같은 전류를 가진다. 각 동작점마다 V_{GS}가 다르더라도 드레인전류에 영향을 미치
지 않는다.

예제 11-10

그림 11-19a에서 드레인전류와 드레인전압을 구하여라.

풀이　이상적으로 15 V가 소스저항 양단에 걸리므로 드레인전류는 다음과 같다.

$$I_D = \frac{15\,\text{V}}{3\,\text{k}\Omega} = 5\,\text{mA}$$

드레인전압은

$$V_D = 15\,\text{V} - (5\,\text{mA})(1\,\text{k}\Omega) = 10\,\text{V}$$

그림 11-19　예제

응용 예제 11-11 |||| **Multisim**

그림 11-19*b*에서 드레인전류와 드레인전압을 구하여라.

풀이 바이폴라 트랜지스터에 흐르는 드레인전류는

$$I_D = \frac{5\text{ V} - 0.7\text{ V}}{2\text{ k}\Omega} = 2.15\text{ mA}$$

이고, 드레인전압은

$$V_D = 10\text{ V} - (2.15\text{ mA})(1\text{ k}\Omega) = 7.85\text{ V}$$

그림 11-19*c*는 MultiSim이 측정한 값이 계산값과 얼마나 유사한지를 보여준다.

연습 문제 11-11 $R_E = 1$ kΩ일 때 드레인전류와 드레인전압을 구하여라.

요점정리 표 11-1은 JFET바이어스 회로의 가장 일반적인 유형이다. 전달컨덕턴스 곡선 위에 있는 작동점들은 바이어스기술들의 이점을 명백히 증명할 수 있어야 한다.

요점정리 표 11-1	JFET 바이어싱

요점정리 표 11-1	JFET 바이어싱 (계속)

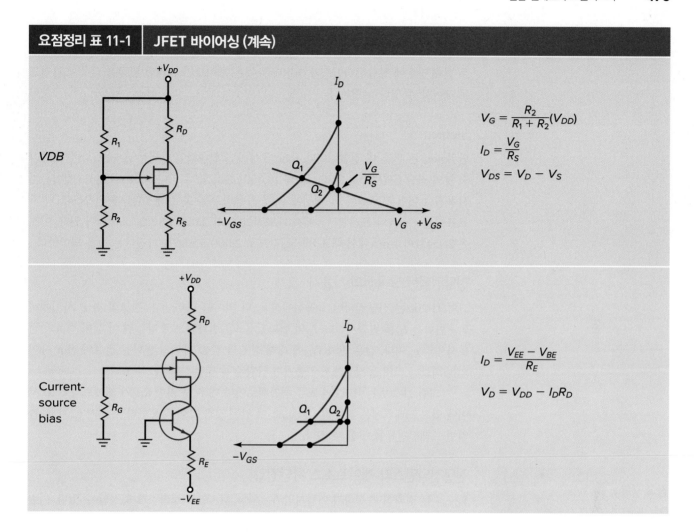

$$V_G = \frac{R_2}{R_1 + R_2}(V_{DD})$$

$$I_D = \frac{V_G}{R_S}$$

$$V_{DS} = V_D - V_S$$

$$I_D = \frac{V_{EE} - V_{BE}}{R_E}$$

$$V_D = V_{DD} - I_D R_D$$

11-6 전달컨덕턴스

JFET 증폭기를 해석하기 위해서 교류값 g_m으로 표기되는 **전달컨덕턴스**에 대해 공부할 필요가 있다. 전달 컨덕턴스는 기호로 다음과 같이 정의된다.

$$g_m = \frac{i_d}{v_{gs}} \tag{11-14}$$

전달컨덕턴스는 교류 드레인전류를 교류 게이트소스 전압으로 나눈 것이다. 이는 게이트소스 전압이 얼마나 드레인전류를 잘 조절할 수 있는가를 의미한다. 즉 전달 컨덕턴스가 크면 클수록 게이트소스 전압이 드레인전류를 잘 제어한다는 것이다.

만약 피크값이 $i_d = 0.2$ $mA_{p\text{-}p}$, $v_{gs} = 0.1$ $V_{p\text{-}p}$라면 전달컨덕턴스는 다음과 같다.

$$g_m = \frac{0.2\ mA}{0.1\ V} = 2(10^{-3})\ mho = 2,000\ \mu mho$$

다른 예로 피크값이 $i_d = 1$ $mA_{p\text{-}p}$, $v_{gs} = 0.1$ $V_{p\text{-}p}$라면 전달컨덕턴스는 다음과 같다.

$$g_m = \frac{1\text{ mA}}{0.1\text{ V}} = 10,000\ \mu\text{mho}$$

두 번째 경우에 전달컨덕턴스가 커진다는 것은 게이트가 드레인 전류를 더욱 효과적으로 제어할 수 있다는 것이다.

Siemen

단위 *mho*는 전류 대 전압비이다. mho에 등가인 현대적인 단위는 *siemen(S)*이다. 따라서 앞의 전달컨덕턴스를 2,000 μS와 10,000 μS로 할 수 있다. 자료표에 어느 것이든지 사용되며 어떤 경우에는 g_m 대신에 g_{fs}를 사용하는 수도 있다. 예를 들어 2N5451의 자료표에는 1 mA의 드레인전류에서 대표적인 g_{fs}가 2,000 μS라고 표시되어 있다. 이것은 2N5451이 1 mA에서 대표적인 g_m값으로 2,000 μmho를 가진다는 것을 의미한다.

전달컨덕턴스 곡선의 기울기

그림 11-20a는 전달컨덕턴스 곡선에서 g_m의 의미를 나타낸다. 점 A와 점 B 사이에서 V_{GS} 변화는 I_D를 변화시킨다. I_D의 변화값을 V_{GS}변화값으로 나누면 이 값이 점 A와 점 B 사이의 g_m이다. 같은 변화 V_{GS}에 대해 점 C와 점 D 사이의 변화는 점 A와 점 B 사이의 변화보다 크며 동작점에서 기울기가 급할수록 전달컨덕턴스는 크다.

　　그림 11-20b는 JFET의 교류 등가회로이며 매우 큰 저항 R_{GS}가 게이트와 소스 사이에 있고 드레인에는 전류원 $i_d = g_m v_{gs}$이 있는 것과 같이 작용한다. 여기서 g_m과 v_{gs}를 알면 드레인전류를 구할 수 있다.

전달컨덕턴스와 게이트소스 차단전압

$V_{GS(\text{off})}$는 정확히 측정하기 어렵지만 I_{DSS}와 g_{m0}는 쉽고 정확하게 측정할 수 있다. 이런 이유로 $V_{GS(\text{off})}$는 다음식으로 쉽게 계산된다.

$$V_{GS(\text{off})} = \frac{-2I_{DSS}}{g_{m0}} \tag{11-15}$$

여기서 g_{m0}는 $V_{GS} = 0$일 때 전달컨덕턴스 값이다. 보통 제조자는 자료표에 $V_{GS(\text{off})}$값을 구하기 위해 위 식을 사용한다.

참고 사항

모든 JFET에 대해서, 제로 온도계수를 야기하는 $V_{GS(\text{off})}$에 근접한 V_{GS}값이 존재한다. 이것은 $V_{GS(\text{off})}$에 근접한 값에 대하여 I_D는 온도의 증가에 의하여 증가 또는 감소하지 않는다는 것을 의미한다.

그림 11-20　(a) 전달컨덕턴스; (b) 교류 등가회로; (c) gm의 변화

g_{m0}는 $V_{GS} = 0$일 때 g_m의 최대값이다. V_{GS}가 음(−)일 때 g_m의 값은 이 값보다 감소한다. 임의의 VGS값에 대해 g_m을 구하는 식은 다음과 같다.

$$g_m = g_{m0}\left(1 - \frac{V_{GS}}{V_{GS(\text{off})}}\right)$$ (11-16)

그림 11-20c에 나타낸 바와 같이 V_{GS}가 더욱 음(−)으로 되면 g_m은 선형적으로 감소함에 유의해야 한다. 이 성질은 뒤에 논의하게 될 **자동이득 조절**(*automatic gain control: AGC*)에 있어 매우 유용하게 쓰인다.

예제 11-12

2N5457은 $I_{DSS} = 5$ mA와 $g_{m0} = 5000$ μS이다. $V_{GS(\text{off})}$값과 $V_{GS} = -1$ V일 때 g_m을 구하여라.

풀이   식 (11-15)를 이용하면

$$V_{GS(\text{off})} = \frac{-2(5\text{ mA})}{5,000\ \mu S} = -2\text{ V}$$

식 (11-16)을 사용하면

$$g_m = (5,000\ \mu S)\left(1 - \frac{1\text{ V}}{2\text{ V}}\right) = 2,500\ \mu S$$

이다.

연습 문제 11-12 $I_{DSS} = 8$ mA이고 $V_{GS} = -2$ V일 때 예제 11-12의 물음에 답하여라.

11-7 JFET 증폭기

그림 11-21a는 **공통소스**(common source: CS) **증폭기**를 나타낸다. 결합(coupling) 커패시터와 바이패스(bypass) 커패시터는 교류신호에 대해 단락으로 동작한다. 이로 인해 교류입력 전압은 게이트에 직접 결합된다. 소스는 접지로 바이패스되므로 모든 교류입력 전압은 게이트와 소스 간에 나타난다. 이것이 교류 드레인전류를 발생시킨다. 드레인저항을 통해 이 교류전류가 흐르므로 반전증폭된 교류 출력전압을 얻게 된다. 이 출력신호가 부하저항에 결합된다.

공통소스 증폭기의 전압이득

그림 11-21b는 교류 등가회로를 나타낸다. 교류 드레인저항(r_d)은 다음과 같다.

$$r_d = R_D \parallel R_L$$

참고 사항

JFET의 높은 입력 임피던스로 인하여 입력 전류는 보통 0 μA로 가정하며, JFET증폭기의 전류이득은 정의되지 않는 양이다.

참고 사항

JFET 작은 신호 증폭기에 대해서 게이트를 구동하는 입력 신호는 게이트소스 접합부가 순 바이어스된 점에 절대 도달할 수 없다.

전압이득은 다음과 같다.

$$A_v = \frac{v_{\text{out}}}{v_{\text{in}}} = \frac{g_m v_{\text{in}} r_d}{v_{\text{in}}}$$

이를 간단히 하면 다음과 같다.

$$A_v = g_m r_d \tag{11-17}$$

이는 CS 증폭기의 전압이득은 교류 드레인저항과 전달컨덕턴스의 곱과 같음을 나타낸다.

CS 증폭기의 입력과 출력임피던스

보통 JFET는 역바이어스된 게이트소스 접합을 가지기 때문에 게이트 R_{GS}에서의 입력 저항은 매우 크다. R_{GS}는 JFET의 자료표의 값들을 이용하여 근사치를 구하거나 다음 과 같이 구할 수 있다.

$$R_{GS} = \frac{V_{GS}}{I_{GSS}} \tag{11-18}$$

예를 들어서, 만약 $V_{GS} = -15$ V이고 $I_{GSS} = -2.0$ nA이면 $R_{GS} = 7500$ MΩ이 된다.

그림 11-21b와 같이 입력임피던스는 다음과 같다.

$$z_{in(stage)} = R_1 \parallel R_2 \parallel R_{GS}$$

보통 R_{GS}는 입력바이어스 저항보다 매우 크기 때문에 입력임피던스는 다음과 같이 쓸 수 있다.

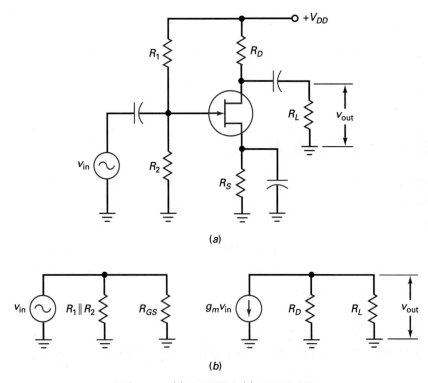

(a)

(b)

그림 11-21 (a) CS 증폭기; (b) 교류 등가회로

$$z_{in(stage)} = R_1 \| R_2 \tag{11-19}$$

CS 증폭기에서 $z_{out(stage)}$는 회로의 부하저항 R_L으로부터 구해진다. 그림 11-21b에서 부하저항 R_D는 이상적으로 개방된 일정한 전류원과 병렬이므로 다음과 같다.

$$z_{out(stage)} = R_D \tag{11-20}$$

소스폴로어

그림 11-22는 **소스폴로어**로 알려진 공통드레인(Common-Drain: CD) 증폭기를 나타내며 입력신호가 게이트를 구동시킨다. 그리고 출력신호는 소스에서 부하전하로 짝을 이룬다. 이미터폴로어와 마찬가지로 전압이득은 1보다 작다. 이 회로의 장점은 입력임피던스가 아주 크다는 것이다. 종종 시스템의 앞단에 소스폴로어가 오게 되고 그 다음 바이폴라 전압이득단이 연결된다.

그림 11-22b에서 교류 소스저항은 다음과 같다.

$$r_s = R_S \| R_L$$

소스폴로어의 전압이득은 다음과 같다.

$$A_v = \frac{v_{out}}{v_{in}} = \frac{i_d r_s}{v_{gs} + i_d r_s} = \frac{g_m v_{gs} r_s}{v_{gs} + g_m v_{gs} r_s} \qquad i_d = g_m v_{gs}$$

간단히 하면 다음과 같다.

$$A_v = \frac{g_m r_s}{1 + g_m r_s} \tag{11-21}$$

소스폴로어에 대한 전압이득은 다음과 같이 유도되며 분모는 항상 분자보다 커서 전압이득은 1보다 작다.

그림 11-22b는 소스폴로어의 입력임피던스는 CS 증폭기와 같음을 보여준다.

그림 11-22 (a) 소스폴로어; (b) 교류 등가회로

$$z_{in(stage)} = R_1 \parallel R_2 \parallel R_{GS}$$

간단히 하면 다음과 같다.

$$z_{in(stage)} = R_1 \parallel R_2$$

출력임피던스 $z_{out(stage)}$은 회로의 부하로부터 다음과 같이 나타난다.

$$z_{out(stage)} = R_S \parallel R_{in(source)}$$

JFET의 소스저항은 다음과 같다.

$$R_{in(source)} = \frac{v_{source}}{i_{source}} = \frac{v_{gs}}{i_s}$$

$$v_{gs} = \frac{i_d}{g_m} \text{ 이고 } i_d = i_s, R_{in(source)} = \frac{\frac{i_d}{g_m}}{i_d} = \frac{1}{g_m} \text{ 이므로}$$

그러므로 소스플로어의 출력임피던스는 다음과 같다.

$$z_{out(stage)} = R_S \parallel \frac{1}{g_m} \tag{11-22}$$

예제 11-13 |||| Multisim

만약 그림 11-23에서 $g_m = 5{,}000 \ \mu\text{S}$라면 출력전압은 얼마인가?

그림 11-23   CS 증폭기

풀이   교류 드레인저항은

$$r_d = 3.6 \ \text{k}\Omega \parallel 10 \ \text{k}\Omega = 2.65 \ \text{k}\Omega$$

전압이득은

$$A_v = (5{,}000 \ \mu\text{S})(2.65 \ \text{k}\Omega) = 13.3$$

식 (11-19)를 사용하면 입력임피던스는 500 kΩ이고 게이트 입력신호는 거의 1 mV이다. 따라서 출력전압은 다음과 같다.

$$v_{\text{out}} = 13.3(1 \text{ mV}) = 13.3 \text{ mV}$$

연습 문제 11-13 그림 11-23을 이용하여 $g_m = 2{,}000 \ \mu\text{S}$일 때 출력전압은 얼마인가?

예제 11-14　　　　　　　　　　　　　　　　　||||| **Multisim**

그림 11-24의 회로에서 $g_m = 2{,}500 \ \mu\text{S}$라면 입력임피던스와 출력임피던스 그리고 소스 폴로어의 출력전압을 구하여라.

그림 11-24　소스폴로어의 예

풀이　식 (11-19)를 이용하여 입력임피던스를 구하면

$$z_{in(stage)} = R_1 \parallel R_2 = 10 \text{ M}\Omega \parallel 10 \text{ M}\Omega$$

$$z_{in(stage)} = 5 \text{ M}\Omega$$

식 (11-22)를 이용하여 출력임피던스를 구하면

$$z_{out(stage)} = R_S \parallel \frac{1}{g_m} = 1 \text{ k}\Omega \parallel \frac{1}{2{,}500 \ \mu\text{S}} = 1 \text{ k}\Omega \parallel 400 \ \Omega$$

$$z_{out(stage)} = 286 \ \Omega$$

교류 소스저항은

$$r_s = 1 \text{ k}\Omega \parallel 1 \text{ k}\Omega = 500 \ \Omega$$

식 (11-21)을 이용하여 전압이득을 계산하면

$$A_v = \frac{(2{,}500 \ \mu\text{S})(500 \ \Omega)}{1 + (2{,}500 \ \mu\text{S})(500 \ \Omega)} = 0.556$$

입력임피던스가 5 MΩ이므로 게이트에 대한 입력신호는 거의 1 mV이다. 따라서 출력전압은 다음과 같다.

$$v_{out} = 0.556(1\ mV) = 0.556\ mV$$

연습 문제 11-14 $g_m = 5,000\ \mu S$일 때 그림 11-24에서 출력전압은 얼마인가?

예제 11-15 |||| **Multisim**

그림 11-25는 1 kΩ의 가변저항을 780 Ω으로 조정하면 전압이득은 얼마인가?

그림 11-25 예제

풀이 회로에서 전체 직류 소스저항은

$$R_S = 780\ \Omega + 220\ \Omega = 1\ k\Omega$$

교류 소스저항은

$$r_s = 1\ k\Omega \,\|\, 3\ k\Omega = 750\ \Omega$$

따라서 전압이득은

$$A_v = \frac{(2,000\ \mu S)(750\ \Omega)}{1 + (2,000\ \mu S)(750\ \Omega)} = 0.6$$

연습 문제 11-15 그림 11-25를 이용하여 가변저항이 조정할 때 가능한 최대전압이득은 얼마인가?

예제 11-16 |||| **Multisim**

그림 11-26에서 드레인전류와 전압이득을 구하여라.

그림 11-26　예제

풀이　3:1의 전압분배를 이용하면 직류 게이트전압은 10 V이다. 이상적으로 드레인전류는

$$I_D = \frac{10\ \text{V}}{2.2\ \text{k}\Omega} = 4.55\ \text{mA}$$

교류 소스저항은

$$r_s = 2.2\ \text{k}\Omega \parallel 3.3\ \text{k}\Omega = 1.32\ \text{k}\Omega$$

전압이득은

$$A_v = \frac{(3{,}500\ \mu\text{S})(1.32\ \text{k}\Omega)}{1 + (3{,}500\ \mu\text{S})(1.32\ \text{k}\Omega)} = 0.822$$

이다.

연습 문제 11-16　그림 11-26에서 3.3-kΩ의 저항이 열렸을 때 전압이득의 변화는 얼마인가?

표 11-2는 공통소스와 소스폴로어 증폭기 구조와 방정식을 요약한 것이다.

요점정리 표 11-2	JFET 증폭기

Circuit | **Characteristics**

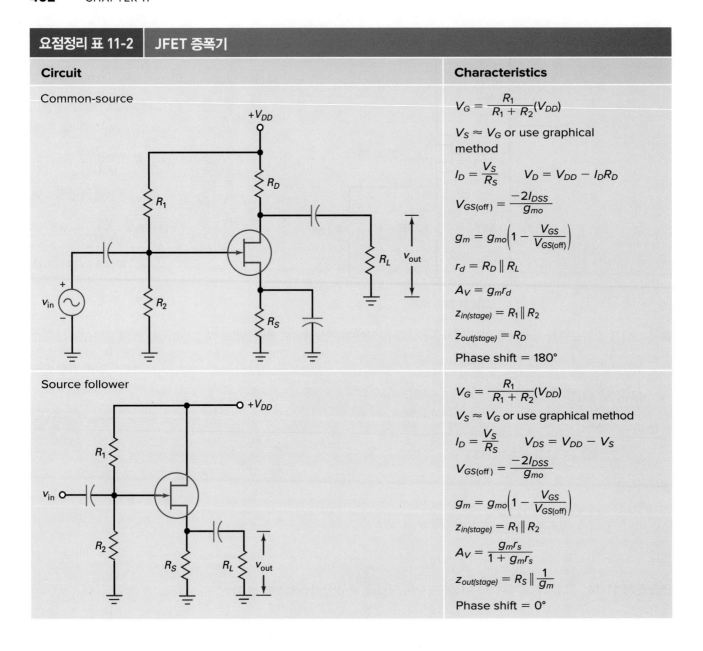

Common-source

$$V_G = \frac{R_1}{R_1 + R_2}(V_{DD})$$

$V_S \approx V_G$ or use graphical method

$$I_D = \frac{V_S}{R_S} \qquad V_D = V_{DD} - I_D R_D$$

$$V_{GS(off)} = \frac{-2I_{DSS}}{g_{mo}}$$

$$g_m = g_{mo}\left(1 - \frac{V_{GS}}{V_{GS(off)}}\right)$$

$$r_d = R_D \parallel R_L$$

$$A_V = g_m r_d$$

$$z_{in(stage)} = R_1 \parallel R_2$$

$$z_{out(stage)} = R_D$$

Phase shift = 180°

Source follower

$$V_G = \frac{R_1}{R_1 + R_2}(V_{DD})$$

$V_S \approx V_G$ or use graphical method

$$I_D = \frac{V_S}{R_S} \qquad V_{DS} = V_{DD} - V_S$$

$$V_{GS(off)} = \frac{-2I_{DSS}}{g_{mo}}$$

$$g_m = g_{mo}\left(1 - \frac{V_{GS}}{V_{GS(off)}}\right)$$

$$z_{in(stage)} = R_1 \parallel R_2$$

$$A_V = \frac{g_m r_s}{1 + g_m r_s}$$

$$z_{out(stage)} = R_S \parallel \frac{1}{g_m}$$

Phase shift = 0°

11-8 JFET 아날로그 스위치

JFET의 가장 큰 응용 중의 하나인 소스폴로어 외에 또 다른 JFET의 큰 응용 분야는 아날로그 스위치이다. JFET는 스위치로 작용하여 작은 교류신호를 차단 혹은 전송한다. 이러한 동작을 얻기 위해서는 게이트소스 간의 전압 V_{GS}는 2개의 값(0 V 또는 $V_{GS(off)}$보다 더 큰 값)을 가진다. 이와 같은 동작에서는 JFET는 옴영역이나 차단 영역에서 동작한다.

병렬스위치

그림 11-27a는 JFET **병렬스위치**(shunt switch)를 나타낸다. JFET는 V_{GS}가 크고 작음

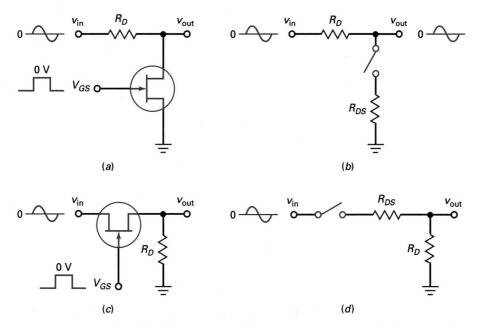

그림 11-27   JFET 아날로그 스위치 (a) 병렬형; (b) 병렬 등가회로; (c) 직렬형; (d) 직렬 등가회로

에 따라 on 또는 off된다. V_{GS}가 크면(0 V) JFET는 옴영역에서 동작하고 V_{GS}가 작으면 off된다. 이런 이유로 우리는 등가회로로 그림 11-27b를 사용할 수 있다.

정상동작 시 교류 입력전압 ac은 작아야 하며 대체로 100 mV 이하이다. 이 소신호는 교류신호가 양의 피크값에 도달하면 JFET가 옴영역에 있다는 것을 확실히 해준다. 또한 R_D는 R_{DS}보다 훨씬 커서 확실히 포화되었음을 보장한다.

$$R_D \gg R_{DS}$$

V_{GS}가 크면 JFET는 옴영역에서 동작하고 그림 11-27b의 스위치는 on된다. R_{DS}가 R_D보다 훨씬 작으므로 v_{out}은 v_{in}보다 아주 작다. V_{GS}가 작으면 JFET는 off되며 그림 11-27b의 스위치는 개방된다. 이 경우 $v_{out} = v_{in}$이다. 따라서 JFET 병렬스위치는 교류신호를 전송하거나 차단시킬 수 있다.

직렬스위치

그림 11-27c는 JFET **직렬스위치**(series switch)이며 그림 11-27d는 등가회로이다. V_{GS}가 크면 스위치는 on되고 JFET는 R_{DS}와 등가이다. 이 경우 출력은 거의 입력과 같다. V_{GS}가 작으면 JFET는 off되며 v_{out}은 0이다.

스위치의 on-off 비(on-off ratio)는 최대 출력전압을 최소 출력전압으로 나눈 것으로 정의한다.

$$\text{on-off 비} = \frac{v_{out(max)}}{v_{out(min)}} \tag{11-23}$$

이 값이 커야 한다면 JFET 직렬스위치의 on-off 비(on-off ratio)가 병렬스위치의 on-off 비(on-off ratio)보다 크기 때문에 JFET 직렬스위치가 병렬스위치보다 더 낫다.

참고 사항

JFET의 옴저항은 다음 식을 이용하여 V_{GS}의 값으로 구할 수 있다.

$$R_{DS} = \frac{R_{DS(on)}}{1 - V_{GS}/V_{GS(off)}}$$

V_{DS}가 작고 V_{GS}가 0일 때 $R_{DS(on)}$가 옴저항인 식이다.

그림 11-28 초퍼

초퍼

그림 11-28는 JFET **초퍼**(chopper)이다. 게이트전압은 JFET를 on-off시키는 연속적인 구형파이다. 입력전압은 V_{DC}를 가지는 직사각형파이다. 게이트에 가해지는 구형파로 인해 출력은 그림과 같이 스위치의 on-off 작용으로 잘게 **쪼개진다.**

JFET 초퍼는 병렬스위치나 직렬스위치, 어느 것으로도 사용할 수 있다. 기본적으로 이 회로는 직류 입력전압을 구형파 출력전압으로 바꾼다. 잘게 쪼개진 출력피크값은 V_{DC}이다. 뒤에 설명하겠지만 초퍼는 직류 증폭기를 구성하는 데 사용된다. 직류 증폭기는 주파수 0인 직류신호도 증폭할 수 있다.

예제 11-17

JFET 병렬스위치는 다음과 같이 $R_D = 10$ kΩ, $I_{DSS} = 10$ mA, and $V_{GS(off)} = -2$ V를 가진다. 만약 $v_{in} = 10$ mV$_{p-p}$이면 출력전압은 얼마인가? 또 on-off 비를 구하여라.

그림 11-29 예제

풀이 옴저항은

$$R_{DS} = \frac{2\ V}{10\ mA} = 200\ \Omega$$

그림 11-29a는 JFET가 on될 때 등가회로를 나타낸다. 출력전압은

$$v_{out} = \frac{200\ \Omega}{10.2\ k\Omega}(10\ mV_{p-p}) = 0.196\ mV_{p-p}$$

이다. JFET가 off되면

$$v_{\text{out}} = 10 \text{ mV}_{\text{p-p}}$$

따라서 on-off 비는

$$\text{on-off 비} = \frac{10 \text{ mV}_{\text{p-p}}}{0.196 \text{ mV}_{\text{p-p}}} = 51$$

이다.

연습 문제 11-17 $V_{GS(\text{off})} = -4 \text{ V}$일 때 예제 11-17을 다시 풀어보아라.

예제 11-18

JFET 직렬스위치는 앞의 예제와 같은 자료를 가지고 있다. 출력전압을 구하여라. 만약 JFET가 off되어 10 MV의 저항값을 가지면 on-off 비는 얼마인가?

풀이 그림 11-29*b*는 JFET가 on될 때 등가회로를 나타낸다. 출력전압은

$$v_{\text{out}} = \frac{10 \text{ k}\Omega}{10.2 \text{k}\Omega}(10 \text{ mV}_{\text{p-p}}) = 9.8 \text{ mV}_{\text{p-p}}$$

이다. JFET가 off되면

$$v_{\text{out}} = \frac{10 \text{ k}\Omega}{10 \text{ M}\Omega}(10 \text{ mV}_{\text{p-p}}) = 10 \text{ } \mu\text{V}_{\text{p-p}}$$

따라서 on-off 비는

$$\text{on-off 비} = \frac{9.8 \text{ mV}_{\text{p-p}}}{10 \text{ } \mu\text{V}_{\text{p-p}}} = 980$$

이다. 이 값을 앞 예제와 비교하면 직렬스위치가 양호한 on-off 비를 가진다.

연습 문제 11-18 $V_{GS(\text{off})} = -4 \text{ V}$일 때 예제 11-18을 다시 풀어보아라.

응용 예제 11-19

‖‖‖ **Multisim**

그림 11-30에서 게이트에 인가되는 구형파는 주파수가 20 kHz이다. 초퍼된 출력주파수는 얼마인가? 만약 MPF4858이 $R_{DS} = 50 \text{ }\Omega$이라면 초퍼된 출력 피크값을 구하여라.

풀이 출력주파수는 게이트에 가해지는 구형파 주파수와 같다.

$$f_{\text{out}} = 20 \text{ kHz}$$

50 Ω은 10 kΩ보다 훨씬 작으므로 거의 모든 입력전압이 출력에 전달된다.

그림 11-30 초퍼 예제

$$V_{\text{peak}} = \frac{10 \text{ k}\Omega}{10 \text{ k}\Omega + 50 \text{ }\Omega}(100 \text{ mV}) = 99.5 \text{ mV}$$

연습 문제 11-19 그림 11-30과 $R_{DS} = 100 \text{ }\Omega$이라는 것을 이용하여 초퍼된 출력 피그값을 구히여라.

11-9 여러 가지 JFET 응용

JFET는 많은 응용 분야에서 바이폴라 트랜지스터에 필적하지 못하지만 특정한 분야에는 뛰어난 특성을 가지고 있다. 이 절에서는 JFET가 바이폴라 트랜지스터에 비해 명확한 장점을 가지는 응용 분야를 검토할 것이다.

멀티플렉싱

멀티플렉스(*multiplex*)는 '다수를 하나로'라는 의미이다. 그림 11-31에 아날로그 멀티플렉서(*analog multiplexer*)를 나타내었으며, 이 회로는 여러 개의 입력신호를 하나의 출력선으로 향하도록 하는 회로이다. 그림에서 각 JFET는 직렬스위치로 동작한다. 제어신

그림 11-31 멀티플렉서

그림 11-32   초퍼 증폭기

호(V_1, V_2, V_3)가 각각의 **JFET**를 on-off하며 어떤 제어신호가 0 V(high)이면 그 입력신호가 출력에 전달된다.

예를 들어 만약 V_1이 0 V이면 정현파 출력을 얻을 수 있고, V_2가 0 V이면 삼각파 출력을, V_3가 0 V이면 구형파 출력을 얻을 수 있다. 정상적으로 단지 한 개의 제어신호가 0 V(high)이면 입력 중의 단 한 개 신호가 출력에 전달된다.

초퍼 증폭기

결합커패시터와 바이패스 커패시터를 없애고 각 단의 출력을 다음 단의 입력에 직접 접속하는 직접결합 증폭기(직결 증폭기)를 만들 수 있다. 이 방법은 교류전압과 같이 직류전압도 잘 결합한다. 이 회로는 직류도 증폭할 수 있으므로 **직류 증폭기**(*dc amplifier*)라고도 부른다. 직접결합의 최대 단점은 최종 출력전압이 **드리프트**(*drift*)에 의해 영향을 받는다는 것이다. 드리프트는 공급전원, 트랜지스터 특성 및 온도 변화에 의해 출력전압이 서서히 변화하는 현상을 나타내는 것이다.

그림 11-32*a*에 직접결합으로 인한 드리프트 문제를 없애는 방법을 나타낸다. 직접결합 대신에 **JFET** 초퍼를 사용하여 직류 입력전압을 구형파로 바꾼다. 이 결과 초퍼출력에는 구형파가 나타나며, 이 구형파의 피크값은 V_{DC}와 같다. 구형파는 교류신호이기 때문에 결합 및 바이패스 커패시터를 가지는 일반 교류증폭기를 사용하여 신호를 증폭할 수 있다.

초퍼 증폭기는 직류신호뿐만 아니라 저주파신호도 증폭할 수 있다. 입력이 저주파신호이면 초핑되어 그림 11-32*b*와 같이 된다. 초핑된 신호는 교류증폭기로 증폭되며 이렇게 증폭된 신호는 피크검출기를 이용하여 원래의 입력신호를 복구한다.

완충 증폭기

그림 11-33는 앞단과 뒷단을 분리시키는 완충 증폭기(buffer amplifier)를 나타낸다. 이상적인 완충 증폭기는 고입력 임피던스를 가져야 한다. 이 경우 A단의 Thevenin 전압이 그대로 완충기 입력에 나타난다. 또한 완충 증폭기는 저출력 임피던스를 가져야 하며, 이 경우에 완충 증폭기의 거의 모든 출력전압은 B단의 입력에 그대로 나타난다.

그림 11-33 A단과 B단을 분리하는 완충 증폭기

소스폴로어는 고입력 임피던스(저주파에서 수 MΩ 정도)와 저출력 임피던스(수백Ω 정도)를 가지므로 뛰어난 완충 증폭기이다. 완충기에서 고입력 임피던스란 앞단 (A)의 부하를 작게(작은 전류) 해주며, 저출력 임피던스는 큰 부하(큰 전류)를 구동할 수 있다는 것을 의미한다.

저잡음 증폭기

잡음(*noise*)이 유용한 신호에 중첩되어 산섭을 일으키는 것은 바람직하지 않다. 잡음은 정보가 포함된 신호에 장애를 발생시킨다. 예를 들어 TV수신기에서의 잡음은 화상에 작은 흑백의 점을 유발시키며, 이것이 극심할 때는 화상이 사라질 수도 있다. 마찬가지로 라디오 수신기에서의 잡음도 "딱딱"하는 소리(crackling) 또는 "쉬"하는 소리(hissing)를 유발시키며 때때로 음성이나 음악을 완전 차단시키는 경우도 있다. 잡음은 신호와는 완전히 독립적이므로 신호가 없는 경우에도 잡음은 존재하게 된다.

JFET는 우수한 저잡음 소자가 된다. 그 이유는 바이폴라 트랜지스터보다 훨씬 작은 잡음을 만들기 때문이다. 증폭기에서 첫 단의 잡음이 뒷단에서 신호와 같이 증폭되므로 특히 수신기와 같은 전자설비에서 첫 단의 잡음대책은 아주 중요하다. 이 대책으로 저잡음소자인 JFET를 증폭기의 첫 단에 사용하면 최종출력은 잡음이 제거된 신호를 얻는다.

수신기 앞단 가까이에는 다른 회로는 주파수 혼합기(*mixer*)와 발진기(*oscillators*)가 있다. 주파수 혼합기는 높은 주파수를 낮은 주파수로 변환하는 회로이다. 발진기는 ac신호를 발생하는 회로이다. JFET는 VHF/UHF 증폭기, 혼합기, 발전기를 위하여 종종 사용된다. *VHF*는 "very high frequencies"(30에서 300 MHz)를 *UHF*는 "ultra high frequencies"(300에서 3,000 MHz)이다.

전압으로 가변되는 저항

JFET가 옴영역에서 동작할 때 $V_{GS} = 0$이므로 확실한 포화 상태이다. 그러나 예외가 있다. $0 < V_{GS} < V_{GS(off)}$일 때 JFET를 옴영역에서 동작시킬 수 있다. 이 경우 JFET는 전압제어 저항과 같다.

그림 11-34는 $V_{DS} < 100$ mV인 2N5951의 드레인 곡선을 나타낸다. 이 영역에서 드레인소스 전압을 드레인전류로 나눈 값을 소신호 저항 r_{ds}라고 정의한다.

$$r_{ds} = \frac{V_{DS}}{I_D} \tag{11-24}$$

그림 11-34에서 r_{ds}는 드레인 곡선에서 어떤 V_{GS}곡선이 사용되었는가에 따라 값이 변한다. 우선 $V_{GS} = 0$이면 r_{ds}는 최소값이 되며 R_{DS}와 같다. V_{GS}가 음으로 될수록 r_{ds}는 증가하여 R_{DS}보다 커지게 된다.

그림 11-34 소신호 r_{ds}는 전압으로 제어된다

예를 들어 그림 11-34에서 $V_{GS} = 0$이면

$$r_{ds} = \frac{100 \text{ mV}}{0.8 \text{ mA}} = 125 \ \Omega$$

$V_{GS} = -2$이면

$$r_{ds} = \frac{100 \text{ mV}}{0.4 \text{ mA}} = 250 \ \Omega$$

$V_{GS} = -4$이면

$$r_{ds} = \frac{100 \text{ mV}}{0.1 \text{ mA}} = 1 \text{ k}\Omega$$

이다. 이는 JFET가 옴영역에서 전압제어 저항으로 작용함을 의미한다.

　　다시 한 번 염두에 두어야 할 사실은 JFET가 저주파에서 소스와 드레인 두 단자를 서로 바꾸어 사용해도 되므로 대칭소자라는 것이다. 그 이유는 그림 11-34의 드레인 곡선이 원점을 중심으로 대칭이기 때문이다. 따라서 JFET는 200 mV 이하의 피크-피크 전압만으로도 전압제어 저항으로 동작한다. 이때 JFET는 작은 교류신호가 드레인전압에 공급되므로 전원으로부터 직류 드레인전압이 필요없다.

　　그림 11-35a는 병렬회로를 나타낸다. 여기서 JFET는 전압제어 저항으로 사용된다. 이 회로는 이미 배운 JFET 병렬스위치와 동일하다. 차이점은 제어전압 V_{GS}가 0과 큰 음전압으로 스윙하지 않는다는 것이다. 대신 0과 $V_{GS(off)}$ 사이에서 연속적으로 변할 수 있다. 이런 방식으로 V_{GS}는 JFET의 저항을 조절하고 이에 따라 피크 출력전압이 변한다.

　　그림 11-35b는 전압제어 저항으로 JFET가 사용된 직렬회로이다. 기본적인 개념

그림 11-35   전압제어 저항의 예

은 같다. V_{GS}를 변화시킬 때 피크출력전압을 변화시키는 JFET의 교류저항이 변한다.

앞에서 계산했지만 $V_{GS} = 0$ V이면 JFET 2N5951의 교류신호 저항은 $r_{ds} = 125$ Ω이다. 그림 11-35a에서 피크 출력전압은 다음과 같다.

$$V_p = \frac{125\ \Omega}{1.125\ \text{k}\Omega}\,(100\ \text{mV}) = 11.1\ \text{mV}$$

이다. $V_{GS} = -2$ V이면 $r_{ds} = 250$ Ω이므로 피크 입력전압은 다음과 같다.

$$V_p = \frac{250\ \Omega}{1.25\ \text{k}\Omega}\,(100\ \text{mV}) = 20\ \text{mV}$$

$V_{GS} = -4$ V이면 $r_{ds} = 1$ kΩ이므로 피크 입력전압은 다음 값으로 증가한다.

$$V_p = \frac{1\ \text{k}\Omega}{2\ \text{k}\Omega}\,(100\ \text{mV}) = 50\ \text{mV}$$

자동 이득제어

수신기를 약한 곳에서 강한 곳으로 동조시킬 때 스피커의 음량을 즉시 낮추지 않으면 귀에 거슬리는 큰 소리를 낼 것이다. 또한 송신과 수신 안테나 사이의 경로에서 전기적인 변화로 인해 신호의 변화가 크게 되면 음성소멸(fading) 현상 때문에 볼륨이 변화된다. 불필요한 음량변화를 제어하기 위해 오늘날 대부분의 수신기는 **자동 이득제어기 (AGC)**를 사용한다.

그림 11-36는 기본적인 AGC 개념을 나타낸다. 입력신호 v_{in}은 전압제어 저항으로 사용되는 JFET를 통과한다. 이 신호는 증폭되어 출력전압 v_{out}이 된다. 출력신호는 피크검출기로 귀환되며 이 피크검출기의 출력은 JFET의 V_{GS}에 가해진다.

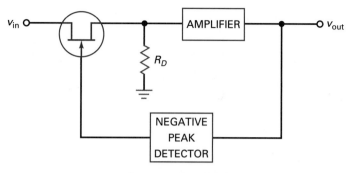

그림 11-36　자동 이득제어

　　만약 입력신호가 갑자기 크게 증가하면 출력전압은 증가한다. 이는 큰 음전압이 피크검출기에서 나온다는 것을 의미한다. V_{GS}가 음이 될수록 JFET는 더욱 큰 저항값을 갖는다. 따라서 신호는 더욱 감소되어 출력전압이 감소된다.

　　반면에 입력신호가 약해지면 출력전압은 감소한다. 그리하여 음의 피크검출기는 작은 출력을 만든다. V_{GS}가 약간 작은 음전압이 되므로 JFET는 더 큰 신호전압을 증폭기에 전달하므로 최종 출력은 증가한다. 따라서 입력신호의 갑작스런 변화는 AGC작용으로 오프셋되어 출력전압은 거의 변화되지 않는다.

응용 예제 11-20

그림 11-37b의 회로는 어떻게 수신기의 이득을 조절하는가?

풀이　앞에서 JFET에서 V_{GS}가 음이 될수록 gm은 감소한다.

$$g_m = g_{m0}\left(1 - \frac{V_{GS}}{V_{GS(\text{off})}}\right)$$

이것은 선형방정식이므로 그래프로 그리면 그 결과는 그림 11-37a와 같다. JFET에서 $V_{GS} = 0$일 때 g_m은 최대값이 된다. V_{GS}가 더욱 음(−)의 값이 될수록 g_m값은 점점 더 감소한다. CS증폭기의 전압이득은 다음과 같다.

$$A_v = g_m r_d$$

이는 g_m값을 조절하여 전압이득을 조절할 수 있음을 나타낸다.

　　그림 11-37b는 AGC의 사용방법을 나타낸다. 이것은 전압이득 $g_m r_d$을 가지며, 뒷단에서 JFET 출력전압을 증폭한다. 이 증폭된 출력은 음(−)의 피크검출기로 들어가서 V_{AGC}을 발생시킨다. 이 음전압은 CS증폭기 게이트에 가해진다.

　　수신기를 조정하여 약한 중계소에서 강한 중계소로 바꾸면 큰 피크신호가 검출되어 V_{AGC}는 더욱 음(−)의 값이 된다. 따라서 JFET 증폭기의 이득이 감소된다. 반대로 신호가 작아지면 더 작은 AGC전압이 게이트에 가해지고 JFET단은 더 큰 출력신호를 발생시킨다.

　　이것이 AGC의 전반적인 효과이다. 최종신호는 증가하지만 AGC가 없는 경우보다는 훨씬 약하다. 예를 들어 어떤 AGC 시스템에서 입력신호가 100% 증가하면 최종 출력신호는 1% 이하의 증가를 나타낸다.

그림 11-37 수신기에 사용된 자동 이득 조절기

그림 11-38 캐스코드 증폭기

캐스코드 증폭기

그림 11-38은 캐스코드 증폭기의 예이다. 두 FET의 전체 전압이득은 다음과 같다.

$$A_v = g_m r_d$$

이것은 CS증폭기와 같은 전압이득이다.

 캐스코드 회로의 가장 큰 이점은 저입력 커패시턴스를 가진다는 것이며, 이는 VHF 와 UHF신호에서 중요하다. 입력커패시턴스는 고주파수에서 전압이득을 제한하는 요소가 된다. 캐스코드 증폭기는 높은 주파수까지 증폭할 수 있다. 캐스코드 증폭기의 저입력 커패시턴스는 CS증폭기보다 더 큰 주파수를 증폭할 수 있도록 한다.

전류원 만들기

부하에 일정한 전류가 흘러야 한다고 가정하자. 한 가지 해결책으로 그림 11-39a와 같이 JFET 게이트를 단락시켜 일정한 전류를 공급하는 방식이 있다. 동작점(Q점)이 그림 11-39b와 같이 활성영역에 있으므로 부하전류는 I_{DSS}이다. JFET가 대체될 때 부하가 I_{DSS} 안에서 변화를 견딜 수 있다면 회로는 적합한 해결책이다.

 한편 어떤 특정한 부하전류가 필요하면 그림 11-39c처럼 가변 부하저항을 사용할

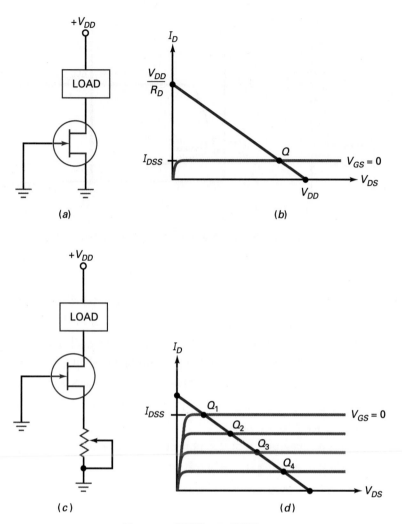

그림 11-39 전류원으로 사용된 JFET

수 있다. 자기 바이어스는 음의 V_{GS}를 만들므로 가변저항을 조절하면 그림 11-39d와 같이 동작점을 바꾸어 원하는 전류를 얻을 수 있다.

이와 같이 JFET를 사용하면 부하저항이 변하더라도 가장 간단히 부하전류를 얻는다. 뒷장에서 연산증폭기를 사용하여 일정한 전류를 얻는 기법을 검토할 것이다.

전류 제한

전류원 대신에 JFET는 그림 11-40a처럼 과잉전류에 대해 전류를 제한하여 부하를 보호할 수 있다. 이 응용에서 JFET는 활성영역보다는 옴영역에서 동작한다. 옴영역에서 동작하도록 설계자는 그림 11-40b의 직류부하선을 갖도록 소자값을 정해야 한다. 동작점은 옴영역에 있으며 동작전류는 약 V_{DD}/R_D이다.

부하가 단락되면 직류부하선은 수직이 된다. 이 경우 동작점은 그림 11-40b와 같이 새로운 위치로 바뀐다. 이때 전류는 I_{DSS}로 제한된다. 기억할 사항은 부하단락은 큰 전류를 발생시킨다는 것이다. JFET를 부하와 병렬로 연결하면 전류는 안전한 값으로 제한된다.

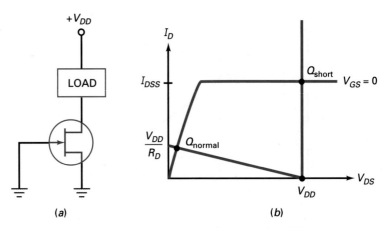

그림 11-40 부하가 단락되면 JFET는 전류를 제한한다.

결론

표 11-3을 살펴보자. 몇 개의 용어는 새로운 것이어서 뒷장에서 검토할 것이다. JFET 버퍼(완충 증폭기)는 고입력 임피던스와 저출력 임피던스의 이점을 가진다. 이것이 JFET가 전압계, 오실로스코프 등의 고입력 임피던스(10 MΩ 혹은 이상)가 필요한 장비의 앞단에 쓰인다. 참고로 JFET 게이트에서 입력저항은 100 MΩ 이상이다.

JFET가 소신호 증폭기로 사용되면 전달컨덕턴스 곡선의 미소 부분만을 사용하므로 출력은 입력에 대해 선형특성을 가진다. TV나 라디오 수신기 앞단의 신호는 작으므로 JFET는 가끔 RF증폭기로 사용된다.

신호가 커지고 전달컨덕턴스 곡선을 더 많이 사용하면 비선형 찌그러짐이 나타난다. 비선형 찌그러짐은 증폭기에서는 불필요한 것이다. 그러나 주파수 믹서에서 제곱법칙으로 인한 찌그러짐은 큰 장점이다. 이 때문에 JFET가 FM 및 TV 믹서 응용에는 바이폴라 트랜지스터보다 선호된다.

요점정리 표 11-3	FET 응용	
Application	**Main Advantage**	**Uses**
Buffer	High zin, low zout	General-purpose measuring equipment, receivers
RF amplifier	Low noise	FM tuners, communication equipment
RF mixer	Low distortion	FM and television receivers, communication equipment
AGC amplifier	Ease of gain control	Receivers, signal generators
Cascode amplifier	Low input capacitance	Measuring instruments, test equipment
Chopper amplifier	No drift	DC amplifiers, guidance control systems
Variable resistor	Voltage-controlled	Op amps, organ tone controls
Audio amplifier	Small coupling capacitors	Hearing aids, inductive transducers
RF oscillator	Minimum frequency drift	Frequency standards, receivers

표 11-3에서 JFET가 유용한 분야로는 AGC 증폭기, 캐스코드 증폭기, 초퍼, 전압 제어저항, 오디오 및 발진기 등이 있다.

11-10 자료표 읽기

JFET 자료표는 바이폴라 자료표와 비슷하다. 여러분은 최대정격, 직류특성, 교류특성, 기계적 자료 등을 볼 것이다. 보통 최대정격 문제를 다루며 그 이유는 정격문제가 JFET의 전류, 전압 및 다른 양들에 영향을 주기 때문이다.

항복정격

그림 11-41에서 보이는 것과 같이 MPF102의 자료표는 다음과 같은 정격을 가진다.

V_{DS}	25 V
V_{GS}	−25 V
P_D	350 mW

보통 신중한 설계는 각 최대정격에 대해 안정요소(safety factor)를 포함시켜야 한다.

앞서 검토했듯이 경감인자(derating rating)는 소자의 정격전력(power rating)이 온도 상승에 따라 얼마나 감소하는지를 나타낸다. MPF102의 경감인자는 2.8 mW/°C로서 이것은 25°C 이상에서 온도 1°C 상승함에 따라 전력이 2.8 mW씩 감소한다는 것을 의미한다.

I_{DSS} 와 $V_{GS(off)}$

공핍형 소자의 자료표 상의 정보 중에서 가장 중요한 두 가지는 최대 드레인전류와 게이트소스의 차단전압이다. 다음은 MPF102의 자료표 상에 표시된 값이다.

기호	최소값	최대값
$V_{GS(off)}$	−	−8 V
I_{DSS}	2 mA	20 mA

I_{DSS}값의 변화폭이 10:1임을 주목하자. JFET를 근사적으로 사용하는 이유 중의 하나가 이 값이 큰 변화폭을 가지기 때문이다. 근사해석의 또 다른 이유는 자료표 값이 생략되는 수도 있어 그 값이 얼마인지 도저히 알 수 없기 때문이다. MPF102인 경우에는 $V_{GS(off)}$의 최소값이 표시되지 않으므로 근사해석을 한다.

JFET의 또 다른 중요한 특성은 I_{GSS}이다. 이것은 게이트소스접합부가 반대로 바이어스될 때 게이트 전류이다. 이 전류값은 JFET의 직류입력저항을 결정할 수 있도록 한다. 자료표 상에서 볼 수 있듯이, MPF102는 V_{GS} = −15 V일 때 I_{GSS}는 2 nA 직류의 값을 가진다. 이러한 조건 하에 게이트소스 저항 R = 15 V/2 nA = 7,500 MΩ이다.

MPF102

Preferred Devices

JFET VHF Amplifier

N−Channel − Depletion

Features

● Pb−Free Package is Available*

ON Semiconductor®

http://onsemi.com

MAXIMUM RATINGS

Rating	Symbol	Value	Unit
Drain−Source Voltage	V_{DS}	25	Vdc
Drain−Gate Voltage	V_{DG}	25	Vdc
Gate−Source Voltage	V_{GS}	−25	Vdc
Gate Current	I_G	10	mAdc
Total Device Dissipation @ T_A = 25°C Derate above 25°C	P_D	350 2.8	mW mW/°C
Junction Temperature Range	T_J	125	°C
Storage Temperature Range	T_{stg}	−65 to +150	°C

Maximum ratings are those values beyond which device damage can occur. Maximum ratings applied to the device are individual stress limit values (not normal operating conditions) and are not valid simultaneously. If these limits are exceeded, device functional operation is not implied, damage may occur and reliability may be affected.

ELECTRICAL CHARACTERISTICS (T_A = 25°C unless otherwise noted)

Characteristic	Symbol	Min	Max	Unit
OFF CHARACTERISTICS				
Gate−Source Breakdown Voltage (I_G = −10 μAdc, V_{DS} = 0)	$V_{(BR)GSS}$	−25	−	Vdc
Gate Reverse Current (V_{GS} = −15 Vdc, V_{DS} = 0) (V_{GS} = −15 Vdc, V_{DS} = 0, T_A = 100°C)	I_{GSS}	− −	−2.0 −2.0	nAdc μAdc
Gate−Source Cutoff Voltage (V_{DS} = 15 Vdc, I_D = 2.0 nAdc)	$V_{GS(off)}$	−	−8.0	Vdc
Gate−Source Voltage (V_{DS} = 15 Vdc, I_D = 0.2 mAdc)	V_{GS}	−0.5	−7.5	Vdc
ON CHARACTERISTICS				
Zero−Gate−Voltage Drain Current (Note 1) (V_{DS} = 15 Vdc, V_{GS} = 0 Vdc)	I_{DSS}	2.0	20	mAdc
SMALL−SIGNAL CHARACTERISTICS				
Forward Transfer Admittance (Note 1) (V_{DS} = 15 Vdc, V_{GS} = 0, f = 1.0 kHz) (V_{DS} = 15 Vdc, V_{GS} = 0, f = 100 MHz)	$|y_{fs}|$	2000 1600	7500 −	μmhos
Input Admittance (V_{DS} = 15 Vdc, V_{GS} = 0, f = 100 MHz)	$Re(y_{is})$	−	800	μmhos
Output Conductance (V_{DS} = 15 Vdc, V_{GS} = 0, f = 100 MHz)	$Re(y_{os})$	−	200	μmhos
Input Capacitance (V_{DS} = 15 Vdc, V_{GS} = 0, f = 1.0 MHz)	C_{iss}	−	7.0	pF
Reverse Transfer Capacitance (V_{DS} = 15 Vdc, V_{GS} = 0, f = 1.0 MHz)	C_{rss}	−	3.0	pF

1. Pulse Test; Pulse Width ≤ 630 ms, Duty Cycle ≤ 10%.

*For additional information on our Pb−Free strategy and soldering details, please download the ON Semiconductor Soldering and Mounting Techniques Reference Manual, SOLDERRM/D.

TO−92 (TO−226AA)
CASE 29−11
STYLE 5

MARKING DIAGRAM

```
MPF
102
AYWW ▪
```

MPF102 = Device Code
A   = Assembly Location
Y   = Year
WW   = Work Week
▪   = Pb−Free Package
(Note: Microdot may be in either location)

ORDERING INFORMATION

Device	Package	Shipping
MPF102	TO−92	1000 Units/Bulk
MPF102G	TO−92 (Pb−Free)	1000 Units/Bulk

Preferred devices are recommended choices for future use and best overall value.

January, 2006 − Rev. 3

Publication Order Number:
MPF102/D

그림 **11-41** MPF102 자료표

표 11-4	JFET Sampler				
Device	$V_{GS(off)}$, V	I_{DSS}, mA	g_{m0}, μS	R_{DS}, Ω	**Application**
J202	−4	4.5	2,250	888	Audio
2N5668	−4	5	2,500	800	RF
MPF3822	−6	10	3,333	600	Audio
2N5459	−8	16	4,000	500	Audio
MPF102	−8	20	5,000	400	RF
J309	−4	30	15,000	133	RF
BF246B	−14	140	20,000	100	Switching
MPF4857	−6	100	33,000	60	Switching
MPF4858	−4	80	40,000	50	Switching

JFET의 종류

JFET 종류가 표 11-4에 있으며 g_{m0}값에 따라 오름차순으로 정렬되어 있다. 이들 JFET 의 자료표 중에서 몇 가지는 오디오 주파수에 적합하며 다른 몇 가지는 RF주파수용으로 적합하다. 마지막 세 개의 JFET는 스위칭용으로 적합하다.

JFET는 소신호 소자로서 전력손실이 보통 1W 이하이다. 오디오 분야에서 JFET 는 소스폴로어로 사용되고 RF 분야에는 VHF/UHF 증폭기, 믹서 및 발진기로 사용된 다. 스위칭 분야로는 아날로그 스위치로 사용된다.

11-11 JFET 시험

MPF102에 대한 자료표는 최대 게이트 전류 I_G의 값이 10 mA임을 보여준다. 이것은 JFET가 견딜 수 있는 최대 순방향 게이트-소스 또는 게이트-드레인 전류이다. 이것은 채널 pn 접합인 게이트가 순바이어스된 경우이다. 만약 다이오드 시험 범위에서 저항측 정기 또는 디지털 멀티미터를 사용하여 JFET를 시험 중이라면, 과도한 게이트 전류를 흐르지 않도록 주의해라. 대부분의 아날로그 VOM는 R × 1 범위에서 거의 100 mA를 나온다. R × 100 범위에서는 일반적으로 1-2 mA의 전류가 나온다. 대부분의 DMM에 서는 다이오드 시험 범위에서는 일정한 1-2 mA의 전류가 출력된다. 이와 같은 전류는 JFET의 게이트-소스와 게이트-드레인 pn접합을 안전하게 시험할 수 있도록 해야만 한다. JFET의 드레인-소스 채널저항을 검사하기 위하여서는 게이트단과 소스단을 연결하라.

만약에 그렇지 않으면, 채널에서 발생하는 전계 때문에 잘못된 결과를 얻게 될 것 이다. 만약 반도체 곡선 추척기(curve tracer)를 이용할 수 있으면 JFET의 드레인 곡선을 나타내도록 시험할 수 있다. 그림 11-42a에 있는 Multisim을 사용한 간단한 시험회로로 동시에 하나의 드레인 곡선을 나타낼 수 있다. 대부분의 오실로스코우프에 있는 x-y 디

그림 11-42 (a) JFET 시험 회로; (b) 드레인 곡선

스플레이 기능을 사용하여, 그림 11-42b와 같은 드레인 곡선을 나타낼 수 있다. 역바이어스 전압 V_1을 변화하면, 근사적인 I_{DSS}값과 $V_{GC(off)}$값을 측정할 수 있다.

예를 들면 그림 11-42a에서 보여주는 것 같이, 오실로스코우프의 y입력은 10-Ω의 소스 저항에 연결한다. 오실로스코우프의 수직입력을 50 mV 단위로 설정하면 수직 드레인 전류는 다음과 같다.

$$I_D = \frac{50 \text{ mV/div.}}{10 \ \Omega} = 5 \text{ mA}/div$$

V_1에 0 V를 인가하면, 최종적인 I_D값 (I_{DSS})은 거의 12 mA이다. I_D가 0이 될 때까지 V_1을 증가하므로 $V_{GS(off)}$를 파악할 수 있다.

요점 | Summary

11-1 기본 개념
접합 FET는 줄여서 *JFET*라고 하며 소스, 게이트 및 드레인단자를 가진다. JFET는 게이트소스 간 및 게이트드레인 간에 두 개의 내부 다이오드를 가지며 정상동작을 위해 게이트드레인 다이오드도 역방향 바이어스된다. 게이트전압이 드레인전류를 조절한다.

11-2 드레인 곡선
최대 드레인전류(I_{DSS})는 게이트소스 전압 V_{GS} = 0일 때이다. 핀치오프전압은 V_{GS} =

0일 때 옴영역과 활성영역을 구분한다. 게이트소스 차단전압은 핀치오프전압과 같은 크기이며 부호는 반대이다. $V_{GS(off)}$는 JFET를 동작하지 않도록 차단한다.

11-3 전달컨덕턴스 곡선
이 곡선은 드레인전류와 게이트전압의 관계를 나타내는 그래프이다. V_{GS}가 0으로 접근하면 드레인전류는 급격히 증가한다. 드레인 전류식이 제곱항을 포함하므로 JFET를 **제곱법칙 소자**라 부른다. 정규화한 전달

컨덕턴스 곡선은 V_{GS}가 차단전압의 1/2이면 드레인전류 I_D는 최대전류의 1/4이라는 것을 나타낸다.

11-4 옴영역 바이어스
게이트 바이어스를 사용하여 옴영역에서 JFET를 바이어스한다. 옴영역에서 동작할 때 JFET는 작은 저항 R_{DS}와 등가이다. 확실히 옴영역에서 동작하도록 JFET는 V_{GS} = 0 및 $I_{D(sat)} \ll I_{DSS}$으로 하여 과포화 시킨다.

11-5 활성영역의 바이어스

게이트전압이 V_{GS}보다 크면 전압분배 바이어스는 활성영역에 안정한 동작점을 만들 수 있다. 양과 음의 공급전압이 있으면 2전원 바이어스를 사용하여 V_{GS} 변화를 없앤 안정한 동작점을 만들 수 있다. 공급전압이 크지 않으면 전류원 바이어스를 사용하여 안정한 동작점을 얻는다. 자기 바이어스는 단지 소신호 증폭기로 사용되며 이는 동작점이 다른 바이어스법보다 덜 안정하기 때문이다.

11-6 전달컨덕턴스

전달컨덕턴스 g_m은 게이트전압이 드레인전류를 얼마나 효과적으로 조절하는가를 나타낸다. g_m은 전달컨덕턴스 곡선의 기울기이며 V_{GS}가 0으로 접근하면 증가한다. 자료표에는 g_{fs}와 siemens로 표기되어 있으며 이는 각각 g_m과 mhos와 등가이다.

11-7 JFET 증폭기

CS 증폭기는 전압이득이 $g_m r_d$이며 반전출력 신호를 가진다. 소스폴로어는 입력임피던스가 크므로 시스템의 앞단에 자주 사용된다.

11-8 JFET 아날로그 스위치

이 분야에서 JFET는 신호를 전송하거나 차단하는 스위치역할을 한다. 이러한 작용을 하기 위해 JFET는 V_{GS}의 값에 따라 과포화 혹은 차단상태를 갖도록 바이어스한다. JFET는 병렬형 및 직렬형이 있으며 직렬형이 큰 on-off 비를 가진다.

11-9 여러 가지 JFET 응용

JFET가 사용되는 분야는 멀티플렉서(옴), 초퍼 증폭기(옴), 완충 증폭기(활성), 전압제어 저항(옴), AGC 회로(옴), 캐스코드 증폭기(활성), 전류원(활성) 및 전류제한기(옴 및 활성)이다.

11-10 자료표 읽기

JFET는 정격전력이 1 W 미만이므로 주로 소신호용 소자이다. 자료표를 읽을 때 최대정격을 먼저 다룬다. 때때로 자료표는 최소 $V_{GS(off)}$값 혹은 다른 변수를 생략한다. JFET 변수의 변화폭이 커서 예비 분석 및 고장 점검을 할 때 근사해석을 해도 무방하다.

11-11 JFET 시험

JFET는 다이오드 시험 범위 안에서 옴미터 또는 DMM을 이용하여 시험할 수 있다. 주의할 것은 JFET의 전류제한을 초과하지 말아야 한다는 것이다. 곡선 추적기 또는 회로는 JFET의 동적인 특성을 표시하는 데 이용될 수 있다.

정의식 | Definitions

(11-1) 핀치오프에서 옴저항:

$$R_{DS} = \frac{V_P}{I_{DSS}}$$

(11-5) 과포화:

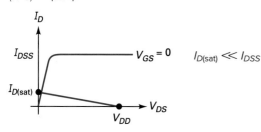

$$I_{D(sat)} \ll I_{DSS}$$

(11-13) 전달컨덕턴스:

$$g_m = \frac{i_d}{v_{gs}}$$

(11-19) 원점 부근에서 옴저항:

$$r_{ds} = \frac{V_{DS}}{I_D}$$

유도식 | Derivations

(11-2) 게이트-소스 차단전압:

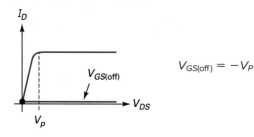

$$V_{GS(off)} = -V_P$$

(11-3) 드레인 전류:

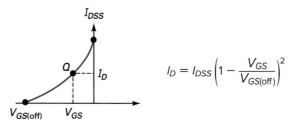

$$I_D = I_{DSS}\left(1 - \frac{V_{GS}}{V_{GS(off)}}\right)^2$$

(11-7) 전달컨덕턴스:

$$V_{GS} = -I_D R_S$$

(11-10) 전압분배 바이어스:

$$I_D = \frac{V_G - V_{GS}}{R_S} \approx \frac{V_G}{R_S}$$

(11-12) 소스 바이어스:

$$I_D = \frac{V_{SS} - V_{GS}}{R_S} \approx \frac{V_{SS}}{R_S}$$

(11-13) 전류원 바이어스:

$$I_D = \frac{V_{EE} - V_{BE}}{R_E}$$

(11-15) 게이트 차단전압:

$$V_{GS(off)} = \frac{-2I_{DSS}}{g_{m0}}$$

(11-16) 전달컨덕턴스:

$$g_m = g_{m0}\left(1 - \frac{V_{GS}}{V_{GS(off)}}\right)$$

(11-17) CS 전압이득:

$$A_v = g_m r_d$$

(11-21) 소스 플로어:

$$A_v = \frac{g_m r_s}{1 + g_m r_s}$$

복습 문제 | Self-Test

1. JFET는?
   a. 전압제어 소자이다.
   b. 전류제어 소자이다.
   c. 작은 입력저항을 가진다.
   d. 매우 큰 전압이득을 가진다.

2. 유니폴라 트랜지스터가 사용하는 것은?
   a. 자유전자 및 정공이다.
   b. 자유전자뿐이다.
   c. 정공뿐이다.
   d. 둘 모두는 아니며 둘 중 어느 하나이다.

3. JFET의 입력임피던스는?
   a. 0에 가깝다.
   b. 1에 가깝다.
   c. ∞에 가깝다.
   d. 예상이 불가능하다.

4. 게이트가 제어하는 것은?
   a. 채널의 폭 b. 드레인전류
   c. 게이트전압 d. 위의 것 모두

5. JFET의 게이트소스 다이오드는?
   a. 순방향 바이어스되어야 한다.
   b. 역방향 바이어스되어야 한다.
   c. 순방향이나 역방향 바이어스 중 어느 하나가 되어야 한다.
   d. 위의 것은 모두 아니다.

6. 바이폴라 트랜지스터와 비교하여 JFET는 무엇이 훨씬 더 큰가?
   a. 전압이득 b. 입력저항
   c. 공급전압 d. 전류

7. 핀치오프전압은 무엇과 크기가 같은가?
   a. 게이트전압
   b. 드레인소스 간 전압
   c. 게이트소스 간 전압
   d. 게이트소스 간 차단(cutoff)전압

8. 드레인 포화전류는 I_{DSS}보다 작을 경우 JFET는 무엇과 같이 작용하나?
   a. 바이폴라 트랜지스터
   b. 전류원

9. R_{DS}는 핀치오프전압을 무엇으로 나눈 것과 같은가?
   a. 드레인전류
   b. 게이트전류
   c. 이상적인 드레인전류
   d. 게이트전압이 0일 때 드레인전류

c. 저항
d. 전지

10. 전달컨덕턴스 곡선은?
    a. 선형이다.
    b. 저항그래프와 같다.
    c. 비선형이다.
    d. 하나의 드레인 곡선과 같다.

11. 전달컨덕턴스가 드레인전류가 어떤 값으로 접근할 때 증가하는가?
    a. 0   b. $I_{D(sat)}$
    c. I_{DSS} d. I_S

12. CS 증폭기의 전압이득은?
    a. $g_m r_d$
    b. $g_m r_s$
    c. $g_m r_s / (1 + g_m r_s)$
    d. $g_m r_d / (1 + g_m r_d)$

13. 소스폴로어의 전압이득은?
    a. $g_m r_d$
    b. $g_m r_s$
    c. $g_m r_s / (1 + g_m r_s)$
    d. $g_m r_d / (1 + g_m r_d)$

14. 입력신호가 클 때 소스폴로어는?
    a. 1보다 작은 전압이득을 가진다.
    b. 적은 왜곡을 가진다.
    c. 큰 입력저항을 가진다.
    d. 모두 다 가진다.

15. JFET가 아날로그 스위치로 사용될 때 입력신호는?
    a. 작아야 한다.
    b. 커야 한다.
    c. 구형파라야 한다.
    d. 초핑되어야 한다.

16. 캐스코드 증폭기가 갖는 이점은?
    a. 큰 전압이득
    b. 저입력 커패시턴스
    c. 저입력 임피던스
    d. 큰 g_m

17. VHF의 주파수범위는?
    a. 300 kHz ~ 3 MHz
    b. 3 MHz ~ 30 MHz
    c. 30 MHz ~ 300 MHz
    d. 300 MHz ~ 3 GHz

18. JFET가 차단되면 공핍층은?
    a. 멀리 떨어진다.
    b. 가까워진다.
    c. 접촉한다.
    d. 전도된다.

19. n-채널 JFET에서 게이트전압이 더욱 음이 되면 공핍층 사이의 채널은?
    a. 줄어든다.   b. 확장된다.
    c. 전도된다.   d. 전도가 중단된다.

20. JFET에서 I_{DSS} = 8mA, V_p = 4 V 이면 R_{DS}는?
    a. 200 Ω   b. 320 Ω
    c. 500 Ω   d. 5 kΩ

21. 옴영역에서 JFET를 바이어스하기에 가장 쉬운 방법은?
    a. 전압분배 바이어스
    b. 자기 바이어스
    c. 게이트 바이어스
    d. 소스 바이어스

22. 자기 바이어스는?
    a. 정귀환   b. 부귀환
    c. 전진귀환   d. 역귀환

23. 자기 바이어스된 JFET에서 음의 게이트소스 전압을 얻기 위해서 사용하는 것은?
    a. 전압분배기
    b. 소스저항
    c. 접지
    d. 음의 게이트 공급전압

24. 전달컨덕턴스의 단위는?

a. Ohms

b. Amperes

c. Volts

d. Mhos 또는 Siemens

25. 전달컨덕턴스는 입력전압이 무엇을 효과적으로 조절하는가를 나타내는가?

a. 전압이득   b. 입력저항

c. 공급전압   d. 출력전류

기본 문제 | Problems

11-1 기본 개념

11-1 2N5458은 게이트 역전압이 −15 V일 때 게이트전류가 1 nA이다. 게이트의 입력저항은 얼마인가?

11-2 2N5640은 게이트 역전압이 −20 V이고 주위온도가 100°C일 때 게이트전류가 1 μA이다. 게이트의 입력저항은?

11-2 드레인 곡선

11-3 JFET의 I_{DSS} = 20 mA, V_p = 4 V이다. 최대 드레인전류, 게이트소스 차단전압 및 R_{DS}를 구하여라.

11-4 2N5555의 I_{DSS} = 16 mA, $V_{GS(off)}$ = −2 V이다. 이 JFET에서 핀치오프전압은 얼마인가? 또 드레인소스 저항 R_{DS}는 얼마인가?

11-5 2N5457는 I_{DSS} = 1~5 mA, $V_{GS(off)}$ = −0.5 ~ −6 V이다. 최대 및 최소 R_{DS}값은 얼마인가?

11-3 전달컨덕턴스 곡선

11-6 2N5462는 I_{DSS} = 16 mA, $V_{GS(off)}$ = −6 V이다. 차단점의 1/2에서 게이트전압 및 드레인전류를 구하여라.

11-7 2N5670은 I_{DSS} = 10 mA, $V_{GS(off)}$ = −4 V이다. 차단점의 1/2에서 게이트전압 및 드레인전류를 구하여라.

11-8 2N5486은 I_{DSS} = 14 mA, $V_{GS(off)}$ = −4 V이면 $V_{GS(off)}$ = −1 V와 $V_{GS(off)}$ = −3 V일 때 드레인전류를 구하여라.

11-4 옴영역의 바이어스

11-9 그림 11-43a에서 드레인 포화전류 및 드레인전압은 얼마인가?

11-10 그림 11-43a에서 10 kΩ이 20 kΩ으로 증가하면 드레인전압은 얼마인가?

11-11 그림 11-43b에서 드레인전압은 얼마인가?

11-12 그림 11-43b에서 20 kΩ이 10 kΩ으로 감소하면 드레인 포화전류 및 드레인전압은 얼마인가?

11-5 활성영역의 바이어스

기본문제 11-13부터 11-20까지는 이전의 분석을 이용하라.

11-13 그림 11-44a에서 이상적인 드레인전압은 얼마인가?

11-14 그림 11-44a에서 직류부하선과 동작점을 그려라.

11-15 그림 11-44b에서 이상적인 드레인전압을 구하여라.

11-16 그림 11-44b에서 18 kΩ이 30 kΩ으로 변하면 드레인전압은 얼마인가?

11-17 그림 11-45a에서 드레인전류 및 드레인전압은 얼마인가?

11-18 그림 11-45a에서 7.5 kΩ이 4.7 kΩ으로 되면 드레인전류 및 드레인전압은 얼마인가?

11-19 그림 11-45b에서 I_D = 1.5 mA이다. V_{GS}와 V_{DS}는 얼마인가?

11-20 그림 13-45b에서 1 kΩ 양단전압이 1.5 V이다. 드레인전압은 얼마인가?

기본문제 11-21부터 11-24까지는 그림 11-45c와 그래프법을 이용하여 답하여라.

11-21 그림 11-44a에서 그림 11-45c의 전달컨덕턴스 곡선을 이용하여 V_{GS}와 I_D의 값을 구하여라.

11-22 그림 11-45a에서 그림 11-45c의 전달컨덕턴스 곡선을 이용하여 V_D와 V_{GS}의 값을 구하여라.

11-23 그림 11-45b에서 그림 11-45c의 전달컨덕턴스 곡선을 이용하여 I_D와 V_{GS}의 값을 구하여라.

11-24 그림 11-45b에서 R_S가 1 kΩ이, 2 kΩ으로 변한다. 그림 11-45c의 곡선을 이용하여 V_{GS}, I_D, V_{DS}의 값을 구하여라.

11-6 전달컨덕턴스

11-25 2N4416은 I_{DSS} = 10 mA, g_{m0} = 4,000 μS이다. 게이트소스 차단전압은? V_{GS} = −1 V에서 g_m는?

11-26 2N3370은 I_{DSS} = 2.5 mA, g_{m0} = 1500 μS이다. V_{GS} = −1 V에서 g_m은?

11-27 그림 11-46a의 JFET는 g_{m0} = 6,000 μS이다. 만약 I_{DSS} = 12 mA라면 V_{GS} = −2 V에서 I_D는? 또 I_D에 대한 g_m은?

11-7 JFET 증폭기

11-28 그림 11-46a에서 g_m = 3,000 μS이면 교류출력전압은 얼마인가?

11-29 그림 11-46a의 증폭기는 그림 11-46b와 같은 전달컨덕턴스 곡선을 가진다. 교류출력 전압을 구하여라.

11-30 그림 11-47a의 소스폴로어는 g_m = 2,000 μS이다. 교류출력 전압은?

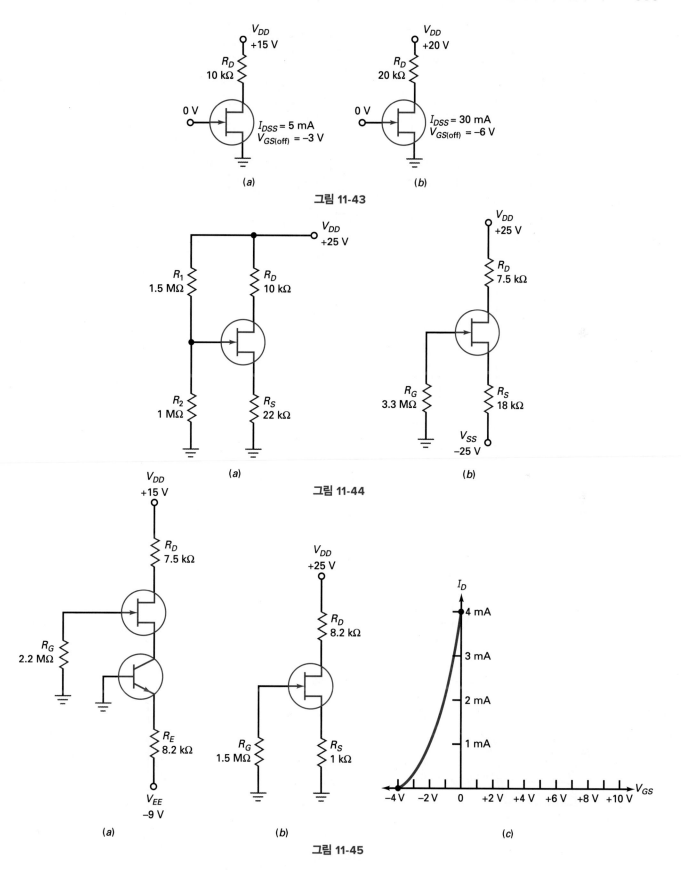

그림 11-43

(a)   (b)

그림 11-44

(a)   (b)   (c)

그림 11-45

(a)

그림 11-46

(b)

(a)

그림 11-47

(b)

(a)

그림 11-48

(b)

(a)

(b)

(c)

그림 11-49

11-31 그림 11-47a의 소스플로어는 그림 11-47b와 같은 전달컨덕턴스 곡선을 가진다. 교류출력 전압을 구하여라.

11-8 JFET 아날로그 스위치

11-32 그림 11-48a에서 입력전압이 50 mV$_{p-p}$이다. V_{GS} = 0 V 및 V_{GS} = −10 V에서 출력전압은 얼마인가? on-off 비를 구하여라.

11-33 그림 11-48b에서 입력전압이 25 mV$_{p-p}$이다. V_{GS} = 0 V 및 V_{GS} = −10 V에서 출력전압은 얼마인가? on-off 비를 구하여라.

응용 문제 | Critical Thinking

11-34 JFET가 그림 11-49a와 같은 드레인 곡선을 가진다. I_{DSS}는 얼마인가? 옴영역에서 최대 V_{DS}는 얼마인가? 또한 JFET가 전류원으로 동작할 때 V_{DS}의 전압범위는 얼마인가?

11-35 그림 11-49b의 전달컨덕턴스 식을 써라. V_{GS} = 4 V 및 V_{GS} = −2 V일 때 드레인전류는 얼마인가?

11-36 JFET가 그림 11-49c와 같이 제곱법칙 곡선을 가지면 V_{GS} = −1 V일 때 드레인전류는 얼마인가?

그림 11-50

11-37 그림 11-50에서 직류 드레인전류는? g_m = 2000 μS이면 교류출력 전압은?

11-38 그림 11-51은 JFET 직류전압계를 나타낸다. 측정하기 전에 영점조정(zero adjust)을 정확히 하였다. v$_{in}$ = −2.5 V일 때 최대눈금을 나타내도록 주기적으로 조절되어 있다. 이 같은 조절은 FET간의 변화 및 FET 경시(aging)효과를 고려하는 것이다.

  a. 510Ω을 흐르는 전류는 4 mA이다. 이로부터 소스-접지 간의 직류전압은 얼마인가?

  b. 만약 전류계의 전류흐름이 없다면 전류지시기(wiper)가 영점조정되면 그때의 전압은?

  c. 만약 입력전압 2.5 V가 1 mA 편향시키면 전압 1.25 V는 얼마만한 편향을 가지나?

그림 11-51

11-39 그림 11-52a에서 JFET는, I_{DSS} = 16 mA, RDS = 200 Ω 이다. 만일 부하저항이 10 kΩ이라면, 부하전류와 JFET 양단전압은 얼마인가? 만약 부하가 우연히 단락되면 부하저항과 JFET 양단전압은 얼마인가?

11-40 그림 11-52b는 AGC 증폭기의 일부를 나타낸다. 직류전압은 여기서 나타낸 것처럼 출력단에서 앞단으로 귀환한다. 그림 11-46b는 전달컨덕턴스 곡선이다. 다음의 각 값에 대한 전압이득을 구하여라.

  a. V_{AGC} = 0   b. V_{AGC} = −1 V
  c. V_{AGC} = −2 V   d. V_{AGC} = −3 V
  e. V_{AGC} = −3.5 V

그림 11-52

고장 점검 | Troubleshooting

남은 문제들의 해결을 위해 문제해결표와 그림 11-53을 이용하라.

11-41 문제 *T*1을 찾아라.

11-42 문제 *T*2를 찾아라.

11-43 문제 *T*3를 찾아라.

11-44 문제 *T*4를 찾아라.

11-45 문제 *T*5를 찾아라.

11-46 문제 *T*6를 찾아라.

11-47 문제 *T*7을 찾아라.

11-48 문제 *T*8을 찾아라.

Trouble	V_{GS}	I_D	V_{DS}	V_g	V_s	V_d	V_{out}
OK	−1.6 V	4.8 mA	9.6 V	100 mV	0	357 mV	357 mV
T1	−2.75 V	1.38 mA	19.9 V	100 mV	0	200 mV	200 mV
T2	−0.6 V	7.58 mA	1.25 V	100 mV	0	29 mV	29 mV
T3	−0.56 V	0	0	100 mV	0	0	0
T4	−8 V	0	8 V	100 mV	0	0	0
T5	8 V	0	24 V	100 mV	0	0	0
T6	−1.6 V	4.8 mA	9.6 V	100 mV	87 mV	40 mV	40 mV
T7	−1.6 V	4.8 mA	9.6 V	100 mV	0	397 mV	0
T8	0	7.5 mA	1.5 V	1 mV	0	0	0

그림 11-53

Multisim 고장 점검 문제 | Multisim Troubleshooting Problems

멀티심 고장 점검 파일들은 *Connect for Electronic Principles* 저자 자료에 멀티심 고장 점검 회로(MTC)라는 폴더에서 찾을 수 있다. 좀 더 자세한 내용은 xiv페이지를 참조하라. 이 장에 관련된 파일은 MTC11-49~MTC11-53로 명칭되어 있고 모두 그림 16-53의 회로를 바탕으로 한다.

각 파일을 열고 고장 점검을 실시한다. 결함이 있는지 결정하기 위해 측정을 실시하고 결함이 있다면 무엇인지를 찾아라.

11-49 파일 MTC11-49를 열고 고장 점검을 실시하라.

11-50 파일 MTC11-50을 열고 고장 점검을 실시하라.

11-51 파일 MTC11-51을 열고 고장 점검을 실시하라.

11-52 파일 MTC11-52를 열고 고장 점검을 실시하라.

11-53 파일 MTC11-53을 열고 고장 점검을 실시하라.

직무 면접 문제 | Job Interview Questions

1. JFET가 어떻게 동작하는지 핀치오프전압 및 게이트소스 차단전압을 포함하여 설명하여라.

2. JFET의 드레인 곡선과 전달컨덕턴스 곡선을 그려라.

3. JFET와 바이폴라 트랜지스터를 비교하여라. 설명에 각각의 장단점을 포함하여라.

4. FET가 옴영역 혹은 활성역역 중 어느 영역에서 동작하는가를 어떻게 알 수 있나?

5. JFET의 소스폴로어를 그려서 어떻게 동작하는가를 설명하여라.

6. JFET 병렬스위치 및 직렬스위치를 그려서 각각 어떻게 동작하는가를 설명하여라.

7. 어떻게 JFET가 정전기 스위치로 사용될 수 있나?

8. BJT와 JFET에서 출력전류를 조절하는 입력량은 무엇인가? 만약 이 입력량이 다르면 설명하여라.

9. JFET는 게이트에 전압을 가해 전류를 조절하는 소자이다. 이것을 설명하여라.

10. 캐스코드 증폭기의 이점은 무엇인가?

11. 때때로 JFET 증폭기가 라디오 수신기의 앞단에서 증폭소자로 사용되는 이유를 말하여라.

복습 문제 해답 | Self-Test Answers

1.	a	**6.**	b	**11.**	c	**16.**	b	**21.**	c
2.	d	**7.**	d	**12.**	a	**17.**	c	**22.**	b
3.	c	**8.**	c	**13.**	c	**18.**	c	**23.**	b
4.	d	**9.**	d	**14.**	d	**19.**	a	**24.**	d
5.	b	**10.**	c	**15.**	a	**20.**	c	**25.**	d

연습 문제 해답 | Practice Problem Answers

11-1 $R_{in} = 10{,}000 \ M\Omega$

11-2 $R_{DS} = 600 \ \Omega$;
$V_p = 3.0 \ V$

11-4 $I_D = 3 \ mA$;
$V_{GS} = -3 \ V$

11-5 $R_{DS} = 300 \ \Omega$;
$V_D = 0.291 \ V$

11-6 $R_S = 500 \ \Omega$;
$V_D = 26 \ V$

11-7 $V_{GS(min)} = -0.85$;
$I_{D(min)} = 2.2 \ mA$;

$V_{GS(max)} = -2.5 \ V$;
$I_{D(max)} = 6.4 \ mA$

11-8 $I_D = 4 \ mA$;
$V_{DS} = 12 \ V$

11-9 $I_{D(max)} = 5.6 \ mA$

11-11 $I_D = 4.3 \ mA$;
$V_D = 5.7 \ V$

11-12 $V_{GS(off)} = -3.2 \ V$;
$g_m = 1{,}875 \ \mu S$

11-13 $v_{out} = 5.3 \ mV$

11-14 $v_{out} = 0.714 \ mV$

11-15 $A_v = 0.634$

11-16 $A_v = 0.885$

11-17 $R_{DS} = 400 \ \Omega$;
on-off ratio = 26

11-18 $V_{out(on)} = 9.6 \ mV$;
$v_{out(off)} = 10 \ \mu V$ on-off ratio = 960

11-19 $V_{peak} = 99.0 \ mV$

12 금속-산화물-반도체 트랜지스터

MOSFETs

금속-산화물-반도체 트랜지스터(**MOSFET**)는 소스, 게이트 및 드레인을 가진다. MOSFET는 게이트가 채널로부터 절연되어 있다는 점에서 JFET와 다르다. 이런 이유로 게이트전류는 JFET보다 더 작다. 종종 MOSFET를 IGFET라고 부르며 이는 절연된 게이트(insulated-gate)를 가진 FET를 나타낸다.

MOSFET에는 공핍형(depletion-mode type) 및 증가형(enhancement-mode type) 두 종류가 있다. 증가형 MOSFET는 개별 및 집적회로(IC)에 널리 사용된다. 개별회로에서 주로 사용되는 분야는 큰 전류를 on-off하는 전력 스위칭분야이며 IC회로에서는 컴퓨터의 자료처리에 사용되는 디지털 스위칭분야이다. 이러한 사용들이 감소하고 있지만, 공핍형 MOSFET는 고주파 통신회로 앞 단에서 RF증폭기로 쓰이는 것을 찾을 수 있다.

주요용어 | Vocabulary

공핍형 MOSFET
  (depletion-mode MOSFET)

기판(substrate)

기생 보디 다이오드
  (parasitic body-diode)

능동부하 저항
  (active-load resistors)

돌입 전류(inrush current)

디지털(digital)

드레인 피드백 바이어스
  (drain-feedback bias)

문턱전압(threshold voltage)

MOSFET(metal-oxide semiconductor FET)

VMOS(vertical MOS)

CMOS(complementary MOS)

아날로그(analog)

인터페이스(interface)

UPS(uninterruptible power supply)

전력 FET (power FET)

증가형 MOSFET(enhancement-mode MOSFET)

직류-교류 변환기
  (dc-to-ac converter)

직류-직류 변환기
  (dc-to-dc converter)

하이-사이드 부하 스위치
  (high-side load switch)

그림 12-1 공핍형 MOSFET

12-1 공핍형 MOSFET

그림 12-1은 **공핍형 MOSFET**를 나타낸다. 왼쪽에는 절연된 게이트를 가진 n영역과 오른쪽은 p영역으로 구성되어 있다. 이 p영역을 **기판**이라 부른다. 소스에서 드레인으로 흐르는 전자는 게이트와 p영역 사이의 좁은 채널을 통과해야 한다.

채널 왼쪽에 유리와 같은 절연체인 얇은 이산화규소(SiO_2)막이 형성되며 그 위의 게이트는 금속으로 되어있다. 금속성 게이트가 채널로부터 절연되어 있어서 게이트전압이 양(+)이 되더라도 게이트전류는 무시할 수 있을 정도로 작게 된다.

그림 12-2a는 음(−)의 게이트전압을 가지는 공핍형 MOSFET를 나타낸다. 공급전압 V_{DD}는 자유전자를 소스에서 드레인으로 흐르게 하며 자유전자는 p기판 왼쪽의 좁은 채널을 통하여 흐른다. JFET와 마찬가지로 게이트전압이 채널폭을 조절한다. 게이트전압이 음이 되면 될수록 드레인전류는 감소한다. 게이트전압이 큰 음의 값을 가지면 드레인전류는 차단된다. 따라서 공핍형 MOSFET 동작은 V_{GS}가 음일 때 JFET 동작과 유사하게 동작한다.

게이트가 절연되어 있으므로 그림 12-2b와 같이 양의 입력전압을 사용할 수도 있다. 양의 게이트전압은 채널을 흐르는 자유전자의 수를 증가시켜 소스에서 드레인으로 더 큰 전류를 흐르게 한다.

참고 사항

JFET와 같이 공핍형 MOSFET는 보통은 늘 동작하는 부품으로 여겨진다. 이는 두 부품이 V_{GS}는 0 V일 때 드레인 전류를 갖기 때문이다. JFET를 생각해보면 I_{DSS}는 최대 가능 드레인 전류이다. 공핍형 MOSFET에서 게이트전압이 채널의 전하 캐리어를 증가시키기 때문에 I_{DSS}를 초과할 수 있다. 드레인 n-채널 D-MOSFET에 대하여 V_{GS}가 양일 때, I_D는 보다 크다.

12-2 D-MOSFET 곡선

그림 12-3a는 전형적인 공핍형 MOSFET n채널에 대한 드레인 곡선군을 보여준다. V_{GS} = 0 위의 곡선들은 양이고 V_{GS} = 0 아래의 곡선들은 음이라는 것을 알 수 있다. JFET와 마찬가지로, 바닥의 곡선은 $V_{GS} = V_{GS(off)}$에 대한 것이고 드레인 전류는 거의 0에 가깝다. V_{GS} = 0 V일 때, 드레인 전류는 I_{DSS}와 같을 것이다. 이것은 공핍형 MOSFET나 D-MOSFET가 **정상적으로 장착**되었다는 것을 보여준다. V_{GS}가 음일 때, 드레인 전류는 감소한다. n채널 JFET와는 대조적으로 n채널 D-MOSFET는 V_{GS}가 양의 값을 갖고 적절히 작동할 수 있다. 이는 순바이어스가 되기 위한 pn접합이 없기 때문이다. V_{GS}가 양이 될 때, I_D는 다음의 제곱방정식에 따라 증가한다.

그림 12-2 (a) 음의 게이트전압을 가지는 D-MOSFET; (b) 양의 게이트전압을 가지는 E-MOSFET

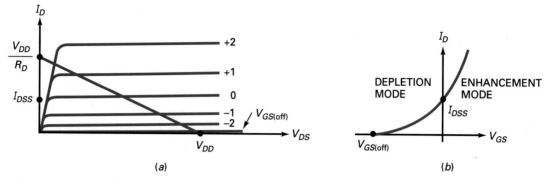

그림 12-3 n채널, 공핍형 MOSFET (a) 드레인 곡선; (b) 전달 컨덕턴스 곡선

$$I_D = I_{DSS}\left(1 - \frac{V_{GS}}{V_{GS(\text{off})}}\right)^2 \qquad\qquad (12\text{-}1)$$

V_{GS}가 음일 때 D-MOSFET는 공핍형에서 작동하고, V_{GS}가 양일 때 D-MOSFET는 확장형에서 작동한다. JFET와 같이 D-MOSFET곡선은 옴영역, 전류원영역, 차단영역에 나타난다.

그림 12-3b는 D-MOSFET에 대한 전달컨덕턴스 곡선이다. I_{DSS}는 게이트가 소스에 단락된 드레인 전류이다. I_{DSS}는 더 이상 최대 가능 드레인 전류가 아니다. 포물선 모양의 전달컨덕턴스 곡선은 JFET에 존재하는 것과 같은 제곱관계를 따른다. 그 결과, 공핍형 MOSFET의 분석은 거의 JFET회로의 분석과 거의 동일하다. 가장 어려운 것은 V_{GS}를 음 또는 양이 되게 할 수 있느냐 하는 것이다.

p-채널 D-MOSFET가 있다. 이것은 n-타입 기판과 같이 드레인소스 p-채널로 구성되어 있다. 다시 한 번 게이트는 채널로부터 절연된다. p-채널 MOSFET의 작동은 n-채널 MOSFET과 상보적이다. n-채널과 p-채널 D-MOSFET에 대한 도식적 기호는 그림 12-4와 같다.

DRAIN

GATE

SOURCE

(a)

DRAIN

GATE

SOURCE

(b)

그림 12-4 D–MOSFET 도식적 기호 (a) n 채널; (b) p 채널

예제 12-1

D-MOSFET가 $V_{GS(\text{off})} = -3$ V이고 $I_{DSS} = 6$ mA이다. V_{GS}가 -1 V, -2 V, 0 V, $+1$ V, $+2$ V일 때 드레인 전류의 값은 무엇인가?

풀이 제곱식 (12-1)에 따라서

$V_{GS} = -1$ V	$I_D = 2.67$ mA
$V_{GS} = -2$ V	$I_D = 0.667$ mA
$V_{GS} = 0$ V	$I_D = 6$ mA
$V_{GS} = +1$ V	$I_D = 10.7$ mA
$V_{GS} = +2$ V	$I_D = 16.7$ mA

연습 문제 12-1 $V_{GS(\text{off})} = -4$ V, $I_{DSS} = 4$ mA의 값들을 이용하여 예제 12-1을 다시 풀어보아라.

12-3 공핍형 MOSFET 증폭기

공핍형 MOSFET는 양 또는 음의 게이트 전압으로 작동할 수 있기 때문에 특별하다. 이러한 이유로 그림 12-5*a*와 같이 $V_{GS} = 0$ V일 때 동작점 Q를 정할 수 있다. 입력신호가 양일 때, I_{DSS} 위 부분의 I_D를 증가시키고, 입력신호가 음일 때는 I_{DSS} 아래 부분의 I_D를 감소시킨다. 순바이어스에 대한 *pn*접합이 없기 때문에 MOSFET의 입력 저항은 높은 상태로 남게 된다. 0인 V_{GS}를 이용한다는 것은 그림 12-5*b*의 매우 간단한 바이어스 회로를 설계할 수 있다는 것이다. I_G가 0이기 때문에 $V_{GS} = 0$ V이고 $I_D = I_{DSS}$이다. 드레인 전압은 다음과 같다.

$$V_{DS} = V_{DD} - I_{DSS} R_D \tag{12-2}$$

D-MOSFET가 정상적으로 장착되었기 때문에 소스저항을 추가함으로써 자기바이어스를 이용하는 것 또한 가능하다. 자기바이어스 JFET회로와 같이 작동한다.

그림 12-5 Zero-bias

예제 12-2

그림 12-6의 D-MOSFET 증폭기는 $V_{GS(off)} = -2$ V, $I_{DSS} = 4$ mA이고, $g_{mo} = 2,000\ \mu S$이다. 회로의 출력전압을 구하여라.

그림 12-6 D-MOSFET 증폭기

풀이 소스접지로 $V_{GS} = 0$ V, ID = 4 mA이다.

$$V_{DS} = 15\ V - (4\ mA)(2\ k\Omega) = 7\ V$$

$V_{GS} = 0$ V, $g_m = g_{mo} = 2,000$ μS이므로 증폭기의 전압이득은 다음 식으로 찾는다.

$$A_v = g_m r_d$$

교류드레인 저항은 다음과 같다.

$$r_d = R_D \parallel R_L = 2\ \text{k}\Omega \parallel 10\ \text{k}\Omega = 1.67\ \text{k}\Omega$$

AV의 값은 다음과 같다.

$$A_v = (2,000\ \mu\text{S})(1.67\ \text{k}\Omega) = 3.34$$

그러므로

$$v_{\text{out}} = (v_{\text{in}})(A_v) = (20\ \text{mV})(3.34) = 66.8\ \text{mV}$$

이다.

연습 문제 12-2 그림 12-6에서 MOSFET의 g_{mo}값이 3,000 μS라면 v_{out}의 값은 얼마인가?

예제 12-2와 같이 D-MOSFET가 상대적으로 적은 전압이득을 가진다. 이러한 장치의 중요한 이점 중 하나는 매우 높은 입력저항이다. 이것은 회로 부하가 문제가 될 때 이 장치를 사용할 수 있다는 것을 말한다. 또한 MOSFET는 훌륭한 저잡음 속성을 가진다. 이것은 신호가 약한 시스템의 전단의 어느 부분에서든 절대적인 이점이 된다. 이것은 여러 종류의 전자통신회로에서 매우 일반적이다.

그림 12-7과 같이 어떤 D-MOSFET는 이중게이트 장치이다. 한 게이트는 입력신호점으로 사용될 수 있는 반면에 다른 게이트는 자동이득조절직류전압에 연결될 수 있

그림 12-7 이중 게이트 MOSFET

다. 이것은 MOSFET의 전압이득이 조절될 수 있고 입력신호의 세기에 의해 변화 될 수 있다는 것을 이야기한다.

12-4 증가형 MOSFET

공핍형 MOSFET(D-MOSFET)는 **증가형 MOSFET**(*E-MOSFET*)로 발전되는 한 부분이었다. E-MOSFET가 없었다면 개인용 컴퓨터는 존재하지 않을 것이다.

기본 개념

그림 12-8a는 n채널 E-MOSFET를 나타낸다. p형 기판이 SiO_2막까지 확장되어 있으므로 구조적으로는 소스와 드레인 사이에 n채널이 존재하지 않는다. 그러면 어떻게 E-MOSFET가 동작하는가? 그림 12-8b는 정상적인 바이어스 극성을 나타낸다. 게이트전압이 0이면 소스-드레인을 흐르는 전류는 0이다. 이런 이유로 E-MOSFET는 게이트전압이 0일 때 차단상태이다.

E-MOSFET에서 전류가 흐르는 유일한 방법은 게이트전압을 양으로 하는 것이다. 게이트전압이 양이 되면 게이트는 자유전자를 p영역으로 끌어당긴다. 자유전자는 부근의 정공과 재결합한다. 게이트전압이 충분히 커지면 SiO_2막과 접촉하는 곳의 모든 정공이 전자와 재결합으로 없어진 후에 비로소 자유전자들은 소스에서 드레인으로 흐르기 시작한다. 이 효과는 SiO_2막 바로 옆에 얇은 n형 물질을 만드는 것과 같다. 이 얇은 도전층을 n형 반전층(n-type inversion layer)이라 부른다. 이것이 만들어지면 자유전자는 쉽게 소스에서 드레인으로 흐른다.

이 n형 반전층을 형성하는 최소 V_{GS}값을 **문턱전압**(threshold voltage)이라 하고 $V_{GS(th)}$로 표기한다. V_{GS}가 $V_{GS(th)}$보다 작으면 드레인전류는 0이며 V_{GS}가 $V_{GS(th)}$보다 크면 n형 반전층이 소스와 드레인을 연결하므로 드레인전류가 흐른다. 소신호 소자에서 대표적인 $V_{GS(th)}$는 1~3 V이다.

JFET는 도전율이 공핍층의 작용에 영향을 받으므로 **공핍형 소자**로 분류된다. 반면에 E-MOSFET는 그 도전율이 n형 반전층의 작용에 의존하므로 **증가형 소자**로 분류된다. 즉 게이트전압이 0이면 JFET는 동작되고 E-MOSFET는 차단된다. 그러므로 E-MOSFET는 차단된 소자로 여겨진다.

참고 사항

E-MOSFET에서 V_{GS}는 드레인 전류를 얻기 위해서 $V_{GS(th)}$보다 커야한다. 그러므로 E-MOSFET가 바이어스될 때, 자기바이어스, 전류원 바이어스, 제로 바이어스는 공핍형에 의존하기 때문에 이용될 수 없다. E-MOSFET를 바이어스하기 위한 방법으로는 게이트 바이어스, 전압분배 바이어스, 소스 바이어스가 있다.

그림 12-8 E-MOSFET (a) 바이어스 안됨; (b) 바이어스 됨

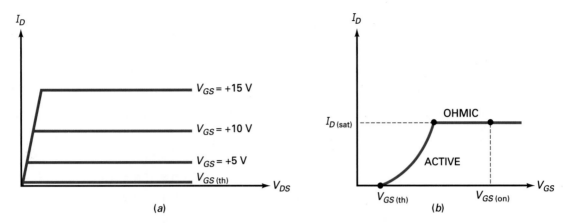

그림 12-9 E–MOSFET 그래프 (a) 드레인 곡선; (b) 전달컨덕턴스 곡선

드레인 곡선

소신호 E-MOSFET의 전력정격은 1 W 이하이다. 그림 12-9a는 대표적인 소신호 E-MOSFET의 드레인 곡선군을 나타낸다. 맨 아래 곡선은 $V_{GS(th)}$일 때의 곡선이다. V_{GS}가 $V_{GS(th)}$보다 작을 때는 드레인전류는 거의 0이다. V_{GS}가 $V_{GS(th)}$보다 클 때는 소자는 동작되며 드레인전류는 게이트전압에 의해 제어된다.

곡선이 거의 수직인 부분은 옴영역이며 수평인 부분은 활성영역이다. 옴영역에서 바이어스되면 E-MOSFET는 저항과 같으며 활성영역에서 바이어스되면 E-MOSFET는 전류원과 같다. E-MOSFET가 활성역역에서도 동작되지만 주된 사용영역은 옴영역이다.

그림 12-9b는 대표적인 전달컨덕턴스 곡선을 나타낸다. $V_{GS} = V_{GS(th)}$가 될 때까지 드레인전류는 흐르지 않는다. 이 다음 포화전류($I_{D(sat)}$)가 될 때까지 드레인전류(I_D)는 급격히 증가한다. 이 점을 넘어서면 소자는 옴영역에서 동작되며 V_{GS}가 증가하더라도 I_D는 증가하지 않는다. 확실히 E-MOSFET가 과포화(hard saturation)되도록 그림 12-9b와 같이 $V_{GS(on)}$은 $V_{GS(th)}$보다 훨씬 커야 한다.

도식적 기호

$V_{GS} = 0$이면 E-MOSFET는 소스와 드레인 사이의 전도채널이 없으므로 차단된다. 그림 12-10a의 기호는 이러한 차단상태를 표시하기 위해 끊어진 채널선으로 표시된다. 알다시피 게이트전압이 문턱전압보다 크게 되면 n형 반전층이 생성되고 소스와 드레인은 서로 연결된다. 소자가 도전될 때 그림과 같이 화살표를 사용하여 n채널처럼 동작하는 이 반전층을 향하도록 표시한다.

또한 p채널 E-MOSFET도 있는데 이것의 기호는 그림 12-10b와 같이 화살표가 외부로 향한다는 것을 제외하고는 n채널 E-MOSFET와 동일하다.

p-채널 E-MOSFET은 차단된 증가형 소자이다. p-채널 E-MOSFET이 동작하기 위해서 게이트는 소스에 대해서 음(–)의 상태가 되어야 한다. 동작을 위해서는 $-V_{GS}$의 값이 $-V_{GS(th)}$ 값보다 크거나 같아야 한다. 이 상태가 되면, p형 반전층이 다수캐리어인 정공들로 형성된다. n채널 E-MOSFET은 p채널의 정공들보다 이동성이 큰 다수캐리어로 전자들을 이용한다. 이 결과로 n채널 E-MOSFET은 낮은 $R_{DS(on)}$과 높은 스위칭 속도를 갖게 된다.

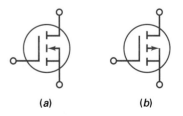

그림 12-10 E–MOSFET의 도식적 기호 (a) n–채널소자 (b) p–채널소자

게이트소스 간 최대전압

MOSFET는 절연체인 얇은 SiO_2층을 갖고 있으며 이것은 게이트 전압이 양(+)일 때뿐만 아니라 음(−)일 때도 게이트를 흐르는 전류를 막는다. 이 절연층은 가능한 한 얇게 제작하여 손쉽게 게이트전압이 드레인전류를 제어할 수 있도록 한다. 절연층이 아주 얇기 때문에 과대한 게이트소스 간의 전압에 의해 파괴되기 쉽다.

예를 들어 2N7000의 $V_{GS(max)}$는 ±20 V로서 만일 게이트소스 간의 전압은 +20 V 이상의 양(+)의 값이나 −20 V 이하의 음(−)의 값이 되면 절연층은 파괴된다는 것이다.

과대한 V_{GS}에 따른 파손 외에 또 다른 어떤 방법으로도 이 절연층은 파괴될 수 있다. 만일 전원이 인가되어 있는 동안에 회로상에서 MOSFET를 제거 또는 삽입하는 경우에는 유도성 반향(inductive kickback) 효과에 의한 과도전압이 $V_{GS(max)}$을 초과하여 소자를 파괴할 수 있다. 이런 경우 MOSFET는 사용할 수 없게 된다. MOSFET를 회로에서 제거하는 것도 $V_{GS(max)}$값을 초과하여 상당한 정전하가 축적될 수 있으므로 소자를 파괴할 수 있다. 이런 이유로 MOSFET는 단자 주변에 와이어링, 얇은 주석 포일(tin foil) 또는 도전성 거품을 사용하여 필요한 곳으로 이동된다.

어떤 MOSFET는 게이트와 소스에 병렬로 내재된 제너 다이오드(built-in zener diodes)를 넣어 보호한다. 얇은 절연층에 미미한 손상이 발생되기 전에 제너전압은 $V_{GS(max)}$보다 작으므로 제너 다이오드가 항복되도록 되어 있다. 단점이라면 내재된 제너 다이오드가 MOSFET의 중요한 특성인 고입력 저항을 감소시키는 것이다. 값비싼 MOSFET는 제너보호를 이용하면 파괴되므로 이 방법을 사용하지 않고 다른 방법으로 고입력 저항을 가지게 한다.

결론적으로 MOSFET는 예민하고 파손되기 쉬우므로 조심스럽게 다루어야 한다. 더욱이 전원이 인가된 상태에서는 결코 연결하거나 제거해서는 안된다. 또 MOSFET 소자를 다루기 전에 작업하고 있는 접지된 장비의 섀시(chassis)에 몸을 접촉시켜 반드시 정전하를 제거하도록 해야 한다.

12-5 옴영역

E-MOSFET가 활성영역에서도 바이어스되지만 대부분이 스위칭소자로 사용되므로 이 활성영역에서 좀처럼 동작시키지 않는다. 대표적인 입력전압은 0(low) V와 $V_{GS(on)}$(high)이다.

드레인소스 저항

옴영역에서 바이어스되면 E-MOSFET는 저항 $R_{DS(on)}$과 등가이다. 거의 모든 자료표에 어떤 특정한 드레인전류 및 게이트소스 전압에서 동작하는 저항값이 표기되어 있다.

그림 12-11은 이 개념을 설명한다. $V_{GS} = V_{GS(on)}$곡선의 옴영역에 Q_{test}지점이 있다. 제작자는 Q_{test}에서 $I_{D(on)}$과 $V_{DS(on)}$을 측정한다. 이로부터 이 정의식을 이용하여 저항값을 구하면 다음과 같다.

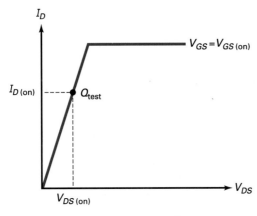

그림 12-11 $R_{DS(on)}$의 측정

$$R_{DS(on)} = \frac{V_{DS(on)}}{I_{D(on)}} \tag{12-3}$$

예를 들어 VN2406L은 시험점에서 $I_{D(on)} = 100$ mA, $V_{DS(on)} = 1$ V이면 식 (12-3)에 의하여 $R_{DS(on)} = 10\ \Omega$이다.

$$R_{DS(on)} = \frac{1\ \text{V}}{100\ \text{mA}} = 10\ \Omega$$

그림 12-12는 2N7000 n-채널 E-MOSFET의 자료표이다. 이 E-MOSFET는 또한 표면실장소자로 제작된다. 또한 드레인과 소스 사이에 내부 다이오드의 노트를 만든다. 최소, 정격, 최대값이 이 소자에 대해 정리되어있다. 이 소자 사양은 넓은 범위의 값을 갖는다.

E-MOSFET의 표

표 12-1은 소신호용으로 사용되는 E-MOSFET를 나타낸 것이다. 대표적인 $V_{GS(th)}$는 1.5~3 V이며 $R_{DS(on)}$는 0.3~28Ω 정도이다. 이는 E-MOSFET가 옴영역에서 바이어스될 때 작은 저항값을 가진다는 것이다. 차단영역에서 동작하면 개방회로와 같은 큰 저항값을 가진다. 따라서 E-MOSFET는 뛰어난 on-off 비를 가진다.

표 12-1	몇 개의 소신호용 E-MOSFET					
Device	$V_{GS(th)}$, **V**	$V_{GS(on)}$, **V**	$I_{D(on)}$	$R_{DS(on)}$, Ω	$I_{D(max)}$	$P_{D(max)}$
VN2406L	1.5	2.5	100 mA	10	200 mA	350 mW
BS107	1.75	2.6	20 mA	28	250 mA	350 mW
2N7000	2	4.5	75 mA	6	200 mA	350 mW
VN10LM	2.5	5	200 mA	7.5	300 mA	1 W
MPF930	2.5	10	1 A	0.9	2 A	1 W
IRFD120	3	10	600 mA	0.3	1.3 A	1 W

2N7000 / 2N7002 / NDS7002A
N-Channel Enhancement Mode Field Effect Transistor

General Description

These N-Channel enhancement mode field effect transistors are produced using Fairchild's proprietary, high cell density, DMOS technology. These products have been designed to minimize on-state resistance while provide rugged, reliable, and fast switching performance. They can be used in most applications requiring up to 400mA DC and can deliver pulsed currents up to 2A. These products are particularly suited for low voltage, low current applications such as small servo motor control, power MOSFET gate drivers, and other switching applications.

Features

- High density cell design for low $R_{DS(ON)}$.
- Voltage controlled small signal switch.
- Rugged and reliable.
- High saturation current capability.

TO-92
2N7000

SOT-23
(TO-236AB)
2N7002/NDS7002A

Absolute Maximum Ratings T_A = 25°C unless otherwise noted

Symbol	Parameter	2N7000	2N7002	NDS7002A	Units
V_{DSS}	Drain-Source Voltage		60		V
V_{DGR}	Drain-Gate Voltage ($R_{GS} \leq 1$ MΩ)		60		V
V_{GSS}	Gate-Source Voltage - Continuous		±20		V
	- Non Repetitive (tp < 50µs)		±40		
I_D	Maximum Drain Current - Continuous	200	115	280	mA
	- Pulsed	500	800	1500	
P_D	Maximum Power Dissipation	400	200	300	mW
	Derated above 25°C	3.2	1.6	2.4	mW/°C
T_J, T_{STG}	Operating and Storage Temperature Range		-55 to 150	-65 to 150	°C
T_L	Maximum Lead Temperature for Soldering Purposes, 1/16" from Case for 10 Seconds		300		°C
THERMAL CHARACTERISTICS					
$R_{\theta JA}$	Thermal Resistance, Junction-to-Ambient	312.5	625	417	°C/W

그림 12-12   2N7000 자료표 일부분

2N7000.SAM Rev. A1

Electrical Characteristics T_A = 25°C unless otherwise noted

Symbol	Parameter	Conditions		Type	Min	Typ	Max	Units
OFF CHARACTERISTICS								
BV_{DSS}	Drain-Source Breakdown Voltage	V_{GS} = 0 V, I_D = 10 μA		All	60			V
I_{DSS}	Zero Gate Voltage Drain Current	V_{DS} = 48 V, V_{GS} = 0 V		2N7000			1	μA
			T_J=125°C				1	mA
		V_{DS} = 60 V, V_{GS} = 0 V		2N7002 NDS7002A			1	μA
			T_J=125°C				0.5	mA
I_{GSSF}	Gate - Body Leakage, Forward	V_{GS} = 15 V, V_{DS} = 0 V		2N7000			10	nA
		V_{GS} = 20 V, V_{DS} = 0 V		2N7002 NDS7002A			100	nA
I_{GSSR}	Gate - Body Leakage, Reverse	V_{GS} = -15 V, V_{DS} = 0 V		2N7000			-10	nA
		V_{GS} = -20 V, V_{DS} = 0 V		2N7002 NDS7002A			-100	nA
ON CHARACTERISTICS (Note 1)								
$V_{GS(th)}$	Gate Threshold Voltage	V_{DS} = V_{GS}, I_D = 1 mA		2N7000	0.8	2.1	3	V
		V_{DS} = V_{GS}, I_D = 250 μA		2N7002 NDS7002A	1	2.1	2.5	
$R_{DS(ON)}$	Static Drain-Source On-Resistance	V_{GS} = 10 V, I_D = 500 mA		2N7000		1.2	5	Ω
			T_J =125°C			1.9	9	
		V_{GS} = 4.5 V, I_D = 75 mA				1.8	5.3	
		V_{GS} = 10 V, I_D = 500 mA		2N7002		1.2	7.5	
			T_J =100°C			1.7	13.5	
		V_{GS} = 5.0 V, I_D = 50 mA				1.7	7.5	
			T_J =100C			2.4	13.5	
		V_{GS} = 10 V, I_D = 500 mA		NDS7002A		1.2	2	
			T_J =125°C			2	3.5	
		V_{GS} = 5.0 V, I_D = 50 mA				1.7	3	
			T_J =125°C			2.8	5	
$V_{DS(ON)}$	Drain-Source On-Voltage	V_{GS} = 10 V, I_D = 500 mA		2N7000		0.6	2.5	V
		V_{GS} = 4.5 V, I_D = 75 mA				0.14	0.4	
		V_{GS} = 10 V, I_D = 500mA		2N7002		0.6	3.75	
		V_{GS} = 5.0 V, I_D = 50 mA				0.09	1.5	
		V_{GS} = 10 V, I_D = 500mA		NDS7002A		0.6	1	
		V_{GS} = 5.0 V, I_D = 50 mA				0.09	0.15	

Electrical Characteristics T_A = 25°C unless otherwise noted

Symbol	Parameter	Conditions		Type	Min	Typ	Max	Units
ON CHARACTERISTICS Continued (Note 1)								
$I_{D(ON)}$	On-State Drain Current	V_{GS} = 4.5 V, V_{DS} = 10 V		2N7000	75	600		mA
		V_{GS} = 10 V, $V_{DS} \geq$ 2 $V_{DS(on)}$		2N7002	500	2700		
		V_{GS} = 10 V, $V_{DS} \geq$ 2 $V_{DS(on)}$		NDS7002A	500	2700		
g_{FS}	Forward Transconductance	V_{DS} = 10 V, I_D = 200 mA		2N7000	100	320		mS
		$V_{DS} \geq$ 2 $V_{DS(on)}$, I_D = 200 mA		2N7002	80	320		
		$V_{DS} \geq$ 2 $V_{DS(on)}$, I_D = 200 mA		NDS7002A	80	320		

그림 12-12 (계속)

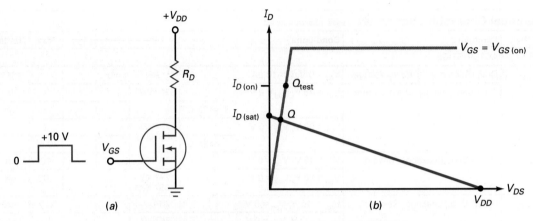

그림 12-13 $V_{GS} = V_{GS(on)}$일 때 $I_{D(sat)} < I_{D(on)}$이면 포화된다.

옴영역 바이어스

그림 12-13a에서 드레인 포화전류는 다음식과 같다.

$$I_{D(sat)} = \frac{V_{DD}}{R_D} \tag{12-4}$$

여기서 드레인 차단전압은 V_{DD}이다. 그림 12-13b는 포화전류와 차단전압을 연결한 직류부하선을 나타낸다.

$V_{GS} = 0$일 때 Q점은 직류부하선에서 가장 아래쪽에 있다. $V_{GS} = V_{GS(on)}$되면 Q점은 직류부하선에서 가장 위쪽에 있다. 그림 12-13b와 같이 Q점이 Q_{test}보다 아래이면 소자는 옴영역에 있다. 달리 표현하면 E-MOSFET는 다음과 같은 조건이 만족되면 옴영역에서 동작한다.

$$I_{D(sat)} < I_{D(on)} \qquad 일 \ 때 \qquad V_{GS} = V_{GS(on)} \tag{12-5}$$

식 (12-5)는 E-MOSFET가 활성영역에서 동작하는지 옴영역에서 동작하는지를 구분하므로 아주 중요하다. 일단 EMOS 회로가 주어지면 $I_{D(sat)}$를 구할 수 있다. 만약 $V_{GS} = V_{GS(on)}$일 때 $I_{D(sat)}$이 $I_{D(on)}$보다 작으면 그 소자는 옴영역에서 바이어스되고 작은 저항과 등가이다.

예제 12-3

그림 12-14a에서 출력전압을 구하여라.

풀이 2N7000은 표 12-1에서 다음과 같은 변수값을 가진다.

$V_{GS(on)} = 4.5\ \text{V}$

$I_{D(on)} = 75\ \text{mA}$

$R_{DS(on)} = 6\ \Omega$

그림 12-14 차단과 포화영역 간의 스위칭

입력전압이 0에서 4.5 V까지 스윙하므로 2N7000은 on-off 스위칭동작을 한다.

포화전류를 구하면 다음과 같다.

$$I_{D(sat)} = \frac{20\text{ V}}{1\text{ k}\Omega} = 20\text{ mA}$$

그림 12-14b는 직류부하선을 나타낸다. 20 mA는 $I_{D(on)} = 75$ mA보다 작으므로 $V_{GS} = 4.5$ V일 때 2N7000는 옴영역에서 동작한다.

그림 12-14c는 $V_{GS} = 4.5$ V(high)일 때 등가회로를 나타낸다. E-MOSFET는 6 Ω의 저항을 가지므로 출력전압은 다음과 같다.

$$V_{out} = \frac{6\ \Omega}{1\text{ k}\Omega + 6\ \Omega}\,(20\text{ V}) = 0.12\text{ V}$$

반면 $V_{GS} = 0$ V(low)이면 E-MOSFET는 그림 12-14d와 같이 개방회로이다. 따라서 출력전압은 공급전압 20 V이다.

$$V_{out} = 20\text{ V}$$

연습 문제 12-3 그림 12-14a를 이용하여 드레인 저항값을 두 배로하고 $I_{D(sat)}$와 출력전압을 구하여라.

응용 예제 12-4 ||||| Multisim

그림 12-15에서 LED를 흐르는 전류를 구하여라.

그림 12-15   LED on—off 제어

풀이 $V_{GS} = 0$ V(low)이면 LED는 동작하지 않는다. $V_{GS} = 4.5$ V(high)이면 MOSFET는 앞의 예제와 같이 동작한다. 만약 LED 전압강하를 무시하면 LED를 흐르는 전류는

$$I_D \approx 20 \text{ mA}$$

LED 전압강하가 2 V라면 드레인전류는 다음과 같다.

$$I_D = \frac{20 \text{ V} - 2 \text{ V}}{1 \text{ k}\Omega} = 18 \text{ mA}$$

연습 문제 12-4   560-Ω 드레인 저항을 이용하여 예제 12-4를 다시 풀어라.

응용 예제 12-5

만약 30 mA 이상의 코일전류가 릴레이를 동작시킨다면 그림 12-16a의 회로는 어떻게 되나?

풀이   E-MOSFET는 릴레이 전원으로 사용된다. 릴레이 코일의 저항이 500 Ω이므로 E-MOSFET가 포화되면 포화전류는 다음과 같다.

$$I_{D(\text{sat})} = \frac{24 \text{ V}}{500 \text{ }\Omega} = 48 \text{ mA}$$

이 값은 VN2406L의 $I_{D(\text{on})}$보다 작으므로 소자는 옴영역에서 동작하며 저항은 10 Ω이다(표 12-1 참조).

그림 12-16　큰 출력전류를 제어하는 작은 입력전류 신호

　　그림 12-16b는 $V_{GS} = 2.5$ V(high)일 때 등가회로를 나타낸 것이다. 릴레이코일을 흐르는 전류는 48 mA이므로 충분히 스위치를 동작시킬 수 있다. 릴레이가 연결되면 그림 12-16c와 같은 회로가 될 것이다. 따라서 최종적인 부하전류는 8 A(120 V/15 Ω)이다.

　　그림 12-16a에서는 단지 +2.5 V전압과 0입력전류를 이용하여 교류 120 V, 부하전류 8 A를 제어한다. 이와 같은 회로는 원격조정에 유용하다. 입력전압은 구리선, 광섬유 케이블 또는 외부로부터 전달되는 신호일 수도 있다. 그림 12-16a의 다이오드 D_1을 **환류다이오드**(*free-wheeling diode*)라 한다. MOSFET이 꺼지면 릴레이코일 주위의 자기장이 빠르게 사라진다. 이때 +24-V의 전원과 직렬로 연결된 코일에 큰 유도전류가 발생하게 되고 이것은 MOSFET을 손상시킬 수 있다. 따라서 다이오드를 코일과 병렬로 설치하면 유도전압이 약 0.7 V 정도로 제한됨으로 MOSFET을 보호할 수 있다.

12-6 디지털 스위칭

어떻게 E-MOSFET가 컴퓨터산업에 혁명을 불러왔을까? 문턱전압(threshold voltage) 때문에 스위칭소자로 사용하기에 이상적이었기 때문이다. 게이트전압이 문턱전압보다 훨씬 크면 소자는 차단영역에서 포화영역으로 스위칭한다. 이 on-off 동작은 컴퓨터를 제작하는 열쇠이다. 만일 컴퓨터에 대해 공부해 보면 데이터처리를 위한 on-off용 스위치로서 수백만 개의 E-MOSFET가 사용되고 있음을 알 수 있을 것이다(수, 글자, 그림, 그리고 모든 종류의 정보들을 포함한 **자료**가 이진수로 암호화 되어있다).

아날로그, 디지털 및 스위칭회로

아날로그란 단어는 정현파처럼 "연속"을 의미한다. 아날로그신호라 하면 그림 12-17a와 같이 연속적으로 변하는 전압을 의미한다. 신호는 정현파일 필요는 없다. 두 개의 명백한 전압값을 가지는 갑작스런 점프만 없으면 이 신호를 **아날로그**라고 한다.

디지털이란 단어는 불연속적인 신호를 의미한다. 이 불연속은 신호가 그림 12-17b 처럼 두 전압 사이를 점프한다는 뜻이다. 이와 같은 디지털신호는 컴퓨터 내부의 신호와 같은 종류이다. 이들 신호는 수, 문자 및 기호 등을 나타내는 컴퓨터코드이다.

스위칭이란 단어는 **디지털**보다 더 넓은 의미를 가진다. 스위칭회로는 디지털회로를 포함한다. 즉 스위칭회로는 전동기, 전구, 가열기 및 다른 고전류가 필요한 소자를 구동하는 회로를 의미한다.

수동부하 스위칭

그림 12-18는 수동부하를 가지는 E-MOSFET를 나타낸다. 수동(*passive*)이란 말은 R_D와 같은 일반저항을 의미한다. 이 회로에서 v_{in}은 low 또는 high 중에서 어느 한 값을 가진다. v_{in}이 low상태일 때 MOSFET는 차단되어는 공급전압와 같으며, v_{in}이 high상태일 때 MOSFET는 포화되어 v_{out}은 low 값을 가진다. 회로가 잘 동작하기 위해 입력전압이 $V_{GS(on)}$이상일 때 드레인 포화전류 $I_{D(sat)}$는 $I_{D(on)}$보다 작아야 한다. 즉 옴영역에서 저항은 수동 드레인저항보다 훨씬 작아야 한다.

그림 12-18의 회로는 가장 간단히 제작할 수 있는 컴퓨터회로이다. 이것은 출력전압이 입력전압과 정반대가 되므로 **반전기**(*inverter*)라고도 부른다. 입력전압이 low상태

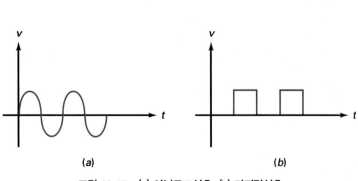

그림 12-17 (a) 아날로그신호; (b) 디지털신호

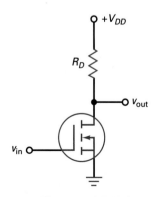

그림 12-18 수동부하

이면 출력전압은 high상태가 되고 입력전압이 high상태이면 출력전압은 low상태가 된다. 스위칭회로를 해석할 때는 그다지 정확하지 않아도 된다. 중요한 것은 입력 및 출력전압의 low상태 혹은 high상태만 구분하면 된다는 것이다.

능동부하 스위칭

집적회로(ICs)는 지극히 작은 수천, 수만 개의 바이폴라 또는 MOS 트랜지스터로 구성된다. 초기의 집적회로에는 그림 12-18과 같은 수동부하 저항을 사용했다. 그러나 수동부하 저항은 그 크기가 MOSFET보다 훨씬 큰 단점을 가졌기 때문에 규모를 크게 축소시킨 **능동부하 저항**(active-load resistor)의 발명으로 오늘날 사용하는 개인용 컴퓨터도 탄생하게 되었다.

중요한 개념은 수동저항을 없애는 방법이었다. 그림 12-19a는 능동부하를 사용한 스위칭회로이다. 아래쪽 MOSFET는 스위치로 동작하지만 위쪽 MOSFET는 큰 저항으로 동작한다. 유의할 사항은 위쪽 MOSFET에서는 게이트와 드레인이 접속되어 있다는 사실이다. 이 때문에 위쪽 MOSFET는 다음과 같은 저항을 가지는 2단자 소자가 된다.

$$R_D = \frac{V_{DS(\text{active})}}{I_{D(\text{active})}} \tag{12-6}$$

여기서 $V_{DS(\text{active})}$와 $I_{D(\text{active})}$는 활성영역에서 전압 및 전류를 나타낸다.

회로가 잘 동작하려면 위쪽 MOSFET의 R_D가 아래쪽 MOSFET의 $R_{DS(\text{on})}$보다 훨씬 커야 한다. 예를 들어 위쪽 MOSFET가 5 kΩ의 R_D와 같이 작동하고 아래쪽 MOSFET가 667 Ω의 $R_{DS(\text{on})}$과 같이 작동한다면 그림 12-19b 회로에서 출력전압은 low상태일 것이다.

그림 12-19c는 위쪽 MOSFET의 R_D를 계산하는 방법을 나타낸다. $V_{GS} = V_{DS}$이므로 각 동작점은 그림과 같이 2단자 곡선을 따른다. 점으로 표시한 곳을 조사하면 $V_{GS} = V_{DS}$ 관계가 성립할 것이다.

그림 12-19c의 2단자 곡선은 위쪽 MOSFET가 저항 R_D와 같이 작용한다. R_D값은 그림과 같이 동작하는 지점에 따라 약간 변한다. 예를 들어 그림 12-19c의 가장 윗점에서 $I_D = 3$ mA, $V_{DS} = 15$ V이다. 식 (12-6)을 이용하여 R_D를 구하면

그림 12-19 (a) 능동부하; (b) 등가회로; (c)$V_{GS} = V_{DS}$는 2단자 곡선을 만든다.

$$R_D = \frac{15\text{ V}}{3\text{ mA}} = 5\text{ k}\Omega$$

그 아래 다음 지점에서 $I_D = 1.6$ mA, $V_{DS} = 10$ V에서 R_D를 구하면

$$R_D = \frac{10\text{ V}}{1.6\text{ mA}} = 6.25\text{ k}\Omega$$

같은 계산을 수행하면 가장 낮은 지점에서는 $I_D = 0.7$ mA, $V_{DS} = 5$ V에서 $R_D = 7.2$ kΩ 이다.

아래쪽 MOSFET는 위쪽 MOSFET와 같은 드레인 곡선을 가진다면 아래쪽 MOSFET의 $R_{DS(\text{on})}$을 구하면 다음과 같다.

$$R_{DS(\text{on})} = \frac{2\text{ V}}{3\text{ mA}} = 667\text{ }\Omega$$

이 결과를 그림 12-19b에 나타내었다.

이미 지적하였지만 전압으로 쉽게 구분되는 디지털 스위칭회로에서 정확한 값은 별로 중요하지 않다. 따라서 정확한 R_D값도 중요하지 않다. R_D값이 = kΩ, 6.25 kΩ, 7.2 kΩ 중의 어느 것이라도 그림 12-19b에서 낮은 출력전압을 발생하는 데 충분히 큰 값이다.

결론

능동부하 저항은 크기가 작아 디지털 IC에 꼭 필요한 것이다. 설계자가 확실히 해야 할 사실은 위쪽 MOSFET의 R_D값을 아래쪽 MOSFET의 $R_{D(\text{on})}$값보다 커야 한다는 것이다. 그림 12-19a에서 알 수 있듯이 회로는 스위치와 직렬로 연결된 저항 R_D처럼 작용한다. 따라서 반전기로 동작하며 출력은 입력값과 반대인 1 또는 0 상태를 가진다.

예제 12-6 |||| **Multisim**

그림 12-20a에서 입력이 low상태와 high상태일 때 출력전압을 각각 구하여라.

그림 12-20 예제

풀이　v_{in} = low상태이면 아래쪽 MOSFET는 개방이다. 따라서 출력전압은 공급전압이 된다.

$$v_{out} = 20\text{ V}$$

v_{in} = high상태이면 아래쪽 MOSFET는 50 Ω의 저항이다. 이 경우 출력전압은

$$v_{out} = \frac{50\ \Omega}{10\ \text{k}\Omega + 50\ \Omega}\ (20\text{ V}) = 100\text{ mV}$$

이다.

연습 문제 12-6　$R_{D(on)}$값이 100 Ω일 때 예제 12-6을 풀어라.

예제 12-7

그림 12-20*b*에서 출력전압은 얼마인가?

풀이　v_{in} = low상태이면 다음과 같다.

$$v_{out} = 10\text{ V}$$

v_{in} = high상태이면

$$v_{out} = \frac{500\ \Omega}{2.5\ \text{k}\Omega}\ (10\text{ V}) = 2\text{ V}$$

이다.

　　만약 이 값을 앞의 예제와 비교하면 on-off비가 좋지 않다는 것을 알 수 있을 것이다. 그러나 디지털회로에서는 큰 on-off비가 별로 중요하지 않다. 이 예제에서 출력전압은 2 V 또는 10 V이다. 이 전압들은 쉽게 high상태와 low상태를 구분할 수 있는 값이다.

연습 문제 12-7　그림 12-20*b*를 이용하여 v_{in} = high상태일 때 $R_{DS(on)}$이 얼마나 높은 값을 가질 수 있으며 v_{out}값이 1 V보다 낮은 값을 갖는지 구하여라.

12-7 CMOS

능동부하 스위칭에서 출력전압이 low상태일 때 전류유출는 거의 $I_{D(sat)}$과 같다. 그러나 이것은 배터리로 동작되는 장비에서 전력소비 문제를 발생시킬 수 있다. 이 전류유출을 감소시키는 한 가지 방법은 **상보형 MOS**(complementary MOS: CMOS)회로를 사용하는 것이다. 이 방법은 *p*-채널과 *n*-채널 MOSFET를 결합하여 하나의 소자로 취급하는 것이다.

　　그림 12-21*a*는 이 개념을 나타낸다. Q_1은 *p*-채널 소자이고, Q_2는 *n*-채널 소자이다. 이 두 소자는 상보관계이다. 즉 $V_{GS(th)}$, $V_{GS(on)}$, $I_{D(on)}$값이 크기는 같고 부호만 반대

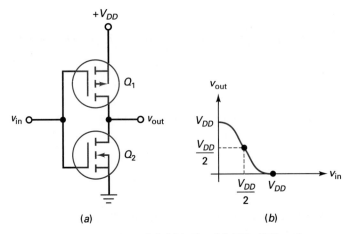

그림 12-21　CMOS 반전기 (a) 회로; (b) 입력-출력 그래프

이다. 이 회로는 B급 푸시풀(push-pull) 바이폴라 증폭기와 유사하다. 즉 한 소자가 on 되면 다른 소자는 off된다.

기본 작용

그림 12-21a와 같이 CMOS 회로가 스위칭에 사용될 때 입력전압은 low상태(0 V) 혹은 high상태($+V_{DD}$)를 가진다. v_{in} = high상태이면 Q_1 = off, Q_2 = on이다. 이 경우 v_{out} = 0이다. 반면 v_{in} = low상태이면, Q_1 = on, Q_2 = off이다. 이 경우 Q_1이 단락되므로 v_{out} = $+V_{DD}$이다. 즉 출력전압이 반대값을 가지므로 CMOS 반전기라 부른다.

　　그림 12-21b는 입력전압과 출력전압의 관계를 나타낸다. v_{in} = low 상태이면 v_{out} = high상태이고, v_{in} = high상태이면 v_{out} = low상태이다. 이 두 값 사이에 교차점이 있으며 v_{in} = $V_{DD}/2$이다. 이 지점에서 두 MOSFET는 같은 저항값을 가지며 출력전압은 v_{out} = $V_{DD}/2$이다.

소비 전력

CMOS에서 가장 중요한 이점은 전력 소비가 아주 작다는 것이다. 그림 12-21a의 두 MOSFET는 직렬이므로 길기 때문에 공급전압 V_{DD}에서 흐르는 컬렉터전류는 off된 MOSFET의 누설전류에 의해 결정된다. 그 저항값이 수 MΩ이므로 입력신호가 어느 한 상태에 있으면 소비 전력은 거의 0이다.

　　입력신호가 천이할 때 전력 소비는 증가한다. 그 이유는 다음과 같다. 천이할 때 중간 지점에서 두 MOSFET가 on된다. 따라서 일시적으로 드레인전류가 증가한다. 차단이 매우 빠르기 때문에 간단한 펄스전류만 발생한다. 드레인 공급전압과 이 펄스전류의 곱은 평균 소비전력이 된다. 즉 소비 전력은 어느 한 상태에 있을 경우보다는 천이될 때 훨씬 큰 전력을 소비한다.

　　그러나 펄스전류가 아주 짧은 시간 동안 흐르므로 CMOS가 동작하더라도 평균 전력은 아주 작다. 이런 이유로 CMOS 회로는 계산기, 디지털시계 및 보청기 등에 널리 사용된다.

예제 12-8

그림 12-22*a*에서 MOSFET는 $R_{DS(on)} = 100\Omega$, $R_{DS(off)} = 1\,M\Omega$이다. 출력파형을 그려라.

풀이   입력신호가 0 → +15 V(점 A), +15 → 0 V(점 B)로 변하는 구형파이다. 그림 12-16*a*에서 점 A 이전의 경우 Q_1 = on, Q_2 = off이다. Q_1의 저항값 100 Ω이 Q_2의 저항값 1 MΩ에 비해 아주 작으므로 출력전압은 vout = +15 V이다.

A와 B지점 사이에서 v_{in} = +15 V이다. 이 경우에는 Q_1 = off, Q_2 = on 이다. Q_2의 저항값이 작으므로 출력전압은 v_{out} = 0 V이다. 그림 12-22*b*는 출력파형을 나타낸다.

연습 문제 12-8   A와 B 사이에서 V_{DD} = +10 V이고 v_{in} = +10 V일 때 예제 12-8을 다시 풀어라.

그림 12-22   예제

12-8 전력 FETs

앞에서 주로 소신호 E-MOSFET, 즉 저전력용 MOSFET를 다루었다. 저전력용인 몇몇 개별소자가 상업용(표 12-1참조)으로 사용되고 있으나 저전력 EMOS의 주된 사용분야는 디지털 스위칭이다.

고전력용 EMOS는 개별소자로 사용되며 그 응용분야로서 전동기, 전등, 디스크 드라이버, 프린터, 전압공급기 등이다. E-MOSFET가 이러한 분야에 사용되면 우리는 이 소자를 **전력 FET**라 부른다.

개별 소자

제조자는 VMOS, TMOS, hexFET, trench MOSFET 및 waveFET 등을 만들지만 이들 모두가 서로 다른 채널구조를 가지므로 최대정격도 다르다. 이들 소자는 전류정격이

그림 12-23 MOS 구조 (a) 일반적인 MOSFET 구조; (b) VMOS 구조

1 A~200 A이며 전력정격은 1 W~500 W이다.

그림 12-23*a*는 집적회로 안의 증가형 MOSFET의 구조를 나타낸다. 소스는 왼쪽에, 게이트는 가운데, 드레인은 오른쪽에 있다. V_{GS}가 $V_{GS(th)}$보다 클 때 자유전자는 소스에서 드레인으로 흐른다. 자유전자가 좁은 역전층을 따라 흘러야 하기 때문에 이러한 구조는 최대전류에 한계가 있다. 채널이 매우 좁기 때문에 컨벤셔널 MOS 소자는 작은 드레인 전류와 저전류 정격을 갖는다.

그림 12-23*b*는 **VMOS(Vertical MOS)** 소자의 구조이다. 윗 부분에 두 개의 소스를 갖고 드레인과 같이 작용하는 기판이 있다. V_{GS}가 $V_{GS(th)}$보다 클 때, 자유전자는 두 소스에서 드레인으로 수직 아래 방향으로 흐르게 된다. 전도 채널이 V자형의 홈의 양면을 따라 매우 넓기 때문에 전류는 매우 크다. 이는 VMOS소자가 전력 FET와 같이 작동하게 해준다.

기생요소(Parasitic Elements)

그림 12-24*a*는 또 다른 수직형 전력 MOSFET인 UMOSFET의 구조를 나타낸다. 이 소자의 게이트 영역의 밑바닥에 U자형 홈이 위치한다. 이 구조로 인해서 채널의 밀도가 높아지고 이것은 저항을 감소시킨다.

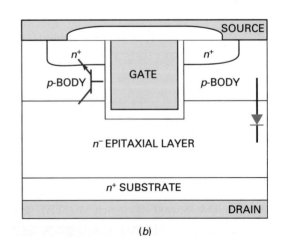

그림 12-24 UMOSFET (a)구조; (b)기생 소자

대부분의 전력 MOSFET와 같이 n^+영역, p영역, n^-영역 그리고 n^+영역으로 4층 구조를 갖는다. 반도체 구조가 층으로 이루어져 있기 때문에 기생요소가 존재하게 된다. 한 가지 기생요소인 npn BJT는 소스과 드레인 사이에 위치한다. 그림 12-24b를 보면 p형 보디영역이 베이스가 되고 n^+ 소스영역이 이미터, n형 드레인 영역은 컬렉터가 된다.

그러면 이 기생요소는 어떤 역할을 할까? 초기의 전력 MOSFET은 전압에 민감하여서 고율의 드레인에서 소스로의 전압 상승(dV/dt)과 과도전압에 항복하였다. 이때 기생 베이스-컬렉터 접합 커패시턴스는 바로 충전된다. 이것이 베이스 전류효과를 발생시키고 기생 트랜지스터가 동작하게 된다. 기생 트랜지스터가 갑자기 동작하면 이 소자는 애벌랜치 항복 상태가 될 것이다. 만약 드레인 전류가 외부적으로 제한되지 않는다면 MOSFET은 파괴될 것이다. 기생 BJT가 동작하는 것을 방지하기 위해서는 소스 금속화를 통해서 n^+ 소스영역을 p형 보디 영역과 단락시켜야 한다. 그림 12-24b에서 어떻게 소스 영역이 n^+와 p-보디 층과 연결되어있는지 주의 깊게 살펴보아라. 이것은 베이스-이미터 기생 접합이 작동하는 것을 막는 효과적인 단락이다. 그림 12-24에서 볼 수 있듯이 이렇게 두 개의 층을 단락시켜서 만들어진 결과가 **기생 보디 다이오드**이다.

그림 12-25a은 전력 MOSFET의 대부분을 차지하는 역평행 기생 보디 다이오드의 도식적 기호를 나타낸다. 때로는 이 보디 다이오드는 제너다이오드처럼 그려질 것이다. 큰 접합 부분 때문에 이 다이오드는 긴 역회복시간을 갖는다. 이러한 이유 때문에 모터 제어 회로, 반-브리지 컨버터와 전-브리지 컨버터와 같은 저주파수 제품에서의 이용이 제한된다. 고주파 제품에서 기생 다이오드는 종종 외부에 병렬로 연결되는데 이것은 기생 다이오드가 동작하는 것을 방지하는 매우 빠른 정류기 역할을 한다. 만약 동작된다면 역회복손실이 MOSFET 전력 손실을 증가시킬 것이다.

전력 MOSFET은 다수 반도체 층들로 이루어져 있기 때문에 커패시턴스는 각각의 pn접합에 존재할 것이다. 그림 12-25b는 전력 MOSFET의 간략화된 기생 커패시턴스 모델을 나타낸다. 참고자료를 보면 MOSFET의 기생 커패시턴스의 입력 커패시턴스는 $C_{iss} = C_{gd} + C_{gs}$, 출력 커패시턴스는 $C_{oss} = C_{gd} + C_{ds}$, 역전송 커패시턴스는 $C_{rss} = C_{gd}$로 표기된다. 여기서 각각의 값들은 교류 단락 상태에서 제조사에서 측정된 값이다.

이 기생 커패시턴스의 충전과 방전은 소자의 on/off 지연 시간에 직접적인 영향

그림 12-25 전력 MOSFET: (a) 보디 다이오드와 도식적 기호; (b) 기생 커패시턴스

표 12-2	몇 가지 전력 FET 소개				
Device	$V_{GS(on)}$, V	$I_{D(on)}$, A	$R_{DS(on)}$, Ω	$I_{D(max)}$, A	$P_{D(max)}$, W
MTP4N80E	10	2	1.95	4	125
MTV10N100E	10	5	1.07	10	250
MTW24N40E	10	12	0.13	24	250
MTW45N10E	10	22.5	0.035	45	180
MTE125N20E	10	62.5	0.012	125	460

을 줄 뿐만 아니라 전체적인 주파수 응답에도 영향을 미친다. 켜짐 지연($t_{d(on)}$)은 드레인 전류 전도가 시작하기 전에 MOSFET의 입력 커패시턴스가 충전되는 데 걸리는 시간이다. 마찬가지로 꺼짐 지연($t_{d(off)}$)은 소자가 꺼진 후에 커패시턴스가 방전되는 데 걸리는 시간이다. 고속 스위칭 회로에서 특정 구동회로는 이 커패시터스를 빠르게 충전하고 방전하는데 사용된다.

표 12-2는 상업용으로 사용되는 전력 FET이다. 여기에서 모든 소자는 $V_{GS(on)} =$ 10 V인 것에 유념하자. 실제 소자가 크므로 옴영역 동작을 확실히 하자면 $V_{GS(on)}$이 커야 한다. 보다시피 이 소자들의 정격전력은 엄청나며 자동차 제어, 조명 등과 같은 응용분야에 쓰인다.

전력 FET 회로해석은 소신호 소자와 같다. $V_{GS(on)} = 10$ V로 구동될 때 전력 FET는 옴영역에서 작은 저항 $R_{DS(on)}$을 가진다. 앞에서와 같이 $V_{GS} = V_{GS(on)}$일 때 소자는 옴영역에 바이어스되어 작은 저항과 같이 작용하므로 $I_{D(sat)}$는 $I_{D(on)}$보다 작다.

열폭주가 없다

12장에서 배웠듯이 바이폴라 트랜지스터는 **열폭주**로 파괴될 수 있다. 바이폴라에서 문제는 베이스-이미터 전압 V_{BE}가 음의 온도계수를 가진다는 것이다. 이것은 내부 온도가 올라가면 V_{BE}값이 감소하는 현상이다. 이 결과로 컬렉터전류가 증가하므로 온도는 더욱 올라간다. 그러나 고온이 되면 더욱 V_{BE}값을 감소시키므로 열방출(heat-sink)시키지 않으면 열폭주로 소자는 파괴된다.

전력 FET의 장점은 이러한 열폭주 현상이 없다는 것이다. MOSFET의 $R_{DS(on)}$은 양의 온도계수를 갖는다. 내부 온도가 증가하면 $R_{DS(on)}$값도 증가하므로 결국 드레인전류가 감소한다. 이로 인해 소자에 미치는 온도가 낮아져 안정한 동작을 할 수 있다.

전력 FET는 병렬연결이 가능하다

바이폴라 트랜지스터는 V_{BE} 값이 서로 달라서 병렬로 연결할 수 없다. 만약 병렬로 연결하고자 한다면 **전류집중**(*current hogging*)이 일어난다. 이것은 다른 소자보다 작은 V_{BE}를 가진 트랜지스터로 더 큰 컬렉터전류가 흐르기 때문이다.

전력 FET는 전류집중 문제도 없다. 만약 어느 FET에 전류가 집중되면 그 소자의 내부 온도는 증가한다. 양의 온도계수를 가지므로 $R_{DS(on)}$가 증가하여 드레인전류를 감

참고 사항

많은 경우에 바이폴라 부품과 MOS 부품은 같은 전자 회로에서 쓰인다. 인터페이스 회로는 한 쪽 회로의 출력과 다음의 입력이 연결된다. 이것의 기능은 부하의 요구사항들을 만족하기 위하여 드라이버 출력신호와 조건을 가져가는 것이다.

소시킨다. 전체적으로 모든 전력 FET가 같은 드레인전류를 가진다.

빠른 스위칭

이미 언급했듯이 바이폴라 트랜지스터가 순방향되면 접합부근에 소수캐리어가 쌓이게 된다. 바이폴라 트랜지스터를 off하려고 하면 축적된 전하가 얼마 동안 흐르므로 빨리 스위칭하지 못한다. 전력 FET는 소수캐리어가 없어서 바이폴라 트랜지스터보다 더 빨리 큰 전류를 차단할 수 있다. 대표적으로 전력 FET는 수십 ns가 되면 수 A의 전류를 스위칭 할 수 있다. 이는 바이폴라 트랜지스터보다 10~100배 빠른 것이다.

인터페이스로서 전력 FET

디지털 IC는 작은 부하전류를 공급하므로 저전력 소자이다. 만약 디지털 IC의 출력을 사용하여 큰 전류를 사용하는 부하를 구동하자면 전력 FET를 **인터페이스**(interface)로 사용할 수 있다. 여기서 인터페이스란 두 소자 사이에서 두 소자를 연결해 주는 것이다.

그림 12-26은 어떻게 디지털 IC가 고전력 부하를 제어할 수 있는가를 나타낸다. 디지털 IC의 출력은 전력 FET의 게이트를 구동한다. 디지털 IC의 출력 v_{out} = high상태 이면 전력 FET는 단락스위치로 작용한다. 디지털 IC의 출력 v_{out} = low상태이면 전력 FET는 개방스위치로 작용한다. 디지털 IC(소신호용 EMOS나 CMOS)를 고전력용 부하로 인터페이스하는 것은 전력 FET의 중요한 응용분야 중의 하나이다.

그림 12-27은 고전력 부하를 제어하는 디지털 IC의 한 예이다. CMOS 출력 v_{out} = low상태이면 전력 FET는 단락스위치와 같다. 전동기에 감은 권선의 양단전압이 12 V 이므로 축이 회전한다. CMOS 출력상태이면 전력 FET는 개방되어 전동기는 정지한다.

직류-교류 변환기

갑자기 전력공급이 중단될 때 컴퓨터의 동작은 중단되고 처리하던 자료는 소실된다. 해결책 중의 하나는 **UPS(Uninterruptible power supply)**를 사용하는 것이다. UPS는

그림 12-26 전력 FET는 저전력 디지털 IC와 고전력 부하를 인터페이스한다.

그림 12-27 전동기 제어를 위한 전력 FET

그림 12-28 기본적인 직류–교류 변환기

그림 12-29 기본적인 직류–직류 변환기

배터리와 직류-교류 변환기를 가지고 있다. 기본개념은 다음과 같다. 전력공급이 중단되면 배터리전압이 교류로 바뀌어 컴퓨터를 동작시킨다.

그림 12-28은 **직류-교류 변환기**를 나타낸다. 전력공급이 중단될 때 다른 회로(연산증폭기)가 동작되어 구형파를 발생시킨다. 이 구형파가 게이트를 구동하여 전력 FET를 on-off시킨다. 구형파가 변압기 1차권선 양단에 나타나므로 2차권선은 컴퓨터동작에 필요한 교류전압을 공급할 수 있다. 상업적 UPS는 이보다 더 복잡하지만 직류를 교류로 바꾸는 기본개념은 같다.

직류-직류 변환기

그림 12-29는 입력 직류전압을 출력 직류전압으로 바꾸는 **직류-직류 변환기**를 나타낸다. 출력 직류전압은 입력보다 크거나 혹은 작을 경우도 있다. 전력 FET가 on-off되면 변압기 2차권선 양단에 구형파가 나타난다. 반파정류기 및 커패시터 입력형 필터는 직류 출력전압을 만든다. 권선수를 조정하면 직류 출력전압이 입력전압보다 작거나 크게 할 수 있다. 리플(ripple)을 작게 하려면 전파정류 또는 브리지 정류기를 사용할 수 있다. 직류-직류 변환기는 스위치형 전력 공급기의 중요한 부분 중 하나이다. 이러한 응용은 22장에서 보게 될 것이다.

응용 예제 12-9

그림 12-30에서 전동기 권선을 흐르는 전류를 구하여라.

풀이 표 12-2에서 MTP4N80E는 $V_{GS(on)} = 10$ V, $I_{D(on)} = 2$ A, $R_{DS(on)} = 1.95$ Ω인 값을 가진다. 그림 12-28에서 포화전류는

그림 12-30　전동기 제어

$$I_{D(\text{sat})} = \frac{30 \text{ V}}{30 \text{ }\Omega} = 1 \text{ A}$$

이다. 이 전류값이 2 A보다 작으므로 전력 FET는 저항 1.95 Ω과 등가이다. 이상적으로 권선을 흐르는 전류는 1 A이다. 계산시 이 값을 고려하면 전류는

$$I_D = \frac{30 \text{ V}}{30 \text{ }\Omega + 1.95 \text{ }\Omega} = 0.939 \text{ A}$$

이다.

연습 문제 12-9　표 12-2의 MTW24N40E를 이용하여 예제 12-9를 풀어보아라.

응용 예제 12-10

빛이 있는 낮에 그림 12-31의 광 다이오드는 동작되므로 게이트전압은 V_G = low상태이다. 반면 밤에는 광 다이오드가 동작하지 않으므로 게이트전압은 V_G = +10 V이다. 그리하여 회로는 자동으로 밤에 전구를 동작시킨다. 전구에 흐르는 전류를 구하여라.

그림 12-31　자동 전등제어

풀이   표 12-2에서 MTV10N100E는 $V_{GS(on)} = 10$ V, $I_{D(on)} = 5$ A, and $R_{DS(on)} = 1.07$ Ω인 값을 가진다. 그림 12-31에서 포화전류는

$$I_{D(sat)} = \frac{30\ \text{V}}{10\ \Omega} = 3\ \text{A}$$

이다. 이 전류값이 5 A보다 작으므로 전력 FET는 저항 1.07 Ω과 등가이다. 전구에 흐르는 전류는 다음과 같다.

$$I_D = \frac{30\ \text{V}}{10\ \Omega + 1.07\ \Omega} = 2.71\ \text{A}$$

연습문제 12-10   표 12-2의 MTP4N80E를 이용하여 그림 12-31의 램프전류를 구하여라.

응용 예제 12-11

그림 12-32은 수영장에 물이 부족할 때 자동적으로 물을 공급하는 회로이다. 물 수위가 두 금속단자로 이루어진 탐사침(probe) 아래에 있으면 게이트전압은 +10 V이다. 따라서 전력 FET는 on되므로 물 조절 밸브가 열려 수영장에 물을 공급한다.

수위가 탐사침 위로 올라가면 물은 양호한 도체이므로 단자 간의 저항은 작아진다. 이 경우 게이트전압은 낮아지므로 전력 FET는 개방된다. 그리고 나서 물 조절 밸브는 닫힌다.

그림 12-32   수영장 물 공급기

그림 12-32에서 전력 FET가 $R_{DS(on)} = 0.5$ Ω으로 옴영역에서 동작한다면 물 조절 밸브에 흐르는 전류를 구하여라.

풀이   밸브에 흐르는 전류는 다음과 같다.

$$I_D = \frac{10\ \text{V}}{10\ \Omega + 0.5\ \Omega} = 0.952\ \text{A}$$

응용 예제 12-12

그림 12-33a의 회로는 무엇에 사용하는가? RC 시정수를 구하여라. 가장 밝게 되었을 때 전구의 전력은 얼마인가?

그림 12-33   서서히 밝아지는 램프

풀이   수동스위치를 닫으면 커패시터는 10 V로 서서히 충전된다. 게이트전압이 $V_{GS(th)}$ 이상이 되면 전력 FET는 도전된다. 게이트전압이 서서히 충전되므로 전력 FET의 동작점은 그림 12-33b와 같이 반드시 활성영역을 통과한다. 이런 이유로 전구는 점차 밝아지고 동작점이 옴영역으로 가면 전구의 밝기는 최대가 된다. 전체적인 효과는 서서히 켜지는 전구이다.

커패시터를 마주하는 Thevenin 저항은

$$R_{TH} = R_1 \parallel R_2 = 2 \text{ M}\Omega \parallel 1 \text{ M}\Omega = 667 \text{ k}\Omega$$

이다. RC 시정수는 다음과 같다.

$$RC = (667 \text{ k}\Omega)(10 \text{ }\mu\text{F}) = 6.67 \text{ s}$$

표 12-2에서 MTV10N100E의 $R_{DS(on)} = 1.07 \text{ }\Omega$ 이므로 전구를 흐르는 전류는

$$I_D = \frac{30 \text{ V}}{10 \text{ }\Omega + 1.07 \text{ }\Omega} = 2.71 \text{ A}$$

이고, 따라서 전구의 전력을 계산하면 다음과 같다.

$$P = (2.71 \text{ A})^2(10 \text{ }\Omega) = 73.4 \text{ W}$$

12-9 High-Side MOSFET 부하 스위치

High-side 부하 스위치는 전원을 각각의 부하에 연결하거나 차단하는 데 사용된다. High-Side 전력스위치가 출력전류 제한으로 전력의 양을 조절하는 데 반해서 High-Side 부하 스위치는 전류의 제한 기능 없이 부하의 입력 전압과 전류를 통과시킨다. High-Side 부하 스위치는 노트북, 핸드폰, 휴대용 오락기와 같은 배터리 전원 시스템에 사용

그림 12-34 부하 스위치 회로 블록

될 수 있는데 이것은 배터리 수명을 늘릴 수 있도록 분기회로의 적절한 커짐과 꺼짐을 관리할 수 있게 한다.

그림 12-34은 부하 스위치의 주 회로의 블록들을 나타낸다. 이것은 직렬요소, 게이트 제어 블록, 입력 논리 블록으로 이루어진다. 직렬요소는 주로 p-채널 또는 n-채널 전력 E-MOSFET이다. 고전류 제품에서는 높은 채널의 이동성(전자) 때문에 n-채널 MOSFET이 선호된다. 이 때 동일한 FET Die 영역은 낮은 $R_{DS(on)}$값을 갖고 작은 게이트 입력 커패시턴스를 갖게 된다. p-채널 MOSFET은 간단한 게이트 제어 블록을 사용하는데 유용하다. 게이트 제어 블록은 직렬요소가 완전히 켜지고 꺼질 수 있게 적절한 게이트 전압을 발생시킨다. 입력 논리 블록은 마이크로컨트롤러 칩과 같은 전력 관리 회로에 의해서 제어되고 게이트 제어 블록의 트리거로 사용할 수 있는 EN 신호를 발생시킨다.

P-채널 부하 스위치

그림 12-35은 간단한 p-채널 부하 스위치회로의 예를 나타낸다. p-채널 전력 MOSFET의 소스 리드는 바로 입력 전압레일 Vin에 연결되고 드레인은 부하에 연결된다. p-채널 로드 스위치가 동작하기 위해서는 게이트 전압이 V_{in}이하가 되어 트랜지스터가 옴영역으로 바이어스되고 낮은 $R_{DS(on)}$값을 가져야 한다. 이 상태는 다음과 같을 때 만족된다:

$$V_G \leq V_{in} - |V_{GS(on)}| \tag{12-7}$$

그림 12-35 P-채널 부하 스위치

그림 12-36 *N*–채널 부하 스위치

p-채널 MOSFET의 $V_{GS(on)}$값이 음(–)이기 때문에 식 (12-7)의 $V_{GS(on)}$값에 절대값을 취해준다.

그림 12-35에서 입력 EN 신호는 시스템의 전력관리 제어 회로망으로부터 발생된다. 이 신호는 소신호 *n*-채널 MOSFET의 게이트를 구동시킨다. EN $\geq V_{GS(on)}$일 때, 고입력 신호는 패스 트랜지스터를 0으로 하여 Q_1을 동작시키고 부하 스위치 Q_2가 동작한다.

Q_2의 $R_{DS(on)}$이 매우 낮다면 V_{in}의 거의 대부분이 부하로 통과한다. 모든 부하 전류가 패스 트랜지스터를 통해 흐르기 때문에 출력 전압은 다음과 같다:

$$V_{out} = V_{in} - (I_{Load})(R_{DS(on)}) \tag{12-8}$$

EN $< V_{GS(th)}$일 때, Q_1은 꺼진다. R_1과 부하 스위치가 꺼지면서 Q_2의 게이트는 V_{in}이 된다. 이때 V_{out}은 거의 0 V이다.

N-채널 부하 스위치

그림 12-36은 *n*-채널 부하 스위치를 나타낸다. 부하 스위치 Q_2의 드레인은 입력 볼트 V_{in}과 연결되고 소스 리드는 부하에 연결된다. *P*-채널 부하 스위치와 마찬가지로 Q_1은 직렬요소 Q_2를 on/off하는 데 사용된다. 전력관리 회로의 논리 신호는 게이트 제어 블록의 트리거로 사용된다.

그러면 V_{Gate} 전압원을 분리한 목적은 무엇일까? 부하 스위치가 켜졌을 때, 거의 모든 V_{in}은 부하로 통과된다. 소스가 부하에 연결되어있기 때문에 $V_S = V_{in}$이다. 부하 스위치 Q2가 낮은 $R_{DS(on)}$값과 함께 완전히 켜진 상태를 유지하기 위해서는 다음과 같아야 한다.

$$V_G \geq V_{out} + V_{GS(on)} \tag{12-9}$$

여분의 전압 레일 V_{Gate}는 V_{out}을 넘는 **레벨 시프트** V_G가 필요하다. 몇몇 시스템에서는 추가적인 전압 레일은 V_{in} 전원 또는 **차지 펌프**라고 불리는 특별한 회로를 이용한 EN 신호로부터 발생한다. 추가적인 전압 레일의 부가된 비용은 0전압과 더 낮은 V_{DS} 손실에 가깝게 낮은 입력전압을 통과하는 회로 능력에 의하여 상쇄된다.

그림 12-37 용량성 부하 스위치

그림 12-36에서 EN = Low이면 Q_1은 꺼진다. Q_2의 게이트는 V_{Gate} 수준이 되고 Q_2의 동작은 대부분의 V_{in}을 부하로 통과시킨다. Q_2의 게이트가 식 (12-9)를 만족하면 Q_2는 켜진 상태로 유지된다.

EN = high 되면 Q_1이 켜지고 드레인이 거의 0 V가 된다. 이 상태는 Q_2를 끄고 출력 전압 부하의 출력전압을 0 V로 만든다.

추가 고려사항들

휴대용 시스템들의 배터리 수명을 연장시키기 위해서는 부하 스위치의 효율이 매우 중요하다. MOSFET 직렬 요소를 통해 대부분의 부하 전류가 흐르는 것이 전력손실의 주요 원인이다. 이것은 다음과 같이 나타난다.

$$P_{Loss} = (I_{Load})^2(R_{DS(on)}) \tag{12-10}$$

주어진 반도체 die 영역에서 n-채널 MOSFET의 $R_{DS(on)}$값은 p-채널 MOSFET보다 2~3 배 작을 수 있다. 따라서 식 (12-10)을 보면 n-채널 MOSFET의 전력손실이 더 작다는 것을 알 수 있다. 이것은 특히 큰 부하전류일 때에 더 심하다. P-채널 소자는 패스 트랜지스터의 동작유지를 필요로 하는 추가적인 전압레일이 필요하지 않다는 장점이 있다. 이것은 특히 고압의 입력전압이 통과할 때 중요하다.

또한 부하 스위치의 on/off 속도도 추가적인 고려사항인데 특히 그림 12-37과 같이 용량성 부하 C_L이 연결되었을 때 더욱 그러하다. 부하 스위치가 켜지기 전에 부하의 양단은 0 V이다. 부하 스위치가 입력 전압을 용량성 부하로 통과시키면 서지전류는 C_L을 충전시킨다. **돌입전류**(inrush current)라고 불리는 이 높은 전류는 잠재적인 악영향을 끼친다. 첫째로 이 서지전류는 패스 트랜지스터를 통해 흐르고 부하 스위치에 손상을 입히거나 수명을 단축시킬 수 있다. 둘째로 이 돌입전류는 입력 공급전압에서 음성 극파(negative spike)를 일으킬 수 있다. 또한 같은 V_{in} 전원에 연결된 다른 회로들에도 문제를 일으킬 수 있다.

그림 12-37에서 R_2와 C_1은 이러한 영향들을 감소시켜서 부드러운 시작을 할 수 있게 한다. 이 추가적 요소들은 패스 트랜지스터의 게이트 전압을 올려서 돌입전류를 제어할 수 있게 한다. 또한 갑자기 부하 스위치가 꺼져도 용량성 부하의 전하가 즉시 방전되지 않는다. 이것은 부하의 불완전한 차단을 일으킬 수 있다. 이것을 방지하기 위해서 게이트 제어 블록은 그림 12-37에 나타난 능동부하 방전 트랜지스터 Q_3을 켜는 데 사용되는 신호를 발생시킨다. 패스 트랜지스터가 꺼지면 Q_3은 용량성 부하를 방전시킬 것이다. Q_1은 제어 블록 안에 포함된다.

대부분의 high-side 부하 스위치 요소들은 작은 크기의 표면실장(surface-mount)으로 집적화 할 수 있다. 이것은 회로 보드의 면적을 상당히 감소시킬 수 있다.

예제 12-13

그림 12-38에서 Q_2의 $R_{DS(on)} = 50\text{m}\Omega$이고 EN = 3.5 V일 때, 출력부하 전압과 MOSFET 패스 트랜지스터 전력손실은 얼마인가? 또 EN = 0 V이면 얼마인가?

그림 12-38 부하 스위치 예제

풀이 EN = +3.5 V이면 Q_1이 켜지고 Q_2의 게이트는 접지(0 V)된다. 그럼 Q_2의 V_{GS}는 거의 –5 V가 될 것이다. 패스 트랜지스터가 켜지고 $R_{DS(on)}$값이 50 mΩ이다. 부하 전류는 다음과 같다.

$$I_{\text{Load}} = \frac{V_{\text{in}}}{R_{DS(on)} + R_L} = \frac{5\text{ V}}{50\text{ m}\Omega + 10\ \Omega} = 498\text{ mA}$$

식 (12-8)을 이용하여 V_{out}를 구하면 다음과 같다.

$$V_{\text{out}} = 5\text{ V} - (498\text{ mA})(50\text{ m}\Omega) = 4.98\text{ V}$$

부하의 전력은 다음과 같다.

$$P_L = (I_L)(V_L) = (498\text{ mA})(4.98\text{ V}) = 2.48\text{ W}$$

식 (12-10)을 이용하면 P_{Loss}는 다음과 같다.

$$P_{\text{Loss}} = (498 \text{ mA})^2(50 \text{ m}\Omega) = 12.4 \text{ mW}$$

EN = 0 V이면 Q_1이 꺼진다. Q_2의 게이트는 5 V가 되고 이것으로 패스 트랜지스터가 꺼진다. 출력 부하 전압과 출력 부하 전력 그리고 패스 트랜지스터 전력손실은 모두 0이 된다.

연습 문제 12-13 그림 12-38에서 EN = +3.5 V일 때, 부하 저항을 1 Ω로 바꾸면 출력 부하 전압, 출력 부하 전력, 패스 트랜지스터 전력손실은 얼마인가?

12-10 MOSFET H-브리지

간단한 H-브리지 회로는 4개의 전자적(또는 기계적) 스위치로 구성된다. 두 개의 스위치는 중앙 접합 사이에 위치한 부하의 양 옆에 연결된다. 그림 12-39*a*에 나타난 것 같이 배치가 알파벳 "H" 모양이기에 붙여진 이름이다. 때로는 이 배치를 전-브리지라고 하는데 이것은 브리지의 한 쪽만 사용하는 반-브리지와 구분하기 위해서이다. S_1과 S_3를 *high-side switch*라고 하며 S_2와 S_4를 *low-side switch*라 한다. 각각의 스위치를 제어해서 부하에 흐르는 전류의 방향과 강도를 변화시킬 수 있다.

그림 12-39*b*에서 스위치 S_1과 S_4가 닫히면 전류는 부하성 저항을 통해서 왼쪽에서 오른쪽으로 흐른다. 그림 12-39*c*와 같이 스위치 S_1과 S4를 열고 S_2과 S_3를 닫으면 전류

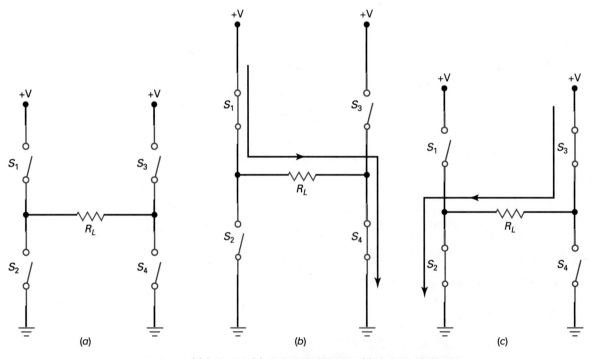

그림 12-39 (a) "H" 배치; (b) 좌에서 우방향 전류; (c) 우에서 좌방향 전류

는 반대 방향으로 부하를 통과하여 흐른다. 부하에 흐르는 전류의 강도는 인가전압 +V 를 조절하거나 다양한 스위치들의 on/off 시간을 제어함으로써 변화시킬 수 있다. 만약 한 쌍의 스위치가 반 시간 동안은 닫히고(on) 반 시간 동안 열리면(off), 50%의 듀티 사이클이 발생하고 부하에 보통의 절반의 전류가 흐른다. On/off 시간을 효과적으로 조절하여 스위치의 듀티 사이클을 제어하는 것을 PWM(pulse width modulation)제어라고 한다. 브리지 한 쪽의 스위치들이 동시에 닫히지 않게 해야 한다. 예를 들어 S_1과 S_2가 동시에 닫히면 높은 전류가 +V에서 접지로 스위치를 통해서 흐른다. 이를 *shoot-through* 전류라 하는데, 스위치나 전원을 손상시킬 수 있다.

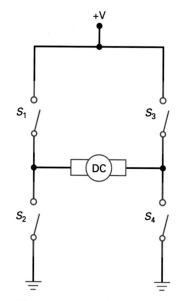

그림 12-40 DC 모터를 단 H-브리지

그림 12-40은 부하 저항을 DC 모터로 교체하였고 공통 +V 전원을 사용한다. 모터의 방향과 속도는 스위치에 의해 제어된다. 표 12-3은 모터를 제어할 수 있는 몇 개의 유용한 스위치 조합들을 보여준다. 모든 스위치가 열리면 모터는 꺼진다. 만약 이 상태가 모터 동작 중 발생하면 모터는 관성에 의해서 정지하거나 돌아갈 것이다. 스위치 각각의 high-side와 low-side를 적절히 닫으면 모터의 방향을 변화시킬 수 있다. S_2와 S_3를 연 상태에 S_1와 S_4를 닫으면 모터는 순방향으로 회전한다. 반대로 S_1과 S_4를 연 상태에서 S_2와 S_3를 닫으면 모터가 역방향으로 회전한다. 모터가 동작 중일 때 스위치의 양쪽의 high-side나 low-side가 닫히면 모터의 자가발전 전압이 모터를 바로 세울 수 있는 동적 브레이크 역할을 효과적으로 할 수 있다.

개별 H-브리지

그림 12-41은 H-브리지의 간단한 스위치가 개별 n-채널, p-채널 전력 E-MOSFET으로 바뀐 것을 나타낸다. BJT가 이용될 수 있지만 전력 E-MOSFET은 입력 제어가 더 간단하고 스위칭 속도가 빠르며 좀 더 이상적인 스위치와 닮았다. 두 개의 high-side 스위치 Q_1과 Q_3은 p-채널 MOSFET이고 low-side 스위치 Q_2와 Q_4는 n-채널 MOSFET이다. High-side 스위치의 소스 리드는 양(+)의 공급전압에 연결되기 때문에 각각의 p-채널 소자가 적절한 동작모드 상태가 되기 위해서는 $V_{GS(on)}$이 요구하는 게이트 구동 전압 V_G가 V_S보다 낮아야 한다. High-side MOSFET은 그들의 게이트 전압과 전원 전압이 같아지면 꺼질 수 있다. 두 개의 low-side 스위치 Q_2와 Q_4는 n-채널 MOSFET이다. 이들의 드레인 리드는 부하와 연결되고 소스 리드는 접지에 연결된다. $+V_{GS(on)}$이 만족하면 스위치가 켜진다.

표 12-3	기본적 동작 모드			
S_1	S_2	S_3	S_4	**Motor Mode**
open	open	open	open	motor off (free-wheeling)
closed	open	open	closed	forward
open	closed	closed	open	reverse
closed	open	closed	open	dynamic brake
open	closed	open	closed	dynamic brake

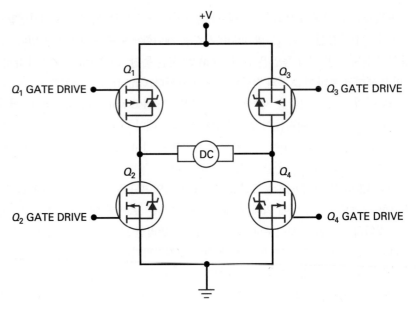

그림 12-41 개별 *p*-채널 high-side 스위치

그림 12-42 개별 *n*-채널 high-side 스위치

고전력 제품에서는 그림 12-42와 같이 high-side *p*-채널 MOSFET은 종종 *n*-채널 MOSFET으로 교체된다. 이 *n*-채널 MOSFET은 낮은 전력 손실을 발생시키는 작은 $R_{DS(on)}$값을 가지고 또한 빠른 스위칭 속도를 갖는다. 이런 특징은 고속 PWM 제어를 사용할 때 특히 중요하다. *n*-채널 MOSFET이 high-side 스위치로 사용될 때 추가적인 회로가 필요하다. 이 회로는 게이트 구동 전압이 그들의 드레인 리드와 연결된 양

그림 12-43 (a) 패키지; (b) 간단한 도식

(+)의 공급전압보다 크게 해준다. 따라서 완전히 켜기 위해서는 차지 펌프나 부트스트랩 전압이 필요하다.

비록 개별 MOSFET H-브리지를 사용하는 것이 간단해 보이지만 이것을 실행하는 것은 간단하지 않다. 처리해야 할 많은 문제들이 존재한다. MOSFET은 게이트 입력 캐패시턴스 C_{iss}를 갖기 때문에 전력 FET를 on/off하는데 지연될 것이다. 게이트 구동 회로는 입력 논리제어 신호를 잘 받아들이고 적절한 게이트 구동 전류를 제공함으로 MOSFET의 입력 커패시턴스가 빠르게 충전 또는 방전될 수 있도록 해야 한다. 모터의 방향을 바꾸거나 동적 브레이크를 구동할 때 다른 MOSFET이 켜지기 전에 MOSFET을 완전히 끄도록 하는 적절한 시간이 중요하다. 만약 그렇지 못할 경우에 shoot-through 전류가 MOSFET을 손상시킬 것이다. 또 다른 고려해야 할 문제들은 출력 단락회로 보호, +V 전압 변동, 전력 MOSFET의 과열 등이 있다.

모놀리식 H-브리지

모놀리식 H-브리지는 내부 제어논리, 게이트 구동, 차지 펌프, 전력 MOSFET이 하나의 실리콘 기판 위에 결합된 특별한 집적회로이다. 그림 12-43a는 5.0A H-브리지가 집적되고 표면실장된 전력 패키지 MC33886를 나타낸다. 요구되는 모든 내부 구성부품들이 같은 패키지 안에 조립되기 때문에 필요한 게이트 구동 회로를 넣고, 절절한 출력 드라이버를 맞추며 필수적인 보호회로를 설치하는데 용이하다.

그림 12-43b는 MC33886의 간단한 도식을 나타낸다. 모놀리식 H-브리지는 적절히 구동시키는데 적은 수의 외부 부품이 필요하고 적은 수의 입력 제어선을 사용한다. 이 H-브리지는 MCU(microcontroller unit)으로부터 4개의 입력 논리 제어신호를 받는다. IN1과 IN2는 OUT1과 OUT2의 출력상태를 제어한다. D1과 $\overline{D2}$는 출력 불능 제어선이다. 이 예에서는 출력이 DC모터와 바로 연결되어있다. MC33886은 하나의 출력 상태 제어선 $\overline{FS}$를 갖는데 이것은 결함 발생시 Low로 바뀐다. 그림 12-43b의 외부저항은 결함이 없을 시 $\overline{FS}$ 제어 출력이 High이 되도록 풀업(pull-up)시킨다.

INTERNAL BLOCK DIAGRAM

그림 12-44   MC33886의 내부 블록선도. "Copyright 2014 Freescale Semiconductor, Inc. Used by Permission."

집적 H-브리지의 내부 블록선도는 그림 12-44와 같다. V+ 공급전압의 범위는 5.0~40 V이다. 28 V 이상 사용시에는 출력을 낮추는 설명서를 따라야 한다. 내부 전압 조정기는 제어 논리 회로망에 필요한 전압을 생산한다. 분리된 두 개의 접지는 간섭으로부터 고전류 전력이 PGND에 접지되고 저전류 아날로그 신호가 AGND에 접지되도록 유지시키는데 사용된다. 이 H-브리지 출력 구동 회로는 4개의 n-채널 전력 E-MOSFET을 사용한다. Q_1과 Q_2가 반-브리지를 구성하고 Q_3과 Q_4가 나머지 반-브리지를 구성한다. 각각의 반-브리지는 독립적으로 이용될 수 있고 전-브리지가 필요할 때에는 함께 사용될 수 있다. High-side 스위치가 n-채널 MOSFET이기 때문에 트랜지스터를 완전히 on상태로 유지시키기 위해 필요한 높은 게이트 전압을 제공하기 위해서는 내장된 차지 펌프가 필수적이다.

표 12-4는 MC33886의 부분적인 논리 진리표를 나타낸다. 입력 제어선 IN1, IN2, D1, $\overline{D2}$는 연결된 DC 모터의 방향과 속도를 제어하는 데 사용된다. 이 입력들은 TTL(transistor-transistor logic, 디지털회로들로 구성됨)과 CMOS와 호환 가능한데, 이것은 디지털 논리 회로나 MCU의 출력으로 입력제어를 가능하게 한다. 두 개의 토템폴(totem-pole) 반-브리지 출력들의 조정을 통하여, IN1과 IN2는 독립적으로 각각의 OUT1과 OUT2를 제어한다. D1 = High이거나 $\overline{D2}$ = Low이면 입력 IN1과 IN2와 상관없이 두 개의 H-브리지는 불능이 되고 High-impedance 상태가 된다.

표 12-4에서 나타나듯이 IN1 = High이고 IN2 = Low이면 게이트 구동 회로는 Q1과 Q4는 켜고, Q_2와 Q_3은 끈다. 그러므로 OUT1 = High, OUT2 = Low이 되고 +V가 인가되어 DC모터는 한 방향으로 회전할 것이다. IN1 = Low이고 IN2 = High이면 출력이 반대가 되어 Q_2와 Q_3은 켜지고 Q_1과 Q_4는 꺼진다. 이때 OUT1 = Low이고 OUT2

표 12-4	논리 진리표 "Copyright 2014 Freescale Semiconductor, Inc. Used by Permission."						
Device State	**Input Conditions**				**Fault Status Flag**	**Output States**	
	D1	$\overline{D2}$	IN1	IN2	$\overline{FS}$	OUT1	OUT2
Forward	L	H	H	L	H	H	L
Reverse	L	H	L	H	H	L	H
Freewheeling Low	L	H	L	L	H	L	L
Freewheeling High	L	H	H	H	H	H	H
Disable 1 (D1)	H	X	X	X	L	Z	Z
Disable 2 ($\overline{D2}$)	X	L	X	X	L	Z	Z
IN1 Disconnected	L	H	Z	X	H	H	X
IN2 Disconnected	L	H	X	Z	H	X	H
D1 Disconnected	Z	X	X	X	L	Z	Z
$\overline{D2}$ Disconnected	X	Z	X	X	L	Z	Z
Undervoltage	X	X	X	X	L	Z	Z
Overtemperature	X	X	X	X	L	Z	Z
Short Circuit	X	X	X	X	L	Z	Z

D1또는 $\overline{D2}$를 이용해서 3개의 상태조건과 결함상태를 리셋시킬 수 있다. L = Low, H = High, X = High 또는 Low, Z = High-impedance(모든 출력 파워 트랜지스터가 꺼진다.)

= High이 되어 DC모터는 반대방향으로 회전한다. IN1과 IN2의 논리신호가 High일 때 OUT1과 OUT2의 출력상태는 High이 된다. 이와 같이 두 개의 입력이 Low이면 출력도 Low이 된다. 이런 입력조건들은 두 개의 High-side 스위치나 두 개의 Low-side 스위치를 on시켜서 DC 모터에 동적 브레이크를 건다.

OUT1과 OUT2와 연결된 DC모터의 속도는 PWM을 이용하여 제어할 수 있다. 외부 전원이나 MCU의 출력신호는 IN1또는 IN2에 연결되고 듀티 사이클을 변화시킬 수 있는 PWM 파형을 보낸다. 연결되지 않은 다른 입력은 High로 고정된다. 입력파형의 듀티 사이클을 변화시킴으로써 모터의 속도는 변화된다. 듀티 사이클이 높아질수록 모터의 속도가 빨라진다. 입력이 받는 파형을 변화시킴으로써 모터의 역방향에서의 속도를 제어할 수 있다. MOSFET 출력의 스위칭 속도와 차지 펌프의 한계 때문에 MC33886의 PWM 신호의 최대 주파수는 10kHz다.

표 12-4에서 볼 수 있듯이 만약 입력이 D1 = X, $\overline{D2}$ = Low이면 두 개의 출력은 high-impedance 상태가 될 것이다. 이것은 효과적으로 출력을 불능시킨다. 또한 이런 출력 불능상태는 MC33886이 과열, 저전압, 전류제한, 회로 단락상태를 감지하면 발생된다. 이런 일들이 발생될 때 낮은 결함 상태 신호가 발생되고 MCU로 보내진다.

개별 H-브리지 회로와 비교해서 MC33886과 같은 모놀리식 H-브리지는 실행하는 것이 쉽다. 분수마력 전동기(fractional horsepower DC motor)와 솔레노이드를 사용하는 응용제품들을 자동차산업과 로봇산업을 포함하는 다양한 시스템에서 찾아 볼 수 있다.

12-11 E-MOSFET 증폭기

앞에서 얘기했듯이, E-MOSFET는 주로 스위치로 쓰인다. 그러나 증폭기로 사용하기 위해서 이 장치에 존재한다. 이런 적용은 전달장비에 쓰이는 전단 고주파 RF증폭기와 AB전력증폭기에서 쓰이는 전력 E-MOSFET를 포함한다.

E-MOSFET를 이용하면 드레인전류에 대한 V_{GS}는 $V_{GS(th)}$보다 크다. 이것은 자기바이어스, 전류원바이어스, 제로 바이어스를 제거한다. 왜냐하면 이런 바이어스들이 공핍층형 동작을 가지기 때문이다. 이것은 게이트바이어스와 분압기바이어스는 그대로 둔다. 증가형 작동을 얻을 수 있기 때문에 이렇게 바이어스된 조합은 E-MOSFET와 함께 작동한다.

그림 12-45는 n-채널 E-MOSFET에 대한 드레인 곡선과 전달컨덕턴스곡선을 보여준다. 포물선모양의 전이곡선은 D-MOSFET의 곡선과 유사하지만 중요한 차이점을 가진다. E-MOSFET는 오로지 증가형에서만 작동한다. 또한 드레인 전류는 $V_{GS} = V_{GS(th)}$가 되기 전까지는 작동하지 않는다. 이것은 E-MOSFET가 전압조절장치라는 것을 보여준다. V_{GS}가 0일 때 드레인 전류가 0이기 때문에 전달컨덕턴스 공식은 E-MOSFET에 적용할 수 없다. 드레인 전류는 다음 식으로 구할 수 있다.

$$I_D = k[V_{GS} - V_{GS(th)}]^2 \qquad (12\text{-}11)$$

k는 다음 식으로 알 수 있는 E-MOSFET에 대한 상수값이다.

$$k = \frac{I_{D(on)}}{[V_{GS(on)} - V_{GS(th)}]^2} \qquad (12\text{-}12)$$

그림 12-12는 2N7000 n-채널 증가형 FET에 대한 자료이다. 여기서 중요한 값은 $I_{D(on)}$, $V_{GS(on)}$, $V_{GS(th)}$이다. 2N7000에 대한 사양은 각각의 값에서 큰 편차가 있음을 보

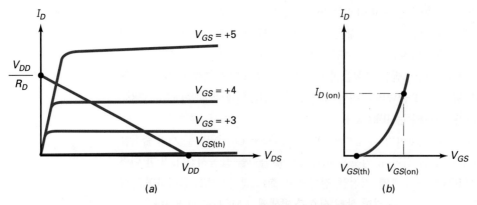

그림 12-45 n-채널 E-MOSFET (a) 드레인 곡선; (b) 전달컨덕턴스 곡선

여준다. 대표값은 다음 계산에서 사용될 것이다. $I_{D(on)}$은 V_{GS} = 4.5 V일 때 600 mA임을 보여준다. 그러므로 $V_{GS(on)}$값은 4.5 V로 한다. 또한 V_{DS} = V_{GS}이고 I_D = 1 mA일 때 $V_{GS(th)}$는 2.1 V의 값을 갖는다.

예제 12-14

2N7000의 자료표와 대표값을 이용하여 상수 k의 값과 V_{GS}가 3 V, 4.5 V일 때 ID의 값을 구하여라.

풀이 확정된 값들과 식 (12-12)를 이용하여 k를 구한다.

$$k = \frac{600 \text{ mA}}{[4.5 \text{ V} - 2.1 \text{ V}]^2}$$

$$k = 104 \times 10^{-3} \text{ A/V}^2$$

상수값 k를 이용하여 다양한 V_{GS}값에 대한 I_D값을 구할 수 있다. 예를 들어 V_{GS} = 3 V라면 I_D값은

$$I_D = (104 \times 10^{-3} \text{ A/V}^2)[3 \text{ V} - 2.1 \text{ V}]^2$$

$$I_D = 84.4 \text{ mA}$$

이고 V_{GS} = 4.5 V라면

$$I_D = (104 \times 10^{-3} \text{ A/V}^2)[4.5 \text{ V} - 2.1 \text{ V}]^2$$

$$I_D = 600 \text{ mA}$$

이다.

연습 문제 12-14 2N7000의 자료표와 표에 있는 $I_{D(on)}$와 $V_{GS(th)}$의 최소값을 이용하여 상수 k의 값과 V_{GS} = 3 V일 때 I_D의 값을 구하여라.

(a)

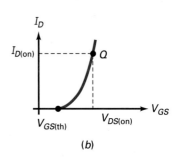

(b)

그림 12-46 드레인 피드백 바이어스: (a) 바이어싱 방법; (b) Q점

그림 12-46a는 **드레인 피드백 바이어스**라 불리는 E-MOSFET이다. 이 방법은 쌍극접합트랜지스터가 이용된 컬렉터 피드백 바이어스와 비슷하다. MOSFET가 전달될 때 이것은 $I_{D(on)}$의 드레인전류와 $V_{DS(on)}$의 드레인전압을 갖는다. 사실상 게이트전류가거의 없기 때문에, V_{GS} = $V_{DS(on)}$이다. 컬렉터 피드백처럼 드레인 피드백 바이어스는 FET지표 안에서 변화를 보정하는 경향이 있다. 예를 들어 $I_{D(on)}$가 어떠한 이유로 증가하려 한다면, $V_{DS(on)}$는 감소한다. 이것은 V_{GS}를 감소시키고 부분적으로 $I_{D(on)}$에서 증가를 상쇄한다.

그림 12-46b는 전달컨덕턴스 곡선에 Q점을 보여준다. Q점은 $I_{D(on)}$과 $V_{DS(on)}$의 좌표를 갖는다. E-MOSFET의 자료표는 보통 V_{GS} = $V_{DS(on)}$에 대한 $I_{D(on)}$의 값을 준다. 회로가 구성되었을 때, V_{DS}의 값이 나오는 R_D의 값을 선택한다. 이것은 다음 식으로부터 찾을 수 있다.

$$R_D = \frac{V_{DD} - V_{DS(\text{on})}}{I_{D(\text{on})}} \tag{12-13}$$

전달컨덕턴스값 gFS는 MOSFET자료표에 있다. 2N7000에 대하여 최소이자 대표값은 I_D = 200 mA일 때 주어진다. 최소값은 100 mS이고, 대표값은 320 mS이다. 전달컨덕턴스값은 회로의 $I_D = k\ [V_{GS} - V_{GS(\text{th})}]^2$와 $g_m = \dfrac{\Delta I_D}{\Delta V_{GS}}$의 관계에 따라서, 회로의 Q점에 따라서 변할 것이다. 이 방정식들로부터

$$g_m = 2\,k\ [V_{GS} - V_{GS(\text{th})}] \tag{12-14}$$

가 결정된다.

예제 12-15

그림 12-46a의 E-MOSFET에 대한 자료표는 $I_{D(\text{on})}$ = 3 mA이고 $V_{DS(\text{on})}$ = 10 V임을 보여준다. V_{DD} = 25 V일 때, Q점에서 MOSFET가 작동하기 위한 R_D의 값을 구하여라.

풀이 식 (12-9)를 이용하여 R_D의 값을 구한다.

$$R_D = \frac{25\,\text{V} - 10\,\text{V}}{3\,\text{mA}}$$

$$R_D = 5\,\text{k}\Omega$$

이다.

연습 문제 12-15 그림 12-46a를 이용하여 V_{DD} = +22 V일 때, R_D의 값을 구하여라.

예제 12-16

그림 12-47의 회로에서 V_{GS}, I_D, g_m, V_{out}를 구하여라. MOSFET표에서 k = 104 × 10⁻³ A/V², $I_{D(\text{on})}$ = 600 mA, $V_{GS(\text{th})}$ = 2.1 V이다.

풀이 첫째 V_{GS}의 값을 찾는다.

$$V_{GS} = V_G$$

$$V_{GS} = \frac{350\,\text{k}\Omega}{350\,\text{k}\Omega + 1\,\text{M}\Omega}\,(12\,\text{V}) = 3.11\,\text{V}$$

다음으로 I_D를 구한다.

$$I_D = (104 \times 10^{-3}\,\text{A/V}^2)\ [3.11\,\text{V} - 2.1\,\text{V}]^2 = 106\,\text{mA}$$

전달컨덕턴스 g_m값은

$$g_m = 2\,k\ [3.11\,\text{V} - 2.1\,\text{V}] = 210\,\text{mS}$$

그림 12-47 E–MOSFET 증폭기

CS증폭기의 전압이득은 다른 FET장치와 같다.

$$A_v = g_m r_d$$

여기서 $r_d = R_D \| R_L = 68\ \Omega \| 1\ k\Omega = 63.7\ \Omega$이다.
그러므로

$$A_v = (210\ mS)(63.7\ \Omega) = 13.4$$

이고

$$v_{out} = (A_v)(v_{in}) = (13.4)(100\ mV) = 1.34\ mV$$

이다.

연습 문제 12-16 $R_2 = 330\ k\Omega$일 때 예제 12-16의 물음에 답하여라.

요점정리 표 12-5은 D-MOSFET와 E-MOSFET 증폭기와 그들의 기본적인 특성 및 관계식을 보여준다.

요점정리 표 12-5	MOSFET 증폭기

Circuit	Characteristics

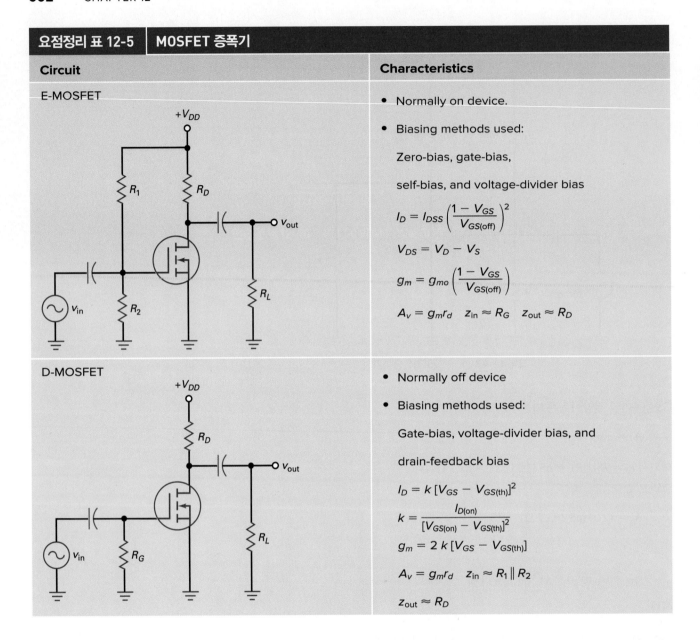

E-MOSFET

- Normally on device.
- Biasing methods used:

  Zero-bias, gate-bias,

  self-bias, and voltage-divider bias

  $$I_D = I_{DSS}\left(\frac{1 - V_{GS}}{V_{GS(\text{off})}}\right)^2$$

  $$V_{DS} = V_D - V_S$$

  $$g_m = g_{mo}\left(\frac{1 - V_{GS}}{V_{GS(\text{off})}}\right)$$

  $$A_v = g_m r_d \quad z_{\text{in}} \approx R_G \quad z_{\text{out}} \approx R_D$$

D-MOSFET

- Normally off device
- Biasing methods used:

  Gate-bias, voltage-divider bias, and

  drain-feedback bias

  $$I_D = k\left[V_{GS} - V_{GS(\text{th})}\right]^2$$

  $$k = \frac{I_{D(\text{on})}}{\left[V_{GS(\text{on})} - V_{GS(\text{th})}\right]^2}$$

  $$g_m = 2\,k\left[V_{GS} - V_{GS(\text{th})}\right]$$

  $$A_v = g_m r_d \quad z_{\text{in}} \approx R_1 \| R_2$$

  $$z_{\text{out}} \approx R_D$$

12-12 MOSFET 시험

MOSFET장치는 적절한 작동을 시험할 때 매우 조심해야 한다. 이전에도 언급했듯이 게이트와 채널 사이의 실리콘이산화물의 얇은 층은 V_{GS}가 $V_{GS(\text{max})}$를 초과하면 쉽게 망가져버리기 때문이다. 절연된 게이트 때문에 채널구조와 같이 옴미터나 DMM의 시험MOSFET장치가 매우 효과적인 것은 아니다. 이 장치를 시험하는 좋은 방법은 세미컨덕터 곡선 추적기를 이용하는 것이다. 만약 곡선 추적기를 이용할 수 없다면, 특별한 시험 회로를 구성할 수 있다. 그림 12-48a는 공핍형과 증가형 MOSFET를 둘 다 시험할 수 있는 회로를 나타낸다. V_1의 극성과 전압이 달라지면서 장치는 공핍형과 증가형에서

(a)

(b)

그림 12-48 MOSFET 시험 회로

둘다 작동할 수 있다. 그림 12-48*b*에서 보이는 바와 같이 드레인 곡선은 $V_{GS} = 4.52$ V 일 때 275 mA의 드레인 전류를 갖는다. *y*축은 50 mA/div를 나타내기 위해 고정한다.

또 다른 실험방법은 단순히 부품을 대체하는 것이다. 회로의 전압값을 측정함으로로, MOSFET가 손상되었는지 종종 추론할 수 있다. 양품으로 부품을 교환함으로 최종적인 결론에 도달할 수 있다.

요점 | Summary

12-1 공핍형 MOSFET
D-MOSFET는 소스, 게이트 및 드레인단자로 구성되며 게이트는 전기적으로 채널로부터 절연되어 있다. 이 때문에 입력저항은 아주 크다. D-MOSFET는 주로 RF 회로와 같은 분야에 사용된다.

12-2 D-MOSFET 곡선
D-MOSFET에 대한 드레인 곡선은 MOS 장치가 공핍형에서 작동할 때 JFET의 곡선과 유사하다. JFET와는 달리 D-MOSFET는 또한 증가형에서도 작동할 수 있다. 증가형에서 작동할 때, 드레인 전류는 I_{DSS}보다 크다.

12-3 공핍형 MOSFET 증폭기
D-MOSFET는 주로 RF증폭기로 이용된다. D-MOSFET는 고주파수를 갖고, 전기적 노이즈가 적고, V_{GS}가 양 또는 음일 때 높은 입력임피던스 값을 유지한다. 듀얼게이트 D-MOSFET는 AGC회로에 이용할 수 있다.

12-4 증가형 MOSFET
E-MOSFET는 원래 off상태이다. $V_{GS} = V_{GS}$(th)이면 *n*형 반전층이 소스와 드레인을 연결시킨다. $V_{GS} > V_{GS(th)}$이면 소자는 확실히 도전된다. 얇은 유전막이므로 취급하는 데 주의를 기울이지 않으면 MOSFET는 쉽게 파괴된다.

12-5 옴영역
E-MOSFET는 스위칭 소지이므로 차단 및 포화영역에서 동작한다. 옴영역에서 바이어스되면 작은 값을 가지는 저항처럼 작용한다. 만약 $V_{GS} = V_{GS(on)}$일 때 $I_{D(sat)} < I_{D(on)}$이면 E-MOSFET는 옴영역에서 동작한다.

12-6 디지털 스위칭
아날로그는 신호가 갑작스런 점프가 없이 연속적으로 변하는 것을 의미한다. **디지털**은 신호가 두 전압 사이를 점프하는 것을 의미한다. 스위칭은 소신호 디지털회로뿐만 아니라 고전력 회로분야도 포함한다. 능동부하 스위칭은 MOSFET 중의 하나는 큰 저항으로 작용하고 나머지 하나는 스위치로 동작한다.

12-7 CMOS
CMOS는 두 개의 상보관계를 가지는 MOSFET를 사용한다. 즉 하나는 on이고 다른 하나는 off이다. CMOS는 기본 디지털회로로서 전력소비가 아주 작다.

12-8 전력 FETs
개별 E-MOSFET는 큰 전류를 스위칭하도록 제조할 수 있다. **전력 FET**라고 부르며 응용 분야는 자동차 제어, 디스크 드라이버, 변환기, 프린터, 조명 및 전동기 등이다.

12-9 High-side MOSFET 부하 스위치
High-side MOSFET 부하 스위치는 전원을 부하에 연결 또는 차단하는 데 사용된다.

12-10 MOSFET H-브리지
모놀리식과 개별 H-브리지는 전류의 방향과 부하에 걸리는 전류의 양을 제어하는 데 사용된다. 보통 DC 모터 제어에 이용된다.

12-11 E-MOSFET 증폭기
전력스위치로써의 주요 사용 이외에도 E-MOSFET는 증폭기로도 사용된다. E-MOSFET의 특성은 증폭기로 사용될 때 V_{GS}가 $V_{GS}^{(th)}$보다 크다는 것이다. 드레인 피드백 바이어스는 컬렉터피드백 바이어스와 유사하다.

12-12 MOSFET 시험
안전하게 MOSFET장치를 옴미터로 사용하는 것은 어렵다. 세미컨덕터 곡선 추적기가 이용 가능하지 않다면, MOSFET는 테스트 회로에서 시험할 수 있다.

정의식 | Definitions

(12-1) D-MOSFET 드레인전류:

$$I_D = I_{DSS}\left(1 - \frac{V_G}{V_{GS(off)}}\right)^2$$

(12-3) 저항:

$$V_{GS} = V_{GS\,(on)} \qquad R_{DS(on)} = \frac{V_{DS(on)}}{I_{D(on)}}$$

(12-6) 이단자 저항:

$$R_D = \frac{V_{DS(active)}}{I_{D(active)}}$$

(12-8) E-MOSFET 상수 k:

$$k = \frac{I_{D(on)}}{[V_{GS(on)} - V_{GS(th)}]^2}$$

(12-10) E-MOSFET g_m:

$$g_m = 2\,k\,[V_{GS} - V_{GS(th)}]$$

유도식 ｜ Derivations

(12-2) D-MOSFET 제로 바이어스:

$$V_{DS} = V_{DD} - I_{DSS}\,R_D$$

(12-4) 포화전류:

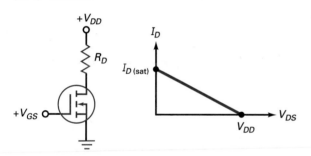

$$I_{D(sat)} = \frac{V_{DD}}{R_D}$$

(12-5) 옴영역:

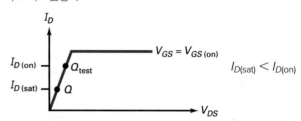

$$I_{D(sat)} < I_{D(on)}$$

(12-7) P-채널 부하 스위치 게이트 전압:

$$V_G \le V_{in} - |V_{GS(on)}|$$

(12-9) N-채널 부하 스위치 게이트 전압:

$$V_G \ge V_{out} + V_{GS(on)}$$

(12-11) E-MOSFET 드레인전류:

$$I_D = k\,[V_{GS} - V_{GS(th)}]^2$$

(12-13) 드레인 피드백 바이어스에 대한:

$$R_D = \frac{V_{DD} - V_{DS(on)}}{I_{D(on)}}$$

복습 문제 ｜ Self-Test

1. A D-MOSFET는 다음 어느 형에서 동작할 수 있는가?

　a. 공핍형

　b. 증가형

　c. 공핍형 또는 증가형

　d. 저임의 던스형

2. n-채널 D-MOSFET이 $I_D > I_{DSS}$일 때 나타나는 현상은?

　a. 파괴됨

　b. 공핍형에서 동작

　c. 포워드 바이어스

　d. 증가형에서 동작

3. D-MOSFET 증폭기의 전압이득은 다음의 무엇에 의해 결정되는가?

　a. R_D　　　　b. R_L

　c. g_m　　　　d. All of the above

4. 컴퓨터산업에 혁명을 이룬 소자는?

　a. JFET

　b. D-MOSFET

　c. E-MOSFET

　d. 전력 FET

5. EMOS 소자를 동작시키는 전압은?

　a. 게이트소스 차단전압

　b. 핀치오프 전압

　c. 문턱(threshold) 전압

　d. 무릎(knee) 전압

6. E-MOSFET의 자료표에 있는 자료는?

　a. $V_{GS(th)}$

　b. $I_{D(on)}$

　c. $V_{GS(on)}$

　d. 위의 항 모두

7. *n*채널 E-MOSFET의 $V_{GS(on)}$은?

a. 문턱전압보다 작다.

b. 게이트소스 차단전압과 같다.

c. $V_{DS(on)}$보다 크다.

d. $V_{GS(th)}$보다 크다.

8. 저항은 다음 중 어느 부류에 속하는가?

a. 3단자 소자   b. 수동부하

c. 능동부하   d. 스위칭소자

9. 게이트가 드레인에 연결된 E-MOS-FET는?

a. 3단자 소자   b. 능동부하

c. 수동부하   d. 스위칭소자

10. 차단영역 또는 옴영역에서 동작하는 E-MOSFET는 어떤 예인가?

a. 전류원   b. 능동부하

c. 수동부하   d. 스위칭소자

11. VMOS 부품은?

a. BJT보다 빠르게 스위치 off

b. 낮은 전류 전달

c. 부의 온도 계수를 가짐

d. CMOS 인버터로 사용

12. D-MOSFET는?

a. 정상적인 오프부품

b. 정상적인 온부품

c. 전류제어 부품

d. 고파워 스위치

13. CMOS는 다음 중 무엇을 나타내는가?

a. 공통 MOS

b. 능동부하 스위칭

c. *p*채널 및 *n*채널 소자

d. 상보 MOS

14. $V_{GS(on)}$은 항상 어떠한가?

a. $V_{GS(th)}$보다 작다.

b. $V_{DS(on)}$과 같다.

c. $V_{GS(th)}$보다 더 크다.

d. 음의 값이다.

15. 능동부하 스위칭에서 위쪽 MOS-FET는 어느 것인가?

a. 2단자 소자

b. 3단자 소자

c. 스위치

d. 작은 저항

16. CMOS 소자는 어느 것인가?

a. 바이폴라 드렌지스디

b. 상보 E-MOSFET

c. A급 동작

d. D-MOS 소자

17. CMOS의 가장 큰 이점은 무엇인가?

a. 높은 전력정격

b. 소신호 동작

c. 스위칭 가능

d. 낮은 전력소비

18. 전력 FET는?

a. IC

b. 소신호 소자

c. 주로 아날로그신호와 사용

d. 큰 전류를 스위칭

19. 전력 FET에서 내부 온도가 올라가면?

a. 문턱전압이 증가한다.

b. 게이트전류가 감소한다.

c. 드레인전류가 감소한다.

d. 포화전류가 증가한다.

20. 대부분의 소신호 E-MOSFET을 발견할 수 있는 곳은 어디인가?

a. 고전류 응용

b. 개별소자

c. 디스크 드라이버

d. IC

21. 대부분의 전력 FET는?

a. 고전류 응용   b. 디지털 컴퓨터

c. RF단   d. IC

22. *n*채널 E-MOSFET는 언제 on되는가?

a. $V_{GS} > V_P$ b. *n*형 반전층

c. $V_{DS} > 0$ d. 공핍층

23. CMOS에서 위쪽 MOSFET는?

a. 수동부하   b. 능동부하

c. 비전도성   d. 상보

24. CMOS 반전기의 1상태인 출력전압은?

a. $V_{DD}/2$ b. V_{GS}

c. V_{DS} d. V_{DD}

25. 전력 FET의 $R_{DS(on)}$은?

a. 항상 크다.

b. 음의 온도계수를 가진다.

c. 양의 온도계수를 가진다.

d. 능동부하이다.

26. 개별 *n*-채널 high-side 전력 FET가 필요한 것은?

a. 켜기 위해서 음(−) 게이트 전압

b. *p*-채널 FET보다 적은 게이트 구동 회로

c. 동작하기 위해서 드레인 볼트가 게이트 볼트보다 커야 한다.

d. 차지 펌프

기본 문제 | Problems

12-2   D-MOSFET 곡선

12-1 *n*-채널 D-MOSFET의 $V_{GS(off)} = -2$ V, $I_{DSS} = 4$ mA 이다. V_{GS}의 값이 −0.5 V, −1.0 V, -1.5 V, +0.5 V, +1.0 V, +1.5 V일 때, 공핍형에서 ID의 값은?

12-2 12-1의 문제와 조건이 같을 때, 증가형에서 ID의 값은?

12-3 *p*-채널 D-MOSFET의 $V_{GS(off)} = +3$ V, $I_{DSS} = 12$ mA이다. V_{GS}의 값이 −1.0 V, −2.0 V, 0 V, +1.5 V, +2.5 V일 때, 공핍형에서 I_D의 값은?

12-3 공핍형 MOSFET 증폭기

12-4 그림 12-49에서 D-MOSFET의 $V_{GS(off)}$ = −3 V, I_{DSS} = 12 mA이다. 회로의 드레인전류와 V_{DS}의 값은?

12-5 그림 12-49에서 4000 μS의 gmo를 이용하여 rd, Av, Vout의 값을 구하여라.

12-6 그림 12-49을 이용하여 R_D = 680 Ω, R_L = 10 kΩ일 때, r_d, A_v, V_{out}의 값을 구하여라.

12-7 그림 12-49에서 대략의 입력임피던스는?

12-5 옴영역

12-8 E-MOSFET가 다음과 같은 조건을 가질 때 $R_{DS(on)}$을 계산하여라.

 a. $V_{DS(on)}$ = 0.1 V, $I_{D(on)}$ = 10 mA
 b. $V_{DS(on)}$ = 0.25 V, $I_{D(on)}$ = 45 mA
 c. $V_{DS(on)}$ = 0.75 V, $I_{D(on)}$ = 100 mA
 d. $V_{DS(on)}$ = 0.15 V, $I_{D(on)}$ = 200 mA

12-9 E-MOSFET가, $V_{GS(on)}$ = 3 V, $I_{D(on)}$ = 500 mA일 때 $R_{DS(on)}$ = 2 Ω이다. 만약 옴영역에 바이어스되어 있다면 다음과 같은 드레인전류가 흐를 경우 V_{DS}를 구하여라.

 a. $I_{D(sat)}$ = 25 mA
 b. $I_{D(sat)}$ = 50 mA
 c. $I_{D(sat)}$ = 100 mA
 d. $I_{D(sat)}$ = 200 mA

12-10 **IIII Multisim** 그림 12-50a에서 V_{GS} = 2.5 V이면 E-MOSFET 양단전압은? 표 12-1을 사용하여라.

12-11 **IIII Multisim** 그림 12-50b에서 V_G = 3 V이면 드레인 전류는 얼마인가? 값은 표 12-1에 주어진 값을 이용하여라.

12-12 그림 12-50c에서 V_{GS} = high 상태이면 부하저항의 양단전압은 얼마인가?

12-13 그림 12-50d에서 V_{GS} = high 상태이면 E-MOSFET 양단전압은 얼마인가?

12-14 그림 12-51a에서 V_{GS} = 5 V이면 LED에 흐르는 전류는 얼마인가?

12-15 그림 12-51b에서 릴레이가 V_{GS} = 2.6 V에서 닫힌다. V_{GS} = high 상태이면 MOSFET에 흐르는 전류를 구하여라. 최종부하를 흐르는 전류는 얼마인가?

12-6 디지털 스위칭

12-16 E-MOSFET는 $I_{D(active)}$ = 1 mA, $V_{DS(active)}$ = 10 V이다. 활성영역에서 드레인저항을 구하여라.

12-17 그림 12-52a에서 입력이 각각 V_{in} = high 상태 및 low 상태일 때 출력전압을 구하여라.

12-18 그림 12-52b에서 입력이 각각 V_{in} =high상태 및 low상태일 때 출력전압을 구하여라.

12-19 구형파를 그림 12-52a의 게이트에 가한다. 이 구형파가 충분히 커서 MOSFET가 옴영역에서 동작하게 된다면 출력파형을 구하여라.

그림 12-49

그림 12-50

그림 12-51

그림 12-52

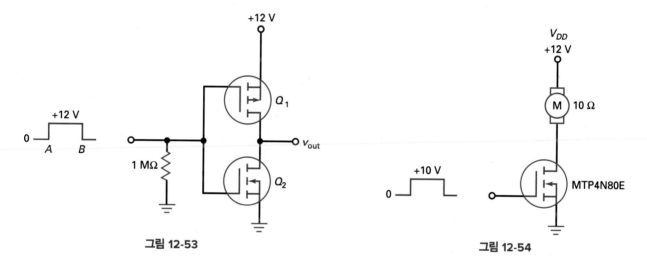

그림 12-53

그림 12-54

12-7 CMOS

12-20 그림 12-53의 MOSFET는 $R_{DS(on)}$ = 250 Ω, $R_{DS(off)}$ = 5 MΩ이다. 출력파형은 얼마인지를 구하여라.

12-21 그림 12-53의 위쪽 n채널 MOSFET는 $I_{D(on)}$ = 1 mA, $V_{DS(on)}$ = 1 V, $I_{D(off)}$ = 1 μA, $V_{DS(off)}$ = 10 V이다. 입력전압이 v_{in} = high상태 및 low상태일 때 출력전압을 구하여라.

12-22 v_p = 12 V, f = 1 kHz인 구형파가 그림 12-53 회로의 입력으로 사용된다. 출력파형을 설명하여라.

12-23 그림 12-53에서 입력이 low상태에서 high상태로 천이한다. 어떤 순간 전압이 6 V이면 두 MOSFET는 능동저항 R_D = 5 kΩ을 가진다. 이때 흐르는 전류를 구하여라.

12-8 전력 FETs

12-24 V_{GS} = low상태일 때 그림 12-54의 회로에서 전동기 권선을 흐르는 전류를 구하여라.

그림 12-55

그림 12-56

그림 12-57

12-25 그림 12-54의 회로에서 전동기 권선이 저항 6 Ω으로 바뀌었다. V_{GS} = high상태일 때 권선을 흐르는 전류를 구하여라.

12-26 V_{GS} = low상태일 때 그림 12-55의 회로에서 전구를 흐르는 전류를 구하여라. V_{GS} = +10 V일 경우 위의 문제를 반복해서 구하여라.

12-27 그림 12-55에서 전구가 저항 5 Ω을 갖는 다른 전구로 교환되었다. 어두울 때 전구의 전력을 구하여라.

12-28 그림 12-56에서 게이트전압이 high상태, low상태일 때 물밸브를 흐르는 전류를 구하여라.

12-29 그림 12-56의 회로에서 공급전압이 12 V로 바뀌었다. 또한 물 밸브도 저항 18 Ω을 가지는 물 밸브로 교체되었다. 탐사침이 수면 아래로 내려갈 경우 및 수면 위에 있을 경우에 대해 물 밸브를 흐르는 전류를 구하여라.

12-30 그림 12-57에서 RC시정수를 구하여라. 불빛이 가장 밝을 경우에 진구의 전력은 얼마인가?

12-31 그림 12-57에서 게이트에 연결된 저항이 두 배로 되었다. RC시정수를 구하여라. 만약 전구가 6 Ω을 가진 다른 것으로 교체되면 불빛이 가장 밝을 경우에 전구의 전력은 얼마인가?

12-9 HIGH-SIDE MOSFET 부하 스위치

12-32 그림 12-58에서 E_N = 0 V일 때, Q_1의 전류는 얼마인가? EN = +5 V일 때는 얼마인가?

12-33 그림 12-58에서 E_N = +5.0 V일 때, Q_2의 $R_{DS(on)}$ = 100 mΩ이면 부하에 걸린 출력전압은 얼마인가?

12-34 E_N = +5.0 V이고 $R_{DS(on)}$ = 100 mΩ일 때, Q_2와 출력 부하 전력의 전력손실은 얼마인가?

12-11 E-MOSFET 증폭기

12-35 2N7000에 대한 $I_{D(on)}$, $V_{GS(on)}$, V_{GS}(th)의 최소값들을 이용하여 그림 12-59의 I_D의 값과 상수 k의 값을 구하여라.

그림 12-58

그림 12-59

12-36 최소 비율 specification을 이용하여 그림 12-59에 대한 g_m, A_V, V_{out}의 값을 구하여라.

12-37 그림 12-59에서 R_D를 50 Ω으로 바꾸어라. $I_{D(on)}$, $V_{GS(on)}$, $V_{GS(th)}$의 값을 이용하여 상수 k의 값과 I_D값을 구하고, 2N7000에 대한 g_m, A_V, V_{out}값을 구하여라.

12-38 $R_D = 15$ Ω이고 +12 V의 V_{DD}에서의 대표율 표를 이용하여 그림 12-59에 대한 g_m, A_V, V_{out}의 값을 구하여라.

응용 문제 | Critical Thinking

12-39 그림 12-50c에서 게이트입력 전압이 주파수 1 kHz, 피크전압 +5 V라면 부하저항의 평균 전력소비는 얼마인가?

12-40 그림 12-50d에서 게이트입력 전압은 duty 사이클이 25%인 연속적 구형파이다. 이것은 게이트전압이 한 주기의 25%가 high상태이고 나머지가 low상태이다. 부하저항에 소비되는 평균전력은 얼마인가?

12-41 그림 12-53의 CMOS 반전기 $R_{DS(on)}$는 100 Ω이다. 입력이 없을 때 회로의 소비전력을 구하여라. 만약 구형파가 입력되어 평균전류가 50 μA라면 이때 소비전력은 얼마인가?($R_{DS(on)}$ = 100 Ω, $R_{DS(off)}$ = 10MΩ)

12-42 그림 12-55에서 게이트전압이 3 V이면 광 다이오드를 흐르는 전류는 얼마인가?

12-43 MTP16N25E의 자료표에 정규화된 $R_{DS(off)}$와 온도 관계를 나타내는 그래프가 있다. 정규화된 값은 접합온도가 25°C에서 125°C로 변하면 1에서 2.25로 변한다. 만약 25°C에서 $R_{DS(on)}$이 0.17 Ω이라면 100°C에서 값을 구하여라.

12-44 그림 12-29에서 입력전압이 12 V이다. 변압기의 권선비가 4 : 1이고 출력리플 전압이 매우 작다면 직류 출력전압은 얼마인가?

Multisim 고장점검 문제 | Multisim Troubleshooting Problems

멀티심 고장 점검 파일들은 *Connect for Electronic Principles* 저자 자료에 멀티심 고장 점검 회로(MTC)라는 폴더에서 찾을 수 있다. 좀 더 자세한 내용은 xiv페이지를 참조하라. 이 장에 관련된 파일은 MTC12-45~MTC12-49로 명칭되어 있고 모두 그림 12-59의 회로를 바탕으로 한다.

각 파일을 열고 고장 점검을 실시한다. 결함이 있는지 결정하기 위해 측정을 실시하고 결함이 있다면 무엇인지를 찾아라.

12-45 파일 MTC12-45를 열고 고장 점검을 실시하라.

12-46 파일 MTC12-46을 열고 고장 점검을 실시하라.

12-47 파일 MTC12-47을 열고 고장 점검을 실시하라.

12-48 파일 MTC12-48을 열고 고장 점검을 실시하라.

12-49 파일 MTC12-49를 열고 고장 점검을 실시하라.

직무 면접 문제 | Job Interview Questions

1. p영역 및 n영역을 표시하는 E-MOSFET를 그려라. on-off 자용을 설명하여라.

2. 능동부하 스위칭은 어떻게 동작하는지를 설명하고 설명할 때는 회로도를 사용하여라.

3. CMOS 반전기를 그려서 회로동작을 설명하여라.

4. 큰 부하전류를 제어하는 전력 FET를 그려서 on-off작용을 설명하여라. 특히 설명 시 $R_{DS(on)}$을 포함하여라.

5. MOS 기술이 컴퓨터산업에 혁명을 가져왔다고들 한다. 그 이유는 무엇인가?

6. 바이폴라 및 FET의 장단점을 열거하고 비교하여라.

7. 드레인전류가 전력 FET를 흐를 때 어떤 일이 일어나는지를 설명하여라.

8. 왜 E-MOSFET는 조심해서 다루어야 하나?

9. MOSFET를 어느 지역에 보내고자 할 때 단자 주위에 금속선을 연결한다. 그 이유는 무엇인가?

10. MOS 소자를 가지고 작업할 때 취해야 하는 예비조치에는 어떤 것이 있는가?

11. 전력공급 시 일반적으로 전력스위칭용으로 바이폴라보다 MOSFET를 선택한다. 그 이유는 무엇인가?

복습 문제 해답 | Self-Test Answers

1.	c	**8.**	c	**15.**	a	**22.**	b
2.	d	**9.**	b	**16.**	b	**23.**	d
3.	d	**10.**	d	**17.**	d	**24.**	d
4.	c	**11.**	a	**18.**	d	**25.**	c
5.	c	**12.**	b	**19.**	c	**26.**	d
6.	d	**13.**	d	**20.**	d		
7.	d	**14.**	c	**21.**	a		

연습 문제 해답 | Practice Problem Answers

12-1

V_{GS}	I_D
−1 V	2.25 mA
−2 V	1 mA
0 V	4 mA
+1 V	6.25 mA
+2 V	9 mA

12-2 $v_{out} = 105.6$ mV

12-3 $I_{D(sat)} = 10$ mA; $V_{out(off)} = 20$ V; $V_{out(on)} = 0.06$ V

12-4 $I_{LED} = 32$ mA

12-6 $v_{out} = 20$ V and 198 mV

12-7 $R_{DS(on)} \cong 222 \ \Omega$

12-8 If $v_{in} > V_{GS(th)}$; $v_{out} = +15$ V pulse

12-9 $I_D = 0.996$ A

12-10 $I_L = 2.5$ A

12-13 $V_{load} = 4.76$ V; $P_{load} = 4.76$ W; $P_{loss} = 238$ mW

12-14 $k = 5.48 \times 10^{-3}$ A/V²; $I_D = 26$ mA

12-15 $R_D = 4$ kΩ

12-16 $V_{GS} = 2.98$ V; $I_D = 80$ mA; $g_m = 183$ mS; $A_v = 11.7$; $v_{out} = 1.17$ V

Chapter 13

사이리스터

Thyristors

사이리스터란 말은 원래 '문을 연다' 또는 '어떤 것을 통과하게 한다'라는 뜻으로써 그리스어에서 유래되었다. 사이리스터는 내부귀환을 사용하여 스위칭 동작을 발생시키는 반도체소자이다. 가장 중요한 사이리스터는 실리콘제어 정류기(SCR) 및 TRIAC이다. 전력 FET와 같이 SCR과 TRIAC은 큰 전류를 스위칭할 수 있다. 이런 이유로 사이리스터는 과전압 보호, 전동기, 히터, 조명시스템 및 큰 부하전류용(heavy-current loads)으로 사용된다. 절연게이트양극성트랜지스터(IGBT)는 사이리스터에 포함되지 않지만, 중요한 전력스위칭소자로 이번 단원에서 다루게 된다.

학습목표 | Objectives

이 단원을 공부하고 나면

- 4층 다이오드 및 on-off 방식을 설명할 수 있어야 한다.
- SCR의 특성을 설명할 수 있어야 한다.
- SCR 동작방법을 설명할 수 있어야 한다.
- RC위상제어회로의 점화각과 전도각을 계산할 수 있다.
- TRIAC와 DIACS의 특성을 설명할 수 있어야 한다.
- IGBT의 스위칭제어와 전력 MOSFET를 비교할 수 있어야 한다.
- 광-SCR과 SCS의 특성을 알 수 있어야 한다.
- UJT와 PUT회로의 동작을 설명할 수 있어야 한다.

단원 목차 | Chapter Outline

주요용어 | Vocabulary

게이트 트리거전압 V_{GT}
(gate trigger voltage V_{GT})

게이트 트리거전류 I_{GT}
(gate trigger current I_{GT})

다이액(DIAC)

단접합 트랜지스터
(unijunction transistor: UJT)

브레이크오버(breakover)

사이리스터(thyristor)

4층 다이오드(four-layer diode)

쇼클리 다이오드(Schockley diode)

실리콘 단방향스위치
(silicon unilateral switch: SUS)

실리콘제어 정류기(silicon
controlled rectifier: SCR)

유지전류(holding current)

저전류 강하(low-current drop-out)

전도각(conduction angle)

절연게이트 양극성 트랜지스터
(Insul-ated-gate bipolar tran-
sistor: IGBT)

점화각(firing angle)

톱니파 발생기(sawtooth generator)

트라이액(TRIAC)

프로그래머블 단접합 트랜지스터
(programmable unijunction
transistor: PUT)

그림 13-1   트랜지스터 래치

13-1 4층 다이오드

사이리스터의 동작은 그림 13-1a와 같은 회로로 설명할 수 있다. 위쪽 트랜지스터 Q_1은 pnp소자이고 아래쪽 트랜지스터 Q_2는 npn소자이다. Q_1의 컬렉터는 Q_2의 베이스를 구동시키고의 컬렉터는 Q_1의 베이스를 구동시킨다.

정귀환

그림 13-1a와 같이 특이하게 접속을 하면 **정귀환 현상**이 생긴다. Q_2의 베이스전류의 변화는 증폭되어 Q_1을 통해 귀환되므로 원래의 변화를 증폭하게 된다. 정귀환은 두 트랜지스터가 차단 또는 포화상태가 될 때까지 계속된다.

예를 들어 Q_2의 베이스전류가 증가되면 Q_2의 컬렉터전류가 증가한다. 이것이 Q_1을 통해 보다 많은 베이스전류를 생기게 하며 이로 인해 Q_1에 큰 컬렉터전류가 생성되어 Q_2의 베이스를 또다시 크게 구동시킨다. 이 과정은 두 트랜지스터가 모두 포화될 때까지 전류를 증가시킨다. 이 결과로 회로는 단락스위치와 같이 동작한다(그림 13-1b).

반면에 만일 어떤 이유로 Q_2의 베이스전류가 감소되면 Q_2의 컬렉터전류도 감소할 것이다. 이것은 Q_1의 베이스전류의 감소를 유발시키고 이 때문에 Q_1에 작은 컬렉터전류가 생성되어 Q_2의 베이스전류를 더욱 감소시킨다. 이 작용은 두 트랜지스터가 차단상태에 이를 때까지 계속된다. 이러한 결과로 이 회로는 개방스위치와 같이 동작한다(그림 13-1c).

그림 13-1a의 회로는 **개방** 또는 **단락**이라는 두 상태 중 안정한 한 상태에 머물러 있다. 이 상태는 외부에서 어떤 요인이 없는 한 무한히 그 상태를 유지한다. 만일 스위치가 개방일 경우에는 Q_2의 베이스전류를 증가시키는 어떤 요인이 발생할 때까지 개방상태를 그대로 유지한다. 단락된 상태에서 Q_2의 베이스전류를 감소시키는 어떤 요인이 발생할 때까지 그 상태에 있다. 이와 같은 스위칭동작은 무한히 어떤 한 상태에 계속 머물러 있으므로 이 회로를 래치(*latch*)라고 부른다.

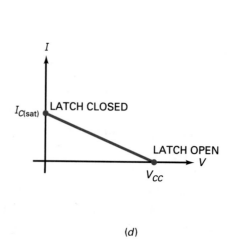

그림 13-2   래치회로

래치단락

그림 13-2*a*는 공급전압 V_{CC}를 갖는 부하저항에 연결된 래치를 나타낸다. 그림 13-2*b*와 같이 래치가 개방상태라고 가정하자. 부하저항을 통해 흐르는 전류가 없으므로 래치양단전압은 공급전압과 같다. 그리하여 동작점은 그림 13-2*d*와 같이 부하선의 맨 아래쪽에 있다.

그림 13-2*b*의 래치를 닫는 유일한 방법은 **브레이크오버**(breakover)에 의한 방법이다. 브레이크오버란 충분히 큰 공급전압을 사용하여 Q_1의 컬렉터 다이오드를 항복시키는 것이다. Q_1의 컬렉터전류는 Q_2의 베이스전류를 증가시키므로 정귀환이 일어난다. 이것은 앞서 설명했듯이 두 트랜지스터를 포화로 만든다. 포화 시 두 트랜지스터는 이상적인 단락회로와 같고 래치는 그림 13-2*c*와 같이 된다. 래치가 닫혔을 때 이상적인 소자의 양단전압이 0이다. 또한 동작점은 그림 13-2*d*와 같이 부하선 위쪽 끝에 있다.

그림 13-2*a*에서 Q_2가 먼저 항복되면 브레이크오버가 일어날 수 있다. 브레이크오버는 어느 컬렉터 다이오드가 항복되더라도 일어나지만 항상 끝에 가서는 두 트랜지스터를 포화상태로 만든다. 이와 같은 래치단락을 설명하기 위해 항복이라는 용어 대신에 **브레이크오버**란 용어를 사용한다.

래치개방

그림 13-2*a*의 래치를 어떻게 개방시키는가? 공급전압 V_{CC}를 0으로 감소시키면 트랜지스터를 포화상태에서 차단상태로 만든다. 이러한 개방기법은 트랜지스터를 포화상태에서 벗어나도록 하기 위해 아주 작은 전압값으로 래치전류를 감소시키기 때문에 **저전류 강하**(low current drop-out)라고 부른다.

쇼클리(Schockley) 다이오드

그림 13-3*a*의 회로는 발견자의 이름을 따서 **쇼클리 다이오드**라고도 한다. 이 소자를 나타내는 것으로 4층 다이오드, *pnpn*다이오드 및 **실리콘 단방향스위치(SUS)** 등이 있다. 이 소자는 전류를 한쪽 방향으로 흐르게 한다.

> **참고 사항**
>
> 네 층의 다이오드는 현대 회로 설계에서는 거의 쓰이지 않는다. 사실 대부분의 제조업자들은 더 이상 만들지 않는다. 이 소자가 거의 쓸모없어졌다는 사실에도 불구하고, 네 층의 다이오드의 작동원리의 대부분이 일반적으로 이용되는 사이리스터에 적용될 수 있기 때문에 자세히 다루었다. 사실 대부분의 사이리스터가 기본적인 네 층의 다이오드의 약간 변한 정도이다.

(a)　(b)　(c)　(d)　(e)

그림 13-3　4층 다이오드

그림 13-4 브레이크오버 특성

이 소자를 이해하기 위한 가장 쉬운 방법은 그림 13-3b와 같이 두 부분으로 나누어 살펴보는 것이다. 왼쪽의 반은 pnp 트랜지스터이고 오른쪽 반은 npn 트랜지스터이다. 따라서 4층 다이오드는 그림 13-3c의 래치와 등가이다.

그림 13-3d는 4층 다이오드의 도식적 기호를 나타낸다. 4층 다이오드를 단락시키는 유일한 방법은 브레이크오버에 의한 방법이고, 개방시키는 유일한 방법은 저전류 강하에 의한 방법이다. 저전류 강하는 전류를 **유지전류**(holding current: IH)보다 작은 값으로 감소시키는 것이다. 이 유지전류는 트랜지스터를 포화상태에서 차단상태로 스위칭하는 데 필요한 작은 전류를 나타낸다.

4층 다이오드가 항복되면 그 양단전압은 거의 0이다. 사실 래치된 다이오드 양단에는 약간의 전압값이 존재한다. 그림 13-3e는 1N5158의 전류-전압 그래프이다. 여기서 볼 수 있는 것처럼 소자에 흐르는 전류가 증가하면 전압도 증가하는데, 0.2 A에서 1 V, 0.95 A에서 1.5 V, 1.8 A에서 2 V로 변한다.

브레이크오버 특성

그림 13-4는 4층 다이오드의 전류-전압에 관한 그래프이다. 이 소자는 차단 및 포화라는 두 개의 동작영역을 가진다. 파선부분(dashed line)이 차단 및 포화 사이의 천이영역이다. 이것은 소자가 on-off상태 시 급격히 스위칭하는 것을 나타내기 위함이다.

소자가 차단이면 전류는 0이다. 만약 다이오드 양단전압이 V_B를 초과하면 소자는 브레이크 오버되고 파선을 따라 포화영역으로 스위칭된다. 다이오드가 포화영역에 있을 때 위쪽 선 상에서 동작되고 있다. 소자를 흐르는 전류가 유지전류(I_H)보다 크면 다이오드는 on상태에 계속해서 머문다. 만약 전류가 I_H보다 작으면 소자는 차단상태로 바뀐다.

4층 다이오드의 이상적 근사법은 차단 시 개방스위치로, 포화 시 단락스위치로 바꾸는 것이다. 제2근사법은 그림 13-4와 같이 약 0.7 V의 무릎전압(knee voltage)을 포함시키는 것이다. 더욱 정확한 값을 구하려면 4층 다이오드의 자료표를 참조하는 방법이 있다.

예제 13-1

그림 13-5의 다이오드는 10 V의 브레이크오버 전압을 가진다. 만약 입력전압을 +15 V로 증가시키면 다이오드에 흐르는 전류는 얼마인가?

그림 13-5 예제

풀이 15 V의 입력전압은 10 V의 브레이크오버 전압보다 크므로 다이오드는 on된다. 다이오드는 이상적으로 단락 스위치이다. 따라서 드레인전류는

$$I = \frac{15\ V}{100\ \Omega} = 150\ mA$$

이고, 제2근사법을 이용하면

$$I = \frac{15\ V - 0.7\ V}{100\ \Omega} = 143\ mA$$

이다. 더욱 정확한 해를 얻기 위해 그림 13-3e를 보면 전류가 150 mA일 때 전압은 0.9 V이다. 이를 이용하여 전류를 구하면

$$I = \frac{15\ V - 0.9\ V}{100\ \Omega} = 141\ mA$$

이다.

연습 문제 13-1 그림 13-5에서 입력전압이 12 V일 때의 다이오드전류를 제2근사법으로 구하여라.

예제 13-2

그림 13-5의 다이오드에는 4 mA의 유지전류가 흐른다. 4층 다이오드를 on시키기 위해 입력전압을 15 V로 증가시켰다. 그 다음 다이오드를 개방시키기 위해 전압을 감소시켰다. 다이오드를 개방시키는 전압은 얼마인가?

풀이 다이오드는 전류값이 유지전류(4 mA)보다 작을 때 개빙된다. 이 작은 전류에서 다이오드 양단전압은 거의 무릎전압(knee voltage, 0.7V)과 같다. 4 mA가 100 Ω의 저항을 흐르므로 입력전압은 다음과 같다.

$$V_{in} = 0.7\ V + (4\ mA)(100\ \Omega) = 1.1\ V$$

따라서 다이오드를 개방하기 위해서는 입력전압을 15 V에서 1.1 V보다 약간 작은 전압으로 감소시키면 된다.

연습 문제 13-2 10 mA의 유지전류를 가진 다이오드를 이용하여 예제 13-2를 다시 풀어 보아라.

응용 예제 13-3

그림 13-6a는 **톱니파 발생기**를 나타낸다. 커패시터는 그림 13-6b와 같이 공급전압을 향해 충전된다. 커패시터가 +10 V가 되면 다이오드는 브레이크오버되고 커패시터의 방전이 시작된다. 이때 출력파형(커패시터 전압)은 **플라이백**(*flyback*: 갑자기 전압이 강하되는 현상)된다. 전압이 0일 때 다이오드는 개방되며 커패시터는 다시 충전을 시작한다. 이런 방식으로 그림 13-6b와 같은 이상적인 톱니파를 얻는다.

커패시터가 충전할 때 *RC*시정수는 얼마인가? 만약 주기가 시정수의 20%라면 톱니파의 주파수를 구하여라.

그림 13-6 톱니파 발생기

풀이 *RC*시정수는

$$RC = (2 \text{ k}\Omega)(0.02 \text{ }\mu\text{F}) = 40 \text{ }\mu\text{s}$$

주기는 이 시정수의 20%이므로

$$T = 0.2(40 \text{ }\mu\text{s}) = 8 \text{ }\mu\text{s}$$

따라서 주파수는

$$f = \frac{1}{8 \text{ }\mu\text{s}} = 125 \text{ kHz}$$

이다.

연습 문제 13-3 그림 13-6을 이용하여 저항값을 1 kΩ으로 바꾸고 톱니파의 주파수를 구하여라.

참고 사항

SCR은 다른 어떤 형태의 사이리스터보다도 높은 전류와 전압을 잘 다룰 수 있도록 설계되었다. 근래에 어떤 SCR은 1.5 kA 이상의 큰 전류와 2 kV 이상의 전압을 제어할 수 있다.

13-2 실리콘제어 정류기

SCR은 가장 광범위하게 사용되는 사이리스터이다. 큰 전류(large current)를 on-off 할 수 있으므로 전동기, 오븐, 에어컨디셔너 및 유도성 전열기를 제어하는 데 사용된다.

래치 트리거

그림 13-7a와 같이의 베이스에 입력단자를 추가하면 래치를 단락하는 또 하나의 방법

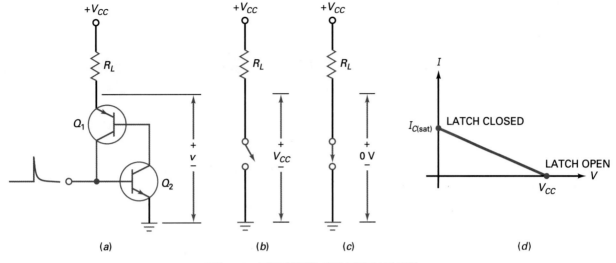

그림 13-7   트리거입력을 가진 트랜지스터 래치

그림 13-8   실리콘제어 정류기(SCR)

이 된다. 이것의 동작원리는 다음과 같다. 그림 13-7b와 같이 래치가 개방되었을 때 동작점은 그림 13-7d의 부하선 아래쪽 끝에 있다. 래치를 닫기 위해 그림 13-7a에서처럼 트리거(날카로운 펄스)신호를 베이스에 가한다. 트리거는 순간적으로 베이스전류 Q_2를 증가시킨다. 이것이 정귀환을 만들며 두 트랜지스터를 포화상태로 만든다.

두 트랜지스터가 포화되면 그림 13-7c와 같이 래치는 단락회로와 같다. 이상적으로 단락되었을 때 래치 양단전압은 0이며 동작점은 그림 13-7d에서처럼 부하선의 위쪽 끝에 있다.

게이트 트리거

그림 13-8a는 SCR의 구조를 나타낸다. 입력은 게이트, 위쪽을 애노드, 아래쪽을 캐소드라 한다. SCR은 4층 다이오드보다 훨씬 유용하다. 그 이유는 게이트 트리거가 래치를 브레이크오버하는 데 더욱 쉽기 때문이다.

한 번 더 4층 다이오드를 그림 13-8b와 같이 두 부분으로 나누어 보자. SCR은 트리거입력을 가진 래치와 등가이며(그림 13-8c) 기호는 그림 13-8d와 같다. 이 기호를

그림 13-9 기본적인 SCR회로

볼 때마다 트리거입력을 가진 래치와 등가라는 것을 기억하기 바란다. 대표 SCR은 그림 13-9와 같다.

SCR의 게이트가 내부 트랜지스터의 베이스에 연결되어 있으므로 SCR을 트리거시키기위해 적어도 0.7 V전압이 필요하다. 자료표에는 이 전압값을 **게이트 트리거전압** V_{GT}이라고 표시되어 있다. 게이트의 입력저항을 명시하기보다는 제조자는 SCR을 on시키는 최소전압을 제공한다. 이 전류는 게이트 **트리거전류**라고 하며 I_{GT}라고 표기한다.

그림 13-10은 2N6504 직렬 SCR에 대한 자료표이다. 이러한 시리즈에서 정격트리거 전압과 전류값은

$$V_{GT} = 1.0 \text{ V}$$

$$I_{GT} = 9.0 \text{ mA}$$

이것은 보통의 2N6504시리즈 SCR의 게이트를 구동하는 소스는 SCR를 래치하기 위해 1.0 V에서 9.0 mA를 공급해야만 한다는 것이다.

또한 블레이크오버 전압 또는 블로킹 전압은 피크 반복 오프 상태 순방향전압 V_{DRM}과 피크 반복 오프 상태 역방향 전압 V_{RRM}으로 나타낸다.

필요한 입력전압

그림 13-11에 나타낸 SCR회로에서 게이트전압이 V_G이다. 이 게이트전압이 V_{GT}보다 크면 SCR은 턴온되고 출력전압은 $+V_{CC}$에서 낮은 값으로 떨어질 것이다. 종종 회로에 게이트저항을 사용하여 전류를 제한하여 안전하게 한다. SCR을 트리거하는 데 필요한 입력전압을 계산할 수 있다.

$$V_{\text{in}} = V_{GT} + I_{GT}R_G \tag{13-1}$$

이 식에서 V_{GT}와 I_{GT}는 소자에 대해 게이트 트리거에 필요한 트리거전압과 트리거전류이다. 이 값은 자료표 상에서 찾을 수 있다. 예를 들어 2N4441의 자료표 상에는 $V_{GT} = 0.75$ V, $I_{GT} = 10$ mA로 되어 있다. 따라서 R_G값이 주어지면 곧바로 V_{in}을 계산할 수 있다. 어떤 경우에는 게이트저항이 사용되지 않을 때도 있는데 이때 R_G는 게이트를 구동하는 회로의 Thevenin 저항이 된다. 식 (13-1)이 만족되지 않는 한 SCR은 결코 턴온 될 수 없다.

2N6504 Series

Preferred Device

Silicon Controlled Rectifiers

Reverse Blocking Thyristors

Designed primarily for half-wave ac control applications, such as motor controls, heating controls and power supply crowbar circuits.

Features

- Glass Passivated Junctions with Center Gate Fire for Greater Parameter Uniformity and Stability
- Small, Rugged, Thermowatt Constructed for Low Thermal Resistance, High Heat Dissipation and Durability
- Blocking Voltage to 800 Volts
- 300 A Surge Current Capability
- Pb–Free Packages are Available*

2N6504 Series

Voltage Current Characteristic of SCR

Symbol	Parameter
V_{DRM}	Peak Repetitive Off State Forward Voltage
I_{DRM}	Peak Forward Blocking Current
V_{RRM}	Peak Repetitive Off State Reverse Voltage
I_{RRM}	Peak Reverse Blocking Current
V_{TM}	Peak On State Voltage
I_H	Holding Current

ON Semiconductor®

http://onsemi.com

SCRs
25 AMPERES RMS
50 thru 800 VOLTS

MARKING DIAGRAM

TO–220AB
CASE 221A
STYLE 3

AY WW
650x

x = 4, 5, 7, 8 or 9
A = Assembly Location
Y = Year
WW = Work Week

PIN ASSIGNMENT	
1	Cathode
2	Anode
3	Gate
4	Anode

ORDERING INFORMATION

See detailed ordering and shipping information in the package dimensions section on page 3 of this data sheet.

Preferred devices are recommended choices for future use and best overall value.

*For additional information on our Pb–Free strategy and soldering details, please download the ON Semiconductor Soldering and Mounting Techniques Reference Manual, SOLDERRM/D.

1

Publication Order Number:
2N6504/D

그림 13-10   SCR 자료표

2N6504 Series

MAXIMUM RATINGS (T_J = 25°C unless otherwise noted)

Rating	Symbol	Value	Unit
*Peak Repetitive Off–State Voltage (Note 1) (Gate Open, Sine Wave 50 to 60 Hz, T_J = 25 to 125°C) 2N6504 2N6505 2N6507 2N6508 2N6509	V_{DRM}, V_{RRM}	50 100 400 600 800	V
On–State Current RMS (180° Conduction Angles; T_C = 85°C)	$I_{T(RMS)}$	25	A
Average On–State Current (180° Conduction Angles; T_C = 85°C)	$I_{T(AV)}$	16	A
Peak Non-repetitive Surge Current (1/2 Cycle, Sine Wave 60 Hz, T_J = 100°C)	I_{TSM}	250	A
Forward Peak Gate Power (Pulse Width ≤ 1.0 μs, T_C = 85°C)	P_{GM}	20	W
Forward Average Gate Power (t = 8.3 ms, T_C = 85°C)	$P_{G(AV)}$	0.5	W
Forward Peak Gate Current (Pulse Width ≤ 1.0 μs, T_C = 85°C)	I_{GM}	2.0	A
Operating Junction Temperature Range	T_J	−40 to +125	°C
Storage Temperature Range	T_{stg}	−40 to +150	°C

Maximum ratings are those values beyond which device damage can occur. Maximum ratings applied to the device are individual stress limit values (not normal operating conditions) and are not valid simultaneously. If these limits are exceeded, device functional operation is not implied, damage may occur and reliability may be affected.

1. V_{DRM} and V_{RRM} for all types can be applied on a continuous basis. Ratings apply for zero or negative gate voltage; however, positive gate voltage shall not be applied concurrent with negative potential on the anode. Blocking voltages shall not be tested with a constant current source such that the voltage ratings of the devices are exceeded.

THERMAL CHARACTERISTICS

Characteristic	Symbol	Max	Unit
*Thermal Resistance, Junction–to–Case	$R_{\theta JC}$	1.5	°C/W
*Maximum Lead Temperature for Soldering Purposes 1/8 in from Case for 10 Seconds	T_L	260	°C

ELECTRICAL CHARACTERISTICS (T_C = 25°C unless otherwise noted.)

Characteristic	Symbol	Min	Typ	Max	Unit
OFF CHARACTERISTICS					
*Peak Repetitive Forward or Reverse Blocking Current (V_{AK} = Rated V_{DRM} or V_{RRM}, Gate Open) T_J = 25°C T_J = 125°C	I_{DRM}, I_{RRM}	– –	– –	10 2.0	μA mA
ON CHARACTERISTICS					
*Forward On–State Voltage (Note 2) (I_{TM} = 50 A)	V_{TM}	–	–	1.8	V
*Gate Trigger Current (Continuous dc) T_C = 25°C (V_{AK} = 12 Vdc, R_L = 100 Ω) T_C = −40°C	I_{GT}	– –	9.0 –	30 75	mA
*Gate Trigger Voltage (Continuous dc) (V_{AK} = 12 Vdc, R_L = 100 Ω, T_C = −40°C)	V_{GT}	–	1.0	1.5	V
Gate Non-Trigger Voltage (V_{AK} = 12 Vdc, R_L = 100 Ω, T_J = 125°C)	V_{GD}	0.2	–	–	V
*Holding Current T_C = 25°C (V_{AK} = 12 Vdc, Initiating Current = 200 mA, Gate Open) T_C = −40°C	I_H	– –	18 –	40 80	mA
*Turn-On Time (I_{TM} = 25 A, I_{GT} = 50 mAdc)	t_{gt}	–	1.5	2.0	μs
Turn-Off Time (V_{DRM} = rated voltage) (I_{TM} = 25 A, I_R = 25 A) (I_{TM} = 25 A, I_R = 25 A, T_J = 125°C)	t_q	– –	15 35	– –	μs
DYNAMIC CHARACTERISTICS					
Critical Rate of Rise of Off-State Voltage (Gate Open, Rated V_{DRM}, Exponential Waveform)	dv/dt	–	50	–	V/μs

*Indicates JEDEC Registered Data.
2. Pulse Test: Pulse Width ≤ 300 μs, Duty Cycle ≤ 2%.

그림 13-10 (계속)

그림 13-11   기본 SCR 회로

SCR 리셋

SCR이 턴온 되고 난 후에 V_{in}이 0으로 감소될지라도 그 상태에 머물러 있다. 이때 출력 전압은 명확치 않는 낮은 값을 가진다. 이 경우에 SCR을 원래 상태로 하는 유일한 방법은 전류를 유지전류 이하로 감소시키는 일인데, 즉 V_{CC}의 값을 감소시키는 방법이다. 2N6504의 자료표는 18 mA의 대표적인 유지전류를 명시한다. 높고 낮은 전력정격을 가진 SCR은 일반적으로 높고 낮은 각각의 유지전류값을 가진다. 유지전류가 그림 13-11의 저항에 흐르므로 턴오프하기 위한 공급전압은 다음 값보다 작아야 한다.

$$V_{CC} = 0.7 \text{ V} + I_H R_L \tag{13-2}$$

V_{CC}의 값을 감소시키는 것 이외에도 다른 방법으로 SCR을 리셋 할 수 있다. 전류방해와 강압적 정류가 일반적인 두 가지 방법이다. 그림 13-12*a*와 같이 직렬스위치를 개방하거나 그림 13-12*b*와 같이 병렬스위치를 닫음으로 애노드-캐소드 전류는 유지전류값 아래로 떨어질 것이고, SCR은 스위치오프 될 것이다.

SCR을 리셋시키는 다른 방법은 그림 13-12*c*와 같은 강압적 정류이다. 스위치가

그림 13-12   SCR 리셋

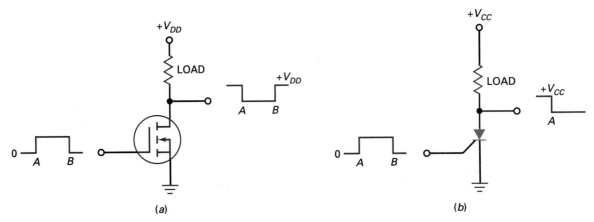

그림 13-13   전력 FET와 SCR

눌려져 있을 때, 음의 V_{AK}전압이 잠깐 동안 사용된다. 이것은 앞의 애노드·캐소드 전류를 I_H값 아래로 감소시키고 SCR을 턴오프시킨다. 실제 회로에서는 스위치가 BJT나 FET소자로 대체될 수 있다.

전력 FET와 SCR

전력 FET와 SCR이 큰 전류를 제어할 수 있다 하더라도 두 소자는 근본적으로 다르다. 주된 차이는 턴오프하는 방식이다. 전력 FET는 게이트전압으로 소자를 on-off할 수 있다. 그러나 SCR의 경우는 게이트전압이 소자를 단지 턴온시킨다는 것이다.

그림 13-13은 on-off시키는 방법 차이를 설명한다. 그림 13-13a에서 전력 FET의 게이트전압이 V_{in} = high이면 출력전압은 V_{out} = low이다. 반대의 경우도 마찬가지이다. 바꾸어 말하면 구형파 입력펄스는 반전된 구형파 펄스를 만든다.

그림 13-13b에서 SCR의 게이트전압이 V_{in} = high이면 출력전압은 V_{out} = low이다. 그러나 입력전압이 V_{in} = low이면 출력전압은 V_{out} = low에 머물러 있다. 즉 구형파 입력펄스는 음으로 되는 출력 계단파는 만들지만 원래 상태로 되지 않는다.

두 소자가 서로 다른 방식으로 리셋해야 하므로 응용분야도 다르다. 전력 FET는 누름스위치와 같이 응답하지만 SCR은 SPST(single-pole single-throw) 스위치처럼 응답한다. 전력 FET를 조절하는 것이 훨씬 쉬우므로 전력 FET는 디지털 IC와 큰 부하 사이의 인터페이스로 자주 사용되며 래칭이 중요한 분야에는 SCR이 사용된다.

예제 13-4   ‖‖‖ Multisim

그림 13-14에서 SCR은 트리거전압 0.75 V, 트리거전류 7 mA를 가진다. SCR을 턴온시키는 입력전압은 얼마인가? 만약 유지전류가 6 mA라면 턴오프시키는 공급전압을 구하여라.

풀이   식 (13-1)을 사용하여 트리거하는 최소전압을 구하면

$$V_{in} = 0.75\ V + (7\ mA)(1\ k\Omega) = 7.75\ V$$

그림 13-14　예제

이고 식 (13-2)를 사용하여 SCR을 턴오프시키는 전압은 다음과 같다.

$$V_{CC} = 0.7 \text{ V} + (6 \text{ mA})(100 \text{ }\Omega) = 1.3 \text{ V}$$

연습 문제 13-4 그림 13-14에서 2N6504 SCR에 대한 대표값을 이용하여 SCR이 턴온 되는 데 필요한 입력전압과 SCR이 턴오프되는 데 필요한 공급전압을 구하여라.

응용 예제 13-5

그림 13-15a는 무엇을 하는 회로인가? 피크 출력전압을 구하여라. 만약 출력전압의 주 기가 시정수의 20%라면 톱니파의 주파수는 얼마인가?

풀이 커패시터전압이 증가함에 따라 SCR은 턴온되며 이후 급격하게 커패시터전압을 방전시킨다. SCR이 개방되면 커패시터는 다시 충전된다. 따라서 출력전압은 예제 13-3 에서 배운 그림 13-6b와 같은 톱니파이다.

그림 13-15b는 게이트를 마주 보는 Thevenin 등가회로이다. Thevenin 저항은

$$R_{TH} = 900 \text{ }\Omega \parallel 100 \text{ }\Omega = 90 \text{ }\Omega$$

이며, 식 (13-1)을 사용하여 트리거에 필요한 입력전압은 다음과 같다.

$$V_{in} = 1 \text{ V} + (200 \text{ }\mu\text{A})(90 \text{ }\Omega) \approx 1 \text{ V}$$

10:1 전압분배기를 이용하므로 게이트전압은 출력전압의 1/10이다. 따라서 SCR 트리 거점에서 출력전압은

$$V_{peak} = 10(1 \text{ V}) = 10 \text{ V}$$

이다.

그림 13-15 예제

그림 13-15c는 SCR이 off되었을 때 커패시터를 마주하는 Thevenin 회로를 나타낸다. 이것으로부터 커패시터는 다음과 같은 시정수를 가지고 최종전압 +50 V를 향해 충전하기 시작한다.

$$RC = (500 \ \Omega)(0.2 \ \mu F) = 100 \ \mu s$$

톱니파의 주기는 시정수의 20%이므로

$$T = 0.2(100 \ \mu s) = 20 \ \mu s$$

이며, 따라서 주파수는

$$f = \frac{1}{20 \ \mu s} = 50 \ kHz$$

이다.

SCR 테스트

SCR과 같은 사이리스터는 큰 전류값을 다루고, 고전압값을 막아야 한다. 이러한 이유로, 다음의 조건 아래에서 작동하지 못 할 수 있다. 일반적인 경우는 A-K개방, A-K단락, 게이트제어 실패가 있다. 그림 13-16a는 SCR의 작동을 시험할 수 있는 회로를 보여주고 있다. S_1이 닫히기 전에 I_{AK}는 0이어야 하고 V_{AK}는 V_A와 거의 같아야 한다. S_1이 일시적으로 닫힐 때 I_{AK}는 V_A/R_L까지 올라가야하고 V_{AK}는 1 V까지 떨어져야 한다.

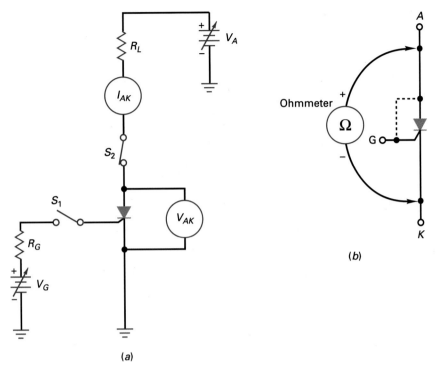

그림 13-16 SCR 테스트 (a) 회로 테스트; (b) 옴미터

V_A와 R_L은 필요한 전류와 전력수준을 공급하기 위해 선택되어야 한다. SW1가 열렸을 때, SCR은 원상태를 유지해야 한다. 애노드공급전압 V_A는 SCR이 전도되지 않을 때까지 감소될 수 있다. SCR이 턴오프 되기 전에 애노드 전류값을 관찰함으로써 SCR 유지 전류값을 결정할 수 있다.

　　SCR테스트의 또 다른 방법은 옴미터를 이용하는 것이다. 옴미터는 SCR을 턴온 시키기 위하여 필요한 게이트 전압과 전류를 공급할 수 있어야 하고, SCR의 on상태를 유지하기 위하여 필요한 유지전류 또한 공급할 수 있어야 한다. 많은 아날로그 VOM는 R × 1 범위에서 1.5 V와 100 mA의 출력이 가능하다. 그림 13-16*b*에서 옴미터는 애노드-캐소드를 가로질러서 놓여있다. 어떠한 극의 접촉에도 결과는 매우 큰 저항이 된다. 양의 전압이 나오는 VOMs단은 애노드에 연결시키고 음의 전압이 나오는 VOM단을 캐소드를 연결시키고, 애노드에서 게이트로 점프선을 연결한다. SCT은 턴온되고 낮은 저항값이 되는 것을 볼 수 있다. 게이트가 연결되지 않았을 때, SCR은 on상태로 유지되어야 한다. 일시적인 애노드에 연결된 VOM의 미접촉은 SCR를 off 시킬 것이다.

13-3 SCR 부하보호 회로

전원공급기에 문제가 발생하여 출력전압이 지나치게 커지면 그 결과는 엄청날 것이다. 그 이유는 무엇인가? 값비싼 IC들과 같은 종류의 부하는 과잉 공급전압을 견디지 못하고 파손될 것이다. SCR의 가장 중요한 응용 중의 하나는 공급전원으로부터 초과전압에 대해 값비싼 부하를 보호하는 것이다.

그림 13-17 SCR crowbar

기본 형태

그림 13-17은 부하를 보호하기 위해 적용된 전원공급기를 나타낸다. 정상상태에서 V_{CC} 는 제너다이오드의 항복전압 이하의 값이다. 이때 R양단의 전압은 없고 SCR은 개방상 태를 유지한다. 부하는 V_{CC} 전압을 공급받으며 모두가 정상적으로 동작된다.

지금 어떤 이유로 공급전압이 증가되었다고 가정하자. V_{CC}가 아주 커지면 제너다 이오드는 on되고 R양단에 전압이 걸리게 된다. 만일 전압이 SCR의 게이트 트리거전압 보다 커지면 SCR은 on되고 단락된 래치로 된다. 이 작용은 부하단자를 보호하는 것과 유사하다. 그 이유는 SCR이 매우 빨리 (2N4441에서는 $1\mu s$) 턴온되므로 부하는 초과 전압으로 인한 파괴에 대비하여 신속하게 보호받을 수 있기 때문이다. SCR을 턴온하 는 초과전압은 다음과 같다.

$$V_{CC} = V_Z + V_{GT} \tag{13-3}$$

이 회로는 지나친 초과전압에 견디지 못하는 많은 디지털 IC를 보호하는 데 적합하 다. 즉 값비싼 IC의 파손을 막기 위해 초과전압의 첫 징후가 나타날 때 부하단자를 단락 시키는 SCR을 사용한 부하보호 회로이다. 전원공급기에 손상을 주지 않도록 이 부하보 호 회로와 함께 퓨즈(fuse)나 뒤에 배우게 될 **전류제한기**(*current limiter*)가 더 필요하다.

전압이득의 추가

그림 13-17의 부하보호 회로는 수정 또는 개선의 여지가 있는 **기본형**을 나타낸다. 많은 응 용분야에서 그 기본형을 사용해도 적당하다. 그러나 제너항복의 무릎 부분이 급격하지 않고 곡선형태를 가지면 **서서히 on되는**(*soft turn-on*) 문제가 발생한다. 제너전압의 허용 오차를 고려할 때 서서히 on되면 SCR이 on되기 전에 공급전압이 너무 크게 될 수 있다.

이 문제를 해결하기 위한 하나의 방법은 그림 13-18와 같이 어느 정도의 전압이 득을 갖도록 하는 것이다. 정상상태에서 트랜지스터는 동작하지 않는다. 그러나 출력전 압이 증가하면 트랜지스터는 턴온되고 저항 R_4양단에 큰 전압이 걸린다. 트랜지스터는 감소된 전압이득(약 R_4/R_3)을 가지므로 작은 초과전압도 SCR을 트리거시킬 수 있다.

여기에서는 제너다이오드가 아닌 보통 다이오드를 사용한다는 것에 유념해야 한다. 이 다이오드는 트랜지스터의 베이스-이미터 다이오드와 같게 되어 온도보상을 하고 있다. **트리거조정**은 회로를 동작시키는 **트립점**을 맞출 수 있으며 대략 정상전압의 10~15% 정도로 한다.

그림 13-18   트랜지스터 이득을 부하보호 회로에 추가한다.

IC 전압이득

그림 13-19는 더 나은 해결책을 제시한다. 삼각형 박스는 비교기라고도 하는 IC 증폭기이다. 이 증폭기는 반전 및 비반전 입력을 가진다. 비반전 입력이 반전입력보다 크면 출력은 양(+)이 된다. 또한 비반전 입력이 반전입력보다 작으면 출력은 음(−)이 된다.

증폭기는 매우 큰 전압이득(약 100,000 이상)을 가진다. 이 같은 큰 전압이득으로 인해 회로는 작은 초과전압도 감지할 수 있다. 제너다이오드는 10 V의 출력을 가지며 증폭기의 반전입력으로 간다. 공급전압이 20 V일 때 트리거 조정단자는 비반전 단자에 10 V보다 약간 작은 전압이 걸리도록 한다. 반전입력이 비반전 입력보다 크므로 증폭기의 출력은 음이 되므로 SCR은 개방상태에 있다.

만약 공급전압이 20 V를 초과하면 증폭기의 비반전 입력이 10 V보다 크게 된다. 그러면 증폭기의 출력은 양이 되고 SCR은 동작된다. 이와 같이 이것은 아주 빨리 공급전압을 차단시키고 부하를 보호하게 된다.

IC 부하보호 회로

가장 간단한 해결책은 그림 13-20과 같이 IC 부하보호 회로를 사용하는 것이다. 이 IC는 내재된 제너다이오드, 트랜지스터 및 하나의 SCR로 구성되어 있다. RCA SK9345 시리즈는 상업적으로 사용하는 부하보호회로의 한 가지 예이다. 예를 들어 SK9345은 13 V, SK9346은 +12 V, SK9347은 +15 V의 공급전압을 보호한다.

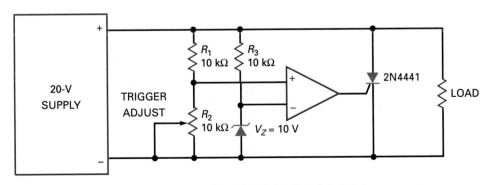

그림 13-19   IC 증폭기를 부하보호 회로에 추가한다.

그림 13-20 IC 부하보호 회로

만약 SK9345가 그림 13-20에 사용되면 공급전압 +5 V인 부하를 보호할 것이다. 자료표에 SK9345는 +6.6V ±0.2V에서 동작한다고 쓰여 있다. 이것은 6.4 V와 6.8 V 사이에서 동작한다는 것을 의미한다. 많은 디지털 IC의 정격이 7 V이므로 SK9345는 이러한 동작조건 하에서 부하를 안정하게 동작시킨다.

응용 예제 13-6 |||| Multisim

그림 13-21에서 부하보호 회로를 턴온시키는 공급전압을 구하여라.

그림 13-21 예제

풀이 1N4734A는 5.6 V의 항복전압을 가지며 2N4441은 0.75 V의 게이트 트리거전압을 가진다. 식 (13-3)을 사용하면

$$V_{CC} = V_Z + V_{GT} = 5.6\,V + 0.75\,V = 6.35\,V$$

공급전압이 6.35 V보다 커지면 SCR은 턴온된다.

앞서 설명한 부하보호용 기본회로는 공급전압이 아주 정확을 요하지 않는다면 사용해도 무방하다. 예를 들어 1N4734A는 허용오차 ±5%를 가지므로 항복전압이 5.32 V에서 5.88 V까지 변할 수 있다. 또한 2N4441의 트리거전압은 최악의 경우 1.5 V이므로 초과전압은 다음 값을 가질 수도 있다.

$$V_{CC} = 5.88\,V + 1.5\,V = 7.38\,V$$

많은 디지털 IC의 정격이 7 V이므로 그림 13-21의 부하보호 회로는 디지털 IC를 보호하는 데 사용할 수 없다.

연습 문제 13-6 1N4733A 제너 다이오드를 이용하여 예제 13-6을 다시 풀어보아라. 이 다이오드는 5.1 V ±5%의 제너전압을 갖는다.

13-4 SCR 위상제어

표 13-1는 상업적으로 사용되는 몇 개의 SCR을 나타낸다. 게이트 트리거전압은 0.8~2 V, 게이트 트리거전류는 200 μA~50 mA까지 변한다. 또한 애노드전류도 1.5~70 A이다. 이와 같은 소자는 위상제어를 이용하여 큰 산업용 부하를 제어할 수 있다.

RC회로는 위상각을 제어한다

그림 13-22a는 큰 부하전류를 제어하기 위해 SCR회로에 사용된 교류 선전압을 나타낸다. 이 회로에서 가변저항 R_1 및 커패시터 C는 게이트신호의 위상각을 천이(shift)시킨다. R_1 = 0이면 게이트전압은 선전압과 동상이며 SCR은 반파정류기로 작용한다. 또한 R_2는 안전한 동작을 위해 게이트전류를 제한하기 위한 것이다.

그림 13-22b 및 c와 같이 R_1이 증가하면 게이트전압은 선전압보다 위상이 뒤지며 위상각의 변화폭은 0~90°이다. 그림 13-22c에서 트리거 전에는 SCR이 off상태이며 부하전류는 0이다. 트리거 지점에서 커패시터전압은 충분히 크므로 SCR을 트리거한다. 이때 선전압이 부하양단에 걸리며 부하전류가 크게 된다. 이상적으로 선전압의 극성이 반대가 될 때까지 SCR은 래치된 상태에 머문다. 그림 13-22c와 d에 나타나있다.

SCR이 동작되기 시작하는 위상각을 **점화각**(firing angle)이라 하며 그림 13-22a에 θ_{fire}라고 표시되어 있다. 동작 시작과 끝 부분인 그늘진 영역에 해당하는 각을 **전도각**(conduction angle: $\theta_{conduction}$)이라 부른다. 그림 13-22a의 RC위상제어기는 점화각을 0~90°까지 변화시킬 수 있으며 이는 전도각을 180°~90°까지 변화시킬 수 있다는 것을 나타낸다.

그림 13-22b에 색칠한 부분은 SCR이 동작되는 영역을 나타낸다. R_1이 가변이므로 게이트전압의 위상각도 바꿀 수 있다. 이와 같이 부하를 흐르는 평균전류를 제어한다. 우리는 부하를 통하여 평균전류를 제어할 수도 있다. 이 기법은 전동기, 전구의 밝기, 용광로의 온도조절 등 다양한 분야에 사용된다.

일반전자기학과정에서 공부했던 회로분석기술을 사용하여 우리는 커패시터를 통하여 천이되는 위상 전압값을 근사적으로 결정할 수 있다. 이로 근사적인 점화각과 회로의 전도각을 알 수 있다. 커패시터를 통하는 전압을 결정하기 위해서 다음의 과정을 거친다.

첫째, C의 전기용량의 유도저항을 구한다.

참고 사항

그림 13-22a에서 다른 RC위상이동 네트워크는 약 0°에서 180°까지 제어할 수 있다.

표 13-1	SCR의 예시			
Device	V_{GT}, V	I_{GT}	I_{max}, A	V_{max}, V
TCR22-2	0.8	200 μA	1.5	50
T106B1	0.8	200 μA	4	200
S4020L	1.5	15 mA	10	400
S6025L	1.5	39 mA	25	600
S1070W	2	50 mA	70	100

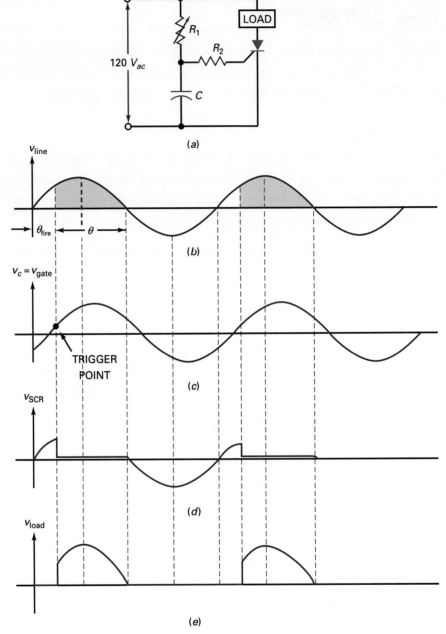

그림 13-22 SCR 위상제어

$$X_C = \frac{1}{2\pi f c}$$

RC 위상회로의 임피던스와 위상각은

$$Z_T = \sqrt{R^2 + X_C{}^2} \tag{13-4}$$

$$\theta_Z = \angle - \arctan \frac{X_C}{R} \tag{13-5}$$

기준점으로 입력전압을 이용하면 C를 통과하는 전류는

$$I_C \angle \theta = \frac{V_{in}\angle 0°}{Z_T\angle -\arctan \dfrac{X_C}{R}}$$

전압값과 커패시터의 위상은 다음 식으로 알 수 있다.

$$V_C = (I_C\angle \theta)(X_C\angle -90°)$$

지연된 위상 천이의 정도는 근사적으로 회로의 점화각과 같다. 전도각은 180°에서 점화각을 빼면 알 수 있다.

예제 13-7　　　　|||| Multisim

그림 13-22a에서 $R = 26$ kΩ, $C = 0.1$ μF일 때 점화각과 전도각의 값을 구하여라.

풀이 근사적인 점화각은 커패시터에서 발생하는 전압값과 위상 변위를 다음과 같이 계산하여 찾을 수 있다.

$$X_C = \frac{1}{2\pi f C} = \frac{1}{(2\pi)(60 \text{ Hz})(0.1 \text{ μF})} = 26.5 \text{ kΩ}$$

커패시터 유도저항이 −90°, $X_C = 26.5$ kΩ $\angle$ −90°에서의 각이기 때문이다. 총 RC 임피던스 Z_T와 그 각을 구해보자.

$$Z_T = \sqrt{R^2 + X_C^2} = \sqrt{(26 \text{ kΩ})^2 + (26.5 \text{ kΩ})^2} = 37.1 \text{ kΩ}$$

$$\theta_Z = \angle -\arctan \frac{X_C}{R} = \angle -\arctan \frac{26.5 \text{ kΩ}}{26 \text{ kΩ}} = -45.5°$$

그러므로 $Z_T = 37.1$ kΩ $\angle$ −45.5°

C에 흐르는 전류는

$$I_C = \frac{V_{in}\angle 0°}{Z_T\angle \theta} = \frac{120 \text{ V}_{ac}\angle 0°}{37.1 \text{ kΩ}\angle -45.5°} = 3.23 \text{ mA} \angle 45.5°$$

C를 통하는 전압은

$$V_C = (I_C\angle \theta)(X_C\angle -90°) = (3.23 \text{ mA}\angle 45.5°)(26.5 \text{ kΩ}\angle -90°)$$

$$V_C = 85.7 \text{ V}_{ac}\angle -44.5°$$

−44.5°의 커패시터를 통하는 전압위상천이로 회로의 점화각은 대략 −45.5°이다. SCR이 점화된 후 그것은 I_H아래로 전류값이 떨어질 때까지 있게 된다. 이는 AC입력이 0볼트가 될 때 일어날 것이다.

그러므로 전도각은

$$\text{conduction } \theta = 180° - 44.5° = 135.5°$$

연습 문제 13-7 그림 13-22a에서 $R_1 = 50$ kΩ일 때 점화각과 전도각을 구하여라.

그림 13-23   (a) *RC*스너버는 급격한 전압상승률에 대해 SCR을 보호한다; (b) 인덕터는 급격한 전류상승률에 대해 SCR을 보호한다.

그림 13-22*a*의 *RC*제어기는 부하에 흐르는 평균전류를 제어하는 기본적인 방식이다. 이 회로에서 전류제어 범위는 제한되며 그 이유는 위상각을 0~90°까지만 변화시키기 때문이다. 연산증폭기나 더욱 정교한 *RC*회로를 이용하여 위상각을 0~180°까지 바꿀 수도 있다. 이렇게 하면 평균 부하전류는 0에서 최대값까지 조절된다.

임계상승률

교류전압이 SCR의 애노드에 전압공급을 위해 사용될 때 잘못된 트리거가 일어날 수 있다. SCR의 내부커패시턴스로 인해 빨리 변하는 공급전압이 SCR을 트리거시킬 수 있다. 이와 같이 잘못된 트리거를 피하기 위해 동작 시 전압변화율은 자료표에 나타낸 **전압임계 상승률**을 초과해선 안된다. 예를 들어, 2N6504은 50 V/μs의 임계상승률을 가지고 있다. 정상동작을 위해 애노드전압은 50 V/μs보다 더 빠르면 안된다.

과도스위칭은 전압임계 상승률을 초과하는 주된 원인이다. 과도스위칭 효과를 감소시키는 한 가지 방법은 그림 13-23*a*와 같이 **RC**스너버(*RC snubber*)를 갖도록 하면 된다. 만약 공급전압에 고속 과도스위칭이 일어나면 상승률은 *RC*시정수로 인해 애노드에서 감소된다.

큰 SCR은 또한 **전류임계 상승률**을 가진다. 예를 들어 C701의 전류임계 상승률은 150 A/μs이다. 만약 애노드전류가 이 값보다 크면 SCR은 파괴될 것이다. 부하와 직렬로 인덕터를 연결하면 전류임계 상승률을 안전한 값으로 감소시킬 수 있다.

13-5 양방향 사이리스터

지금까지 배운 두 소자(4층 다이오드, SCR)는 전류가 한 쪽 방향으로만 흐를 수 있으므로 단방향이다. **diac**과 **triac**은 양방향 사이리스터이다. 이 소자들은 어느 방향으로든지 전류를 흐르게 할 수 있다. DIAC는 종종 실리콘 양방향 스위치(*SBS*)라고도 한다.

Diac

Diac은 양방향으로 전류를 래치하는 소자로서 그 등가회로는 그림 13-24*a*에서와 같

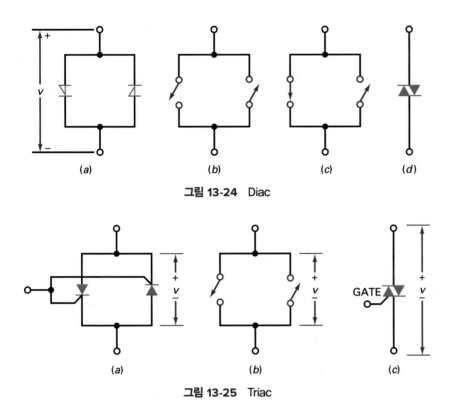

그림 13-24 Diac

그림 13-25 Triac

이 병렬접속된 한 쌍의 4층 다이오드로 표시되며 이상적으로 그림 13-24*b*의 래치와 같다. Diac은 소자양단 전압이 양쪽 방향에서 항복전압 이상으로 상승할 때까지는 전도되지 않는다.

　예를 들자면 전압 *v*가 그림 13-24*a*에 나타낸 극성을 가지면 *v*가 항복전압을 초과할 때 왼쪽 다이오드는 on된다. 이때 왼쪽 래치는 그림 13-24*c*와 같이 단락된다. 그러나 전압 *v*의 극성이 반대가 되면 전압 *v*가 항복전압을 초과할 때 오른쪽 래치가 단락된다. 일단 Diac이 on되면 저전류 강하로서만 이를 개방시킬 수 있다. 이것은 소자의 유지전류 이하로 전류를 감소시켜야 함을 의미한다. 그림 13-24*d*는 Diac의 기호를 나타낸다.

Triac

Triac은 그림 13-25*a*의 병렬접속된 두 SCR과 같이 작용한다. 즉 이것은 그림 13-25*b*와 같이 두 개의 래치와 등가이다. 이 때문에 Triac은 양방향으로 전류를 제어할 수 있다. 전압 *v*가 그림 13-25*a*에 나타낸 극성을 가지면 양의 트리거는 왼쪽 래치를 단락시키고 전압의 극성이 반대가 되면 음의 트리거가 오른쪽 래치가 단락시킨다. 그림 13-25*c*는 Triac의 기호를 나타낸다.

　그림 13-26은 FKPF8N80 triac에 대한 자료표를 나타낸다. triac라는 이름이 포함하고 있듯이 이는 양방향 3극 진공관의 사이리스터이다. 데이터표의 마지막에 보면 triac 동작형과 4분면 정의가 있다. Triac는 일반적으로 ac로 사용할 때 1분면과 3분면에서 동작한다. 이소자가 1사분면에서 가장 민감하기 때문에 대칭적인 ac 전도를 제공하기 위해 diac가 triac과 함께 사용한다.

참고 사항

Triac는 종종 조광기에 이용된다.

FKPF8N80

Application Explanation

- Switching mode power supply, light dimmer, electric flasher unit, hair drier
- TV sets, stereo, refrigerator, washing machine
- Electric blanket, solenoid driver, small motor control
- Photo copier, electric tool

TO-220F

1 2 3

1: T$_1$
2: T$_2$
3: Gate

Bi-Directional Triode Thyristor Planar Silicon

Absolute Maximum Ratings T$_C$=25°C unless otherwise noted

Symbol	Parameter	Rating	Units
V$_{DRM}$	Repetitive Peak Off-State Voltage $^{(Note1)}$	800	V

Symbol	Parameter	Conditions		Rating	Units
I$_{T(RMS)}$	RMS On-State Current	Commercial frequency, sine full wave 360° conduction, T$_C$=91°C		8	A
I$_{TSM}$	Surge On-State Current	Sinewave 1 full cycle, peak value, non-repetitive	50Hz	80	A
			60Hz	88	A
I^{2}t	I^{2}t for Fusing	Value corresponding to 1 cycle of halfwave, surge on-state current, tp=10ms		32	A^{2}s
di/dt	Critical Rate of Rise of On-State Current	I$_G$ = 2x I$_{GT}$, tr ≤ 100ns		50	A/μs
P$_{GM}$	Peak Gate Power Dissipation			5	W
P$_{G(AV)}$	Average Gate Power Dissipation			0.5	W
V$_{GM}$	Peak Gate Voltage			10	V
I$_{GM}$	Peak Gate Current			2	A
T$_J$	Junction Temperature			- 40 ~ 125	°C
T$_{STG}$	Storage Temperature			- 40 ~ 125	°C
V$_{iso}$	Isolation Voltage	Ta=25°C, AC 1 minute, T$_1$ T$_2$ G terminal to case		1500	V

Thermal Characteristic

Symbol	Parameter	Test Condition	Min.	Typ.	Max.	Units
R$_{th(J-C)}$	Thermal Resistance	Junction to case $^{(Note 4)}$	-	-	3.6	°C/W

Rev. B1, April 2004

그림 13-26 Triac 자료표

Electrical Characteristics T_C=25°C unless otherwise noted

Symbol	Parameter		Test Condition		Min.	Typ.	Max.	Units
I_DRM	Repetieive Peak Off-State Current		V_DRM applied		-	-	20	μA
V_TM	On-State Voltage		T_C=25°C, I_{TM}=12A Instantaneous measurement		-	-	1.5	V
V_GT	Gate Trigger Voltage (Note 2)	I	V_D=12V, R_L=20Ω	T2(+), Gate (+)	-	-	1.5	V
		II		T2(+), Gate (-)	-	-	1.5	V
		III		T2(-), Gate (-)	-	-	1.5	V
I_GT	Gate Trigger Current (Note 2)	I	V_D=12V, R_L=20Ω	T2(+), Gate (+)	-	-	30	mA
		II		T2(+), Gate (-)	-	-	30	mA
		III		T2(-), Gate (-)	-	-	30	mA
V_GD	Gate Non-Trigger Voltage		T_J=125°C, V_D=1/2V_{DRM}		0.2	-	-	V
I_H	Holding Current		V_D = 12V, I_{TM} = 1A				50	mA
I_L	Latching Current	I, III	V_D = 12V, I_G = 1.2I_{GT}				50	mA
		II					70	mA
dv/dt	Critical Rate of Rise of Off-State Voltag		V_{DRM} = Rated, T_j = 125°C, Exponential Rise			300		V/μs
(dv/dt)_C	Critical-Rate of Rise of Off-State Commutating Voltage (Note 3)				10	-	-	V/μs

Notes:
1. Gate Open
2. Measurement using the gate trigger characteristics measurement circuit
3. The critical-rate of rise of the off-state commutating voltage is shown in the table below
4. The contact thermal resistance $R_{TH(c-f)}$ in case of greasing is 0.5 °C/W

V_DRM (V)	Test Condition	Commutating voltage and current waveforms (inductive load)
FKPF8N80	1. Junction Temperature T_J=125°C 2. Rate of decay of on-state commutating current $(di/dt)_C$ = - 4.5A/ms 3. Peak off-state voltage V_D = 400V	

Quadrant Definitions for a Triac

Rev. B1, April 2004

그림 13-26 (계속)

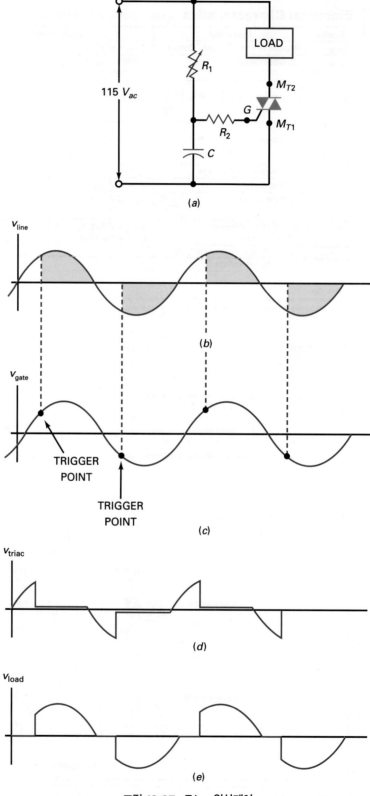

그림 **13-27** Triac 위상제어

표 13-2	Triac에 관한 예시			
Device	V_{GT}, V	I_{GT}, mA	I_{max}, A	V_{max}, V
Q201E3	2	10	1	200
Q4004L4	2.5	25	4	400
Q5010R5	2.5	50	10	500
Q6015R5	2.5	50	15	600

표 13-2는 상업용으로 사용되는 몇 개의 triac을 나타낸다. 내부적인 구조상으로 triac은 SCR에 비해 더 높은 트리거전압과 트리거전류를 가진다. 표 13-2에서와 같이 게이트 트리거전압은 2~2.5 V, 트리거전류는 10~50 mA이다. 또한 최대 애노드전류는 1~13 A이다.

위상제어

그림 13-27a는 게이트전압의 위상각을 변화시키는 RC회로를 나타낸다. 회로는 큰 부하에 흐르는 전류를 제어할 수 있다. 그림 13-27b와 c는 선전압과 지연되는 게이트전압을 나타낸다. 커패시터전압이 트리거전류를 공급할 정도로 충분히 크면 triac은 on되고 일단 on되면 선전압이 0이 될 때까지 on상태를 유지한다. 그림 13-27d와 e는 triac과 부하를 통하는 각각의 전압을 나타낸다.

Triac이 큰 전류를 다루지만 훨씬 큰 전류정격을 가지는 SCR과 같은 등급은 아니다. 그럼에도 불구하고, 두 반 주기 동안 on시키는 것이 중요할 때, triac은 산업분야에 유용하다.

Triac 부하보호 회로

그림 13-28은 과도한 선전압에 대비하여 장비를 보호할 수 있는 Triac 부하보호 회로를 나타낸다. 만약 선전압이 너무 크면 diac은 브레이크오버되고 Triac을 트리거시킨다. Triac이 on되면 퓨즈가 타버린다. 여기서 가변저항 R2는 트리거점을 조절한다.

참고 사항

그림 13-28의 diac은 트리거 점이 공급된 전압의 양과 음의 교번에서 같다는 것을 확신시켜준다.

그림 13-28   Triac 부하보호 회로

예제 13-8

IIII **Multisim**

그림 13-29에서 스위치가 닫힌다. 만약 Triac이 on되면 22 Ω을 흐르는 전류는 대략 얼마인가?

그림 13-29   예제

풀이   이상적으로 Triac이 on되면 양단전압은 0이다. 따라서 22 Ω을 흐르는 전류는 다음과 같다.

$$I = \frac{75\,\text{V}}{22\,\Omega} = 3.41\,\text{A}$$

만약 Triac의 양단전압이 1 V또는 2 V이면 흐르는 전류는 여전히 3.41 A에 가깝다. 그 이유는 큰 공급전압이 Triac의 전압영향을 감소시키기 때문이다.

연습 문제 13-8   그림 13-29에서 V_{in}을 120 V로 바꾸고 22 Ω저항을 흐르는 전류를 계산하여라.

예제 13-9

그림 13-29에서 스위치가 닫힌다. MPT32는 32 V의 브레이크오버 전압을 가진다. 만약 triac이 트리거전압 1 V, 트리거전류 10 mA이면 triac을 트리거시키는 커패시터전압은 얼마인가?

풀이   커패시터가 충전함에 따라 diac 양단전압도 증가한다. diac 양단전압이 32 V보다 약간 작으면 diac는 브레이크오버 바로 직전상태에 있다. Triac이 1V의 트리거전압을 가지므로 필요한 커패시터전압은

$$V_{\text{in}} = 32\,\text{V} + 1\,\text{V} = 33\,\text{V}$$

이다. 이 전압에서 diac은 브레이크오버되며 triac을 트리거한다.

연습 문제 13-9   24 V의 브레이크오버값을 갖는 diac를 이용하여 예제 13-9를 다시 구하여라.

13-6 IGBT

기본 구조

MOSFET전원과 BJT는 고전원 스위칭 분야에서 쓰인다. MOSFET는 높은 스위칭 속도가 BJT는 적은 전도 손실이 장점이다. MOSFET전원의 스위칭 속도와 BJT의 적은 전도 손실을 혼합하여 우리는 이상적인 스위치에 접근을 시도할 수 있다.

이 혼합소자는 **insulated-gate bipolar transistor(IGBT)**라고 불린다. IGBT는 필수적으로 MOSFET의 기술을 포함한다. 이것의 구조와 작동은 MOSFET전원과 매우 유사하다. 그림 13-30은 n-채널 IGBT의 기본 구조를 보여준다. 이 구조는 p형 기판으로 이루어진 n-채널 MOSFET와 유사하다. 이는 게이트, 이미터와 컬렉터 리드를 포함한다.

이 소자의 두 가지 종류는 punch-through(PT)와 nonpunch-through(NPT) IGBT다. 그림 13-30은 PT IGBT의 구조이다. PT IGBT는 p^+와 n^-구역 사이에 n+버퍼층을 갖고 NPT소자는 n^+버퍼층을 갖지 않는다. NPT는 PT보다 높은 전도 $V_{CE(on)}$값을 갖고 양의 온도계수를 갖는다. 양의 온도계수는 NPT를 병렬에 적합하게 만들어 준다. 여분의 n^+층을 갖는 PT는 높은 스위칭 속도의 이점을 갖는다. 이는 음의 온도 계수를 갖는다. 그림 13-30의 기본 구조와 함께 다양한 응용기술로 그 외의 여러 종류의 IGBT가 제조된다. 그 중의 하나가 field-stop IGBT(FS IGBT)이다. FS IGBT는 PT와 NTP IGBT의 장점들을 결합하여 각 구조의 단점들을 보완한 것이다.

IGBT 제어

그림 13-31a와 b는 n-채널 IGBT의 두 가지 일반적인 기호를 나타낸다. 그림 13-31b에서 내장된 보디 다이오드는 전력 FET에서 볼 수 있는 보디 다이오드와 유사하다. 또한 그림 13-31c는 이 소자에 대한 단순화된 등가회로를 나타낸다. 보이는 것과 같이 IGBT는 필연적으로 입력부위가 MOSFET전원, 출력부위가 BJT이다. 입력제어는 게이트와 이미터 리드 사이의 전압이다. 전력 FET와 같이 IGBT의 게이트 구동회로는 IGBT의 입력 커패시턴스의 빠른 스위칭을 위해서 빠른 충전과 방전이 가능해야 한다. 출력은 컬렉터와 이미터 리드사이의 전류다. IGBT의 출력은 BJT 구조에 영향을 받기 때문에 소자의 턴오프 속도는 전력 FET보다 느리다.

그림 13-30 IGBT 기본 구조

그림 13-31 IBGTs. (a) 회로 기호; (b) 도식적 기호; (c) 단순 등가회로

FGL60N100BNTD *(side tab)*

IGBT

FGL60N100BNTD
NPT-Trench IGBT

General Description

Trench insulated gate bipolar transistors (IGBTs) with NPT technology show outstanding performance in conduction and switching characteristics as well as enhanced avalanche ruggedness. These devices are well suited for Induction Heating (I-H) applications

Features

- High Speed Switching
- Low Saturation Voltage : $V_{CE(sat)} = 2.5$ V @ $I_C = 60$A
- High Input Impedance
- Built-in Fast Recovery Diode

Application

Micro- Wave Oven, I-H Cooker, I-H Jar, Induction Heater, Home Appliance

TO-264

G C E

Absolute Maximum Ratings $T_C = 25°C$ unless otherwise noted

Symbol	Description		FGL60N100BNTD	Units
V_{CES}	Collector-Emitter Voltage		1000	V
V_{GES}	Gate-Emitter Voltage		± 25	V
I_C	Collector Current	@ $T_C = 25°C$	60	A
	Collector Current	@ $T_C = 100°C$	42	A
$I_{CM\ (1)}$	Pulsed Collector Current		120	A
I_F	Diode Continuous Forward Current	@ $T_C = 100°C$	15	A
P_D	Maximum Power Dissipation	@ $T_C = 25°C$	180	W
	Maximum Power Dissipation	@ $T_C = 100°C$	72	W
T_J	Operating Junction Temperature		-55 to +150	°C
T_{stg}	Storage Temperature Range		-55 to +150	°C
T_L	Maximum Lead Temp. for soldering Purposes, 1/8" from case for 5 seconds		300	°C

Notes :
(1) Repetitive rating : Pulse width limited by max. junction temperature

Thermal Characteristics

Symbol	Parameter	Typ.	Max.	Units
$R_{\theta JC}$(IGBT)	Thermal Resistance, Junction-to-Case	--	0.69	°C/W
$R_{\theta JC}$(DIODE)	Thermal Resistance, Junction-to-Case	--	2.08	°C/W
$R_{\theta JA}$	Thermal Resistance, Junction-to-Ambient	--	25	°C/W

그림 13-32   IGBT 자료표

Electrical Characteristics of IGBT $T_C = 25°C$ unless otherwise noted

Symbol	Parameter	Test Conditions	Min.	Typ.	Max.	Units
Off Characteristics						
BV_{CES}	Collector Emitter Breakdown Voltage	$V_{GE} = 0V$, $I_C = 1mA$	1000	--	--	V
I_{CES}	Collector Cut-Off Current	$V_{CE} = 1000V$, $V_{GE} = 0V$	--	--	1.0	mA
I_{GES}	G-E Leakage Current	$V_{GE} = \pm 25$, $V_{CE} = 0V$	--	--	± 500	nA
On Characteristics						
$V_{GE(th)}$	G-E Threshold Voltage	$I_C = 60mA$, $V_{CE} = V_{GE}$	4.0	5.0	7.0	V
$V_{CE(sat)}$	Collector to Emitter Saturation Voltage	$I_C = 10A$, $V_{GE} = 15V$	--	1.5	1.8	V
		$I_C = 60A$, $V_{GE} = 15V$	--	2.5	2.9	V
Dynamic Characteristics						
C_{ies}	Input Capacitance	$V_{CE} = 10V$, $V_{GE} = 0V$, $f = 1MHz$	--	6000	--	pF
C_{oes}	Output Capacitance		--	260	--	pF
C_{res}	Reverse Transfer Capacitance		--	200	--	pF
Switching Characteristics						
$t_{d(on)}$	Turn-On Delay Time	$V_{CC} = 600 V$, $I_C = 60A$, $R_G = 51\Omega$, $V_{GE} = 15V$, Resistive Load, $T_C = 25°C$	--	140	--	ns
t_r	Rise Time		--	320	--	ns
$t_{d(off)}$	Turn-Off Delay Time		--	630	--	ns
t_f	Fall Time		--	130	250	ns
Q_g	Total Gate Charge	$V_{CE} = 600 V$, $I_C = 60A$, $V_{GE} = 15V$, $T_C = 25°C$	--	275	350	nC
Q_{ge}	Gate-Emitter Charge		--	45	--	nC
Q_{gc}	Gate-Collector Charge		--	95	--	nC

Electrical Characteristics of DIODE $T_C = 25°C$ unless otherwise noted

Symbol	Parameter	Test Conditions	Min.	Typ.	Max.	Units
V_{FM}	Diode Forward Voltage	$I_F = 15A$	--	1.2	1.7	V
		$I_F = 60A$	--	1.8	2.1	V
t_{rr}	Diode Reverse Recovery Time	$I_F = 60A$ $di/dt = 20 A/us$		1.2	1.5	us
I_R	Instantaneous Reverse Current	$V_{RRM} = 1000V$	--	0.05	2	uA

FGL60N100BNTD Rev. A

그림 13-32 (계속)

IGBT는 일반적으로 off 고입력 임피던스 소자이다. 입력 전압 V_{GE}는 충분히 클 때, 컬렉터 전류가 흐르기 시작한다. 이 최소전압값은 게이트문턱전압, $V_{GE(th)}$이다. 그림 13-32는 NPT-Trench 기술을 이용한 FGL60N100BNTD IGBT에 대한 자료표이다. 이 소자의 가장 일반적인 $V_{GE(th)}$는 $I_C = 60$ mA일 때 5.0 V이다. 최대 지속 컬렉터 전류는 60 A이다. 다른 중요한 특성은 이 컬렉터의 이미터 포화 전압 $V_{CE(sat)}$이다. 자료표에 나타난 일반적인 $V_{CE(sat)}$값은 10 A의 컬렉터전류에서 1.5 V이고, 60 A의 컬렉터에서 2.5 V이다.

IGBT 장점

IGBT의 전도 손실은 소자의 전압강하와 관련되어 있고, MOSFET 전도 손실은 $R_{DS(on)}$과 연관되어 있다. 저전압 응용에 있어서 MOSFET전원은 극도로 낮은 $R_{D(on)}$저항값을 갖는다. 그러나 고전압 응용에 있어서 MOSFET는 증가한 전도 손실 때문에 증가한 $R_{DS(on)}$값을 갖는다. IGBT는 이러한 특성을 갖지 못한다. IGBT는 또한 MOSFET의 최대값 V_{DSS}와 비교하여 매우 높은 컬렉터-이미터 항복 진압을 갖는다. 그림 13-32의 자료표가 보여주듯이 V_{CES}값은 1,000 V이다. 이것은 유도성 가열장치(inductive heating: IH)와 같은 고전압 유도 부하에 이용될 때 중요하다. 고전압 전 H-브리지와 반-브리지 회로에 이상적이다.

BJT와 비교하여 IGBT는 매우 높은 입력 임피던스를 갖고 더 단순한 게이트 드라이브를 갖는다. IGBT가 MOSFET의 스위칭 속도와 같지 않더라도, 새로운 IGBT는 고주파 응용을 위해 개발되고 있다. 그러므로 IGBT는 일반적인 주파수에서 고전압 전류 응용에 효과적인 해결책이 될 것이다.

응용 예제 13-10

그림 13-33에 나타난 회로의 기능은 무엇인가?

그림 13-33 IGBT 응용 예제

풀이 그림 13-33의 간단한 도식은 SE(single-ended) 공진형 인버터다. 이것은 유도가열(induction heating: IH) 장치의 효율적인 에너지 사용에 이용될 수 있다. 이와 같은 유형의 인버터는 밥솥, 전자레인지 등과 같은 가전제품에서 볼 수 있는데 이 회로는 어떻게 동작 될까?

220 V_{ac} 입력전압은 브리지 정류 다이오드(D_1-D_4)에 의해서 정류된다. L_1과 C_1은 저역통과, 초크입력 필터를 구성한다. 필터의 출력단은 인버터에 필요한 직류 전압이다. 등가 직류 저항 R_{eq}와 함께 1차 코일 L_2와 C_2는 병렬 공진 탱크회로를 구성한다. L_2는 또한 변압기의 1차 가열코일 역할을 한다. 이 변압기의 2차 코일과 부하는 저항이 낮은 철금속 성분이고 높은 투자율(permeability)을 갖는다. 이 부하는 단락부하와 함께 2차 권선으로써 표면을 가열한다.

Q_1은 빠른 스위칭 속도, 낮은 $V_{CE(sat)}$, 높은 블로킹 전압을 갖는 IGBT이다. D_5는 역병렬 다이오드이거나 본래의 보디 다이오드가 될 수 있다. IGBT의 게이트는 게이트 구동 제어(gate drive control)회로와 연결되어있다. 이 게이트 구동회로는 주로 MCU(Microcontroller unit)가 제어한다.

적절한 게이트 입력 신호가 Q_1에 가해져서 턴온이되면 전류가 L2를 통해 흐르게 되고, IGBT의 컬렉터에서 이미터로 흐른다. 1차 코일 L_2에 전류가 흐르면 자기장이 확장되고 이것이 2차 부하권선인 가열요소의 양단을 차단한다. Q_1가 턴오프 될 때 L_2의 자기장에 저장되었던 에너지가 없어지고 C_2가 충전된다. 이것으로 Q_1의 컬렉터에는 높은 양(+)전압이 형성되고 이 차단전압이 off상태를 유지시킨다. C_2는 L_2를 통한 방전으로 에너지를 반대 방향으로 되돌리면서 병렬 공진형 전류를 발생시킬 것이다. L_2의 자기장 확장과 붕괴는 부하요소의 양단을 차단한다. 보통 와전류에 의한 열손실은 얇은 판(Lamination) 사용으로 감소된다. 부하 요소는 얇은 판을 사용하지 않기 때문에 이 열손실은 생산적인 열에너지로 변환될 수 있다. 이것이 유도가열(IH)의 원리이다. 이 유도가열 과정의 효과를 높이기 위해서 L_2와 C_2의 값은 20~100kHz에서 공진주파수를 갖도록 정해진다. 코일 전류의 주파수가 높아질수록 더 강한 유도전류가 부하 표면에서 흐른다. 이것을 **표피효과**(*skin-effect*)라고 한다.

공진형 인버터의 효율은 매우 중요하다. 이 회로의 주요 전력손실은 IGBT의 스위칭 손실이다. 높은 에너지 변환 효율을 위해서는 스위칭하는 순간의 IGBT의 전압 또는 전류를 제어해야 한다. 이것을 **소프트 스위칭**(*soft-switching*)이라 한다. LC 공진회로와 IGBT의 컬렉터에서 이미터 양단의 역병렬 다이오드에 의해서 만들어지는 공진을 이용하여 스위칭회로의 전압과 전류를 거의 0으로 만들 수 있다. MCU로부터의 게이트 스위치 제어는 회로가 턴온(ZVS)하기 직전에 스위칭 회로 전압 V_{CE}를 0으로 하고, 턴오프 되기 직전에 IGBT 전류는 0(ZCS) 가까이로 흐른다.

게이트 구동 신호가 LC 탱크회로의 공진 주파수일 때 최대전력이 부하 요소에 전달된다. 부하의 온도는 게이트 구동 주파수와 듀티 사이클을 조절해서 제어할 수 있다.

13-7 그 밖의 사이리스터

SCR과 triac과 IGBT는 가장 중요한 사이리스터이다. 그러나 간단히 살펴볼 가치가 있는 것이 몇 개 있다. 광 SCR과 같은 몇 가지 소자는 여전히 특별한 분야에 쓰이고 있다. UJT와 같은 것은 한때는 인기가 있었으나 지금은 연산증폭기와 타이머 IC로 거의 교체되었다.

광 SCR

그림 13-34a는 광 SCR을 나타내며 **광활성 SCR**(*light-activated SCR*: LASCR)으로도 알려져 있다. 화살표는 창(window)을 통해 공핍층에 부딪히는 입사광을 나타낸다. 빛의 강도가 충분히 큰 경우 가전자 대역의 전자는 궤도로부터 이탈하여 자유전자가 된다. 이 자유전자가 정귀환을 발생시키며 광 SCR은 동작한다.

광트리거가 광 SCR을 동작시킨 후 비록 광이 사라진다 해도 광 SCR은 그 상태

(a)

(b)

그림 13-34   광 SCR

그림 13-35   게이트제어 스위치

를 유지한다. 광에 대한 최대감도를 나타내는 곳에서 게이트는 그림 13-34a와 같이 개방되어 있다. 트립점을 조절하기 위해 그림 13-34b와 같은 조정단자를 포함시킬 수 있다. 게이트와 접지 사이의 저항은 광으로 생성된 전자를 제어하며 입사광에 대한 회로의 감도를 조절한다.

게이트제어 스위치

앞서 언급했듯이 저전류 강하는 SCR을 개방시키기 위한 통상적 방법이지만 **게이트제어 스위치**는 역방향 바이어스된 트리거로 쉽게 개방될 수 있도록 설계되어 있다. 게이트제어 스위치는 양의 트리거에 의해 단락되며 음의 트리거에 의해 개방된다.

그림 13-35는 게이트 제어회로를 나타낸다. 각각의 양의 트리거는 게이트제어 스위치를 단락시키며 음의 트리거는 게이트제어 스위치를 개방시킨다. 이런 이유로 출력으로 구형파를 얻는다. 게이트제어 스위치는 계수기, 디지털회로 등의 음의 트리거가 이용되는 분야에 사용된다.

실리콘제어 스위치

그림 13-36a는 실리콘제어 스위치의 도핑영역을 나타내며 외부단자는 각 도핑영역에 연결되어 있다. 그림 13-36b와 같이 소자를 양분시키면 그림 13-36c와 같이 양쪽 베이스

그림 13-36   실리콘제어 스위치

로 접근가능한 래치와 등가이다. 어느 베이스에서든지 순방향 바이어스 트리거는 실리콘제어 스위치를 단락시키고 같은 방식으로 어느 베이스에서든지 역방향 바이어스 트리거는 소자를 개방시킨다.

그림 13-36*d*는 실리콘제어 스위치의 기호를 나타낸다. 아래쪽 게이트를 캐소드 게이트라 부르고 위쪽 게이트를 애노드 게이트라 부른다. 실리콘제어 스위치는 SCR과 비교할 때 저전력 소자이며 A 단위보다는 오히려 mA 단위의 전류로 구동되는 소자이다.

단접합 트랜지스터

단접합 트랜지스터(unijunction transistor)는 그림 13-37*a*와 같이 도핑된 두 영역을 가진다. 입력전압이 0일 때 소자는 동작하지 않는다. 입력전압이 자료표에 있는 **분리비**(*standoff ratio*) 이상으로 되면 *p*영역과 아래 *n*영역 사이의 저항이 그림 13-36*b*에 나타낸 것과 같이 아주 작게 된다. 그림 13-37*c*는 UJT의 기호이다.

UJT는 그림 13-37에서 보이는 UJT 완화 발진기라 불리는 펄스 발생기 회로를 구성할 때 사용된다. 이 회로에서 커패시터는 V_{BB}로 충전된다. 커패시터전압이 격리 전압과 같은 값에 이르면 UJT가 켜진다. 내부의 낮은 베이스 저항은 커패시터가 방전되도록 낮은 값으로 떨어진다. 커패시터방전은 저전류 강하가 일어날 때까지 계속 된다. 이러한 일이 일어날 때 UJT는 턴 오프되고 커패시터는 V_{BB}로 다시 한 번 충전된다. 충전된 *RC* 시상수는 일반적으로 방전된 시상수보다 크다.

B_1에 외부저항을 통하여 발생된 펄스를 SCR과 trisc회로의 전도각을 제어하기 위한 트리거 소스로 사용될 수 있다. 커패시터에 걸리는 전압은 톱니파를 필요로 하는 분야에서 이용될 수 있다.

progammable unijunction transistor(PUT)는 UJT회로와 비슷한 트리거펄스와 파를 만들어낼 때 사용되는 4층의 *pnpn*소자이다. 그림 13-39*a*가 기호이다.

그림 13-39*b*에서 보이듯이 이것의 기본적인 구조는 UJT와는 매우 다르고 SCR과 매우 유사하다. 게이트 리드는 애노드 옆의 *n*층과 연결되어 있다. *pn*접합부는 소자의 on, off상태를 제어하기 위해 사용된다. 캐소드말단은 일반적으로 접지점인 게이트보다는 낮은 전압점에 연결되어 있다. 애노드전압이 게이트 전압보다 높은 0.7 V 정도가 되면 PUT가 on이 된다. 소자는 애노드 전류가 일반적으로 장벽전류 I_V로 주어진 정격된 전류 아래로 떨어질 때까지 그 상태를 유지한다. 이러한 일이 일어날 때, 소자는 off상태로 전환된다.

그림 13-37　UJT

그림 13-38 UJT 이완방전기

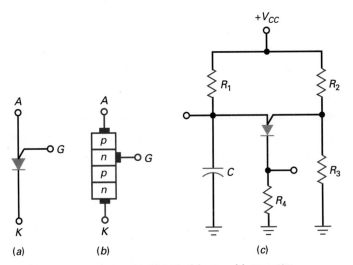

그림 13-39 PUT (a) 기호; (b); 구조; (c) PUT 회로

PUT는 게이트전압이 외부전압분배기에 의해 결정되기 때문에 프로그램할 수 있다고 여겨진다. 이는 그림 13-39c에 나타난다. 외부저항 R_2와 R_3는 게이트 전압 V_G를 만든다. 이 저항값을 변화시킴으로 게이트의 전압은 정의될 수 있기 때문에, 점화를 위해 요구되는 애노드전압을 바꾼다. 커패시터가 R1을 통하여 충전될 때 이는 반드시 V_G보다 높은 약 0.7 V의 전압값에 이를 것이다. 이 점에서 PUT는 변환되고 커패시터는 방전된다. UJT와 같이 톱니파와 트리거 펄스를 사이리스터를 제어하기 위해 이용한다.

UJT는 한때 발진기, 타이머 등을 만드는 데 인기가 있었다. 앞서 언급했듯이 마이크로제어기에 따라서, 이들 소자들은 연산증폭기와 타이머 IC(555와 같은)에 의해 여러 응용 분야에서 교체되고 있다.

13-8 고장 점검

저항, 다이오드, 트랜지스터 등의 결함을 찾기 위해 회로고장을 진단할 때는 소자레벨에서 하며 앞장에서 실제 이와 같은 **소자레벨**에서 실행하였다. 이 장에서의 고장 점검은 논리적인 사고법을 가르쳐 주므로 고수준 진단방법의 기초가 된다. 고장 점검은 옴의 법칙을 사용하여 논리적으로 생각하는 방법을 가르쳐주므로 보다 고차원적인 고장 점검을 위한 기초가 된다.

여기서는 고장 점검을 실제 **시스템레벨**에서 하도록 하며 이것은 전체 회로 중에서 기능이 다른 각 부분의 동작을 기능적으로 분류하여 생각하는 것을 의미한다. 이같은 고차원적인 고장 점검의 사고는 그림 13-49에 나타낸 고장 점검이 참고가 될 것이다.

이것은 SCR부하보호 회로 중에서 전원공급부를 기능별로 나타낸 다이어그램으로서 각기 다른 점에서 전압을 측정하므로 특정블록의 고장을 분리할 수 있고 필요에 따라 고장난 블록에서 소자레벨의 고장 점검까지도 할 수 있다.

제조업체의 설명서에서 종종 각 블록의 기능이 열거된 블록 다이어그램을 접할 수 있다. 예를 들면 TV수신기의 설명서에는 각 기능별 블록이 제시되어 있어 각 블록의 입력과 출력신호를 예상할 수 있고 고장난 블록은 분리시켜 고장 점검을 행할 수 있다. 또 고장난 블록을 분리한 후 블록 전체를 대체하거나 소자레벨에서의 고장 점검도 행할 수 있다.

요점 | Summary

13-1 4층 다이오드
사이리스터는 내부적인 정귀환을 이용하여 래치동작을 하는 반도체 소자이다. 4층 다이오드는 가장 간단한 사이리스터이며 쇼트키 다이오드라고도 한다. 이 소자는 브레이크오버로 단락되며 저전류 강하로 개방된다.

13-2 실리콘제어 정류기
실리콘제어 정류기는 가장 널리 사용되는 소자로서 큰 전류를 on-off할 수 있다. 턴온하기 위해 최소 게이트전압 및 전류를 가하며 턴오프하기 위해 애노드전압을 거의 0으로 한다.

13-3 SCR 부하보호 회로
SCR의 중요한 응용 중의 하나는 민감하고 비싼 부하를 과전압으로부터 보호하는 것이다. SCR 부하보호 회로와 함께 퓨즈나 전류제한 회로를 사용하여 과전류로 인해 전원공급기가 손상되지 않도록 해야 한다.

13-4 SCR 위상제어
RC회로를 이용하여 게이트전압의 위상각을 0~908까지 조절하며 부하에 흐르는 평균 전류를 제어할 수 있다. 더 나은 위상제어회로를 사용하면 위상각을 0~1808까지 조절할 수 있으므로 평균 부하전류를 더욱 조절할수 있다.

13-5 양방향 사이리스터
DIAC은 어느 방향으로든지 전류를 래치할 수 있다. 소자양단 전압이 브레이크오버전압을 초과하면 턴온된다. Triac은 SCR과 유사한 게이트제어 소자이다. 위상제어기와 함께 triac은 파형 전체에 걸쳐 평균 부하전류를 제어할 수 있다.

13-6 IGBT
IGBT는 안쪽 면에 MOSFET전원과 바깥쪽면은 BJT로 구성된 소자이다. 이러한 조합은 간단한 입력 게이트 드라이브를 요구하고 출력은 적은 전도 손실을 갖는 소자를 만든다. IGBT는 고전압, 고전류 스위칭 분야에서 전력 MOSFET 이상의 장점을 가지고 있다.

13-7 그 밖의 사이리스터
광 SCR은 강도가 큰 광이 입사할 때 래치한다. 게이트제어 스위치는 양의 트리거에 의해 턴온되고 음의 트리거에 대해 턴오프된다. 또한 게이트제어 스위치는 두 개의 입력 트리거 게이트를 가지며 어느 한 게이트를 트리거하여도 소자를 on-off할 수 있다. UJT는 한때 발진기, 타이머 등을 만드는 데 사용되었다.

13-8 고장 점검
저항, 다이오드, 트랜지스터 등의 결함을 찾기 위해 회로고장을 진단할 때는 소자레벨에서 행해졌다. 기능적으로 분류하여 고장 점검을 한다면 시스템 레벨에서 수행하는 것을 의미한다.

유도식 | Derivations

(13-1) SCR을 on시키기 위한 전압:

$$V_{in} = V_{GT} + I_{GT}R_G$$

(13-2) SCR이 리셋된 상태:

$$V_{CC} = 0.7\ V + I_H R_L$$

(13-3) 과전압 공급으로 인한 부하보호 회로:

$$V_{CC} = V_Z + V_{GT}$$

(13-4) RC 위상제어 임피던스:

$$Z_T = \sqrt{R^2 + X_C^2}$$

(13-5) RC 위상제어각:

$$\theta_Z = -\arctan\frac{X_C}{R}$$

복습 문제 | Self-Test

1. 사이리스터는 무엇으로 사용될 수 있나?
   a. 저항
   b. 증폭기
   c. 스위치
   d. 전원

2. 정귀환에서 되돌아오는 신호가 의미하는 것은?
   a. 원래 변화와 반대이다.
   b. 원래 변화를 더한 것이다.
   c. 부귀환과 등가이다.
   d. 증폭된다.

3. 래치는 항상 무엇을 사용하는가?
   a. 트랜지스터
   b. 부귀환
   c. 전류
   d. 정귀환

4. 4층 다이오드를 구동시키려면 무엇이 필요한가?
   a. 양(1)의 트리거
   b. 저전류 강하
   c. 브레이크오버
   d. 역방향 바이어스 트리거

5. 사이리스터를 턴온할 수 있는 최소 입력전류를 무엇이라 부르는가?
   a. 유지전류
   b. 트리거전류
   c. 브레이크오버 전류
   d. 저전류 강하

6. 동작하고 있는 4층 다이오드를 정지시키는 유일한 방법은?
   a. 양(+)의 트리거
   b. 저전류 강하
   c. 브레이크오버
   d. 역방향 바이어스 트리거

7. 사이리스터의 턴온을 유지시키는 최소 애노드전류를 무엇이라 부르는가?
   a. 유지전류
   b. 트리거전류
   c. 브레이크오버 전류
   d. 저전류 강하

8. 실리콘제어 정류기는 무엇을 가지는가?
   a. 두 개의 외부단자
   b. 세 개의 외부단자
   c. 네 개의 외부단자
   d. 세 개의 도핑영역

9. SCR은 항상 무엇에 의해 턴온되는가?
   a. 브레이크오버
   b. 게이트 트리거
   c. 항복
   d. 유지전류

10. SCR은 무엇인가?
   a. 저전력 소자
   b. 4층 다이오드
   c. 고전류 소자
   d. 양방향성

11. 과대한 공급전압으로부터 부하를 보호하기 위한 유용한 방법은?
   a. 부하보호 회로의 사용
   b. 제너 다이오드의 사용
   c. 4층 다이오드의 사용
   d. 사이리스터의 사용

12. *RC*스너버는 무엇에 대비하여 SCR을 보호하는가?

a. 공급초과 전압

b. 잘못된 트리거링

c. 브레이크오버

d. 부하보호 회로

13. 전원 공급에 부하보호 회로를 사용할 때 퓨즈 또는 무엇을 필요로 하는가?

a. 적절한 트리거전류

b. 유지전류

c. 필터

d. 전류제한기

14. 광 SCR은 무엇에 대해 반응하는가?

a. 전류   b. 전압

c. 습기   d. 빛

15. DIAC는 무엇인가?

a. 트랜지스터

b. 단방향성 소자

c. 3층 소자

d. 양방향성 소자

16. TRIAC는 무엇과 등가인가?

a. 4층 다이오드

b. 두 DIAC의 병렬

c. 게이트단자를 가진 사이리스터

d. 두 SCR의 병렬

17. UJT는 무엇처럼 동작하는가?

a. 4층 다이오드

b. DIAC

c. TRIAC

d. 래치

18. 사이리스터는 무엇으로 턴온시킬 수 있는가?

a. 브레이크오버

b. 순방향 바이어스 트리거링

c. 저전류 강하

d. 역방향 바이어스 트리거링

19. 쇼클리 다이오드는 무엇과 같은가?

a. 4층 다이오드   b. SCR

c. DIAC   d. TRIAC

20. SCR의 트리거전압에 가장 가까운 것은?

a. 0 V

b. 0.7 V

c. 4 V

d. 브레이크오버 전압

21. 사이리스터는 무엇으로 차단시킬 수 있는가?

a. 브레이크오버

b. 순방향 바이어스 트리거링

c. 저전류 강하

d. 역방향 바이어스 트리거링

22. 임계상승률이 초과되면?

a. 지나친 전력소모가 일어난다.

b. 잘못 트리거된다.

c. 저전류 강하가 일어난다.

d. 역방향 바이어스 트리거가 일어난다.

23. 4층 다이오드를 때로는 어떻게 부르는가?

a. UJT

b. DIAC

c. *pnpn*다이오드

d. 스위치

24. 래치는 무엇에 기초한 것인가?

a. 부귀환

b. 정귀환

c. 4층 다이오드

d. SCR 동작

25. SCR은 어떤 경우에 스위치로 사용될 수 있는가?

a. 브레이크오버 전압이 초과 될 때

b. I_{GT}가 적용되었을 때

c. 전압 증가의 비율이 초과될 때

d. 위의 모든 경우에서

26. 옴미터를 이용한 SCR을 적절히 테스트하기 위한 방법은?

a. 옴미터는 SCR 브레이크오버 전압을 공급해야한다.

b. 옴미터는 0.7 V 이상 공급할 수 없다.

c. 옴미터는 SCR 변환 브레이크 전압을 공급해야한다.

d. 옴미터는 SCR 유지전류를 공급해야한다.

27. 단일 *RC*위상제어 회로 최대 점화각은?

a. 458   b. 908

c. 1808   d. 3608

28. TRIAC는 일반적으로 무엇에 민감하다고 여겨지는가?

a. Quadrant 1

b. Quadrant 2

c. Quadrant 3

d. Quadrant 4

29. IGBT는 필수적으로 어떤 것인가?

a. 입력은 BJT 출력은 MOSFET

b. 입력은 MOSFET 출력도 MOSFET

c. 입력은 MOSFET 출력은 BJT

d. 입력은 BJT 출력도 BJT

30. IGBT의 정격 출력전압의 최대값은?

a. $V_{GS(on)}$ b. $V_{CE(Sat)}$

c. $V_{DS(on)}$ d. V_{CES}

31. PUT는 무엇을 이용함으로 프로그래머블하다고 여겨지는가?

a. 외부 게이트 저항

b. 캐소드 전압 단계를 적용함으로

c. 외부 커패시터

d. 도핑된 *pn* 접합부

기본 문제 | Problems

13-1 4층 다이오드

13-1 그림 13-40a의 1N5160은 전도상태이다. 만일 강하점에서 다이오드 양단전압이 0.7 V라면 다이오드가 개방되었을 때 V의 값은 얼마인가?

13-2 그림 13-40b의 커패시터는 0.7 V에서 12 V로 충전되어 4층 다이오드가 브레이크 오버되었다. 다이오드가 브레이크 오버되기 직전의 5 kΩ을 흐르는 전류는 얼마인가? 또 다이오드가 on 되면 5 kΩ을 흐르는 전류를 구하여라.

13-3 그림 13-40에서 충전시의 시정수를 구하여라. 톱니파형이 시정수와 같다면 주파수는 얼마인가?

13-4 그림 13-40a에서 브레이크오버 전압이 20 V, 유지전류가 3 mA로 바뀌면 다이오드를 턴온시키는 전압과 턴오프시키는 전압은 각각 얼마인가?

13-5 그림 13-40b에서 공급전압이 50 V로 바뀌면 커패시터에 걸리는 최대전압은 얼마인가? 만약 저항이 2배로 되고 커패시터가 3배로 되면 시정수는 얼마인가?

13-2 실리콘제어 정류기

13-6 그림 13-41의 SCR은 V_{GT} = 1.0 V, I_{GT} = 2 mA, I_H = 12 mA이다. SCR이 off 될 때 출력전압은 얼마인가? 또 SCR을 트리거하는 입력전압은 얼마인가? 만일 SCR이 개방될 때까지 V_{CC}를 감소시키면 개방시의 값은 얼마인가?

13-7 그림 13-41에서 모든 저항이 2배가 되었다. SCR의 트리거전류가 1.5 mA라면 만일 SCR을 트리거하는 입력전압은 얼마인가?

13-8 그림 13-41에서 저항이 R = 500 V으로 되면 피크 출력전압은 얼마인가?

13-9 그림 13-41의 SCR이 게이트 트리거전압 1.5 V, 게이트 트리거전류 13 mA 및 유지전류 10 mA이면 SCR을 트리거하는 입력전압은 얼마인가? 또한 SCR을 리셋시키는 전압은 얼마인가?

13-10 그림 13-41에서 저항값이 3배로 되었다. 만약 SCR이 V_{GT} = 2 V, I_{GT} = 8 mA이면 트리거시키는 입력전압은 얼마인가?

13-11 그림 13-42에서 저항이 R = 750 Ω으로 조정되었다. 충전할 때 시정수를 구하여라. 또한 Thevenin저항은?

13-12 그림 13-43에서 저항 R_2가 4.6 kV이다. 이 회로에 대한 점화각과 전도각은? C를 통한 ac전압은 얼마인가?

(a)　　　　　(b)

그림 13-40

그림 13-41　　　　　　　**그림 13-42**

그림 13-43

13-13 그림 13-43에서 R_2를 조정할 때 점화각의 최대최소값은?

13-14 그림 13-43에서 SCR의 최소 최대 전도각은?

13-3 SCR 부하보호 회로

13-15 그림 13-44에서 부하회로를 트리거시키는 공급전압을 구하여라.

그림 13-45

13-5 양방향 사이리스터

13-19 그림 13-45에서 DIAC의 브레이크오버 전압은 20 V이고 TRIAC의 게이트 트리거전압은 2.5 V이다. TRIAC을 턴온시키는 커패시터전압은 얼마인가?

13-20 그림 13-45에서 TRIAC이 on이 될 때 부하전류는 얼마인가?

13-21 그림 13-45에서 저항이 2배로, 커패시터가 3배로 되었다. DIAC의 브레이크오버 전압은 28 V이고, TRIAC의 게이트 트리거전압은 2.5 V이면 TRIAC을 턴온시키는 커패시터 전압은 얼마인가?

응용 문제 | Critical Thinking

13-25 그림 13-47*a*는 과전압 표시기를 나타낸다. 전구를 턴온시키는 전압은 얼마인가?

13-26 그림 13-47*b*에서 피크 출력전압은 얼마인가?

그림 13-44

13-16 만일 그림 13-44의 제너 다이오드가 610%의 허용오차를 가지며 트리거전압이 1.5 V라면 SCR을 트리거시키는 최대 공급전압은 얼마인가?

13-17 그림 13-44에서 제너전압이 10 V에서 12 V로 바뀌면 SCR을 트리거시키는 공급전압은 얼마인가?

13-18 그림 13-44에서 제너 다이오드가 1N4741A로 바뀌면 SCR 부하보호 회로를 트리거하는 공급전압을 구하여라.

그림 13-46

13-7 그 밖의 사이리스터

13-22 그림 13-46에서 PUT가 점화될 때 애노트와 게이드 전압 값은?

13-23 그림 13-46에서 PUT가 점화될 때 R_4를 지나는 이상적인 피크전압은?

13-24 그림 13-46에서 커패시터를 통과하는 전압 파동형은 어떻게 그려지는가? 또한 이 파동형의 최대 최소 전압값은 어떠한가?

13-27 톱니파의 주기가 시정수의 20%이면 그림 13-47*b*의 회로에서 최대 및 최소주파수를 구하여라.

13-28 그림 13-48의 회로는 암실에 있다. 출력전압은 얼마인가? 밝은 빛을 비추면 사이리스터는 동작한다. 출력전압은 대략 얼마인가? 100 Ω에 흐르는 전류를 구하여라.

그림 13-47

(a)

(b)

그림 13-48

고장 점검 | Troubleshooting

나머지 문제에 대해서는 그림 13-49을 사용하여라. 이 공급 전원은 커패시터입력 필터를 동작시키는 브리지형 정류기를 가지고 있다. 따라서 필터된 직류전압은 거의 2차전압의 피크값과 같다. 단위 표시가 안된 것은 V의 값이며 A, B 그리고 C점에서 측정된 전압은 모두 실효값이다. 또 D, E, F점에서 측정된 전압은 직류 전압값이다. 이 예제는 시스템 레벨에서의 고장 점검 문제로서 많은 실험을 통해 가

장 의심스러운 블록을 찾아내는 것을 의미한다. 예를 들어 전압이 B점에서는 맞지만 C점에서 잘못되었다면 여러분은 'transformer'라고 대답해야 한다.

13-29 고장 1(T_1)에서 고장 4(T_4)를 찾아라.

13-30 고장 5(T_5)에서 고장 8(T_8)을 찾아라.

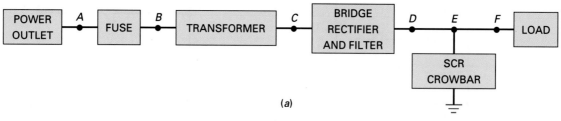

(a)

Troubleshooting

Trouble	V_A	V_B	V_C	V_D	V_E	V_F	R_L	SCR
OK	115	115	12.7	18	18	18	100 Ω	Off
T1	115	115	12.7	18	0	0	100 Ω	Off
T2	0	0	0	0	0	0	100 Ω	Off
T3	115	115	0	0	0	0	100 Ω	Off
T4	115	0	0	0	0	0	0	Off
T5	130	130	14.4	20.5	20.5	20.5	100 Ω	Off
T6	115	115	12.7	0	0	0	100 Ω	Off
T7	115	115	12.7	18	18	0	100 Ω	Off
T8	115	0	0	0	0	0	100 Ω	Off

(b)

그림 13-49 고장 점검

Multisim 고장 점검 문제 | Multisim Troubleshooting Problems

멀티심 고장 점검 파일들은 *Connect for Electronic Principles* 저자 자료에 멀티심 고장 점검 회로(MTC)라는 폴더에서 찾을 수 있다. 좀 더 자세한 내용은 xiv페이지를 참조하라. 이 장에 관련된 파일은 MTC13-31~MTC13-35로 명칭되어 있고 모두 그림 13-49의 회로를 바탕으로 한다.

각 파일을 열고 고장 점검을 실시한다. 결함이 있는지 결정하기 위해 측정을 실시하고 결함이 있다면 무엇인지를 찾아라.

13-31 파일 MTC13-31을 열고 고장 점검을 실시하라.

13-32 파일 MTC13-32를 열고 고장 점검을 실시하라.

13-33 파일 MTC13-33을 열고 고장 점검을 실시하라.

13-34 파일 MTC13-34를 열고 고장 점검을 실시하라.

13-35 파일 MTC13-35를 열고 고장 점검을 실시하라.

직무 면접 문제 | Job Interview Questions

1. 두 개의 트랜지스터로 구성된 래치를 그려라. 그리고 어떻게 정귀환이 트랜지스터를 포화 및 차단상태로 만드는지 설명하여라.

2. 기본적인 SCR 부하보호 회로를 그려라. 동작원리, 즉 어떻게 동작하는지 상세히 말하여라.

3. 위상제어된 SCR 회로를 그려라. 교류선전압과 게이트전압의 파형을 포함하여 동작원리를 설명하여라.

4. 사이리스터회로에서 스너버회로의 목적은?

5. 알람회로에 SCR을 사용하는 것은 어떻게 될까? 트랜지스터 트리거를 사용하는 것보다 왜 더 나은가? 간단한 개략도를 그려라.

6. 전자공학 분야에서 전문기술자는 어디에서 사이리스터가 쓰이는가?

7. 고전력 증폭기의 사용에 대해 전력 BJT, 전력 FET 및 SCR을 서로 비교하여라.

8. 쇼클리 다이오드와 SCR의 동작상의 차이를 설명하여라.

9. 고전력 스위칭을 위해 이용되는 MOSFET와 IGBT를 비교하여라.

복습 문제 해답 | Self-Test Answers

1.	c	**9.**	b	**17.**	d	**25.**	d
2.	b	**10.**	c	**18.**	a	**26.**	d
3.	d	**11.**	a	**19.**	a	**27.**	b
4.	c	**12.**	b	**20.**	b	**28.**	a
5.	b	**13.**	d	**21.**	c	**29.**	c
6.	b	**14.**	d	**22.**	b	**30.**	b
7.	a	**15.**	d	**23.**	c	**31.**	a
8.	b	**16.**	d	**24.**	b		

연습 문제 해답 | Practice Problem Answers

13-1 $I_D = 113$ mA

13-2 $V_{in} = 1.7$ V

13-3 $F = 250$ kHz

13-4 $V_{in} = 10$ V; $V_{CC} = 2.5$ V

13-6 $V_{CC} = 6.86$ V (worst case)

13-7 $\theta_{firing} = 62°$; $\theta_{conduction} = 118°$

13-8 $I_R = 5.45$ A

13-9 $V_{in} = 25$ V

14

주파수 효과

Frequency Effects

앞장에서는 증폭기의 정상적인 주파수 대역 동작에 대해 살펴보았다. 이제 우리는 증폭기가 일반적인 주파수 범위를 벗어난 주파수 입력에 대해 어떻게 동작하는지를 살펴보고자 한다. 교류 증폭기(ac amplifier)는 입력 주파수가 너무 작거나 너무 클 때 전압이득은 감소한다. 반면에 직류 증폭기(dc amplifier)는 주파수가 0 Hz에서도 전압이득(A)을 가진다. 그러나 고주파수에서는 직류 증폭기의 전압이득도 감소한다. 또한 데시벨(decibel)을 사용하여 전압이득을 표현하고 증폭기의 응답을 그래프로 만든 Bode 선도를 이용할 수 있다.

주요용어 | Vocabulary

Bode 선도(Bode plot)
Miller 효과(Miller effect)
귀환커패시터(feedback capacitor)
내부커패시턴스
    (internal capacitance)
단위이득 주파수
    (unity-gain frequency)
데시벨 전력이득
    (decibel power gain)

데시벨 전압이득
    (decibel voltage gain)
데시벨(decibel)
로그스케일(logarithmic scale)
반전 증폭기(inverting amplifier)
반전력 주파수
    (half-power frequency)
배선분포 커패시턴스
    (stray-wiring capacitance)

상승시간 TR(risetime TR)
주파수 응답(frequency response)
증폭기의 중간대역
    (midband of amplifier)
지배적 커패시터
    (dominant capacitor)
지연회로(lag circuit)
직류 증폭기(dc amplifier)
차단주파수(cutoff frequency)

14-1 증폭기의 주파수 응답

증폭기의 **주파수 응답**(frequency response)이란 전압이득과 주파수의 관계를 그래프로 나타낸 것이다. 여기에서는 직류 및 교류 증폭기의 주파수 응답에 대해 논의하기로 한다. 앞장에서 CE증폭기의 해석 시 결합커패시터와 바이패스 커패시터에 대해 배웠다. 이것은 교류신호만을 증폭하는 **교류 증폭기**에 대한 경우이며 여기서는 저주파 및 고주파에서 교류 증폭기의 특성과 직류 및 교류신호를 증폭하는 **직류 증폭기**를 설계한다.

교류 증폭기 응답

그림 14-1a는 증폭기의 대표적인 교류 증폭기의 **주파수 응답**을 나타낸다. 주파수의 중간범위는 증폭기의 출력이 최대가 되는 주파수의 범위이다. 이 주파수의 범위에서 증폭기는 최대의 출력전압을 얻으므로 보통 이 영역에서 동작된다. 저주파에서는 결합커패시터와 바이패스 커패시터가 더 이상 단락회로로 작용하지 않으므로 전압이득이 감소된다. 즉 용량성 리엑턴스가 커서 교류신호 전압을 감소시킨다. 이 결과로 전압이득은 0 Hz로 감에 따라 감소한다.

고주파에서는 다른 이유로 전압이득이 감소한다. 우선 트랜지스터는 그림 14-1b에 나타낸 것처럼 접합부분에서 **내부 커패시턴스**를 가진다. 이 커패시턴스는 중간 주파수 교류신호에 대해서 바이패스되지만 주파수가 증가함에 따라 용량성 리엑턴스가 아주 작아지므로 정상적인 트랜지스터 작용을 방해한다. 그 결과로 전압이득에 손실이 생긴다.

배선분포 커패시턴스(stray-wiring capacitance)는 고주파에서 발생하는 전압이

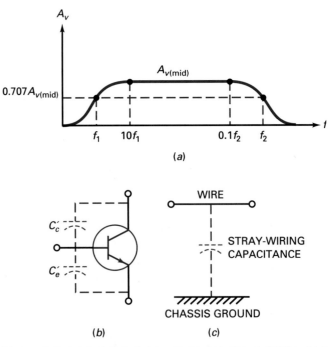

그림 14-1 (a) 교류 증폭기의 주파수 응답; (b) 트랜지스터의 내부 커패시턴스; (c) 연결선은 샤시와 커패시턴스를 형성한다.

득의 감소를 초래하는 또 하나의 요소이다. 트랜지스터회로에서 어떤 연결도선이 커패시터의 한쪽 평판을 이루고 샤시(chassis)접지가 또 하나의 평판처럼 작용한다. 이 커패시턴스는 원치 않는 것이다. 고주파에서는 작은 용량성 리엑턴스라도 회로에 영향을 주므로 교류전류를 부하저항에 도달하지 못하도록 한다. 이는 전압이득이 감소된다는 것을 의미한다.

차단주파수

전압이득이 최대값의 0.707배가 되는 주파수를 증폭기의 **차단주파수**(임계주파수)라 한다. 그림 14-1a에서 f_1이 하한주파수이고 f_2가 상한주파수이다. 차단주파수는 **반전력 주파수**(half-power frequency)라고 부르며 그 이유는 이 주파수에서 부하전력이 최대값의 반이기 때문이다.

어떻게 차단주파수에서 출력전력이 최대전력의 반이 되는가? 전압이득이 최대값의 0.707배일 때 출력전압은 최대값의 0.707배이다. 전력이 $\dfrac{V^2}{R}$이므로 0.707을 제곱하면 0.5를 얻기 때문이다.

중간대역

주파수의 중간범위는 **중간대역**(midband)이라 부르는데 이것은 증폭기의 출력이 최대가 되는 주파수의 범위이다. 그림 14-1a에서 중간대역은 $10f_1$과 $0.1f_2$ 사이의 주파수대역이다. 이 주파수의 범위에서 증폭기는 거의 최대의 전압이득을 가지며 $A_{v(mid)}$로 나타내었다. 교류 증폭기의 중요한 세 가지 특성은 $A_{v(mid)}$, f_1 및 f_2이다. 이들 값으로써 중간대역에서 전압이득은 얼마이며 어디에서 전압이득이 $0.707A_{v(mid)}$이 되는지를 알 수 있다.

중간대역 바깥영역

증폭기가 중간대역에서 동작하더라도 중간대역 바깥에서 전압이득이 얼마인지를 알 필요가 있다. 만일 중간대역 외에서의 출력전압을 계산할 필요가 있을 때는 다음식을 이용할 수 있다.

$$A_v = \frac{A_{v(mid)}}{\sqrt{1 + (f_1/f)^2}\ \sqrt{1 + (f/f_2)^2}} \tag{14-1}$$

$A_{v(mid)}$, f_1 및 f_2를 알면 어느 주파수에서든지 전압이득을 구할 수 있다. 이 식은 하나의 지배적 커패시터가 낮은 차단주파수(f_1)를 만들고 하나의 지배적 커패시터가 높은 차단주파수(f_2)를 만든다고 가정한 것이다. 여기서 **지배적 커패시터**(dominant capaciter)는 차단주파수를 정하는 데 있어서 다른 커패시터들보다 더욱 영향을 주는 것이다.

식 (14-1)은 보기보다 복잡하지 않다. 이 식을 세 가지 영역(중간대역, 중간대역 이하, 중간대역 이상)으로 분류하여 해석한다. 중간대역에서는 $f_1/f \approx 0$, $f/f_2 \approx 0$이다. 따라서 식 (14-1)의 근호는 거의 1이므로 식 (14-1)은 다음과 같이 간단히 된다.

중간대역: $A_v = A_{v(mid)}$ \hfill (14-2)

중간대역 이하에서 $f/f_2 \approx 0$이므로 두번째 근호가 1이므로 식 (14-1)은 다음과 같이 간단히 된다.

중간대역 이하: $A_v = \dfrac{A_{v(\text{mid})}}{\sqrt{1 + (f_1/f)^2}}$ (14-3)

중간대역 이상에서 $f_1/f \approx 0$이므로 첫번째 근호가 1이므로 식 (14-1)은 다음과 같이 간단히 된다.

중간대역 이상: $A_v = \dfrac{A_{v(\text{mid})}}{\sqrt{1 + (f/f_2)^2}}$ (14-4)

직류 증폭기 응답

필요시에 설계자는 증폭단 사이에 직접결합 할 수 있다. 직류 증폭기는 0 Hz의 직류신호도 증폭할 수 있다. 이러한 종류의 증폭기를 **직류 증폭기**(dc amplifier)라 한다.

그림 14-2a는 직류 증폭기의 주파수 응답을 나타낸다. 낮은 차단주파수가 없으므로 직류 증폭기에서 중요한 두 가지 특성은 $A_{v(\text{mid})}$와 f_2이다. 자료표에 이 두 값이 있으면 중간대역에서 전압이득 및 상측 차단주파수를 알 수 있다.

> **참고 사항**
>
> 그림 14-2에서 대역폭은 0 Hz에서 f_2까지의 주파수를 포함한다. 다시 말하면 그림 14-2의 대역폭은 f_2와 같다.

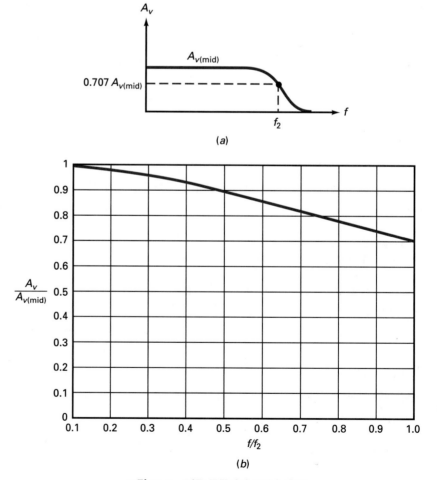

(a)

(b)

그림 14-2 직류 증폭기의 주파수 응답

요점정리 표 14-1	중간대역과 차단대역 사이의 주파수에 따른 이득 변화	
f/f_2	$A_v/A_{v(mid)}$	Percent(approx.)
0.1	0.995	100
0.2	0.981	98
0.3	0.958	96
0.4	0.928	93
0.5	0.894	89
0.6	0.857	86
0.7	0.819	82
0.8	0.781	78
0.9	0.743	74
1	0.707	70

　　직류 증폭기는 교류 증폭기보다 아주 광범하게 사용되며 이는 대부분의 증폭기가 개별 트랜지스터 대신에 연산증폭기로 설계가 이루어지기 때문이다. **연산증폭기**는 직류 증폭기로서 높은 전압 이득, 큰 입력 임피던스, 작은 출력 인피턴스를 가진다. 상업적인 집적회로(IC)로 제작된 여러 종류의 연상증폭기가 있다.

　　대부분 직류 증폭기는 차단주파수인 하나의 지배적 주파수를 가지도록 설계된다. 이런 이유로 다음 식을 사용하여 대표적인 직류 증폭기의 전압이득을 계산할 수 있다.

$$A_v = \frac{A_{v(mid)}}{\sqrt{1 + (f/f_2)^2}} \tag{14-5}$$

예를 들어, $f = 0.1f_2$이면

$$A_v = \frac{A_{v(mid)}}{\sqrt{1 + (0.1)^2}} = 0.995\, A_{v(mid)}$$

이다. 이는 입력주파수가 상측 차단주파수의 1/10이면 전압이득이 최대값의 5% 이내에 있다는 것이다. 즉 전압이득은 거의 최대값이라 해도 무방하다.

중간대역과 차단영역 사이

식 (14-5)로써 중간대역과 차단영역 사이에서 전압이득을 계산할 수 있다. 표 14-1은 정규화한 주파수-전압이득을 나타낸다. $f/f_2 = 0.1$이면 $A_v/A_{v(mid)} = 0.995$이다. f/f_2이 증가하면 정규화한 전압이득은 감소하여 차단주파수에서 0.707을 가진다. 근사적으로 $f/f_2 = 0.1$이면 전압이득은 최대값의 100%라 할 수 있다. 98%, 96%, ..., 계속해서 줄어들어 차단주파수에서는 약 70%까지 떨어지게 된다. 그림 14-2b는 $A_v/A_{v(mid)}$대 f/f_2의 관계를 보여준다.

예제 14-1

그림 14-3a는 교류 증폭기로서 중간대역에서 전압이득이 200이다. 만약 이 회로의 차단주파수가 f_1 = 20 Hz, f_2 = 20 kHz이면 주파수 응답은 어떠한가? 입력주파수가 f_1 = 5 Hz, f_1 = 200 kHz에서 전압이득은 얼마인가?

풀이 중간대역에서 전압이득이 200이므로 두 차단주파수에서 전압이득은

$$A_v = 0.707(200) = 141$$

이다.

그림 14-3b는 주파수 응답을 나타낸다.

식 (14-3)을 이용하여 5 Hz에서 전압이득을 구하면 다음과 같다.

$$A_v = \frac{200}{\sqrt{1 + (20/5)^2}} = \frac{200}{\sqrt{1 + (4)^2}} = \frac{200}{\sqrt{17}} = 48.5$$

유사한 방법으로 식 (14-4)를 사용하여 입력주파수 200 kHz에 대해 전압이득을 구하면 다음과 같다.

$$A_v = \frac{200}{\sqrt{1 + (200/20)^2}} = 19.9$$

연습문제 14-1 교류 증폭기의 중역 전압이득을 100이라 생각하고 예제 14-1을 풀어라.

(a)

(b)

그림 14-3 교류 증폭기와 주파수 응답

예제 14-2

그림 14-4a는 중간대역 전압이득 100,000인 741C 연산증폭기를 나타낸다. $f_2 = 10$ Hz 에서 전압이득은 어떠한가?

풀이 차단주파수 10 Hz에서 전압이득은 0.707 × 중간대역값이다.

$$A_v = 0.707(100,000) = 70,700$$

그림 14-4b는 주파수 응답을 나타낸다. 주파수 0 Hz에서 전압이득은 100,000이며 10 Hz로 됨에 따라 전압이득은 감소하여 최대값의 약 70%가 된다.

연습 문제 14-2 중간대역 전압이득이 200,000일 때 예제 14-2를 다시 풀어라.

그림 14-4 741C와 주파수 응답

예제 14-3

앞의 예제에서 입력주파수가 다음과 같을 때 전압이득을 구하여라.

$$f = 100 \text{ Hz}, \ 1 \text{ kHz}, \ 10 \text{ kHz}, \ 100 \text{ kHz}, \ 1 \text{ MHz}$$

풀이 차단주파수가 10 Hz이므로, $f = 100$ Hz, 1 kHz, 10 kHz …의 입력 주파수는 다음의 f/f_2이다. $f/f_2 = 10, 100, 1000$…이다. 식 (14-5)를 이용하면 각 입력주파수에 대한 전압이득은

$$f = 100 \text{ Hz}: A_v = \frac{100,000}{\sqrt{1 + (10)^2}} \approx 10,000$$

$$f = 1 \text{ kHz}: A_v = \frac{100,000}{\sqrt{1 + (100)^2}} = 1000$$

$$f = 10 \text{ kHz}: A_v = \frac{100,000}{\sqrt{1 + (1,000)^2}} = 100$$

$$f = 100 \text{ kHz}: A_v = \frac{100{,}000}{\sqrt{1 + (10{,}000)^2}} = 10$$

$$f = 1 \text{ MHz}: A_v = \frac{100{,}000}{\sqrt{1 + (100{,}000)^2}} = 1$$

이다. 주파수가 10배 증가함에 따라 전압이득은 10배 감소한다.

연습 문제 14-3 중간대역 전압이득이 200,000일 때 예제 14-3을 다시 풀어라.

14-2 데시벨 전력이득

주파수 응답을 설명하는 데 유용한 **데시벨**(decibel)을 검토하기로 하자. 검토에 앞서 대수(logarithm)란 기본수학에 대해 복습하는 것이 도움이 될 것이다.

대수

다음과 같은 식이 있다고 가정하자.

$$x = 10^y \tag{14-6}$$

만일 식 (14-6)에서 y 대신 x의 값을 구하려면 식을 다음과 같이 변형한다.

$$y = \log_{10} x$$

이것은 y가 주어진 x의 10의 대수(logarithm 또는 exponent)란 말이다. 일반적으로는 이 식에서 10은 생략하고 다음과 같이 사용한다.

$$y = \log x \tag{14-7}$$

상용대수를 처리하는 기능을 가진 계산기로써 임의의 x값에 대한 y값은 쉽게 구할 수 있다. 예를 들어 각 x값에 대해 계산을 하면 다음과 같다.

$x = 10$일 때	$y = \log 10 = 1$
$x = 100$일 때	$y = \log 100 = 2$
$x = 1000$일 때	$y = \log 1000 = 3$

이와 같이 y는 x가 10배씩 증가할 때마다 y는 1씩 증가한다.

또한 x값이 소수이면 y값은 각각 다음과 같이 계산된다.

$x = 0.1$일 때	$y = \log 0.1 = -1$
$x = 0.01$일 때	$y = \log 0.01 = -2$
$x = 0.001$일 때	$y = \log 0.001 = -3$

여기서는 x가 10배씩 감소할 때 y는 1씩 감소한다.

데시벨 전력이득 $A_{p(dB)}$의 정의

이전 장에서 증폭기의 전력이득 A_p는 출력전력을 입력전력으로 나눈 값으로 정의된다.

$$A_p = \frac{p_{out}}{p_{in}}$$

데시벨 전력이득(decibel power gain)은 다음과 같이 정의한다.

$$A_{p(dB)} = 10 \log A_p \tag{14-8}$$

A_p는 입력전력과 출력전력의 비이므로 단위나 차원이 있을 수 없다. A_p를 대수로 바꾸어도 그 값은 여전히 단위나 차원을 갖지 않는다. 그러나 A_p와 $A_{p(dB)}$가 혼동되지 않도록 하기 위해 일반적으로 데시벨 전력이득에는 데시벨(dB) 단위를 붙인다.

예를 들어 증폭기의 전력이득이 100이라면 데시벨 전력이득은

$$A_{p(dB)} = 10 \log 100 = 20 \text{ dB}$$

전력이득이 100,000,000이면 데시벨 전력이득은 다음과 같다.

$$A_{p(dB)} = 10 \log 100,000,000 = 80 \text{ dB}$$

두 예제에서 대수값은 0의 개수와 같다. 즉 100은 2개의 0을 가지며 100,000,000은 8개의 0을 가진다. 수가 10배씩 되면 대수로 바꿀 때 0의 개수를 구하고 데시벨값은 이 개수에 10을 곱하면 된다. 예를 들어 전력이득 1,000은 3개의 0을 가지고 있다. 따라서 3에 10을 곱하면 30 dB이 된다. 전력이득 100,000은 5개의 0을 가진다. 마찬가지로 10을 곱하면 50 dB이 된다. 이러한 손쉬운 방법은 데시벨 등가를 찾고 답을 확인하는 데 유용하게 쓰인다.

자료표에 종종 소자의 전력이득을 나타낼 때 데시벨 전력이득을 사용한다. 데시벨 전력이득을 사용하는 한 가지 이유는 대수로 표현하면 표현값이 줄어들기 때문이다. 예를 들어, 전력이득이 100에서 100,000,000까지 변하면 $A_{p(dB)}$는 20 dB에서 80 dB까지 변한다. 이와 같이 $A_{p(dB)}$은 숫자로 나타낸 전력이득보다 훨씬 단축된 표기법이다.

요점정리 표 14-2	전력이득 특성
Factor	**Decibel, dB**
32	13
30.5	23
310	110
30.1	210

유용한 두 가지 특징

전력이득은 다음과 같은 두 가지 특징을 가진다.

1. 전력이득이 2배 증가(감소)하면 데시벨 전력이득은 3 dB 증가(감소)한다.
2. 전력이득이 10배 증가(감소)하면 데시벨 전력이득은 10 dB 증가(감소)한다.

표 14-2는 단축된 형태로 바꾼 특징을 나타낸다. 다음 예제는 이 특징을 설명한다.

예제 14-4

전력이득 A_p가 1, 2, 4 및 8일 때 $A_{p(dB)}$을 구하여라.

풀이 계산기를 사용하여 다음과 같은 답을 구한다.

$$A_{p(dB)} = 10 \log 1 = 0 \text{ dB}$$
$$A_{p(dB)} = 10 \log 2 = 3 \text{ dB}$$
$$A_{p(dB)} = 10 \log 4 = 6 \text{ dB}$$
$$A_{p(dB)} = 10 \log 8 = 9 \text{ dB}$$

A_p가 2배씩 증가하면 $A_{p(dB)}$는 3 dB씩 증가한다.

연습 문제 14-4 전력 이득이 10, 20, 40일 때의 데시벨 전력이득 $A_{p(dB)}$를 구하여라.

예제 14-5

전력이득 A_p가 1, 0.5, 0.25 및 0.125일 때 데시벨 전력이득 $A_{p(dB)}$를 구하여라.

풀이 계산기를 사용하여 다음과 같은 답을 구한다.

$$A_{p(dB)} = 10 \log 1 = 0 \text{ dB}$$
$$A_{p(dB)} = 10 \log 0.5 = -3 \text{ dB}$$
$$A_{p(dB)} = 10 \log 0.25 = -6 \text{ dB}$$
$$A_{p(dB)} = 10 \log 0.125 = -9 \text{ dB}$$

A_p가 2배씩 감소하면 $A_{p(dB)}$는 3 dB씩 감소한다.

연습 문제 14-5 전력 이득이 4, 2, 1, 0.5일 때의 $A_{p(dB)}$를 구하여라.

예제 14-6

전력이득 A_p가 1, 10 100 및 1,000일 때 데시벨 전력이득 $A_{p(dB)}$를 계산하라.

풀이

$$A_{p(\text{dB})} = 10 \log 1 = 0 \text{ dB}$$

$$A_{p(\text{dB})} = 10 \log 10 = 10 \text{ dB}$$

$$A_{p(\text{dB})} = 10 \log 100 = 20 \text{ dB}$$

$$A_{p(\text{dB})} = 10 \log 1000 = 30 \text{ dB}$$

A_p가 10배씩 증가하면 $A_{p(\text{dB})}$는 10 dB씩 증가한다.

연습 문제 14-6 A_p값이 5, 50, 500, 5,000일 때의 데시벨 전력이득 $A_{p(\text{dB})}$를 구하여라.

예제 14-7

전력이득 A_p가 1, 0.1, 0.01 및 0.001일 때 데시벨 전력이득 $A_{p(\text{dB})}$를 구하여라.

풀이

$$A_{p(\text{dB})} = 10 \log 1 = 0 \text{ dB}$$

$$A_{p(\text{dB})} = 10 \log 0.1 = -10 \text{ dB}$$

$$A_{p(\text{dB})} = 10 \log 0.01 = -20 \text{ dB}$$

$$A_{p(\text{dB})} = 10 \log 0.001 = -30 \text{ dB}$$

A_p가 10배씩 감소하면 $A_{p(\text{dB})}$는 10 dB씩 감소한다.

연습 문제 14-7 A_p값이 20, 2, 0.2, 0.02일 때의 전력이득 $A_{p(\text{dB})}$를 구하여라.

14-3 데시벨 전압이득

전압의 측정은 전력의 측정보다 훨씬 더 일반화되어 있다. 이러한 이유로 데시벨은 전압이득에서 더욱 유용하게 사용된다.

정의

앞장에서 전압이득은 출력전압을 입력전압으로 나눈 값이다.

$$A_v = \frac{v_{\text{out}}}{v_{\text{in}}}$$

데시벨 전압이득(decibel voltage gain)은 다음과 같이 정의한다.

$$A_{v(\text{dB})} = 20 \log A_v \tag{14-9}$$

10 대신 20을 사용하는 이유는 전력이 전압의 제곱에 비례하기 때문이다. 다음 절에서 다루지만 이 정의는 임피던스정합 시스템에 대해 중요한 의미를 지닌다. 만약 증폭기의 전압이득이 100,000이면 데시벨 전압이득은 다음과 같다. 즉,

$$A_{v(dB)} = 20 \log 100,000 = 100 \text{ dB}$$

수가 10의 배수 일때는 간단히 표현할 수 있다. 등가의 데시벨값을 얻기 위해서는 0의 수를 세어서 그 수에 20을 곱하면 된다. 또 하나의 예로서 증폭기의 전압이득이 100에서 100,000,000까지 변하면 $A_{v(dB)}$은 40 dB에서 140 dB까지 변한다.

전압이득의 기본법칙

$A_{v(dB)}$은 다음과 같은 두 가지 특징을 가진다.

1. 전압이득가 2배 증가(감소)하면 $A_{v(dB)}$은 6 dB 증가(감소)한다.
2. 전압이득가 10배 증가(감소)하면 $A_{v(dB)}$은 20 dB 증가(감소)한다.

표 14-3은 이들 특징을 요약한 것이다.

종속연결단

그림 14-5에서 2단 접속증폭기의 전체 전압이득은 각단의 전압이득을 곱한 값이다.

$$A_v = (A_{v_1})(A_{v_2}) \tag{14-10}$$

예를 들어, 첫단의 전압이득이 100, 둘째단의 전압이득이 50이면 전체 전압이득은 다음과 같다.

$$A_v = (100)(50) = 5,000$$

요점정리 표 14-3	전압이득 특성
Factor	**Decibel, dB**
×2	+6
×0.5	−6
×10	+20
×0.1	−20

그림 14-5　2단 접속의 전압이득

식 (14-10)에 데시벨 전압이득을 사용하면

$$A_{v(\text{dB})} = 20 \log A_v = 20 \log (A_{v_1})(A_{v_2}) = 20 \, \log A_{v_1} + 20 \log A_{v_2}$$

이는 다음과 같이 쓸 수 있다.

$$A_{v(\text{dB})} = A_{v_1(\text{dB})} + A_{v_2(\text{dB})} \qquad\qquad \textbf{(14-11)}$$

이 식은 2단 접속된 증폭기의 전체 전압이득은 각각의 데시벨 전압이득의 합과 같다. 같은 개념을 여러 단이 접속된 경우에도 적용 가능하다. 이와 같은 이유로 데시벨 전압이득의 덧셈 특징이 잘 쓰인다.

예제 14-8

그림 14-6*a*에서 전체 전압이득은 얼마인가? dB로 표기하여라. 또 식 (14-11)을 사용하여 각 단의 전압이득을 dB로 구하고 전체 이득을 구하여라.

풀이 식 (14-10)을 사용하여 전체 전압이득을 구하면

$$A_v = (100)(200) = 20,000$$

dB로 바꾸면

$$A_{v(\text{dB})} = 20 \log 20,000 = 86 \, \text{dB}$$

이다. 계산기를 이용하여 86 dB을 구할 수 있다. 또한 아래와 같이 20,000은 10,000의 2배임을 이용할 수도 있는데 10,000은 4개의 0을 가지고 있고 이는 80 dB과 같다. 2배를 해줘야 하므로 이는 6 dB 더 높은 것과 같으므로 86 dB이 된다. 아래를 살펴보자.

각각의 전압이득을 구하면

$$A_{v_1(\text{dB})} = 20 \log 100 = 40 \, \text{dB}$$
$$A_{v_2(\text{dB})} = 20 \log 200 = 46 \, \text{dB}$$

이다. 그림 14-6*b*는 이들 데시벨 전압이득을 나타내며, 식 (14-11)을 사용하면

$$A_{v(\text{dB})} = 40 \, \text{dB} + 46 \, \text{dB} = 86 \, \text{dB}$$

와 같은 결과를 가진다. 위와 같이 각 단의 데시벨 전압이득을 더하면 앞에서 구한 답과 같은 답을 구할 수 있다.

연습 문제 14-8 각 단의 전압이득이 각각 $A_{v1} = 50$과 $A_{v2} = 200$일 때 예제 14-8을 다시 풀어라.

그림 14-6 전압이득과 데시벨 등가

14-4 임피던스정합

참고 사항

임피던스가 증폭기에서 맞지 않을 때, 데시벨 전력 이득은 다음의 식으로 계산될 수 있다.

$A_{p(\text{dB})} = 20 \log A_v$
$\qquad + 10 \log R_{\text{in}}/R_{\text{out}}$

A_v는 증폭기의 전압이득을 뜻하고, R_{in}과 R_{out}은 각각 입력과 출력 저항을 의미한다.

그림 14-7a는 신호발생기 저항 R_G, 입력저항 R_{in}, 출력저항 R_{out} 및 부하저항 R_L인 어떤 증폭기를 나타낸 것이다.

우리 생활과 밀접한 관계를 가지는 마이크로파, TV 및 전화와 같은 많은 통신시스템에서 임피던스는 정합되어 있다. 즉 $R_G = R_{\text{in}} = R_{\text{out}} = R_L$이다. 그림 14-7b는 이 개념을 설명한다. 그림에 표시한 것처럼 모든 임피던스는 R이다. 대표적인 임피던스 R은 각각 마이크로파에서 50 Ω, TV에서 75 Ω(동축케이블) 혹은 300 Ω(투원 단자), 전화에서 600 V이다. 임피던스 정합은 이러한 시스템에 사용되어 최대 전력전달이 이루어진다.

그림 14-7b에서 입력전력은

$$p_{\text{in}} = \frac{v_{\text{in}}^2}{R}$$

이며, 출력전력은

$$p_{\text{out}} = \frac{v_{\text{out}}^2}{R}$$

이다. 따라서 전력이득은

$$A_p = \frac{p_{\text{out}}}{p_{\text{in}}} = \frac{v_{\text{out}}^2/R}{v_{\text{in}}^2/R} = \frac{v_{\text{out}}^2}{v_{\text{in}}^2} = \left(\frac{v_{\text{out}}}{v_{\text{in}}}\right)^2$$

또는

그림 14-7 임피던스정합

$$A_p = A_v{}^2 \tag{14-12}$$

이다. 이 식으로부터 알 수 있는 사실은 임피던스가 정합된 시스템에서 전력이득은 전압이득의 제곱과 같다. 이를 dB로 나타내면

$$A_{p(\text{dB})} = 10 \log A_p = 10 \log A_v{}^2 = 20 \log A_v$$

혹은

$$A_{p(\text{dB})} = A_{v(\text{dB})} \tag{14-13}$$

이다. 이 식으로부터 데시벨 전력이득 $A_{p(\text{dB})}$는 데시벨 전압이득 $A_{v(\text{dB})}$과 같다. 식 (14-13)은 어떤 임피던스 정합시스템에도 적용된다. 만약 자료표에 전압이득이 40 dB이면 $A_{p(\text{dB})}$ = $A_{v(\text{dB})}$ = 40 dB이다.

데시벨을 일반 숫자로 바꾸기

자료표가 $A_{p(\text{dB})}$이나 $A_{v(\text{dB})}$으로 표기되어 있을 경우 다음과 같이 이것을 일반 숫자로 바꿀 수 있다.

$$A_p = \text{antilog}\, \frac{A_{p(\text{dB})}}{10} \tag{14-14}$$

$$A_v = \text{antilog}\, \frac{A_{v(\text{dB})}}{20} \tag{14-15}$$

역대수는 역로그이다. 이 변환은 로그 기능과 역기능을 가지고 있는 과학용 계산기로 쉽게 할 수 있다.

응용 예제 14-9

그림 14-8은 $R = 50\ \Omega$을 가지는 임피던스 정합단이다. 전체 데시벨이득, 전체 전력이득 및 전체 전압이득은 각각 얼마인가?

풀이 전체 데시벨 전압이득은

$$A_{v(\text{dB})} = 23\ \text{dB} + 36\ \text{dB} + 31\ \text{dB} = 90\ \text{dB}$$

이다. 임피던스 정합시스템이기 때문에 전체 데시벨 전력이득도 90 dB이다.

식 (14-14)로서 전체 전력이득은

$$A_p = \text{antilog}\,\frac{90\ \text{dB}}{10} = 1{,}000{,}000{,}000$$

이며, 전체 전압이득은

$$A_v = \text{antilog}\,\frac{90\ \text{dB}}{20} = 31{,}623$$

이다.

그림 14-8 50-Ω 시스템에서 임피던스 정합

연습 문제 14-9 각 단의 이득이 10 dB, −6 dB, 26 dB일 때 예제 14-9를 다시 풀어라.

응용 예제 14-10

앞의 예제에서 각 단의 전압이득을 구하여라.

풀이 첫째 단의 전압이득은

$$A_{v_1} = \text{antilog}\,\frac{23\ \text{dB}}{20} = 14.1$$

둘째 단의 전압이득은

$$A_{v_2} = \text{antilog}\,\frac{36\ \text{dB}}{20} = 63.1$$

셋째 단의 전압이득은

$$A_{v_3} = \text{antilog}\,\frac{31\ \text{dB}}{20} = 35.5$$

이다.

연습 문제 14-10 각 단의 이득이 10 dB, −6 dB, 26 dB일 때 예제 14-10을 다시 풀어라.

14-5 또 다른 기준 데시벨

이 절에서는 추가하여 dB을 사용하는 두 가지 방법을 검토한다. 이 절에서 사용된 기준은 mW(miliwatt)와 V(volt)이다.

mW 기준

dB은 종종 1 mW 이상의 전력을 나타내는 데 사용된다. 이 경우 dB 대신에 *dBm*을 사용한다. 여기서 *dBm*의 m은 mW 기준을 나타낸다.

$$P_{dBm} = 10 \log \frac{p}{1\ mW}$$ (14-16)

예를 들어, 전력이 2 W이면 다음식이 성립된다.

$$P_{dBm} = 10 \log \frac{2\ W}{1\ mW} = 10 \log 2000 = 33\ dBm$$

dBm을 사용하는 이유는 전력과 1 mW를 비교하기 위한 것이다. 만약 자료표에 전력증폭기의 출력이 33 dBm이라면 출력전력이 2 W라는 의미이다.

　　여러분은 어떤 dBm 값이라도 다음 식을 이용하여 등가전력을 구할 수 있을 것이다. 표 14-4는 몇몇 dBm 값을 나타낸다.

$$P = antilog \frac{P_{dBm}}{10}$$ (14-17)

참고 사항

600 Ω의 입력과 출력 저항을 가지는 음향 통신시스템은 증폭기, 감쇠기 또는 전체 시스템의 실제 전력 출력을 표시하기 위하여 dBm 단위를 사용한다.

요점정리 표 14-4	dBm로 나타낸 전력
Power	P_{dBm}
1 μW	−30
10 μW	−20
100 μW	−10
1 mW	0
10 mW	10
100 mW	20
1 W	30

여기서 P는 mW의 기준 전력이다.

전압 기준

1 V 이상의 전압을 나타낼 수 있도록 dB을 사용할 수도 있다. 이 경우 dBV가 사용된다.

$$V_{dBV} = 20 \log \frac{V}{1\ V}$$

분모가 1이므로 식은 다음과 같이 간단해진다.

$$V_{dBV} = 20 \log V \tag{14-18}$$

여기서 V는 차원이 없다. 예를 들어, 전압이 25 V이면

$$V_{dBV} = 20 \log 25 = 28\ dBV$$

dBV는 전압을 1 V와 비교하는 한 가지 방법이다. 만약 사료표에 전입증폭기의 출력이 28 dBV라면 출력전압이 25 V라는 의미가 된다. 표 14-5는 몇 개의 dBV값을 나타낸다.

여러분은 어떤 dBV값이라도 다음 식을 이용하여 등가전압을 구할 수 있을 것이다.

$$V = \text{antilog} \frac{V_{dBV}}{20} \tag{14-19}$$

여기서 V는 볼트 기준의 전압이다.

요점정리 표 14-5	dBV로 나타낸 전압
Voltage	V_{dBV}
10 μV	−100
100 μV	−80
1 mV	−60
10 mV	−40
100 mV	−20
1 V	0
10 V	+20
100 V	+40

예제 14-11

자료표에서 어떤 증폭기의 출력이 24 dBm이면 출력전력은 얼마인가?

풀이 식 (14-17)과 계산기를 이용하면 다음과 같다.

$$P = \text{antilog} \frac{24 \text{ dBm}}{10} = 251 \text{ mW}$$

연습 문제 14-11 증폭기의 출력이 50 dBm이라면 출력전력은 얼마인가?

예제 14-12

자료표에서 어떤 증폭기의 출력이 −34 dBV이면 출력전압은 얼마인가?

풀이 식 (14-19)를 사용하면 다음과 같다.

$$V = \text{antilog} \frac{-34 \text{ dBV}}{20} = 20 \text{ mV}$$

연습 문제 14-12 마이크로폰의 정격이 −54.5 dBV이라면 출력전압은 얼마인가?

14-6 Bode 선도

그림 14-9는 교류 증폭기의 주파수 응답을 나타낸다. 이는 중간대역전압 및 차단주파수와 같은 몇 가지 정보를 가지지만 증폭기의 동작으로는 불완전한 그림이다. 이런 이유로 이번 장의 후반에 다루게 될 *Bode* 선도가 도입된다. Bode 선도는 데시벨을 사용하므로 중간대역 외의 증폭기응답이 대해 더 많은 정보를 제공한다.

옥타브

피아노의 중간 도는 256 Hz의 주파수를 가진다. 다음 도는 한 옥타브 높은 것으로서 주파수로는 512 Hz이다. 그 다음 도는 1024 Hz의 주파수이다. 음악에서 옥타브는 주파수가 2배로 되는 것이다. 한 옥타브 올라가면 주파수는 2배 증가한다. 옥타브는 주파수를 2배한다는 의미를 갖는다. 언제나 한 옥타브를 올라가면 2배된 주파수를 보게 된다.

전자공학에서 사용하는 1옥타브는 f_1/f과 f/f_2와 같은 비에 대해서 동일한 의미를 갖는다. 예를 들어 만일 $f_1 = 100$ Hz이고 $f = 50$ Hz일 때 f_1/f의 비는 다음과 같다.

그림 14-9 교류 증폭기의 주파수 응답

$$\frac{f_1}{f} = \frac{100 \text{ Hz}}{50 \text{ Hz}} = 2$$

가 된다. 이것은 f가 f_1보다 1옥타브 낮다는 의미이다. 또 다른 예를 들어 $f = 400 \text{ kHz}$이고 $f_2 = 200 \text{ kHz}$이면 다음 값을 가지며 이것은 f가 f_2보다 1옥타브 높다는 의미이다.

$$\frac{f}{f_2} = \frac{400 \text{ kHz}}{200 \text{ kHz}} = 2$$

데케이드

데케이드(*decade*)는 2 대신 10을 사용하는 것을 제외하고는 f_1/f과 f/f_2와 같은 비에서 동일한 의미를 가진다. 예를 들어 만일 $f_1 = 500 \text{ kHz}$이고 $f = 50 \text{ kHz}$라면 f_1/f비는 다음과 같다.

$$\frac{f_1}{f} = \frac{500 \text{ Hz}}{50 \text{ Hz}} = 10$$

이것은 f가 f_1보다 1데케이드 낮다는 의미이다. 또 다른 예를 들어, $f = 2 \text{ kHz}$이고 $f_2 = 200 \text{ kHz}$이면

$$\frac{f}{f_2} = \frac{2 \text{ MHz}}{200 \text{ kHz}} = 10$$

이것은 f가 f_2보다 1데케이드 높다는 것이다.

선형눈금 및 대수눈금

일반 그래프 용지는 두 축상에 **선형눈금**(*linear scale*)을 가진다. 이것은 수치 사이의 공간이 그림 14-10a에서와 같이 동일함을 의미한다. 선형눈금은 0에서부터 큰 수치로 일정한 간격을 두고 그 수치가 표시된다. 지금까지 논의한 모든 그래프는 선형눈금을 사용했다.

때로는 큰 수를 줄이고 많은 데케이드를 나타낼 수 있도록 **대수눈금**(logarithmic scale)을 사용하는 경우도 있다. 그림 14-10b에 대수눈금을 나타낸다. 여기서 수치 부여는 1부터 시작한다. 1과 2 사이의 공간은 9와 10 사이의 공간보다 훨씬 크다. 이 대수눈금은 대수적으로 압축시킨 것이므로 대수와 데시벨을 논의하는 데 매우 유용하다.

일반 그래프용지와 반대수 그래프 용지 둘 다 이용할 수 있다. 이 반대수 그래프 용지에서 수직축은 선형눈금이고, 수평축은 대수눈금으로 되어있어 넓은 범위의 주파수에서 전압이득과 같은 량을 그래프화할 때 반대수 용지를 사용한다.

참고 사항
대수눈금을 사용하여 얻을 수 있는 이점은 넓은 범위의 값을 작은 값에서 분해능 한 구역에 나타낼 수 있다는 것이다.

그림 14-10   (a) 선형눈금; (b) 대수눈금

데시벨 전압이득의 그래프

그림 14-11a는 대표적인 증폭기의 교류 증폭기의 주파수 응답을 나타낸다. 그래프는 그림 14-9와 비슷하나 여기서는 반대수 그래프 용지 상에 나타낸 주파수-데시벨 전압이득간의 관계를 볼 수 있다. 이 같은 그래프를 **Bode 선도**라 부른다. 수직축은 선형눈금을 사용하고 수평축은 대수눈금을 사용한다.

그림에서 보는 것과 같이 데시벨 전압이득은 주파수의 중간대역에서 최대이다. 각 임계주파수에서 데시벨 전압이득은 최대값으로부터 조금(3 dB)만큼 감소한다. 중간대역 이하(f_1)에서 데시벨 전압이득은 20 dB/decade의 감소를 나타내고 중간대역 이상(f_2)에서 데시벨 전압이득도 20 dB/decade의 감소를 나타낸다. 20 dB/decade의 감소는 14-1절에서 배운 것처럼 하측 차단주파수를 만드는 하나의 지배적 커패시터와 상측 차단주파수를 만드는 바이패스 커패시터를 가지는 증폭기에서 일어난다. 차단주파수 f_1과 f_2에서 전압이득은 중간대역값의 0.707이다.

$$A_{v(dB)} = 20 \log 0.707 = -3 \text{ dB}$$

그림 14-11a에서 주파수 응답을 다음과 같이 설명할 수 있다. 즉 중간대역에서 전압이득은 최대이다. 중간대역과 각각의 차단주파수 사이에서 전압이득은 점점 감소하여 차단주파수에서 3 dB 낮아진다. 이후 전압이득은 20 dB/decade 비율로 감소한다.

이상적인 Bode 선도

그림 14-11b는 동일한 그래프를 이상적으로 표현한 것이다. 많은 사람들은 동일한 정보를 근사적으로 쉽고 빠르게 얻을 수 있으므로 Bode 선도를 더 선호한다. 이 그래프에서는 근사적으로 차단주파수에서의 데시벨 전압이득이 −3 dB임을 알 수 있다.

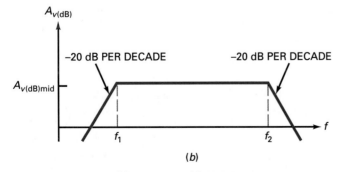

그림 14-11 (a) Bode 선도; (b) 이상적 Bode 선도

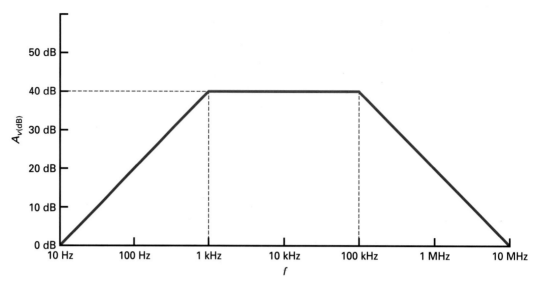

그림 14-12 교류 증폭기의 이상적 Bode 선도

이상적 Bode 선도는 증폭기의 주파수 응답을 쉽고 빠르게 그리는 데 아주 유용하다. 상세하고 정확한 계산보다는 중요한 문제에 관심을 갖도록 해 준다. 예를 들어 그림 14-12는 주파수 응답, 즉 중간대역에서 전압이득(40 dB), 차단주파수(1 kHz, 100 kHz) 및 감소율(20 dB/decade)을 나타낸다. 또한 전압이득이 $f = 10$ Hz와 $f = 10$ MHz에서 0 dB이다. 이와 같은 이상적 Bode 선도는 산업체에서 널리 쓰이고 있다.

덧붙여 많은 전문기술자 및 공학자는 차단주파수 대신에 **코너 주파수**(*corner frequency*)를 사용한다. 이는 이상적 Bode 선도가 차단주파수에서 그림 14-12와 같이 날카로운 코너를 가지기 때문이다. 또 다른 이름으로 **브레이크 주파수**(*break frequency*)가 있다. 이는 그래프가 각 차단주파수에서 탈출하여 20 dB/decade 비율로 감소하기 때문이다.

응용 예제 14-13

741C 연산증폭기의 자료표에 전압이득 100,000, 차단주파수 10 Hz, 감소율 20 dB/decade라고 되어 있다. 이상적 Bode 선도를 그려라. 1 MHz에서 전압이득은 얼마인가?

풀이 14-1절에서 언급했듯이 연산증폭기는 직류 증폭기이므로 단지 상측 차단주파수만 갖는다. 741C에서 $f_2 = 10$ Hz이다. 중간대역에서 데시벨 전압이득은 다음과 같다.

$$A_{v(dB)} = 20 \log 100{,}000 = 100 \text{ dB}$$

이상적 Bode 선도는 10 Hz까지 중간대역 전압이득은 100 dB이다. 이후 20 dB/decade로 감소한다.

그림 14-13은 이상적 Bode 선도이며 차단주파수 10 Hz 이후에 응답은 디케이드당 20 dB로 감소하는 응답을 보이고 있다. 이는 1 MHz에서 전압이득이 0 dB이 될 때까지 계속된다. 이 주파수에서 전압이득이 1이다. 자료표에는 이 값을 **단위이득 주파수**(unit-gain frequency : f_{unity})라 한다. 이 값은 연산증폭기의 주파수 한계를 나타내며 이보다 크면 출력이 입력보다 작아진다.

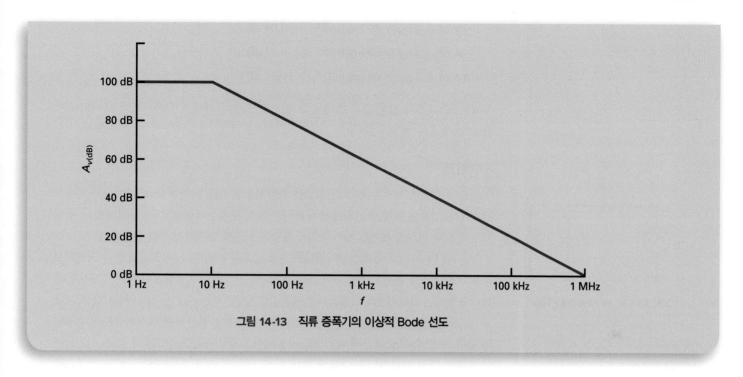

그림 14-13　직류 증폭기의 이상적 Bode 선도

14-7 Bode 선도 보충해석

이상적 Bode 선도는 예비 해석용으로 유용한 근사이다. 그러나 종종 정확한 답이 필요할 경우가 있다. 예를 들면 연산증폭기의 전압이득이 중간대역과 차단주파수 사이에서 감소한다. 이 천이영역에 대해 정확히 검토해 보자.

중간대역과 차단영역 사이

14-1절에서 중간대역 이상의 전압이득에 대해 다음 식을 도입했었다.

$$A_v = \frac{A_{v(\text{mid})}}{\sqrt{1 + (f/f_2)^2}} \qquad\qquad (14\text{-}20)$$

이 식으로 우리는 중간대역과 차단영역 사이의 천이영역에서 전압이득을 구할 수 있었다. 예를 들어 $f/f_2 = 0.1, 0.2$ 및 0.3일 경우 각각의 값을 구하면 다음과 같다.

$$A_v = \frac{A_{v(\text{mid})}}{\sqrt{1 + (0.1)^2}} = 0.995\, A_{v(\text{mid})}$$

$$A_v = \frac{A_{v(\text{mid})}}{\sqrt{1 + (0.2)^2}} = 0.981\, A_{v(\text{mid})}$$

$$A_v = \frac{A_{v(\text{mid})}}{\sqrt{1 + (0.3)^2}} = 0.958\, A_{v(\text{mid})}$$

계속 이 계산을 하면 표 14-6과 같은 계산할 수 있다. 표 14-6은 $A_v/A_{v(\text{mid})}$의 데시벨값을 나타낸다. 데시벨값은 다음과 같이 계산된다.

$$(A_v/A_{v(\text{mid})})_{\text{dB}} = 20 \log 0.995 = -0.04 \text{ dB}$$

$$(A_v/A_{v(\text{mid})})_{\text{dB}} = 20 \log 0.981 = -0.17 \text{ dB}$$

$$(A_v/A_{v(\text{mid})})_{\text{dB}} = 20 \log 0.958 = -0.37 \text{ dB}$$

우리는 표 14-6과 같은 값은 거의 필요 없지만 종종 중간대역과 차단영역 사이의 정확한 값이 필요할 경우가 있다.

지연회로

대부분의 연산증폭기는 R_C 지연회로를 포함하므로 전압이득이 20 dB/decade 비율로 감소한다. 이것은 어떤 조건하에서 나타나는 원하지 않는 신호인 발진을 방지한다. 뒷장에서 발진과 연산증폭기의 지연회로가 어떻게 발진을 방지하는가를 설명한다.

그림 14-14 *RC* 바이패스회로

그림 14-14는 바이패스커패시터를 가진 회로를 나타낸다. 이 회로를 종종 **지연회로**라고 부르며 이는 출력선압이 주파수가 증가하면 위상이 입력전압보다 뒤지기 때문이다. 달리 표현하면 입력전압의 위상각이 0°이면 출력전압은 0°~−90° 사이의 위상각을 가진다.

저주파수에서 용량성 리엑턴스(XC)는 무한대에 접근하며 출력전압은 입력전압과 같다. 주파수가 증가함에 따라 XC는 감소하고 출력전압도 감소한다. 기초 전기에서 이 회로에 대한 출력전압은 다음과 같다.

$$v_{\text{out}} = \frac{X_C}{\sqrt{R^2 + X_C{}^2}} \, v_{\text{in}}$$

앞의 식을 이용하여 그림 14-14의 전압이득을 구하면 다음과 같다.

$$A_v = \frac{X_C}{\sqrt{R^2 + X_C{}^2}} \tag{14-21}$$

요점정리 표 14-6	중간대역과 차단영역 사이에서 변화	
f/f_2	$A_v/A_{v(\text{mid})}$	$A_v/A_{v(\text{mid})\text{dB}}$, dB
0.1	0.995	−0.04
0.2	0.981	−0.17
0.3	0.958	−0.37
0.4	0.928	−0.65
0.5	0.894	−0.97
0.6	0.857	−1.3
0.7	0.819	−1.7
0.8	0.781	−2.2
0.9	0.743	−2.6
1	0.707	−3

회로가 수동소자로 되어 있으므로 전압이득은 항상 1보다 작거나 같다.

지연회로의 차단주파수는 전압이득이 0.707인 주파수이다. 식으로 표현하면 다음과 같다.

$$f_2 = \frac{1}{2\pi RC} \tag{14-22}$$

이 주파수에서 $X_C = R$이며 전압이득은 0.707이다.

전압이득의 Bode 선도

식 (14-21)에 $X_C = 1/2\pi fC$으로 바꾸고 정리하면 다음 방정식을 얻는다.

$$A_v = \frac{1}{\sqrt{1 + (f/f_2)^2}} \tag{14-23}$$

이 식은 식 (14-20)과 유사하다. 여기서 $A_{v(mid)}$는 1이다. 예를 들어 $f/f_2 = 0.1, 0.2$ 및 0.3일 때 전압이득은 각각 다음과 같다.

$$A_v = \frac{1}{\sqrt{1 + (0.1)^2}} = 0.995$$

$$A_v = \frac{1}{\sqrt{1 + (0.2)^2}} = 0.981$$

$$A_v = \frac{1}{\sqrt{1 + (0.3)^2}} = 0.958$$

이와 같이 계속하고 데시벨로 바꾸면 표 14-7을 얻을 수 있다.

요점정리 표 14-7	지연회로의 응답	
f/f_2	A_v	$A_{v(dB)}$, dB
0.1	0.995	−0.04
1	0.707	−3
10	0.1	−20
100	0.01	−40
1000	0.001	−60

그림 14-15 지연회로의 이상적 Bode 선도

그림 14-15는 지연회로에 대한 이상적인 Bode 선도이다. 중간대역에서 데시벨 전압이득은 0 dB이다. 응답은 차단주파수에서 감소하며 기울기는 20 dB/decade이다.

6 dB/옥타브

차단주파수 이상에서 지연회로의 데시벨 전압이득은 20 dB/decade로 감소한다. 이것은 6 dB/octave와 등가이며 쉽게 증명된다. $f/f_2 = 10, 20$ 및 40일 때 전압이득을 구하면

$$A_v = \frac{1}{\sqrt{1 + (10)^2}} = 0.1$$

$$A_v = \frac{1}{\sqrt{1 + (20)^2}} = 0.05$$

$$A_v = \frac{1}{\sqrt{1 + (40)^2}} = 0.025$$

이 값을 데시벨 전압이득으로 바꾸면 다음과 같다.

$$A_{v(dB)} = 20 \log 0.1 = -20\,dB$$

$$A_{v(dB)} = 20 \log 0.05 = -26\,dB$$

$$A_{v(dB)} = 20 \log 0.025 = -32\,dB$$

즉 차단주파수 이상에서 지연회로의 주파수 응답은 두 가지 방식으로 표현할 수 있다. 데시벨 전압이득은 20 dB/decade 또는 6 dB/octave의 비로 감소한다고 할 수 있다.

위상각

R_C 바이패스회로를 가진 출력전압의 위상은 커패시터의 충전 및 방전으로 인해 늦어진다. 즉 출력전압은 입력전압보다 위상각만큼 뒤진다. 그림 14-14는 f가 주파수에 따라 어떻게 변하는가를 나타낸다. 0 Hz에서 위상각 f는 0°이다. 주파수가 증가함에 따라 출력전압의 위상각도 점차 0°~−90°까지 변한다. 고주파수에서는 $f = -90$°이다.

필요하면 다음식을 이용하여 위상각을 구할 수 있다.

$$\phi = -\arctan \frac{R}{X_C} \tag{14-24}$$

식 (14-24)에서 $X_C = 1/2\pi fC$으로 바꾸고 정리하면 다음 방정식을 얻는다.

$$\phi = -\arctan \frac{f}{f_2} \tag{14-25}$$

계산기를 사용하여 $f/f_2 = 0.1, 1$ 및 10에 대한 위상각을 구할 수 있으며 표 14-8은 몇 개의 해당값을 나타낸다.

$$\phi = -\arctan 0.1 = -5.71°$$

$$\phi = -\arctan 1 = -45°$$

$$\phi = -\arctan 10 = -84.3°$$

그림 14-16 지연회로의 페이서도

위상각의 Bode 선도

그림 14-17은 주파수에 따른 지연회로의 위상각의 변화를 나타낸 것이다. 저주파수에서 위상각은 $0°$이다. $f = 0.1f_2$이면 위상각은 약 $-6°$이며, $f = f_2$이면 $-45°$이고, $f = 10f_2$이면 약 $-84°$이다. 주파수를 더욱 증가시키면 아주 작은 변화가 생기는데 위상각의 한계가 $-90°$이기 때문이다. 여기서 볼 수 있듯이 지연회로의 위상각은 $0 \sim -90°$까지이다.

그림 14-17a는 위상각의 Bode 선도를 나타낸다. 그림 14-17b는 예비해석에서 더욱 유용하다. 이는 다음과 같은 개념을 강조한 것으로서 기억할 만하다.

1. $f = 0.1f_2$일 때 위상각은 거의 0이다.
2. $f = f_2$일 때 위상각은 $-45°$이다.
3. $f = 10f_2$일 때 위상각은 거의 $-90°$이다.

다르게 요약하면 차단주파수에서의 위상각은 $-45°$로 같고 차단주파수보다 한 디케이드 낮은 주파수에서의 위상각은 약 $0°$이고, 한 디케이드 높은 주파수에서의 위상각은 약 $-90°$이다.

요점정리 표 14-8	지연회로의 응답
f/f_2	ϕ
0.1	$-5.71°$
1	$-45°$
10	$-84.3°$
100	$-89.4°$
1000	$-89.9°$

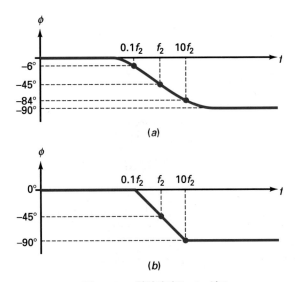

그림 14-17 위상각의 Bode 선도

예제 14-14 |||| Multisim

그림 14-18*a*의 지연회로에서 이상적 Bode 선도를 그려라.

풀이   식 (14-22)를 사용하여 차단주파수를 계산하면

$$f_2 = \frac{1}{2\pi(5\ k\Omega)(100\ pF)} = 318\ kHz$$

이다. 그림 14-18*b*는 이상적 Bode 선도를 나타낸다. 저주파수에서 전압이득은 0이며 318 kHz에서 감소하며 감소율은 20 dB/decade이다.

(a)   (b)

그림 14-18   지연회로 및 Bode 선도

연습 문제 14-14   그림 14-18의 저항값을 10 kΩ으로 바꾸고 차단주파수를 계산하라.

예제 14-15

그림 14-19*a*에서 직류 증폭단의 중간대역 전압이득은 100이다. 바이패스저항을 마주 대하는 Thevenin 저항은 2 kΩ일 때 이상적 Bode 선도는? 증폭단 내부의 커패시턴스는 무시하여라.

풀이   Thevenin 저항과 바이패스 커패시터는 지연회로를 이루며 차단주파수는

$$f_2 = \frac{1}{2\pi(2\ k\Omega)(500\ pF)} = 159\ kHz$$

이다. 또한 증폭기가 중간대역 전압이득이 100이므로 40 dB이다.

그림 14-19*b*는 이상적 Bode 선도이다. 0에서 차단주파수 159 kHz까지 데시벨 전압이득은 40 dB이다. 이후 단위이득 주파수(f_{unity})인 15.9 kHz까지 20 dB/decade 비로 감소한다.

연습 문제 14-15   Thevenin 저항이 1 kΩ로 바꿔 예제 14-15를 계산하라.

예제 14-16

그림 14-19a의 증폭단이 차단주파수 1.59 MHz의 내부 지연회로를 가진다고 하자. 이 경우 이상적 Bode 선도에 미치는 영향은?

풀이 그림 14-19c는 주파수 응답을 나타낸다. 이 응답은 외부 500 pF커패시터에 의해 만들어진 차단주파수 159 kHz에서 꺾인다. 여기에서 15.9 MHz까지 20 dB/decade 비로 감소하며 15.9 MHz에서 또 한 번 꺾인다. 이는 내부 지연회로로 인한 것으로서 1.59 MHz에서부터 전압이득은 40 dB/decade 비로 감소한다.

(a)

(b)

(c)

그림 14-19 (a) 직류 증폭기와 바이패스 커패시터; (b) 이상적 Bode 선도; (c) 2차 차단주파수를 가지는 Bode 선도

14-8 Miller 효과

그림 14-20a는 전압이득이 A_v인 **반전 증폭기**를 나타낸다. 반전 증폭기에서 출력전압의 위상은 입력전압과 $180°$ 차이를 가진다.

귀환커패시터

그림 14-20a에 커패시터가 입력과 출력단자 사이에 있는 증폭기이다. 이 커패시터는 증폭된 출력신호가 입력으로 귀환되기 때문에 **귀환커패시터**라고도 부른다. A가 클 때 이 귀환효과는 증폭기의 동작시 중요한 변화를 가져온다. 이 같은 회로는 귀환커패시터가 입력과 출력회로에 동시에 영향을 미치기 때문에 해석이 아주 어려워진다.

귀환커패시터 변환

다행히도 이것은 그림 14-20b와 같이 귀환커패시터를 2개의 분리된 커패시터로 바꾸는 *Miller*의 정리가 있다. 이 등가회로는 귀환커패시터가 2개의 커패시터 $C_{in(M)}$과 $C_{out(M)}$으로 분리되므로 다루기 쉽다. 복소수학을 이용하면 다음식을 유도할 수 있다.

$$C_{in(M)} = C(A_v + 1) \tag{14-26}$$

$$C_{out(M)} = C\left(\frac{A_v + 1}{A_v}\right) \tag{14-27}$$

Miller의 정리는 궤한 커패시터를 두 개의 등가 커패시터, 즉 입력단의 커패시터와 출력단의 커패시터로 바꾼다.

이렇게 하면 매우 어려운 한 가지 문제가 두 개의 간단한 문제로 바뀐다. 식 (14-26)과 식 (14-27)은 어떤 반전 증폭기(CE 증폭기, 이득이 감소된 CE 증폭기 및 반전 연산

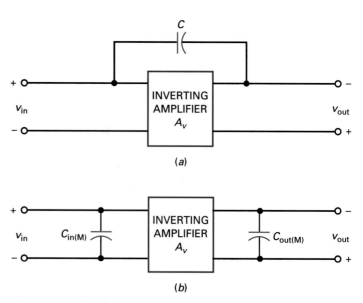

그림 14-20 (a) 반전증폭기; (b) Miller 효과는 큰 입력 커패시터를 만든다.

증폭기)라도 타당하다. 여기서 A_v는 중간대역 전압이득이다.

보통 A_v는 1보다 훨씬 크므로 $C_{out(M)}$은 거의 귀환커패시터와 같다. Miller의 정리에서 특이한 것은 입력커패시턴스($C_{in(M)}$)에 미치는 영향이다. 이것은 귀환커패시턴스를 지나 증폭되어 새로운 커패시턴스 $C(A_v + 1)$가 된다. 이 현상을 **Miller 효과**라고 부르며 귀환커패시터보다 훨씬 큰 가상 커패시터를 만들므로 유용한 응용분야가 많다.

연산증폭기의 보상

14-7절에서 검토했듯이 대부분의 연산증폭기는 내부적으로 보상되어 있다. 즉 연산증폭기가 1개의 지배적 커패시터를 가지고 있어서 전압이득이 20 dB/decade 비로 감소한다. Miller 효과는 이 지배적 바이패스 커패시터를 구하는 데 사용된다.

기본 개념은 바로 다음과 같다. 그림 14-21a와 같이 연산증폭기가 귀환커패시터를 가지면 Miller의 정리를 사용하여 이 귀환커패시터를 그림 14-21b와 같이 2개의 등가커패시터로 바꾼다. 이 상태는 입력 및 출력쪽에 각각 1개씩 지연회로를 가진 형태이다. Miller 효과로 입력측 바이패스 커패시터는 출력측 바이패스 커패시터보다 훨씬 크다. 그 결과 입력지연회로가 출력측보다 지배적이 된다. 즉 입력측 지연회로가 차단주파수를 결정한다. 출력 바이패스 커패시터는 입력주파수가 수십 피케이드보다 높을 때까지는 별로 영향을 미치지 않는다.

일반적인 오피엠프에서 그림 14-21b에서와 같은 입력지연회로는 지배적인 차단주파수를 만든다. 차단주파수에서의 전압이득 강하와 디케이드당 20 dB 감소는 입력 주파수가 단위이득 주파수에 도달할 때까지 계속된다.

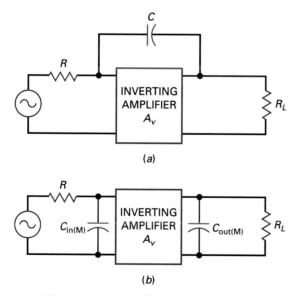

그림 14-21 Miller 효과는 입력지연회로를 만든다.

예제 14-17

그림 14-22a에서 증폭기의 전압이득은 100,000이다. 이상적 Bode 선도를 나타내어라.

풀이 귀환커패시터를 2개의 등가커패시터로 바꾸면 각 값은 다음과 같다.

$$C_{in(M)} = 100,000(30 \text{ pF}) = 3 \text{ μF}$$

$$C_{out(M)} = 30 \text{ pF}$$

그림 14-22b는 입력 및 출력 Miller 커패시턴스를 나타낸다. 입력측 지연회로의 차단주파수를 계산하면 다음과 같다.

$$f_2 = \frac{1}{2\pi RC} = \frac{1}{2\pi(5.3 \text{ kΩ})(3 \text{ μF})} = 10 \text{ Hz}$$

전압이득이 100,000은 100 dB이며, Bode 선도는 그림 14-22c와 같다.

연습 문제 14-17 전압이득이 10,000일 때 그림 14-22a를 이용하여 $C_{in(M)}$과 $C_{out(M)}$을 결정하라.

그림 14-22 귀환커패시터를 갖는 증폭기 및 Bode 선도

14-9 상승시간과 대역폭의 관계

증폭기의 정현파 성능 시험은 증폭기에 정현파 입력을 가해 정현파 출력전압을 측정하는 것을 의미한다. 흔히 상측 차단주파수를 찾기 위해 전압이득이 중간대역값으로부터 −3 dB가 될 때까지 입력신호 주파수를 변화시켜 측정한다. 정현파를 이용한 실험은 한 가지 방법이며 그러나 정현파 입력 대신에 구형파 입력을 사용하여 증폭기를 시험하는 것이 더 빠르고 간단하다.

상승시간

그림 14-23a에서 커패시터는 초기에 충전되어 있지 않다. 스위치를 닫으면 커패시터 양단전압은 공급전압 V를 향해 지수함수적으로 상승할 것이다. **상승시간** T_R은 커패시터 전압이 0.1 V(10%점)에서 0.9 V(90%점)까지 상승하는 데 걸리는 시간을 말한다. 만일 지수함수파형이 10%점에서 90%점까지 상승하는 데 걸린 시간이 10 μs라면 이 파형은 10 μs의 상승시간을 가진다.

$$T_R = 10 \ \mu\text{s}$$

스위치를 사용하는 대신에 급격히 변하는 계단전압을 공급하기 위해 구형파 발생기를 사용할 수도 있다. 예를 들어 그림 14-23b는 이 RC 회로를 구동하는 구형파의 상승 가장자리(leading edge)를 나타낸다. 이 신호에 의해 출력전압의 10%점에서 90%점까지 상승하는데 걸리는 상승시간을 계산한다.

그림 14-23 (a) 상승시간; (b) 계단전압은 지수함수의 출력을 만든다; (c) 구형파 시험

그림 14-23c에서 몇 사이클 동안의 변화를 볼 수 있다. 입력전압은 한 전압레벨에서 다른 전압레벨로 갑자기 변화하더라도 출력전압은 그 변화에 대해 바이패스 커패시터 때문에 얼마의 시간이 걸린다. 이것은 커패시터가 저항을 통해 충전과 방전을 되풀이하므로 갑작스러운 출력전압의 변화가 불가능하기 때문이다.

T_R과 R_C의 관계

커패시터의 지수함수적 충전을 해석하면 상승시간에 대한 다음 방정식을 유도할 수 있다.

$$T_R = 2.2RC \tag{14-28}$$

이것은 상승시간이 R과 C곱의 2배보다 조금 더 큼을 의미한다. 예를 들어 바이패스회로의 $R = 10\ k\Omega$이고 $C = 50\ pF$이면

$$RC = (10\ k\Omega)(50\ pF) = 0.5\ \mu s$$

출력파형의 상승시간은 다음과 같다.

$$T_R = 2.2RC = 2.2(0.5\ \mu s) = 1.1\ \mu s$$

자료표에는 종종 상승시간에 대해 자세히 기술되어있다. 왜냐하면 상승시간은 스위칭 회로응답을 알아내는 데 있어서 매우 유용한 정보이기 때문이다.

중요한 관계

앞서 언급했듯이 직류 증폭기는 대개 하나의 지배적인 지연회로를 가지며 f_{unity}에 이를 때까지 20 dB/decade의 비율로 전압이득이 감소한다. 이 지연회로의 차단주파수는 다음과 같다.

$$f_2 = \frac{1}{2\pi RC}$$

이를 RC에 대해 바꾸어 쓰면 다음식을 얻는다.

$$RC = \frac{1}{2\pi f_2}$$

이 식을 식 (14-28)을 대입하고 다시 정리하면 우리는 다음과 같이 널리 사용되는 식을 얻는다.

$$f_2 = \frac{0.35}{T_R} \tag{14-29}$$

이 식은 아주 중요하다. 그 이유는 상승시간을 차단주파수로 변환하기 때문이다. 이와 같이 차단주파수를 구하기 위해 구형파로 증폭기를 시험할 수 있다. 구형파 시험은 정현파 시험보다 훨씬 빠르므로 많은 공학자와 전문기술자들은 식 (14-29)를 사용하여 증폭기의 상측 차단주파수를 구한다.

식 (14-29)를 **상승시간-대역폭** 관계식이라 부른다. 직류 증폭기에서 **대역폭**은 0에서 차단주파수까지이다. 만약 직류 증폭기의 자료표에 대역폭이 100 kHz라면 상측 차단주파수도 100 kHz이다.

예제 14-18

그림 14-24a에서 상측 차단주파수는 얼마인가?

풀이   그림 14-24a에서 상승시간은 1 μs이다. 식 (14-29)를 사용하면 상측 차단주파수를 구할 수 있다.

$$f_2 = \frac{0.35}{1\ \mu s} = 350\ \text{kHz}$$

따라서 대역폭이 350 kHz임을 나타낸다.

　　그림 14-24b는 정현파 시험을 설명한다. 입력 신호를 구형파에서 정현파로 바꾸면 출력 또한 정현파로 바뀜을 알 수 있을 것이다. 입력주파수를 증가시키면서 조사하면 차단주파수가 350 kHz가 될 것이다. 즉 정현파 시험은 구형파 시험보다 느리다는 점 외에는 같은 결과를 얻는다.

그림 14-24   상승시간과 차단전압은 연관성이 있다.

연습 문제 14-18 RC 회로에서 R = 2 kΩ이고, C = 100 pF이다. 출력 파형의 상승시간과 상측 차단주파수는?

14-10 쌍극성접합 트랜지스터(BJT)의 주파수 해석

연산증폭기가 상업적으로 이용되고 있으며 그 단위이득 주파수는 1에서 200 MHz까지 다양하다. 이런 이유로 대부분의 증폭기는 연산증폭기를 사용한다. 연산증폭기는 아날로그 시스템의 핵심이므로 개별증폭기의 해석은 옛날보다 중요하지 않게 되었다. 다음 절은 전압분배 바이어스된 CE단의 차단주파수를 간단히 검토한다. 지금부터 우리는 구성요소들이 회로의 주파수 응답과 하위 차단주파수에 미치는 영향을 살펴보게 될 것이다.

입력 결합커패시터

교류신호가 입력단에 결합될 때 등가회로는 그림 14-25a와 같다. 커패시터로 연결된 저항들은 신호발생기 저항 및 입력단의 입력임피던스이다. 이 결합회로의 차단주파수는 다음과 같다.

$$f_1 = \frac{1}{2\pi RC} \tag{14-30}$$

여기서 $R = R_G + R_{in}$이다. 그림 14-25b는 주파수 응답을 나타낸다.

출력 결합커패시터

그림 14-26a는 바이폴라단의 출력측을 나타낸다. Thevenin 정리를 적용하면 그림 14-26b와 같은 등가회로를 구할 수 있다. 식 (14-30)을 이용하여 차단주파수를 구하며 여기서 저항은 $R = R_C + R_L$이다.

이미터 바이패스 커패시터

그림 14-27a는 CE 증폭기를 나타낸다. 그림 14-27b는 이미터 바이패스 커패시터가 출력전압에 어떤 영향을 주는지를 나타낸다. 이미터 바이패스 커패시터와 연결된 것은 그림 14-27c의 Thevenin 회로이다. 차단주파수는 다음과 같다.

$$f_1 = \frac{1}{2\pi z_{out} C_E} \tag{14-31}$$

여기서 출력임피던스(z_{out})는 CE 회로를 되돌아보면 다음과 같다.

그림 14-25 결합회로 및 주파수 응답   **그림 14-26** 출력 결합커패시터

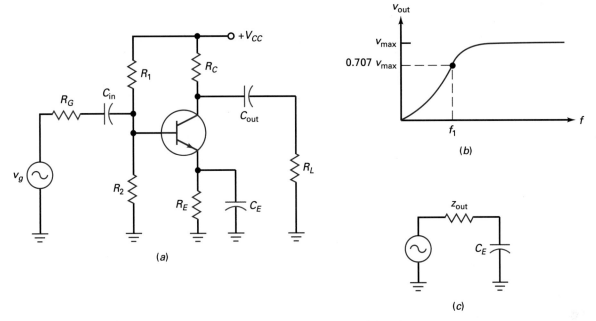

그림 14-27　이미터 바이패스 커패시터 효과

Where $z_{\text{out}} = R_E \parallel \left(r_e' + \dfrac{R_G \parallel R_1 \parallel R_2}{\beta} \right).$

　　입력결합, 출력결합 및 이미터 바이패스 커패시터는 각각 차단주파수를 가진다. 보통 이들 중 하나가 지배적이다. 주파수가 감소하면 전압이득은 지배적 차단주파수에서 감소하기 시작하며 감소율은 20 dB/decade이다. 이후 다음 차단주파수에서 또다시 감소하고 감소율은 40 dB/decade이다. 주파수를 더욱 증가시키면 전압이득은 다음 차단주파수에서 60 dB/decade로 감소한다.

응용 예제 14-19

그림 14-28*a*의 회로를 이용하여 각각의 결합과 바이패스 커패시터에 대해 저역차단 주파수를 구하라. 또한 보드선도를 이용해 측정한 값과 결과를 비교하라(DC와 AC의 beta 값은 150이다).

풀이　그림 14-28*a*에서 우리는 각각의 결합 커패시터와 바이패스 커패시터를 독립적으로 해석할 수 있다. 각각의 커패시터를 해석할 때 나머지 두 커패시터는 교류 단락 상태로 취급한다.

　　이전의 계산에 의해 $r_e' = 22.7\ \Omega$이다. 입력 결합 커패시터에 연결되어있는 Thevenin 저항은:

$$R = R_G + R_1 \parallel R_2 \parallel R_{\text{in(base)}}$$

여기서

$$R_{\text{in(base)}} = (\beta)(r_e') = (150)(22.7\ \Omega) = 3.41\ \text{k}\Omega$$

(a)

(b)

(c)

그림 14-28 (a) MultiSim을 이용한 CE증폭기; (b) 저역응답; (c) 고역응답

그러므로

$$R = 600\ \Omega + (10\ \text{k}\Omega \parallel 2.2\ \text{k}\Omega \parallel 3.41\ \text{k}\Omega)$$

$$R = 600\ \Omega + 1.18\ \text{k}\Omega = 1.78\ \text{k}\Omega$$

식 (14-30)을 이용하면, 입력결합회로의 차단주파수는:

$$f_1 = \frac{1}{2\pi RC} = \frac{1}{(2\pi)(1.78\ \text{k}\Omega)(0.47\ \mu\text{F})} = 190\ \text{Hz}$$

출력 결합 커패시터와 연결된 Thevenin 저항은:

$$R = R_C + R_L = 3.6\ \text{k}\Omega + 10\ \text{k}\Omega = 13.6\ \text{k}\Omega$$

따라서 출력 결합 회로는 다음과 같은 차단주파수는 다음과 같다.

$$f_1 = \frac{1}{2\pi RC} = \frac{1}{(2\pi)(13.6\ \text{k}\Omega)(2.2\ \mu\text{F})} = 5.32\ \text{Hz}$$

이미터-바이패스 커패시터와 연결된 Thevenin 저항은

$$z_{\text{out}} = 1\ \text{k}\Omega \parallel \left(22.7\ \Omega + \frac{10\ \text{k}\Omega \parallel 2.2\ \text{k}\Omega \parallel 600\ \Omega}{150}\right)$$

$$z_{\text{out}} = 1\ \text{k}\Omega \parallel (22.7\ \Omega + 3.0\ \Omega)$$

$$z_{\text{out}} = 1\ \text{k}\Omega \parallel 25.7\ \Omega = 25.1\ \Omega$$

그러므로 바이패스 회로의 차단주파수는

$$f_1 = \frac{1}{2\pi z_{\text{out}} C_E} = \frac{1}{(2\pi)(25.1\ \Omega)(10\ \mu\text{F})} = 635\ \text{Hz}$$

따라서 결과는

$$f_1 = 190\ \text{Hz} \qquad \text{입력결합 커페시터}$$

$$f_1 = 5.32\ \text{Hz} \qquad \text{출력결합 커패시터}$$

$$f_1 = 635\ \text{Hz} \qquad \text{이미터바이패스 커패시터}$$

결과에서 볼 수 있듯이 이미터 바이패스회로가 지배적으로 저역차단 주파수를 결정한다. 그림 14-28*b* 보드선도의 중간대역 전압이득, $A_{v(\text{mid})}$는 37.1 dB이다. 보드선도는 정확히 659 Hz에서 3 dB 떨어졌고 이는 우리의 계산과 근접함을 볼 수 있다.

연습 문제 14-19 그림 14-28*a*를 이용해 입력 결합커패시터를 10 μF, 이미터 바이어스 커패시터를 100 μF으로 바꾸고 새로운 지배적 차단주파수를 결정하라.

컬렉터 바이패스회로

증폭기의 고주파 응답이 좋은 결과를 얻기 위해서는 많은 자세하고 정확한 값들이 필요하다. 세부적인 해석을 해보고, 좀 더 정확한 결과는 회로 시뮬레이션 소프트웨어를 통해 구해보자.

그림 14-29a는 증폭기에서 배선분포 커패시터(C_{stray})를 가진 CE 회로이다. 배선분포 커패시터 바로 왼쪽이 C_c'이고, 그 양은 트렌지스터의 자료표에서 보통 설명한다. 이는 컬렉터와 베이스 간의 내부커패시턴스이다. C_c'와 C_{stray}가 아주 작다 하더라도 주파수가 크면 영향을 준다.

그림 14-29b는 교류 등가회로이며 그림 14-29c는 Thevenin 등가회로이다. 이 지연회로의 차단주파수는 다음과 같다.

$$f_2 = \frac{1}{2\pi RC} \tag{14-32}$$

여기서 $R = R_C \| R_L$이고 $C = C_c' + C_{stray}$이다. 고주파에서는 도선을 가능하면 짧게 하는 것이 중요하다. 이는 C_{stray}가 차단주파수를 낮게 하여 대역폭을 감소시키기 때문이다.

베이스 바이패스회로

트랜지스터는 그림 14-30과 같이 2개의 내부커패시턴스 C_c', C_e'를 가진다. C_c'는 귀환커패시터이며 이는 2개의 성분으로 바꿀 수 있다. 입력 Miller성분은 C_e'와 병렬이다. 이 베

그림 **14-29** 내부 및 배선분포 커패시턴스는 상측 차단주파수를 만든다.

그림 14-30   고주파수 분석은 내부 트랜지스터 커패시터를 포함한다.

소신호 특성					
f_T	Current gain−bandwidth product	$I_C = 10$ mA, $V_{CE} = 20$ V, $f = 100$ MHz	300		MHz
C_{obo}	Output capacitance	$V_{CB} = 5.0$ V, $I_E = 0$, $f = 1.0$ MHz		4.0	pF
C_{ibo}	Input capacitance	$V_{EB} = 0.5$ V, $I_C = 0$, $f = 1.0$ MHz		8.0	pF
NF	Noise figure	$I_C = 100$ μA, $V_{CE} = 5.0$ V, $R_S = 1.0$ kΩ, $f = 10$ Hz to 15.7 kHz		5.0	dB

(a)

(b)

그림 14-31   2N3904 data: (a) 내부커패시턴스; (b) 역전압 시의 변화

이스 바이패스회로의 차단주파수는 식 (14-32)이며 R은 커패시턴스와 연결된 Thevenin 저항이다. 커패시턴스는 $C = C_c' + C_{\text{in(Miller)}}$이다.

컬렉터 바이패스회로와 Miller 입력커패시턴스는 각각 차단주파수를 가진다. 보통 이들 중의 하나가 지배적이다. 주파수가 증가하면 전압이득은 지배적 차단주파수에서 감소하기 시작하며 감소율은 20 dB/decade이다. 이후 더욱 주파수를 감소시키면 두

번째 차단주파수에서 감소하고 감소율은 40 dB/decade이다.

자료표에서 C_c'는 C_{bc}, C_{ob} 또는 C_{obo}로 나타낼 수 있다. 이 값은 특정한 트랜지스터 동작 조건에서 지정된다. 예를 들어 2N3904에 대한 C_{obo}값은 V_{CB} = 5.0 V, I_E = 0 그리고 주파수 1 MHz일 때 4.0 pF이다. 2N3904의 자료표는 V_{CB} = 5.0 V는 I_E = 0 그리고 주파수 1 MHz일 때 C_{ibo} = 4 pF이다. 소신호 특성에서 이들 값은 그림 14-31a에 있다.

이러한 각각의 내부 커패시턴스값은 회로 상태에 따라 변한다. 그림 14-31b는 역바이어스 V_{CB}의 양에 따라 어떻게 C_{obo} 값이 변하는지를 보여준다. 또한 C_{be}는 트랜지스터의 동작점에 의존한다. 자료표에 주어지지 않은 C_{be}는 다음으로 근사화될 수 있다.

$$C_{be} \cong \frac{1}{2\pi f_T r_e'} \tag{14-33}$$

f_T는 보통은 자료표에 있으며 전류이득 대역폭곱이다. 그림 14-30에서 r_g 값은

$$r_g = R_G \| R_1 \| R_2 \tag{14-34}$$

이고 r_c는 다음과 같다:

$$r_c = R_C \| R_L \tag{14-35}$$

응용 예제 14-20 |||| Multisim

그림 14-28a의 회로를 이용하여 베이스 바이패스 회로와 컬렉터 바이패스 회로의 고역 차단 주파수를 구하라. 베타값은 150을 이용하고 스트레이 커패시턴스는 10 pF를 이용하라. 시뮬레이션 소프트웨어의 보드선도와 결과를 비교하라.

풀이   첫 번째로 트랜지스터 입출력 커패시턴스를 정의한다. 이전의 계산에서 V_B = 1.8 V, V_C = 6.04 V라고 계산했다. 그림 14-31b를 이용하여 이 역전압에서 C_{obo} 또는 C_c' 값은 2.1 pF이다. C_e' 값은 다음과 같이 계산될 수 있다.

$$C_e' = \frac{1}{(2\pi)(300 \text{ MHz})(22.7 \text{ }\Omega)} = 23.4 \text{ pF}$$

이 증폭 회로의 전압이득은

$$A_v = \frac{r_c}{r_e'} = \frac{2.65 \text{ k}\Omega}{22.7 \text{ }\Omega} = 117$$

입력 밀러 커패시턴스는

$$C_{\text{in(M)}} = C_C'(A_v + 1) = 2.1 \text{ pF } (117 + 1) = 248 \text{ pF}$$

따라서 베이스 바이패스 커패시턴스는 다음과 같다.

$$C = C_e' + C_{\text{in(M)}} = 23.4 \text{ pF} + 248 \text{ pF} = 271 \text{ pF}$$

커패시터에 연결된 저항 값은:

$$R = r_g \| R_{\text{in(base)}} = 450\,\Omega \| (150)(22.7\,\Omega) = 397\,\Omega$$

식 (14-32)을 이용하여 베이스 바이패스 회로의 차단주파수를 구하면:

$$f_2 = \frac{1}{(2\pi)(397\,\Omega)(271\,\text{pF})} = 1.48\,\text{MHz}$$

컬렉터 바이패스 회로 차단주파수는 전체 출력 바이패스 커패시턴스를 먼저 결정함으로 찾을 수 있다.

$$C = C'_C + C_{\text{stray}}$$

식 (14-27)을 이용하면, 출력 밀러의 커패시턴스는

$$C_{\text{out(M)}} = C_C \left(\frac{A_v + 1}{A_v} \right) = 2.1\,\text{pF} \left(\frac{117 + 1}{117} \right) \cong 2.1\,\text{pF}$$

총 출력 바이패스 커패시턴스는:

$$C = 2.1\,\text{pF} + 10\,\text{pF} = 12.1\,\text{pF}$$

커패시터와 연결된 저항은:

$$R = R_C \| R_L = 3.6\,\text{k}\Omega \| 10\,\text{k}\Omega = 2.65\,\text{k}\Omega$$

따라서 컬렉터 바이패스 회로 차단주파수는:

$$f_2 = \frac{1}{(2\pi)(2.65\,\text{k}\Omega)(12.1\,\text{pF})} = 4.96\,\text{MHz}$$

지배적인 차단주파수는 낮은 두 개의 차단주파수에 의해 결정되었다. 그림 14-28*a*에서 MultiSim을 이용한 보드선도는 고역차단 주파수가 대략 1.5 MHz임을 보여준다.

연습 문제 14-20 예제 14-20의 분포 커패시턴스가 40 pH일 때 컬렉터 바이패스의 차단주파수를 구하라.

14-11 전계효과 트랜지스터(FET)의 주파수 해석

FET회로의 주파수 응답 해석은 BJT회로와 유사하다. 대부분의 경우, FET는 입력 결합회로와 출력 결합회로를 가질 것이다. 그중 하나는 저역통과 주파수를 결정할 것이며, 게이트와 드레인은 FET의 내부커패시턴스로 인해 원하지 않는 바이패스 회로를 가지게 될 것이다. 배선분포 커패시턴스에 따라 이것은 고역통과 주파수를 결정하게 된다.

저주파 해석

그림 14-32는 전압분배 바이어스를 이용한 E-MOSFET 단일 소스 증폭기 회로를 보여준다. MOSFET의 매우 높은 입력 저항 때문에 입력 결합커패시터와 닿아있는 저항 R은:

$$R = R_G + R_1 \| R_2 \tag{14-36}$$

그리고 입력 결합 차단주파수는 다음 식으로 찾을 수 있다:

$$f_1 = \frac{1}{2\pi RC}$$

출력 결합 커패시터와 연결된 출력 저항은:

$$R = R_D + R_L$$

그리고 출력 결합 차단주파수는 다음 식으로 찾을 수 있다:

(a)

(b)

그림 14-32 FET 주파수 해석 (a) E-MOSFET 증폭기; (b) 저주파 응답; (c) 고주파 응답

(c)

그림 14-32 계속

$$f_1 = \frac{1}{2\pi RC}$$

위에서 볼 수 있듯이, FET의 저주파 해석은 BJT 회로와 매우 비슷함을 알 수 있다. FET의 매우 높은 입력 저항 때문에 더 큰 전압분배 저항값이 사용될 수 있다. 이것은 더 작은 입력 결합 커패시터를 이용할 수 있게 해준다.

응용 예제 14-21   IIII Multisim

그림 14-32의 회로를 이용하여 입력 결합 회로와 출력결합 회로의 저역통과 주파수를 결정하라. 계산된 결과와 MultiSim을 이용한 보드선도를 비교하라.

풀이 입력 결합 커패시터와 연결된 Thevenin 저항은:

$$R = 600\ \Omega + 2\ M\Omega \| 1\ M\Omega = 667\ k\Omega$$

입력 결합 차단주파수는:

$$f_1 = \frac{1}{(2\pi)(667\ k\Omega)(0.1\ \mu F)} = 2.39\ Hz$$

다음으로, 출력 결합 커패시터와 연결된 Thevenin저항은:

$$R = 150\ \Omega + 1\ k\Omega = 1.15\ k\Omega$$

그리고 출력 결합 차단주파수는:

$$f_1 = \frac{1}{(2\pi)(1.15\ k\Omega)(10\ \mu F)} = 13.8\ Hz$$

따라서 지배적인 저역차단 주파수는 13.8 Hz이다. 이 회로의 중역 전압이득은 22.2 dB이다. 그림 14-32b의 보드선도가 약 14 Hz에서 3 dB 감쇠를 보여준다. 이는 계산된 값과 매우 비슷함을 알 수 있다.

고주파 해석

BJT 회로의 고주파 해석과 같이 FET의 고역 차단주파수를 결정하는 것은 정확한 값의 사용과 세밀함이 요구된다. BJT와 같이, FET는 그림 14-33a에서 보여지는 것과 같이 내부커패시턴스 C_{gs}, C_{gd}, C_{ds}를 가지고 있다. 이 커패시턴스의 값들은 저주파에서는 중요하지 않지만 고주파에서는 중요하다.

　이 값들은 측정하기가 어렵기 때문에, 생산자가 측정하여 표로 제공한다. 예를 들면 Ciss는 출력단과 연결되어 있는 입력 커패시턴스이다. 이를 구할 때 C_{gd}와 C_{gs}가 병렬(그림 14-33b)로 연결되어 있는데 이는 다음과 같이 구할 수 있다:

$$C_{iss} = C_{ds} + C_{gd}$$

　자료표는 종종 C_{oss}를 제공하는데 입력단을 단락(그림 14-33c)하고 FET를 바라본 커패시터로 다음과 같다.

$$C_{oss} = C_{ds} + C_{gd}$$

　또한 자료표는 공통적으로 귀환 커패시턴스 C_{rss}를 제공한다. 이는:

$$C_{rss} = C_{gd}$$

이러한 등식들을 이용하여 우리는 다음을 결정할 수 있다.

$$C_{gd} = C_{rss} \tag{14-37}$$

$$C_{gs} = C_{iss} - C_{rss} \tag{14-38}$$

$$C_{ds} = C_{oss} - C_{rss} \tag{14-39}$$

게이트에서 드레인으로 연결되어 있는 커패시턴스 C_{gd}는 입력 Miller 커패시턴스 $C_{in(M)}$과 출력 Miller 커패시턴스 $C_{out(M)}$를 이용하여 정의할 수 있다. 이 값들은:

$$C_{in(M)} = C_{gd}\,(A_v + 1) \tag{14-40}$$

그리고

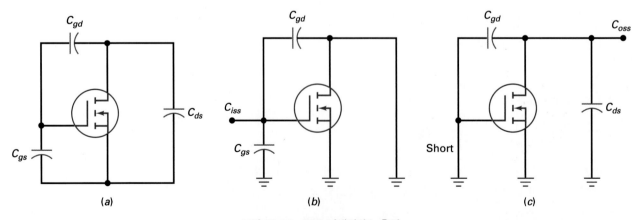

그림 14-33 FET 커패시턴스 측정

$$C_{\text{out(M)}} = C_{gd} \left(\frac{A_v + 1}{A_v} \right) \qquad\qquad \textbf{(14-41)}$$

공통 소스 증폭기에서 $A_v = g_m r_d$이다.

응용 예제 14-22 ||||Multisim

그림 14-32의 MOSFET 증폭 회로에서, 2N7000은 자료표에 다음과 같은 커패시턴스 값을 가지고 있다:

$$C_{iss} = 60\ \text{pF}$$
$$C_{oss} = 25\ \text{pF}$$
$$C_{rss} = 5.0\ \text{pF}$$

$g_m = 97$ mS라면, 게이트와 드레인 회로에서 고역차단 주파수는 얼마인가? 계산 결과를 보드선도와 비교하라.

풀이   제공된 커패시턴스 값을 사용해서 우리는 FET의 내부커패시턴스를 다음과 같이 구할 수 있다:

$$C_{gd} = C_{rss} = 5.0\ \text{pF}$$
$$C_{gs} = C_{iss} - C_{rss} = 60\ \text{pF} - 5\ \text{pF} = 55\ \text{pF}$$
$$C_{ds} = C_{oss} - C_{rss} = 25\ \text{pF} - 5\ \text{pF} = 20\ \text{pF}$$

Miller 입력 커패시턴스를 결정하기 위해 먼저 증폭기의 전압이득을 찾아야 한다.

$$A_v = g_m r_d = (93\ \text{mS})(150\ \Omega \parallel 1\ \text{k}\Omega) = 12.1$$

따라서 $C_{\text{in(M)}}$은:

$$C_{\text{in(M)}} = C_{gd}(A_v + 1) = 5.0\ \text{pF}\,(12.1 + 1) = 65.5\ \text{pF}$$

게이트 바이패스 커패시턴스는 다음과 같이 구할 수 있다:

$$C = C_{gs} + C_{\text{in(M)}} = 55\ \text{pF} + 65.5\ \text{pF} = 120.5\ \text{pF}$$

C와 연결된 저항은:

$$R = R_G \parallel R_1 \parallel R_2 = 600\ \Omega \parallel 2\ \text{M}\Omega \parallel 1\ \text{M}\Omega \cong 600\ \Omega$$

게이트 바이패스 차단주파수는:

$$f_2 = \frac{1}{(2\pi)(600\ \Omega)(120.5\ \text{pF})} = 2.2\ \text{MHz}$$

드레인 바이패스 커패시턴스는:

$$C = C_{ds} + C_{out(M)}$$

$$C = 20 \text{ pF} + 5.0 \text{ pF} \left(\frac{12.1 + 1}{12.1} \right) = 25.4 \text{ pF}$$

커패시턴스와 닿아있는 저항는:

$$r_d = R_D \| R_L = 150 \text{ Ω} \| 1 \text{ kΩ} = 130 \text{ Ω}$$

따라서 드레인 바이패스 차단주파수는:

$$f_2 = \frac{1}{(2\pi)(130 \text{ Ω})(25.4 \text{ pF})} = 48 \text{ MHz}$$

그림 14-32c에서 볼 수 있듯이, 고역차단 주파수는 MultiSim을 이용해 약 48 MHz로 측정되었다. 이는 계산 결과와 부합한다. 이 결과는 부품의 정확한 내부커패시터를 아는 것이 얼마나 중요한지 보여주며 또한 계산의 신빙성에도 영향이 크다는 것을 알려준다.

연습 문제 14-22 $C_{iss} = 25$ pF, $C_{oss} = 10$ pF, $C_{rss} = 5$ pF일 때 C_{gd}, C_{gs}, C_{ds}를 구하라.

요점정리 표 14-9	증폭기 주파수 해석
Low-frequency analysis	**Low-frequency analysis**
Base input: $R = R_G + R_1 \| R_2 \| R_{in(base)}$ $f_1 = \dfrac{1}{2\pi(R)(C_{in})}$	Gate input: $R = R_G + R_1 \| R_2$ $f_1 = \dfrac{1}{2\pi(R)(C_{in})}$
Collector output: $R = R_C + R_L$ $f_1 = \dfrac{1}{2\pi(R)(C_{out})}$	Drain output: $R = R_D + R_L$ $f_1 = \dfrac{1}{2\pi(R)(C_{out})}$

요점정리 표 14-9	계속
Emitter bypass: $z_{out} = R_E \parallel \left(r'_e + \dfrac{R_1 \parallel R_2 \parallel R_G}{\beta} \right)$ $f_1 = \dfrac{1}{2\pi(R)(C_E)}$	
High-frequency analysis	**High-frequency analysis**
Base bypass: $R = R_G \parallel R_1 \parallel R_2 \parallel R_{in(base)}$ $C_{in(M)} = C'_C (A_v + 1)$ $C = C'_e + C_{in(M)}$ $f_2 = \dfrac{1}{2\pi(R)(C)}$	**Gate bypass:** $R = R_G \parallel R_1 \parallel R_2$ $C_{in(M)} = C_{gd} (A_v + 1)$ $C = C_{gs} + C_{in(M)}$ $f_2 = \dfrac{1}{2\pi(R)(C)}$
Collector bypass: $R = R_C \parallel R_L$ $C_{out(M)} = C'_C \left(\dfrac{A_v + 1}{A_v} \right)$ $C = C_{out(M)} + C_{stray}$ $f_2 = \dfrac{1}{2\pi(R)(C)}$	**Drain bypass:** $R = R_D \parallel R_L$ $C_{out(M)} = C_{gd} \left(\dfrac{A_v + 1}{A_v} \right)$ $C = C_{ds} + C_{out(M)} + C_{stray}$ $f_2 = \dfrac{1}{2\pi(R)(C)}$

표 14-9는 공통 에미터 BJT증폭기와 공동 소스 FET증폭기의 주파수 해석을 위해 사용되는 몇몇 방식이다.

결론

우리는 BJT와 FET 증폭기의 주파수 해석에 관련된 문제를 다루었다. 수작업을 하기에 이 해석은 지겹고 시간적으로 낭비이다. 이 장에서 간략히 다룬 이유는 개별증폭기의 주파수 해석은 주로 컴퓨터로 이루어지기 때문이다.

개별증폭기를 해석할 필요가 있으면 MultiSim이나 등가 회로분석기를 이용하여라. MultiSim은 바이폴라 트랜지스터와 FET에 사용되는 모든 변수, 예를 들면 C'_c, C'_e, C_{rss} 및 C_{oss}와 같은 양뿐만 아니라 ß, r'_e 및 g_m과 같은 중대역 양도 로드한다. 바꾸어 말하면 MultiSim은 부품의 자료표에 있는 값들을 가지고 있다. 예를 들어 2N3904를 선택하면 MultiSim은 2N3904의 변수를 가져오므로 상당히 시간을 절약할 수 있다.

더욱이 주파수 응답을 구하려면 MultiSim에서 Bode plotter를 사용할 수 있다. Bode plotter로 중간대역의 전압이득 및 차단주파수를 측정할 수 있다. 즉 MultiSim 또는 다른 회로 시뮬레이션 s/w를 사용하는 것이 바이폴라 또는 FET 증폭기의 주파수 응답을 구하는 데 가장 빠르고 가장 정확하다.

14-12 SM(Surface Mount) 회로의 주파수 효과

분포 커패시던스와 인덕턴스는 100 kHz 이상의 주파수에서 동작하는 개별소자나 IC 소자에는 심각하게 고려해야 한다. 통상 다음과 같은 3가지 배선분포 효과가 있다.

1. 소자의 내부 구조 및 기하학적 구조
2. PCB 구성
3. 외부 부하

SM부품을 사용하면 위의 3가지를 실제적으로 없앤다. 이는 설계자에게 회로 상의 부품 사이의 배선분포 문제를 조절하는 데 아주 유용하다.

요점 | Summary

14-1 증폭기의 주파수 응답

주파수 응답은 전압이득-입력주파수의 관계를 나타낸다. 교류 증폭기는 상측 및 하측 차단주파수를 가진다. 직류 증폭기는 단지 상측 차단주파수를 가진다. 결합커패시터 및 바이패스 커패시터는 하측 차단주파수를 만들며 트랜지스터 내부커패시턴스 및 분포커패시턴스는 상측 차단주파수를 만든다.

14-2 데시벨 전력이득

보통 전력이득은 출력전력을 입력전력으로 나눈 값이다. 데시벨 전력이득은 전력이득의 대수를 취해 10을 곱한 값이다. 전력이득이 10배로 증가하면 데시벨 전력이득은 10 dB 증가한다. 전력이득이 2배로 증가할 때마다 데시벨 전력이득은 3 dB 증가한다.

14-3 데시벨 전압이득

데시벨 전압이득은 전압이득의 대수를 취해 20을 곱한 값이다. 전압이득이 10배로 증가하면 데시벨 전압이득은 20 dB 증가한다. 전압이득이 2배로 증가할 때마다 데시벨 전압이득은 6 dB 증가한다. 연속연결된 회로의 총 데시벨 전압이득은 각단의 데시벨 전압이득의 합이다.

14-4 임피던스정합

여러 시스템에서 최대 전력전달을 위해 모든 임피던스는 정합된다. 정합시스템에서 데시벨 전압이득과 데시벨 전력이득은 같다.

14-5 또 다른 기준 데시벨

전력 및 전압이득을 나타내기 위해 데시벨을 이용하는 외에도 어떤 기준 하에서 데시벨을 이용하는 방법도 있다. 가장 대표적인 기준은 mW와 V이다. 1 mW 기준을 가지는 데시벨은 dBm이고 1 V 기준을 가지는 데시벨은 dBV이다.

14-6 Bode 선도

옥타브(octave)는 2배의 주파수 변화를 나타내고 데케이드(decade)는 10배의 주파수변화를 나타낸다. 데시벨 전압이득과 주파수의 관계를 나타낸 그래프를 Bode 선도라 부른다. 이상적 Bode 선도는 쉽고 빠르게 주파수 응답을 그릴 수 있게 한다.

14-7 Bode 선도 보충해석

지연회로에서 전압이득은 상측 차단주파수에서 20 dB/decade비로 감소한다. 이는 6 dB/octave와 등가이다. 또한 위상각-주파수에 대한 Bode 선도도 그릴 수 있다. 지연회로에서 위상각은 0에서 −90° 사이값을 가진다.

14-8 Miller 효과

반전 증폭기에서 귀환커패시터는 2개의 등가커패시터(하나는 입력단, 또다른 하나는 출력단)로 나눌 수 있다. Miller 효과에서 입력 커패시턴스는 귀환커패시터에 $A_v + 1$을 곱한 값이다.

14-9 상승시간과 대역폭의 관계

직류 증폭기에서 계단전압(voltage step)을 입력으로 사용하면 상승시간은 출력이 10%에서 90%까지 가는 데 걸리는 시간이다. 상측 차단주파수는 0.35를 상승시간으로 나눈 값이다. 이 방법은 직류 증폭기의 대역폭을 측정할 때 쉽고 빠른 방법을 제공한다.

14-10 쌍극성 접합 트랜지스터(BJT)의 주파수 해석

입력결합, 출력결합 및 이미터 바이패스커패시터는 각각 하측 차단주파수를 만든다. 컬렉터 바이패스회로와 Miller 입력커패시턴스는 각각 상측 차단주파수를 만든다. 일반적으로 BJT 또는 FET의 주파수 해석은 MultiSim 또는 등가회로 시뮬레이터를 통해 이루어 진다.

14-11 전계효과 트랜지스터(FET)의 주파수 해석

FET의 입출력 결합커패시터는 하측 차단주파수를 만든다. 게이트 커패시터와 입력 Miller 커패시터와 함께 드레인 바이패스 커패시터는 상측 차단주파수를 만든다. 일반적으로 BJT 또는 FET의 주파수 해석은 MultiSim 또는 등가회로 시뮬레이터를 통해 이루어 진다.

정의식 | Definitions

(14-8)　데시벨 전력이득

$$A_p(\text{dB}) = 10 \log A_p$$

(14-9)　데시벨 전압

$$A_{v(\text{dB})} = 20 \log A_v$$

(14-16)　1 mW에 기준한 데시벨

$$P_{\text{dBm}} = 10 \log \frac{P}{1\,\text{mW}}$$

(14-18)　1 V에 기준한 데시벨

$$V_{\text{dBV}} = 20 \log V$$

유도식 | Derivations

(14-3)　중간대역 아래의 차단주파수 및 전압이득

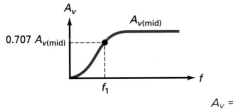

$$A_v = \frac{A_{v(\text{mid})}}{\sqrt{1 + (f_1/f)^2}}$$

(14-4)　중간대역 위의 차단주파수 및 전압이득

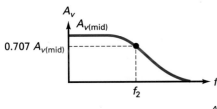

$$A_v = \frac{A_{v(\text{mid})}}{\sqrt{1 + (f/f_2)^2}}$$

(14-10)　총 전압이득

$$A_v = (A_{v_1})(A_{v_2})$$

(14-11)　총 데시벨 전압이득

$$A_v(\text{dB}) = A_{v_1}(\text{dB}) + A_{v_2}(\text{dB})$$

(14-13)　임피던스정합 시스템

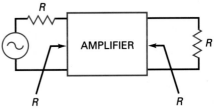

$$A_p(\text{dB}) = A_v(\text{dB})$$

(14-22)　차단주파수

$$f_2 = \frac{1}{2\pi RC}$$

(14-26)　Miller 효과 $C_{\text{in(M)}} = C(A_v + 1)$

(14-27)　$\qquad C_{\text{out(M)}} = C\left(\dfrac{A_v + 1}{A_v}\right)$

(14-29) 상승시간-대역폭

$$f_2 = \frac{0.35}{T_R}$$

(14-33) BJT 베이스-이미터 커패시터:

$$C_{be} \cong \frac{1}{2\pi f_T r'_e}$$

(14-37) FET 내부 커패시터:

$$C_{gd} = C_{rss}$$

(14-38) FET 내부 커패시터:

$$C_{gs} = C_{iss} - C_{rss}$$

(14-39) FET 내부 커패시터:

$$C_{ds} = C_{oss} - C_{rss}$$

복습 문제 | Self-Test

1. 주파수 응답은 전압이득 대 무엇과의 관계를 나타낸 그래프인가?
   a. 주파수
   b. 전압이득
   c. 입력전압
   d. 출력전압

2. 저주파에서 결합커패시터은 무엇의 감소를 초래하는가?
   a. 입력저항
   b. 전압이득
   c. 신호발생기 저항
   d. 신호발생기 전압

3. Cstray는 어디에 영향을 미치는가?
   a. 하측 차단주파수
   b. 중간대역 전압이득
   c. 상측 차단주파수
   d. 입력저항

4. 상측 또는 하측 차단주파수에서 전압이득은?
   a. 0.35 Av(mid)
   b. 0.5 Av(mid)
   c. 0.707 Av(mid)
   d. 0.995 Av(mid)

5. 전력이득을 2배로 하면 PdB은?
   a. 2배
   b. 3 dB
   c. 6 dB
   d. 10 dB

6. 전압이득을 2배로 하면 AdB은?
   a. 2배
   b. 3 dB
   c. 6 dB
   d. 10 dB

7. 전압이득을 10배로 하면은?
   a. 6 dB
   b. 20 dB
   c. 40 dB
   d. 60 dB

8. 전압이득을 100배로 하면은?
   a. 6 dB
   b. 20 dB
   c. 40 dB
   d. 60 dB

9. 전압이득을 2000배로 하면은?
   a. 40 dB
   b. 46 dB

   c. 66 dB
   d. 86 dB

10. 2개의 증폭기가 각각 20 dB와 40 dB이면 전체 전압이득은?
   a. 1
   b. 10
   c. 100
   d. 1000

11. 2개의 증폭기가 각각 100과 200이면 전체 데시벨 전압이득은?
   a. 46 dB
   b. 66 dB
   c. 86 dB
   d. 106 dB

12. 어떤 주파수가 다른 주파수보다 8배 크면 두 주파수는 몇 옥타브 떨어져 있나?
   a. 1
   b. 2
   c. 3
   d. 4

13. 주파수 $f = 1$ MHz이고 $f_2 = 10$ Hz 이다. f/f_2의 비는 몇 데케이드인가?

  a. 2

  b. 3

  c. 4

  d. 5

14. 반대수(semilog) 용지가 의미하는 것은?

  a. 한 축은 선형이고 다른 축은 대수눈 금이다.

  b. 한 축은 선형이고 다른 축은 반대수 눈금이다.

  c. 두 축 모두 반대수 눈금이다.

  d. 둘 중 어느 축도 선형이 아니다.

15. 증폭기의 고주파 응답을 향상시키려 면 어떻게 해야 하나?

  a. 결합커패시터의 감소

  b. 이미터 바이패스 커패시턴스의 증가

  c. 짧은 단선

  d. 신호발생기 저항의 증가

16. 증폭기의 전압이득이 20 kHz 이상에 서 20 dB/decade로 감소한다. 중 간대역 전압이득이 86 dB이면 20 MHz에서 전압이득은?

  a. 20

  b. 200

  c. 2000

  d. 20,000

17. BJT 증폭 회로에서 C'_e는 다음 중 무 엇과 같은가?

  a. C_{be}

  b. C_{ib}

  c. C_{ibo}

  d. 위 모두 해당됨

18. BJT 증폭 회로에서 Cin값과 Cout 값을 증가시키기 위한 방법은?

  a. 저주파에서 A_v를 감소시킨다.

  b. 저주파에서 A_v를 증가시킨다.

  c. 고주파에서 A_v를 감소시킨다.

  d. 고주파에서 A_v를 증가시킨다.

19. FET 회로에서 입력 접합 커패시터는?

  a. 일반적으로 BJT회로에서보다 크다.

  b. 고역차단 주파수를 결정한다.

  c. 일반적으로 BJT회로에서보다 작다.

  d. 교류 개방으로 간주된다.

20. FET의 자료표에서 C_{OSS}는?

  a. $C_{ds} + C_{gd}$와 같다.

  b. $C_{gs} - C_{rss}$와 같다.

  c. C_{gd}와 같다.

  d. $C_{iss} - C_{rss}$와 같다.

기본 문제 | Problems

14-1 증폭기의 주파수 응답

14-1 중간대역에서 증폭기의 전압이득이 1,000이다. 만약 차단주 파수가 $f_1 = 100$ Hz, $f_2 = 100$ kHz이면 대략적 주파수 응 답을 그려라. 입력주파수가 각각 20 Hz, 300 kHz라면 전 압이득은 얼마인가?

14-2 연산증폭기의 중간대역 전압이득이 500,000이라 하자. 상 측 차단주파수가 15 Hz라면 주파수 응답을 그려라.

14-3 직류 증폭기의 중간대역전압이득이 200이다. 상측 차단주 파수가 10 kHz라면 각 입력주파수 100 kHz, 200 kHz, 500 kHz 및 1 MHz일 때 전압이득은 얼마인가?

14-2 데시벨 전력이득

14-4 $A_p = 5, 10, 20, 40$일 때 $A_{p(dB)}$(전력이득)를 구하여라.

14-5 $A_p = 0.4, 0.2, 0.1, 0.05$일 때 $A_{p(dB)}$(전력이득)를 구하여라.

14-6 $A_p = 2, 20, 200, 2000$일 때 $A_{p(dB)}$(전력이득)를 구하 여라.

14-7 $A_p = 0.4, 0.04, 0.004$일 때 $A_{p(dB)}$(전력이득)를 구하여라.

14-3 데시벨 전압이득

14-8 그림 14-34a에서 전체 전압이득은 얼마인가? 이 답을 데 시벨로 바꿔라.

14-9 그림 14-34a에서 각 단의 전압이득을 데시벨로 바꿔라.

14-10 그림 14-34b에서 전체 데시벨 전압이득은? 이 답을 일반 전압이득으로 바꿔라.

14-11 그림 14-34b에서 각 단의 전압이득을 일반 전압이득은 얼 마인가?

14-12 일반 전압이득이 100,000이면 증폭기의 데시벨 전압이득 은 얼마인가?

14-13 오디오 전력증폭기인 LM380의 자료표의 전압이득이 34 dB이다. 이를 보통 전압이득으로 바꾸어라.

그림 14-34

그림 14-35

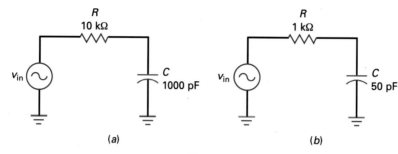

(a)   (b)

그림 14-36

14-14 2단 증폭기의 각 단의 전압이득이 각각 A_{v1} = 25.8, A_{v2} = 117이다. 각 단의 AdB는 얼마인가? 또한 전체데시벨 전압이득을 구하여라.

14-4   임피던스정합

14-15 그림 14-35은 임피던스정합된 시스템이다. 전체 $A_{v(dB)}$은 얼마인가? 각 단의 $A_{v(dB)}$은 얼마인가?

14-16 그림 14-35의 각 단이 임피던스정합되어 있다. 부하전압과 부하전력을 구하여라.

14-5   또 다른 기준 데시벨

14-17 전치증폭기(preamplifier) 출력전력이 20 dBm이면 mW로 얼마인가?

14-18 증폭기의 출력전압이 −45 dBV이면 출력전압을 구하여라.

14-19 다음 전력값 25 mW, 93.5 mW 및 4.87 W을 dBm으로 바꾸어라.

14-20 다음 전력값 1 μV, 34.8 mV 및 12.9 V 및 345 V를 dBV로 바꾸어라.

14-6   Bode 선도

14-21 연산증폭기의 자료표에서 중간대역 전압이득 200,000, 차단주파수 10 Hz, 감소율 20 dB/decade이다. 이상적 Bode 선도를 구하여라. 1 MHz에서 전압이득은 얼마인가?

14-22 연산증폭기 LF351은 중간대역 전압이득 316,000, 차단주파수 40 Hz, 감소율 20 dB/decade이다. 이상적 Bode 선도를 그려라.

14-7   Bode 선도 보충해석

14-23 ⅢⅢ **Multisim** 그림 14-36a의 지연회로에서 이상적 Bode 선도를 그려라.

14-24 ⅢⅢ **Multisim** 그림 14-36b의 지연회로에서 이상적 Bode 선도를 그려라.

14-25 그림 14-37 회로에서 이상적 Bode 선도는 얼마인가?

그림 14-37

14-8   Miller 효과

14-26 그림 14-38에서 C = 5 pF, A_v = 200,000이면 입력 Miller 커패시턴스는 얼마인가?

14-27 그림 14-38에서 A_v = 250,000, C = 15 pF이면 입력지연회로의 이상적 Bode 선도는 얼마인가?

14-28 그림 14-38의 귀환커패시터가 50 pF이고 A_v = 200,000이면 입력 Miller 커패시턴스는 얼마인가?

14-29 그림 14-38의 귀환커패시터가 100 pF이고 A = 150,000일 때 이상적 Bode 선도를 그려라.

그림 14-38

(a)

(b)

그림 14-39

그림 14-40

그림 14-41

14-9 상승시간과 대역폭의 관계

14-30 그림 14-39*a*에서 증폭기는 계단응답을 가진다. 상측 차단 주파수를 구하여라.

14-31 상승시간이 0.25 μs이면 증폭기의 대역폭은 얼마인가?

14-32 증폭기의 상측 차단주파수가 100 kHz이다. 구형파가 입력되면 증폭기의 출력전압의 상승시간을 구하여라.

14-33 그림 14-40에서, 베이스 접합회로에서의 저주파 차단주파수는?

14-34 그림 14-40에서, 컬렉터 접합회로에서의 저주파 차단주파수는?

14-35 그림 14-40에서, 이미터 접합회로에서의 저주파 차단주파수는?

14-36 그림 14-40에서, C'_c = 2pF, C'_e = 10 pF, C_{stray} = 5 pF으로 주어질 때 베이스 입력과 컬렉터 출력 회로에서의 고역 차단 주파수를 구하라.

14-37 그림 14-41 E-MOSFET에 gm = 16.5 mS, Ciss = 30 pF, Coss = 20 pF, Crss = 5.0 pF값을 이용하여 FET의 내부커패시턴스 값 Cgd, Cgs, Cds값을 구하라

14-38 그림 14-41에서 지배적인 저역차단 주파수는 얼마인가?

14-39 그림 14-41에서 게이트 입력과 드레인 출력 회로에서의 고역 차단 주파수를 구하라.

응용 문제 | Critical Thinking

14-40 그림 14-42*a*에서 주파수가 각각 f = 20 kHz, f = 44.4 kHz일때 데시벨 전압이득은 얼마인가?

14-41 그림 14-42*b*에서 주파수가 f = 100 kHz일 때 데시벨 전압이득은 얼마인가?

14-42 그림 14-39*a*의 증폭기가 중간대역 전압이득이 100이다. 입력전압이 20 mV의 계단파이면 10% 및 90%에서 출력전압을 구하여라.

14-43 그림 14-39*b*는 등가회로이다. 출력전압의 상승시간을 구하여라.

14-44 여러분은 증폭기들에 대해 2개의 자료표를 가지고 있다고 하자. 첫 번째는 차단주파수가 1 MHz이며 두 번째는 상승시간이 1 μs이다. 어느 증폭기가 더 큰 대역폭을 가지는가?

그림 14-42

Multisim 고장 점검 문제 | Multisim Troubleshooting Problems

멀티심 고장 점검 파일들은 *Connect for Electronic Principles* 저자 자료에 멀티심 고장 점검 회로(MTC)라는 폴더에서 찾을 수 있다. 좀 더 자세한 내용은 xiv페이지를 참조하라. 이 장에 관련된 파일은 MTC14-45~MTC14-49로 명칭되어 있고 모두 그림 14-40의 회로를 바탕으로 한다.

각 파일을 열고 고장 점검을 실시한다. 결함이 있는지 결정하기 위해 측정을 실시하고 결함이 있다면 무엇인지를 찾아라.

14-45 파일 MTC14-45를 열고 고장 점검을 실시하라.

14-46 파일 MTC14-46을 열고 고장 점검을 실시하라.

14-47 파일 MTC14-47을 열고 고장 점검을 실시하라.

14-48 파일 MTC14-48을 열고 고장 점검을 실시하라.

14-49 파일 MTC14-49를 열고 고장 점검을 실시하라.

직무 면접 문제 | Job Interview Questions

1. 오늘 아침 브레드보드에 많은 도선을 사용하여 증폭단을 만들었다. 측정된 상측 차단주파수는 계산값보다 훨씬 작았다. 그러면 어떤 문제가 생기며 해결책은 무엇인가?

2. 실험대에 직류 증폭기, 오실로스코프, 함수발생기가 있다. 증폭기의 대역폭을 구하는 방법을 설명하여라.

3. 계산기를 사용하지 않고 전압이득 250을 데시벨로 바꾸고자 한다. 어떻게 할 것인가?

4. 귀환커패시터 50 pF, 전압이득 10,000인 반전증폭기를 그려라. 이 다음에 입력지연회로에 대해 이상적 Bode 선도를 그려라.

5. 오실로스코프 전면에 이 기기의 수직증폭기가 상승시간 7 ns라고 쓰여 있다면 이 기기의 대역폭은 얼마인가?

6. 직류 증폭기의 대역폭을 어떻게 측정하겠는가?

7. 왜 데시벨 전압이득은 숫자 20을 사용하고 데시벨 전력이득은 10을 사용하는가?

8. 왜 임피던스정합이 중요한가?

9. dB와 dBM의 차이는 무엇인가?

10. 왜 직류 증폭기라고 부르는가?

11. 라디오 기지국의 기술자는 수십 제곱의 전압이득에 대해 시험할 필요가 있다. 이 상황에서 가장 유용한 그래프 용지는?

12. MultiSim(EWB)에 대해 들어 본 적이 있나? 그러하다면 그것은 무엇인가?

복습 문제 해답 | Self-Test Answers

1.	a	**6.**	c	**11.**	c	**16.**	a
2.	b	**7.**	b	**12.**	c	**17.**	d
3.	c	**8.**	c	**13.**	d	**18.**	b
4.	c	**9.**	c	**14.**	a	**19.**	c
5.	b	**10.**	d	**15.**	c	**20.**	a

연습 문제 해답 | Practice Problem Answers

14-1 $A_{v(mid)} = 70.7$; A_v at 5 Hz = 24.3; A_v at 200 kHz = 9.95

14-2 A_v at 10 Hz = 141

14-3 20,000 at 100 Hz; 2000 at 1 kHz; 200 at 10 kHz; 20 at 100 kHz; 2.0 at 1 MHz

14-4 10 A_p = 10 dB; 20 A_p = 13 dB; 40 A_p = 14 dB

14-5 4 A_p = 6 dB; 2 A_p = 3 dB; 1 A_p = 0 dB; 0.5 A_p = −3 dB

14-6 5 A_p = 7 dB; 50 A_p = 17 dB; 500 A_p = 27 dB; 5000 A_p = 37 dB

14-7 20 A_p = 13 dB; 2 A_p = 3 dB; 0.2 A_p = −7 dB; 0.02 A_p = −17 dB

14-8 50 A_v = 34 dB; 200 A_v = 46 dB; A_{vT} = 10,000; $A_{v(dB)}$ = 80 dB

14-9 $A_{v(dB)}$ = 30 dB; A_p = 1,000; A_v = 31.6

14-10 A_{v1} = 3.16; A_{v2} = 0.5; A_{v3} = 20

14-11 P = 1,000 W

14-12 V_{out} = 1.88 mV

14-14 f_2 = 159 kHz

14-15 f_2 = 318 kHz; f_{unity} = 31.8 MHz

14-17 $C_{in(M)}$ = 0.3 μF; $C_{out(M)}$ = 30 pF

14-18 T_R = 440 ns; f_2 = 795 kHz

14-19 f_1 = 63 Hz

14-20 f_2 = 1.43 MHz

14-22 C_{gd} = 5 pF; C_{gs} = 20 pF; C_{ds} = 5 pF

15

차동 증폭기
Differential Amplifiers

연산 증폭기(operational amplifier)란 수학적인 기능을 수행하는 증폭기를 의미한다. 역사적으로 최초의 연산 증폭기는 아날로그 컴퓨터에 사용되었으며 덧셈, 뺄셈, 곱셈 등의 수학적인 기능을 수행했다. 한때는 연산 증폭기를 개별회로로 제작하기도 했다. 오늘날 대부분의 연산 증폭기는 집적회로(integrated circuit: IC)로 제작되고 있다.

대표적인 연산 증폭기는 고이득, 고입력 임피던스 및 매우 낮은 출력임피던스를 가지는 직류 증폭기이다. 전압이득이 주파수에 따라 변하는데 전압이득이 1인 주파수는 소자에 따라 1 MHz에서 20 MHz까지 상업적으로 제작되고 있다. 집적회로로 제작된 연산 증폭기는 외부핀을 가진 수학적 기능을 수행하는 소자이다. 이들 외부 핀에 공급전압, 신호발생기 및 부하저항을 접속하여 많은 종류의 회로를 빠르고 쉽게 제작할 수 있다.

대부분의 연산 증폭기에 사용되는 입력 회로들은 차동 증폭기이다. 이 증폭기들은 많은 IC들의 입력 특성을 결정한다. 또한 차동 증폭기는 통신, 계측기, 산업의 제어회로에 사용된다. 이번 장에서는 IC에 사용되는 차동 증폭기에 대해 알아보겠다.

학습목표 | Objectives

이 단원을 공부하고 나면

- 차동 증폭기의 직류해석 및 교류해석을 실행할 수 있다.
- 차동 증폭기의 입력바이어스 전류, 입력 오프셋 전류 및 입력 오프셋전압을 정의 내릴 수 있다.
- 공통신호의 전압이득 및 공통신호 제거비를 설명할 수 있다.
- 집적회로 제작 과정을 설명할 수 있다.
- 부하가 있는 차동 증폭기에 Thevenin의 정리를 적용할 수 있다.

단원 목차 | Chapter Outline

주요용어 | Vocabulary

공통신호(common-mode signal)

공통신호 제거비(common-mode rejection ratio: CMRR)

꼬리전류(tail current)

능동부하저항(active load resistor)

단측부하(single-ended)

모놀리식 집적회로(monolithic IC)

반전입력(inverting input)

보상 다이오드(compensating diode)

비반전 입력(noninverting input)

연산 증폭기(operational amplifier)

입력바이어스 전류 (input bias current)

입력 오프셋전류 (input offset current)

입력 오프셋전압 (input offset voltage)

전류미러(current mirror)

집적회로(integrated circuit: IC)

차동입력(differential input)

차동 증폭기(differential amplifier)

차동출력(differential output)

혼성집적회로(hybrid IC)

15-1 차동 증폭기

단일 칩 상에 만들 수 있는 실제적인 구성소자는 트랜지스터, 다이오드 및 저항이다. 커패시터도 단일 칩 상에 만들 수 있으나 50 pF 이하일 때 가능하다. 따라서 IC를 설계할때, 개별회로를 설계할 때처럼 결합커패시터나 바이패스 커패시터는 사용할 수 없으므로 모놀리식 IC증폭단은 직접 결합시켜야 한다. 직접결합이란 어느 한 증폭단(stage)의 출력이 커패시터를 거치지 않고 바로 다음 단의 입력에 접속되는 것을 말한다. IC설계자는 전압이득을 감소시키는 이미터 바이패스 커패시터를 사용할 필요가 없다.

차동 증폭기(diff amp)는 중요하다. 이 회로의 설계는 이미터 바이패스 커패시터를 사용하지 않아도 되므로 아주 멋지다. 이런 여러 가지 이유로 거의 모든 연산 증폭기의 입력단으로 사용된다.

차동입력 및 차동출력

그림 15-1은 차동 증폭기이며 공통 이미터저항을 갖고 두 개의 CE가 병렬로 연결되어 있다. 두 개의 입력전압(v_1, v_2)과 두 개의 컬렉터 출력전압(v_{c1}, v_{c2})을 가지지만 전체적으로 한 단이라고 간주한다. 결합커패시터와 바이패스 커패시터가 없기 때문에 입력신호의 주파수는 0 Hz, 즉 직류신호까지 증폭이 가능하다. 교류 출력전압 v_{out}은 그림 15-1에 표시한 극성을 가진 컬렉터 간의 전압으로 정의하며 **차동출력전압**이라 부른다. 그 이유는 두 개의 교류 컬렉터전압을 조합하여 하나의 컬렉터 전압의 차로 표기하였기 때문이다.

$$v_{out} = v_{c2} - v_{c1} \tag{15-1}$$

앞으로 v_{out}, v_{c1}, v_{c2}는 소문자를 쓰며 이는 0 Hz를 포함하는 교류전압을 표시한다.

이상적으로 같은 트랜지스터와 컬렉터저항을 가진다. 완전한 대칭이므로 두 입력이 같으면 출력은 0이다. 이보다 크면 출력은 그림 15-1과 같은 극성을 가지지만 반대로

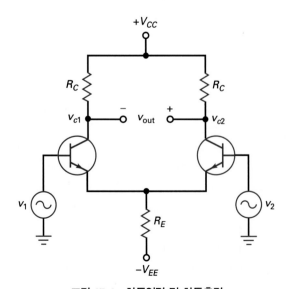

그림 15-1 차동입력 및 차동출력

되면 출력극성이 반대로 되고 출력전압도 반대가 될 것이다.

그림 15-1의 차동 증폭기는 두 개의 입력을 가진다. 그 중 입력 v_1은 출력 vout과 동상이므로 **비반전 입력**이라 하고 다른 한 입력 v_2는 출력과 위상이 180°이므로 **반전입력**이라 한다. 경우에 따라 비반전 입력은 접지되고 반전입력은 입력으로 사용되는 수도 있다.

반전입력과 비반전 입력이 둘 다 있으면 총입력을 **차동입력**이라 부른다. 왜냐하면 출력 전압이 두 입력전압의 차에 게인을 곱한 값과 같기 때문이다. 출력전압은 다음과 같다.

$$v_{out} = A_v(v_1 - v_2) \qquad\qquad (15\text{-}2)$$

여기서 A_v는 전압이득이며 이 방정식은 15-3절에서 유도할 것이다.

단측출력

그림 15-1과 같은 차동출력은 부하의 어느 쪽도 접지되지 않으므로 부동부하(floating load)를 필요로 한다. 보통 부하는 한쪽이 접지되어야 하는데 이것은 그렇지 않으므로 응용 시 아주 불편하다.

그림 15-2a는 광범위하게 사용되는 차동 증폭기의 한 형태이다. 이는 CE, 이미터 폴로어 및 다른 여러 회로들과 같은 한쪽이 접지된 부하를 구동할 수 있어서 응용범위가 많다. 보다시피 교류 출력신호는 오른쪽 컬렉터에서 얻는다. 왼쪽 컬렉터저항은 별 의미가 없으므로 제거했다.

입력이 차동입력이므로 교류 출력전압은 $A_v(v_1 - v_2)$이다. 한쪽이 접지된 회로의 전

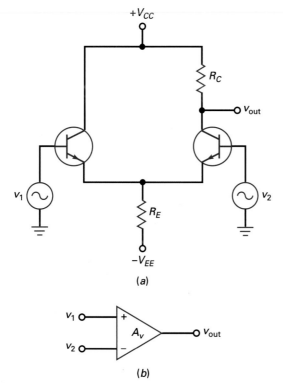

(a)

(b)

그림 15-2 (a) 차동입력과 한쪽이 접지된 출력; (b) 블록 다이어그램

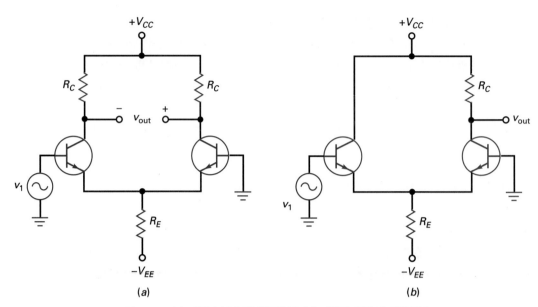

그림 15-3 (a) 비반전 입력 및 차동출력; (b) 비반전 입력 및 단측출력

압이득은 차동 출력전압의 반이다. 이는 출력이 한 개의 컬렉터로부터 온 것이기 때문이다.

그림 15-2b는 연산 증폭기를 표시하는 기호이며 차동입력과 한쪽이 접지된 출력을 나타낸다. 양(+)의 표시는 비반전 입력, 음(−)의 표시는 반전입력을 표시한다.

비반전입력 회로구성

그림 15-3a와 같이 가끔 입력 중에 하나는 살아있고 다른 한쪽은 접지된다. 이 형태는 비반전 입력과 차동출력을 가진다. $v_2 = 0$이므로 식 (15-2)는 다음과 같다.

$$v_{out} = A_v(v_1) \tag{15-3}$$

그림 15-3b는 차동 증폭기의 또 다른 형태로서 비반전 입력과 단측출력을 가지고 있다. v_{out}는 교류 출력전압은 식 (15-3)과 같다. 그러나 전압이득 A_v는 출력을 한쪽에서 취하므로 그림 15-3a에 비해 반이 된다.

반전입력 회로구성

어떤 응용분야에서는 그림 15-4a와 같이 v_2가 살아있고 v_1이 접지된 회로구성도 있다. 이 경우 식 (15-2)는 다음과 같이 간단히 된다.

$$v_{out} = -A_v(v_2) \tag{15-4}$$

여기서 음(−)은 위상반전을 나타낸다.

그림 15-4b는 검토할 마지막 회로구성으로서 반전입력과 단측출력을 가진다. 이 경우에 교류 출력전압은 식 (15-4)와 같다.

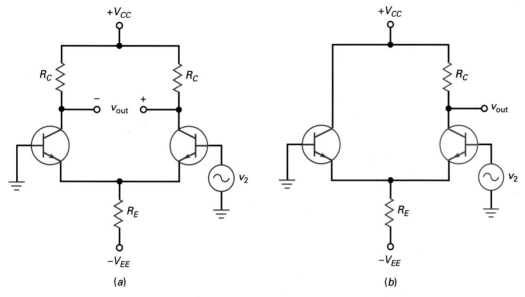

그림 15-4 (a) 반전입력 및 차동출력; (b) 반전입력 및 단측출력

요점정리 표 15-1		차동 증폭기의 구성 형태	
Input	**Output**	v_{in}	v_{out}
Differential	Differential	$v_1 - v_2$	$v_{c2} - v_{c1}$
Differential	Single-ended	$v_1 - v_2$	v_{c2}
Single-ended	Differential	v_1 or v_2	$v_{c2} - v_{c1}$
Single-ended	Single-ended	v_1 or v_2	v_{c2}

결론

표 15-1은 위에서 설명한 차동 증폭기의 4가지 형태를 요약한 것이다. 일반적인 경우 차동입력과 차동출력을 가지지만 나머지 경우 일반적인 경우의 부분집합이 된다. 예를 들어 한 개의 입력을 가지려면 입력 중 하나는 사용하고 나머지 하나는 접지시킨다. 단측 입력일 때 연산 증폭기의 입력은 비반전 입력 v_1 또는 반전입력 v_2 중 어느 것이라도 사용할 수 있다.

15-2 차동 증폭기의 직류해석

그림 15-5a는 차동 증폭기의 직류 등가회로를 나타낸다. 트랜지스터와 컬렉터저항이 동일하다고 가정하며 두 베이스는 접지되어 있다.

여기에 사용된 바이어스는 낯익어 보인다. 이전 장에서 논의한 2전원 이미터 바이어스(TSEB)와 거의 동일하다. 다시 생각하면 TSEB(2전원 이미터 바이어스)에서 음의 공급전압의 대부분이 이미터저항 양단에 걸리므로 결과적으로 이미터전류를 고정시킨다.

이상적 해석

차동 증폭기는 2개의 트랜지스터가 이미터저항을 공유하고 있다. 이 공통저항을 흐르는 전류를 **꼬리전류**(tail current)라 한다. 그림 15-5a의 이미터 다이오드의 V_{BE} 전압강하를 무시하면 이미터저항 위쪽은 접지되고 V_{EE}는 모두 R_E 양단에 나타나므로 꼬리전류는 다음과 같다.

$$I_T = \frac{V_{EE}}{R_E} \tag{15-5}$$

이 방정식은 문제 해결 및 예비 해석 시 빨리 문제를 이해할 수 있도록 도움을 준다. 그림 15-5a에서 트랜지스터와 컬렉터저항이 모두 같다면 꼬리전류는 반으로 나눠진다. 따라서 각 트랜지스터는 다음과 같은 이미터전류를 가진다.

$$I_E = \frac{I_T}{2} \tag{15-6}$$

어느 컬렉터에서든지 컬렉터전압은 다음과 같다.

$$V_C = V_{CC} - I_C R_C \tag{15-7}$$

제2근사해석

이미터 다이오드의 영향을 고려하여 직류해석을 할 수 있다. 그림 15-5b에서 이미터저항 위쪽 전압은 V_{BE}이다. 따라서 꼬리전류는 다음과 같다.

$$I_T = \frac{V_{EE} - V_{BE}}{R_E} \tag{15-8}$$

그림 15-5 (a) 이상적 직류해석; (b) 제2근사해석

여기서 실리콘의 경우는 $V_{BE} = 0.7$ V이다.

베이스저항이 꼬리전류에 미치는 효과

그림 15-5b에서 간략히 표현하기 위해 베이스를 접지시켰다. 베이스저항이 사용되더라도 잘 설계된 차동 증폭기에서 꼬리전류에 미치는 효과는 무시할 수 있다. 베이스저항을 해석에 포함시키면 꼬리전류는 다음과 같다.

$$I_T = \frac{V_{EE} - V_{BE}}{R_E + R_B/2\beta_{dc}}$$

실제로 설계 시 $R_B/2\beta_{dc}$는 R_E의 1% 이하이다. 따라서 꼬리전류를 계산할 때 식 (15-5) 혹은 식 (15-8)을 선호한다.

　　베이스저항이 꼬리전류에 미치는 효과는 무시하더라도 차동 증폭기가 완전히 대칭이 아니면 입력오차 전압을 만든다. 이 효과는 뒷부분에서 검토할 것이다.

예제 15-1

그림 15-6a에서 이상적인 전류와 전압을 구하여라.

풀이　식 (15-5)를 사용하여 꼬리전류를 구하면

$$I_T = \frac{15 \text{ V}}{7.5 \text{ k}\Omega} = 2 \text{ mA}$$

각 이미터전류는 꼬리전류의 반이다.

$$I_E = \frac{2 \text{ mA}}{2} = 1 \text{ mA}$$

각 컬렉터전압은 다음과 같다.

$$V_C = 15 \text{ V} - (1 \text{ mA})(5 \text{ k}\Omega) = 10 \text{ V}$$

　　그림 15-6b는 직류전압을 나타내며 그림 15-6c는 전류를 나타낸다. (화살표는 통상적인 전류흐름을 나타내며 삼각화살표는 전자흐름을 나타낸다.)

연습 문제 15-1　그림 15-6a에서 R_E값을 5 kΩ로 바꾸었을 때의 이상적인 전류와 전압을 구하라.

그림 15-6 예제

예제 15-2

|||| Multisim

제2근사법을 사용하여 그림 15-6a의 전류 및 전압을 다시 구하여라.

풀이 꼬리전류는

$$I_T = \frac{15\text{ V} - 0.7\text{ V}}{7.5\text{ k}\Omega} = 1.91\text{ mA}$$

이며, 각 이미터전류는 꼬리전류의 반이므로

$$I_E = \frac{1.91\text{ mA}}{2} = 0.955\text{ mA}$$

이고, 또한 각 컬렉터전압은 다음과 같다.

$$V_C = 15\text{ V} - (0.955\text{ mA})(5\text{ k}\Omega) = 10.2\text{ V}$$

값의 차이는 별로 없다. 사실 이 회로에 대해 MultiSim 시뮬레이션 프로그램으로 동작시키면 2N3904 트랜지스터에 대해 다음과 같은 값을 갖는다.

$$I_T = 1.912\text{ mA}$$

$$I_E = 0.956\text{ mA}$$

$$I_C = 0.950\text{ mA}$$

$$V_C = 10.25\text{ V}$$

이 계산은 제2근사와 비슷하고 이상적인 경우와 비교해도 많이 차이나지 않는다. 많은 경우 이상적인 계산이 유효하다는 것이다. 좀더 정확한 계산이 필요하면 제2근사나 MultiSim(EWB)해석을 사용하면 된다.

연습 문제 15-2 이미터 저항이 5 kΩ일 때, 예제 15-2를 다시 풀으시오.

예제 15-3

||||| Multisim

그림 15-7a회로에서 전류와 전압을 구하여라.

풀이 이상적으로 꼬리전류는

$$I_T = \frac{12\text{ V}}{5\text{ k}\Omega} = 2.4\text{ mA}$$

이다. 각 이미터전류는 꼬리전류의 반이므로

$$I_E = \frac{2.4\text{ mA}}{2} = 1.2\text{ mA}$$

이며, 오른쪽 컬렉터에 대한 컬렉터전압은 다음과 같다.

$$V_C = 12\text{ V} - (1.2\text{ mA})(3\text{ k}\Omega) = 8.4\text{ V}$$

왼쪽 컬렉터전압은 12 V이다.

제2근사를 이용하여 각각을 계산하면

$$I_T = \frac{12\text{ V} - 0.7\text{ V}}{5\text{ k}\Omega} = 2.26\text{ mA}$$

$$I_E = \frac{2.26 \text{ mA}}{2} = 1.13 \text{ mA}$$

$$V_C = 12 \text{ V} - (1.13 \text{ mA})(3 \text{ k}\Omega) = 8.61 \text{ V}$$

이다. 제2근사법을 이용하여 그림 15-7b는 직류전압을 그림 15-7c는 전류를 나타낸다.

연습 문제 15-3 그림 15-7a에서 R_E값이 3 kΩ일 때, 전류와 전압을 2차근사법으로 구하라.

그림 15-7 예제

15-3 차동 증폭기의 교류해석

여기서는 차동 증폭기에 대한 전압이득을 유도하기 위해 가장 간단한 형태인 비반전 입력 및 단측출력을 가지는 회로에 대해 검토한다. 이 회로에 대한 전압이득을 유도한 후 다른 형태의 회로에 대해서 이 결과를 확대한다.

동작이론

그림 15-8a는 비반전 입력 및 단측출력을 가지는 회로를 나타낸다. 저항 R_E가 크므로 꼬리전류는 교류신호가 인가될 때 거의 일정하다. 이런 이유로 Q_1의 이미터전류가 증가하면 Q_2의 이미터전류는 감소한다. 반대로 Q_1 이미터전류가 감소하면 Q_2의 이미터전류는 증가한다. 이와 같이 서로 상보관계를 이룬다.

그림 15-8a에서 왼쪽 트랜지스터 Q_1은 이미터저항에 교류전압이 나타나는 이미

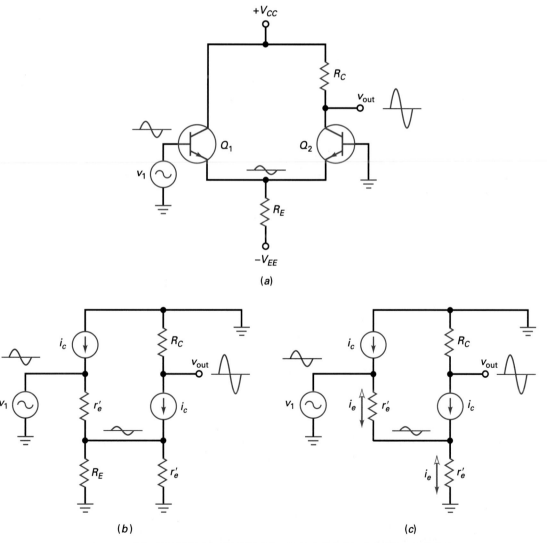

그림 15-8 (a) 비반전입력 및 단측출력; (b) 교류등가회로; (c) 간략화된 교류등가회로

터폴로어이다. 이 교류전압은 입력전압 v1의 반에 해당한다. 입력전압 중 양(+)의 반은 Q_1이미터전류를 증가시키고 Q_2이미터전류는 감소시킨다. 또한 Q_2의 컬렉터전압은 증가한다. 유사하게 입력전압 중 음(−)의 반은 Q_1이미터전류를 감소시키고 Q_2이미터전류는 증가시킨다. 또한 Q_2의 컬렉터전압은 감소한다. 이런 결과로 증폭된 교류정현파는 비반전 입력과 동상이 된다.

단측출력의 전압이득

그림 15-8b는 교류등가 회로를 나타낸다. 각 트랜지스터는 교류 이미터저항 r_e'를 가진다. Q_2의 베이스를 접지시켰기 때문에 바이어스저항 R_E는 오른쪽 트랜지스터 r_e'와 병렬이다. 이 저항은 r_e'보다 훨씬 크므로 예비 해석에서 무시할 수 있다.

그림 15-8c는 간략화된 등가회로로서 입력전압 v_1이 직렬로 된 두 r_e'에 인가된다. 두 저항은 같으므로 각 r_e' 양단전압은 입력전압 v_1의 반이다. 그림 15-8a의 꼬리전류에 교류전압이 입력전압의 1/2임을 표시하였다.

그림 15-8c에서 교류전압은

$$v_{\text{out}} = i_c R_C$$

교류 입력전압은

$$v_{\text{in}} = i_e r_e' + i_e r_e' = 2i_e r_e'$$

출력전압을 입력전압으로 나누어 전압이득을 구하면 다음과 같다.

$$\text{단측출력: } A_v = \frac{R_C}{2r_e'} \tag{15-9}$$

그림 15-8a에 컬렉터 출력단자에 직류전압 V_C가 있지만 이것은 교류신호가 아니다. 연산 증폭기에서 직류전압은 중요하지 않으므로 최종단에서 제거된다.

차동출력 전압이득

그림 15-9는 비반전 입력 및 차동출력을 가지는 교류 등가회로이다. 이 해석은 앞의 예제와 거의 같지만 차이점은 두 개의 컬렉터 저항 때문에 출력전압이 2배라는 것이다.

$$v_{\text{out}} = v_{c2} - v_{c1} = i_c R_C - (-i_c R_C) = 2i_c R_C$$

(주: 그림 15-9에서 볼수 있듯이, 두 번째 항의 음(−)부호는 v_{c1}신호가 v_{c2}신호와 180°의 위상차를 갖기 때문이다.)

교류 입력신호는 앞의 해석과 같다.

$$v_{\text{in}} = 2i_e r_e'$$

출력전압을 입력전압으로 나누어 전압이득을 구하면 다음과 같다.

$$\text{차동출력: } A_v = \frac{R_C}{r_e'} \tag{15-10}$$

이는 CE 회로의 전압이득과 같으므로 기억하기 쉽다.

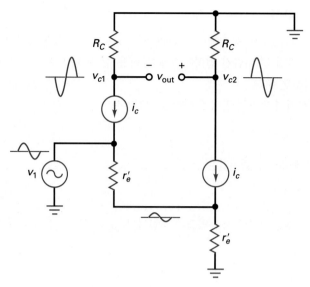

그림 15-9   비반전 입력 및 차동출력

반전입력 회로구성

그림 15-10a은 반전입력 및 단측출력을 나타낸다. 교류해석은 비반전 회로해석과 거의 동일하다. 사실 이 회로에서 반전입력 v_2는 증폭되고 출력 교류전압이 반전된다. 각 트랜지스터에 r'_e가 있어 저항 R_E 양단의 교류전압은 입력전압의 1/2이며 차동출력이면 전압이득은 2배가 된다.

그림 15-10b의 차동 증폭기는 주로 그림 15-10a의 뒤집어진 *pnp* 접합이다. *pnp* 트랜지스터는 전압 공급을 위해 종종 트랜지스터 회로에 사용된다. *npn* 트랜지스터 처럼 출력은 차동이거나 단측출력이다.

그림 15-10   반전입력 및 차동출력

차동입력 회로구성

차동입력은 2개의 입력이 동시에 가해지며 교류 회로해석은 중첩의 정리를 이용한다. 차동 증폭기가 반전 및 비반전 입력에 어떻게 작용하는지를 알고 있으므로 그 결과를 조합하여 계산하면 된다.

앞의 해석에서 비반전 입력에 대한 출력전압은

$$A_v(v_1)$$

이고 반전입력에 대한 출력전압은

$$v_{out} = -A_v(v_2)$$

이므로 이 결과를 조합하면 차동입력에 대한 식을 얻는다.

$$v_{out} = A_v(v_1 - v_2)$$

전압이득표

표 15-2는 각각의 차동 증폭기 회로구성에 따른 전압이득을 요약한 것이다. 표에서 나타낸 것처럼 차동출력을 가질 때 전압이득은 최대이며 단측출력을 가지면 출력전압이 반으로 줄어든다. 또한 단측출력이 사용될 경우 입력은 반전 혹은 비반전이 될 수 있다.

입력임피던스

CE 증폭기에서 베이스에서 본 입력임피던스는

$$z_{in} = \beta r_e'$$

차동 증폭기의 경우 각 베이스에서 본 입력임피던스는 2배가 된다.

$$z_{in} = 2\beta r_e' \tag{15-11}$$

이는 등가회로에서 2개의 교류 이미터저항 r_e'이 사용되기 때문이다. 식 (15-11)은 베이스에서 접지 사이에 2개의 교류 이미터저항을 가지므로 위에서 언급한 모든 회로구성에 적용 가능하다.

요점정리 표 15-2		차동 증폭기의 전압이득	
Input	**Output**	**A_v**	**v_{out}**
Differential	Differential	R_C/r_e'	$A_v(v_1 - v_2)$
Differential	Single-ended	$R_C/2r_e'$	$A_v(v_1 - v_2)$
Single-ended	Differential	R_C/r_e'	$A_v v_1$ or $-A_v v_2$
Single-ended	Single-ended	$R_C/2r_e'$	$A_v v_1$ or $-A_v v_2$

예제 15-4　　　　　　　　　　　　　　||||| **Multisim**

그림 15-11에서 교류 출력전압을 구하여라. 만약 $\beta = 300$이면 차동 증폭기의 입력임피던스는 얼마인가?

풀이　예제 15-1에서 직류 등가회로를 해석했다. 이상적으로 이미터저항 양단전압이 15 V이고 꼬리전류는 2 mA였다. 이는 직류 이미터전류가

$$I_E = 1 \text{ mA}$$

임을 의미한다.

　　지금 교류 이미터저항을 계산하면

$$r_e' = \frac{25 \text{ mV}}{1 \text{ mA}} = 25 \ \Omega$$

전압이득은

$$A_v = \frac{5 \text{ k}\Omega}{25 \ \Omega} = 200$$

이다. 따라서 출력 교류전압은

$$v_{\text{out}} = 200(1 \text{ mV}) = 200 \text{ mV}$$

이고, 차동 증폭기의 입력임피던스는 다음과 같다.

$$z_{\text{in(base)}} = 2(300)(25 \ \Omega) = 15 \text{ k}\Omega$$

연습 문제 15-4　R_E 값이 5 kΩ일 때, 예제 15-4를 구하라.

그림 15-11 예제

예제 15-5 ||||| Multisim

제2근사법을 이용하여 앞의 예제를 반복하고 직류 이미터전류를 구하여라.

풀이   예제 15-2에서 직류 이미터전류는

$$I_E = 0.955 \text{ mA}$$

이며, 교류 이미터전류는 다음과 같다.

$$r_e' = \frac{25 \text{ mV}}{0.955 \text{ mA}} = 26.2 \text{ } \Omega$$

회로가 차동출력을 가지므로 전압이득은

$$A_v = \frac{5 \text{ k}\Omega}{26.2 \text{ } \Omega} = 191$$

이며, 교류 출력전압은

$$v_{\text{out}} = 191(1 \text{ mV}) = 191 \text{ mV}$$

이다. 차동 증폭기의 입력임피던스는 다음과 같다.

$$z_{\text{in(base)}} = 2(300)(26.2 \text{ } \Omega) = 15.7 \text{ k}\Omega$$

이 회로를 MultiSim으로 시뮬레이션하면 2N3904 트랜지스터에 대한 결과는 다음과 같다.

$$v_{\text{out}} = 172 \text{ mV}$$

$$z_{\text{in(base)}} = 13.4 \text{ k}\Omega$$

트렌지스터의 특정한 부품을 사용했을 때 거의 정확한 값을 얻기 위해서는 MultiSim은 고차 트랜지스터 파라미터를 가져야 한다.

예제 15-6

$v_2 = 1$ mV이고 $v_1 = 0$일 때 예제 15-4를 다시 구하여라.

풀이   비반전 입력 대신 반전입력을 구동하므로 이상적으로 출력전압은 200 mV이며 반전된다. 또한 입력임피던스는 약 15 kΩ이다.

예제 15-7

그림 15-12에서 교류 출력전압을 구하여라. 만약 $\beta = 300$이면 차동 증폭기의 입력임피던스는 얼마인가?

풀이 이상적으로 이미터저항 양단의 전압은 15 V이다. 따라서 꼬리전류는

$$I_T = \frac{15 \text{ V}}{1 \text{ M}\Omega} = 15 \ \mu\text{A}$$

이고, 각 트랜지스터의 이미터전류는 꼬리전류의 반이므로 교류 이미터저항을 구하면

$$r_e' = \frac{25 \text{ mV}}{7.5 \ \mu\text{A}} = 3.33 \text{ k}\Omega$$

이다. 단측출력의 전압이득은

$$A_v = \frac{1 \text{ M}\Omega}{2(3.33 \text{ k}\Omega)} = 150$$

이며 교류 출력전압은

$$v_{\text{out}} = 150(7 \text{ mV}) = 1.05 \text{ V}$$

이다. 그리고 베이스에서의 입력임피던스는 다음과 같다.

$$z_{\text{in}} = 2(300)(3.33 \text{ k}\Omega) = 2 \text{ M}\Omega$$

연습 문제 15-7 R_E 값이 500 kΩ일 때, 예제 15-7을 구하라.

그림 15-12 예제

15-4 연산 증폭기의 입력 특성

차동 증폭기가 대칭이라면 많은 경우 근사적 계산을 해도 상관없다. 그러나 정밀 응용 분야에서는 고려해야 할 세 가지 특성이 있다. 설계자는 자료표상에 다음 세 가지 특성, 즉 입력 바이어스전류, 입력 오프셋전류 및 입력 오프셋전압에 대해 알 필요가 있다.

입력바이어스 전류

연산 증폭기 첫 단에서 각 트랜지스터의 β_{dc}는 약간씩 다르다. 이는 그림 15-13에서 베이스전류가 다르다는 것을 의미한다. 입력바이어스 전류는 직류베이스 전류의 평균으로 정의한다.

$$I_{in(bias)} = \frac{I_{B1} + I_{B2}}{2} \tag{15-12}$$

예를 들어 I_{B1} = 90 nA, I_{B2} = 70 nA이면 입력 바이어스전류는 다음과 같다.

$$I_{in(bias)} = \frac{90\text{ nA} + 70\text{ nA}}{2} = 80\text{ nA}$$

차동 증폭기의 첫 단은 바이폴라 연산 증폭기의 경우에 입력 바이어스전류는 nA이고 JFET경우는 pA이다. 입력바이어스 전류는 베이스와 접지 사이의 저항을 통해 흐르며 이 저항은 개별저항 또는 입력신호의 Thevenin 저항일 수도 있다.

입력 오프셋전류

입력 오프셋전류는 직류 베이스저항의 차로 정의한다.

$$I_{in(off)} = I_{B1} - I_{B2} \tag{15-13}$$

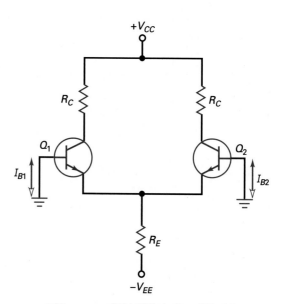

그림 15-13 베이스전류가 서로 다를 경우

베이스전류의 차이는 트랜지스터가 얼마나 잘 매칭되어 있는지를 나타낸다. 두 트랜지스터가 동일하면 입력 오프셋전류는 0이다. 왜냐하면 베이스 전류가 모두 0일 것이기 때문이다. 그러나 거의 항상 두 트랜지스터는 다르므로 베이스전류가 같지 않다.

예를 들어 I_{B1} = 90 nA, I_{B2} = 70 nA이면 입력 오프셋전류는 다음과 같다.

$$I_{\text{in(off)}} = 90 \text{ nA} - 70 \text{ nA} = 20 \text{ nA}$$

트랜지스터 Q_1이 Q_2보다 20 nA 클 경우 베이스저항이 사용되면 문제를 야기시킨다.

베이스전류와 오프셋

식 (15-12)와 식 (15-13)을 정리하면 다음과 같이 베이스전류에 대한 2개의 방정식을 얻는다.

$$I_{B1} = I_{\text{in(bias)}} + \frac{I_{\text{in(off)}}}{2} \tag{15-13a}$$

$$I_{B2} = I_{\text{in(bias)}} - \frac{I_{\text{in(off)}}}{2} \tag{15-13b}$$

자료표에는 항상 $I_{\text{in(bias)}}$와 $I_{\text{in(off)}}$는 있지만 I_{B1}과 I_{B2}는 없다. 이 방정식으로서 두 베이스전류를 구한다. 여기서는 I_{B1}이 I_{B2}보다 크다고 가정하지만 반대이면 서로 바꾸면 된다.

베이스전류 효과

그림 15-14a와 같이 한쪽에 베이스저항을 가지면 저항 R_B을 통해 베이스전류가 다음과 같은 비반전 직류 입력전압을 만든다.

$$V_1 = - I_{B1}R_B$$

여기서 대문자는 직류 오차전압을 나타낸다. 간단하게 하기 위해 V_1은 절대값으로 계산

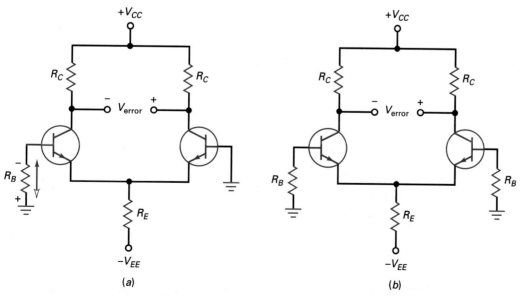

그림 15-14 (a) 베이스전압은 원치 않는 입력전압을 만든다; (b) 같은 베이스저항은 오차전압을 감소시킨다.

할 것이다. 이 전압은 입력신호와 같은 효과를 가진다. 이 잘못된 신호는 증폭되고 원하지 않는 직류전압(V_{error})이 그림 15-14a에 나타낸 것처럼 출력에 나타난다.

예를 들어 자료표에서 $I_{in(bias)} = 80$ nA, $I_{in(off)} = 20$ nA이면 두 베이스전류는 다음과 같다.

$$I_{B1} = 80\,\text{nA} + \frac{20\,\text{nA}}{2} = 90\,\text{nA}$$

$$I_{B2} = 80\,\text{nA} - \frac{20\,\text{nA}}{2} = 70\,\text{nA}$$

만약 $R_B = 1$ kΩ이라면 비반전입력은 다음과 같은 오차전압을 가진다.

$$V_1 = (90\,\text{nA})(1\,\text{k}\Omega) = 90\,\mu\text{V}$$

입력 오프셋전류 효과

출력 오차전압을 감소시키기 위한 한 방법으로서 그림 15-14b에 나타낸 것처럼 차동 증폭기에 같은 베이스저항을 사용하면 된다. 이 경우 직류 차동입력은 다음과 같다.

$$V_{in} = I_{B1}R_B - I_{B2}R_B = (I_{B1} - I_{B2})R_B$$

이 식을 다시 쓰면 다음과 같다.

$$V_{in} = I_{in(off)}R_B \tag{15-14}$$

$I_{in(off)}$은 $I_{in(bias)}$의 25% 이하이므로 같은 베이스저항이 사용되면 입력 오차전압은 훨씬 작다. 이런 이유로 설계자는 가끔 그림 15-4b와 같이 회로에 베이스저항을 포함시킨다.

예를 들어 $I_{in(bias)} = 80$ nA, $I_{in(off)} = 20$ nA이면 1 kΩ의 베이스저항은 다음과 같은 값의 오차전압을 발생시킨다.

$$V_{in} = (20\,\text{nA})(1\,\text{k}\Omega) = 20\,\mu\text{V}$$

입력 오프셋전압

차동 증폭기가 연산 증폭기의 첫단에 사용될 때 차동 증폭기의 대칭이 되는 두 부분은 거의 비슷하지만 똑같지는 않다. 먼저 그림 15-15a와 같이 두 개의 컬렉터저항이 다를 수 있다. 이런 이유로 오차전압이 출력에 나타난다.

오차의 또 다른 원인은 각 트랜지스터의 V_{BE}가 다른 경우이다. 그림 15-15b처럼 두 개의 베이스-이미터 전류가 같다고 하자. 곡선이 약간 다르므로 두 V_{BE} 값의 차이가 있다. 이 차이도 오차전압에 한몫을 한다. R_C 및 V_{BE}외에도 다른 트랜지스터변수가 차동 증폭기에 영향을 미친다.

입력 오프셋전압은 다음 식과 같이 정의한다.

$$V_{in(off)} = \frac{V_{error}}{A_v} \tag{15-15}$$

이 방정식은 입력바이어스 및 오프셋전류의 영향을 포함하지 않으며 그 이유는 V_{error}전

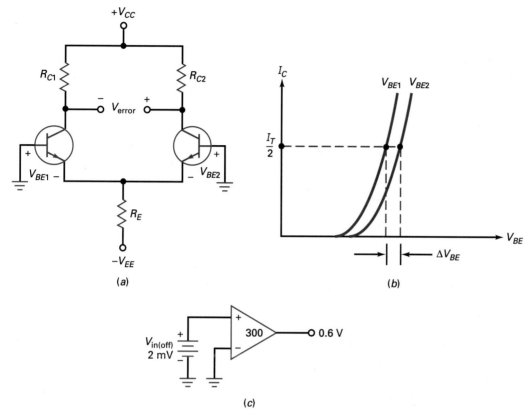

그림 15-15 (a) 베이스접지 시 서로 다른 컬렉터저항이 오차전압을 만든다; (b) 서로 다른 베이스–이미터 전압도 오차전압을 만든다; (c) 입력 오프셋전압은 원치 않는 입력전압과 등가이다.

압을 측정할 때 두 베이스단자가 접지되기 때문이다. 즉 그림 15-15*c*와 같이 출력 오차전압이 0.6 V 전압이득이 300이면 입력 오프셋전압은 다음과 같다.

$$V_{in(off)} = \frac{0.6\,V}{300} = 2\,mV$$

이것이 나타내는 것은 2 mV의 입력 오프셋전압을 전압이득 300인 차동 증폭기를 구동하면 0.6 V의 출력 오차전압을 가진다는 것이다.

모든 원인이 조합된 영향

그림 15-16에서 출력전압은 모든 입력효과를 중첩한 것이다. 우선 이상적인 교류입력을 고려하면

$$v_{in} = v_1 - v_2$$

이며 이것은 우리가 원하는 바이다. 이는 두 개의 입력원으로부터 오는 것이며 다음과 같이 바람직한 교류출력을 갖는다.

$$v_{out} = A_v(v_1 - v_2)$$

그 다음 세 개의 원치 않는 직류 오차전압이 있으며 식으로 표현하면 다음과 같다.

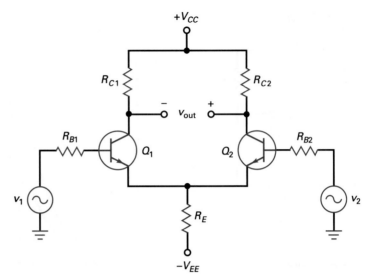

그림 15-16 차동 증폭기의 출력은 요구되는 신호와 오차전압을 포함한다.

$$V_{1err} = (R_{B1} - R_{B2})I_{in(bias)} \tag{15-16}$$

$$V_{2err} = (R_{B1} + R_{B2})\frac{I_{in(off)}}{2} \tag{15-17}$$

$$V_{3err} = V_{in(off)} \tag{15-18}$$

이 공식의 장점은 자료표 상에서 $I_{in(bias)}$와 $I_{in(off)}$를 사용한다는 것이다. 이 세 개의 직류
전압이 증폭되어 다음과 같이 출력 오차전압을 만든다.

$$V_{error} = A_v(V_{1err} + V_{2err} + V_{3err}) \tag{15-19}$$

대개의 경우 오차전압은 무시되나 응용분야에 따라 다르다. 교류증폭기를 만들면
V_{error}는 중요하지 않지만 정밀한 직류 증폭기를 만든다면 고려할 필요가 있다.

동일한 베이스저항

바이어스 및 오프셋오차를 무시할 때 해결책이 있다. 설계자가 첫 번째로 할 수 있는
것은 같은 베이스저항을 사용하는 것이다. 이렇게 하면 오차전압은 다음과 같이 된다.

$$V_{1err} = 0$$
$$V_{2err} = R_B I_{in(off)}$$
$$V_{3err} = V_{in(off)}$$

보상이 필요하면 가장 좋은 방법은 자료표에 제시한 **영점 조정회로**를 사용하는 것이
다. 출력 오차전압이 문제가 되면 사용할 수 있도록 제조자는 영점 조정회로를 최적
으로 이용할 수 있다. 이 회로는 뒷장에서 검토할 것이다.

결론

요점정리 표 15-3은 출력 오차전압의 원인을 요약한 것이다. 많은 응용분야에서 이 출

요점정리 표 15-3	출력오차전압을 유발하는 요소	
Description	**Cause**	**Solution**
Input bias current	Voltage across a single RB	Use equal RB on other side
Input off set current	Unequal current gains	Data sheet nulling methods
Input off set voltage	Unequal RC and VBE	Data sheet nulling methods

력 오차전압은 무시할 수 있을 정도로 작지만 정확을 요하는 분야에서는 출력전압을 0
으로 하는 방식이 필요하다.

예제 15-8

그림 15-17의 차동 증폭기는 $A_v = 200$, $I_{in(bias)} = 3\ \mu A$, $I_{in(off)} = 0.5\ \mu A$, $V_{in(off)} = 1\ mV$
이다. 출력 오차전압을 구하여라. 또한 오차를 줄이기 위해 매칭용 베이스저항을 사용
하면 출력오차전압은 얼마인가?

그림 15-17 예제

풀이 식 (15-16)에서 식 (15-18)을 사용하면

$$V_{1err} = (R_{B1} - R_{B2})I_{in(bias)} = (1\ k\Omega)(3\ \mu A) = 3\ mV$$

$$V_{2err} = (R_{B1} + R_{B2})\frac{I_{in(off)}}{2} = (1\ k\Omega)(0.25\ \mu A) = 0.25\ mV$$

$$V_{3err} = V_{in(off)} = 1\ mV$$

이며 출력 오차전압은

$$V_{error} = 200(3 \text{ mV} + 0.25 \text{ mV} + 1 \text{ mV}) = 850 \text{ mV}$$

이다. 비반전 단자에 매칭 베이스저항 1 kΩ을 사용하면

$$V_{1err} = 0$$
$$V_{2err} = R_B I_{in(off)} = (1 \text{ k}\Omega)(0.5 \text{ }\mu\text{A}) = 0.5 \text{ mV}$$
$$V_{3err} = V_{in(off)} = 1 \text{ mV}$$

이다. 이 경우의 출력 오차전압은

$$V_{error} = 200(0.5 \text{ mV} + 1 \text{ mV}) = 300 \text{ mV}$$

이다.

연습 문제 15-8 그림 15-17에서, 차동 증폭기의 전압이득이 150일 때 출력 오차전압은 얼마인가?

예제 15-9

그림 15-18의 차동 증폭기는 $A_v = 300$, $I_{in(bias)} = 80$ nA, $I_{in(off)} = 20$ nA, $V_{in(off)} = 5$ mV 이다. 출력 오차전압을 구하여라.

그림 15-18 예제

풀이 같은 베이스저항을 사용하므로

$$V_{1err} = 0$$

$$V_{2\text{err}} = (10 \text{ k}\Omega)(20 \text{ nA}) = 0.2 \text{ mV}$$

$$V_{3\text{err}} = 5 \text{ mV}$$

이며 총 출력 오차전압은 다음과 같다.

$$V_{\text{error}} = 300(0.2 \text{ mV} + 5 \text{ mV}) = 1.56 \text{ V}$$

연습 문제 15-9 $I_{\text{in(off)}} = 10 \text{ nA}$일 때, 예제 15-9를 다시 풀어라.

15-5 공통이득

그림 15-19a는 차동입력 및 단측출력(single-ended output) 회로구성을 가진다. 같은 입력전압 $v_{\text{in(CM)}}$이 각 베이스에 인가되며 이 전압을 **공통신호**라고 한다. 차동 증폭기가 완벽하게 대칭이라면 교류출력전압은 0이다. 대칭이 아니면 작은 교류 출력전압이 존재한다.

그림 15-19a에서 비반전과 반전 입력단자에 동일한 전압이 공급되고 있는데 이러한 방법으로 차동 증폭기를 사용하려는 사람은 아무도 없을 것이다. 왜냐하면 이상적으로 출력전압이 0이 되기 때문이다. 그런데 왜 이러한 가능성의 고려하여 고민을 하게 되는가? 이것은 공통신호가 대부분 정전적이고 간섭적이며 또한 바람직하지 않은 정보 등을 포함하고 있기 때문이다.

어떻게 공통신호가 발생되는 것일까? 입력베이스에 접속된 배선은 작은 안테나처럼 동작하는데 만일 차동 증폭기가 이러한 전자기적(electromagnetic)인 간섭이 주어지는 환경 하에서 동작한다면 각 베이스는 작은 안테나처럼 동작하여 불필요한 신호

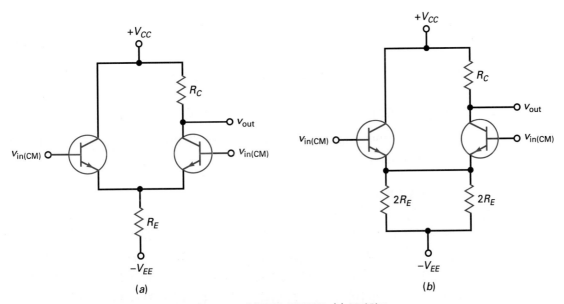

그림 15-19   (a) 공통 입력신호; (b) 등가회로

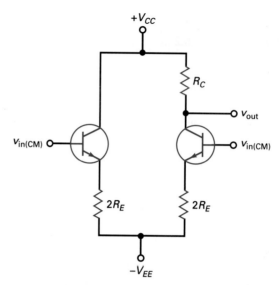

그림 15-20 오른쪽은 공통신호 입력과 함께 스윕프된 증폭기처럼 동작한다.

전압을 검출하게 될 것이다. 차동 증폭기가 널리 사용되는 이유 중의 하나가 이같은 공통신호를 식별할 수 있다는 점 때문이다. 다시 말해 차동 증폭기는 공통신호를 식별하여 증폭시키지 않는다.

공통신호에 대한 전압이득을 구하는 쉬운 방법이 있다. 그림 15-19b와 같이 회로에서는 두 개의 2RE 병렬저항이 RE의 등가저항을 구성하므로 출력전압에 미치는 영향은 없을 것이다. 등가전압 $V_{in(CM)}$이 두 입력을 동시에 구동하면 이미터저항 양단에는 동일한 전압을 발생시킨다. 두 이미터전류가 같기 때문에 이미터 간의 배선을 통한 전류의 흐름은 없다. 따라서 그림 15-20a와 같이 연결된 배선을 제거할 수 있다.

공통신호가 입력될 때 오른쪽 회로는 이득이 감소된 CE 트랜지스터와 등가이다. R_E가 r_e'보다 아주 크므로 이득이 감소된 전압이득은 대략 다음과 같다.

$$A_{v(CM)} = \frac{R_C}{2R_E} \tag{15-20}$$

통상적인 저항값을 사용하면 전압이득은 1보다 작다.

공통신호 제거비

공통신호 제거비(common-mode rejection ratio: CMRR)는 공통 전압이득에 대한 차동 전압이득의 비로 정의한다. 즉,

$$CMRR = \frac{A_v}{A_{v(CM)}} \tag{15-21}$$

로 표시한다. 예를 들어 만약 $A_v = 200$, $A_{v(CM)} = 0.5$이면 CMRR = 400이다.

이 값이 크면 클수록 더 좋은 것이다. 큰 CMRR값은 차동 증폭기가 얼마나 공통신호와 차동신호를 구별할 수 있느냐를 아는 척도가 된다. 자료표에는 CMRR을 데시벨(dB)로 표기하며 데시벨로의 변환을 위해서는 다음과 같은 환산공식을 사용한다.

$$CMRR_{dB} = 20 \log CMRR \tag{15-22}$$

예를 들어 CMRR이 400이면 데시벨이득은

$$CMRR_{dB} = 20 \log 400 = 52 \text{ dB}$$

이다.

예제 15-10   IIII Multisim

그림 15-21에서 공통 전압이득과 출력전압을 구하여라.

풀이   식 (15-20)을 이용하면

$$A_{v(CM)} = \frac{1 \text{ M}\Omega}{2 \text{ M}\Omega} = 0.5$$

이며 출력전압은 다음과 같다.

$$v_{out} = 0.5(1 \text{ mV}) = 0.5 \text{ mV}$$

이와 같이 차동 증폭기는 공통신호를 증폭하기보다는 오히려 감소시킨다.

연습 문제 15-10 R_E가 2 MΩ일 때 예제 15-10을 다시 풀어보라.

그림 15-21   예제

예제 15-11

그림 15-22에서 $A_v = 150$, $A_{v(CM)} = 0.5$, $v_1 = 1$ mV이다. 만약 베이스단자에 1 mV의 공통신호가 있다면 출력전압은 얼마인가?

풀이 입력은 차동 및 공통신호 두 가지를 가진다. 두 신호는 증폭된다. 이중 차동신호는 다음과 같이 계산된다.

$$v_{\text{out1}} = 150(1 \text{ mV}) = 150 \text{ mV}$$

또한 공통신호는 다음과 같이 계산된다.

$$v_{\text{out2}} = 0.5(1 \text{ mV}) = 0.5 \text{ mV}$$

$$v_{\text{out}} = v_{\text{out1}} + v_{\text{out2}}$$

총 출력은 두 출력의 합으로 되지만 차동신호가 공통신호보다 300배 크다.

이 예제는 차동 증폭기가 왜 연산 증폭기의 입력단에 쓰이는지를 설명한다. 보통 CE 증폭기는 모든 신호를 증폭하지만 차동 증폭기는 공통신호를 감소시키는 특성이 있다.

그림 15-22 예제

연습 문제 15-11 그림 15-22에서 A_v가 200일 때 출력 전압을 구하라.

응용 예제 15-12

741 연산 증폭기는 $A_v = 200{,}000$이고 $\text{CMRR}_{\text{dB}} = 90$ dB이다. 공통 전압이득을 구하여라. 차동신호와 공통신호가 각각 1 μV이면 출력전압은 얼마인가?

풀이

$$CMRR = antilog\ \frac{90\ dB}{20} = 31,600$$

식 (15-21)을 정리하면

$$A_{v(CM)} = \frac{A_v}{CMRR} = \frac{200,000}{31,600} = 6.32$$

차동신호에 대한 출력은

$$v_{out1} = 200,000(1\ \mu V) = 0.2\ V$$

이며, 공통신호에 대한 출력은

$$v_{out2} = 6.32(1\ \mu V) = 6.32\ \mu V$$

이다. 차동신호에 대한 출력은 공동신호에 대한 출력보다 훨씬 큰 것을 알 수 있다.

연습 문제 15-11　연산 증폭기의 이득이 100,000일 때 예제 15-12를 다시 계산하라.

15-6 집적회로

1959년 **집적회로**의 발명은 큰 사건이었다. 왜냐하면 회로의 요소들이 하나로 **통합**될 수 있었기 때문이다. 통합된다는 것은 요소들이 제작 과정에서 하나의 실리콘 반도체 칩에 서로 연결되어 만들어진다는 것을 의미한다. 이 연산 증폭기와 그 외의 사항에 대해 논의하기 전에 몇 가지 바이폴라 집적회로의 제작 방법에 대해 간단히 고찰해 보기로 한다.

　　여기서 서술되는 과정은 여러 가지 IC 제조법 중 한 방법으로서 우리가 필요한 것은 'IC가 어떻게 제작되는가?'하는 일반적인 개념이다. 이 지식은 연산 증폭기에 대한 보다 깊은 개념을 이해하는 데 큰 도움을 줄 것이다.

기본 개념

우선 그림 15-23a와 같은 길이가 몇 인치되는 p형 반도체결정을 만든 다음, 이것을 그림 15-23b와 같이 여러 개의 얇은 웨이퍼(wafer)로 자른다. 웨이퍼 표면의 결함을 제거하기 위해 한쪽 면을 연마하고 광택을 낸다. 이 웨이퍼를 p형 기판(p-type substrate)이라 부르고 이것을 집적화할 회로부품의 샤시로 사용한다. 다음 웨이퍼를 로(furnace) 속에 놓고 웨이퍼 위로 실리콘원자와 5가원자의 혼합기체를 통과시키면 얇은 n형 반도체층이 그림 15-23c에서처럼 기판표면 위에 형성되며 이것을 **에피택셜층(에피층)**이라 부른다. 에피층의 두께는 약 0.1~1mil 정도이다(1 mil = 10-3 inch).

　　에피층의 오염을 막기 위해 표면 위로 순도 높은 산소를 불어 넣으면 산소원자는 실리콘 원자와 결합하여 그림 15-23d와 같이 표면에 실리콘 산화막(SiO₂)을 형성한다. 유리

그림 15-23 (a) *P*형 결정; (b) 웨이퍼; (c) 에피텍셜층; (d) 절연층

같은 SiO$_2$층은 웨이퍼 표면을 밀봉시켜 더 이상의 화학적 반응을 일으키지 않게 한다. 이와 같이 웨이퍼 표면을 SiO$_2$층으로 밀봉시키는 방법을 **비활성화**(passivation)라 한다.

다음에 그림 15-24와 같이 웨이퍼를 직사각형 영역으로 자르고 웨이퍼가 잘린 후 이 영역들은 각각 칩(chip)으로 분리된다. 그러나 이 웨이퍼를 자르기 전에 그림 15-24의 각 영역의 칩에 수백 개의 회로가 들어가도록 만든다. 이 같은 동시 대량생산 때문에 집적회로의 생산가격을 낮출 수 있다.

여기서 트랜지스터가 어떻게 만들어지는가에 대해 설명한다. SiO$_2$층의 일부를 그림 15-25*a*와 같이 부식(etching)시키면 에피층이 노출된다. 다음에 이 웨이퍼를 로(furnace)에 놓고 3가원자를 에피층으로 확산시킨다. 이때 3가원자의 농도를 충분하게 하면 노출된 에피층은 *n*형에서 *p*형으로 변환한다. 따라서 SiO$_2$층 아래에는 그림 15-25*b*와 같이 *n*형의 섬(island)이 생기게 된다. 그림 15-25*c*와 같이 완전한 SiO$_2$층을 형성시키기 위해 웨이퍼 위로 산소를 불어넣는다.

SiO$_2$층의 중앙부에 부식된 구멍이 생기고 그림 15-25*d*와 같은 *n*형 에피층을 노출시킨다. SiO$_2$층에 있는 구멍은 창(window)이라 부르며 이 부분이 트랜지스터의 컬렉터가 된다.

다음 공정인 베이스를 만들기 위해 이 창을 통해 3가의 원자를 통과시키면 이 3가 불순물은 에피층 내부로 확산하여 그림 15-25*e*와 같은 *p*형 층을 형성하게 된다. 이후 웨이퍼 위로 산소를 통과시키면 15-25*f*와 같은 SiO$_2$층이 다시 형성된다.

이미터를 만들기 위해 SiO$_2$층에 창을 부식시키면 그림 15-25*g*와 같이 *p*형 층이 노출된다. 이 *p*형 층 내로 5가원자를 확산시키므로 그림 15-25*h*와 같은 작은 *n*형 층이 형성된다.

웨이퍼 위로 다시 산소를 불어넣어 그림 15-25*i*와 같은 SiO$_2$층을 만든다. SiO$_2$층에 창을 부식시켜 이미터, 베이스 및 컬렉터와 전기적 접점을 만들도록 금속을 부착시키면 그림 15-26*a*와 같은 집적 트랜지스터가 형성된다.

다이오드를 만들기 위해서는 우선 *p*형 기판을 만들어 그림 15-25*f*와 같은 SiO$_2$층을 형성시키는 과정까지는 앞서와 같은 단계를 거친 다음에 *p*층과 *n*층이 노출되도록 창을 부식시킨다. 이 같은 창을 통해 금속을 부착시켜 줌으로써 집적 다이오드의 캐소드와 애노드의 전기적 접점이 만들어진다(그림 15-26*b*). 집적저항은 그림 15-25*f*의 *p*층 위에 두 개의 창을 부식시켜 이 부식된 *p*층에 금속접점을 만들어 주면 된다(그림 15-26*c*).

이와 같이 트랜지스터, 다이오드 및 저항은 단일칩으로 공정하기가 쉽기 때문에

그림 15-24 칩을 만들기 위한 웨이퍼의 절단

그림 15-25　트랜지스터의 제작 단계

그림 15-26　집적소자 (a) 트랜지스터; (b) 다이오드; (c) 저항

대부분의 집적회로에서는 이 같은 소자들을 사용하게 된다. 그러나 인덕터와 대용량 커패시터를 단일 칩의 표면에 집적시키는 것은 실용적이지 않다.

간단한 예

회로 제작방법에 대한 개념을 알아보기 위해 그림 15-27*a*와 같은 간단한 세 가지 소자가 있는 회로에 대해 고찰한다. 회로를 제작하기 위해서는 웨이퍼 상에 이 같은 수백 개의 회로를 동시에 만들어야 하며 각 칩의 영역은 그림 15-27*b*와 유사하다. 앞서 언급한 제조방법으로 다이오드와 트랜지스터를 형성시킨 다음, 창을 부식시키고 그림 15-27*b*와 같이 다이오드, 트랜지스터 및 저항이 접속되도록 금속을 부착시킨다.

　IC의 제조방법은 회로의 복잡성에 관계없이 창을 부식시키고 *p*층과 *n*층을 형성시켜 집적소자들을 접속시키는 과정이 주가 된다. *p*형 기판은 집적소자들을 상호 분리시키는 기능이 있다. 그림 15-27*b*에서 *p*형 기판과 이에 맞닿은 세 개의 *n*형 영역 사이에는

그림 15-27 간단한 집적회로

공핍층이 존재한다. 공핍층에는 근본적으로 전류캐리어가 존재하지 않기 때문에 집적소 자들은 상호 분리되며 이런 종류의 절연을 **공핍층 분리**(*depletion-layer isolation*)라 한다.

IC의 형태

지금까지 기술한 집적회로를 **모놀리식**(monolithic) **IC**라 부른다. 모놀리식이란 말은 그 리스어로 '하나의 돌(one stone)'이란 뜻에서 유래되었으며 소자들이 단일 칩으로 구성 되었기 때문에 이것은 적당한 말이다. 모놀리식 IC들은 집적회로에서 가장 일반적인 형 태이다. 이의 발명으로 제조업체에서는 수많은 기능을 수행할 수 있는 모놀리식 IC들 을 생산하게 되었다.

상업용으로 유용한 형태이며 증폭기, 전압레귤레이터, 부하 보호회로, AM수신 기, TV회로 및 컴퓨터회로에 사용된다. 그러나 이 모놀리식 IC는 그 크기가 개별 소신 호 트랜지스터 정도가 되므로 그 대부분이 최대 소비전력 1W 이하를 가지는데 이것이 저전력 응용에 제한되어 사용되는 이유이다. 고전력이 필요할 때는 박막(thin film) IC 나 후막(thick film) IC를 사용한다. 이 소자들은 모놀리식 IC보다 크지만 개별소자로 구성한 회로보다는 작다. 박막 또는 후막 IC에서는 저항이나 커패시터와 같은 수동소 자를 기판에 동시에 집적시킨 다음, 트랜지스터나 다이오드와 같은 개별소자를 접속하 여 완전한 회로를 구성한다. 그리하여 상업적으로 유용한 박막 및 후막회로는 집적소 자와 개별소자가 복합되어 있다.

또 다른 고전력 응용용 IC로 **하이브리드**(hybrid) **IC**가 있다. 하이브리드 IC는 두 개 이상의 모놀리식 IC를 한 패키지(package)로 조합시키거나 모놀리식 IC를 박막회로 나 후막회로와 조합시킨 것이다 이 하이브리드 IC는 5 W에서 50 W 이상의 고전력 오 디오 증폭기 등에 널리 응용되어 사용되고 있다.

집적규모

그림 15-27*b*는 소규모 집적회로(*small scale integration: SSI*)의 예를 들어 단 몇 개의 소 자가 집적되어 완전한 회로를 구성한다. SSI는 보통 12개보다 적은 소자가 집적된 IC를 말 한다. 대부분의 SSI칩은 저항, 다이오드 및 바이폴라 트랜지스터가 집적된 것을 사용한다.

중간 규모 집적회로(*medium scale integration: MSI*)는 칩당 12~100개의 소자가 집적된 IC를 말하고 바이폴라 트랜지스터나 MOS 트랜지스터(증가형 MOSFET)를 한 IC에 집적화시킬 수 있다.

대규모 집적회로(*large scale integration: LSI*)는 100개 이상의 소자가 집적된 IC를 말한다. MOS 트랜지스터는 집적화시키는 공정이 바이폴라 트랜지스터보다 적고 더 작은 면적을 차지하므로 동일한 크기의 칩 속에 바이폴라 트랜지스터보다 더 많은 소자를 집적시킬 수 있다.

*VLSI(very large scale integration)*는 단일 칩상에 수천 개에서 수십만 개의 소자가 만들어진 것을 말한다. 오늘날 사용되는 거의 모든 칩은 VLSI를 사용하고 있다.

마지막으로 *ULSI(ultra large scale integration)*가 있는데 이는 단일 칩 상에 백만 개 이상의 소자가 만들어진 것을 말한다. 여러 종류의 마이크로프로세서들이 단일 칩상에 10억 개 정도의 소자를 가지리라 생각된다.

> **참고 사항**
>
> 전류미러개념은 class B push-pull 증폭기에 사용된다. 그런 개념에서 베이스 측면에서 보상 다이오드들은 푸시풀 트랜지스터의 베이스-에미터 접합과 부합된다.

15-7 전류미러

IC로써 차동 증폭기의 특성을 개선하는 몇 가지 방법으로 먼저 전압이득(A)과 공통신호 제거비(CMRR)를 증가시키는 방법이 있다. 그림 15-28*a*에서 **보상 다이오드**와 트랜지스터의 이미터 다이오드가 병렬로 되어있다. 저항(R)에 흐르는 전류는 다음과 같다.

$$I_R = \frac{V_{CC} - V_{BE}}{R} \tag{15-23}$$

외부 다이오드와 이미터 다이오드의 전류-전압의 특성곡선이 같다고 가정하자. 그러면 보상 다이오드와 이미터 다이오드는 병렬이기 때문에 동일한 전압과 동일한 전류값을 가진다. 이것은 트랜지스터의 컬렉터전류가 다이오드에 흐르는 전류와 같다는 의미이다.

$$I_C = I_R \tag{15-24}$$

그림 15-28*a*와 같은 회로를 **전류미러**라 부르며 이는 컬렉터전류가 거울 영상처럼 저항전류와 같기 때문이다. IC에서 보상 다이오드와 이미터다이오드의 특성을 매칭시

그림 15-28 전류미러

키는 것은 쉬운 일이다. 전류미러는 연산 증폭기 설계에서 전류원 및 능동부하(active load)로 사용된다.

전류미러는 꼬리전류를 공급한다

단측출력을 갖는 차동 전압이득은 $R_C/2r_e'$이며 공통 전압이득은 $R_C/2R_E$이다. 이 두 이득의 비를 CMRR이라고 하며 다음과 같다.

$$\text{CMRR} = \frac{R_E}{r_e'}$$

이 식으로부터 R_E를 크게 하면 할수록 CMRR이 더 좋아진다는 것이 분명해진다.

아주 큰 등가 R_E를 얻기 위한 한 방법으로 그림 15-29와 같이 꼬리전류를 만드는데 전류미러를 사용하는 경우로서 보상 다이오드를 흐르는 전류는 다음과 같다.

$$I_R = \frac{V_{CC} + V_{EE} - V_{BE}}{R} \tag{15-25}$$

이것이 Q_4에 생성된 꼬리전류의 값이다. Q_4는 전류원처럼 동작하기 때문에 이상적으로는 무한대의 출력임피던스를 가진다. 따라서 이것은 실제 차동 증폭기에서 등가 R_E가 수백 MΩ이 되며 CMRR이 크게 개선됨을 의미한다. 그림 15-29에서 Q_3이 다이오드로 나타나는 것에 주의하라. 이것은 다이오드와 같이 동작하게 만들기 위해서 트랜지스터 Q_3의 베이스와 컬렉터 단을 함께 단락시켰기 때문이다. 이런 방법은 IC 내부에서 흔히 사용된다.

능동부하

단측출력을 갖는 차동 증폭기의 전압이득은 $R_C/2r_e'$이다. RC를 크게 하면 전압이득도 커진다. 그림 15-30은 전류미러가 **능동부하**(active load) 저항으로 사용된 예이다. Q_6가 pnp전류원과 같이 동작하므로 Q_2는 이상적으로 무한대인 등가 R_C 값을 갖게 된다. 실제 등가 R_C의 값은 수백 MΩ이다. 결과적으로 전압이득은 일반적인 저항을 부하로

그림 15-29 꼬리전류를 만드는 전류미러

그림 15-30　능동부하로 작용하는 전류미러

갖는 회로보다 능동부하를 갖는 회로에서 훨씬 더 크다. 이 능동부하 방식은 대부분의 연산 증폭기에 사용되는 대표적인 부하방식이다.

15-8　부하가 있는 차동 증폭기

앞의 검토에서는 부하저항을 고려하지 않았다. 부하저항이 사용되면 해석이 복잡하며 특히 차동출력의 경우에는 더욱 그러하다.

　　그림 15-31a는 컬렉터 사이에 부하저항을 갖는 차동출력을 나타낸다. 이 저항이 출력전압에 어떠한 영향을 미치는지를 아는 몇 가지 방법이 있다. Kirchhoff 루프방정

그림 15-31　(a) 부하가 있는 차동 증폭기; (b) 차동출력을 갖는 Thevenin 등가회로; (c) 단측출력을 갖는 Thevenin 등가회로

식을 이용하면 대단히 어려울 것이나 Thevenin의 정리를 이용하면 문제는 쉽게 풀린다.

부하저항이 어떻게 작용하는지 검토해 보자. 먼저 그림 15-31a에서 부하저항을 개방하자. Thevenin 전압은 앞서 계산된 출력전압과 같다. 또한 모든 전원을 0으로 하고 개방단자 AB를 들여다보면 Thevenin 등가저항은 $2R_C$이다(트랜지스터는 전류원이므로 개방된다).

부하저항을 개방했을 때 어떻게 되는지가 그림 15-31a에 나와 있다. 그림 15-31b는 Thevenin 등가회로를 나타낸다. 또한 AB단이 개방되었을 때를 보면 Thevenin 저항은 $2R_C$임을 볼 수 있다. 출력전압 v_{out}을 구하고 부하전압을 구하는 것은 Ohm의 법칙만 사용하면 되므로 쉽다. 그림 15-31c는 단측출력을 갖는 차동 증폭기의 Thevenin 등가회로를 나타낸다.

예제 15-13

그림 15-32a에서 $R_L = 15 \ k\Omega$일 때 부하전압을 구하여라.

그림 15-32 예제

풀이 이상적인 꼬리전류는 2 mA, 이미터전류는 1 mA 그리고 교류 이미터저항 $r_e' = 25 \ \Omega$이다. 부하가 없을 때 전압이득은

$$A_v = \frac{R_C}{r_e'} = \frac{7.5 \ k\Omega}{25 \ \Omega} = 300$$

출력전압은

$$v_{out} = A_v(v_1) = 300(10 \ mV) = 3 \ V$$

Thevenin 저항은 다음과 같다.

$$R_{TH} = 2R_C = 2(7.5 \text{ k}\Omega) = 15 \text{ k}\Omega$$

그림 15-32b는 Thevenin 등가회로를 나타내며 부하가 15 kΩ이면 부하전압은

$$v_L = 0.5(3 \text{ V}) = 1.5 \text{ V}$$

연습 문제 15-13　그림 15-32a에서 $R_L = 10 \text{ k}\Omega$일 때 부하 전압을 구하라.

응용 예제 15-14　**IIII Multisim**

그림 15-32a에서 부하저항 대신에 전류계를 사용되면 전류를 구하여라.

풀이　그림 15-32b에서 부하저항을 0으로 하면 전류는 다음과 같다.

$$i_L = \frac{3 \text{ V}}{15 \text{ k}\Omega} = 0.2 \text{ mA}$$

Thevenin의 정리 없이는 이 문제를 푸는 것이 상당히 어려울 것이다.

연습 문제 15-14　입력 전압이 20 mV일 때 예제 15-14를 계산하라.

요점 | Summary

15-1 차동 증폭기

차동 증폭기는 대표적인 연산 증폭기의 입력단으로 쓰이며 결합 및 바이패스 커패시터가 없는 직결증폭기이다. 이와 같은 이유로 주파수가 0인 직류도 증폭할 수 있다. 입력은 차동, 비반전 혹은 반전일 수도 있다. 출력신호는 차동 또는 단측출력 중 하나이다.

15-2 차동 증폭기의 직류해석

차동 증폭기는 꼬리전류를 위해 2전원 이미터 바이어스를 사용한다. 차동 증폭기가 완전히 대칭이면 각각의 이미터전류는 꼬리전류의 1/2이다. 이상적으로 이미터저항 양단 전압은 음(−)의 공급전압이다.

15-3 차동 증폭기의 교류해석

꼬리전류는 일정하므로 한 트랜지스터의 이미터전류가 증가하면 다른 한 트랜지스터의 이미터전류는 감소한다. 차동출력에서 전압이득은 $A = R_C/r_e'$이고 단측출력에서 전압이득은 $A = R_C/2r_e'$이다.

15-4 연산 증폭기의 입력 특성

차동 증폭기의 중요한 입력특성은 입력 바이어스전류, 입력 오프셋전류 및 입력 오프셋전압이다. 입력 바이어스전류 및 입력 오프셋전류는 베이스저항을 흐를 때 원치 않는 입력 오차전압이다. 입력 오프셋전압은 R_C와 V_{BE} 차이로 생기는 입력오차이다

15-5 공통이득

대부분의 간섭 및 전자기적 픽업은 공통신호이다. 차동 증폭기는 이 공통신호를 구별하여 약하게 한다. CMRR은 차동이득을 공통이득으로 나눈 값이며 이 값이 크면 클수록 좋다.

15-6 집적회로

모놀리식 IC는 증폭기, 전압조절기 및 컴퓨터회로와 같이 완전한 회로기능을 가지며 1 W 이하의 전력손실을 나타낸다. 더 높은 전력을 사용할 경우에는 박막, 후막 및 하이브리드 IC가 사용된다. SSI는 12개 이하의 소자, MSI는 12개에서 100개 사이의 소자, LSI는 100개 이상의 소자, VLSI는 1,000

개 이상의 소자. 그리고 ULSI는 100만 개 이상의 소자를 집적화시킨 것을 의미한다.

러의 이점은 전압이득과 CMRR을 크게 할 수 있다.

부하저항에 따른 값을 구하기 편리하다. 등가저항은 차동출력의 경우 $2R_C$이고 단측출력이면 R_C이다.

15-7 전류미러

IC에 사용되는 전류미러는 전류원이나 능동부하를 만드는 데 아주 편리하다. 전류미

15-8 부하가 있는 차동 증폭기

차동 증폭기에 부하저항이 사용되면 Thevenin의 정리를 사용하면 교류 출력전압과

정의식 ❙ Definitions

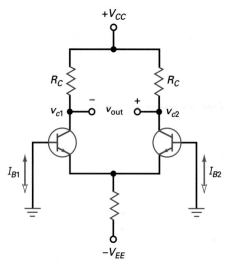

(15-1)   차동출력
$$v_{out} = v_{c2} - v_{c1}$$

(15-12)   입력 바이어스전류
$$I_{in(bias)} = \frac{I_{B1} + I_{B2}}{2}$$

(15-13)   입력 오프셋전류
$$I_{in(off)} = I_{B1} - I_{B2}$$

(15-15)   입력 오프셋전압
$$V_{in(off)} = \frac{V_{error}}{A_v}$$

(15-21)   공통신호 제거비
$$CMRR = \frac{A_v}{A_{v(CM)}}$$

(15-22)   데시벨 CMRR
$$CMRR_{dB} = 20 \log CMRR$$

유도식 ❙ Derivations

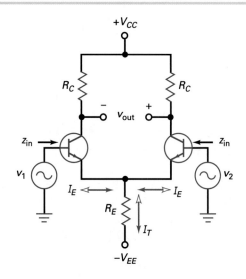

(15-2)   차동출력
$$v_{out} = A_v(v_1 - v_2)$$

(15-5)   꼬리전류
$$I_T = \frac{V_{EE}}{R_E}$$

(15-6)   이미터전류
$$I_E = \frac{I_T}{2}$$

(15-9)   단측출력
$$A_v = \frac{R_C}{2r'_e}$$

(15-10)   차동출력
$$A_v = \frac{R_C}{r'_e}$$

(15-11) 입력 임피던스

$$z_{in} = 2\beta r_e'$$

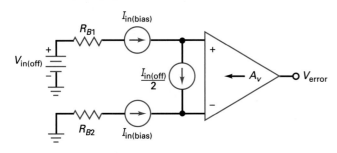

(15-16) 입력바이어스 전류로 인한 오차전압

$$V_{1err} = (R_{B1} - R_{B2})I_{in(bias)}$$

(15-17) 입력 오프셋 전류로 인한 오차전압

$$V_{2err} = (R_{B1} + R_{B2})\frac{I_{in(off)}}{2}$$

(15-18) 입력 오프셋전압으로 인한 오차전압

$$V_{3err} = V_{in(off)}$$

(15-19) 총 출력오차전압

$$V_{error} = A_v(V_{1err} + V_{2err} + V_{3err})$$

(15-20) 공통 전압이득

$$A_{v(CM)} = \frac{R_C}{2R_E}$$

복습 문제 | Self-Test

1. **모놀리식 IC란?**
    a. 개별 회로의 형태
    b. 단일 칩
    c. 박막과 후막회로의 조합
    d. 하이브리드 IC라고도 부름

2. **연산 증폭기가 증폭할 수 있는 것은?**
    a. 교류신호뿐
    b. 직류신호뿐
    c. 교류와 직류신호 모두
    d. 교류와 직류신호 모두 아님

3. **소자는 어떤 경우에 납땜을 하는가?**
    a. 개별회로
    b. 집적회로
    c. SSI
    d. 모놀리식 IC들

4. **차동 증폭기의 꼬리전류는 무엇과 같은가?**
    a. 한쪽 컬렉터전류의 반
    b. 한쪽 컬렉터전류
    c. 한쪽 컬렉터전류의 2배
    d. 베이스전류들의 차

5. **꼬리저항의 상단부의 절점전압과는 무엇이 가장 가까운가?**
    a. 컬렉터 공급전압
    b. 0
    c. 이미터 공급전압
    d. 베이스 저항과 꼬리전류의 곱

6. **입력 오프셋전류는 무엇과 같은가?**
    a. 두 베이스전류 간의 차
    b. 두 베이스전류의 평균
    c. 전류이득으로 나누어진 컬렉터전류
    d. 두 베이스-이미터 전압 간의 차

7. **꼬리전류란 무엇과 같은가?**
    a. 두 이미터전류 간의 차
    b. 두 이미터전류의 합
    c. 전류이득으로 나눈 컬렉터전류
    d. 컬렉터저항으로 나눈 컬렉터전압

8. **차동 증폭기의 차동 전압이득은 R_C를 무엇으로 나눈 값과 같은가?**
    a. r_e'
    b. $r_e'/2$
    c. $2r_e'$
    d. R_E

9. **차동 증폭기의 입력임피던스는 r_e'에 무엇을 곱한 값과 같은가?**
    a. 0
    b. R_C
    c. R_E
    d. 2β

10. **직류신호는 얼마의 주파수를 가지는가?**
    a. 0 Hz
    b. 60 Hz
    c. 0~1 MHz 이상
    d. 1 MHz

11. **차동 증폭기의 두 입력단자가 접지되었을 때는 _____ .**
    a. 베이스전류는 같다.
    b. 컬렉터전류는 같다.
    c. 출력 오프셋전압이 존재할 것이다.
    d. 교류 출력전압은 0이다.

12. 출력 오프셋전압의 발생원 중 하나는?
 a. 입력바이어스 전류이다.
 b. 이미터 다이오드 곡선의 차이다.
 c. 꼬리전류이다.
 d. 공통 전압이득이다.

13. 공통신호는 무엇에 공급되는가?
 a. 비반전 입력단자
 b. 반전 입력단자
 c. 두 입력 모두
 d. 꼬리저항의 상단

14. 공통 전압이득은?
 a. 차동 전압이득보다 작다.
 b. 사동 진압이득과 같다.
 c. 차동 전압이득보다 크다.
 d. 위의 사실 모두가 아니다.

15. 연산 증폭기의 입력단은 항상 ____.
 a. 차동 증폭기이다.
 b. B급 증폭기이다.
 c. CE 증폭기이다.
 d. 이득이 감소된 증폭기이다.

16. 차동 증폭기의 꼬리는 무엇처럼 동작하는가?

 a. 배터리
 b. 전류원
 c. 트랜지스터
 d. 다이오드

17. 차동 증폭기의 공통 전압이득은 R_C를 무엇으로 나눈 값과 같은가?
 a. r_e'
 b. $r_e'/2$
 c. $2r_e'$
 d. $2R_E$

18. 차동 증폭기에서 두 베이스가 접지되었을 때 각 이미터 다이오드 양단 전압은?
 a. 0
 b. 0.7 V
 c. 동일하다.
 d. 높다.

19. 공통신호 제거비(CMRR)는?
 a. 매우 작다.
 b. 종종 데시벨로 표기된다.
 c. 전압이득과 같다.
 d. 차동 전압이득과 같다.

20. 대표적으로 연산 증폭기의 입력단으로 사용되는 것은?
 a. 단측입력과 단측출력
 b. 단측입력과 차동출력
 c. 차동입력과 단측출력
 d. 차동입력과 차동출력

21. 보통 입력 오프셋전류는?
 a. 입력 바이어스전류보다 작다.
 b. 0과 같다.
 c. 입력 오프셋전압보다 작다.
 d. 베이스저항이 사용되면 중요하지 않다.

22. 두 베이스가 접지되면 오차전압을 만드는 것은?
 a. 입력 오프셋전류
 b. 입력 바이어스전류
 c. 입력 오프셋전압
 d. β

23. 부하걸린 차동 증폭기의 전압이득은?
 a. 무부하 차동증폭 시보다 크다.
 b. R_C/r_e'과 같다.
 c. 무부하 차동증폭 시보다 작다.
 d. 결정할 수 없다.

기본 문제 | Problems

15-2 차동 증폭기의 직류해석

15-1 그림 15-33에서 이상적 전류와 전압을 구하여라.

15-2 |||| **Multisim** 2차 근사를 이용하여 문제 15-1을 반복하여라.

15-3 그림 15-34에서 이상적 전류와 전압을 구하여라.

15-4 |||| **Multisim** 제2근사를 이용하여 문제 15-3을 반복하여라.

15-3 차동 증폭기의 교류해석

15-5 그림 15-35에서 교류 출력전압을 구하여라. β = 275이면 차동 증폭기의 입력임피던스는? 꼬리전류는 이상적인 경우로 하여라.

15-6 제2근사를 사용하여 문제 15-5를 반복하여라.

15-7 반전단자는 접지시키고 반전단자일 때 문제 15-5를 반복하여라.

그림 15-33

그림 15-34

그림 15-36

그림 15-35

15-4 연산 증폭기의 입력특성

15-8 그림 15-36에서 A_v = 360, $I_{in(bias)}$ = 600 nA, $I_{in(off)}$ = 100 nA, $V_{in(off)}$ = 1 mV이다. 출력 오차전압을 구하여라. 만약 매칭 베이스저항이 사용되면 출력 오차전압을 구하여라.

15-9 그림 15-36에서 A_v = 250, $I_{in(bias)}$ = 1 μA, $I_{in(off)}$ = 200 nA, $V_{in(off)}$ = 5 mV이다. 출력 오차전압을 구하여라. 만약 매칭 베이스저항이 사용되면 출력 오차전압을 구하여라.

15-5 공통이득

15-10 그림 15-37에서 공통 전압이득은 얼마인가? 만약 공통전압이 두 베이스에 20 μV 있으면 공통 출력전압은 얼마인가?

15-11 그림 15-37에서 v_{in} = 2 mV, $v_{in(CM)}$ = 5 mV이다. 교류 출력전압은 얼마인가?

15-12 741C 연산 증폭기는 A_v = 100,000과 CMRR$_{dB}$ = 70 dB이다. 공통 전압이득은 얼마인가? 차동 및 공통신호가 각각 5 μV이면 출력전압은 얼마인가?

그림 15-37

15-13 공급전압이 +10 V 및 −10 V로 줄면 그림 15-37의 회로에서 CMRR$_{dB}$은 얼마인가?

15-14 연산 증폭기 자료표에 A_v = 150,000와 CMRR = 85 dB이다. 공통전압이득은 얼마인가?

15-8   부하가 있는 차동 증폭기

15-15 27 kΩ의 부하저항이 그림 15-36 회로의 차동출력단에 연결되면 부하전압은 얼마인가?

15-16 그림 15-36의 회로에서 전류계가 출력단에 연결되면 흐르는 전류는 얼마인가?

고장 점검 | Troubleshooting

15-17 어떤 사람이 반전단자를 접지하지 않고 그림 15-35와 같이 차동 증폭기를 만든다. 출력전압은 같은가? 앞의 답을 기초로 차동 증폭기가 적절히 동작하기 위해 필요한 것은 무엇인가?

15-18 그림 15-34에서 잘못하여 상측의 200 kΩ 저항 대신 20 kΩ의 저항이 사용되있다. 출력진입은 같은가?

15-19 그림 15-34에서 v_{out}는 거의 0이고, 입력 바이어스전류는 80 nA이다. 다음 중 고장인 것은 어느 것인가?

  a. 상측 200 kΩ

  b. 하측 200 kΩ

  c. 왼쪽 베이스 개방

  d. 두 입력 모두 단락

응용 문제 | Critical Thinking

15-20 그림 15-34에서 트랜지스터는 모두 β_{dc} = 200이다. 출력전압을 구하여라.

15-21 그림 15-34에서 각 트랜지스터가 β_{dc} = 300이면 베이스전압은 얼마인가?

15-22 그림 15-38에서 트랜지스터 Q_3와 Q_5는 Q_4, Q_6에 대해 보상 다이오드와 같이 동작되도록 접속되어 있다. 꼬리전류는 얼마인가? 또 능동부하에 흐르는 전류는 얼마인가?

15-23 그림 15-38에서 15 kΩ을 바꾸어 꼬리전류 15 μA가 흐르도록 하고자 한다. 저항값을 얼마로 하면 되는가?

15-24 상온에서 그림 15-34의 출력은 6.0 V이다. 온도가 증가하면 각 이미터 다이오드의 V_{BE}가 감소한다. 만약 왼쪽 V_{BE}가 2 mV/°C로 감소하고 오른쪽 VBE가 2.1 mV/°C로 감소하면 75°C에서 출력전압은?

15-25 그림 15-39a에서 각 신호원의 직류저항이 0이면 각 트랜지스터의 r'_e를 구하여라. 만약 출력전압이 차동출력이면 전압이득은 얼마인가?

15-26 그림 15-39b에서 트랜지스터가 동일하다면 꼬리전류는 얼마인가? 왼쪽 및 오른쪽 트랜지스터의 컬렉터-접지 간 전압은?

그림 15-38

그림 15-39

Multisim 고장 점검 문제 | Multisim Troubleshooting Problems

멀티심 고장 점검 파일들은 *Connect for Electronic Principles* 저자 자료에 멀티심 고장 점검 회로(MTC)라는 폴더에서 찾을 수 있다. 좀 더 자세한 내용은 xiv페이지를 참조하라. 이 장에 관련된 파일은 MTC15-27~MTC15-31로 명칭되어 있고 모두 그림 15-40의 회로를 바탕으로 한다.

각 파일을 열고 고장 점검을 실시한다. 결함이 있는지 결정하기 위해 측정을 실시하고 결함이 있다면 무엇인지를 찾아라.

15-27 파일 MTC15-27을 열고 고장 점검을 실시하라.

15-28 파일 MTC15-28을 열고 고장 점검을 실시하라.

15-29 파일 MTC15-29를 열고 고장 점검을 실시하라.

15-30 파일 MTC15-30을 열고 고장 점검을 실시하라.

15-31 파일 MTC15-31을 열고 고장 점검을 실시하라.

그림 15-40

직무 면접 문제 | Job Interview Questions

1. 차동 증폭기의 6가지 회로구성 형태를 그려라. 그리고 비반전, 반전, 단측 또는 차동으로 입력과 출력을 구분하여라.

2. 차동입력과 단측출력을 가진 차동 증폭기를 그려라. 어떻게 꼬리전류, 이미터전류 및 컬렉터전류를 계산하는가?

3. 전압이득이 R_C/r_e'인 차동 증폭기를 그려라. 그리고 전압이득이 $R_C/2r_e'$인 어떤 차동 증폭기를 그려라.

4. 공통신호가 무엇인가? 이 신호가 존재할 때 차동 증폭기가 가지는 이점은?

5. 차동출력 양단에 전류계를 연결하면 이때 흐르는 전류는 어떻게 계산하는가?

6. 차동 증폭기기 꼬리저항을 기지는 회로에시 CMRR이 적당하지 않다. 어떻게 이 값을 증가시키겠는가?

7. 전류미러란 무엇이며 왜 그것이 사용되는가?

8. CMRR은 커야 하는가, 작아야 하는가? 그 이유는?

9. 차동 증폭기에서 두 이미터가 공통저항으로 묶여 있다. 이 특성을 개선시키는 방법은?

10. 왜 차동 증폭기는 CE증폭기보다 큰 입력임피던스를 가지느냐?

11. 전류미러는 무엇으로 사용되는가?

12. 전류미러의 장점은?

13. 741 연산 증폭기를 저항계로 어떻게 평가할 수 있나?

복습 문제 해답 | Self-Test Answers

1.	b	7.	b	13.	c	19.	b
2.	c	8.	a	14.	a	20.	c
3.	a	9.	d	15.	a	21.	a
4.	c	10.	a	16.	b	22.	c
5.	b	11.	c	17.	d	23.	c
6.	a	12.	b	18.	c		

연습 문제 해답 | Practice Problem Answers

15-1 $I_T = 3$ mA; $I_E = 1.5$ mA; $V_C = 7.5$ V; $V_E = 0$ V

15-2 $I_T = 2.86$ mA; $I_E = 1.42$ mA; $V_C = 7.85$ V; $V_E = -0.7$ V

15-3 $I_T = 3.77$ mA; $I_E = 1.88$ mA; $V_E = 6.35$ V

15-4 $I_E = 1.5$ mA; $r_e' = 1.67$ V; $A_v = 300$; $v_{out} = 300$ mV; $z_{in(base)} = 10$ kΩ

15-7 $I_T = 30$ μA; $r_e' = 1.67$ kV; $A_v = 300$; $V_{out} = 2.1$ V; $z_{in} = 1$ MΩ

15-8 $V_{error} = 637.5$ mV; 225 mV

15-9 $V_{error} = 1.53$ V

15-10 $A_{v(CM)} = 0.25$; Vout = 0.25 V

15-11 $v_{out1} = 200$ mV; $v_{out2} = 0.5$ mV; $v_{out} = 200$ mV + 0.5 mV

15-12 $A_{v(CM)} = 3.16$; $v_{out1} = 0.1$ V; $v_{out2} = 3.16$ μV

15-13 $v_L = 1.2$ V

15-14 $i_L = 0.4$ mA

16

연산 증폭기

Operational Amplifiers

고전력용 연산 증폭기들이 있지만 대부분의 연산 증폭기는 1 W 이하의 최대 정격전력을 갖는 저전력 소자이다. 어떤 연산 증폭기는 대역폭용에, 어떤 것들은 낮은 입력오프셋용에, 그리고 어떤 것들은 낮은 잡음 특성용에 초점을 두었다. 이처럼 상업적으로 사용할 수 있는 다양한 연산 증폭기가 있다. 여러분은 연산 증폭기를 주로 아날로그 응용분야에 사용할 것이다.

연산 증폭기는 아날로그 시스템에서 가장 기본적인 능동소자 중의 하나이다. 예를 들어 2개의 외부저항을 연결하여 요구조건에 맞게 전압이득과 대역폭을 조절할 수 있으며 또한 다른 외부소자와 결합하여 변환기, 발진기, 능동필터 및 다른 흥미로운 회로를 구성할 수 있다.

주요용어 | Vocabulary

1극응답(first-order response)

BIFET 연산 증폭기(BIFET op amp)

가산기(summing amplifier)

가상단락(virtual short)

가상접지(virtual ground)

개방루프 대역폭
  (open-loop bandwidth)

개방루프 전압이득
  (open-loop voltage gain)

계단전압(voltage step)

공급전압 제거비(power-supply
  rejection ratio: PSRR)

기계적 단락(mechanical short)

기계적 접지(mechanical ground)

능동부하(active loading)

대신호(large signal)

대역폭단락회로 출력전류
  (short-circuit output current)

드리프트(drift)

믹서(mixer)

반전 증폭기(inverting amplifier)

보상커패시터
  (compensating capacitor)

부트스트랩핑(bootstrapping)

비반전 증폭기
  (noninverting amplifier)

슬루레이트(slew rate)

열적 드리프트(thermal drift)

영점조정회로(nulling circuit)

이득-대역폭 곱(gain-bandwidth
  product: GBW)

전력대역폭(power bandwidth)

전압제어 전압원(voltage-con-
  trolled voltage source: VCVS)

전압폴로어(voltage follower)

채널(channel)

출력 오차전압(output error voltage)

폐루프 전압이득
  (closed-loop voltage gain)

16-1 연산 증폭기 소개

그림 16-1은 IC 연산 증폭기의 계통도를 나타낸다. 입력단은 차동 증폭기이며 그 다음에 이득증폭단과 B급 푸시풀(push-pull) 이미터 폴로어단이 차례로 접속된다. 첫 단은 차동 증폭기로 구성되어 있으며 이 차동 증폭기는 연산 증폭기의 입력특성을 결정하는 데 아주 중요하다. 대부분의 연산 증폭기에서 출력은 그림과 같이 단측출력을 가진다. 공급전압이므로 단측출력은 0 V로 설계되어 있다. 이와 같이 입력전압이 0이면 출력전압도 0이다.

　모든 증폭기가 그림 16-1과 똑같이 설계되어 있지는 않다. 예를 들어, 어떤 것은 B급 푸시풀출력을 사용하지 않으며 또 어떤 것들은 차동출력(양쪽 트랜지스터의 컬렉터에서 얻음)을 갖고 있다. 또한 연산 증폭기는 그림 16-1처럼 단순하지 않고 개별회로에서는 불가능한 전류미러, 능동부하 등으로 쓰이는 많은 트랜지스터로 이루어진 복잡한 회로이다. 그림 16-1은 대표적인 연산 증폭기에 적용되는 두 가지 특성, 즉 차동입력 및 단측출력을 표기하였다.

　그림 16-2*a*는 연산 증폭기의 도식적 기호를 나타내며 반전, 비반전 및 단측 출력 단자를 가지고 있다. 이상적으로 이 기호는 증폭기가 무한대의 전압이득, 무한대의 입력 임피던스 및 0의 출력임피던스를 갖는다는 것을 의미한다. 이상적인 연산 증폭기는 완전한 전압증폭기이며 종종 **VCVS**(voltage-controlled voltage source)라 부른다. VCVS는 그림 16-2*b*처럼 나타내며 여기서이다.

　표 16-1은 이상적인 연산 증폭기 특성을 요약한 것이다. 이상적인 연산 증폭기는 전압이득 = ∞, 단위이득 주파수 = ∞, 입력임피던스 = ∞ 및 CMRR = ∞이다. 또한 출력저항 = 0, 바이어스전류 = 0 및 오프셋 = 0이다. 제조자는 이와 같은 이상적인 값에 근접하도록 실제적으로 소자를 만든다.

　예를 들어 LM741C는 표준 연산 증폭기로서 1960년대 이후로 사용해온 대표적인 것이다. 그 특성은 전압이득 = 100,000, 단위이득 주파수 = 1 MHz, 입력임피던스 = 2 MΩ 등이다. 전압이득이 아주 커서 입력오프셋은 쉽게 연산 증폭기를 포화시킨다. 이 사실을 통해 실제 회로에서 전압이득을 안정화시키기 위해 입력과 출력 사이에 외부소자가 왜 필요한지를 알 수 있다. 응용회로에서 부귀환이 사용되어 전반적인 전압이득을 작게 조절하여 안정된 선형동작을 하도록 한다.

그림 16-1 연산 증폭기의 계통도

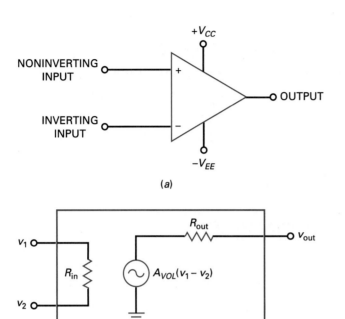

그림 16-2   (a) 연산 증폭기의 도식적 기호; (b) 연산 증폭기의 등가회로

요점정리 표 16-1	대표적인 연산 증폭기의 특성			
Quantity	Symbol	Ideal	LM741C	LF157A
Open-loop voltage gain	A_{VOL}	Infinite	100,000	200,000
Unity-gain frequency	f_{unity}	Infinite	1 MHz	20 MHz
Input resistance	R_{in}	Infinite	2 MV	10^{12} Ω
Output resistance	R_{out}	Zero	75 V	100 Ω
Input bias current	$I_{in(bias)}$	Zero	80 nA	30 pA
Input off set current	$I_{in(off)}$	Zero	20 nA	3 pA
Input off set voltage	$V_{in(off)}$	Zero	2 mV	1 mV
Common-mode rejection ratio	CMRR	Infinite	90 dB	100 dB

　회로에서 귀환이 없다면 전압이득은 최대가 되며 이를 개방루프 전압이득이라 부른다. 표 16-1에서 LM741의은 100,000이다. 무한대는 아니지만 **개방루프 전압이득**은 아주 크다. 예를 들어 10 mV의 작은 입력전압도 출력전압 1 V를 만든다. 개방 전압이득이 아주 크므로 회로 성능을 향상시키기 위해 부귀환이 크게 걸리도록 한다.

　741C는 단위이득 주파수 1 MHz이다. 이는 1 MHz까지는 전압이득을 사용할 수 있음을 나타낸다. 또한 741C는 입력저항 2 MΩ, 출력저항 75Ω, 입력 바이어스전류 80 nA, 입력 오프셋전류 20 nA, 입력 오프셋전압 2 mV 그리고 CMRR 90 dB이다.

참고 사항

대부분의 범용 연산 증폭기들은 바이폴라 연산 증폭기보다 우수한 성능을 제공하기 때문에 BIFET기술로 생산되고 있다. BIFET 연산 증폭기는 일반적으로 넓은 대역폭, 높은 슬루우레이트, 큰 전력 출력, 높은 입력 임피던스, 그리고 낮은 바이어스 전류를 포함하는 더욱 향상된 특성을 갖는다.

특히 큰 입력저항이 필요할 때 설계자는 **BIFET 연산 증폭기**를 이용한다. 이런 형태의 연산 증폭기는 바이폴라 트랜지스터와 JFET를 같은 칩에 결합한 것이다. JFET는 입력단에 사용되어 작은 입력 바이어스전류 및 오프셋전류를 가지도록 하며 바이폴라 트랜지스터는 더 큰 전압이득을 가지도록 뒷단에 사용된다.

LF157A는 BIFET 연산 증폭기의 한 예이다. 표 16-1에서처럼 입력 바이어스전류는 단지 30 pA이며 입력저항은 1012 Ω이다. 또한 전압이득은 200,000이며 단위이득 주파수는 20 MHz이다. 이 소자로써 우리는 20 MHz까지 전압이득을 얻을 수 있다.

16-2 741 연산 증폭기

1965년, 최초로 널리 알려진 모놀리식 연산 증폭기인 μA709가 Fairchild Semiconductor사에 의해 소개되었다. 비록 성공적이긴 했으나, 이 제1세대 연산 증폭기는 많은 단점을 지니고 있었기 때문에 μA741로 알려진 연산 증폭기로 개선되었다. 이 μA741은 값이 싸고 사용하기 편리해서 대단히 성공적이었으며 다른 형태의 741이 여러 반도체업체들에 의해 설계되었다. 예를 들어 ON Semiconductor사는 MC1741, Texas Instruments사는 LM741와 아날로그 소자 AD741을 생산했다. 이 모든 모놀리식 연산 증폭기는 자료표에 동일한 사양(specification)을 가지고 있기 때문에 mA741과 등가이며, 편의상 대부분의 사람들은 이들 제품명의 앞머리 문자는 빼고 간단히 741이라 부른다.

산업표준

741은 산업표준(An Industry Standard)이 되어 왔으며, 일반적으로 우리는 회로설계 시 우선 741을 사용해 보려고 한다. 그러나 741로 설계 조건을 해결하지 못할 경우에는 더 나은 연산 증폭기로 대체해야 한다. 741은 대단히 중요하기 때문에 이 장을 공부할 때 기본소자로 사용할 것이다. 일단 741을 이해하면 다른 연산 증폭기에 대해서도 쉽게 이해할 수 있다.

덧붙여 741은 숫자로만 표시된 741과 741A, 741C, 741E, 741N 등과 같은 다른 변형도 있다. 이들은 전압이득, 상용 온도 범위, 잡음레벨 및 기타 특성이 서로 다르다. 741C(C는 산업적 등급을 나타냄)는 가장 값이 싸고 널리 사용되고 있는데 이것은 2 MΩ의 입력임피던스와 100,000의 개방루프 전압이득 및 75Ω의 출력임피던스를 가지고 있다. 그림 16-3은 가장 일반적인 3가지 패키지와 핀 구조이다.

입력 차동 증폭기

그림 16-4는 741의 간략화된 회로구성도이다. 이 회로는 741과 그 이후 세대의 연산 증폭기와 등가이다. 회로설계에 대해 모든 것을 상세히 이해할 필요는 없으나 연산 증폭기의 동작 방법에 대한 일반적인 개념은 알아둘 필요가 있다. 이 사실을 염두에 두고 여기서는 741의 기본개념에 대해 고찰해 보기로 한다.

이 회로의 입력단은 pnp트랜지스터(Q_1과 Q_2)를 사용한 차동 증폭기이다. 741에서 Q_{14}는 꼬리저항 대신 사용된 전류원이며, R_2, Q_{13}과 Q_{14}는 차동 증폭기의 꼬리전류

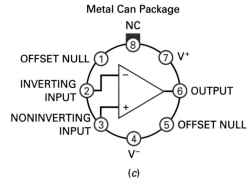

그림 16-3 741의 형태와 핀 출력 (a) Dual-in-line; (b) Ceramic flatpak; (c) Metal can

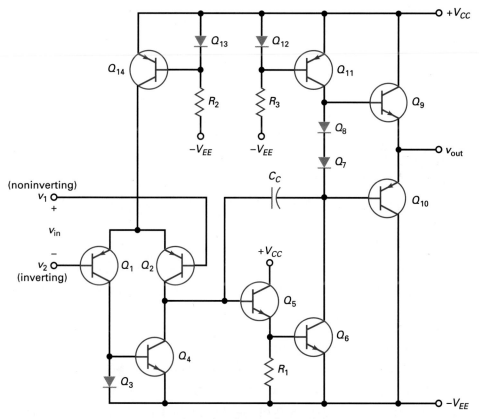

그림 16-4 741의 간략화된 회로구성도

를 생성시키는 전류거울이다. 차동 증폭기에서는 컬렉터저항으로 일반저항을 사용하나 741에서는 이 대신에 능동부하 저항을 사용한다. 이 능동부하 Q_4는 아주 큰 임피던스를 갖는 전류원처럼 동작하기 때문에 차동 증폭기의 전압이득은 전보다 훨씬 더 커진다.

차동 증폭기로부터 증폭된 신호는 이미터 폴로어인 Q_5의 베이스를 구동하고, 이 단은 차동 증폭기의 임피던스 레벨을 높여 부하저항이 낮아지는 것을 방지한다. Q_5로 부터의 신호는 Q_6로 가고, 다이오드 Q_7과 Q_8은 최종단의 바이어스를 위한 부분이다. Q_{11}은 Q_6의 능동부하저항이므로 Q_6와 Q_{11}은 매우 높은 전압이득을 가진 CE 증폭단과 같다. 이전 장에서 설명했듯이 다이오드 기호는 종종 트랜지스터의 베이스와 컬렉터가 단락된 경우 간략하게 그려진다. 예를 들어 Q_3은 베이스와 컬렉터가 단락되어 다이오드처럼 동작하는 트랜지스터이다.

최종단

CE 증폭단 Q_6에서 나온 증폭된 신호는 B급 푸시풀 이미터 폴로어(Q_9와 Q_{10})인 최종단(the final stage)으로 간다. 이와 같은 분할공급(+VCC와 −VEE 동일 크기) 때문에 정지출력은 입력전압이 0일 때 이상적으로는 0 V가 된다. 그러나 완전히 0 V가 되지 않고 작은 값을 가지는데 이와 같은 편차를 **출력 오프셋전압**이라 부른다.

v_1이 v_2보다 크면 입력전압 v_{in}은 양(+)의 출력전압 v_{out}을 나타낸다. 만일 v_2이 v_1보다 크면 입력전압 v_{in}은 음(−)의 출력전압 v_{out}을 나타낸다. 이상적으로 v_{out}은 $+V_{CC}$와 $-V_{EE}$이 되고 이보다 크면 파형이 잘린다. 출력스윙은 741의 내부 전압강하 때문에 각 공급전압에서 1 내지 2 V 작은 값이 된다.

능동부하

그림 16-4는 **능동부하**(부하로 저항 대신 트랜지스터를 사용함)의 두 가지 예를 나타낸다. 첫째는 차동 증폭기의 능동부하(active loading)인 Q_4이고, 둘째는 CE 구동단의 능동부하인 Q_{11}이다. 전류원은 높은 임피던스를 가지기 때문에 능동부하는 저항에서 가능한 값보다 훨씬 큰 전압이득을 생성한다. 이 능동부하들은 741C에서 100,000배의 대표적인 전압이득을 생성한다. 반도체 칩상에서는 저항보다 트랜지스터를 만들기가 쉽고 비용도 적게 들기 때문에 집적회로에서는 이 능동부하가 널리 사용되고 있다.

주파수 보상

그림 16-4에서 C_c는 **보상용 커패시터**이다. Miller 효과 때문에 이 작은 커패시터(대표적으로 30 pF)는 Q_5와 Q_6의 전압이득이 곱해져 다음과 같이 큰 등가커패시턴스를 얻게 된다.

$$C_{in(M)} = (A_v + 1)C_c$$

여기서, A_v는 Q_5와 Q_6단의 전압이득이다.

이 Miller 커패시턴스를 마주하는 저항이 차동 증폭기의 출력임피던스이다. 이는 지연(lag)회로로 생각할 수 있다. 이 지연회로는 741C에서 차단주파수가 10 Hz이며 연산 증폭기의 개방루프 전압이득은 이 차단주파수에서 3 dB 아래에 있다. 이 개방루프 전압이득은 단위이득 주파수가 될 때까지 거의 20 dB/decade로 감소한다.

참고 사항

대개 741이 양과 음의 공급전력에 연결되어있더라도, 연산 증폭기는 단일 공급 전력을 이용하여 작동한다. 예를 들어 $-V_{EE}$ 입력은 접지될 수 있고, $+V_{CC}$ 입력은 양의 직류 공급전원에 연결될 수 있다.

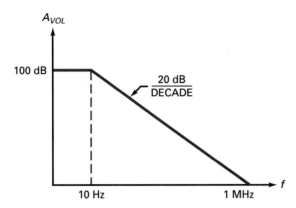

그림 16-5   741C에 대한 개방루프 전압이득의 이상적 Bode 선도

그림 16-5는 개방루프 전압이득-주파수 관계를 나타내는 이상적인 Bode 선도이다. 741C는 개방루프 전압이득이 100,000이며 이는 100 dB이다. 개방루프 차단주파수가 10 Hz이면 이 주파수에서 전압이득은 20 dB/decade로 감소하여 1 MHz에서 0 dB이 된다.

뒷장에서 또 다른 응용분야로 **능동필터**를 검토한다. 이는 연산 증폭기, 저항 및 커패시터를 이용하여 주파수 응답을 조절하는 것이다. 그때 1극(20 dB/decade로 감소), 2극(40 dB/decade로 감소), 3극(60 dB/decade로 감소)응답을 검토하고 741C와 같이 내부적으로 보상된 연산 증폭기는 **1극응답**을 가진다.

모든 연산 증폭기가 내부적으로 보상된 것은 아니다. 어떤 경우는 발진을 방지하기 위해 외부에 보상커패시터를 연결하기도 한다. 이 외부보상의 장점은 설계자가 고주파 특성을 조절한다는 것이다. 이 외부커패시터가 가장 간단하지만, 좀더 복잡한 회로를 이용하여 보상효과는 물론 더 높은 단위이득 주파수(f_{unity})를 가지도록 할 수 있다.

바이어스와 오프셋

이전 장에서 검토했듯이 차동 증폭기는 입력이 없더라도 입력바이어스 및 입력오프셋으로 인해 출력 오차전압이 생긴다. 많은 분야에서 출력 오차전압은 무시되지만 설계자는 베이스저항을 사용하여 출력 오차전압을 감소시킬 수 있다. 이렇게 하면 입력 바이어스전류 문제는 해결하지만 오프셋문제는 여전히 해결되지 않는다.

그래서 자료표에 주어진 **영점 조정회로**를 이용하여 오프셋 문제를 제거하는 것이 최선이다. 이 방법은 내부회로적으로 **열적 드리프트**(연산 증폭기가 온도에 따라 출력이 천천히 변하는 현상) 문제와 출력 오차전압을 제거한다. 경우에 따라 자료표에 이 영점 조정회로가 없으면 작은 입력전압을 가해 출력전압을 0으로 한다. 이 방법은 뒤에 검토할 것이다.

그림 16-6는 741C 자료표에 추천한 영점조정법을 나타낸다. 반전입력을 구동하는 교류전원은 Thevenin 저항 R_B를 가진다. 이 저항을 흐르는 입력 바이어스전류(80 nA) 효과를 없애기 위해 이 저항과 같은 저항을 그림과 같이 비반전 단자에 가한다.

입력 오프셋전류(20 nA) 및 입력 오프셋전압(2 mV) 효과를 없애기 위해 741C 자료표는 10 kΩ의 가변저항을 핀 1과 핀 5 사이에 연결하도록 권한다. 입력신호가 없을 때 이 가변저항을 조정하여 출력전압을 0으로 만든다.

그림 16-6 741C에 사용된 보상 및 영점 조정

공통신호 제거비

741C의 CMRR은 저주파에서 90 dB이다. 같은 크기의 차동신호와 공통신호가 입력되면 차동신호가 공통신호보다 출력에서 90 dB이 클 것이다. 이를 숫자로 바꾸면 30,000 정도이다. 고주파에서는 그림 16-7a에 나타낸 것처럼 리액티브 효과로 CMRR이 감소되며 1 kHz에서 75 dB, 10 kHz에서 56 dB이 된다.

최대 피크-피크 출력

증폭기의 MPP값은 증폭기로 만들어 낼 수 있는 클리핑이 발생하지 않는 최대의 피크-피크(peak-to-peak) 출력전압이다. 이상적으로는 연산 증폭기의 정지출력이 0이므로 교류 출력전압은 (+)측 또는 (−)측으로 스윙(swing)하게 될 것이다. 부하저항이 훨씬 더 큰 경우에 출력전압은 거의 공급전압까지 스윙할 수 있다. 예를 들어 V_{CC} = +15 V이고, V_{EE} = −15 V이면 10 kΩ의 부하저항에서의 MPP 값은 이상적으로 30 V이다.

실제로 출력은 연산 증폭기의 최종단에서의 작은 전압강하 때문에 공급전압값 전체에 대해 스윙할 수 없다. 더욱이 부하저항이 R_{out}과 비교하여 크지 않을 때 증폭된 전압 중 일부는 R_{out} 양단에 강하되는데 이것은 최종 출력전압이 감소함을 의미한다.

그림 16-7b에 741C의 MPP-부하저항의 관계를 나타내었다. MPP는 부하저항 R_L이 10 kΩ인 경우 거의 27 V이다. 이는 출력전압이 +13.5 V와 −13.5 V에서 포화됨을 의미한다. 부하저항이 감소하면 MPP도 감소한다. 예를 들어 부하저항이 275 Ω이면 MPP는 16 V로 감소되어 출력이 16 V와 −8 V에서 포화된다.

단락회로 전류

어떤 경우에는 연산 증폭기가 거의 0인 부하저항을 구동할 수도 있다. 이때 그 회로의 **단락회로 출력전류**(short-circuit output current)를 알 필요가 있다. 741C의 자료표에는 단락회로 출력전류가 25 mA로 표시되어 있다. 이는 연산 증폭기가 만드는 최대 출력전류이다. 만일 작은 부하저항(75 Ω보다 작은)을 사용한다면 부하저항과 25 mA의 전류를 곱한 전압이상은 나오지 않으므로 큰 출력전압은 기대하지 않는 것이 좋다.

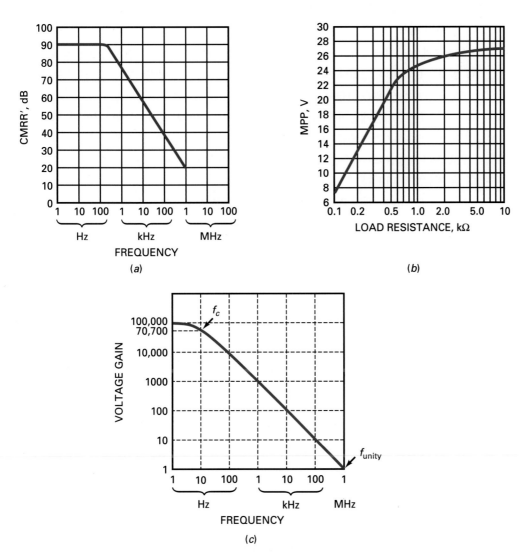

그림 16-7 대표적인 741C의 CMRR, MPP 및 A_{VOL}의 특성

주파수 응답

그림 16-7c에 741C의 소신호 주파수 응답을 나타내었다. 중간대역에서의 전압이득은 100,000이다. 741C의 차단주파수 f_c는 10 Hz이다. 이 임계주파수에서의 전압이득은 70,700(3 dB 감소)이다. 차단주파수 이상에서의 전압이득은 20 dB/decade의 비율로 감소한다(1극응답).

단위이득 주파수는 전압이득이 1이 되는 주파수이며 그림 16-7c에서 f_{unity}는 1 MHz이다. 자료표에는 항상 f_{unity}의 값이 명시되는데 이것은 연산 증폭기의 유용한 이득의 상한을 나타내기 때문이다. 예를 들어 741C의 자료표에는 f_{unity}가 1 MHz로 표시되며 이것은 741C가 1 MHz의 신호까지 증폭할 수 있다는 의미이다. 1 MHz 이상에서는 전압이득이 1보다 작아져 741C는 사용할 수 없다. 만일 더 큰 f_{unity}가 요구된다면 다른 연산 증폭기로 대체해야 한다. 예를 들어 LM318은 15 MHz의 f_{unity}를 가지는데 이것은 LM318 연산 증폭기가 15 MHz까지 유용한 전압이득을 생성시킬 수 있음을 의미한다.

슬루레이트

741C의 보상커패시터는 매우 중요한 기능을 한다. 이는 신호와 간섭하여 생길 수 있는 발진을 방지한다. 그러나 단점도 있다. 보상저항은 충전과 방전되므로 출력이 변하는 속도에 한계가 있음 을 나타낸다.

여기에 기본개념이 있다. 연산 증폭기의 입력전압이 양(+)의 **계단전압**이라 가정하자. 연산 증폭기가 이상적이라면 그림 16-8a와 같이 이상적인 응답을 얻을 것이다. 실제로 출력은 양(+)의 지수함수 파형이다. 이는 보상커패시터가 충전된 후 출력전압이 높은 전압으로 바뀐다.

그림 16-8a에서 지수함수의 초기 기울기를 **슬루레이트**라 부르며 기호로 나타낸다. 슬루레이트는 다음과 같이 정의한다.

$$S_R = \frac{\Delta v_{out}}{\Delta t} \tag{16-1}$$

여기서 그리스문자 Δ(delta)는 변화분을 나타낸다. 말로 표현하면 슬루레이트는 출력전압 변화를 시간변화로 나눈 값이다.

그림 16-8b는 슬루레이트의 의미를 설명한다. 초기 기울기는 지수함수 시작 부분에서 두 지점 간의 수직 변화를 수평 변화로 나눈 것과 같으므로 그림 16-8c에서 슬루레이트는 다음과 같다.

$$S_R = \frac{0.5\ V}{1\ \mu s} = 0.5\ V/\mu s$$

이 값은 연산 증폭기가 가질 수 있는 가장 빠른 응답이다. 예를 들어 741C의 슬루레이트가 이면 741C의 출력은 1 μs에서 0.5 V/μs보다 더 빨리 변할 수 없다. 즉 741C의 입력으로 초기전압이 큰 계단 전압으로 구동되면 출력전압이 갑자기 변할 수 없으므로

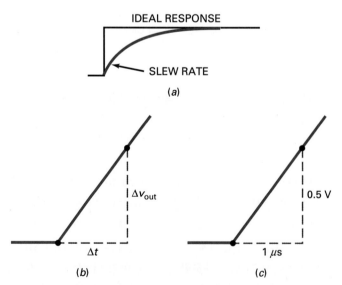

그림 16-8 (a) 입력 계단전압에 따른 이상적 및 실제적 응답; (b) 슬루레이트의 정의; (c) SR = 0.5 V/μs

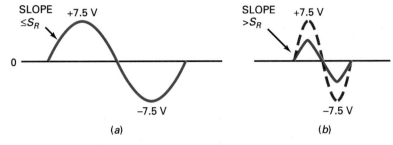

그림 16-9   (a) 초기 정현파의 기울기; (b) 초기 기울기가 슬루레이트보다 크면 왜곡이 생긴다.

지수형 출력파형을 가진다. 출력파형의 초기 기울기는 그림 16-8c와 같은 파형을 가진다.

또한 정현파 신호에 대해서도 슬루레이트는 한계를 가진다. 그림 16-9a에서 정현파의 초기 기울기가 슬루레이트보다 작으면 연산 증폭기는 충분히 빠른 출력파형을 얻는다. 예를 들어 출력정현파가 기울기 0.1 V/μs이면 741C는 슬루레이트가 0.5 V/μs이므로 찌그러짐이 없이 정현파를 출력한다. 반면 정현파가 기울기 1 V/μs이면 741C의 출력은 찌그러져 그림 16-9b처럼 정현파보다는 삼각파로 보인다.

연산 증폭기 자료표는 슬루레이트를 나타내며 이 값이 대신호(large signal) 응답을 제한한다. 출력정현파의 크기가 작고 주파수가 작으면 슬루레이트는 문제가 없다. 그러나 출력 정현파의 크기가 크고 주파수가 크면 슬루레이트는 출력파형을 찌그러지게 한다. 이를 식으로 표현하면 다음과 같다.

$$S_S = 2\pi f V_p$$

여기서 S_S는 정현파의 초기 기울기이고 f는 주파수 그리고 V_p는 정현파의 피크전압이다. 슬루레이트 왜곡을 제거하기 위해서는 S_S가 S_R보다 작아야 한다. 만약 두 값이 같으면 이때가 슬루레이트의 왜곡이 시작되는 시점이다.

$$S_R = S_S = 2\pi f V_p$$

이 식을 주파수에 대해 풀면 다음과 같다.

$$f_{\text{max}} = \frac{S_R}{2\pi V_p} \tag{16-2}$$

여기서 f_{max}는 슬루레이트 왜곡 없이 신호를 증폭할 수 있는 최대주파수이다. 연산 증폭기의 S_R과 피크 출력전압 V_p인 것을 출력하고 싶다면 식 (16-2)를 사용하여 타당성을 검토할 수 있다. 이 주파수 이상에서는 오실로스코프 상에 슬루레이트 왜곡이 나타나기 시작할 것이다.

주파수 f_{max}를 종종 연산 증폭기의 **전력대역폭**(power bandwidth)또는 대신호 대역폭(*large signal bandwidth*)이라 부른다. 그림 16-10은 세 개의 서로 다른 연산 증폭기에 대 해 식 (16-2)를 적용한 그래프로서 세 가지 경우 중 가장 아래 그래프의 S_R = 0.5 V/μs이므로 741C에 알맞다. 상위의 그래프는 S_R = 50 V/μs이므로 LM318에 알맞다.

예를 들어 741C를 사용한다고 하자. 안 찌그러진 출력전압 8 V를 얻으려면 주파수는 10 kHz 이상 커서는 안 된다. f_{max}를 증가시키려면 출력전압을 줄여야 한다. V_p와

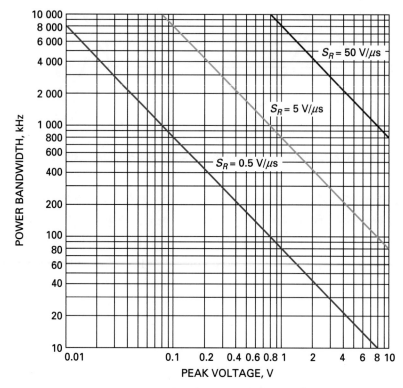

그림 16-10 전력 대역폭–최대전압의 그래프

$f_{\max}$를 적절히 조정하면 전력대역폭을 향상시킬 수 있다. 만약 어떤 응용을 할 때 $V_p =$ 1 V가 필요하면 80 kHz까지 주파수를 크게 해도 무방하다.

연산증폭회로의 동작을 해석할 때 두 가지 대역폭을 고려해야 한다. 즉 1극 응답 (first order response)에 의해 결정되는 소신호 대역폭과 슬루레이트에 의한 대신호 대역폭이다. 뒤에 이들에 대해 검토하고자 한다.

예제 16-1

그림 16-11a의 741C를 음(−)의 포화값으로 구동하기 위해서는 반전 입력전압을 얼마로 해야 하나?

풀이 그림 16-7b에서 부하저항 10 kΩ에 대해 MPP = 27 V임을 나타낸다. 이는 음의 포화값이 −13.5 V로 되기 때문이다. 741C는 개방루프 전압이득이 100,000이므로 요구되는 입력전압은 다음과 같다.

$$v_2 = \frac{13.5 \text{ V}}{100{,}000} = 135 \ \mu\text{V}$$

그림 16-11b는 답을 요약한 것으로 135 μV의 반전입력만 있으면 출력전압은 −13.5 V로 포화된다.

연습 문제 16-1 $A_{VOL} = 200,000$일 때, 예제 16-1을 반복하라.

(a)

(b)

그림 16-11   예제

예제 16-2

입력주파수가 100 kHz일 때 741C의 CMRR은 얼마인가?

풀이   그림 16-7a에서 CMRR은 100 kHz에서 약 40 dB이다. 이는 차동신호가 공통신호보다 100배 더 크다는 것을 나타낸다.

연습 문제 16-2   입력주파수가 10 kHz일 때, 741C의 CMRR은 얼마인가?

예제 16-3

741C에서 입력주파수가 각각 1 kHz, 10 kHz, 100 kHz일 때 개방루프 전압이득을 구하여라.

풀이 그림 16-7c에서 1 kHz에서의 전압이득은 1000, 10 kHz에서 100, 100 kHz에서 10이다. 주파수가 10배 증가하면 전압이득은 10배 감소된다.

예제 16-4

연산 증폭기의 입력전압으로 큰 계단전압이 인가되면 출력은 0.1 μs에서 0.25 V로 변하는 지수함수형이다. 연산 증폭기의 슬루레이트를 구하여라.

풀이 식 (16-1)을 사용하면 다음과 같다.

$$S_R = \frac{0.25\ \text{V}}{0.1\ \mu s} = 2.5\ \text{V}/\mu s$$

연습 문제 16-4 측정된 출력전압이 0.2 μs에서 0.8 V로 변했다면 슬루레이트는 얼마인가?

예제 16-5

LF411A는 S_R = 15 V/μs이다. 피크출력전압 V_p = 10 V이면 전력대역폭은 얼마인가?

풀이 식 (16-2)를 사용하여 계산하면 다음과 같다.

$$f_{\max} = \frac{S_R}{2\pi V_p} = \frac{15\ \text{V}/\pi s}{2\pi(10\ \text{V})} = 239\ \text{kHz}$$

연습 문제 16-5 V_p = 200 mV인 741C를 사용하여 예제 16-5를 반복하라.

예제 16-6

다음의 각 경우에 대해 전력대역폭을 구하여라.

$$S_R = 0.5\ \text{V}/\mu s\ \text{and}\ V_p = 8\ \text{V}$$
$$S_R = 5\ \text{V}/\mu s\ \text{and}\ V_p = 8\ \text{V}$$
$$S_R = 50\ \text{V}/\mu s\ \text{and}\ V_p = 8\ \text{V}$$

풀이 그림 16-10을 이용하면 구하면 답은 각각 10 kHz, 100 kHz 및 1 MHz이다.

연습 문제 16-6 V_p = 1 V일 때, 예제 16-6을 반복하라.

16-3 반전 증폭기

반전 증폭기(inverting amplifier)는 가장 기본적인 연산 증폭회로로서 부귀환이 사용되어 전압이득을 안정화시킨다. 전압이득을 안정화시키는 이유는 개방루프 전압이득 A_{VOL}이 너무 커서 귀환 없이 사용하면 회로가 불안정하기 때문이다. 예를 들어 741C는 A_{VOL}이 최대 200,000 이상이고 최소 20,000이다. 전압이득의 크기 및 변화폭이 예상치 못할 정도로 크므로 귀환이 없으면 쓸모가 없다.

반전 부귀환

그림 16-12는 반전 증폭기를 나타낸다. 그림을 단순화하기 위해 공급전압은 나타내지 않고 교류 등가회로로만 다루었다. 입력전압 v_{in}이 저항 R_1을 통해 반전단자를 구동한다. v_2는 반전된 입력전압이다. 입력전압은 개방회로 전압이득으로 증폭되어 반전된 출력전압을 만든다. 이 출력전압이 귀환저항 R_f를 통해 입력으로 귀환된다. 출력이 입력과 180° 위상차를 가지는 것은 부귀환(negative feedback) 때문이다. 즉 입력전압으로 인한 v_2의 변화는 출력전압과 반대된다.

그러면 어떻게 부귀환이 전압이득을 안정시킬 수 있는가? 만약 개방루프 전압이득이 어떤 원인으로 증가하면 출력전압이 증가하여 반전단자로 더욱 큰 전압이 귀환된다. 부귀환으로 v_2 전압을 감소시킨다. 따라서 A_{VOL}이 증가하더라도 v_2는 감소한다. 최종출력은 귀환이 없을 때보다 훨씬 작게 증가된다. 전체적으로 출력전압은 거의 느낄 수 없을 정도로 미소하게 증가한다. 다음 장에서 부귀환에 대해 수학적으로 상세히 검토하면 잘 이해할 수 있을 것이다.

가상접지

우리가 회로 상의 어떤 지점과 접지 사이를 도선으로 연결하면 그 지점의 전압은 0이된다. 더욱이 도선은 전류가 흐르는 길이다. 기계적 **접지**(*mechanical ground*)는 전압과 전류에 대해 0이다.

가상접지는 다르다. 이런 형태의 접지는 반전 증폭기를 해석하는 데 널리 사용된다. 가상접지가 있는 반전 증폭기와 그와 관련된 회로의 해석은 너무 쉽다. 이 개념은 이상적인 연산 증폭기에 바탕을 둔다. 이상적이면 무한대의 개방루프 전압이득 및 무한대의 입력저항을 가진다. 이런 이유로 그림 16-13의 반전 연산 증폭기에 대해 다음과 같

그림 16-12　반전 증폭기

그림 16-13 가상접지 개념; 전압은 단락하고 전류는 개방

은 특성을 얻을 수 있다.

1. $R_{in} = \infty$이므로 $i_2 = 0$이다.
2. $A_{VOL} = \infty$이므로 $v_2 = 0$이다.

그림 16-13에서 $i_2 = 0$이므로 R_f를 흐르는 전류는 R_1을 흐르는 전류와 같다. 더욱이 $V_2 = 0$이므로 가상접지는 반전입력이 전류에 대해서는 개방이지만 전압에 대해서는 접지이다.

가상접지는 유별나다. 전류에 대해서는 개방이지만 전압에 대해서는 단락이기 때문에 접지의 반과 같다. 가상접지를 그림 16-13에서처럼 반전입력과 접지 사이에 파선으로 표기한다. 파선은 전류가 접지로 흐르지 않음을 표시한다. 가상접지는 이상적 근사이지만 부귀환이 형성되면 아주 정확한 답을 제공한다.

전압이득

그림 16-14에서 반전입력단자에 가상접지를 그리면 저항 R_1의 오른쪽이 접지된다.

$$v_{in} = i_{in}R_1$$

R_f의 왼쪽이 접지이므로 출력은 다음과 같다.

$$v_{out} = -i_{in}R_f$$

$A_v = v_{out}/v_{in} = -i_{in}R_f/i_{in}R_1$일 때, 폐회로 전압이득(voltage gain) A_{CL}는 출력전압을 입력전압으로 나눈 값이다.

그림 16-14 반전 증폭기는 같은 전류가 두 저항에 흐른다.

$$A_{v(CL)} = \frac{-R_f}{R_1} \qquad\qquad (16\text{-}3)$$

폐회로 전압이득이란 출력과 입력 사이에 귀환경로가 있는 경우의 전압이득을 나타낸다. 부귀환으로 인해 $A_{v(CL)}$은 개방루프 전압이득보다는 항상 작다.

식 (16-3)이 얼마나 간단하며 멋진가를 살펴보자. 폐회로 전압이득은 귀환저항과 입력저항의 비이다. 예를 들어, $R_1 = 1$ kΩ, $R_f = 50$ kΩ이면 $A_{v(CL)} = 50$이다. 부귀환으로 인해 이 전압이득은 매우 안정하다. 만약 A_{VOL}이 온도 변화, 공급전원 변화 또는 연산 증폭기 교체 등으로 변하더라도 $A_{v(CL)}$은 여전히 50일 것이다. 전압이득 방정식에서 반전신호는 180°의 위상차를 나타낸다.

입력임피던스

어떤 응용분야에서는 설계자가 특정한 입력임피던스(input impedence)값을 원할 수도 있다. 반전 증폭기의 이점 중 하나 원하는 입력임피던스를 쉽게 만들 수 있다. 그 이유는 저항 R1의 오른쪽이 가상접지이므로 폐회로 입력임피던스는 다음과 같다.

$$z_{\text{in}(CL)} = R_1 \qquad\qquad (16\text{-}4)$$

이것은 그림 16-14에 나타낸 것처럼 R_1의 왼쪽에서 본 입력임피던스이다. 예를 들어, 입력임피던스가 2 kΩ이고 폐회로 전압이득이 50이라면 설계자는 $R_1 = 2$ kΩ, $R_f = 100$ kΩ을 사용하면 된다.

대역폭

연산 증폭기의 **개방루프 대역폭**(bandwidth) 혹은 차단주파수는 내부 보상커패시터 때문에 매우 작다. 741C에서 $f_{2(OL)} = 10$ Hz이다. 이 주파수에서부터 개방루프 전압이득이 1극응답 특성을 가지고 감소한다.

부귀환이 사용되면 전반적인 대역폭이 증가한다. 그 이유가 바로 여기에 있다. 입력주파수가 $f_{2(OL)}$보다 크면 A_{VOL}은 20 dB/decade 비로 감소한다. v_{out}이 감소하려고 하면 반전입력에 귀환되는 전압이 작아지게 된다. 따라서 v_2는 증가하고 A_{VOL}의 감소를 보상한다. 이런 이유로 $A_{v(OL)}$은 $f_{2(CL)}$보다 큰 주파수에서 감소한다. 귀환이 크면 클수록 폐회로 차단주파수는 커진다. 달리 표현하면 $A_{v(CL)}$이 작을수록 $f_{2(CL)}$은 커진다.

그림 16-15는 폐회로 대역폭과 부귀환의 관계를 나타낸다. 부귀환이 클수록($A_{v(CL)}$이 작을수록)폐회로 대역폭은 커진다. 반전증폭기 폐회로 대역폭을 식으로 나타내면 다음과 같다.

$$f_{2(CL)} = \frac{f_{\text{unity}}}{A_{v(CL)} + 1}$$

대부분의 경우 $A_{v(CL)}$은 10보다 크므로 이 식은 다음과 같이 간략화 된다.

$$f_{2(CL)} = \frac{f_{\text{unity}}}{A_{v(CL)}} \qquad\qquad (16\text{-}5)$$

참고 사항

각 입력이 가상접지로 인하여 다른 것들과 효과적으로 고립되어 있기 때문에 반전 증폭기는 하나 이상의 입력을 갖는다. 각 입력은 그 자신의 입력 저항을 보인다.

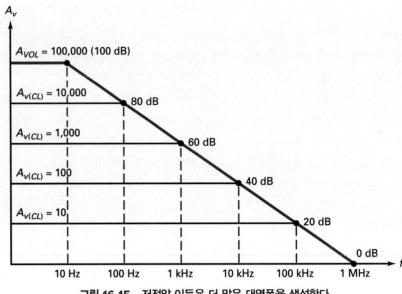

그림 16-15 저전압 이득은 더 많은 대역폭을 생성한다.

예를 들어 $A_{v(CL)} = 10$일 때

$$f_{2(CL)} = \frac{1 \text{ MHz}}{10} = 100 \text{ kHz}$$

로서 그림 16-14와 일치하며, $A_{v(CL)} = 100$일 때

$$f_{2(CL)} = \frac{1 \text{ MHz}}{100} = 10 \text{ kHz}$$

로서 역시 일치한다.

식 (16-5)를 다시 정리하면 다음과 같다.

$$f_{\text{unity}} = A_{v(CL)}f_{2(CL)} \tag{16-6}$$

이는 단위이득 주파수가 전압이득과 대역폭의 곱과 같다는 것이다. 이런 이유로 자료표에서 단위이득 주파수를 **GBW**(gain-bandwidth product)이라 한다.

개방루프 전압이득을 표기하는 일정한 기호가 없다. A_{OL} 및 A_v, A_{vo}, A_{vol}이 있으나 이 책에서는 A_{VOL}을 사용한다.

바이어스 및 오프셋

부귀환은 $I_{\text{in(bias)}}$, $I_{\text{in(off)}}$, $V_{\text{in(off)}}$로 인한 출력 오차전압을 감소시킨다. 이전 장에서 3가지 입력오차전압을 검토했다. 총 출력 오차전압에 대한 식은 다음과 같다.

$$V_{\text{error}} = A_{VOL}(V_{1\text{err}} + V_{2\text{err}} + V_{3\text{err}})$$

부귀환이 사용되면 위 식은 다음과 같이 쓸 수 있다.

$$V_{\text{error}} \cong \pm A_{v(CL)}(\pm V_{1\text{err}} \pm V_{2\text{err}} \pm V_{3\text{err}}) \tag{16-7}$$

여기서 V_{error}은 총 출력 오차전압이다. 식 (16-7)은 ±를 포함하지만 자료표에는 없다. 오차는 + 또는 −로 될 수 있기 때문이다. 예를 들어 어느 한쪽 베이스전류가 다른 쪽의 베이스전류보다 클 수 있으며 입력 오프셋전압도 + 또는 −가 될 수 있다.

대량생산 시 입력오차는 입력오차가 합해져서 최악조건이 될 수도 있다. 이전 장에서 언급한 입력오차를 여기서 다시 한 번 반복한다.

$$V_{1err} = (R_{B1} - R_{B2})I_{in(bias)} \tag{16-8}$$

$$V_{2err} = (R_{B1} + R_{B2})\frac{I_{in(off)}}{2} \tag{16-9}$$

$$V_{3err} = V_{in(off)} \tag{16-10}$$

$A_{v(CL)}$이 작으면 식 (16-7)의 총 출력 오차전압은 무시할 수 있을 정도로 작아질 것이다. 그렇지 않다면 저항보상 및 오프셋 영점조정이 필요하다.

반전 증폭기에서 R_{B2}는 반전 입력단자에서 전원쪽을 들여다볼 때의 Thevenin 등가저항이며 그 값은 다음과 같다.

$$R_{B2} = R_1 \| R_f \tag{16-11}$$

입력바이어스 전류에 대해 보상할 필요가 있으면 같은 저항 R_{B1}을 비반전 단자에 연결한다. 이 저항은 가상접지 근사해석에 영향을 미치지 않는다. 그 이유는 교류 신호전류가 이 저항에 흐르지 않기 때문이다.

예제 16-7   ‖‖‖ **Multisim**

그림 16-16a는 교류 등가회로로서 출력오차를 무시할 수 있다. 폐루프 전압이득과 대역폭을 구하여라. 또 1 kHz와 1 MHz에서 출력전압은 얼마인가?

그림 16-16 예제

풀이 식 (16-3)을 이용하여 폐루프 전압이득을 구하면

$$A_{v(CL)} = \frac{-75\ k\Omega}{1.5\ k\Omega} = -50$$

식 (16-5)로 폐루프 대역폭을 구하면 다음과 같다.

$$f_{2(CL)} = \frac{1\text{ MHz}}{50} = 20\text{ kHz}$$

그림 16-16b는 폐루프 전압이득에 대한 이상적인 Bode 선도를 나타낸다. 숫자 50에 대한 데시벨은 34 dB이다.

1 kHz에서 출력전압은

$$v_{\text{out}} = (-50)(10\text{ mVp-p}) = -500\text{ mVp-p}$$

이다. 단위이득 주파수가 1 MHz이므로 1 MHz에서 출력전압은 다음과 같다.

$$v_{\text{out}} = -10\text{ mVp-p}$$

(−) 출력값은 입력과 출력 사이에 위상이 180° 바뀐 것을 나타낸다.

연습 문제 16-7 그림 16-16a에서 100 kHz에서의 출력전압은 얼마인가? [식 (14-20)을 이용하라.]

응용 예제 16-8

그림 16-17에서 입력전압일 때 출력전압을 구하여라. 이 경우 표 16-1에 주어진 대표적인 값을 사용하여라.

그림 16-17 예제

풀이 표 16-1은 741C에 대해 $I_{\text{in(bias)}} = 80$ nA, $I_{\text{in(off)}} = 20$ nA, 그리고 $V_{\text{in(off)}} = 2$ mV이다. 식 (16-11)을 사용하면

$$R_{B2} = R_1 \parallel R_f = 1.5\text{ k}\Omega \parallel 75\text{ k}\Omega = 1.47\text{ k}\Omega$$

식 (16-8)에서 (16-10)을 사용하면 3개의 입력 오차전압은 각각 다음과 같다.

$$V_{1err} = (R_{B1} - R_{B2})I_{in(bias)} = (-1.47 \text{ k}\Omega)(80 \text{ nA}) = -0.118 \text{ mV}$$

$$V_{2err} = (R_{B1} + R_{B2})\frac{I_{in(off)}}{2} = (1.47 \text{ k}\Omega)(10 \text{ nA}) = 0.0147 \text{ mV}$$

$$V_{3err} = V_{in(off)} = 2 \text{ mV}$$

폐루프 전압이득은 50이다. 식 (16-7)을 사용하여 최악의 경우 오차전압을 합하면 출력 오차전압은 다음과 같다.

연습 문제 16-8 LF157A를 사용하여 예제 16-8을 반복하라.

응용 예제 16-9

앞의 예제에서 대표적인 변수를 사용하였으나 741C 자료표가 다음과 같이 최악조건이라면 그림 16-17a에서 입력전압 $v_{in} = 0$ 일 때 다음의 출력전압을 구하여라.

$$I_{in(bias)} = 500 \text{ nA}, \ I_{in(off)} = 200 \text{ nA}, \ V_{in(off)} = 6 \text{ mV}$$

풀이 식 (16-8)에서 (16-10)을 사용하면 3개의 입력 오차전압은 각각 다음과 같다.

$$V_{1err} = (R_{B1} - R_{B2})I_{in(bias)} = (-1.47 \text{ k}\Omega)(500 \text{ nA}) = -0.735 \text{ mV}$$

$$V_{2err} = (R_{B1} + R_{B2})\frac{I_{in(off)}}{2} = (1.47 \text{ k}\Omega)(100 \text{ nA}) = 0.147 \text{ mV}$$

$$V_{3err} = V_{in(off)} = 6 \text{ mV}$$

폐루프 전압이득은 50이다. 식 (16-7)을 사용하여 최악의 경우 오차전압을 합하면 출력 오차전압은 다음과 같다.

$$V_{error} = \pm 50(0.735 \text{ mV} + 0.147 \text{ mV} + 6 \text{ mV}) = \pm 344 \text{ mV}$$

예제 16-7에서 원하는 교류 출력전압은 500 mVp-p이다. 그런데 이처럼 큰 출력 오차전압을 무시할 수 있는가? 물론 응용 분야에 따라 다르다. 예를 들어 주파수 20 Hz에서 20 kHz까지의 음성신호를 증폭한다고 하자. 결합커패시터로 출력을 부하저 항 또는 다음 단으로 연결할 것이다. 이때 직류 오차전압은 차단되며 교류신호만 전달되므로 전혀 문제가 없다.

반면 주파수 0 Hz에서 20 kHz까지의 음성신호를 증폭한다고 하자. 이때는 성능이 뛰어난 연산 증폭기(작은 바이어스와 오프셋)를 사용하거나 그림 16-17b처럼 회로를 수정할 필요가 있다. 비반전 단자에 보상저항을 추가하여 입력 바이어스전류 효 과를 제거하고 10 kΩ의 가변저항기를 사용하여 입력 오프셋전류 및 입력 오프셋전압 효과를 0으로 만들어야 한다.

16-4 비반전 증폭기

비반전 증폭기(noninverting amplifier)는 또 다른 기본 연산 증폭기이다. 부귀환을 사 용하여 전압이득을 안정화하며 입력임피던스를 증가시키고 출력임피던스를 감소시킨다.

기본회로

그림 16-18은 비반전 증폭기의 교류 등가회로를 나타낸다. 입력전압 v_{in}이 비반전 단자를 구동하고 이 전압이 증폭되어 그림과 같이 동상의 출력전압이 나타난다. 출력전압은 전압분배기를 거쳐 부분적으로 입력에 귀환된다. 즉 저항 R_1 양단전입이 반진단자에 가해진다. 귀환전압은 입력전압과 거의 같다. 개방루프 전압이득이 아주 크므로 전압 v_1과 전압 v_2는 매우 작다. 귀환전압은 입력전압과 위상이 반대이므로 부귀환이다.

그러면 어떻게 해서 부귀환이 전압이득을 안정화시키는가? 만약 개방루프 전압이득 A_{VOL}이 어떤 원인으로 증가하면 출력전압이 증가하고 반전단자로 더욱 큰 전압이 귀환될 것이다. 위상이 반대인 귀환전압은 알짜의 입력전압 $v_1 - v_2$를 감소시킨다. 따라서 A_{VOL}이 증가하더라도 $v_1 - v_2$는 감소한다. 최종 출력전압은 귀환이 없을 때보다 훨씬 작게 증가한다. 전체적으로 출력전압은 거의 느낄 수 없을 정도로 미소하게 증가한다.

가상단락

회로 상의 어떤 지점과 접지 사이를 도선으로 연결하면 그 지점의 전압도 접지와 같이 0이 된다. 도선은 두 지점 사이에 전류가 흐르는 길이다. 기계적 단락(*mechanical short*: 두 지점 사이의 도선)는 전압과 전류에 대해서 단락이다.

그러나 **가상단락**(virtual short)은 다르다. 이런 형태의 단락은 비반전 증폭기를 해석하는 데 널리 사용된다. 이 가상단락으로 비반전 증폭기와 관련 회로를 쉽고 빠르게 해석할 수 있다. 가상단락은 다음과 같은 이상적인 연산 증폭기의 2가지 특성을 사용한다.

1. $R_{in} = \infty$이므로 두 입력전류는 0이다.
2. $A_{VOL} = \infty$이므로 $v_1 - v_2 = 0$이다.

참고 사항

그림 16-19에 관하여, 폐회로 입력 임피던스는 $z_{in(CL)} = R_{in}(1 + A_{VOL}B)$이고, R_{in}은 개방회로 입력저항을 나타낸다.

그림 16-19에서 입력단자 간의 가상단락을 나타낸다. 가상단락은 전압에 대해서는 단락이지만 전류에 대해서는 개방이다. 다시 한 번 상기하면 파선은 전류가 흐르지 않음을 나타낸다. 가상단락은 이상적 근사이지만 부귀환이 형성되면 아주 정확한 답을 제공한다.

어떻게 가상단락을 사용할 것인가? 비반전 증폭기 혹은 이와 유사한 회로를 해석할 때 연산 증폭기의 입력단자 사이에 가상단락을 표기한다. 연산 증폭기가 포화되

그림 16-18 비반전 증폭기

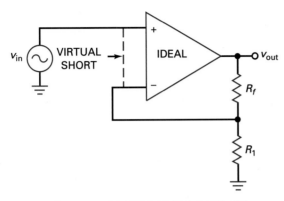

그림 16-19　가상단락은 두 입력 사이에 있다.

지 않고 선형영역에서 동작하면 개방루프 전압이득은 무한대이며 두 입력 사이에 가상단락이 존재한다.

　　또 한 가지 알아야 할 사실이 있다. 가상단락으로 반전 입력전압은 비반전 입력전압을 따른다. 즉 비반전 입력전압이 증가 혹은 감소하면 반전입력도 즉각 같은 값으로 증가 혹은 감소한다. 이 작용을 **부트스트랩**(bootstrapping)이라 한다. 비반전 입력은 같은 값으로 반전 입력을 위 혹은 아래도 당긴다.

전압이득

그림 16-20에서 연산 증폭기의 입력단자 사이에 가상단락을 표시하면 그림과 같이 입력전압이 저항 R_1 양단에 나타난다.

$$v_{in} = i_1 R_1$$

전류가 가상단락을 흐르지 못하므로 i_1 전류가 저항 R_f를 흐른다. 따라서 출력전압은 다음과 같다.

$$v_{out} = i_1(R_f + R_1)$$

이로부터 출력전압을 입력전압으로 나누어 전압이득(voltage gain)을 구하면 다음과 같다.

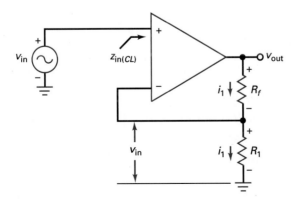

그림 16-20　입력전압이 저항 R_1 양단에 나타나며 같은 전류가 저항에 흐른다.

$$A_{v(CL)} = \frac{R_f + R_1}{R_1}$$

또는

$$A_{v(CL)} = \frac{R_f}{R_1} + 1$$

(16-12)

이 식은 반전 증폭기의 식과 같아 기억하기 쉽고 이 폐루프 전압이득은 저항비에 숫자 1을 더하는 것이므로 기억하기 쉽다. 출력은 입력과 동상이므로 전압이득 식에서 (−)를 사용하지 않는다.

다른 이점들

폐루프 입력임피던스는 무한대에 가깝다. 다음 장에서 수학적으로 부귀환 효과를 다루고 부귀환이 입력임피던스를 증가시킨다는 사실을 다룰 것이다. 개방루프 입력임피던스가 매우 크므로(741C 경우 2 MΩ) 폐루프 입력임피던스는 더욱 클 것이다.

부귀환이 대역폭에 미치는 효과는 반전 증폭기와 같다.

$$f_{2(CL)} = \frac{f_{\text{unity}}}{A_{v(CL)}}$$

전압이득과 대역폭은 반비례하며 폐루프 전압이득이 작으면 작을수록 대역폭은 커진다. $I_{\text{in(bias)}}$, $I_{\text{in(off)}}$ 및 $v_{\text{in(off)}}$로 인한 입력 오차전압은 반전 증폭기와 같은 방법으로 해석하며 각각의 입력오차전압을 계산 후 폐루프 전압이득을 곱해서 출력 오차전압을 구한다.

R_{B2}는 반전 입력단자에서 전압분배기쪽을 들여다볼 때의 Thevenin 등가저항이며 이 값은 반전 증폭기의 경우와 같다.

$$R_{B2} = R_1 \parallel R_f$$

만약 입력 바이어스전류를 보상하려면 같은 저항 R_{B1}을 비반전 단자에 연결하면 된다. 교류신호전류가 이 저항을 통과하므로 가상단락 근사를 적용해도 아무런 영향이 없다.

출력 오차전압은 MPP를 감소시킨다

앞서 검토했듯이 교류신호를 증폭하려면 출력신호는 부하에 용량적으로(capacitively) 결합된다. 이 경우 출력 오차전압이 작으면 무시할 수 있으나 크면 MPP(찌그러지지 않는 최대 피크-피크 출력전압)를 상당히 감소시킨다.

예를 들어 출력 오차전압이 없으면 그림 16-21a의 비반전 증폭기는 공급전원(공급전원에서 1~2 V 정도 감소된)까지 스윙할 것이다. 간단히 설명하기 위해 MPP가 28 V이면 출력신호는 그림 16-21b에 나타낸 것처럼 +14 V, −14 V로 스윙한다. 지금 출력 오차전압이 그림 16-21c와 같이 +10 V라면 찌그러지지 않는 최대 피크-피크 스윙은 +14 V에서 +6 V까지이다. 즉 MPP가 단지 8 V이다. 여기서 기억해야 할 사실은 출력 오차전압이 크면 클수록 MPP값은 작아진다.

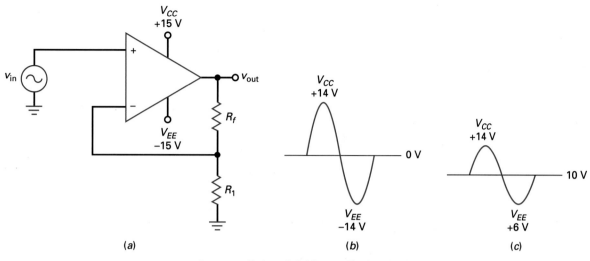

그림 16-21 출력 오차전압은 MPP를 감소시킨다.

예제 16-10 ‖‖‖ Multisim

그림 16-22a에서 폐루프 전압이득 및 대역폭을 구하여라. 또한 250 kHz에서 출력전압을 구하여라.

(a)

(b)

그림 16-22 예제

풀이 식 (16-12)를 이용하면 다음과 같다.

$$A_{v(CL)} = \frac{3.9 \text{ k}\Omega}{100 \text{ k}\Omega} + 1 = 40$$

단위이득 주파수를 폐루프 전압이득으로 나누면 대역폭은 다음과 같다.

$$f_{2(CL)} = \frac{1 \text{ MHz}}{40} = 25 \text{ kHz}$$

그림 16-22b는 폐루프 전압이득을 Bode 선도로 나타낸 것이며 40을 데시벨로 바꾸면 32 dB이다. $A_{v(CL)}$이 25 kHz에서 감소하기 시작하여 250 kHz에서 20 dB 감소된다. 이는 250 kHz에서 $A_{v(CL)}$ = 12 dB임을 의미한다. 따라서 전압이득은 4이므로 250 kHz에서 출력전압은 다음과 같이 계산된다.

$$v_{\text{out}} = 4 \ (50 \text{ mVp-p}) = 200 \text{ mVp-p}$$

연습 문제 16-10 그림 16-22에서 3.9 kΩ을 4.9 kΩ으로 바꾸고, 200 kHz에서의 $A_{v(CL)}$과 v_{out}을 구하여라.

예제 16-11

편의상 741C가 $I_{\text{in(bias)}}$ = 500 nA, $I_{\text{in(off)}}$ = 200 nA, and $V_{\text{in(off)}}$ = 6 mV인 최악조건을 가진다고 했을 경우 그림 16-22a에서 출력 오차전압을 구하여라.

풀이 R_{B2} = 3.9 kΩ ∥ 100 Ω ≈ 100 Ω이므로 식 (16-8)에서 (16-10)까지의 식을 이용하여 3개의 입력 오차전압을 구한다.

$$V_{1\text{err}} = (R_{B1} - R_{B2})I_{\text{in(bias)}} = (-100 \ \Omega)(500 \text{ nA}) = -0.05 \text{ mV}$$

$$V_{2\text{err}} = (R_{B1} + R_{B2})\frac{I_{\text{in(off)}}}{2} = (100 \ \Omega)(100 \text{ nA}) = 0.01 \text{ mV}$$

$$V_{3\text{err}} = V_{\text{in(off)}} = 6 \text{ mV}$$

이 값들을 모두 더하면 출력 오차전압은 다음과 같다.

$$V_{\text{error}} = \pm 40(0.05 \text{ mV} + 0.01 \text{ mV} + 6 \text{ mV}) = \pm 242 \text{ mV}$$

이 출력전압이 문제되면 10 kΩ의 가변저항기를 사용하여 출력전압을 0으로 만든다.

16-5 연산 증폭기의 두 가지 응용

연산 증폭기의 응용 분야는 너무나 광범위하고 다양하여 이 장에서 검토하는 것은 불가능하다. 고급 응용 분야를 다루기 전에 부귀환에 대해 더 잘 이해할 필요가 있다. 지금부터 간단한 두 가지 실제 회로를 다룬다.

가산기

2개 이상의 아날로그신호를 합하여 1개의 출력으로 하자면 그림 16-23a의 **가산기**(the summing amplifier)를 택할 것이다. 간단히 하기 위해 2개의 입력만 나타내었으나 필요한 만큼 많이 할 수도 있다. 이 회로는 각 입력신호를 증폭하며 즉 각각의 입력에 대한 이득은 귀환저항에 입력저항을 나눈 것이다. 그림 16-23a에서 폐루프 전압이득은 다음과 같다.

$$A_{v1(CL)} = \frac{-R_f}{R_1} \quad \text{and} \quad A_{v2(CL)} = \frac{-R_f}{R_2}$$

가산회로는 증폭된 두 입력을 합하면 출력이 된다.

$$v_{out} = A_{v1(CL)}v_1 + A_{v2(CL)}v_2 \tag{16-13}$$

식 (16-13)을 증명하는 것은 쉽다. 반전입력이 가상접지이므로 총 입력전류는 다음과 같다.

$$i_{in} = i_1 + i_2 = \frac{v_1}{R_1} + \frac{v_2}{R_2}$$

가상접지이므로 모든 전류는 귀환저항을 흐른다. 따라서 출력전압은 다음과 같다.

그림 16-23 가산증폭기

$$v_{\text{out}} = (i_1 + i_2)R_f = -\left(\frac{R_f}{R_1}v_1 + \frac{R_f}{R_2}v_2\right)$$

총 출력전압은 각 입력전압과 이득을 곱해서 더하면 된다. 만약 그림 16-23*b*와 같이 모든 저항이 같으면 폐루프 전압이득이 1이므로 출력전압은 다음과 같이 간단히 된다.

$$v_{\text{out}} = -(v_1 + v_2 + \cdots + v_n)$$

이것은 입력신호를 결합하고 그것의 상대적인 크기를 유지하는 편리한 방식이다. 결합된 출력신호는 더 많은 회로들에 이용될 수 있다.

그림 16-23*c*는 믹서로서 고충실도 오디오시스템에서 음성신호를 더하는 편리한 방식이다. 각 입력값에 따라 가변저항을 맞추어 이득을 조절함으로써 출력전압을 만든다. 즉 LEVEL 1을 감소시켜 v_1을 크게 하고 LEVEL 2를 감소시켜 v_2을 크게 할 수 있다. 이득을 증가시켜 두 신호의 음성을 크게 한다.

가산회로에 보상이 필요해서 비반전 단자에 저항을 넣어야 한다면 그 값은 다음과 같다. 반전입력에서 전원쪽을 본 Thevenin 등가저항과 같은 값의 저항을 보상용으로 사용한다. 이 저항은 가상접지와 연결된 모든 저항의 병렬과 같은 값이다.

$$R_{B2} = R_1 \parallel R_2 \parallel R_f \parallel \ldots \parallel R_n \tag{16-14}$$

전압폴로어

BJT 증폭기를 공부할 때 이미터 폴로어는 입력임피던스를 증가시키고 입력신호와 같은 출력신호를 얻는 데 아주 유용함을 배웠다. **전압폴로어**는 이미터 폴로어와 등가이며 이보다 훨씬 뛰어난 성능을 나타낸다.

그림 16-24*a*는 전압폴로어의 등가회로를 나타낸다. 간단하지만 부귀환이 최대로 걸리므로 거의 이상적인 특성을 나타낸다. 이 그림에서와 같이 귀환저항은 0이므로 모든 출력전압이 반전입력으로 귀환된다. 연산 증폭기 입력 사이에 가상단락이 형성되므로 출력전압은 입력과 같다.

$$v_{\text{out}} = v_{\text{in}}$$

이는 폐루프 전압이득이 1임을 나타낸다.

$$A_{v(CL)} = 1 \tag{16-15}$$

식 (16-12)를 사용하여 계산하면 $R_f = 0$, $R_1 = \infty$이므로 같은 결과를 얻는다.

$$A_{v(CL)} = \frac{R_f}{R_1} + 1 = 1$$

따라서 전압폴로어는 출력전압이 입력전압과 완전히 같으므로 완벽한 폴로어회로이다. 더욱이 부귀환이 최대이므로 폐루프 입력임피던스는 개방루프 입력임피던스(741C는 2 MΩ)보다 훨씬 크고 폐루프 출력임피던스는 개방루프 출력임피던스(741C는 75 Ω)보다 훨씬 작다. 이 회로는 높은 임피던스를 갖는 전원을, 낮은 임피던스 전원으로 바꾸는 데 사용하는 완벽한 방법이라 할 수 있다.

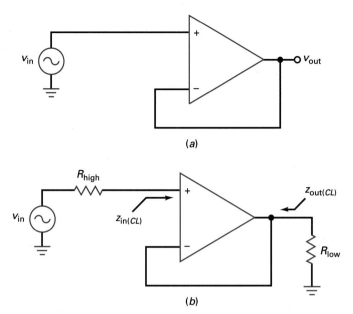

그림 16-24 (a) 전압폴로어는 이득이 1이며 최대 대역폭을 갖는다; (b) 전압폴로어는 고입력 임피던스 전원을 저임피던스 부하저항에서 전압손실 없이 구동한다.

그림 16-24b는 이 개념을 설명한다. 입력 교류전원이 높은 출력임피던스 R_{high}을 가지며 부하는 낮은 임피던스 R_{low}를 가지고 있다. 전압폴로어에서 귀환이 최대이므로 폐루프 입력임피던스 $z_{in(CL)}$는 아주 크며 폐루프 출력임피던스 $z_{out(CL)}$는 아주 작다. 결과적으로 입력전원 전압 전부가 부하저항 양단에 나타난다.

여기서 이해할 요점은, 전압폴로어가 높은 임피던스전원과 낮은 임피던스부하에 사용하는 이상적인 인터페이스라는 점이다. 기본적으로 높은 임피던스전압을 낮은 임피던스전압으로 바꾼다. 실제로 많은 분야에서 전압폴로어가 사용됨을 볼 수 있을 것이다.

전압폴로어에서 $A_{v(CL)} = 1$이므로 폐루프 대역폭은 최대이며 그 값은 다음과 같다.

$$f_{2(CL)} = f_{unity} \tag{16-16}$$

또 하나의 이점은 입력오차가 증폭되지 않으므로 작은 출력오프셋 오차를 가진다. $A_{v(CL)} = 1$이므로 총 출력 오차전압은 입력오차의 합과 같다.

응용 예제 16-12   IIII **Multisim**

그림 16-25에서 3개의 음성신호가 가산증폭기를 구동한다. 이 예제에서 각각의 입력신호들은 마이크나 전기기타로부터 나오는 출력신호로 나타낼 수 있다. 이 오디오 믹서 회로의 결합 효과는 모든 입력들을 동시에 합하는 출력신호이다. 교류 출력전압을 구하여라.

풀이 각 입력에 대해 전압이득을 구하면

$$A_{v1(CL)} = \frac{-100 \text{ k}\Omega}{20 \text{ k}\Omega} = -5$$

$$A_{v2(CL)} = \frac{-100 \text{ k}\Omega}{10 \text{ k}\Omega} = -10$$

$$A_{v3(CL)} = \frac{-100 \text{ k}\Omega}{50 \text{ k}\Omega} = -2$$

따라서 출력전압은 다음과 같다.

$$v_{\text{out}} = (-5)(100 \text{ mV}_{\text{p-p}}) + (-10)(200 \text{ mV}_{\text{p-p}}) + (-2)(300 \text{ mV}_{\text{p-p}}) = -3.1 \text{ V}_{\text{p-p}}$$

(−)부호는 180° 위상차를 나타낸다. 이 회로에서 R_f는 전체 이득을 제어하기 위해서 다양한 저항으로 만들어 질 수 있고 각각의 입력 저항도 각 입력의 이득을 제어하기 위해서 다양화 될 수 있다.

만약 입력바이어스에 대한 보상이 필요하면 비반전입력에 다음과 같은 저항을 연결하면 된다.

$$R_{B2} = 20 \text{ k}\Omega \parallel 10 \text{ k}\Omega \parallel 50 \text{ k}\Omega \parallel 100 \text{ k}\Omega = 5.56 \text{ k}\Omega$$

바이어스전류로 인한 출력오차를 제거하기 위해 표준저항 5.6 kΩ을 비반전단자에 추가하면 문제가 해결된다. 영점조정회로는 나머지 입력오차 문제를 제거한다.

연습 문제 16-12　그림 16-25에서 입력전압이 피크-피크전압에서 (+)직류전압으로 바뀌었다면 출력직류전압은 얼마인가?

그림 16-25　예제

응용 예제 16-13

내부저항 100 kΩ을 갖는 10 mVpp의 교류 전압원이 그림 16-26a의 전압폴로어를 구동한다. 부하저항은 1 Ω이다. 출력전압과 대역폭을 구하라.

풀이 페루프 전압이득은 1이다. 따라서 출력전압은

$$v_{out} = 10 \text{ mV}_{p-p}$$

이며, 대역폭은

$$f_{2(CL)} = 1 \text{ MHz}$$

이다. 이 예제는 앞서 검토한 개념을 상기시킨다. 전압폴로어는 고임피던스 전원을 저임피던스 전원으로 바꾸는 아주 쉬운 방식으로서 유사한 이미터 폴로어보다 훨씬 뛰어나다.

연습 문제 16-13 LF157A를 사용하여 응용 예제 16-13을 반복하라.

응용 예제 16-14

그림 16-26a의 전압폴로어를 MultiSim을 사용하면 1-Ω의 부하양단 전압은 9.99 mV이다. 페루프 출력임피던스는 어떠한 방법으로 구하는가?

그림 16-26   예제

풀이 출력전압은

$$v_{out} = 9.99 \text{ mV}$$

이며, 페루프 출력임피던스는 부하저항을 마주하는 Thevenin 저항과 같으며 그림 16-26b에서 부하전류는 다음과 같다.

$$i_{out} = \frac{9.99 \text{ mV}}{1 \text{ } \Omega} = 9.99 \text{ mA}$$

이 부하전류가 $z_{out(CL)}$을 통해 흐른다. $z_{out(CL)}$의 양단전압이 0.01 mV이므로

$$z_{out(CL)} = \frac{0.01\ mV}{9.99\ mA} = 0.001\ \Omega$$

이다. 이것의 중요성을 생각해 보자. 그림 16-26a에서 내부저항 100 kΩ을 가지는 전압원이 0.001 Ω의 내부저항을 갖는 전압원으로 바뀌었다. 이처럼 작은 출력임피던스는 1장에서 검토된 이상적 전압원에 가깝다는 것을 의미한다.

연습 문제 16-14 그림 16-26a에서 출력전압이 9.95 mV일 때, 폐루프 출력임피던스를 구하여라.

표 16-2은 기본적인 연산 증폭기 회로의 정리이다.

요점정리 표 16-2	기본적인 연산 증폭기의 형상

16-6 선형 집적회로

연산 증폭기는 선형 IC의 약 1/3을 차지한다. 연산 증폭기를 이용하여 아주 다양하고 유용한 회로를 구성할 수 있다. 연산 증폭기가 중요한 선형 IC이지만 오디오 증폭기, 비디오 증폭기 및 전압 조절기와 같은 다른 선형 IC도 널리 사용된다.

각종 연산 증폭기의 특성

표 16-3에서 접두사 *LF*는 BIFET 연산 증폭기를 나타낸다. LF353이 표의 첫째 항목으로 나와 있다. Dual BIFET 연산 증폭기는 최대 입력 오프셋전압이 10 mV, 최대 입력 바이어스전류 0.2 nA 및 최대 입력 오프셋전류 0.1 nA이다. 또한 단락회로 전류 10 mA, 단위이득주파수 4 MHz, 슬루레이트 13 V/μs, 개방루프 전압이득 88 dB 및 CMRR = 70 dB이다.

이 표는 지금까지 언급이 안된 두 가지 특성이 있다. 먼저 공급전압 **제거비**(PSRR: power supply rejection ratio)가 있다. 이 양은 다음과 같이 정의한다

$$\text{PSRR} = \frac{\Delta V_{\text{in(off)}}}{\Delta V_S} \tag{16-17}$$

말로 하면 이 식은 PSRR이 입력 오프셋전압의 변화를 공급전압의 변화로 나눈 것이다. 이것을 측정할 때 제조자는 두 공급전압을 동시에 대칭적으로 변화시킨다. 즉 V_{CC} = +15 V, V_{EE} = −15 V, ΔV_S = +1 V이면 V_{CC} = +16 V, V_{EE} = −16 V이다.

식 (16-17)이 의미하는 것은 바로 이것이다. 입력 차동 증폭기와 다른 내부 효과의 불균형 때문에 공급전압의 변화는 출력 오차전압을 발생시킨다. 이 출력 오차전압을 폐루프 전압이득으로 나누면 입력 오프셋전압의 변화가 된다. 예들 들면 표 16-3의 LF353은 PSSR =−76 dB이며 이를 숫자로 바꾸면 다음과 같다.

$$\text{PSRR} = \text{antilog} \frac{-76 \text{ dB}}{20} = 0.000158$$

또는

$$\text{PSRR} = 158 \ \mu\text{V/V}$$

이것은 공급전압이 1 V 변함에 따라 입력오프셋전압이 158 μV의 변화가 생긴다는 것을 의미한다. 따라서 우리가 배운 3개의 입력오차 외에 다른 하나의 오차를 가진다.

LF353의 마지막 변수는 10 μV/℃의 **드리프트**(drift) 현상이다. 이는 입력 오프셋전압의 온도 계수로 정의한다. 입력 오프셋전압이 온도에 따라 얼마나 많이 증가하는가를 나타낸다. 10 μV/℃는 온도가 1℃ 증가함에 따라 입력 오프셋전압이 10 μV 증가한다는 것이다. 만약 연산 증폭기의 내부 온도가 50℃ 증가하면 LF353의 입력 오프셋전압은 500 μV 증가한다.

표 16-3에 상업적으로 사용되는 다양한 연산 증폭기를 나타내었다. 예를 들어 LF411A는 입력 오프셋전압 0.5 mV의 낮은 오프셋을 갖는 BIFET이다. 대부분의 연산 증폭기는 저전력 소자이지만 LM675는 고전력 연산 증폭기로서 단락회로 전류 3 A이

참고 사항

연산 증폭기와 같은 집적회로는 트랜지스터가 진공튜브를 대체했던 것처럼 전자회로에서 트랜지스터를 대체한다. 그러나 연산 증폭기와 선형 IC는 실제로 마이크로 전자회로이다.

표 16-3　상온에서 대표적인 연산 증폭기의 특성

Number	V_{in} max, mV	$I_{in(bias)}$ max, nA	$I_{in(off)}$ max, nA	I_{out} max, mA	f_{unity} typ, MHz	S_R typ, V/ms	A_{VOL} typ, dB	CMRR min, dB	PSRR min, dB	Drift typ, μV/°C	Description of Op Amps
LF353	10	0.2	0.1	10	4	13	88	70	276	10	Dual BIFET
LF356	5	0.2	0.05	20	5	12	94	85	285	5	BIFET, wideband
LF411A	0.5	200	100	20	4	15	88	80	280	10	Low offset BIFET
LM301A	7.5	250	50	10	11	0.51	108	70	270	30	External compensation
LM318	10	500	200	10	15	70	86	70	265	—	High speed, high slew rate
LM324	4	10	2	5	0.1	0.05	94	80	290	10	Low-power quad
LM348	6	500	200	25	1	0.5	100	70	270	—	Quad 741
LM675	10	2 μA*	500	3 A†	5.5	8	90	70	270	25	High-power, 25 W out
LM741C	6	500	200	25	1	0.5	100	70	270	—	Original classic
LM747C	6	500	200	25	1	0.5	100	70	270	—	Dual 741
LM833	5	1 μA*	200	10	15	7	90	80	280	2	Low noise
LM1458	6	500	200	20	1	0.5	104	70	277	—	Dual
LM3876	15	1 μA*	0.2 μA*	6 A†	8	11	120	80	285	(—)	Audio power amp, 56W
LM7171	1	10 μA*	4 μA*	100	200	4100	80	85	285	35	Very high-speed amp
OP-07A	0.025	2	1	10	0.6	0.17	110	110	2100	0.6	Precision
OP-42E	0.75	0.2	0.04	25	10	58	114	88	286	10	High-speed BIFET
TL072	10	0.2	0.05	10	3	13	88	70	270	10	Low-noise BIFET dual
TL074	10	0.2	0.05	10	3	13	88	70	270	10	Low-noise BIFET quad
TL082	3	0.2	0.01	10	3	13	94	80	280	10	Low-noise BIFET dual
TL084	3	0.2	0.01	10	3	13	94	80	280	10	Low-noise BIFET quad

* LM675, LM833, LM3876과 LM7171에 대해서 값들은 mA로 표현
† LM3875와 LM675에 대해서 값들은 A로 표현

고 부하저항에 25 W 전력을 전달한다. 단락회로 전류 6 A이고 부하전력 56 W를 발생시키는 훨씬 더 강력한 LM3876가 있다. 응용 분야는 컴포넌트 스테레오, 입체음향 증폭기와 최고급 스테레오 TV 시스템 등이다.

높은 슬루레이트가 필요하면 $S_R = 70$ V/μs인 LM318이나 $S_R = 4,100$ V/μs인 LM7171도 있다. 슬루레이트와 대역폭은 비례한다. 보다시피 LM318은 $f_{unity} = 15$ MHz이고 LM7171는 $f_{unity} = 200$ MHz이다.

많은 연산 증폭기는 2개와 4개의 연산 증폭기가 포함된 IC로 되어있다. 예를 들어 LM747C는 2개의 741C로, LM348은 4개의 741로 구성되어 있다. 1개 혹은 2개의 연산 증폭기가 8핀 패키지이고 4개의 연산 증폭기가 들어 있는 14핀 패키지도 나온다.

연산 증폭기 모두가 2개의 공급전원이 필요한 것은 아니다. 예를 들어 LM324는 내부적으로 보상된 4개의 연산 증폭기를 가진다. 2전원으로 동작될 수 있지만 특별히 1개의 전원으로 사용할 수 있도록 설계되어 있으므로 많은 응용 분야에서 확실한 장점이다. 또 다른 장점은 디지털 시스템에 표준인 +5 V의 전압에서 동작한다는 사실이다.

내부 보상은 어떤 조건하에서도 발진이 일어나지 않으므로 편리하고 안전하다. 이 안정성의 대가로 설계자가 특성에 맞게 조절하는 기능이 없다. 그래서 어떤 연산 증폭기는 외부 보상 기능을 가지도록 하고 있다. 예를 들어 LM301A는 30 pF의 외부커패시터를 연결하여 보상한다. 그러나 설계자는 큰 커패시터를 사용하여 과보상(overcompensation)을 할 수도 있고 작은 커패시터를 이용하여 불충분한 보상(undercompensation)을 할 수도 있다. 과보상은 저주파 동작을 향상시키며 불충분 보상은 대역폭과 슬루레이트를 향상시킨다. 이런 이유로 표 16-3의 LM301A의 경우 S_R과 f_{unity}에 (+)기호가 붙어 있다.

모든 연산 증폭기가 완전하지는 않다. 정확한 연산 증폭기는 이러한 불완전한 점을 최소화하도록 하는 것이다. 예를 들어 OP-07A는 정확한 연산 증폭기의 하나로서 입력 오프셋전압 0.025 mV, CMRR 110 dB, PSRR 100 dB, 드리프트 0.6 μV/°C이다. 정확한 연산 증폭기는 측정 및 제어 분야와 같은 엄격한 응용 분야에는 필요하다.

뒷장에서는 연산 증폭기 응용부분에 대해 더욱 많이 다룰 것이며 그 중에서 선형 회로, 비선형 회로, 발진기, 전압조절기 및 능동필터 등을 검토한다.

오디오 증폭기

전치증폭기(preamplifiers: preamps)는 출력전력이 50 mW 이하인 오디오 증폭기이다. 전치증폭기는 오디오 시스템의 첫 단에 설치되어 전축의 카트리지(cartridge), 자기테이프의 헤드, 마이크 등으로부터 입력된 미약한 신호를 증폭하는 데 사용되기 때문에 잡음이 작아야 한다.

IC 전치증폭기의 예로는 LM833을 들 수가 있는데, 이것은 2개의 저잡음 전치증폭기를 내장하며 각 증폭기는 다른 것과 완전히 독립되어 있다. LM833은 110 dB의 전압이득과 120 kHz의 27 V 전력대역폭을 가진다. LM833의 입력단은 차동 증폭기로 구성되어 차동입력이나 단측입력 중 어느 쪽으로도 사용이 가능하다.

중간 레벨 오디오 증폭기(medium-level audio amplifiers)는 50~500 mW의 출력전력을 갖는데, 이들은 휴대폰이나 CD플레이어와 같은 휴대용 장치의 출력단 부근에 사용된다. 이 증폭기의 예를 들자면 출력전력이 350 mW인 LM4816가 있다.

오디오 전력증폭기(audio power amplifiers)는 500 mW 이상인 출력전력을 가지며 전축의 증폭기, 인터콤(intercom), AM-FM 라디오 및 기타 응용에 사용된다. 이 증폭기의 예로는 LM380을 들 수 있는데 이것은 34 dB의 전압이득, 100 kHz의 대역폭 및 2 W의 출력전력을 가진다. 또 다른 예로서 LM4756를 들 수 있는데 이것은 30 dB의 전압이득, 입력당 7 W의 전력을 공급한다. 그림 16-27은 이런 IC들의 형태와 핀 배치도를 보여준다. 2개의 오프셋 핀 배치를 주목하라.

그림 16-28에 LM380의 간단한 회로구성도를 나타내었다. 입력 차동 증폭기는 *pnp*입력을 사용하므로 신호는 직접 다음 단과 결합하여 변환기로 사용될 수 있다는 장점을 가진다. 또 이 차동 증폭기는 전류 미러부하(Q_5와 Q_6)를 구동하며, 전류미러의 출

그림 16-27 LM4756의 형태와 핀 배치도

그림 16-28 간략화한 LM380 회로도

력은 이미터 폴로어(Q_7)와 CE구동부(Q_8)로 전달된다. 출력단은 B급 푸시풀 이미터 폴로어(Q_{13}과 Q_{14})이다. 또 10 pF의 내부 보상커패시터가 있으며 이는 20 dB/decade의 비율로 데시벨 전압이득을 감소시킨다. 이 커패시터로 인한 슬루레이트는 약 5 V/μs이다.

영상증폭기

영상(video) 또는 광대역(wideband) 증폭기는 매우 넓은 주파수 범위에 걸쳐 평탄한 응답(일정한 데시벨 전압이득)을 가지며 대표적인 대역폭은 MHz 영역으로 아주 넓다. 영상증폭기(video amplifier)는 반드시 직류증폭기일 필요는 없으나 종종 0주파수까지 확장된 주파수응답을 가진다. 이 증폭기는 입력주파수의 범위가 매우 큰 경우의 응용에 사용된다. 예를 들어 0에서 100 MHz 이상의 주파수를 취급하는 대부분의 오실로스코프와 같은 계측기는 음극선관에 신호를 가하기 전에 신호의 세기를 증가시키기 위해 이 증폭기를 사용한다. 또 다른 예를 들어 LM7171은 200 MHz의 넓은 단위이득 대역폭과 4100 V/μS의 슬루레이트를 가진 초고속 증폭기로서 비디오 카메라, 복사기, 스캐너와 HDTV증폭기에 응용된다.

    IC 영상증폭기는 외부에 서로 다른 저항을 접속하여 조정함으로써 원하는 전압이득과 주파수 대역을 얻을 수 있다. 예를 들어 NE592는 52 dB의 데시벨 전압이득과 40 MHz의 차단주파수를 가지는데 외부소자를 변화시키므로 90 MHz까지 확장시켜 유용한 이득을 얻을 수 있다. MC1553은 52 dB의 데시벨 전압이득과 20 MHz의 대역폭을 가지는데 이들 외부소자의 값을 변화시켜 조정할 수 있다. LM733은 20 dB의 이득과 120 MHz의 아주 넓은 주파수 대역폭을 가지도록 조정할 수 있다.

RF 및 IF 증폭기

무선주파(radio-frequency: RF) 증폭기는 AM, FM 및 TV 수상기의 첫 단에 항상 사용되고, 중간주파 증폭기(intermediate-frequency: IF)는 중간 단에 사용되는 대표적인 증폭기이다. 동일 칩 상에 RF와 IF증폭기를 다 포함하는 몇몇 IC도 있으나 이 증폭기는 좁은 대역의 주파수만이 증폭되도록 동조(공진)시키고 있으므로 특정 라디오 또는 TV방송국으로부터 요구되는 신호를 동조하기 위한 수신기를 가능하게 한다. 앞서 언급한 바와 같이 한 칩 상에 인덕터나 큰 용량의 커패시터를 집적화시키는 것은 불가능하므로 동조증폭기를 얻기 위해 외부에서 인덕터나 커패시터를 칩에 접속해야 한다. 또 다른 RF IC의 예로 MBC13720은 400 MHz에서 2.4 GHz까지 넓은 광대역 무선 응용 분야에서 동작하도록 설계된 저잡음 증폭기이다.

전압조절기

이전 장에서 정류기와 전력공급기를 배웠다. 필터링 후에 리플을 가진 직류전압은 선형전압과 비례한다. 즉 선형전압이 10% 변하면 직류전압도 10% 변한다. 많은 응용 분야에서 직류전압의 10% 변화는 너무 크기 때문에 전압조절기가 필요하다. 대표적인 IC 전압조절기로 LM340시리즈가 있는데, 이런 형태의 칩은 선형전압과 부하저항에 대한 출력직류전압의 변화를 0.01%로 제한한다. 다른 특징으로 (+)양과 (−)음의 전압, 출력전압 조절, 단락회로 보호가 가능하다.

LM741 연산 증폭기의 SM 패키지형

16-7 SMD로 된 연산 증폭기

연산 증폭기 및 이와 유사한 아날로그회로는 IC 형태가 다음과 같은 DIP(dual-in-line)와 SM(surface-mount)으로 되어 있다. 대부분 연산 증폭기의 핀은 상대적으로 단순하므로 작게 만들어진 패키지(small outline package : SOP)인 SM형을 선호한다.

예를 들어 학교 전자공학실험에서 가장 많이 쓰는 LM741은 최근에 SOP로 이용이 가능하며 SMD(surface-mount devices)핀은 우리에게 익숙한 DIP와 같다.

연산 증폭기 4개가 들어간 LM2900은 좀 복잡한 SMD 구조의 한 예이다. 각 연산 증폭기에 그림과 같이 공급전압을 죽 연결한 14핀 DIP 및 14핀 SOP 형태로 제공된다. 편리하게 핀은 두 패키지에 대해 같다.

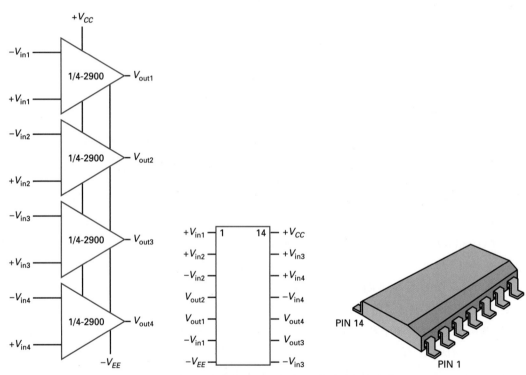

대표적인 14판 SOT로 제공되는 쿼드(quad) 연산 증폭기 회로

요점 | Summary

16-1 연산 증폭기 소개

대표적인 연산 증폭기의 형태는 비반전, 반전 및 단측출력을 가진다. 이상적인 연산 증폭기는 AVOL = ∞, zin = ∞, zout = ∞ 이며 완벽한 전압제어 전압원(VCVS)이다.

16-2 741 연산 증폭기

741은 가장 널리 사용되는 표준 연산 증폭기이다. 내부 보상커패시터를 가지고 있어 발진이 일어나지 않는다. 부하저항이 크면 출력신호의 스윙은 공급전원보다 1~2 V 감소된 값을 가진다. 부하저항이 작으면 MPP는 단락회로 전류에 의해 제한을 받는다. 슬루레이트는 계단입력에 대해 출력전압이 변화하는 최대속도를 나타낸다. 전력대역폭(fmax)은 슬루레이트(SR)에 비례하며 피크 출력전압(Vp)에 반비례한다.

16-3 반전 증폭기

반전 증폭기는 가장 기본적인 연산 증폭기의 하나이다. 부귀환을 사용하여 폐루프 전압이득을 안정화시킨다. 반전입력이 전압에 대해 단락이고 전류에 대해 개방이므로 가상접지이다. 폐루프 전압이득은 귀환저항을 입력저항으로 나눈 값과 같다. 폐루프 대역폭은 단위이득 주파수를 폐루프 전압이득으로 나눈 값이다.

16-4 비반전 증폭기

비반전 증폭기는 또 하나의 기본 연산증폭 회로이다. 부귀환을 사용하여 폐루프 전압이득을 안정화시킨다. 반전 및 비반전 단자사이에 가상단락이 형성된다. 폐루프 전압이득은 Rf/R1+1과 같다. 폐루프 대역폭은 단위이득 주파수를 폐루프 전압이득으로 나눈 값이다.

16-5 연산 증폭기의 두 가지 응용

가산기는 2개 이상의 입력과 1개의 출력을 가진다. 각 입력은 증폭되어 이들의 합이 출력으로 된다. 만약 각 입력의 이득이 10이라면 출력은 단순히 입력의 합이다. 믹서에서는 가산증폭기가 음성신호를 증폭하고 합한다. 전압폴로어는 폐루프 전압이득이 10이며 대역폭은 단위이득 주파수와 같다. 이 회로는 고임피던스 전원과 저임피던스 부하 사이의 인터페이스로서 아주 유용하다.

16-6 선형 집적회로

연산 증폭기는 선형 IC의 약 1/3 정도이다. 응용에 따라 다양한 연산 증폭기가 있다. 경우에 따라 낮은 입력오프셋, 큰 대역폭 및 슬루레이트, 낮은 드리프트를 가지는 연산 증폭기도 있다. 2개, 4개의 연산 증폭기로 구성된 또 다른 연산 증폭기도 있다. 큰 부하 전력용으로 고전력 연산 증폭기도 있다. 선형 IC 중에는 오디오 및 비디오 증폭기, RF 및 IF 증폭기 그리고 전압조절기 등이 있다.

정의식 | Definitions

(16-1) 슬루레이트

$$S_R = \frac{\Delta v_{out}}{\Delta t}$$

(16-17) 공급전압 제거비

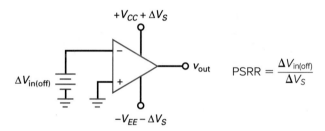

$$PSRR = \frac{\Delta V_{in(off)}}{\Delta V_S}$$

유도식 | Derivations

(16-2) 전력대역폭

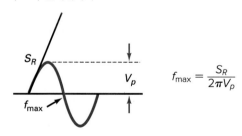

$$f_{max} = \frac{S_R}{2\pi V_p}$$

(16-4) 폐루프 입력 임피던스

$$z_{in(CL)} = R_1$$

(16-3) 폐루프 전압이득

$$A_{v(CL)} = \frac{-R_f}{R_1}$$

(16-5) 폐루프 대역폭

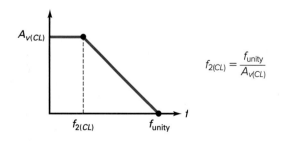

$$f_{2(CL)} = \frac{f_{unity}}{A_{v(CL)}}$$

(16-11) 보상저항

$$R_{B2} = R_1 \| R_f$$

(16-12) 비반전 증폭기

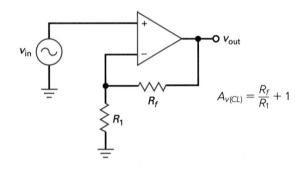

$$A_{v(CL)} = \frac{R_f}{R_1} + 1$$

(16-13) 가산증폭기

$$v_{out} = A_{v1(CL)}v_1 + A_{v2(CL)}v_2$$

(16-15) 전압폴로어

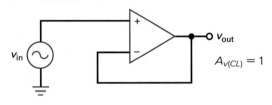

$$A_{v(CL)} = 1$$

(16-16) 폴로어 대역폭

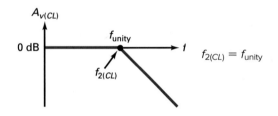

$$f_{2(CL)} = f_{unity}$$

복습 문제 | Self-Test

1. 연산 증폭기의 개방루프 차단주파수를 조절하는 것은 무엇인가?
a. 배선분포 커패시턴스
b. 베이스-이미터 커패시턴스
c. 컬렉터-베이스 커패시턴스
d. 보상커패시턴스

2. 보상커패시터는 무엇을 방지하는가?
a. 전압이득
b. 발진
c. 입력 오프셋전류
d. 전력대역폭

3. 단위이득 주파수에서 개방루프 전압이득은?
a. 1
b. $A_{v(mid)}$
c. 0
d. 매우 크다.

4. 연산 증폭기의 차단주파수는 단위이득 주파수를 무엇으로 나눈 값과 같은가?
a. 차단주파수
b. 폐루프 전압이득($A_{v(CL)}$)
c. 1
d. 공통 전압이득(A_{CM})

5. 만일 차단주파수가 **20 Hz**이고 중간대역의 개방루프 전압이득이 **1,000,000**이면 단위이득 주파수는?
a. 20 Hz
b. 1 MHz
c. 2 MHz
d. 20 MHz

6. 만일 단위이득 주파수가 **5 MHz**이고 중간대역의 전압이득이 **100,000**이면 차단주파수는 얼마인가?
a. 50 Hz
b. 1 MHz

c. 1.5 MHz
d. 15 MHz

7. 정현파의 초기 기울기는 무엇에 비례하는가?
a. 슬루레이트
b. 주파수
c. 전압이득
d. 커패시턴스

8. 정현파의 초기 기울기가 슬루레이트보다 더 크면 다음 중 적당한 것은?
a. 왜곡이 발생한다.
b. 선형동작이 된다.
c. 전압이득이 최대이다.
d. 연산 증폭기가 가장 잘 동작한다.

9. 어떤 경우에 전력대역폭이 증가하는가?
   a. 주파수가 감소될 때
   b. 피크값이 감소될 때
   c. 초기 기울기가 감소될 때
   d. 전압이득이 증가될 때

10. 741C가 포함하는 것은?
    a. 개별저항들
    b. 인덕터
    c. 능동 부하저항
    d. 큰 결합커패시터

11. 741C는 무엇이 없으면 동작하지 않는가?
    a. 개별저항들
    b. 수동부하
    c. 두 베이스에 귀환되는 직류전류
    d. 작은 결합커패시터

12. BIFET 연산 증폭기의 입력임피던스는?
    a. 작다
    b. 중간이다
    c. 크다
    d. 아주 크다

13. LF157A는?
    a. 차동 증폭기이다
    b. 소스폴로어이다
    c. 바이폴라 연산 증폭기이다
    d. BIFET 연산 증폭기이다

14. 만일 두 공급전압이 ±12 V라면 연산 증폭기의 MPP값은?
    a. 0
    b. +12 V
    c. −12 V
    d. 24 V

15. 741C의 개방루프 차단주파수는 무엇에 의해 제어되는가?
    a. 결합커패시터
    b. 출력 단락회로 전류
    c. 전력대역폭
    d. 보상커패시터

16. 741C의 단위이득 주파수는 얼마인가?
    a. 10 Hz
    b. 20 kHz
    c. 1 MHz
    d. 15 MHz

17. 단위이득 주파수는 폐루프 전압이득에 무엇을 곱한 것인가?
    a. 보상커패시턴스
    b. 꼬리전류
    c. 폐루프 차단주파수
    d. 부하저항

18. 만일 f_{unity} = 10 MHz, 중간대역에서 개방루프 전압이득이면 A_{mid} = 200,000 연산 증폭기의 개방루프 차단주파수는?
    a. 10 Hz
    b. 20 Hz
    c. 50 Hz
    d. 100 Hz

19. 어떤 경우에 정현파의 초기 기울기가 증가하는가?
    a. 주파수가 감소할 때
    b. 피크값이 증가할 때
    c. C_c가 증가할 때
    d. 슬루레이트가 감소할 때

20. 만일 입력신호의 주파수가 전력대역폭보다 더 크면?
    a. 슬루레이트 왜곡이 발생한다.
    b. 정상적인 출력신호가 생긴다.
    c. 출력 오프셋전압이 증가한다.
    d. 아마 왜곡이 발생할 수도 있다.

21. 연산 증폭기의 베이스저항을 개방했다. 출력전압은 어떻게 되겠는가?
    a. 0
    b. 0 근방
    c. 최대 양(+) 또는 음(−)
    d. 증폭된 정현파

22. 연산 증폭기가 200,000의 전압이득을 가진다. 만일 출력전압이 1 V라면 입력전압은?
    a. 2 μV
    b. 5 μV
    c. 10 mV
    d. 1 V

23. 741C는 ±15V의 공급전압을 가진다. 만약 부하저항이 크다면 근사적인 MPP값은?
    a. 0 V
    b. +15 V
    c. 27 V
    d. 30 V

24. 차단주파수 이상에서 741C의 전압이득은 약 얼마씩 감소하는가?
    a. 10 dB/decade
    b. 20 dB/octave
    c. 10 dB/octave
    d. 20 dB/decade

25. 연산 증폭기의 전압이득은 어디서 1이 되는가?
    a. 차단주파수
    b. 단위이득 주파수
    c. 신호원 주파수
    d. 전력대역폭

26. 정현파의 슬루레이트 왜곡이 발생했을 때 출력은?
    a. 더 커진다.
    b. 삼각파로 나타난다.
    c. 정상적이다.
    d. 오프셋을 갖지 않는다.

27. 741C는?
    a. 100,000의 전압이득을 갖는다.
    b. 2 MΩ의 입력임피던스를 가진다.
    c. 75 Ω의 출력임피던스를 가진다.
    d. 위의 모두를 가진다.

28. 반전 증폭기의 폐루프 전압이득은?
    a. 입력저항/귀환저항
    b. 개방루프 전압이득
    c. 귀환저항/입력저항
    d. 입력저항

29. 반전 증폭기는 어떤 특성을 가지는가?
   a. 큰 폐루프 전압이득
   b. 작은 개방루프 전압이득
   c. 큰 폐루프 입력임피던스
   d. 큰 폐루프 출력임피던스

30. 전압폴로어는 어떤 특성을 가지는가?
   a. 폐루프 전압이득이 1이다.
   b. 작은 개방루프 전압이득
   c. 폐루프 대역폭이 0이다.
   d. 큰 폐루프 출력임피던스

31. 가산기는?
   a. 단지 2개의 입력신호를 가진다.
   b. 2개 이상의 입력신호를 가진다.
   c. 폐루프 입력임피던스가 무한대이다.
   d. 작은 개방루프 전압이득을 가진다.

기본 문제 | Problems

16-2   741 연산 증폭기

그림 16-29

그림 16-30

16-1 741C에서 공급전압보다 작은 1 V에서 음의 포화가 생겼다고 가정하자. 그림 16-29의 연산 증폭기를 음의 포화로 구동하자면 반전 입력전압을 얼마로 해야 하나?

16-2 LF157A는 저주파에서 CMRR은 얼마인가? 데시벨값을 숫자로 바꾸어라.

16-3 입력주파수가 각각 1 kHz, 10 kHz 100 kHz일 경우에 대해 LF157A의 개방루프 전압이득은 얼마인가?(1극응답, 즉 20 dB/decade로 감소한다고 가정하여라.)

16-4 연산 증폭기에 입력전압으로 큰 계단전압이 인가된다. 출력은 지수함수로서 $0.4\ \mu s$가 되면 2.0 V로 변한다. 슬루레이트는 얼마인가?

16-5 LM318은 슬루레이트가 70 V/μs이다. 피크 출력전압이 7 V이면 전력대역폭은 얼마인가?

16-6 식 (16-2)를 사용하여 다음의 각 경우에 대해 전력대역폭을 계산하여라.

   a. SR = 0.5 V/μs, Vp = 1 V
   b. SR = 3 V/μs, Vp = 5 V
   c. SR = 15 V/μs, Vp = 10 V

16-3   반전 증폭기

16-7 **|||| Multisim** 그림 16-30에서 폐루프의 전압이득과 대역폭은 얼마인가? 주파수 1 kHz 및 10 MHz에서 출력전압은? 폐루프 전압이득에 대한 이상적 Bode 선도를 그려라.

그림 16-31

16-8 그림 16-31에서 $V_{in} = 0$일 때 출력전압은 얼마인가? 표 16-1에서 대표적인 값을 사용하여라.

16-9 LF157A의 자료표는 다음과 같은 최악조건 변수를 가지고 있다. $I_{in(bias)} = 50$ pA, $I_{in(off)} = 10$ pA, $V_{in(off)} = 2$ mV 그림 16-31에서 입력전압이 0일 때 출력전압을 다시 구하여라.

16-4   비반전 증폭기

16-10 **|||| Multisim** 그림 16-32에서 폐루프의 전압이득과 대역폭은 얼마인가? 100 kHz에서 교류 출력전압은?

16-11 그림 16-32에서 $v_{in} = 0$이면 출력전압은 얼마인가? 문제 16-9에 사용된 최악조건 변수를 사용하여라.

그림 16-32

16-5 연산 증폭기의 두 가지 응용

16-12 ‖‖Multisim 그림 16-33*a*에서 교류 출력전압을 구하여라. 만약 보상저항이 비반전 단자에 필요하다면 그 값을 얼마로 해야 하나?

16-13 그림 16-33*b*에서 출력전압과 대역폭을 구하여라.

(*a*)   (*b*)

그림 16-33

응용 문제 | Critical Thinking

16-14 그림 16-34의 가변저항은 0∼100 kΩ의 범위를 가진다. 폐루프의 최대값 및 최소값을 가지는 전압이득과 대역폭을 각각 계산하여라.

16-15 그림 16-35에서 폐루프의 최대값 및 최소값을 가지는 전압이득과 대역폭을 각각 계산하여라.

16-16 그림 16-33*b*에서 교류 출력전압은 49.98 mV이다. 폐루프 출력임피던스는 얼마인가?

16-17 주파수 15 kHz, 피크전압 2 V인 정현파의 초기 기울기를 구하여라. 주파수가 30 kHz가 되면 초기 기울기에 일어나는 현상은 무엇인가?

16-18 표 16-3에서 어떤 연산 증폭기가 다음 중 어떤 특성을 가지고 있나?

a. 최소 입력 오프셋전압
b. 최소 입력 오프셋전류
c. 최대 출력전류가 흐르는 것
d. 최대 대역폭
e. 최소 드리프트

16-19 100 kHz에서 741C의 CMRR은 얼마인가? 부하저항이 500 Ω이면 MPP는? 1 kHz에서 개방루프 전압이득을 구하여라.

16-20 그림 16-33*a*의 귀환저항이 100 kΩ의 가변저항으로 바뀌면 최대 및 최소 출력전압은 얼마인가?

16-21 그림 16-36에서 각 스위치의 위치에 따라 폐루프 전압이득을 구하여라.

그림 16-34

그림 16-35

그림 16-36

16-22 그림 16-37에서 각 스위치의 위치에 따른 폐루프 전압이득과 대역폭을 구하여라.

16-23 그림 16-37의 회로를 연결할 때 전문기술자가 6 kΩ의 저항을 접지시키지 않는다면 각 스위치의 위치에 따라 폐루프 전압이득을 구하여라.

16-24 그림 16-37에서 120 kΩ의 저항이 개방되면 출력전압은 어떻게 될 것인가?

16-25 그림 16-38에서 각 스위치의 위치에 따른 폐루프 전압이득과 대역폭을 구하여라.

16-26 그림 16-38에서 입력저항이 개방되면 각 스위치의 위치에 따른 폐루프 전압이득을 구하여라.

16-27 그림 16-38에서 귀환저항이 개방되면 출력전압은 어떻게 될 것인가?

그림 16-37

그림 16-38

16-28　741C는 다음과 같은 최악조건의 변수를 갖는다. $I_{in(bias)}$ = 500 nA, $I_{in(off)}$ = 200 nA, $V_{in(off)}$ = 6 mV 그림 16-39 에서 총 출력 오차전압은?

16-29　그림 16-39에서 입력신호의 주파수는 1 kHz이다. 교류 출력전압을 구하여라.

16-30　그림 16-39에서 커패시터가 단락되면 총 출력 오차전압은 얼마인가? 문제 16-28에 주어진 최악조건의 변수를 이용하여라.

그림 16-39

Multisim 고장 점검 문제 | Multisim Troubleshooting Problems

멀티심 고장 점검 파일들은 *Connect for Electronic Principles* 저자 자료에 멀티심 고장 점검 회로(MTC)라는 폴더에서 찾을 수 있다. 좀 더 자세한 내용은 xiv페이지를 참조하라. 이 장에 관련된 파일은 MTC16-31~MTC16-35로 명칭되어 있고 모두 그림 16-40의 회로를 바탕으로 한다.

각 파일을 열고 고장 점검을 실시한다. 결함이 있는지 결정하기 위해 측정을 실시하고 결함이 있다면 무엇인지를 찾아라.

16-31　파일 MTC16-31을 열고 고장 점검을 실시하라.

16-32　파일 MTC16-32를 열고 고장 점검을 실시하라.

16-33　파일 MTC16-33을 열고 고장 점검을 실시하라.

16-34　파일 MTC16-34를 열고 고장 점검을 실시하라.

16-35　파일 MTC15-35를 열고 고장 점검을 실시하라.

디지털/아날로그 트레이너 시스템 | Digital/Analog Trainer System

문제 16-36에서 16-40은 Connect for Electronic Principles 의 교육자용 자료에 있는 디지털/아날로그 트레이너 시스템의 간략한 도식에 관한 것이다. 모델 XK-700 트레이너의 전체 교육매뉴얼은 www.elenco.com에서 찾을 수 있다.

16-36　(U10)LM318의 신호는 어디서부터 오는가?

16-37　어떤 종류의 회로가 LM318을 구동 하는가?

16-38　LM318 증폭기의 이상적인 MPP 출력은 무엇인가?

16-39　U10의 전압 이득은 얼마인가?

16-40　R_9가 개방된다면 다음 회로의 전압 이득은 어떻게 될 것인가?

그림 16-40

직무 면접 문제 | Job Interview Questions

1. 이상적인 연산 증폭기는 어떠한가? 741C와 다른 연산 증폭기의 특성을 비교하여라.

2. 입력전압이 계단파인 연산 증폭기를 그려라. 슬루레이트가 무엇이며 왜 중요한지 말하여라.

3. 반전 연산 증폭기를 그려 각각에 대해 부품값을 써라. 어디가 가상접지인가? 또 가상접지의 특성은 무엇인가? 폐루프에서 전압이득, 입력임피던스 및 대역폭을 구하여라.

4. 비반전 연산 증폭기를 그려 각각에 대해 부품값을 써라. 어디가 가상단락인가? 가상단락의 특성은 무엇인가? 폐루프에서 전압이득과 대역폭을 구하여라.

5. 가산기를 그려 동작 원리를 말하여라.

6. 전압폴로어를 그려라. 폐루프의 전압이득과 대역폭은? 폐루프의 입력 및 출력임피던스를 설명하여라. 이 회로의 전압이득이 낮다면 무엇이 양호한가?

7. 대표적인 연산 증폭기의 입력 및 출력임피던스는 얼마인가? 이들 값에는 어떤 이점이 있나?

8. 입력신호 주파수는 어떻게 전압이득에 영향을 미치는가?

9. LM318은 LM741C보다 훨씬 빠르다. LM318이 LM741보다 선호되는 응용 분야는? 318을 사용하는 데 있어서 불리한 점은 어떤 점인가?

10. 이상적인 연산 증폭기에서 입력전압이 0이면 왜 출력전압이 정확히 0인가?

11. 연산 증폭기 외에 선형 IC의 이름을 몇 개 말해보아라.

12. LM7410이 최대 출력전압을 얻기 위해서는 어떤 조건이 필요한가?

13. 반전 증폭기를 그려 전압이득에 대한 공식을 유도하여라.

14. 비반전 증폭기를 그려 전압이득에 대한 공식을 유도하여라.

15. 왜 741C가 직류 혹은 저주파 증폭기로 생각할 수 있나?

복습 문제 해답 | Self-Test Answers

1.	d	9.	b	17.	c	25.	b
2.	b	10.	c	18.	c	26.	b
3.	a	11.	c	19.	b	27.	d
4.	b	12.	d	20.	a	28.	c
5.	d	13.	d	21.	c	29.	c
6.	a	14.	d	22.	b	30.	a
7.	b	15.	d	23.	c	31.	b
8.	a	16.	c	24.	d		

연습 문제 해답 | Practice Problem Answers

16-1 $V_2 = 67.5\ \mu V$

16-2 CMRR = 60 dB

16-4 $S_R = 4\ V/\mu S$

16-5 $f_{max} = 398$ kHz

16-6 $f_{max} = 80$ kHz, 800 kHz, 8 MHz

16-7 $V_{out} = 98$ mV

16-8 $V_{out} = 50$ mV

16-10 $A_{V(CL)} = 50$; $V_{out} = 250$ mVpp

16-12 $V_{out} = -3.1$ Vdc

16-13 $V_{out} = 10$ mV; $f_{2(CL)} = 20$ MHz

16-14 $z_{out} = 0.005\ \Omega$

17 부귀환

Negative Feedback

1927년 8월 헤롤드 블랙(Harold Black)이라는 젊은 기술자가 뉴욕의 스테이튼섬 여객선에서 일하고 있었다. 그러던 어느 여름 날 아침, 그는 새로운 아이디어에 대한 몇 가지 식을 메모하였다. 그 후 몇 달 동안 그 생각을 정리하여 미국 특허청에 특허를 출원하게 되었다. 그러나 흔히 있는 일이지만 이 진지한 생각은 비웃음거리로 취급받고 말았다. 물론 특허청에서는 그에게 특허를 거절하였으며 기계에서 영구운동의 또 다른 한 분야로 분류해버리고 말았다. 그러나 얼마 지나지 않아 블랙의 아이디어는 부귀환(negative feedback)이란 것으로 판명되었다.

학습목표 | Objectives

이 단원을 공부하고 나면

- 부귀환의 네 가지 형식을 정의할 수 있어야 한다.
- VCVS 부귀환의 전압이득, 입력임피던스, 출력임피던스 및 고조파 왜곡에 대한 영향을 검토할 수 있어야 한다.
- 전달저항 증폭기의 동작에 대하여 설명할 수 있어야 한다.
- 전달컨덕턴스 증폭기의 동작에 대하여 설명할 수 있어야 한다.
- 거의 이상적인 전류 증폭기를 실현하는 데 사용할 수 있는 ICIS 부귀환의 구성 방법을 설명할 수 있어야 한다.
- 대역폭과 부귀환 간의 관계에 대해 검토할 수 있어야 한다.

단원 목차 | Chapter Outline

주요용어 | Vocabulary

고조파 왜곡(harmonic distortion)
귀환비 B(feedback fraction B)
귀환감쇄율 (feedback attenuation factor)
루프이득(loop gain)
부귀환(negative feedback)
이득-대역폭 적 (gain-bandwidth product: GBP)

전류 증폭기(current amplifier)
전류제어 전류원(current-controlled current source: ICIS)
전류제어 전압원(current-controlled voltage source: ICVS)
전류-전압 변환기 (current-to-voltage converter)
전달컨덕턴스 증폭기 (transconductance amplifier)

전달저항 증폭기 (transresistance amplifier)
전압제어 전류원(voltage-controlled current source: VCIS)
전압제어 전압원(voltage-controlled voltage source: VCVS)
전압-전류 변환기(voltage-to-current converter)

17-1 부귀환의 네 가지 형식

블랙의 발견은 전압이득의 안정화, 입력임피던스의 증가, 출력임피던스의 감소와 같은 특징을 갖는 **부귀환**(negative feedback)의 한 형식에 불과했다. 그러나 트랜지스터와 연산증폭기의 출현으로 부귀환의 형식이 세 가지 더 늘어나 전부 네 가지의 형식으로 더욱 유효하게 되었다.

기본 개념

부귀환 증폭기의 입력은 전압 또는 전류 둘 중 어느 하나로 할 수 있고 출력신호 또한 마찬가지이다. 이로부터 부귀환 회로에는 네 가지 형식이 존재한다는 것을 알 수 있다. 요점정리 표 17-1에서 보다시피 첫 번째 형식은 입력전압과 출력전압을 가진다. 부귀환에서 이 같은 형식을 사용하는 회로를 **전압제어 전압원**(voltage-controlled voltage source: VCVS)이라고 부른다. 이 VCVS는 표에서 보다시피 안정된 전압이득, ∞인 입력임피던스, 0인 출력임피던스를 갖기 때문에 이상적인 전압증폭기(ideal voltage amplifier)라고 한다.

부귀환의 두 번째 형식은 입력전류가 출력전압을 제어한다. 이 같은 부귀환의 형식을 사용하는 회로는 **전류제어 전압원**(current-controlled voltage source: ICVS)이라고 부른다. 동시에 ICVS는 입력전류가 출력전압을 제어하기 때문에 **전달저항증폭기**(transresistance amplifier)라고도 부른다. 저항이란 단어는 v_{out}/i_{in}의 비 때문에 사용되고 단위로는 [Ω]을 사용한다. 접두사인 전달(*trans*)은 입력량에 대한 출력량의 비로 얻어진다는 것을 나타낸다.

부귀환의 세 번째 형식은 입력전압이 출력전류를 제어한다. 이 같은 부귀환의 형식을 사용하는 회로를 **전압제어 전류원**(voltage-controlled current source: VCIS)이라고 부른다. 동시에 VCIS는 입력전압이 출력전류를 제어하기 때문에 **전달컨덕턴스 증폭기**(transconductance amplifier)라고도 부른다. 컨덕턴스란 단어는 i_{out}/v_{in}의 비 때문에 사용되고 siemens(mhos)란 단위를 사용한다.

부귀환의 네 번째 형식은 보다 큰 출력전류를 얻기 위해 입력전류를 증폭한다. 이 같은 부귀환의 형식을 사용하는 회로를 **전류제어 전류원**(current-controlled current source: ICIS)이라고 부른다. ICIS는 안정된 전류이득, 0인 입력임피던스, ∞인 출력임피던스를 갖기 때문에 이상적인 전류 증폭기(ideal current amplifier)라고 한다.

요점정리 표 17-1	이상적인 부귀환							
Input	Output	Circuit	zin	zout	Converts	Ratio	Symbol	Type of amplifier
V	V	VCVS	∞	0	—	v_{out}/v_{in}	A_V	전압증폭기
I	V	ICVS	0	0	i to v	v_{out}/i_{in}	r_m	전달저항 증폭기
V	I	VCIS	∞	∞	v to i	i_{out}/v_{in}	g_m	전달컨덕턴스 증폭기
I	I	ICIS	0	∞	—	i_{out}/i_{in}	A_i	전류 증폭기

변환기

VCVS와 ICIS 회로에 주목하면 첫 번째의 것은 전압증폭기이고 두 번째의 것은 전류 증폭기이기 때문에 증폭기로서의 의미를 그대로 가진다. 그러나 전달컨덕턴스와 전달 저항 증폭기에서 **증폭기**란 단어를 사용하는 것은 입력과 출력의 동작량(quantities)이 다르기 때문에 우선 약간의 오해를 불러올 수도 있다. 이 때문에 많은 기술자와 기능인 들은 이들 회로를 변환기(converter)로 부르기를 더 좋아한다. 예를 들어 VCIS는 일명 **전압-전류 변환기**(voltage-current converter)라고 부른다. 이 회로는 전압이 입력되어 전류가 출력된다. 마찬가지로 ICVS도 일명 **전류-전압 변환기**(current-voltage converter) 라고 부른다. 이 회로는 전류가 입력되어 전압이 출력된다.

개념도

그림 17-1a는 전압증폭기인 VCVS를 나타냈다. 실제 회로에서 입력임피던스가 ∞는 아니나 매우 크다. 마찬가지로 출력임피던스도 0은 아니나 매우 적다. VCVS의 전압이득은 Av로 기호화한다. z_{out}이 거의 0이므로 VCVS의 출력측은 실제 부하저항에 대해 안정한 전압원이 된다.

그림 17-1b는 전달저항증폭기(전류-전압 변환기)인 ICVS를 나타내었다. 이것은 매우 적은 입력임피던스와 매우 적은 출력임피던스를 갖는다. ICVS의 변환요소는 전달저항(*transresistance*)으로 부르고, r_m으로 부호화하며 [V]으로 표시한다. 예를 들어 만일 $r_m = 1$ kΩ일 때 1 mA의 입력전류는 부하양단에 1 V의 일정한 전압을 발생시킬 것이다. z_{out}이 거의 0이기 때문에 ICVS의 출력측은 실제 부하저항에 대해 안정한 전압원이 된다.

그림 17-2a는 전달컨덕턴스 증폭기(전압-전류 변환기)인 VCIS를 나타내었다. 이

그림 17-1 (a) 전압제어 전압원; (b) 전류제어 전압원

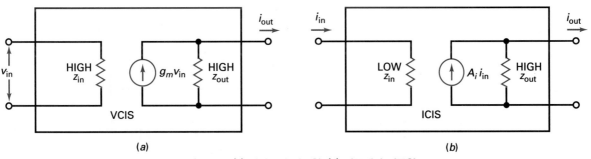

그림 17-2 (a) 전압제어 전류원; (b) 전류제어 전류원

것은 매우 큰 입력임피던스와 매우 큰 출력임피던스를 갖는다. VCIS의 변환요소는 전달컨덕턴스(*transconductance*)로 부르고 g_m으로 기호화하며 siemens(mohs)로 표시한다. 예를 들어 만일 g_m = 1 mS이면 1 V의 입력전압은 부하로 1 mA의 전류를 흘려 보낼 것이다. z_{out}이 거의 ∞이기 때문에 VCIS의 출력측은 실제 부하저항에 대해 안정한 전류원이 된다.

그림 17-2*b*는 전류 증폭기인 ICIS를 나타내었다. 이것은 매우 적은 입력임피던스와 매우 큰 출력임피던스를 갖는다. ICIS의 전류이득은 A_i로 기호화한다. z_{out}이 거의 ∞이므로 VCVS의 출력측은 실제 부하저항에 대해 안정한 전류원이 된다.

17-2 VCVS 전압이득

이미 16장에서 VCVS의 실제 회로로 널리 사용되는 비반전증폭기에 대해 분석한 바 있다. 이 절에서는 이 비반전증폭기를 좀 더 분석하고 그 전압이득에 대해서도 보다 더 심도있게 조사해보기로 한다.

정확한 폐루프 전압이득

그림 17-3에 비반전증폭기를 나타내었다. 연산증폭기는 일반적으로 100,000 또는 그 이상의 개방루프 전압이득 A_{VOL}을 갖는다. 전압분배기 때문에 출력전압의 일부가 반전입력으로 귀환된다. VCVS회로의 **귀환비**(feedback fraction) B는 귀환전압을 출력전압으로 나눈 것으로 정의된다. 그림 17-3에서,

$$B = \frac{v_2}{v_{out}} \tag{17-1}$$

귀환비는 또한 출력전압 중 어느 정도가 귀환신호로 반전입력에 도달하기 전에 감쇄되는가를 나타내기 때문에 **귀환감쇄율**(feedback attenuation factor)이라 부르기도 한다.

수학적으로 폐루프 전압이득은 다음과 같은 정확한 식으로 유도할 수 있다.

$$A_{v(CL)} = \frac{A_{VOL}}{1 + A_{VOL}B} \tag{17-2}$$

이 식은 요점정리 표 17-1의 표시법에 따르면 $A_v = A_{v(CL)}$이므로 다음과 같이 나타낼 수도 있다.

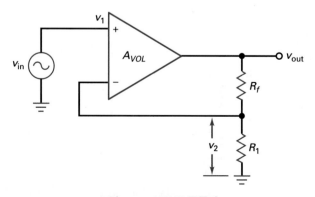

그림 17-3 VCVS 증폭기

$$A_v = \frac{A_{VOL}}{1 + A_{VOL}B} \tag{17-3}$$

이것이 VCVS 증폭기의 폐루프 전압이득에 대한 정확한 식이다.

루프이득

분모에서 두 번째 항인 $A_{VOL}B$는 순방향과 모든 귀환 방향에 대한 전압이득이기 때문에 **루프이득**(loop gain)이라 부른다. 루프이득은 부귀환증폭기를 설계함에 있어 매우 중요한 값이다. 실제의 설계에서 루프이득은 매우 크게 한다. 루프이득이 크면 클수록 전압이득이 더 안정화되고 이득의 안정화, 왜곡, 오프셋, 입력임피던스 및 출력임피던스와 같은 동작량에 대한 향상 및 교정 효과가 크게 나타난다.

이상적인 폐루프 전압이득

VCVS의 동작을 좋게 하려면 루프이득 $A_{VOL}B$는 1보다 훨씬 커야 한다. 설계 시, 이 조건을 만족시켰을 때 식 (17-3)은 다음과 같이 간략화된다.

$$A_v = \frac{A_{VOL}}{1 + A_{VOL}B} \cong \frac{A_{VOL}}{A_{VOL}B}$$

또는

$$A_v \cong \frac{1}{B} \tag{17-4}$$

이 이상적인 식은 $A_{VOL}B \gg 1$일 때 거의 정확한 값이 된다. 정확한 폐루프 전압이득은 이상적인 폐루프 전압이득보다 약간 작다. 만일 필요하다면 이상적인 값과 정확한 값 사이의 퍼센트 오차는 다음과 같이 계산할 수 있다.

$$\% \text{ Error} = \frac{100\%}{1 + A_{VOL}B} \tag{17-5}$$

예를 들어 만일 $1 + A_{VOL}B$ 가 1,000(60 dB)이라면 오차는 0.1%밖에 되지 않는다. 이는 정확한 값이 이상적인 값보다 0.1%밖에 적지 않다는 것을 의미한다.

이상적인 식의 사용

식 (17-4)는 VCVS증폭기의 이상적인 폐루프 전압이득을 계산할 때 사용할 수 있다. 이는 식 (17-1)에서 귀환비를 계산하고 그 역수를 취한 것이다. 예를 들면 그림 17-3에서 귀환비는 다음과 같다.

$$B = \frac{v_2}{v_{\text{out}}} = \frac{R_1}{R_1 + R_f} \tag{17-6}$$

그 역수를 취하면 다음과 같은 식을 얻을 수 있다.

$$A_v \cong \frac{1}{B} = \frac{R_1 + R_f}{R_1} = \frac{R_f}{R_1} + 1$$

이식은 $A_{v(CL)}$대신에 A_v로 대치된 것을 제외하고, 16장에서 연산증폭기 입력단자 사이의 가상단락에 의해 유도된 식과 동일하다.

응용 예제 17-1

그림 17-4에서 귀환비, 이상적인 폐루프 전압이득, 퍼센트 오차 및 정확한 폐루프 전압이득을 계산하라. 741C에서의 A_{VOL}은 100,000이다.

그림 17-4 예제

풀이 식 (17-6)에서 귀환비는:

$$B = \frac{100\ \Omega}{100 + 3.9\ k\Omega} = 0.025$$

식 (17-4)에서 이상적인 폐루프 전압이득은:

$$A_v = \frac{1}{0.025} = 40$$

식 (17-5)에서 퍼센트 오차는:

$$\%\ Error = \frac{100\%}{1 + A_{VOL}B} = \frac{100\%}{1 + (100{,}000)(0.025)} = 0.04\%$$

다음, 정확한 폐루프 전압이득은 다음의 두 가지 방법으로 계산할 수 있다. 첫째는 이상적인 값에서 그 값의 0.04%를 빼는 것과 둘째는 식 (17-3)의 정확한 식을 사용하는 것이다. 여기서 이 두 방법으로 계산해보자. 첫 번째 방법을 적용하면

$$A_v = 40 - (0.04\%)(40) = 40 - (0.0004)(40) = 39.984$$

이 정확한 값은 이상적인 값인 40에 거의 근접함을 볼 수 있다. 다음 두 번째 방법인 식 (17-3)으로부터 동일한 정확한 값을 얻을 수 있다.

$$A_v = \frac{A_{VOL}}{1 + A_{VOL}B} = \frac{100{,}000}{1 + (100{,}000)(0.025)} = 39.984$$

결론적으로 이 예제는 폐루프 전압이득에서 이상적인 값의 정확성을 나타낸 것이다. 완벽한 분석을 제외하고는 항상 이상적인 식을 사용할 수 있다. 드문 경우이나 오차의 존재가 얼마인가를 알 필요가 있을 때는 식 (17-5)를 사용하여 퍼센트 오차를 계산하면 된다.

또한 이 예제는 연산증폭기의 입력단자 사이의 가상단락을 사용하면 유효하다. 보다 더 복잡한 회로에서 가상단락은 많은 식들을 인용하는 것보다는, 오히려 옴의 법칙을 기초로 하여 논리적인 방법으로 귀환의 효과를 분석하는 데 도움을 준다.

연습 문제 17-1   그림 17-4에서 귀환저항을 3.9 kΩ에서 4.9 kΩ으로 바꾸고, 귀환비, 이상적인 폐루프 전압이득, 퍼센트 오차와 정확한 폐루프 전압이득을 계산하라.

17-3 기타 VCVS의 식

부귀환은 증폭기의 단점에 대한 교정효과를 가진다. 예를 들어 개방루프 전압이득은 한 연산증폭기가 다음 연산증폭기에 크고 다양한 변화를 준다. 그러나 부귀환은 전압이득을 안정화시킨다. 즉 부귀환은 내부적인 연산증폭기의 변화를 대부분 제거하고 폐루프 전압이득은 주로 외부저항에 의존한다. 이 저항들은 매우 낮은 온도계수를 갖는 정밀급으로 구성할 수 있으므로 폐루프 전압이득은 극히 안정화된다.

마찬가지로 VCVS증폭기에서 부귀환은 입력임피던스를 증가시키고 출력임피던스를 감소시키며 또한 증폭된 신호의 비선형 왜곡을 감소시킨다. 이 절에서는 부귀환이 이러한 것들을 얼마나 많이 개선시키는지에 대해 알아보기로 한다.

이득의 안정화

이득의 안정화는 이상적인 폐루프 전압이득과 정확한 폐루프 전압이득 간에 매우 낮은 퍼센트 오차가 주어진다는 데 의존한다. 퍼센트 오차가 적을수록 안정성은 더욱 높다. 폐루프 전압이득의 최악의 오차는 다음 식과 같이 개방루프 전압이득이 최소일 때 발생한다.

$$\% \text{ Maximum error} = \frac{100\%}{1 + A_{VOL(\min)}B} \tag{17-7}$$

여기서 $A_{VOL(\min)}$은 최소 또는 데이터시트에서 볼 수 있는 최악의 개방루프 전압이득이다. 741C에서는 $A_{VOL(\min)}$은 20,000이다. 예를 들어 $1 + A_{VOL(\min)}B = 500$이면

$$\% \text{ Maximum error} = \frac{100\%}{500} = 0.2\%$$

최대오차가 앞의 예와 같다면, 대량 생산 시 VCVS증폭기의 폐루프 전압이득은 이상적인 값의 0.2% 이내일 것이다.

폐루프 입력임피던스

그림 17-5a에 비반전증폭기를 나타내었다. 이 VCVS증폭기의 폐루프 입력임피던스의 정확한 식은 다음과 같다.

$$z_{\text{in}(CL)} = (1 + A_{VOL}B)R_{\text{in}} \parallel R_{CM} \tag{17-8}$$

참고 사항

부귀환을 사용하지 않는 연산증폭기 회로는 너무 불안정하므로, 사용 시 반드시 안정성을 고려해야 한다.

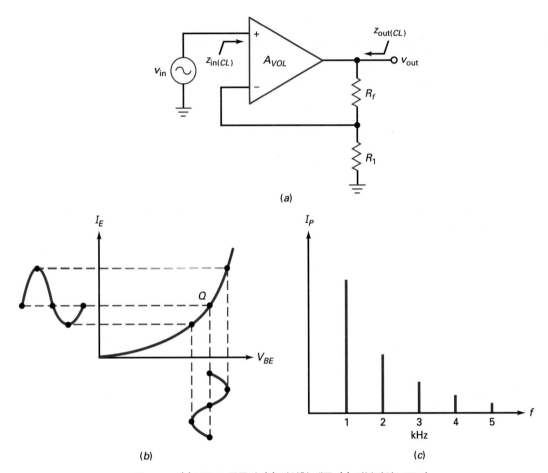

그림 17-5 (a) VCVS 증폭기; (b) 비선형 왜곡; (c) 기본파와 고조파

여기서, R_{in}: 연산증폭기의 개방루프 입력저항

   R_{CM}: 연산증폭기의 동상 입력저항

이 식에서 먼저 R_{in}은 데이터시트에서 볼 수 있는 입력저항이다. 15장에서와 같이 개별 바이폴라 차동증폭기에서의 R_{in}은 $2\beta r'_e$이었고 또한 요점정리 표 16-1에서와 같이 741C 의 입력저항은 2 MΩ이었다.

다음 R_{CM}은 입력 차동증폭단의 등가 꼬리저항이다. 개별 바이폴라 차동증폭기 에서 R_{CM}은 R_E이다. 연산증폭기에서는 R_E 대신에 전류미러가 사용된다. 이 때문에 연 산증폭기의 R_{CM}은 매우 큰 값이다. 예를 들어 741C는 100 MΩ 이상의 R_{CM}을 갖는다.

일반적으로 R_{CM}은 너무 크기 때문에 무시하고 식 (17-8)은 다음과 같이 근사한다.

$$z_{in(CL)} \cong (1 + A_{VOL}B)R_{in} \tag{17-9}$$

실제 VCVS증폭기에서 $1 + A_{VOL}B \gg 1$이므로 폐루프 입력임피던스는 매우 크다. 식 (17-8)에서 R_{CM}의 병렬효과를 제외하면 전압폴로어에서는 $B = 1$이고 $z_{in(CL)}$은 거의 ∞이다. 다시 말해 폐루프 입력임피던스에서 극한은 다음과 같다.

$$z_{in(CL)} = R_{CM}$$

이는 폐루프 입력임피던스의 정확한 값은 중요하지 않다는 것을 말하고자 하는 것이다. 중요한 것은 그것이 매우 크다는 것이고, 항상 R_{in}보다는 훨씬 크나 R_{CM}의 극한보다는 작다는 것이다.

폐루프 출력임피던스

그림 17-5a에서 폐루프 출력임피던스는 VCVS 증폭기의 출력 측에서 회로 쪽을 들여다본 전체 출력임피던스를 말한다. 이 폐루프 출력임피던스의 정확한 식은 다음과 같다.

$$z_{out(CL)} = \frac{R_{out}}{1 + A_{VOL}B} \tag{17-10}$$

여기서 R_{out}은 데이터시트에서 볼 수 있는 연산증폭기의 개방루프 출력저항이다. 741C의 출력저항 R_{out}은 요점정리 표 16-1에 75 Ω로 기재되어 있다.

실제 VCVS 증폭기에서 $1 + A_{VOL}B \gg 1$이므로 폐루프 출력임피던스는 1 Ω보다 작고 전압폴로어에서는 거의 0에 가깝다. 전압폴로어에서 폐루프 출력임피던스는 너무나 적어 접속선의 저항이 제한적 요소가 된다. 다시 말해 폐루프 출력임피던스의 정확한 값은 중요하지 않으나 VCVS 부귀환에서는 그 값이 1 Ω보다 훨씬 더 적은 값으로 감소한다는 사실이 중요하다. 그 이유는 VCVS 증폭기의 출력측이 이상적인 전압원에 근접하기 때문이다.

비선형 왜곡

개선에 대해 한 가지 더 언급할 만한 가치가 있는 것이 왜곡에 대한 부귀환의 효과이다. 증폭기의 후단에서는 증폭소자의 입력-출력 응답이 비선형이 되기 때문에 대신호에 대해 **비선형 왜곡**(*nonlinear distortion*)이 발생할 것이다. 예를 들어 베이스-에미터 다이오드의 비선형 그래프에 대신호가 인가되면 그림 17-5b와 같이 정의 반 사이클에서는 진폭이 늘어나고 부의 반 사이클에서는 줄어드는 왜곡이 발생한다.

비선형 왜곡은 입력신호의 **고조파**(*harmonics*)를 발생시킨다. 예를 들어 만일 정현전압의 신호가 1 kHz의 주파수를 가진다면 왜곡된 출력전류는 그림 17-5c의 스펙트럼 다이어그램(*spectrum diagram*)에 나타낸 것과 같이 1, 2, 3 kHz, …의 주파수를 갖는 정현신호를 포함할 것이다. 기본파 주파수는 1 kHz이고 그 외의 것은 고조파이다. 왜곡의 발생정도는 측정된 전체 고조파의 실효치로 나타낸다. 이것이 흔히 비선형 왜곡을 **고조파 왜곡**(harmonics distortion)이라 부르는 이유이다.

고조파 왜곡은 왜곡 분석기(*distortion analyzer*)라 부르는 계측기를 이용하여 측정할 수 있다. 이 계측기는 전체 고조파 전압을 측정한 후 전체 고조파 **왜곡의 퍼센트**(*percent of total harmonic distortion: THD*)를 얻기 위해 이를 기본파 전압으로 나누어 측정한다. 즉

$$THD = \frac{\text{Total harmonic voltage}}{\text{Fundamental voltage}} \times 100\% \tag{17-11}$$

예를 들면 만일 전체 고조파 전압이 0.1 V_{rms}이고 기본파 전압이 1 V이면 $THD = 10$ %이다.

부귀환은 고조파 왜곡을 감소시킨다. 폐루프 고조파 왜곡의 정확한 식은

$$THD_{CL} = \frac{THD_{OL}}{1 + A_{VOL}B}$$

(17-12)

여기서, THD_{OL}: 개방루프 고조파 왜곡

THD_{CL}: 폐루프 고조파 왜곡

다시 말해 $1 + A_{VOL}B$만큼의 교정효과를 갖는다는 것이다. 이 값이 클 때 고조파 왜곡은 무시할 수 있을 정도의 레벨까지 감소한다. 이것은 스테레오 증폭기에서 왜곡된 소리 대신에 선명한 음악을 들을 수 있음을 의미한다.

개별 부귀환 증폭기

이상적인 전압증폭기(VCVS)의 전압이득은 외부저항에 의해 제어되고 이미 9장에서 간단히 설명한 바 있다. 그림 9-4에 나타낸 개별 2단 귀환증폭기는 분명히 부 귀환을 사용한 비반전 전압증폭기이다.

이 회로를 되돌아보면 CE 2단은 다음과 같은 개방루프 전압이득을 가지게 된다.

$$A_{VOL} = (A_{v1})(A_{v2})$$

출력전압은 r_f와 r_e로 구성된 전압분배기를 구동한다. r_e의 아래쪽이 교류적으로 접지되었기 때문에 귀환비는 대략 다음과 같다.

$$B \cong \frac{r_e}{r_e + r_f}$$

이것은 입력 트랜지스터 에미터의 부하효과를 무시한 것이다. 입력 V_{in}은 첫째 트랜지스터의 베이스를 구동하는 반면 귀환전압은 에미터를 구동한다. 베이스-에미터 다이오드 양단에는 오차전압이 발생한다.

수학적인 해석도 앞서 주어진 것과 비슷하다. 폐루프 전압이득은 약 $\frac{1}{B}$, 입력임피던스는 $(1 + A_{VOL}B)R_{in}$, 출력임피던스는 $\frac{R_{out}}{(1 + A_{VOL}B)}$이고 왜곡은 $\frac{THD_{OL}}{(1 + A_{VOL}B)}$이다. 이것은 다양한 개별 증폭기 구조에서 부귀환의 사용은 극히 일반적임을 보여준다.

예제 17-2

그림 17-6에서 741C는 2 MΩ의 R_{in}과 200 MΩ의 R_{CM} 을 가진다. 폐루프 입력임피던스는 얼마인가? 741C의 대표적인 A_{VOL}은 100,000이다.

풀이 응용 예제 17-1에서 계산결과는 $B = 0.025$였다. 그러므로

$$1 + A_{VOL}B = 1 + (100{,}000)(0.025) \cong 2500$$

식 (17-9)에서

$$z_{in(CL)} \cong (1 + A_{VOL}B)R_{in} = (2500)(2 \text{ MΩ}) = 5000 \text{ MΩ}$$

그림 17-6   예제

100 MΩ이상의 값을 얻고자 할 때는 언제나 식 (17-8)을 사용해야 한다. 식 (17-8)에서

$$z_{in(CL)} = (5000 \text{ M}\Omega) \,\|\, 200 \text{ M}\Omega = 192 \text{ M}\Omega$$

이 큰 입력임피던스는 VCVS가 이상적인 전압증폭기에 근접함을 의미한다.

연습 문제 17-2   그림 17-6에서 3.9 kΩ의 저항을 4.9 kΩ으로 바꾸고, $z_{in(CL)}$을 구하라.

예제 17-3

앞선 예제의 데이터와 결과를 이용하여 그림 17-6에서 폐루프 출력임피던스를 계산하여라. A_{VOL}은 100,000이고 R_{out}은 75 Ω이다.

풀이   식 (17-10)에서

$$z_{out(CL)} = \frac{75 \text{ }\Omega}{2500} = 0.03 \text{ }\Omega$$

이 작은 출력임피던스는 VCVS가 이상적인 전압증폭기에 근접함을 의미한다.

연습 문제 17-3 $A_{VOL} = 200,000$, $B = 0.025$로 하여 예제 17-3을 반복하라.

예제 17-4

증폭기가 7.5%의 전체 개방루프 고조파 왜곡을 가진다고 가정하라. 전체 폐루프 고조파 왜곡은 얼마인가?

풀이   식 (17-12)에서 다음을 얻을 수 있다.

$$THD_{(CL)} = \frac{7.5\%}{2500} = 0.003\%$$

연습 문제 17-4   3.9 kΩ의 저항을 4.9 kΩ으로 바꾼 후, 예제 17-4를 반복하라.

17-4 ICVS 증폭기

그림 17-7에 전달저항 증폭기를 나타내었다. 이것은 입력전류와 출력전압을 가진다. ICVS 증폭기는 0인 입력임피던스와 0인 출력임피던스를 가지기 때문에 거의 완전한 **전류-전압 변환기**(*current-to-voltage converter*)이다.

출력전압

출력전압의 정확한 식은 다음과 같다.

$$v_{out} = -\left(i_{in}R_f\frac{A_{VOL}}{1 + A_{VOL}}\right) \tag{17-13}$$

$A_{VOL} \gg 1$이므로 간략화하면,

$$v_{out} = -(i_{in}R_f) \tag{17-14}$$

여기서 R_f는 전달저항이다.

식 (17-14)를 쉽게 유도하고 기억하기 위한 방법으로는 가상접지라는 개념을 사용하면 된다. 반전입력의 전압은 가상접지되고 전류는 흐르지 않는다. 반전입력이 가상접지되었다면 입력전류는 전부 귀환저항을 통해 흐를 것이다. 이 저항의 왼쪽 끝이 접지되어있기 때문에 출력전압의 크기는 다음과 같이 주어진다.

$$v_{out} = -(i_{in}R_f)$$

이 회로는 전류-전압 변환기이다. 다른 변환정수(전달저항)를 얻기 위해서는 R_f를 다른 값으로 선택하면 된다. 예를 들어 만일 $R_f = 1\ k\Omega$으로 하면 1 mA의 입력전류로 1 V의 출력전압이 발생되고 또 $R_f = 10\ k\Omega$으로 하면 동일한 입력전류로 10 V의 출력전압이 발생되게 된다. 전류의 흐름방향은 그림 17-8과 같이 일반적인 전류의 흐름이다.

비반전입력 및 출력임피던스

그림 17-7에서 폐루프 입력 및 출력임피던스의 정확한 식은 다음과 같다.

$$z_{in(CL)} = \frac{R_f}{1 + A_{VOL}} \tag{17-15}$$

$$z_{out(CL)} = \frac{R_{out}}{1 + A_{VOL}} \tag{17-16}$$

그림 17-7 ICVS 증폭기

그림 17-8 반전증폭기

이 두 식에서는 모든 분모의 값이 매우 크므로 임피던스는 매우 작은 값으로 감소할 것이다.

반전증폭기

이미 그림 17-8의 반전증폭기에 대해 설명한 바 있다. 폐루프 전압이득을 상기해 보면 다음 식을 얻는다.

$$A_v = \frac{-R_f}{R_1} \tag{17-17}$$

이 증폭기의 형식은 ICVS 부귀환이 사용된다. 반전입력의 가상접지 때문에 입력전류는 다음과 같다.

$$i_{in} = \frac{v_{in}}{R_1}$$

그림 17-9에서 만일 입력주파수가 1 kHz라면 출력전압은 얼마인가?

그림 17-9   예제

풀이 5 kΩ의 저항을 통해 1 mAp-p의 입력전류가 흐름을 알 수 있다. 옴의 법칙이나 식 (17-14)에 의하면

$$v_{out} = -(1 \text{ mA}_{p\text{-}p})(5 \text{ k}\Omega) = -5 \text{ V}_{p\text{-}p}$$

여기서 음의 부호는 180°의 위상천이를 말한다. 출력전압은 5 $V_{p\text{-}p}$값과 1 kHz의 주파수를 갖는 교류전압이다.

연습 문제 17-5 그림 17-9에서 귀환저항을 2 kΩ으로 바꾼 후, v_{out}을 계산하라.

예제 17-6

그림 17-9에서 폐루프 입력 및 출력임피던스는 얼마인가? 대표적인 741C의 데이터를 이용하라.

풀이 식 (17-15)에서,

$$z_{\text{in}(CL)} = \frac{5 \text{ k}\Omega}{1 + 100{,}000} \cong \frac{5 \text{ k}\Omega}{100{,}000} = 0.05 \ \Omega$$

식 (17-16)에서,

$$z_{\text{out}(CL)} = \frac{75 \ \Omega}{1 + 100{,}000} \cong \frac{75 \ \Omega}{100{,}000} = 0.00075 \ \Omega$$

연습 문제 17-6 $A_{VOL} = 200{,}000$일 때, 예제 17-6을 반복하라.

17-5 VCIS 증폭기

VCIS 증폭기에서 입력전압은 출력전류를 제어한다. 이 같은 증폭기에서는 큰 부귀환으로 인하여 입력전압이 정확한 출력전류 값으로 변환된다.

그림 17-10에 전달컨덕턴스 증폭기(transconductance amplifier)를 나타내었다. 이 증폭기는 부하저항인 R_L과 귀환저항을 제외하고는 VCVS증폭기와 흡사하다. 다시 말해 실제출력은 $R_1 + R_L$양단전압이라기보다는 R_L를 흐르는 전류이다. 이 출력전류는 안정화된다. 즉 확실한 입력전압의 값은 정확한 출력전류의 값을 발생시킨다.

그림 17-10에서 출력전류의 정확한 식은 다음과 같다.

$$i_{\text{out}} = \frac{v_{\text{in}}}{R_1 + (R_1 + R_L)/A_{VOL}} \tag{17-18}$$

실제회로에서 분모의 두 번째 항은 첫 번째 항보다 훨씬 적으므로 이 식은 다음과 같이 간략화 할 수 있다.

$$i_{\text{out}} = \frac{v_{\text{in}}}{R_1} \tag{17-19}$$

이것은 다음과 같이 쓸 수도 있다.

$$i_{\text{out}} = g_m v_{\text{in}}$$

여기서 $g_m = 1/R_1$이다.

식 (17-19)를 유도 또는 기억하기 쉬운 방법이 있다. 즉 그림 17-10의 가상단락과 입력단자 간을 볼 때 반전입력은 비반전입력에 부트스트랩(bootstrap)된다. 그러므로 모

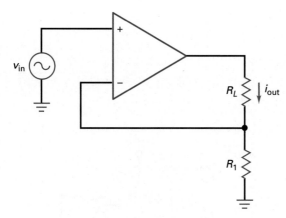

그림 17-10　VCIS 증폭기

든 입력전압은 R_1 양단에 나타난다. 이 저항을 흐르는 전류는 다음과 같다.

$$i_1 = \frac{v_{\text{in}}}{R_1}$$

그림 17-10에서 이 전류는 R_L 만을 통해 흐른다. 이것이 출력전류의 값이 식 (17-19)로 주어지는 이유이다.

　　이 회로는 **전압-전류 변환기**(*voltage-to-current converter*)이다. 다른 변환정수(전달컨덕턴스)를 얻기 위해서는 R_1 을 다른 값으로 선택하면 된다. 예를 들어 만일 $R_1 = 1$ kΩ으로 하면 1 V의 입력전압으로 1 mA의 출력전류를 얻는다. 만일 $R_1 = 100$ Ω으로 하면 동일한 입력전압으로 10 mA의 출력전류를 얻게 된다.

　　그림 17-10의 입력측은 VCVS증폭기의 입력측과 같으므로 VCIS 증폭기의 폐루프 입력임피던스의 근사식은 다음과 같다.

$$z_{\text{in}(CL)} = (1 + A_{VOL}B)R_{\text{in}} \tag{17-20}$$

여기서 R_{in} 은 연산증폭기의 입력저항이다. 폐루프 출력임피던스가 다음과 같으므로 출력전류는 안정화된다.

$$z_{\text{out}(CL)} = (1 + A_{VOL})R_1 \tag{17-21}$$

이 두 식에서 큰 A_{VOL} 은 VCIS 증폭기에서 바로 우리가 원하는 것인 두 임피던스를 모두 ∞로 근접시킨다. 이 같이 이 회로는 극히 큰 입력, 출력임피던스를 가지므로 거의 완전한 전압-전류 변환기가 된다.

　　그림 17-10의 전달컨덕턴스 증폭기는 부동(floating) 부하저항으로 동작한다. 이것은 부하가 단일종단(single-ended)되었기 때문에 항상 편리한 것은 아니다. 이 같이 전달컨덕턴스 증폭기로 사용되는 선형 IC들로는 LM3080, LM13600, LM13700 등이 있다. 이들 모놀리딕 전달컨덕턴스 증폭기는 단일종단 부하저항을 구동할 수 있다.

예제 17-7

그림 17-11에서 부하전류는 얼마인가? 부하전력은? 만일 부하저항을 4 Ω으로 바꾸면
어떤 일이 일어나겠는가?

그림 17-11 예제

풀이 연산증폭기의 입력단자 양단의 가상단락을 가정하라. 반전입력은 비반전입력에
부트스트랩 되어 모든 입력전압은 1 Ω저항에 걸쳐 나타난다. 옴의 법칙이나 식 (17-19)
에서 출력전류는 다음과 같이 계산할 수 있다.

$$i_{out} = \frac{2\,V_{rms}}{1\,\Omega} = 2\,A_{rms}$$

이 2 A의 전류가 2 Ω의 부하저항을 통해 흐르므로 다음과 같은 부하전력을 발생시킨다.

$$P_L = (2\,A)^2(2\,\Omega) = 8\,W$$

만일 부하저항을 4 Ω으로 바꾸면 출력전류는 여전히 2 A_{rms}가 흐르나 부하전력
은 다음과 같이 증가한다.

$$P_L = (2\,A)^2(4\,\Omega) = 16\,W$$

연산증폭기가 포화되지 않는 한 부하저항을 다른 값으로 바꾸더라도 2 A_{rms}의 출력 전
류는 여전히 안정화된다.

연습 문제 17-7 그림 17-11에서 입력전압을 3 V_{rms}로 바꾸어, i_{out}과 P_L을 구하라.

17-6 ICIS 증폭기

ICIS 회로는 입력전류를 증폭한다. 큰 부귀환 때문에 ICIS 증폭기는 완전한 **전류 증폭기**(current amplifier)처럼 동작한다. 이 증폭기는 매우 적은 입력임피던스와 매우 큰 출력임피던스를 갖는다.

그림 17-12에 반전전류 증폭기를 나타내었다. 폐루프 전류이득은 안정화되고 다음 식으로 구할 수 있다.

$$A_i = \frac{A_{VOL}(R_1 + R_2)}{R_L + A_{VOL}R_1} \tag{17-22}$$

일반적으로 분모의 두 번째 항이 첫 번째 항보다 훨씬 크므로 다음 식과 같이 간략화할 수 있다.

$$A_i \cong \frac{R_2}{R_1} + 1 \tag{17-23}$$

ICIS증폭기의 폐루프 입력임피던스는

$$z_{in(CL)} = \frac{R_2}{1 + A_{VOL}B} \tag{17-24}$$

여기서 귀환비는 다음 식으로 주어진다.

$$B = \frac{R_1}{R_1 + R_2} \tag{17-25}$$

출력전류의 안정화는 다음과 같은 폐루프 출력임피던스의 식에서 알 수 있다.

$$z_{out(CL)} = (1 + A_{VOL})R_1 \tag{17-26}$$

큰 A_{VOL}은 매우 적은 입력임피던스와 매우 큰 출력임피던스를 발생시킨다. 이 때문에 ICIS회로는 거의 완전한 전류 증폭기가 된다.

그림 17-12   ICIS 증폭기

예제 17-8

IIII Multisim

그림 17-13에서 부하전류는 얼마인가? 부하전력은 얼마인가? 만일 부하저항이 2 Ω으로 바뀌었다면 부하전류와 부하전력은 얼마인가?

그림 17-13 예제

풀이 식 (17-23)에서 전류이득은

$$A_i = \frac{1\,k\Omega}{1\,\Omega} + 1 \cong 1000$$

부하전류는

$$i_{out} = (1000)(1.5\ mA_{rms}) = 1.5\ A_{rms}$$

부하전력은

$$P_L = (1.5\ A)^2(1\ \Omega) = 2.25\ W$$

만일 부하저항이 2 Ω으로 증가한다면 부하전류는 여전히 1.5 A$_{rms}$가 되나 부하전력은 다음과 같이 증가한다.

$$P_L = (1.5\ A)^2(2\ \Omega) = 4.5\ W$$

연습 문제 17-8 그림 17-13에서 i_{in}을 2 mA로 바꾼 후, i_{out}과 P_L을 계산하라.

17-7 대역폭

부귀환은 개방루프 전압이득에서의 전압강하(roll-off) 때문에 증폭기의 대역폭을 증가시킨다. 이것은 귀환되는 전압이 더 적으므로 보상으로 더 큰 입력전압을 발생해야 한다는 것을 의미이다. 이 때문에 폐루프 차단주파수는 개방루프 차단주파수보다 훨씬 높아지게 된다.

폐루프 대역폭

앞장에서의 설명처럼, 폐루프 차단 대역폭을 상기하면 다음과 같이 주어진다.

$$f_{2(CL)} = \frac{f_{\text{unity}}}{A_{v(CL)}} \tag{17-27}$$

또 VCVS의 폐루프 대역폭으로 다음과 같은 두 가지 식을 더 유도할 수 있다.

$$f_{2(CL)} = (1 + A_{VOL}B)f_{2(OL)} \tag{17-28}$$

$$f_{2(CL)} = \frac{A_{VOL}}{A_{v(CL)}} f_{2(OL)} \tag{17-29}$$

여기서 $A_{v(CL)}$은 A_v와 같다.

이 식들은 VCVS증폭기의 폐루프 대역폭을 계산하는 데 사용할 수 있다. 이 식은 주어진 데이터를 보고 선택적으로 사용할 수 있다. 예를 들어 만일 f_{unity}와 $A_{v(CL)}$을 알고 있을 때는 식 (17-27)을, A_{VOL}, B 및 $f_{2(OL)}$을 알고 있을 때는 식 (17-28)을, 또 A_{VOL}, $A_{v(CL)}$ 및 $f_{2(OL)}$을 알고 있을 때는 식 (17-29)를 사용하는 것이 유용하다.

이득-대역폭 적(積)은 일정하다

식 (17-27)은 다음과 같이 다시 쓸 수 있다.

$$A_{v(CL)}f_{2(CL)} = f_{\text{unity}}$$

이 식에서 좌변은 이득과 대역폭의 곱인데 이를 **이득-대역폭 적**(Gain-Bandwidth Product; GBP)이라 부른다. 이 식의 오른쪽은 연산증폭기 자체에서 주어지는 정수이다. 따라서 이 식은 **이득–대역폭 적은 항상 일정**하다고 바꾸어 말할 수 있다. 연산증폭기에서 주어지는 GBP는 일정하기 때문에 설계자들은 이득과 대역폭간의 상반교환(trade off)을 고려해야 한다. 만일 설계 시 보다 적은 이득을 원하면 그 결과 대역폭은 훨씬 더 증가되나 반대로 보다 큰 이득을 원한다면 대역폭의 감소는 감수해야 한다.

이 점을 개선시키는 유일한 방법은 보다 높은 GBP 즉 f_{unity}를 갖는 연산증폭기를 사용하는 것이다. 만일 어떤 응용에서 사용되는 연산증폭기의 GBP가 충분하지 못하면 설계 시는 더 큰 GBP를 갖는 연산증폭기를 선택해야 한다. 예를 들어 741C는 1 MHz의 GBP를 갖는다. 만일 주어진 응용에서 이것이 너무 낮다면 GBP 15 MHz인 LM318을 사용해야 할 것이다. 이 같은 경우는 동일한 폐루프 전압이득에서 15배나 더 큰 대역폭을 얻을 수가 있다.

대역폭과 슬루레이트 왜곡

비록 부귀환이 증폭기의 다음 단의 비선형 왜곡을 감소시키기는 하나 슬루레이트 왜곡에는 전혀 효과가 없다. 그래서 폐루프 대역폭을 계산한 후 식 (16-2)로부터 전력대역폭을 계산한다. 전체 폐루프 대역폭에 걸쳐 출력에 왜곡이 발생되지 않기 위해서는, 폐루프 차단주파수는 전력대역폭보다 낮아야만 한다. 즉

$$f_{2(CL)} < f_{max} \tag{17-30}$$

이것은 출력의 피크값이 다음 식보다 적어야 함을 의미한다.

$$V_{p(max)} = \frac{S_R}{2\pi f_{2(CL)}} \tag{17-31}$$

여기서 부귀환이 슬루레이트 왜곡에 효과가 없는 이유에 대해 알아보자. 연산증폭기의 보상용 커패시터는 큰 입력 밀러용량을 발생시킨다. 741C에서 이 큰 용량은 그림 17-14a에 나타낸 것처럼 입력 차동증폭기의 부하가 된다. 슬루레이트 왜곡이 발생되면 v_{in}은 충분히 한쪽 트랜지스터는 포화, 다른 쪽 트랜지스터는 차단시킨다. 연산증폭기가 더 이상 선형영역에서 동작하지 못하므로 부귀환의 교정효과도 일시적으로 사라진다.

그림 17-14b에 Q_1이 포화되고 Q_2가 차단되었을 때 어떤 현상이 발생되는가를 나타내었다. 3000-pF의 커패시터는 1 MΩ 저항을 통해 충전되기 때문에 그림에 나타낸 것과 같은 슬루(slew)가 얻어진다. 커패시터가 충전된 후에는 Q_1이 포화에서 벗어나고 Q_2가 차단에서 벗어나기 때문에 부귀환의 교정효과가 다시 나타난다.

부귀환의 특성표

요점정리 표 17-2에 부귀환의 네 가지 이상적인 기본형을 요약했다. 이들 기본형은 기본회로이고 보다 진보된 회로를 얻기 위해서는 변형시킬 수도 있다. 예를 들어 전압원과

그림 17-14   (a) 741C의 입력 차동증폭기; (b) 슬루를 위한 커패시터충전

요점정리 표 17-2 | 부귀환의 네 가지 형식

Type	Stabilized	Equation	$z_{in(CL)}$	$z_{out(CL)}$	$f_{2(CL)}$	$f_{2(CL)}$	$f_{2(CL)}$
VCVS	A_v	$\dfrac{R_f}{R_1} + 1$	$(1 + A_{VOL}B)R_{in}$	$\dfrac{R_{out}}{(1 + A_{VOL}B)}$	$(1 + A_{VOL}B)f_{2(OL)}$	$\dfrac{A_{VOL}}{A_{v(CL)}}f_{2(OL)}$	$\dfrac{f_{unity}}{A_{v(CL)}}$
ICVS	$\dfrac{v_{out}}{i_{in}}$	$v_{out} = -(i_{in}R_f)$	$\dfrac{R_f}{1 + A_{VOL}}$	$\dfrac{R_{out}}{1 + A_{VOL}}$	$(1 + A_{VOL})f_{2(OL)}$	—	—
VCIS	$\dfrac{i_{out}}{v_{in}}$	$i_{out} = \dfrac{v_{in}}{R_1}$	$(1 + A_{VOL}B)R_{in}$	$(1 + A_{VOL})R_1$	$(1 + A_{VOL})f_{2(OL)}$	—	—
ICIS	A_i	$\dfrac{R_2}{R_1} + 1$	$\dfrac{R_2}{(1 + A_{VOL}B)}$	$(1 + A_{VOL})R_1$	$(1 + A_{VOL}B)f_{2(OL)}$	—	—

VCVS	ICVS	VCIS	ICIS
(비반전 전압증폭기)	(전류-전압 변환기)	(전압-전류 변환기)	(전류증폭기)

R_1이란 입력저항을 사용하므로 ICVS의 기본형은 앞에서 설명되고 널리 사용되는 반전증폭기가 된다. 또 다른 예로서 VCVS의 기본형으로부터 교류증폭기를 얻기 위해서는 결합커패시터를 부가할 수가 있다. 다음에 주어지는 몇 장들에서는 다양하고 수많은 유용한 회로를 얻기 위해 이 기본형들을 변형시켜볼 것이다.

응용 예제 17-9

만일 요점정리 표 17-2의 VCVS증폭기에 $(1 + A_{VOL}B) = 1{,}000, f_{2(OL)} = 160$ Hz를 갖는 LF411A를 사용했다면 폐루프 대역폭은 얼마인가?

풀이 식 (17-28)에서

$$f_{2(CL)} = (1 + A_{VOL}B)f_{2(OL)} = (1{,}000)(160 \text{ Hz}) = 160 \text{ kHz}$$

연습 문제 17-9 $f_{2(OL)} = 100$ Hz로 하여 응용 예제 17-9를 반복하라.

응용 예제 17-10

만일 요점정리 표 17-2의 VCVS증폭기에 $A_{VOL} = 250,000$, $f_{2(OL)} = 1.2$ Hz를 갖는 LM308을 사용했다면 $A_{v(CL)} = 50$인 경우 폐루프 대역폭은 얼마인가?

풀이 식 (17-29)에서 다음을 얻을 수 있다.

$$f_{2(CL)} = \frac{A_{VOL}}{A_{v(CL)}} f_{2(OL)} = \frac{250,000}{50}(1.2 \text{ Hz}) = 6 \text{ kHz}$$

연습 문제 17-10 $A_{VOL} = 200,000$, $f_{2(OL)} = 2$ Hz를 사용하여 응용 예제 17-10을 반복하라.

응용 예제 17-11

만일 요점정리 표 17-2의 ICVS 증폭기에 $A_{VOL} = 200,000$, $f_{2(OL)} = 75$ Hz를 갖는 LM318을 사용했다면 폐루프 대역폭은 얼마인가?

풀이 요점정리 표 17-2에 주어진 식으로부터 다음을 얻는다.

$$f_{2(CL)} = (1 + A_{VOL})f_{2(OL)} = (1 + 200,000)(75 \text{ Hz}) = 15 \text{ MHz}$$

연습 문제 17-11 응용 예제 17-11에서 만일 $A_{VOL} = 75,000$, $f_{2(OL)} = 750$ kHz이라면, 개방루프 대역폭은 얼마인가?

응용 예제 17-12

만일 요점정리 표 17-2의 ICIS 증폭기에 $f_{2(OL)} = 20$ Hz 그리고 $(1 + A_{VOL}B) = 2500$을 갖는 OP-07A를 사용했다면 폐루프 대역폭은 얼마인가?

풀이 요점정리 표 17-2에 주어진 식으로부터

$$f_{2(CL)} = (1 + A_{VOL}B)f_{2(OL)} = (2500)(20 \text{ Hz}) = 50 \text{ kHz}$$

연습 문제 17-12 $f_{2(OL)} = 50$ Hz로 하여 응용 예제 17-12를 반복하라.

응용 예제 17-13

$f_{unity} = 1$ MHz, $S_R = 0.5$ V/μs를 갖는 LM741C를 사용한 VCVS증폭기가 있다. 만일 $A_{v(CL)} = 10$ Hz이라면 폐루프 대역폭은 얼마인가? 또 $f_{2(OL)}$에서 왜곡이 발생되지 않는 최대피크 출력전압은 얼마인가?

풀이 식 (17-27)에서 다음을 얻는다.

$$f_{2(CL)} = \frac{f_{unity}}{A_{v(CL)}} = \frac{1 \text{ MHz}}{10} = 100 \text{ kHz}$$

또한 식 (17-31)에서 다음을 얻는다.

$$V_{p(max)} = \frac{S_R}{2\pi f_{2(CL)}} = \frac{0.5 \text{ V/}\mu\text{s}}{2\pi(100 \text{ kHz})} = 0.795 \text{ V}$$

연습 문제 17-13 응용 예제 17-13에서 $A_{v(CL)} = 100$으로 했을 때, 폐루프 대역폭과 $V_{p(max)}$을 구하라.

요점 | Summary

17-1 부귀환의 네 가지 형식

부귀환의 네 가지 이상적인 형식은 다음과 같다. 즉, VCVS, ICVS, VCIS, ICIS 등이다. 두 가지 형식(VCVS와 VCIS)은 입력전압에 의해 제어되고, 그리고 나머지 두 가지 형식(ICVS와 ICIS)은 입력전류에 의해 제어된다. VCVS와 ICVS의 출력측은 전압원처럼 동작하고 VCIS와 ICIS의 출력측은 전류원처럼 동작한다.

17-2 VCVS 전압이득

루프이득은 순방향과 귀환방향의 전압이득이다. 실제 설계에서 루프이득은 매우 크다. 그 결과 폐루프 전압이득은 증폭기의 특성에 조금도 의존하지 않기 때문에 극히 안정화된다. 그 대신 이것은 외부저항의 특성에 거의 전적으로 의존한다.

17-3 기타 VCVS의 식

VCVS 부귀환은 전압이득의 안정화, 입력임피던스의 증가, 출력임피던스의 감소, 고조파 왜곡의 감소란 특징 때문에 증폭기의 단점에 대한 교정효과를 가진다.

17-4 ICVS 증폭기

이것은 전류-전압 변환기와 동일한 전달저항 증폭기이다. 가상접지 때문에 이상적으로 0인 입력임피던스를 가진다. 입력전류는 정확한 출력전압의 값을 발생시킨다.

17-5 VCIS 증폭기

이것은 전압-전류 변환기와 동일한 전달컨덕턴스 증폭기이다. 이상적으로는 ∞의 입력임피던스를 가진다. 입력전압은 정확한 출력

전류의 값을 발생시킨다. 출력임피던스는 ∞에 가깝다.

17-6 ICIS 증폭기

큰 부귀환 때문에 ICIS 증폭기는 0인 입력임피던스와 ∞인 출력임피던스를 갖는 거의 완전한 전류 증폭기에 가깝다.

17-7 대역폭

부귀환은 개방루프 전압이득에서의 전압강하(roll-off) 때문에 증폭기의 대역폭을 증가시킨다. 이것은 귀환되는 전압이 더 적으므로 보상으로 더 큰 입력전압을 발생해야 한다는 것을 의미이다. 이 때문에 폐루프 차단주파수는 개방루프 차단주파수보다 훨씬 높아지게 된다.

정의식 | Definitions

(17-1) 귀환비

$$B = \frac{v_2}{v_{out}}$$

(17-11) 전체 고조파 왜곡:

$$THD = \frac{\text{전체 고조파 전압}}{\text{기본파 전압}} \times 100\%$$

유도식 | Derivations

(17-4) VCVS 전압이득:

$$A_v \cong \frac{1}{B}$$

(17-5) VCVS 퍼센트 오차:

$$\% \text{ Error} = \frac{100\%}{1 + A_{VOL}B}$$

(17-6) VCVS 귀환비:

$$B = \frac{v_2}{v_{out}} = \frac{R_1}{R_1 + R_f}$$

(17-9) VCVS 입력임피던스:

$$z_{in(CL)} \cong (1 + A_{VOL}B)R_{in}$$

(17-10) VCVS 출력임피던스:

$$z_{out(CL)} = \frac{R_{out}}{1 + A_{VOL}B}$$

(17-12) 폐루프 왜곡:

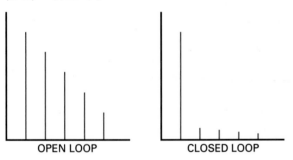

OPEN LOOP   CLOSED LOOP

$$THD_{CL} = \frac{THD_{OL}}{1 + A_{VOL}B}$$

(17-14) ICVS 출력전압:

$$v_{out} = -(i_{in}R_f)$$

(17-15) ICVS 입력임피던스:

$$z_{in(CL)} = \frac{R_f}{1 + A_{VOL}}$$

(17-16) ICVS 출력임피던스:

$$z_{out(CL)} = \frac{R_{out}}{1 + A_{VOL}}$$

(17-19) VCIS 출력 전류:

$$i_{out} = \frac{v_{in}}{R_1}$$

(17-23) ICIS 전류이득:

$$A_i \cong \frac{R_2}{R_1} + 1$$

(17-27) 폐루프 대역폭:

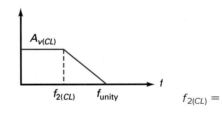

$$f_{2(CL)} = \frac{f_{unity}}{A_{v(CL)}}$$

복습 문제 | Self-Test

1. 부귀환에서 귀환신호는 ____.
   a. 입력신호에 더해진다.
   b. 입력신호와 반대로 주어진다.
   c. 출력전류에 비례한다.
   d. 차동 전압이득에 비례한다.

2. 부귀환에는 몇 가지의 형식이 있는가?
   a. 한 가지　　b. 두 가지
   c. 세 가지　　d. 네 가지

3. VCVS증폭기는 이상적으로 무엇과 같은가?
   a. 전압증폭기
   b. 전류-전압 변환기
   c. 전압-전류 변환기
   d. 전류 증폭기

4. 이상적인 연산증폭기의 입력단자간의 전압은 어떠한가?
   a. 0
   b. 너무 적다.
   c. 너무 크다.
   d. 입력전압과 같다.

5. 연산증폭기가 포화되지 않았을 때 비반전입력과 반전입력단자에서의 전압은 얼마인가?
   a. 거의 같다.
   b. 너무 다르다.
   c. 출력전압과 같다.
   d. ±15 V이다.

6. 귀환비 B는 ____.
   a. 항상 1보다 적다.
   b. 항상 1보다 크다.
   c. 거의 1과 같다.
   d. 거의 1과 같지 않다.

7. ICVS 증폭기의 출력전압이 없다. 어떤 고장이 일어날 수 있는가?
   a. (2)의 공급전압이 없다.
   b. 귀환저항이 단락되었다.
   c. 귀환전압이 없다.
   d. 부하저항이 개방되었다.

8. VCVS증폭기에서 개방루프 전압이득의 감소는 무엇의 증가를 발생시키는가?
   a. 출력전압　　b. 오차전압
   c. 귀환전압　　d. 입력전압

9. 개방루프 전압이득은 무엇과 같은가?
   a. 부귀환에서 이득
   b. 연산증폭기의 차동 전압이득
   c. $B = 1$일 때의 이득
   d. f_{unity}에서의 이득

10. 루프이득 AVOLB는 ____.
    a. 항상 1보다 너무나 적다.
    b. 항상 1보다 너무나 크다.
    c. 10이 아니다.
    d. 0과 1 사이이다.

11. ICVS증폭기에서 폐루프 입력임피던스는 어떠한가?
    a. 항상 개방루프 입력임피던스보다 크다.
    b. 개방루프 입력임피던스와 같다.
    c. 때로는 개방루프 입력임피던스보다 적다.
    d. 이상적으로 0이다.

12. 귀환비 회로는 이상적으로 무엇에 가까운가?
    a. 전압증폭기
    b. 전류-전압 변환기
    c. 전압-전류 변환기
    d. 전류 증폭기

13. 부귀환은 무엇을 감소시키나?
    a. 귀환비
    b. 왜곡
    c. 입력 오프셋전압
    d. 개방루프이득

14. 전압폴로어는 얼마의 전압이득을 갖는가?
    a. 1보다 훨씬 적다.　　b. 1
    c. 1 이상　　d. A_{VOL}

15. 실제 연산증폭기의 입력단자간의 전압은?
    a. 0
    b. 매우 적다.
    c. 매우 크다.
    d. 입력전압과 같다.

16. 증폭기의 전달저항은 무엇의 비인가?
    a. 입력전압에 대한 출력전류
    b. 출력전류에 대한 입력전압
    c. 입력전압에 대한 출력전압
    d. 입력전류에 대한 출력전압

17. 전류는 무엇을 통해서는 접지로 흐를 수 없는가?
    a. 기계적인 접지
    b. 교류접지
    c. 가상접지
    d. 일반접지

18. 전류-전압 변환기에서 입력전류는 무엇을 통해 흐르는가?
    a. 연산증폭기의 입력임피던스
    b. 귀환저항
    c. 접지
    d. 부하저항

19. 전류-전압 변환기의 입력임피던스는?
    a. 적다.
    b. 크다.
    c. 이상적으로 0이다.
    d. 이상적으로 ∞이다.

20. 개방루프 대역폭은 무엇과 같은가?
    a. f_{unity}　　b. $f_{2(OL)}$
    c. $f_{unity}/A_{v(CL)}$　　d. f_{max}

21. 폐루프 대역폭은 무엇과 같은가?
    a. f_{unity}　　b. $f_{2(OL)}$
    c. $f_{unity}/A_{v(CL)}$　　d. f_{max}

22. 연산증폭기에서 다음 중 어느 것이 일정한가?
    a. $f_{2(OL)}$　　b. 귀환전압
    c. $A_{v(CL)}$　　d. $A_{v(CL)} f_{(CL)}$

23. 부귀환은 무엇을 개선하지 못하는가?

 a. 전압이득의 안정
 b. 다음단의 비선형 왜곡
 c. 출력 오프셋전압
 d. 전력대역폭

24. ICVS증폭기가 포화되었다. 고려되는 고장은?

 a. 공급전압이 없다.
 b. 귀환저항의 개방
 c. 입력전압이 없다.
 d. 부하저항의 개방

25. VCVS증폭기에서 출력전압이 나타나지 않는다. 고려되는 고장은?

 a. 부하저항의 단락
 b. 귀환저항의 개방
 c. 과대한 입력전압
 d. 부하저항의 개방

26. ICIS증폭기가 포화되었다. 고려되는 고장은?

 a. 부하저항의 단락
 b. R_2의 개방
 c. 입력전압이 없음
 d. 부하저항의 개방

27. ICVS증폭기에서 출력전압이 나타나지 않았다. 고려되는 고장은?

 a. (1)공급전압이 없음
 b. 귀환저항의 개방
 c. 귀환전압이 없음
 d. 부하저항의 단락

28. VCVS증폭기에서 폐루프 입력임피던스는 _____.

 a. 항상 개방루프 입력임피던스보다 크다.
 b. 개방루프 입력임피던스와 같다.
 c. 때로는 개방루프 입력임피던스보다 적다.
 d. 이상적으로 0이다.

기본 문제 | Problems

다음 문제에서 필요한 연산증폭기의 정수는 요점정리 표 16-3을 참조하라.

그림 17-15

그림 17-16

17-2 VCVS 전압이득

17-1 그림 17-15에서 귀환비, 이상적인 폐루프 전압이득, 퍼센트 오차 및 정확한 전압이득을 계산하라.

17-2 만일 그림 17-15에서 68 kΩ의 저항을 39 kΩ으로 바꾸었다면 귀환비는 얼마인가? 또 폐루프 전압이득은?

17-3 그림 17-15에서 2.7 kΩ의 저항을 4.7 kΩ으로 바꾸었다. 귀환비는 얼마인가? 또 폐루프 전압이득은?

17-4 만일 그림 17-15에서 LF353 대신에 LM301A로 대치했다면, 귀환비, 이상적인 폐루프 전압이득, 퍼센트 오차, 정확한 전압이득은 얼마인가?

17-3 기타 VCVS의 식

17-5 그림 17-16에서 연산증폭기는 3 MΩ의 R_{in}과 500 MΩ의 R_{CM}을 가진다. 폐루프 입력임피던스는 얼마인가? 연산증폭기의 A_{VOL}은 200,000이다.

17-6 그림 17-16에서 폐루프 출력임피던스는 얼마인가? A_{VOL}은 75,000이고 R_{out}은 50 Ω이다.

17-7 그림 17-16의 증폭기가 10%의 전체 개방루프 고조파 왜곡을 갖는다고 가정하라. 전체 폐루프 고조파 왜곡은 얼마인가?

17-4 ICVS 증폭기

17-8 ⅠⅠⅠ**Multisim** 그림 17-17에서 주파수는 1 kHz이다. 출력전압은 얼마인가?

17-9 ⅠⅠⅠ**Multisim** 그림 17-17에서 만일 귀환저항을 51 kΩ에서 33 kΩ으로 바꾸었다면 출력전압은 얼마인가?

17-10 그림 17-17에서 입력전류를 10.0 μA rms로 바꾸었다. 피크-피크 출력전압은 얼마인가?

17-5 VCIS 증폭기

17-11 ⅠⅠⅠ**Multisim** 그림 17-18에서 출력전류는 얼마인가? 또 부하전력은 얼마인가?

그림 17-17

17-12 만일 그림 17-18에서 부하저항을 1 Ω에서 3Ω으로 바꾸었다면 출력전류는 얼마인가? 또 부하전력은?

17-13 **IIII Multisim** 만일 그림 17-18에서 2.7 Ω의 저항을 4.7 Ω으로 바꾸었다면 출력전류 및 부하전력은 얼마인가?

17-6 ICIS 증폭기

17-14 **IIII Multisim** 그림 17-19에서 전류이득은 얼마인가? 또 부하전력은 얼마인가?

그림 17-18

그림 17-19

17-15 **IIII Multisim** 만일 그림 17-19에서 부하저항을 1 Ω에서 2 Ω으로 바꾸었다면 출력전류는 얼마인가? 또 부하전력은?

17-16 만일 그림 17-19에서 1.8 Ω의 저항을 7.5 Ω으로 바꾸었다면 전류이득과 부하전력은?

17-7 대역폭

17-17 VCVS증폭기에 $(1 + A_{VOL}B) = 1000$, $f_{2(OL)} = 2$ Hz인 LM324를 사용했다. 폐루프 대역폭은 얼마인가?

17-18 만일 VCVS 증폭기에 $A_{VOL} = 316,000$, $f_{2(OL)} = 4.5$ Hz인 LM833을 사용했다면 $A_{V(CL)} = 75$에서 폐루프 대역폭은 얼마인가?

17-19 ICVS증폭기에, $A_{VOL} = 200,000$, $f_{2(OL)} = 750$ Hz인 LM318을 사용했을때 폐루프 대역폭은 얼마인가?

17-20 ICIS 증폭기에 $f_{2(OL)} = 120$ Hz인 TL072를 사용했다. 만일 $(1 + A_{VOL}B) = 5000$이라면 폐루프 대역폭은 얼마인가?

17-21 VCVS 증폭기에 $f_{unity} = 1$ MHz, $S_R = 0.5$ V/μs인 LM741C를 사용했다. 만일 $A_{V(CL)} = 10$이라면 폐루프 대역폭은 얼마인가 ? $f_{2(CL)}$에서 왜곡이 발생되지 않는 최대 출력피크전압은?

응용 문제 | Critical Thinking

17-22 그림 17-20은 전류측정에 사용할 수 있는 전류-전압 변환기이다. 입력전류가 4 μA일 때 전압계를 읽으면 얼마인가?

17-23 그림 17-21에서 출력전압은 얼마인가?

17-24 그림17-22에서 스위치의 각각의 위치에서 증폭기의 전압이득은 얼마인가?

17-25 그림 17-22에서 입력전압이 10 mV이면 스위치의 각각의 위치에서 출력전압은 얼마인가?

17-26 그림 17-22에서 사용한 741C는 $A_{VOL} = 100,000$, $R_{in} = 2$ MΩ 및 $R_{out} = 75$ Ω을 갖는다. 각각의 스위치 위치에서 폐루프 입력 및 출력임피던스는 얼마인가?

그림 17-20

그림 17-21

그림 17-22

17-27 그림 17-22에서 사용한 741C는 A_{VOL} = 100,000, $I_{in(bias)}$ = 80 nA, $I_{in(offset)}$ = 20 nA, $V_{in(offset)}$ = 1 mV를 가진다. R_f = 100 kΩ으로 하면, 각 스위치의 위치에서 출력 오프셋전압은 얼마인가?

17-28 그림 17-23a의 각 스위치의 위치에서 출력전압은 얼마인가?

17-29 그림 17-23b의 광 다이오드에 2 μA의 전류가 발생한다. 출력전압은 얼마인가?

17-30 만일 그림 17-23c의 미지의 저항값이 3.3 kΩ이라면 출력전압은 얼마인가?

17-31 만일 그림 17-23c에서 출력전압이 2 V라면 미지의 저항의 값은 얼마인가?

17-32 그림 17-24의 귀환저항은 음파에 의해 제어되는 저항을 가진다. 만일 귀환저항이 9 kΩ에서 11 kΩ사이를 연속적으로 변한다면 출력전압은 어떻게 되는가?

17-33 그림 17-24의 귀환저항은 온도에 의해 제어된다. 만일 귀환저항이 1 kΩ에서 10 kΩ까지 변한다면 출력전압의 범위는 어떻게 되는가?

17-34 그림 17-25에 BIFET 연산증폭기를 사용한 정도가 높은 직류전압계를 나타내었다. 출력전압은 0점조정으로 잘 조정되어 있다고 가정한다. 각 스위치의 위치에서 전눈금 편향(full-scale deflection)시 입력전압은 얼마인가?

그림 17-23

그림 17-24

그림 17-25

고장 점검 | Troubleshooting

IIII Multisim   17-35부터 17-37까지 그림 17-26을 사용하여 해결하라. 저항 R_2에서 R_4까지는 경우에 따라 개방 또는 단락일지도 모르고, 또 접속선 AB, CD또는 FG도 개방일지도 모른다.

17-35   17-35 1에서 3 사이의 고장을 진단하라.

17-36   17-36 4에서 6 사이의 고장을 진단하라.

17-37   17-37 7에서 9 사이의 고장을 진단하라.

(a)

그림 17-26

Troubleshooting

Trouble	V_A	V_B	V_C	V_D	V_E	V_F	V_G	R_4
OK	0	0	−1	−1	−1	−3	−3	OK
T1	0	0	−1	0	0	0	0	OK
T2	0	0	0	0	0	0	0	OK
T3	0	0	−1	−1	0	−13.5	−13.5	0
T4	0	0	−13.5	−13.5	−4.5	−13.5	−13.5	OK
T5	0	0	−1	−1	−1	−3	0	OK
T6	0	0	−1	−1	0	−13.5	−13.5	OK
T7	+1	0	0	0	0	0	0	OK
T8	0	0	−1	−1	−1	−1	−1	OK
T9	0	0	−1	−1	−1	−1	−1	∞

(b)

그림 17-26 (계속)

Multisim 고장 점검 문제 | Multisim Troubleshooting Problems

멀티심 고장 점검 파일들은 *Connect for Electronic Principles* 저자 자료에 멀티심 고장 점검 회로(MTC)라는 폴더에서 찾을 수 있다. 좀 더 자세한 내용은 xiv페이지를 참조하라. 이 장에 관련된 파일은 MTC17-38~MTC17-42로 명칭되어 있고 모두 그림 17-26의 회로를 바탕으로 한다.

각 파일을 열고 고장 점검을 실시한다. 결함이 있는지 결정하기 위해 측정을 실시하고 결함이 있다면 무엇인지를 찾아라.

17-38 MTC17-38 파일을 열고 고장 점검을 실시하라.

17-39 MTC17-39 파일을 열고 고장 점검을 실시하라.

17-40 MTC17-40 파일을 열고 고장 점검을 실시하라.

17-41 MTC17-41 파일을 열고 고장 점검을 실시하라.

17-42 MTC17-42 파일을 열고 고장 점검을 실시하라.

직무 면접 문제 | Job Interview Questions

1. VCVS 부귀환의 등가회로를 그려라. 폐루프 전압이득, 입력 및 출력임피던스 및 대역폭에 대한 식을 적어라.

2. ICVS 부귀환의 등가회로를 그려라. 이것과 반전증폭기의 관계는 어떠한가?

3. 폐루프 대역폭과 전력대역폭간의 차이는 무엇인가?

4. 부귀환의 네 가지 종류는 무엇인가? 각 회로를 간단히 그려라.

5. 증폭기의 대역폭에서 부귀환의 효과는 무엇인가?

6. 폐루프 차단주파수는 개방루프 차단주파수보다 높은가, 낮은가?

7. 회로에 부귀환을 사용하는 이유는?

8. 증폭기에서 정귀환의 효과는?

9. 귀환감쇄 또는 **귀환감쇄율(feedback attenuation factor)**이란?

10. 부귀환이란 무엇이며 그것이 왜 사용되는가?

11. 전압이득 전체를 감소시키려고 할 때 한 증폭단에 부귀환을 거는 이유는?

12. BJT와 FET에서의 부귀환 증폭기에는 어떤 형식이 있는가?

복습 문제 해답 | Self-Test Answers

1.	b	**11.**	d	**21.**	c
2.	d	**12.**	b	**22.**	d
3.	a	**13.**	b	**23.**	d
4.	a	**14.**	b	**24.**	b
5.	a	**15.**	b	**25.**	a
6.	c	**16.**	d	**26.**	b
7.	b	**17.**	c	**27.**	d
8.	b	**18.**	b	**28.**	a
9.	b	**19.**	c		
10.	b	**20.**	b		

연습 문제 해답 | Practice Problem Answers

17-1 $B = 0.020$; $A_{v(\text{ideal})} = 50$; % error $= 0.05\%$; $A_{v(\text{exact})} = 49.975$

17-2 $z_{\text{in}(CL)} = 191\ \text{M}\Omega$

17-3 $z_{\text{out}(CL)} = 0.015\ \Omega$

17-4 $THD_{(CL)} = 0.004\%$

17-5 $v_{\text{out}} = 2\ \text{v}_{\text{p-p}}$

17-6 $z_{\text{in}(CL)} = 0.025\ \Omega$; $z_{\text{out}(CL)} = 0.000375\ \Omega$

17-7 $i_{\text{out}} = 3\ \text{A}_{\text{rms}}$; $P_L = 18\ \text{W}$

17-8 $i_{\text{out}} = 2\ \text{A}_{\text{rms}}$; $P_L = 4\ \text{W}$

17-9 $f_{2(CL)} = 100\ \text{kHz}$

17-10 $f_{2(CL)} = 8\ \text{kHz}$

17-11 $f_{2(OL)} = 10\ \text{Hz}$

17-12 $f_{2(CL)} = 125\ \text{kHz}$

17-13 $f_{2(CL)} = 10\ \text{kHz}$; $V_{p(\text{max})} = 7.96\ \text{Hz}$

18 선형 연산증폭기회로

Linear Op-Amp Circuit Applications

선형 연산증폭기회로(**linear op-amp circuit**)의 출력은 입력신호와 동일한 모양을 가진다. 만일 입력이 정현파이면 출력도 정현파이다. 한 사이클 동안 연산 증폭기가 포화되는 시간이 전혀 없다. 이 장에서는 반전 증폭기, 비반전 증폭기, 차동 증폭기, 계측 증폭기, 전류부스터, 전압제어 전류원 및 자동이득 제어회로를 포함하는 다양한 선형 연산증폭기회로에 대해 검토해 보기로 한다.

주요용어 | Vocabulary

R/2R사다리D/A변환기
(R/2R ladder D/A convereter)
계측 증폭기
(instrumentation amplifier)
디지털-아날로그 변환기(digital-to-analog(D/A) converter)
레이저 트리밍(laser trimming)
레일-레일 연산 증폭기
(rail-to-rail op amp)
보호구동(guard driving)

부동부하(floating load)
부호변환기(sign changer)
서미스터(thermistor)
선형 연산증폭기회로
(linear op-amp circuit)
스켈치회로(squelch circuit)
완충, 분리, 격리(buffer: isolate)
입력변환기(input transducer)
자동이득 조절
(automatic gain control: AGC)

전류 부스터(current booster)
전압기준(voltage reference)
차동 전압이득
(differential voltage gain)
차동 증폭기(differential amplifier)
차동입력전압
(differential input voltage)
출력변환기(output transducer)
평균치회로(averager)

18-1 반전증폭기회로

이 장과 다음 장들에서는 서로 다른 많은 형식의 연산증폭기회로에 대해 설명할 것이다. 회로의 모든 것을 보여 주기 위해 요약 페이지를 제공하는 대신에 적은 요약 상자(box) 속에 회로를 이해하는 데 꼭 필요한 공식들을 포함하여 제공할 것이다. 또한 요구되는 곳에 R_f나 R, R_2 또는 다른 식별용 문자를 붙일 것이다.

반전 증폭기는 가장 기본이 되는 회로 중 하나이다. 앞 장에서 이 증폭기의 기본형에 대해 설명했다. 이 증폭기의 장점 중 하나는 전압이득이 귀환저항과 입력저항의 비와 같다는 것이다. 여기서 이 회로의 몇 가지 응용에 대해 살펴보자.

고임피던스 프로브

그림 18-1에 디지털 멀티미터에서 사용되는 고임피던스 프로브(high-impedance probe)를 나타내었다. 프로브는 첫째 단에서의 가상접지 때문에 저주파수에서 100 MΩ의 입력임피던스를 가진다. 첫째 단은 전압이득 0.1을 갖는 반전 증폭기이다. 둘째 단은 1 또는 10의 전압이득을 갖는 반전 증폭기이다.

그림 18-1의 회로는 10:1 프로브의 기본 개념을 나타낸다. 이 회로는 매우 큰 입력임피던스와 0.1 또는 1 둘 중에 하나인 전체 전압이득을 가진다. 스위치의 X10 위치에서 출력신호는 10을 계수로 감쇄한다. X1의 위치에서는 출력신호의 감쇄가 없다. 여기서 나타낸 기본회로는 대역폭을 증가시키기 위해 더 많은 부품을 부가하여 개선시킬 수 있다.

교류결합 증폭기

어떤 응용에서는 교류신호만이 입력을 구동하기 때문에 주파수가 0일 때까지 확대한 응답을 필요로 하지 않는다. 그림 18-2에 교류결합 증폭기와 필요한 식들을 나타내었다. 전압이득은 다음과 같이 주어진다.

$$A_v = \frac{-R_f}{R_1}$$

그림 18-1 고임피던스 프로브

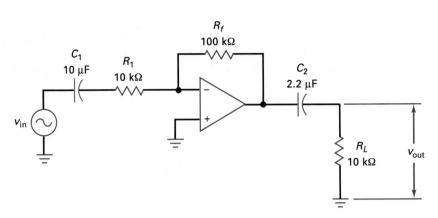

그림 18-2   교류결합 반전 증폭기

그림 18-2에 주어진 값으로부터 폐루프 전압이득은 다음과 같다.

$$A_v = \frac{-100 \text{ k}\Omega}{10 \text{ k}\Omega} = -10$$

만일 f_{unity}가 1 MHz라면 대역폭은,

$$f_{2(CL)} = \frac{1 \text{ MHz}}{10 + 1} = 90.9 \text{ kHz}$$

입력결합 커패시터 C_1과 입력저항 R_1을 이용하여 다음과 같이 저역 차단주파수 중 하나인 f_{c1}을 얻는다.

$$f_{c1} = \frac{1}{2\pi(10 \text{ k}\Omega)(10 \text{ }\mu\text{F})} = 1.59 \text{ Hz}$$

마찬가지로 출력결합 커패시터 C_2와 부하저항 R_L로부터 차단주파수 f_{c2}를 얻는다.

$$f_{c2} = \frac{1}{2\pi(10 \text{ k}\Omega)(2.2 \text{ }\mu\text{F})} = 7.23 \text{ Hz}$$

대역폭이 조정가능한 회로

때로는 폐루프 전압이득을 변화시키지 않고 반전전압 증폭기의 폐루프 대역폭을 변화시키고자 할 때가 있다. 그림 18-3에 그 방법을 나타내었다. R을 변화시켰을 때 대역폭은 변화하나 전압이득은 그대로 일정할 것이다.

그림 18-3에서 주어진 식과 값에서 폐루프 전압이득은

$$A_v = \frac{-100 \text{ k}\Omega}{10 \text{ k}\Omega} = -10$$

이고, 최소 귀환비는

$$B_{min} \cong \frac{10 \text{ k}\Omega \parallel 100 \text{ }\Omega}{100 \text{ k}\Omega} \cong 0.001$$

그림 18-3 대역폭이 조정가능한 회로

이다. 최대 귀환비는

$$B_{max} \cong \frac{10 \text{ k}\Omega \parallel 10.1 \text{ k}\Omega}{100 \text{ k}\Omega} \cong 0.05$$

이다. 만일 $f_{unity} = 1$ MHz이면 최소, 최대 대역폭은

$$f_{2(CL)min} = (0.001)(1 \text{ MHz}) = 1 \text{ kHz}$$
$$f_{2(CL)max} = (0.05)(1 \text{ MHz}) = 50 \text{ kHz}$$

결론적으로 R이 100 Ω에서 10 kΩ으로 변화되었을 때 전압이득은 그대로 일정하나 대역폭은 1에서 50 kHz로 변화된다.

18-2 비반전증폭기회로

비반전 증폭기도 또 하나의 기본적인 연산증폭기회로이다. 전압이득의 안정, 큰 입력임피던스 및 작은 출력임피던스와 같은 장점을 가진다. 여기서는 이 회로의 몇 가지 응용에 대해 살펴보자.

교류결합 증폭기

그림 18-4에 교류결합 비반전 증폭기와 그 분석 식을 나타내었다. C_1과 C_2는 결합커패시터이고 C_3는 바이패스 커패시터이다. 바이패스 커패시터를 사용하는 것은 출력 오프셋전압을 최소화하는 이점을 가지기 때문이다. 왜냐하면, 증폭기의 중역에서 바이패스 커패시터는 매우 작은 임피던스를 가진다. 따라서 R_1아래쪽은 교류적으로 접지된다. 중간대역에서 귀환비는 다음과 같다.

$$B = \frac{R_1}{R_1 + R_f} \tag{18-1}$$

이때 이 회로는 앞서 말한 바와 같이 입력전압을 증폭한다.

주파수가 0일 때 바이패스 커패시터 C_3는 개방되고 귀환비 B는 다음과 같이 1로 증가한다.

그림 18-4　교류결합 비반전 증폭기

$$B = \frac{\infty}{\infty + 1} = 1$$

이 식은 0 주파수에서의 임피던스와 같은 것, 즉 극히 큰 값인 ∞로 정의한다면 유효하다. $B = 1$에서 폐루프 전압이득은 1이다. 이것은 출력 오프셋전압을 최소로 감소시킨다.

그림 18-4에서 주어진 값으로부터 중역의 전압이득을 다음과 같이 계산할 수 있다.

$$A_v = \frac{100 \text{ k}\Omega}{1 \text{ k}\Omega} + 1 = 101$$

만일 f_{unity}가 15 MHz이면 대역폭은 다음과 같다.

$$f_{2(CL)} = \frac{15 \text{ MHz}}{101} = 149 \text{ kHz}$$

입력 결합커패시터는 다음과 같은 차단주파수를 발생시킨다.

$$f_{c1} = \frac{1}{2\pi(100 \text{ k}\Omega)(1 \text{ }\mu\text{F})} = 1.59 \text{ Hz}$$

마찬가지로 출력 결합커패시터 C_2와 부하저항 R_L은 차단주파수 f_{c2}를 발생시킨다.

$$f_{c2} = \frac{1}{2\pi(10 \text{ k}\Omega)(1 \text{ }\mu\text{F})} = 15.9 \text{ Hz}$$

바이패스 커패시터는 다음과 같은 차단주파수를 발생시킨다.

$$f_{c3} = \frac{1}{2\pi(1 \text{ k}\Omega)(1 \text{ }\mu\text{F})} = 159 \text{ Hz}$$

음성분배 증폭기

그림 18-5에 세 개의 전압폴로어로 구동하는 교류결합 비반전 증폭기를 나타내었다. 이 것은 음성신호를 몇 가지 서로 다른 출력으로 분배하는 한 방법이다. 첫째 단의 폐루프

그림 18-5 분배증폭기

그림 18-6 JFET 스위치를 이용한 전압이득 조정회로

전압이득과 대역폭은 그림 18-5에 나타낸 친숙한 식으로부터 구할 수 있다. 주어진 값에서 폐루프 전압이득은 40이다. 만일 f_{unity}가 1 MHz이면 폐루프 대역폭은 25 kHz이다.

덧붙여 그림 18-5와 같은 회로에 보편적으로 사용하는 연산 증폭기는 LM348인데 왜냐하면 LM348은 14핀 패키지 내에 네 개의 741이 구성되어있기 때문이다. 연산 증폭기 중 하나는 첫째단의 증폭기로 사용하고 그 외의 연산 증폭기는 전압폴로어로 사용할 수 있다.

JFET스위치를 이용한 전압이득 조정회로

어떤 응용에서는 폐루프 전압이득의 변화를 요구한다. 그림 18-6에 스위치로 동작하는 JFET에 의해 전압이득이 제어되는 비반전 증폭기를 나타내었다. JFET의 입력전압은 0 또는 $V_{GS(off)}$인 2상태 전압이다. 제어전압이 낮은(low), 즉 $V_{GS(off)}$일 때 JFET는 개방된다. 이때는 R_2도 개방되어 전압이득은 비반전 증폭기에서의 식(그림 18-6의 첫 번째 식)으로 얻어진다.

제어전압이 높은(high), 즉 0 V일 때 JFET 스위치는 단락되어 R2가 R1과 병렬이 되므로 폐루프 전압이득은 다음과 같이 감소한다.

$$A_v = \frac{R_f}{R_1 \parallel R_2} + 1 \qquad\qquad \textbf{(18-2)}$$

대부분의 설계에서 R_2는 폐루프 전압이득의 JFET 저항에 대한 영향을 배제하기 위해 $r_{ds(on)}$보다 충분히 크게 한다. 때로는 서로 다른 전압이득의 선택을 제공하기 위해, R_1에 병렬로 다수의 저항과 JFET스위치를 사용하는 것도 볼 수 있다.

응용 예제 18-1

그림 18-6의 응용 중 하나가 **스켈치회로**(squelch circuit)이다. 이 회로는 통신에서 수신기로 사용되는데 수신신호가 없을 경우 회로가 낮은 전압이득으로 동작되어 청취자가 이를 듣지 못하게 한다. 수신신호가 입력되면 회로는 높은 전압이득으로 스위치되어 수신신호를 잘 청취할 수 있도록 한다.

만일 그림 18-6에서 R_1 = 100 kΩ, R_f = 100 kΩ 그리고 R_2 = 1 kΩ이라면 JFET가 전도(on)될 때 전압이득은 얼마인가? JFET가 차단(off)될 때 전압이득은 얼마인가? 또 이 회로를 스켈치회로의 한 부분으로 사용할 수 있는 방법을 설명하라.

풀이 그림 18-6에 주어진 식에서, 최대 전압이득은

$$A_v = \frac{100 \text{ k}\Omega}{100 \text{ k}\Omega \parallel 1 \text{ k}\Omega} + 1 = 102$$

이고, 최소 전압이득은 다음과 같다.

$$A_v = \frac{100 \text{ k}\Omega}{100 \text{ k}\Omega} + 1 = 2$$

통신신호가 수신될 때 피크검출기와 그림 18-6에서와 같이 JFET에 고(high)게이트전압을 발생시키는 다른 회로들을 사용할 수 있다. 이것은 신호가 수신되는 동안에는 최대 전압이득을 발생시킨다. 반면에 신호가 수신되지 않을 때는 피크검출기의 출력은 저(low)가 되고 JFET는 차단되어 최소 전압이득이 발생되도록 한다.

그림 18-7 전압기준

전압기준

MC1403은 **전압기준**(voltage reference)이라 불리는 특수한 기능을 갖는 IC인데, 이 회로는 출력에 극히 정확하고 안정한 전압값을 발생한다. 양의 공급전압이 4.5V에서 40 V 사이일 경우, 허용오차가 ±1%를 갖는 2.5 V의 출력전압을 발생한다. 온도계수는 겨우 10 ppm/℃이다. *ppm*이란 "part per million"(1 ppm은 0.0001%와 같음)의 약자이다. 따라서 10 ppm/℃는 온도 100℃변화에 대해 겨우 2.5 mV(10 × 0.0001% × 100 × 2.5 V)의 변화가 발생함을 의미한다. 즉 출력전압은 큰 온도변화에서도 2.5 V로 극히 안정하다는 것이다.

　다만 문제는 2.5 V가 많은 응용에서 전압기준으로는 너무 낮다는 것이다. 만일 10 V의 전압기준을 원한다면 그 해결방법으로는 그림 18-7에 나타내었듯이 MC1403과 비반전 증폭기를 사용하는 것이다. 이 회로에서 전압이득은 다음과 같다.

$$A_v = \frac{30 \text{ k}\Omega}{10 \text{ k}\Omega} + 1 = 4$$

그리고 출력전압은

$$V_{out} = 4(2.5 \text{ V}) = 10 \text{ V}$$

이고, 비반전 증폭기의 폐루프 전압이득이 4이기 때문에 출력전압은 10 V인 안정한 전압기준이 될 것이다.

18-3 반전기/비반전기회로

이 절에서는, 입력신호가 연산 증폭기의 두 입력을 동시에 구동하는 회로에 대해 살펴보자. 입력신호가 두 입력을 구동할 때 반전증폭과 비반전증폭을 동시에 얻을 수 있다. 이것은 출력이 두 증폭된 신호의 중복발생이기 때문에 흥미로운 결과를 발생시킨다.

　연산 증폭기의 양측을 구동하는 입력신호가 갖는 전체 전압이득은 반전채널의 전

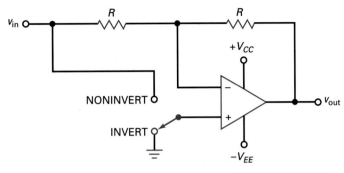

그림 18-8 가역 가능한 전압이득

압이득과 비반전채널의 전압이득을 합한 것과 같다.

$$A_v = A_{v(inv)} + A_{v(non)} \qquad\qquad\qquad (18\text{-}3)$$

이 절에서의 회로분석에는 이 식을 사용할 것이다.

스위칭 가능한 반전기-비반전기

그림 18-8에 나타낸 연산 증폭기는 반전기나 비반전기로서의 기능을 할 수 있다. 스위치를 아래 위치에 놓으면 비반전입력은 접지되고 회로는 반전 증폭기가 된다. 귀환저항과 입력저항이 같기 때문에 반전 증폭기는 다음과 같은 폐루프 전압이득을 가진다.

$$A_v = \frac{-R}{R} = -1$$

스위치를 위쪽 위치로 옮기면 입력신호는 반전과 비반전입력을 동시에 구동한다. 반전채널의 전압이득은 여전히 다음과 같다.

$$A_{v(inv)} = -1$$

비반전 채널의 전압이득은 다음과 같다.

$$A_{v(non)} = \frac{R}{R} + 1 = 2$$

전체 전압이득은 두 이득의 대수적인 합이다.

$$A_v = A_{v(inv)} + A_{v(non)} = -1 + 2 = 1$$

이 회로는 스위칭 가능한 반전기-비반전기이다. 이것은 1 또는 −1의 전압이득을 가진다. 다시 말해 이 회로는 입력전압과 같은 크기의 출력전압을 발생하나 위상은 0°와 −180°간을 스위치한다. 예를 들면, 만약 v_{in}이 5 V이면, 스위치의 위치에 따라 v_{out}은 +5 V이거나 −5 V가 될 것이다.

JFET 제어 스위칭이 가능한 반전기

그림 18-9는 그림 18-8을 변형한 것이다. JFET는 전압제어 저항 rds처럼 동작한다. JFET는 게이트전압에 따라 매우 작거나 매우 큰 저항을 가진다.

게이트전압이 $V_{GS(off)}$와 같이 낮으면 JFET는 개방된다. 따라서 입력신호 $V_{GS(off)}$

그림 18-9   JFET 제어–가역 가능한 이득

그림 18-10   이득조정기를 갖는 반전기

는 두 입력을 구동한다. 이 때,

$$A_{v(\text{non})} = 2$$
$$A_{v(\text{inv})} = -1$$

그리고

$$A_v = A_{v(\text{inv})} + A_{v(\text{non})} = 1$$

이 회로는 폐루프 전압이득이 1인 비반전 전압증폭기처럼 동작한다.

게이트전압이 0 V와 같이 높으면 JFET는 매우 작은 저항을 갖는다. 따라서 비반전입력은 거의 접지된다. 이때 회로는 폐루프 전압이득이 −1인 반전전압증폭기처럼 동작한다. 적절한 동작을 위해서 R은 JFET의 r_{ds}보다 적어도 100배 이상 커야 한다.

결론적으로 이 회로는 JFET의 제어전압이 낮거나 높은가에 따라 1 또는 −1의 전압이득을 갖는다.

이득조정기를 갖는 반전기

그림 18-10의 가변저항이 0일 때, 비반전입력은 접지되고 회로는 $-R_2/R_1$의 전압이득을 갖는 반전 증폭기가 된다. 가변저항이 R_2로 증가하면 연산 증폭기의 비반전, 반전입력(동상입력)은 동일한 전압으로 구동된다. 동상신호제거비 때문에 출력전압은 거의 0이 된다. 따라서 그림 18-10의 회로는 $-R_2/R_1$에서 0까지 연속적으로 변화하는 전압이득을 갖는다.

응용 예제 18-2

위상문제를 떠나 신호의 크기만을 변화시킬 필요가 있을 때, 그 회로의 하나로 그림 18-10을 사용할 수 있다. 만일 $R_1 = 1.2 \text{ k}\Omega$, $R_2 = 91 \text{ k}\Omega$이면 최대 및 최소 전압이득값은 얼마인가?

풀이   그림 18-10에 주어진 식에서 최대 전압이득은 다음과 같다.

$$A_v = \frac{-91 \text{ k}\Omega}{1.2 \text{ k}\Omega} = -75.8$$

최소 전압이득은 0이다.

연습 문제 18-2   응용 예제 18-2에서 최대이득을 −50으로 변화시키기 위한 R_2의 값은 얼마인가?

부호변환기

그림 18-11의 회로는 **부호변환기**(sign changer)라 부르는데, 전압이득을 −1에서 1까지 변화시킬 수 있으므로 특별한 회로이다. 여기서 그 동작을 알아보자. 가변저항 단자를 오른쪽으로 완전히 돌렸을 때, 비반전입력은 접지되고 회로는 다음의 전압이득을 갖는다.

$$A_v = -1$$

가변저항 단자를 왼쪽으로 완전히 돌렸을 때, 입력신호는 비반전입력뿐만 아니라 반전입력도 구동된다. 이때 전체 전압이득은 반전과 비반전 전압이득의 합으로 다음과 같다.

$$A_{v(non)} = 2$$
$$A_{v(inv)} = -1$$
$$A_v = A_{v(inv)} + A_{v(non)} = 1$$

결론적으로 가변저항 단자를 오른쪽에서 왼쪽으로 돌리면 전압이득은 −1에서 1까지 연속적으로 변화된다. 교차점(와이퍼 중앙)에서 동상신호는 연산 증폭기를 구동하고 출력은 이상적으로 0이 된다.

그림 18-11   이득을 ±1로 가역 및 조정할 수 있는 회로

그림 18-12 이득을 ±n으로 가역 및 조정할 수 있는 회로

이득의 조정 및 가역이 가능한 회로

그림 18-12에 또 다른 특수한 회로를 나타내었다. 이것은 전압이득을 −n과 n 사이로 조정할 수 있다. 부호변환기의 동작원리는 비슷하다. 가변저항 단자를 완전히 오른쪽으로 돌렸을 때 비반전입력은 접지되고, 회로는 다음과 같은 폐루프 전압이득을 갖는 반전 증폭기가 된다.

$$A_v = \frac{-nR}{R} = -n$$

가변저항 단자를 완전히 왼쪽으로 돌리면 다음과 같이 주어진다.

$$A_{v(\text{inv})} = -n$$
$$A_{v(\text{non})} = 2n$$
$$A_v = A_{v(\text{non})} + A_{v(\text{inv})} = n$$

이 결과는 회로에 Thevenin 정리의 적용 및 대수의 간략화에 의해 유도할 수 있다.

그림 18-11과 그림 18-12의 회로는 개별회로로 간단히 구성할 수 없기 때문에 특이하다. 이 회로들은 연산 증폭기로는 설계하기가 쉬우나 개별부품으로 구성하기란 극히 어려운 회로의 좋은 예이다.

응용 예제 18-3

그림 18-12에서 $R = 1.5$ kΩ, $nR = 7.5$ kΩ이면 최대 양(+)의 전압이득은 얼마인가? 또 다른 고정된 저항의 값은 얼마인가?

풀이 n의 값은

$$n = \frac{7.5 \text{ k}\Omega}{1.5 \text{ k}\Omega} = 5$$

이고, 최대 양(+)의 전압이득은 5이다. 다른 고정된 저항은 다음 값을 가진다.

$$\frac{nR}{n-1} = \frac{5(1.5 \text{ k}\Omega)}{5 - 1} = 1.875 \text{ k}\Omega$$

이 회로에서 1.875 kΩ과 같은, 표준화되지 않은 값을 얻기 위해서는 정밀저항을 사용해야 한다.

연습 문제 18-3 그림 18-12에서 만약 $R =1$ kΩ을 사용한다면, 최대 양(+)의 전압이득과 또 다른 고정된 저항값은 얼마인가?

그림 18-13 이상기

이상기(위상천이 회로)

그림 18-13에 0°에서 −180°의 위상천이를 이상적으로 발생시키는 회로를 나타내었다. 비반전채널은 RC지상회로를 가지고 반전채널은 R'의 값을 갖는 두 개의 동일한 저항을 가진다. 따라서 반전채널의 전압이득은 항상 1이다. 그러나 비반전채널의 전압이득은 RC지상회로의 차단주파수에 의존한다.

입력주파수가 차단주파수보다 훨씬 낮을 때($f \ll f_c$) 커패시터는 개방되고

$$A_{v(non)} = 2$$
$$A_{v(inv)} = -1$$
$$A_v = A_{v(non)} + A_{v(inv)} = 1$$

이것은 출력신호가 입력신호와 같은 크기를 가지고, 위상천이가 0°이며, 지상망의 차단주파수 이하임을 의미한다.

입력주파수가 차단주파수보다 훨씬 높으면($f \gg f_c$) 커패시터는 단락된다. 이때 비반전 채널은 0인 전압이득을 가진다. 그러므로 전체이득은 반전채널의 이득과 같고 −1이며 −180°의 위상천이와 등가가 된다.

두 극단 간의 위상천이를 계산하기 위해 그림 18-13에 주어진 식을 사용하여 차단주파수를 계산할 필요가 있다. 예를 들어 만일 $C = 0.022 \ \mu$F이고 그림 18-13의 가변저항을 1 kΩ에 고정시키면 차단주파수는 다음과 같다.

$$f_c = \frac{1}{2\pi(1 \text{ k}\Omega)(0.022 \ \mu\text{F})} = 7.23 \text{ kHz}$$

이고, 1 kHz의 전원주파수에서 위상천이는

$$\phi = -2 \arctan \frac{1 \text{ kHz}}{7.23 \text{ kHz}} = -15.7°$$

이다. 만일 가변저항이 10 kΩ으로 증가하면 차단주파수는 723 Hz로 감소하고 위상천이는 다음과 같이 증가한다.

$$\phi = -2 \arctan \frac{1\ \text{kHz}}{723\ \text{Hz}} = -108°$$

만일 가변저항이 100 kΩ으로 증가시키면 차단주파수는 72.3 Hz로 감소하고 위상천이는 다음과 같이 증가한다.

$$\phi = -2 \arctan \frac{1\ \text{kHz}}{72.3\ \text{Hz}} = -172°$$

결론적으로 이상기(phase shifter)는 입력전압과 같은 출력전압을 발생시키나 위상각은 08와 −180° 사이에서 연속적으로 변화한다.

18-4 차동 증폭기

이 절에서는 연산 증폭기를 사용한 **차동 증폭기**(differential amplifier)의 설계에 대해 설명한다. 차동 증폭기의 가장 중요한 특성 중 하나는 CMRR인데 그 이유는 전형적인 입력신호가 적은 차동전압과 큰 동상전압을 갖기 때문이다.

기본 차동 증폭기

그림 18-14에 차동 증폭기로 접속된 연산 증폭기를 나타내었다. 저항 R_1'는 오차 때문에 값이 약간의 차는 있으나 명목상으로는 R_1과 같은 값을 갖는다. 예를 들어 만일 저항이 1 kΩ ± 1%라면, R_1은 1010 Ω만큼 클지도 모르고 R_1'는 990 Ω만큼 적을지도 모른다. 물론 그 역도 성립된다. 마찬가지로 R_2와 R_2'도 오차 때문에 약간의 차는 있으나 명목상으로는 같다.

그림 18-14에서 요구되는 입력전압 v_{in}은 동상입력전압 $v_{\text{in(CM)}}$과 구분하여 **차동 입력전압**(differential input voltage)이라 부른다. 그림 18-14와 같은 회로는 출력전압 v_{out}을 얻기 위해 차동입력전압 v_{in}을 증폭한다. 중첩의 정리를 사용하여 다음과 같이 나타낼 수 있다.

$$v_{\text{out}} = A_v v_{\text{in}}$$

여기서

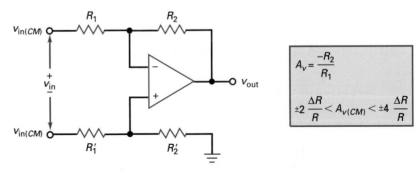

그림 18-14 차동 증폭기

$$A_v = \frac{-R_2}{R_1}$$ (18-4)

이 전압이득은 동상전압이득 $A_{v(CM)}$과 구분하여 **차동전압이득**(differential voltage gain)이라 부른다. 정밀급 저항을 사용하므로 정밀한 전압이득을 갖는 차동 증폭기를 설계할 수 있다.

차동 증폭기는 차동입력신호 v_{in}이 적은 직류전압(mV)이고 동상입력신호 $v_{in(CM)}$이 큰 직류전압(V)인 경우의 응용에 흔히 사용된다. 그 결과 회로의 CMRR은 임계파라미터가 된다. 예를 들어 만일 차동입력신호가 7.5 mV이고 동상신호가 7.5 V이면 차동입력신호는 동상입력신호보다 60 dB만큼 적다. 이 회로가 매우 큰 CMRR을 갖지 않는 한 동상 출력신호는 지장을 초래할 정도로 클 것이다.

연산 증폭기의 CMRR

그림 18-14에서 두 요소는 회로의 전체 CMRR을 결정한다. 첫째는 연산 증폭기 자신의 CMRR이다. 741C는 저주파수에서 최소 CMRR이 70 dB이다. 만일 차동입력신호가 동상입력신호보다 60 dB만큼 작다면 차동출력신호는 동상출력신호보다 10 dB만큼 클 것이다. 이것은 요구되는 신호가 요구되지 않는 신호보다 3.16배만큼 크다는 것을 의미한다. 그러므로 741C는 이 같은 응용에는 사용할 수가 없다.

이에 대한 해법은 OP-07A와 같은 정밀급 연산 증폭기를 사용하는 것이다. 이 연산 증폭기는 110 dB의 최소 CMRR을 가진다. 이것은 만족할 만한 동작의 개선을 가져다 준다. 만일 차동입력신호가 동상입력신호보다 60 dB 작다면 차동출력신호는 동상출력신호보다 50 dB 이상 클 것이다. 이것은 연산 증폭기 자신의 CMRR이 이 오차원(source of error)보다 훨씬 더 크면 클수록 좋다는 것을 의미한다.

외부저항의 CMRR

두 번째는 그림 18-14에서 저항들의 오차인 동상 오차원(source of common-mode error)이다. 저항들이 다음과 같이 완전 정합되었다고 하자.

$$R_1 = R_1'$$
$$R_2 = R_2'$$

이때 그림 18-14의 동상입력전압은 연산 증폭기 입력단자 간에 0 V를 발생시킨다.

한편 저항들이 ±1%의 오차를 가질 때는 그림 18-14의 동상입력전압은 연산 증폭기에서 차동입력전압을 발생하는 저항들의 부정합 때문에 동상출력전압을 발생시킬 것이다.

18-3절에서 설명했듯이 연산 증폭기의 양측을 동일한 신호로 구동하였을 때 전체 전압이득은 다음과 같이 주어진다.

$$A_{v(CM)} = A_{v(inv)} + A_{v(non)}$$ (18-5)

그림 18-14에서 반전 전압이득은

$$A_{v(inv)} = \frac{-R_2}{R_1}$$ (18-6)

이고, 비반전 전압이득은

$$A_{v(\text{non})} = \left(\frac{R_2}{R_1} + 1 \right) \left(\frac{R_2'}{R_1' + R_2'} \right) \tag{18-7}$$

이다. 여기서 두 번째 요소는 비반전측의 전압분배기에 의해 발생되는 비반전입력신호를 감소시킨다.

식 (18-5)에서 식 (18-7)까지 이용하여 다음과 같은 유용한 식을 유도할 수 있다.

$$A_{v(CM)} = \pm 2\, \frac{\Delta R}{R} \quad \text{for } R_1 = R_2 \tag{18-8}$$

$$A_{v(CM)} = \pm 4\, \frac{\Delta R}{R} \quad \text{for } R_1 \ll R_2 \tag{18-9}$$

또는

$$\pm 2\, \frac{\Delta R}{R} < A_{v(CM)} < \pm 4\, \frac{\Delta R}{R} \tag{18-10}$$

이 식들에서 $\Delta R/R$은 소수 등가량으로 변환한 저항들의 오차이다.

예를 들어 만일 저항들이 $\pm 1\%$의 오차를 가진다면, 식 (18-8)에서 다음을 얻는다.

$$A_{v(CM)} = \pm 2(1\%) = \pm 2(0.01) = \pm 0.02$$

또 식 (18-9)에서 다음을 얻으며,

$$A_{v(CM)} = \pm 4(1\%) = \pm 4(0.01) = \pm 0.04$$

부등식, 식 (18-10)으로부터

$$\pm 0.02 < A_{v(CM)} < \pm 0.04$$

가 얻어진다. 이것은 동상전압이득이 ± 0.02와 ± 0.04 사이의 값임을 말한다. 필요할 때 식 (18-5)에서부터 식 (18-7)까지를 이용하여 정확한 $A_{v(CM)}$의 값을 계산할 수도 있다.

CMRR의 계산

여기서 CMRR은 어떻게 계산하는지에 대해 예를 들어본다. 그림 18-14의 회로에서 저항들은 흔히 사용되는 것들로 $\pm 0.1\%$의 오차를 가진다. $R_1 = R_2$일 때 식 (18-4)로부터 차동전압이득은

$$A_v = -1$$

이고 식 (18-8)로부터 동상전압이득은

$$A_{v(CM)} = \pm 2(0.1\%) = \pm 2(0.001) = \pm 0.002$$

이다. 따라서 CMRR은 다음과 같은 크기를 갖는다.

$$\text{CMRR} = \frac{|A_v|}{|A_{v(CM)}|} = \frac{1}{0.002} = 500$$

이를 데시벨로 나타내면 54 dB이다. (주: A_v 양측과 $A_{v(CM)}$ 양측의 수선은 절대값을 표시함.)

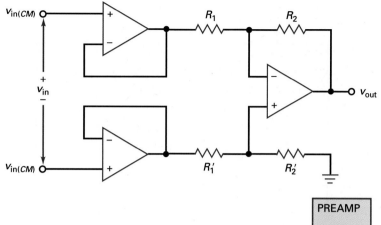

그림 18-15   완충시킨 입력을 갖는 차동 증폭기

완충시킨(Buffered) 입력

그림 18-14의 차동 증폭기를 구동하는 전원저항은 실제로 전압이득을 변화시키고 CMRR 을 낮추는 R_1과 R_1'부로 되어있다. 이것은 매우 중대한 단점이다. 이를 해결하려면 회로 의 입력임피던스를 증가시켜야 한다.

그림 18-15는 그 해결 방법 중 하나를 나타낸 것이다. 이 회로는 첫째 단(전치증폭 기)에 입력이 **완충**(buffer, isolate)되게 두 개의 전압폴로어로 구성하였다. 이것은 입력 임피던스를 100 MΩ 이상으로 증가시킬 수 있다. 첫째 단의 전압이득은 차동 및 동상 입력신호 모두에 대해 1이다. 그러므로 두 번째 단(차동 증폭기)은 이 회로에 제공된 모 든 CMRR을 그대로 갖게 된다.

휘스톤 브리지

앞서 언급했듯이 차동입력신호는 가끔은 작은 직류전압이다. 그것이 작은 이유는 그림 18-16a와 같은 휘스톤 브리지의 출력이 항상 그렇기 때문이다. 휘스톤 브리지는 왼쪽의 저항비와 오른쪽의 저항비가 같을 때 균형을 취한다.

$$\frac{R_1}{R_2} = \frac{R_3}{R_4} \tag{18-11}$$

이 조건이 만족될 때 양단전압 R_2는 양단전압 R_4와 같고 브리지의 출력전압은 0 V가 된다.

휘스톤 브리지는 저항들 중 한 개 저항의 적은 변화까지를 검출할 수 있다. 예를 들어 그림 18-16b와 같이 브리지저항 중 세 개는 1 kΩ이고 나머지 하나가 1010 Ω이라 고 가정해 보자. R_2 양단전압은

$$v_2 = \frac{1 \text{ k}\Omega}{2 \text{ k}\Omega} (15 \text{ V}) = 7.5 \text{ V}$$

이고, R_4 양단전압은 근사적으로

$$v_4 = \frac{1,010 \ \Omega}{2,010 \ \Omega} (15 \text{ V}) = 7.537 \text{ V}$$

그림 18-16   (a) 휘트스톤 브리지; (b) 약간 불평형인 브리지

이다. 따라서 브리지의 출력전압은 근사적으로 다음과 같다.

$$v_{out} = v_4 - v_2 = 7.537 \text{ V} - 7.5 \text{ V} = 37 \text{ mV}$$

변환기

저항 R_4는 비전기적인 량을 전기적인 량으로 변환하는 소자인 **입력변환기**(input trans-ducer)라고 해도 좋다. 예를 들어 광저항(photoresistor)은 광세기의 변화를 저항의 변화로 변환하고 또 **서미스터**(thermistor)는 온도의 변화를 저항의 변화로 변환한다. 다른 입력변환기들은 서머커플(*thermocouples*), 저항 온도 감지기(RTDs) 등을 포함하여 산업용 시스템 적용에 있어 일반적이다.

또한 전기적인 양을 비전기적인 양으로 변환하는 소자인 **출력변환기**(output trans-ducer)도 있다. 예를 들어 LED는 전류를 빛으로 변환시키고 스피커는 교류전압을 음파로 변환시킨다.

변환기의 다양화는 온도, 소리, 빛, 습도, 속도, 가속도, 힘, 방사능, 응력, 압력 등과 같은 양에 있어 공업적으로 유용하다. 이들 변환기는 비전기적인 양의 측정을 위해 휘스톤 브리지를 구성하여 사용할 수 있다. 휘스톤 브리지의 출력은 큰 동상전압을 갖는 적은 직류전압이기 때문에 매우 큰 CMRR을 갖는 직류증폭기의 사용이 요구된다.

대표적인 응용

그림 18-17에 대표적인 응용의 예를 볼 수 있다. 브리지의 세 개의 저항은 다음 값을 갖는다.

$$R = 1 \text{ k}\Omega$$

변환기는 다음의 저항을 갖는다.

$$R + \Delta R = 1010 \ \Omega$$

동상신호는

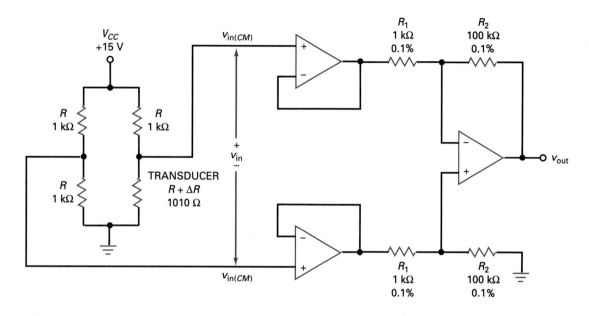

$$A_v = \frac{-R_2}{R_1}$$

$$v_{in} = \frac{\Delta R}{4R} V_{CC}$$

그림 18-17 계측 증폭기를 구동하는 변환기를 갖는 브리지

$$v_{in(CM)} = 0.5 V_{CC} = 0.5(15\ V) = 7.5\ V$$

인데, 이것은 $\Delta R = 0$으로 했을 때 아래쪽의 각 브리지저항 양단의 전압이다.

브리지 변환기가 빛, 온도 또는 압력과 같은 외측의 양에 의해 동작할 때 그들의 저항도 변화할 것이다. 그림 18-17은 $\Delta R = 10\ \Omega$을 포함하는 1,010 Ω의 변환저항을 보여준다. 그림 18-17에서 입력전압에 대해 다음과 같은 식을 유도하는 것이 가능하다.

$$v_{in} = \frac{\Delta R}{4R + 2\Delta R} V_{CC} \tag{18-12}$$

대표적인 응용에서 $2\Delta R \ll 4R$이므로 위의 식을 간단화하면 다음과 같다.

$$v_{in} \cong \frac{\Delta R}{4R} V_{CC} \tag{18-13}$$

그림 18-17에 주어진 값을 대입하면 다음과 같다.

$$v_{in} \cong \frac{10\ \Omega}{4\ k\Omega}(15\ V) = 37.5\ mV$$

차동 증폭기의 전압이득이 -100이므로 차동출력전압은 다음과 같다.

$$v_{out} = -100(37.5\ mV) = -3.75\ V$$

동상신호에 관심을 갖는 한, 그림 18-17에 나타낸 ±0.1%의 오차 때문에 식 (18-9) 에서 $A_{v(CM)}$은

$$A_{v(CM)} = \pm 4(0.1\%) = \pm 4(0.001) = \pm 0.004$$

이다. 따라서 동상출력전압은

$$v_{\text{out}(CM)} = \pm 0.004(7.5 \text{ V}) = \pm 0.03 \text{ V}$$

이고, CMRR의 크기는

$$\text{CMRR} = \frac{100}{0.004} = 25000$$

이다. 이것을 데시벨로 나타내면 88 dB이다.

이것은 차동 증폭기를 휘스톤 브리지와 함께 사용하는 방법에 대한 기본을 제시한 데 불과하다. 그림 18-17과 같은 회로는 몇 가지의 간단한 응용에는 응용되나 대부분은 개선하여 사용하는데, 다음 절에서는 이에 대해 설명하겠다.

18-5 계측 증폭기

이 절에서는 직류동작을 완벽하게 활용하는 차동 증폭기인 **계측 증폭기**(instrumentation amplifier)에 대해 설명한다. 계측 증폭기는 큰 전압이득, 큰 CMRR, 작은 입력오프셋, 작은 온도드리프트 및 큰 입력임피던스를 가진다.

기본 계측 증폭기

그림 18-18에 계측 증폭기로 가장 널리 사용되는 대표적인 설계를 나타내었다. 연산 증폭기의 출력은 전압이득 1을 갖는 차동 증폭기이다. 이 출력단에 사용되는 저항은 항상 ±0.1% 이내로 일치시키고 있다. 이것은 출력단의 CMRR이 최소 54 dB임을 의미한다.

±0.01에서 ±1%의 오차를 갖는 1 Ω 이하에서 10 MΩ이상까지의 정밀저항이 공업용으로는 유용하다. 만일 각각 ±0.01%이내인 일치된 저항을 사용한다면 출력단의 CMRR은 74 dB만큼 크게 할 수 있다. 또한 정밀저항의 온도드리프트는 1 ppm/°C만큼 낮게 할 수 있다.

첫째 단은 전치증폭기처럼 동작하는 두 개의 입력 연산 증폭기로 구성한다. 첫째 단의 설계는 매우 현명하다. 특히 두 개의 R_1저항 사이의 접합인 A점에서의 동작은 매우 독창적이다. A점은 차동입력신호에 대해서는 가상접지처럼 동작하고 동상신호에 대해서는 부동점(floating point)처럼 동작한다. 이러한 동작 때문에 차동신호는 증폭되나 동상신호는 증폭되지 않는다.

A점

A점이 어떤 역할을 하는지 아는 것이 첫째 단이 어떻게 동작하는가를 이해하는 열쇠가 된다. 중첩의 정리를 사용하면 각기 서로 0으로 한 때, 각 입력의 효과를 계산할 수 있다. 예를 들어 차동입력신호를 0이라고 가정하면 동상신호만이 동작한다. 동상신호는 각 비반전입력에 동일한 양의 전압을 인가하기 때문에 연산 증폭기의 출력에는 동일한 전압이 나타난다. 이 때문에 R_1과 R_2를 포함하는 지로를 따라 어디에서나 동일한 전압

PREAMP

$$A_v = \frac{R_2}{R_1} + 1$$

$$A_{v(CM)} = 1$$

DIFF AMP

$$A_v = -1$$

$$A_{v(CM)} = \pm 2\frac{\Delta R}{R}$$

그림 18-18　세 개의 표준 연산 증폭기로 구성한 계측 증폭기

이 나타난다. 따라서 점 A는 부동되고 각 입력 연산 증폭기는 전압폴로어처럼 동작한다. 그 결과 첫째 단은 다음과 같은 동상이득을 갖는다.

$$A_{v(CM)} = 1$$

동상이득을 최소화하기 위해 저항 R을 거의 일치시키는 둘째 단과는 달리 첫째 단의 저항오차는 동상이득에 영향을 주지 않는다. 이것은 이들 저항이 포함된 모든 지로가 접지 이상의 $v_{in(CM)}$의 전압에서 부동되기 때문이다. 따라서 저항의 값은 상관이 없다. 이것이 그림 18-18의 세 개의 연산 증폭기 설계에 있어 또 다른 이점이다.

중첩의 정리를 적용하는 두 번째 단계는 동상입력을 0으로 감소시키고 차동입력신호의 효과를 계산하는 것이다. 차동입력신호는 같은 방향과 반대 방향의 입력전압으로 비반전 입력을 구동하기 때문에 한쪽 연산 증폭기의 출력은 양이 될 것이고 다른 쪽 연산 증폭기의 출력은 음이 될 것이다. R_1과 R_2저항을 포함하는 지로 양단은 같은 방향과 그 반대 방향인 전압을 가지므로 A점은 접지에 대해 0인 전압을 가질 것이다.

다시 말해 A점은 차동신호에 대해 가상접지이다. 이 때문에 연산 증폭기의 각 입력은 비반전 증폭기이고 첫째 단은 다음과 같은 차동전압이득을 갖는다.

$$A_v = \frac{R_2}{R_1} + 1 \tag{18-14}$$

두 번째 단은 1인 이득을 가지기 때문에, 계측 증폭기의 차동전압이득은 식 (18-14)로부터 구할 수 있다.

또 첫째 단은 1인 동상이득을 가지기 때문에 전체 동상이득은 둘째 단의 동상이득과 같다.

$$A_{v(CM)} = \pm 2\frac{\Delta R}{R} \tag{18-15}$$

큰 CMRR과 적은 오프셋을 갖게 하기 위해서는 그림 (18-18)의 계측 증폭기 설계 시 반드시 정밀 연산 증폭기를 사용해야 한다. 그림 (18-18)의 세 개의 연산 증폭기에 사용되는 대표적인 연산 증폭기는 OP-07A이다. 이것은 최악의 경우 다음과 같은 파라미터를 갖는다. 즉, 입력 오프셋전압 = 0.025 mV, 입력 바이어스전류 = 2 nA, 입력 오프셋전류 = 1 nA, A_{VOL} = 110 dB, CMRR = 110 dB, 온도드리프트 0.6 μV/°C 등이다.

마지막으로 그림 (18-18)에서 A점은 기계적인 접지라기보다는 오히려 가상접지이기 때문에 첫째 단의 저항 R_1은 개별저항으로 해서는 안 된다. 첫째 단의 동작에 변화를 주지 않는 $2R_1$과 같은 단일저항 R_G를 사용해야 한다. 이 때문에 차동전압이득은 다음과 같이 쓸 수 있다.

$$A_v = \frac{2R_2}{R_G} + 1 \tag{18-16}$$

여기서 2라는 계수는 $R_G = 2R_1$이기 때문에 주어진다.

응용 예제 18-4　　　　　‖‖‖ Multisim

그림 18-18에서 R_1 = 1 kΩ, R_2 = 100 kΩ 그리고 R = 10 kΩ이다. 계측 증폭기의 차동 전압이득은 얼마인가? 만일 둘째 단에서의 저항오차가 ± 0.01%라면 동상전압이득은 얼마인가? 만일 v_{in} = 10 mV이고 $v_{in(CM)}$ = 10 V라면 차동 및 동상출력신호의 값은 얼마인가?

풀이　그림 18-18에 주어진 식에서 전치증폭기의 전압이득은 다음과 같다.

$$A_v = \frac{100\ k\Omega}{1\ k\Omega} + 1 = 101$$

둘째 단의 전압이득이 −1이기 때문에 계측 증폭기의 전압이득은 −101이다.

둘째 단의 동상전압이득은 다음과 같다.

$$A_{v(CM)} = \pm 2(0.01\%) = \pm 2(0.0001) = \pm 0.0002$$

첫째 단이 1인 동상전압이득을 가지기 때문에 계측 증폭기의 동상전압이득은 ±0.0002이다.

10 mV의 차동입력신호는 다음과 같은 출력신호를 발생시킨다.

$$v_{out} = -101(10\ mV) = -1.01\ V$$

10 V의 동상신호는 다음과 같은 출력신호를 발생시킨다.

$$v_{out(CM)} = \pm 0.0002(10\ V) = \pm 2\ mV$$

비록 동상입력신호가 차동입력보다 1,000배 이상 크더라도 계측 증폭기의 CMRR 때문에 동상출력신호는 차동출력신호보다 거의 500배 이하가 된다.

연습 문제 18-4 $R_2 = 50\ \Omega$과 둘째 단 저항오차 $\pm$ 0.1%로 하여 응용 예제 18-4를 반복하라.

보호구동

브리지의 차동신호출력은 작기 때문에 전자적인 간섭으로부터 신호 전송선로를 절연하기 위해 흔히 차폐케이블을 사용한다. 그러나 이것은 내선과 차폐 사이의 작은 누설전류가, 작은 입력바이어스와 오프셋전류에 더해진다는 문제를 야기할 것이다. 누설전류 이외에 차폐케이블은 회로에 용량을 증가시켜 변환저항으로 변화하는 회로의 응답속도를 떨어뜨린다. 누설전류와 케이블의 용량에 대한 영향을 최소화하기 위해 차폐는 동상전위로 부트스트랩해야 한다. 이 기술이 **보호구동**(guard driving)이다.

그림 18-19a에 동상전압으로 차폐하는 부트스트랩의 한 방법을 나타내었다. R_3 저항이 포함된 새로운 지로는 첫째 단의 출력에 더해진다. 이 전압분배기는 동상전압을 검출하고 전압폴로어에 동상전압을 공급한다. 보는 바와 같이 보호전압은 차폐로 되돌아온다. 때로는 개별케이블이 각 입력에 사용된다. 이때 보호전압은 그림 18-19b와 같이 양쪽 차폐에 접속된다.

(a)   (b)

그림 18-19   차폐케이블의 누설전류와 용량을 감소하기 위한 보호구동

집적화된 계측 증폭기

참고 사항

AD620같은 모놀리딕 계측 증폭기는 의학계측분야에 많이 적용되고 있다. 이러한 적용 예 중 하나는 심전도(ECG) 모니터회로이다.

그림 18-18의 전형적인 설계는 R_G를 제외하고는 그림에 나타낸 모든 부품을 단일 칩상에 집적화할 수 있다. 이 외부저항은 계측 증폭기의 전압이득 조절에 사용된다. 예를 들면 AD620은 모놀리딕 계측 증폭기이다. 데이터시트에 이 IC의 전압이득을 구하는 식이 다음과 같이 주어진다.

$$A_v = \frac{49.4 \text{ k}\Omega}{R_G} + 1 \tag{18-17}$$

여기서 49.4 kΩ은 두 저항의 합이다. IC제조업체에서는 49.4 kΩ의 정밀한 값을 얻기 위해 **레이저 트리밍**(laser trimming)을 사용한다. 이 단어 중 **트림**(*trim*)은 거친 조정이라기 보다는 정교한 조정임을 나타낸다. 레이저 트리밍은 극히 정밀한 저항값을 얻기 위해 레이저로서 반도체 칩 상에 저항영역을 태워 만드는 것을 의미한다.

그림 18-20a에 499 Ω의 R_G를 갖는 AD620을 나타내었다. 이것은 ±0.1%의 오차를 갖는 정밀저항이다. 전압이득은 다음과 같다.

$$A_v = \frac{49.4 \text{ k}\Omega}{499} + 1 = 100$$

AD620의 핀 번호는 741C와 흡사한데 핀 2와 3은 입력신호용, 핀 4와 7은 공급전원용 그리고 핀 6은 출력, 핀 5는 그림과 같이 통상 접지시켜 놓으나 반드시 접지시키는 것은 아니다. 만일 다른 회로와 인터페이싱이 필요하다면 핀 5에 직류전압을 인가하여 출력신호를 오프셋할 수 있다.

만일 보호구동이 사용된다면 회로를 그림 18-20b와 같이 변형시키면 된다. 동상전압은 전압폴러워를 구동하고 그 출력은 케이블의 차폐와 접속된다. 만일 입력에 개별 케이블을 사용하더라도 이와 비슷한 변형을 사용한다.

결론적으로 모놀리딕 계측 증폭기는 일반적으로 1과 1,000 사이의 전압이득을 가지고, 100 dB 이상의 CMRR, 100 MΩ 이상의 입력임피던스, 0.1 mV 이하의 입력 오프셋전압, 0.5 μV/℃ 이하의 드리프트 및 그 외의 특이한 파라미터들을 외부저항 하나로 설정할 수가 있다.

(a) (b)

그림 18-20 (a) 모놀리딕 계측 증폭기; (b) AD620에서 보호구동

18-6 가산증폭기회로

16장에서 기본적인 가산 증폭기에 대해 설명했다. 여기서는 이 회로의 몇 가지 변형에 대해 살펴보자.

감산기회로

그림 18-21에 두 입력전압 v_1과 v_2의 차와 같은 출력전압을 발생하는 감산기회로(sub-tracter)를 나타내었다. 이 회로의 동작을 살펴보자. 입력 v_1은 전압이득 1을 갖는 반전기를 구동한다. 첫째 단의 출력은 $-v_1$이다. 이 전압은 둘째 단 가산기회로의 입력 중 하나이다. 또 다른 입력은 v_2이다. 각 채널의 이득이 1이기 때문에 최종 출력전압은 $v_1 - v_2$이다.

두 입력측에 대한 가산

때로는 그림 18-22와 같은 회로를 볼 수 있을 것이다. 이것은 비반전과 반전입력을 가진 가산기회로에 불과하다. 증폭기의 반전 측에 두 개의 입력 채널이 있고, 비반전 측에도 두 개의 입력 채널이 있다. 전체이득은 각 채널이득의 중첩이다.

각 반전채널의 이득은 귀환저항 R_f와 R_1또는 R_2인 입력채널 저항과의 비이다. 각 비반전 채널의 이득은 다음과 같다.

$$\frac{R_f}{R_1 \| R_2} + 1$$

그림 18-21 감산기회로

$v_{out} = v_1 - v_2$

그림 18-22 연산 증폭기의 두 입력 측을 사용하는 가산 증폭기

$$v_{out} = A_{v1}v_1 + A_{v2}v_2 + A_{v3}v_3 + A_{v4}v_4$$

$$A_{v1} = \frac{-R_f}{R_1}$$

$$A_{v2} = \frac{-R_f}{R_2}$$

$$A_{v3} = \left(\frac{R_f}{R_1 \| R_2} + 1\right)\left(\frac{R_4 \| R_5}{R_3 + R_4 \| R_5}\right)$$

$$A_{v4} = \left(\frac{R_f}{R_1 \| R_2} + 1\right)\left(\frac{R_3 \| R_5}{R_4 + R_3 \| R_5}\right)$$

이것은 다음 식 중 어느 하나인 각 채널의 전압분배율에 따라 감소한다.

$$\frac{R_4 \parallel R_5}{R_3 + R_4 \parallel R_5}$$

또는

$$\frac{R_3 \parallel R_5}{R_4 + R_3 \parallel R_5}$$

그림 18-22에 각 채널에 대한 이득을 구하는 식이 주어졌다. 각 채널의 이득을 구한 후 전체 출력전압도 계산할 수 있다.

응용 예제 18-5   ⫴ Multisim

그림 18-22에서 $R_1 = 1\ \text{k}\Omega$, $R_2 = 2\ \text{k}\Omega$, $R_3 = 3\ \text{k}\Omega$, $R_4 = 4\ \text{k}\Omega$, $R_5 = 5\ \text{k}\Omega$ 그리고 $R_f = 6\ \text{k}\Omega$이다. 각 채널의 전압이득은 얼마인가?

풀이   그림 18-22에 주어진 식으로부터 전압이득은 다음과 같다.

$$A_{v1} = \frac{-6\,\text{k}}{1\,\text{k}\Omega} = -6$$

$$A_{v2} = \frac{-6\,\text{k}\Omega}{2\,\text{k}\Omega} = -3$$

$$A_{v3} = \left(\frac{6\,\text{k}\Omega}{1\,\text{k}\Omega \parallel 2\,\text{k}\Omega} + 1\right)\frac{4\,\text{k}\Omega \parallel 5\,\text{k}\Omega}{3\,\text{k}\Omega + 4\,\text{k}\Omega \parallel 5\,\text{k}\Omega} = 4.26$$

$$A_{v4} = \left(\frac{6\,\text{k}\Omega}{1\,\text{k}\Omega \parallel 2\,\text{k}\Omega} + 1\right)\frac{3\,\text{k}\Omega \parallel 5\,\text{k}\Omega}{4\,\text{k}\Omega + 3\,\text{k}\Omega \parallel 5\,\text{k}\Omega} = 3.19$$

연습 문제 18-5 R_f로 $1\ \text{k}\Omega$을 사용하여 응용 예제 18-5를 반복하라.

평균치회로

그림 18-23은 **평균치회로**(averager)이다. 이 회로의 출력은 입력전압의 평균치이다. 각 채널은 다음과 같은 전압이득을 가진다.

$$A_v = \frac{R}{3R} = \frac{1}{3}$$

모든 증폭된 출력을 더한 후 상기 전압이득을 곱하면 모든 입력전압의 평균치인 출력을 얻을 수가 있다.

그림 18-23에 나타낸 회로에는 세 개의 입력이 있다. 각 채널의 입력저항 nR(여기서 n은 채널의 수)이 변하지 않는 한 무수한 입력을 사용할 수 있다.

그림 18-23   평균치회로

그림 18-24   디지털입력을 아날로그전압으로 변환하는 2진 가중 D/A변환기

D/A 변환기

디지털 전자회로에서 **디지털-아날로그(D/A) 변환기**(digital-to-analog converter)는 2진
수로 표현된 값을 전압 또는 전류로 변환한다. 이 전압 또는 전류는 2진값에 비례할 것
이다. D/A변환으로 흔히 사용되는 방식으로는 두 가지가 있는데, 2진 가중(weighted)
D/A변환기와 R/2R 사다리형(ladder) D/A변환기이다.

그림 18-24에 2진 가중 D/A변환기를 나타내었다. 이 회로는 입력의 가중 합과 같
은 출력전압을 발생한다. 가중은 채널의 이득과 같다. 예를 들어 그림 18-24a에서 채널
이득은 다음과 같다.

$$A_{v3} = -1$$
$$A_{v2} = -0.5$$
$$A_{v1} = -0.25$$
$$A_{v0} = -0.125$$

입력전압은 1 또는 0의 값을 갖는 디지털 또는 2상태를 의미한다. 네 개의 입력에서는
$v_3v_2v_1v_0$의 가능 입력조합이 16개이다. 즉 0000, 0001, 0010, 0011, 0100, 0101, 0110,
0111, 1000, 1001, 1010, 1011, 1100, 1101, 1110 및 1111이다.

모든 입력이 0(즉 0000)이면 출력은

$$v_{out} = 0$$

이고, $v_3v_2v_1v_0$가 0001일 때 출력은

$$v_{out} = -(0.125) = -0.125$$

이고, $v_3v_2v_1v_0$가 0010일 때 출력은

$$v_{out} = -(0.25) = -0.25$$

등이다. 입력이 모두 1(즉 1111)일 때 출력은 다음과 같이 최대가 된다.

$$v_{out} = -(1 + 0.5 + 0.25 + 0.125) = -1.875$$

만일 그림 18-24의 D/A변환기가 앞서 주어진 0000에서 1111까지의 순차 수를 발생하는 회로에 의해 구동된다면 그 출력전압은 다음과 같이 발생할 것이다. 즉, 0, −0.125, −0.25, −0.375, −0.5, −0.625, −0.75, −0.875, −1, −1.125, −1.25, −1.375, −1.5, −1.625, −1.75, −1.875이다. 오실로스코프로 관측했을 때 A/D변환기의 출력전압은 그림 18-24b와 같이 부(2)의 방향으로 향하는 계단모양처럼 보일 것이다.

계단전압은 D/A변환기가 연속적인 범위의 출력값을 발생하지 않는다는 것을 명백히 말해 주고 있다. 따라서 엄밀히 말해 출력은 사실상 아날로그가 아니다. 출력스텝간에 부드러운 전이를 제공하기 위해서는 출력에 저역통과필터 회로를 접속해야 한다.

4비트 입력 D/A변환기는 16개의 가능출력을 가지며, 8입력 A/D변환기는 256개, 16입력 D/A변환기는 65,536개의 가능출력을 가진다. 이것은 그림 18-24*b*의 부(−)로 향하는 계단전압이 8입력 변환기에서는 256스텝, 16입력 변환기에서는 65,536스텝을 가짐을 의미한다. 이처럼 부(−)로 향하는 계단전압은 계수적으로 전압을 측정하는 다른 회로와 같이 디지털 멀티미터로 사용할 수 있다.

2진 가중 D/A변환기는 입력의 수가 제한되는 곳이나 고정도(high precision)가 요구되지 않는 곳의 응용에 사용할 수 있다. 입력으로 보다 큰 수가 사용될 때는 보다 큰 수의 서로 다른 저항값이 요구된다. D/A변환기의 정확성과 안정성은 저항의 정확성과 온도변화에 따른 추종능력에 절대 의존한다. 입력저항은 모두 다른 값을 가지기 때문에 동일한 추종특성을 얻기는 곤란하다. 또한 이 형식의 D/A변환기는 각 입력이 서로 다른 입력임피던스 값을 가지므로 부하문제도 존재할 수 있다.

그림 18-25에 나타낸 **R/2R 사다리형 D/A변환기**는 2중 가중 D/A변환기의 한계를 극복할 수 있는데 가장 많이 사용하는 형식으로는 적분형 회로 D/A변환기가 있다. 단 두 저항값만 요구되기 때문에 이 방식은 8비트 또는 더 큰 2진입력을 갖는 IC에 제공되고 보다 더 높은 정확도를 제공한다. 간략히 설명하기 위해 그림 18-25에 4비트 D/A변환기를 나타내었다. 스위치 $D_0 \sim D_3$은 일반적인 능동스위치이다. 각 스위치는 네 개의 입력과 접지(논리 0) 또는 $1V_{ref}$ (논리 1) 중 어느 한쪽에 접속된다. 사다리망형은 사용가능한 2진입력값 0000에서 1111까지를 특정출력전압레벨 16개 중 하나로 변환한다. 그림 18-25에 나타낸 D/A변환기에서 D_0는 최하위 입력비트(the least significant input bit: LSB)이고, D_3는 최상위 입력비트(the most significant input bit: MSB)이다.

D/A변환기의 출력을 구하기 위해서는 먼저 2진 입력값을 10진 등가값 BIN으로 바꾸어야 하는데 이것은 다음과 같이 구할 수 있다.

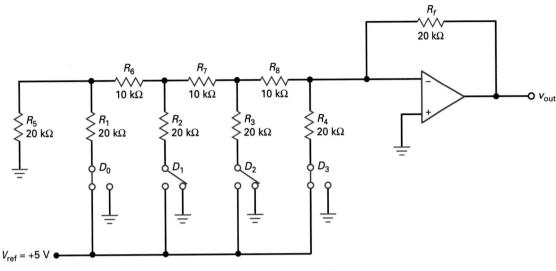

그림 18-25   R/2R 사다리형 D/A변환기

$$\text{BIN} = (D_0 \times 2^0) + (D_1 \times 2^1) + (D_2 \times 2^2) + (D_3 \times 2^3) \tag{18-18}$$

출력전압은 다음 식으로 구할 수 있다.

$$V_{\text{out}} = -\left(\frac{\text{BIN}}{2^N} \times 2V_{\text{ref}}\right) \tag{18-19}$$

여기서 N은 입력의 수와 같다.

　이 회로의 동작을 보다 상세히 알려면 D/A변환기에 데브난정리를 적용해야 한다. 그 해석은 부록 D에 소개했다.

응용 예제 18-6

그림 18-25에서 $D_0 = 1, D_1 = 0, D_2 = 0$ 그리고 $D_3 = 1$이다. V_{ref}를 +5 V 사용하여 2진 입력(BIN)의 10진 등가를 구하고, 변환기의 출력전압을 구하여라.

풀이　식 (18-18)을 사용하여 10진 등가를 구해보자.

$$\text{BIN} = (1 \times 2^0) + (0 \times 2^1) + (0 \times 2^2) + (1 \times 2^3) = 9$$

식 (18-19)를 사용하여 변환기의 출력전압을 구하면,

$$V_{\text{out}} = -\left(\frac{9}{2^4}\right) \times 2\,(5\ V)$$

$$V_{\text{out}} = -\left(\frac{9}{16}\right)(10\ V) = -5.625\ V$$

연습 문제 18-6　그림 18-25를 사용하여 최소 한 개의 입력이 논리 1을 가진다면 최대, 최소 출력전압은 얼마인가?

18-7 전류부스터

연산 증폭기의 단락회로 출력전류는 대표적으로 25 mA 또는 그 이하다. 더 큰 출력전류를 얻기 위한 한 방법으로 LM675나 LM12와 같은 전력용 연산 증폭기를 사용한다. 이들 연산 증폭기는 3과 10 A의 단락회로 출력전류를 가진다. 또 다른 방법으로는 연산 증폭기보다 더 큰 전류정격과 전류이득을 가지는 전력용 트랜지스터나 그 외의 소자를 이용하는 **전류부스터**(current booster)를 사용한다.

단방향성 부스터

그림 18-26에 최대 부하전류를 증가시키는 한 방법을 나타내었다. 연산 증폭기의 출력은 에미터폴로어를 구동한다. 폐루프 전압이득은 다음과 같다.

$$A_v = \frac{R_2}{R_1} + 1 \tag{18-20}$$

이 회로에서 연산 증폭기는 부하에 전류를 공급하지 않는 대신 에미터폴로어에 베이스전류를 공급할 뿐이다. 트랜지스터의 전류이득 때문에 최대 부하전류는 다음과 같이 증가한다.

$$I_{max} = \beta_{dc} I_{SC} \tag{18-21}$$

여기서 I_{SC}는 연산 증폭기의 단락회로 출력전류이다. 이것은 최대 출력전류 25 mA를 갖는 741C와 같은 연산 증폭기를 사용한 회로인 경우 최대 부하전류를 β_{dc}배만큼 증가시킬 수 있음을 의미한다. 예를 들어 BU806은 $\beta_{dc} = 100$을 갖는 npn전력용 트랜지스터이다. 만일 이것을 741C와 함께 사용한다면 단락회로 출력전류는 다음과 같이 증가한다.

$$I_{max} = 100(25 \text{ mA}) = 2.5 \text{ A}$$

이 회로는 에미터폴로어의 출력임피던스를 $1 + A_{VOL}B$배 감소시키는 부귀환 때문에 저임피던스 부하를 구동할 수 있다. 에미터폴로어는 저출력 임피던스를 가지기 때문에 폐루프 출력임피던스도 매우 작을 것이다.

$$A_v = \frac{R_2}{R_1} + 1$$

$$z_{out(CL)} = \frac{z_{out}}{1 + A_{VOL}B}$$

$$B = \frac{R_1}{R_1 + R_2}$$

$$I_{max} = \beta_{dc} I_{SC}$$

그림 18-26   단락회로 출력전류를 증가시키는 단방향성 전류부스터

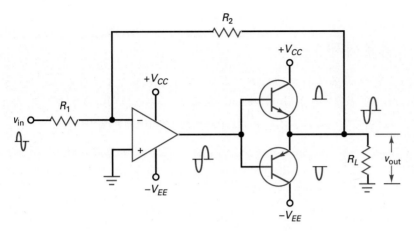

그림 18-27   양방향성 전류부스터

양방향성 전류부스터

그림 18-26에 나타낸 전류부스터의 단점은 단방향성 부하전류이다. 그림 18-27에 양방향성 부하전류를 얻기 위한 한 방법을 나타내었다. 반전 증폭기는 B급 푸시풀 에미터폴로어를 구동한다. 이 회로에서 폐루프 전압이득은 다음과 같다.

$$A_v = \frac{-R_2}{R_1} \tag{18-22}$$

입력전압이 양일 때는 아래쪽 트랜지스터가 전도되어 부하전압은 음이 된다. 입력전압이 음일 때는 위쪽 트랜지스터가 전도되어 출력전압은 양이 된다. 어느 경우에나 전도되는 트랜지스터의 전류이득 때문에 최대 출력전류는 증가한다. B급 푸시풀 에미터폴로어는 귀환루프 내부에 있으므로 폐루프 출력임피던스는 매우 작다.

레일-레일 연산 증폭기

전류부스터는 흔히 연산 증폭기의 최종단에 사용된다. 예를 들어 MC33206은 80 mA의 전류부스트된 출력을 갖는 **레일-레일 연산증폭기**(rail-to-rail op amp)이다. 레일-레일은 연산 증폭기의 전원공급선을 말하는데 도식도에서 이것이 레일처럼 보이기 때문이다. **레일-레일 동작**(*rail-to-rail operation*)은 입력과 출력전압이 양 또는 음의 공급전압에 대해 어떤 쪽으로도 스윙할 수 있다.

예를 들어 741C는 출력이 어떤 쪽의 공급전압보다 항상 1 내지 2 V작기 때문에 레일-레일출력을 가지지 못한다. 반면에 MC33204는 그 출력전압이 어떤 쪽의 공급전압이든 레일-레일 동작으로 충분한 50 mV 이내에서 스윙할 수 있기 때문에 레일-레일 출력을 갖는다. 레일-레일 연산 증폭기는 설계 시 가용 공급전압 범위의 전부를 사용할 수 있게 허용한다.

응용 예제 18-7

그림 18-27에서 $R_1 = 1\ \text{k}\Omega$, $R_2 = 51\ \text{k}\Omega$이다. 만일 연산 증폭기로 741C가 사용되었다면 회로의 전압이득은 얼마인가? 폐루프 출력임피던스는 얼마인가? 만일 각 트랜지스터가 125인 전압이득을 가진다면 회로의 단락된 부하전류는 얼마인가?

풀이 그림 18-26에 주어진 식으로부터 전압이득은 다음과 같다.

$$A_v = \frac{-51\ \text{k}\Omega}{1\ \text{k}\Omega} = -51$$

귀환비는

$$B = \frac{1\ \text{k}\Omega}{1\ \text{k}\Omega + 51\ \text{k}\Omega} = 0.0192$$

이고, 741C는 대표적인 값으로 전압이득 100,000과 개방루프 출력임피던스 75 Ω을 가지기 때문에 폐루프 출력임피던스는 다음과 같다.

$$z_{\text{out}(CL)} = \frac{75\ \Omega}{1 + (100{,}000)(0.0192)} = 0.039\ \Omega$$

741C는 25 mA의 단락 부하전류를 가지기 때문에 부스터된 단락 부하전류의 값은 다음과 같다.

$$I_{\text{max}} = 125(25\ \text{mA}) = 3.13\ \text{A}$$

연습 문제 18-7 R_2를 27 kΩ으로 바꾸고 그림 18-27을 사용하여, 각 트랜지스터가 갖는 전류이득이 100일 때 새로운 전압이득, $z_{\text{out}(CL)}$ 그리고 I_{max}을 구하여라.

18-8 전압제어 전류원

이 절에서는 입력전압에 의해 출력전류를 제어할 수 있는 회로에 대해 설명한다. 부하는 부동으로 하거나 접지로 해도 상관없다. 모든 회로는 전압-전류변환기로 알려진 전압제어 전류원인 VCIS 기본형에 대한 변형이다.

부동부하

그림 18-28에 VCIS의 기본형을 나타내었다. 부하는 저항, 릴레이 또는 모터와 같은 것이다. 입력단자 간의 가상접지 때문에 반전입력은 비반전입력의 μV 이내에서 부트스트랩된다. R양단에 나타나는 전압 v_{in}때문에 부하전류는 다음과 같다.

$$i_{\text{out}} = \frac{v_{\text{in}}}{R} \tag{18-23}$$

부하저항은 이 식에 나타나 있지 않기 때문에 전류는 부하저항에 대해 독립적이다. 다

그림 18-28 부동부하를 갖는 단방향성 VCIS

시 말해 부하는 매우 안정한 전류원에 의해 구동되는 것처럼 보인다. 예를 들어 만일 v_{in}이 1 V이고 R이 1 kΩ이면 i_{out}은 1 mA이다.

만일 그림 18-28에서 부하저항이 너무 크면 연산 증폭기는 포화로 들어가고 회로는 더 이상 안정한 전류원으로 동작하지 못한다. 만일 레일-레일 연산 증폭기를 사용한다면 출력은 $+V_{CC}$에 대해 어떤 쪽으로도 스윙할 수 있다. 따라서 최대 부하전압은 다음과 같다.

$$V_{L(max)} = V_{CC} - v_{in} \tag{18-24}$$

예를 들어 만일 V_{CC}가 15 V이고 v_{in}이 1 V라면 $V_{L(max)}$은 14 V이다. 만일 연산 증폭기가 레일-레일 출력을 갖지 않는다면 $V_{L(max)}$으로부터 1 내지 2 V를 빼야 한다.

부하전류가 v_{in}/R이기 때문에 연산 증폭기를 포화시키지 않고 사용할 수 있는 최대부하저항에 대한 식을 다음과 같이 유도할 수 있다.

$$R_{L(max)} = R\left(\frac{V_{CC}}{v_{in}} - 1\right) \tag{18-25}$$

예를 들어 만일 R이 1 kΩ, V_{CC}가 15 V이고, v_{in}이 1 V이면 $R_{L(max)}$은 14 kΩ이다.

전압제어 전류원에서 또 다른 제한은 연산 증폭기의 단락회로 출력전류이다. 예를 들어 741C는 25 mA의 단락회로 출력전류를 갖는다. 그림 18-28에서 전류원 제어에서 벗어난 단락회로 전류를 식으로 나타내면,

$$I_{max} = I_{SC} \tag{18-26}$$

여기서 I_{SC}는 연산 증폭기의 단락회로 출력전류이다.

응용 예제 18-8   ‖‖‖ Multisim

만일 그림 18-28의 전류원이 R = 10 kΩ, v_{in} = 1 V 그리고 V_{CC} = 15 V라면 출력전류는 얼마인가? 만일 v_{in}을 10 V만큼 크게 할 수 있다면 이 전류에서 사용할 수 있는 최대 부하저항은 얼마인가?

풀이   그림 18-28의 식에서 출력전류는 다음과 같다.

$$i_{\text{out}} = \frac{1\,\text{V}}{10\,\text{k}\Omega} = 0.1\,\text{mA}$$

또 최대 부하저항은 다음과 같다.

$$R_{L(\text{max})} = (10\,\text{k}\Omega)\left(\frac{15\,\text{V}}{10\,\text{V}} - 1\right) = 5\,\text{k}\Omega$$

연습 문제 18-8 R을 2 kΩ으로 바꾼 후, 응용 예제 18-8을 반복하라.

집지된 부하

만일 **부동부하**(floating load)가 정상이고 단락회로 전류가 적절하다면 그림 18-28과 같은 회로는 정상적으로 동작할 것이다. 그러나 만일 부하를 접지시킬 필요가 있다거나 또는 더 큰 단락회로 전류가 필요하다면 기본회로를 그림 18-29와 같이 변형시켜야 한다. 트랜지스터의 컬렉터와 에미터전류는 거의 같기 때문에 R을 흐르는 전류는 부하전류와 거의 v_{in} 같다. 연산 증폭기의 두 입력간의 가상단락 때문에 반전입력전압은 거의 같다. 그러므로 R양단전압은 $V_{CC} - v_{\text{in}}$과 같고 R을 흐르는 전류는 다음과 같이 주어진다.

$$i_{\text{out}} = \frac{V_{CC} - v_{\text{in}}}{R} \tag{18-27}$$

그림 18-29에 최대 부하전압, 최대 부하저항 및 단락회로 출력전류에 대한 식을 나타내었다. 이 회로는 출력 측에 전류부스터를 사용한다는데 주목해야 한다. 이것은 단락회로 출력전류를 다음과 같이 증가시킨다.

$$I_{\text{max}} = \beta_{\text{dc}} I_{SC} \tag{18-28}$$

그림 18-29   한쪽이 접지된 부하를 갖는 단방향성 VCIS

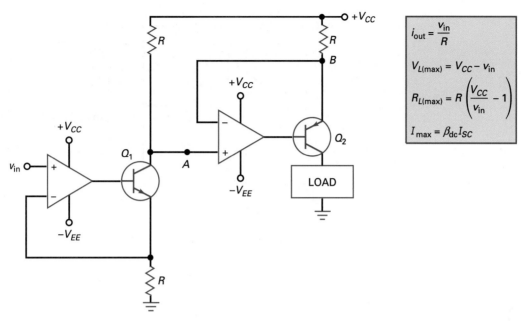

$$i_{out} = \frac{v_{in}}{R}$$

$$V_{L(max)} = V_{CC} - v_{in}$$

$$R_{L(max)} = R\left(\frac{V_{CC}}{v_{in}} - 1\right)$$

$$I_{max} = \beta_{dc}I_{SC}$$

그림 18-30   한쪽이 접지된 부하를 갖는 또 다른 단방향성 VCIS

입력전압에 출력전류가 직접 비례하는 회로

그림 18-29에서는 입력전압이 증가할 때 부하전류가 감소한다. 그림 18-30은 부하전류가 입력전압에 직접 비례하는 회로를 나타내었다. 첫 연산 증폭기의 입력단자 간의 가상단락 때문에 Q_1에서의 에미터전류는 v_{in}/R이다. Q_1컬렉터전류는 에미터전류와 거의 같기 때문에 컬렉터 R양단전압은 v_{in}이고 절점 A에서의 전압은

$$V_A = V_{CC} - v_{in}$$

인데, 이것이 두 번째 연산 증폭기의 비반전입력이다.

    두 번째 연산 증폭기의 입력단자 간의 가상단락 때문에 절점에서의 전압은

$$V_B = V_A$$

이다. 마지막 R양단의 전압은 다음과 같다.

$$V_R = V_{CC} - V_B = V_{CC} - (V_{CC} - v_{in}) = v_{in}$$

따라서 출력전류는 근사적으로

$$i_{out} = \frac{v_{in}}{R} \tag{18-29}$$

    그림 18-30에 이 회로를 해석할 수 있도록 식을 나타내었다. 다시 한 번 말하지만 전류부스터는 β_{dc}배만큼 단락회로 출력전류를 증가시킨다.

호올랜드 전류원

그림 18-30의 전류원은 단방향성 부하전류를 발생한다. 양방향성 전류가 필요할 때는 그림 18-31의 호올랜드 전류원(Howland current source)을 사용해야 할 것이다. 이 회

그림 18-31 양방향성 VCIS인 호올랜드 전류원

로의 동작방법을 이해하기 위해서는 먼저 $R_L = 0$이란 특별한 경우를 고려해야 한다. 부하가 단락되었을 때 비반전입력은 접지되고 반전입력은 가상접지이므로 출력전압은 다음과 같다.

$$v_{out} = -v_{in}$$

회로의 하측에서 출력전압은 단락된 부하와 직렬로 R양단에 나타날 것이다. R을 흐르는 전류는

$$i_{out} = \frac{-v_{in}}{R} \tag{18-30}$$

부하가 단락되었을 때 이 모든 전류는 부하를 통해 흐른다. (−)부호는 부하전압이 반전됨을 의미한다.

부하저항이 0보다 더 크면 해석이 훨씬 더 복잡해진다. 왜냐하면 비반전입력이 더 이상 접지되지 않고 반전입력 또한 더 이상 가상접지되지 않기 때문이다. 그 대신에 비반전입력 전압은 부하저항 양단전압과 같다. 몇 가지 식을 풀어보면 식 (18-30)은 연산 증폭기가 포화되지 않도록 제공되는 어떠한 부하저항에 대해서도 여전히 유효함을 볼 수 있을 것이다. 이 식에서 R_L이 없으므로 이 회로는 안정한 전류원과 같이 동작한다.

그림 18-31에 해석에 필요한 식을 나타내었다. 예를 들어 만일 $V_{CC} = 15$ V, $v_{in} = 3$ V이고 $R = 1$ kΩ이면 연산 증폭기를 포화시키지 않고 사용할 수 있는 최대 부하저항은 다음과 같다.

$$R_{L(max)} = \frac{1 \text{ k}\Omega}{2}\left(\frac{15 \text{ V}}{3\text{V}} - 1\right) = 2 \text{ k}\Omega$$

응용 예제 18-9

그림 18-31의 호올랜드 전류원은 $R = 15$ kΩ, $v_{in} = 3$ V 그리고 $V_{CC} = 15$ V이다. 출력 전류는 얼마인가? 만일 최대 입력전압이 9 V라면 이 회로에서 사용할 수 있는 가장 큰 부하저항은 얼마인가?

풀이　그림 18-31의 식에서 다음을 얻을 수 있다.

$$i_{out} = \frac{-3 \text{ V}}{15 \text{ k}\Omega} = -0.2 \text{ mA}$$

최대 부하저항은 다음과 같다.

$$R_{L(max)} = \frac{15 \text{ k}\Omega}{2}\left(\frac{15 \text{ V}}{12 \text{ V}} - 1\right) = 1.88 \text{ k}\Omega$$

연습 문제 18-9　$R = 10$ kΩ으로 하여 응용 예제 18-9를 반복하라.

18-9 자동이득 조절

*AGC*란 **자동이득 조절**(automatic gain control)을 말한다. 라디오나 텔레비전과 같은 많은 응용에서 입력신호가 변화될 때 전압이득도 자동적으로 변화되는 것을 원한다. 특히 입력신호가 증가될 때 전압이득이 감소되는 것을 원한다. 이 같은 경우 증폭기의 출력전압은 거의 일정하게 될 것이다. 라디오나 텔레비전에서 AGC가 필요한 이유 중 하나는 다른 방송에 동조시킬 때 갑작스러운 변화로부터 음량을 그대로 유지하기 위해서이다.

오디오 AGC

그림 18-32에 오디오(audio) AGC 회로를 나타내었다. Q_1은 전압제어 저항을 사용한 JFET이다. 소신호 동작에서 드레인전압은 거의 0이기 때문에 JFET는 옴성영역에서 동작하고 교류신호에 대해서는 r_{ds}의 저항을 가진다. JFET의 r_{ds}는 게이트전압에 의해 제어할 수 있다. 부(−)의 게이트전압이 클수록 r_{ds}도 커진다. 2N4861과 같은 JFET에서 rds는 100 Ω에서 10 MΩ이상까지 변화시킬 수 있다.

　　R_3과 Q_1은 출력을 0.001 v_{in}에서 v_{in}까지 변화시키는 전압분배기처럼 동작한다. 따라서 비반전입력전압은 0.001 v_{in}에서 v_{in} 사이의 값이고 60 dB 범위이다. 비반전 증폭기의 출력전압은 이 입력전압의 ($R_2/R_1 + 1$) 배이다.

　　그림 18-32에서 출력전압은 Q_2의 베이스와 결합한다. 피크-피크 출력이 1.4 V이하이기 때문에 여기에 바이어스가 걸리지 않으므로 Q_2는 차단된다. Q_2차단에서 커패시터 C_2는 충전되지 않고 Q_1의 게이트는 JFET를 차단시키기에 충분한 부(−)의 전압인 $-V_{EE}$가 된다. 이것은 최대 입력전압이 비반전입력에 걸림을 의미한다. 다시 말해 1.4 V$_{p-p}$이하의 출력전압에서 회로가 최대 입력신호를 가지는 비반전 전압증폭기처럼 동작

$$A_v = \left(\frac{R_2}{R_1} + 1\right)\left(\frac{r_{ds}}{r_{ds} + R_3}\right)$$

그림 18-32 AGC 회로에 전압제어 저항으로 사용되는 JFET

함을 의미한다.

출력 피크-피크 전압이 1.4 V 이상이 될 때, Q_2는 전도되고 커패시터 C_2가 충전된다. 이것은 게이트전압을 증가시키고 r_{ds}를 감소시킨다. r_{ds}가 적어질수록 전압분배기인 R_3과 Q_1의 출력은 감소하고 비반전입력의 입력전압도 적어진다. 다시 말해 피크-피크 출력전압이 1.4 V 이상이 될 때 회로의 전체 전압이득은 감소한다.

출력전압이 크면 클수록 전압이득은 더욱 적어진다. 이런 식으로 입력신호의 큰 증가에 대해 출력전압은 약간 증가할 뿐이다. AGC를 사용하는 이유 중 하나는 신호레벨의 갑작스런 증가를 감소시키고 확성기의 과대구동을 방지하는 것이다. 만일 라디오를 청취하는 중에 예기치 않게 폭발음과 같은 신호레벨의 증가가 귀를 울리는 것은 원치 않을 것이다. 결론적으로 그림 18-32의 입력전압이 비록 60 dB 범위 이상으로 변화할지라도 피크-피크 출력은 1.4 V보다 약간 더 커질 뿐이다.

저레벨 비디오 AGC

텔레비전 카메라의 신호출력은 0에서 4 MHz 이상의 주파수를 가진다. 이 범위의 주파수를 비디오주파수(*video frequency*)라고 부른다. 그림 18-33에 10 MHz 이상의 주파수에서 사용하는 비디오 AGC의 표준기법을 나타내었다. 이 회로에서 JFET는 전압제어 저항처럼 동작한다. AGC전압이 0일 때 JFET는 부(−)의 바이어스 때문에 차단되고 r_{ds}는 최대가 된다. AGC전압이 증가하면 JFET의 rds는 감소한다.

반전 증폭기의 입력전압은 R_5, R_6, r_{ds}로 구성된 전압분배기로부터 주어진다. 이 전압은 다음과 같다.

$$v_A = \frac{R_6 + r_{ds}}{R_5 + R_6 + r_{ds}} v_{in}$$

그림 18-33 적은 입력신호에 사용되는 AGC 회로

반전 증폭기의 전압이득은 다음과 같다.

$$A_v = \frac{-R_2}{R_1}$$

이 회로에서 JFET 는 전압제어 저항이다. AGC전압이 양으로 더 커지면 커질수록 r_{ds} 의 값은 더 적어지고 반전 증폭기의 입력전압도 더 적어진다. 이것은 AGC전압이 회로 의 전체 전압이득을 제어함을 의미한다.

광대역 연산 증폭기를 사용하더라도 이 회로는 입력신호가 거의 100 mV 이상에 서도 잘 동작한다. 이 레벨 이상에서도 JFET 저항은 AGC 전압이 부가된 신호레벨의 기능을 하게 된다. 이것은 AGC전압만이 전체 전압이득을 제어해야하기 때문에 바람 직하지 못하다.

고레벨 비디오 AGC

고레벨 비디오신호에서는 그림 18-34와 같은 LED-광저항(photoresistor)을 조합한 것으 로 JFET를 대치시킬 수 있다. 광저항의 저항 R_7은 빛의 세기가 증가하면 감소한다. 그러 므로 AGC 전압이 크면 클수록 R7의 값은 적어진다. 앞에서와 같이 입력 전압분배기는 반전 전압증폭기를 구동하는 전압의 크기를 제어한다. 이 전압은 다음과 같이 주어진다.

$$v_A = \frac{R_6 + R_7}{R_5 + R_6 + R_7} v_{in}$$

그림 18-34 큰 입력신호에 사용되는 AGC 회로

이 회로는 광전지(photocell)의 저항이 큰 전압에 영향을 받지 않고 오로지 V_{AGC}의 기능만을 가지므로 10 V 이상의 고레벨 입력전압을 취급할 수 있다. 또한 이 회로는 AGC 전압과 입력전압 v_{in} 사이가 거의 전부 절연되어 있다.

응용 예제 18-10

만일 그림 18-32에서 r_{ds}가 50 Ω에서 120 kΩ까지 변한다면, 최대 전압이득은 얼마인가? 최소 전압이득은 얼마인가?

풀이 그림 18-32의 값과 식을 이용하면, 최대 전압이득은 다음과 같다.

$$A_v = \left(\frac{47\ \text{k}\Omega}{1\ \text{k}\Omega} + 1\right)\frac{120\ \text{k}\Omega}{120\ \text{k}\Omega + 100\ \text{k}\Omega} = 26.2$$

최소 전압이득은 다음과 같다.

$$A_v = \left(\frac{47\ \text{k}\Omega}{1\ \text{k}\Omega} + 1\right)\frac{50\ \Omega}{50\ \Omega + 100\ \text{k}\Omega} = 0.024$$

연습 문제 18-10 응용 예제 18-10에서 전압이득을 1로 강하시키기 위해 r_{ds}는 얼마로 해야 하는가?

18-10 단일 전원공급 동작

2전원 공급의 사용은 전력 연산 증폭기의 전형적인 방식이다. 그러나 몇몇 응용에서는 이것이 불필요하거나 오히려 더 바람직하지 못하다. 따라서 이 절에서는 단일 양의 전원공급만으로 동작하는 반전, 비반전 증폭기에 대해 살펴보기로 한다.

반전 증폭기

그림 18-35에 교류신호를 사용할 수 있는 단일 전원공급 반전전압 증폭기를 나타내었다. V_{EE} 공급단자(핀 4)는 접지되고 전압분배기에 의해 V_{CC}의 1/2이 비반전입력에 인가된다. 두 입력은 가상접지되기 때문에 반전입력은 근사적으로 10.5 V_{CC}의 정지전압을 가진다.

직류 등가회로에서 모든 커패시터는 개방되고 회로는 직류 출력전압 10.5 V_{CC}를 발생하는 전압폴로어가 된다. 전압이득이 1이기 때문에 입력오프셋은 최소화된다.

교류 등가회로에서 모든 커패시터는 단락되고 회로는 $-R_2/R_1$의 전압이득을 가지는 반전 증폭기가 된다. 그림 18-35에 해석을 위한 식을 나타내었다. 이로부터 세 개의 저역 차단주파수를 계산할 수 있다.

바이패스 커패시터는 그림에서 보듯이 비반전입력에 사용된다. 이것은 비반전입력에 나타나는 전원 공급장치의 리플과 잡음을 감소시킨다. 효과적으로 하기 위해서

$$A_v = \frac{-R_2}{R_1}$$

$$f_1 = \frac{1}{2\pi R_1 C_1}$$

$$f_2 = \frac{1}{2\pi R_L C_2}$$

$$f_3 = \frac{1}{2\pi (R/2) C_3}$$

그림 18-35   단일 전원공급 반전 증폭기

는 이 바이패스회로의 차단주파수는 전원공급장치로부터 주어지는 리플주파수보다 훨씬 적어야 한다. 그림 18-35에 주어진 식을 이용하여 이 바이패스회로의 차단주파수를 계산할 수 있다.

비반전 증폭기

그림 18-36에서도 양의 전원공급만을 사용하고 있다. 최대 출력스윙을 얻기 위해서는 비반전입력에 공급전압의 1/2을 바이어스할 필요가 있는데 이는 등저항 전압분배기에 의해 간단히 처리할 수 있다. 이것은 비반전입력에 $+0.5\ V_{CC}$의 직류입력을 발생한다. 부귀환 때문에 반전입력은 같은 값으로 부트스트랩된다.

직류 등가회로에서 모든 커패시터는 개방되고 회로는 1의 전압이득을 가지므로 출력 오프셋전압이 최소화된다. 연산 증폭기의 직류 출력전압은 $+0.5\ V_{CC}$이나 이것은 출력 결합커패시터에 의해 최종부하에서 차단된다.

교류 등가회로에서 모든 커패시터는 단락된다. 교류신호가 회로를 구동할 때 R_L

$$A_v = \frac{R_2}{R_1} + 1$$

$$f_1 = \frac{1}{2\pi (R/2) C_1}$$

$$f_2 = \frac{1}{2\pi R_L C_2}$$

$$f_3 = \frac{1}{2\pi R_1 C_3}$$

그림 18-36   단일 전원공급 비반전 증폭기

양단에 증폭된 출력신호가 나타난다. 만일 레일-레일 연산 증폭기를 사용한다면 클리핑이 발생되지 않는 최대 피크-피크 출력은 V_{CC}이다. 그림 18-36에 차단주파수를 계산하기 위한 식을 제공하고 있다.

단일 전원공급 연산 증폭기

그림 18-35와 18-36의 단일 전원공급용으로 사용하는 연산 증폭기는 일반적인 연산 증폭기를 사용할 수 있으나 몇 가지의 연산 증폭기는 단일 전원공급 동작에 최적인 것이 있다. 예를 들면 LM324는 쿼드(quad) 연산 증폭기인데 2전원 공급의 필요성을 없앤 것이다. 이것은 단일 패키지 내에 내부적으로 보상된 4개의 연산 증폭기로 구성되어 있으며, 각각 개방루프 전압이득이 100 dB, 입력 바이어스전류 45 nA, 입력 오프셋전류 5 nA 및 입력 오프셋전압 2 mV를 가진다. 또 단일 양의 공급전압을 인가했을 때 출력스윙폭은 3에서 32 V 사이의 값을 가진다. 이 때문에 LM324는 + 5V의 단일 양의 공급전압으로 동작되는 디지털 회로와의 인터페이스용으로 편리하게 사용된다.

요점 | Summary

18-1 반전증폭기회로
이 절에서는 고임피던스 프로브(X10과 X1), 교류 결합증폭기 및 대역폭 조정가능한 회로를 포함한 반전증폭기회로에 대해 설명했다.

18-2 비반전증폭기회로
이 절에서는 교류 결합증폭기, 음성 분배증폭기, JFET스위치를 이용한 전압이득 조정회로 및 전압기준을 포함한 비반전증폭기회로에 대해 설명했다.

18-3 반전기/비반전기회로
이 절에서는 스위칭 가능한 반전기/비반전기, JFET 제어 스위칭 가능한 반전기/비반전기, 부호변환기, 이득조정 및 가역 가능한 회로와 이상기 등의 회로에 대해 설명했다.

18-4 차동 증폭기
차동 증폭기의 전체 CMRR은 다음 두 가지 요소로 결정된다. 즉, 각 연산 증폭기의 CMRR과 정합된 저항들의 CMRR 등이다. 입력신호는 항상 적은 차동전압과 휘스톤 브리지로부터 주어지는 큰 동상전압이 있다.

18-5 계측 증폭기
계측 증폭기는 큰 전압이득, 큰 CMRR, 적은 입력오프셋, 적은 온도드리프트 및 큰 입력임피던스로 최적화된 차동 증폭기이다. 계측 증폭기는 정밀급 연산 증폭기를 세 개 사용하는 전형적인 구성 방법이나 집적화된 것을 이용하여 설계할 수 있다.

18-6 가산증폭기회로
이 절에서는 감산기, 두 입력측에 대한 가산, 평균치 회로 및 D/A변환기에 대해 중점적으로 설명했다. D/A변환기는 전압, 전류 및 저항측정에 이용되는 디지털 멀티미터에 사용된다.

18-7 전류부스터
연산 증폭기의 단락회로 출력전류가 너무 적을 때 그 해결 방법의 하나로 회로의 출력 측에 전류부스터를 사용한다. 일반적으로 전류부스터는 연산 증폭기로부터 공급된 베이스전류를 갖는 트랜지스터이다. 트랜지스터의 전류이득 때문에 단락회로 출력전류는 β배만큼 증가한다.

18-8 전압제어 전류원
입력전압에 의해 제어되는 전류원을 설계할 수 있다. 부하는 부동이거나 접지되어도 좋다. 부하전류는 단방향성 또는 양방향성이다. 호올랜드 전류원은 양방향성 전압제어 전류원이다.

18-9 자동이득 조절
대부분의 응용에서는 출력전압을 거의 일정하게 유지할 수 있도록 시스템의 전압이득이 자동적으로 변화되는 것이 바람직하다. 라디오와 텔레비전 수신기에서 AGC는 스피커에서 나오는 소리의 음량이 갑자기 크게 변화되는 것을 방지해 준다.

18-10 단일 전원공급 동작
정상적인 연산 증폭기 동작에는 2전원공급을 사용하나 오히려 단일 전원공급만을 취하는 응용도 있다. 교류결합 증폭기는 단일 전원공급으로 교류신호가 인가되지 않은 연산 증폭기 입력측에 양의 공급전압의 1/2을 바이어스해 주므로 쉽게 요구를 충족시켜 줄 수가 있다. 단일 전원공급용으로 최적인 연산 증폭기도 일부 있다.

유도식 | Derivations

(18-3) 반전기/비반전기의 이득:

$$A_v = A_{v(\text{inv})} + A_{v(\text{non})}$$

그림 18-8에서 그림 18-13까지를 보아라. 전체 전압이득은 반전과 비반전 전압이득의 중첩이다. 입력신호를 두 입력에 동시에 인가할 때 사용된다.

(18-5) 동상 전압이득:

$$A_{v(CM)} = A_{v(\text{inv})} + A_{v(\text{non})}$$

그림 18-14, 18-15, 18-18을 보아라. 이것은 이득의 중첩이기 때문에 식 (18-3)과 흡사하다.

(18-7) 전체 비반전 이득:

$$A_{v(\text{non})} = \left(\frac{R_2}{R_1} + 1\right)\left(\frac{R_2'}{R_1' + R_2'}\right)$$

그림 18-14를 보라. 이것은 전압분배율에 의해 감소된 비반전측의 전압이득이다.

(18-8) $R_1 = R_2$에서 동상이득:

$$A_{v(CM)} = \pm 2\frac{\Delta R}{R}$$

그림 18-15와 18-18을 보아라. 이것은 차동 증폭기의 저항들이 같거나 정합되었을 때 저항자신의 오차에 의해 발생하는 동상이득이다.

(18-11) 휘스톤 브리지:

$$\frac{R_1}{R_2} = \frac{R_3}{R_4}$$

그림 18-16a를 보아라. 이것은 휘스톤 브리지의 평형조건식이다.

(18-13) 불평형된 휘트스톤 브리지:

$$v_{\text{in}} \cong \frac{\Delta R}{4R} V_{CC}$$

그림 18-17을 보아라. 이 식은 변환기 저항의 적은 변화에 유효하다.

(18-16) 계측 증폭기:

$$A_v = \frac{2R_2}{R_G} + 1$$

그림 18-18과 18-20을 보아라. 이것은 계측 증폭기의 전형적인 세 연산 증폭기의 첫째단의 전압이득이다.

(18-18) 2진-10진 등가:

$$\text{BIN} = (D_o \times 2^0) + (D_1 \times 2^1) + (D_2 \times 2^2) + (D_3 \times 2^3)$$

(18-19) $R/2R$ 사다리형 출력전압:

$$V_{\text{out}} = -\left(\frac{\text{BIN}}{2^N} \times 2V_{\text{ref}}\right)$$

(18-21) 전류부스터:

$$I_{\text{max}} = \beta_{dc} I_{SC}$$

그림 18-26에서 18-30까지를 보아라. 연산 증폭기의 단락회로 전류는 연산 증폭기와 부하 간의 트랜지스터의 전류이득에 의해 증가한다.

(18-23) 전압제어 전류원:

$$i_{\text{out}} = \frac{v_{\text{in}}}{R}$$

그림 18-28에서 18-31까지를 보아라. 전압제어 전류원에서 입력전압은 안정된 출력전류로 변환된다.

복습 문제 | Self-Test

1. 선형 연산증폭기회로에서 ＿＿＿.
   a. 신호는 항상 정현파이다.
   b. 연산 증폭기는 포화상태에 들어가지 않는다.
   c. 입력임피던스는 이상적으로 ∞이다.
   d. 이득-대역폭 적은 일정하다.

2. 결합 및 바이패스 커패시터를 갖는 연산 증폭기를 사용하는 교류증폭기에서 출력오프셋 전압은?
   a. 0   b. 최소
   c. 최대   d. 불변

3. 연산 증폭기를 사용하기 위해 최소한 필요한 것은 어느 것인가?
   a. 하나의 공급전압
   b. 두 개의 공급전압
   c. 하나의 결합커패시터
   d. 하나의 바이패스 커패시터

4. 연산 증폭기의 전류원 제어에서 회로는 무엇과 같이 동작하는가?
   a. 전압증폭기
   b. 전류-전압 변환기
   c. 전압-전류 변환기
   d. 전류증폭기

5. 계측 증폭기는 큰 ＿＿＿을 갖는다.
   a. 출력임피던스
   b. 전력이득
   c. CMRR
   d. 공급전압

6. 연산 증폭기의 출력측의 전류부스터는 무엇에 의해 단락회로 전류를 증가시키는가?
   a. $A_{v(CL)}$
   b. β_{dc}
   c. f_{unity}
   d. A_v

7. 12.5 V의 전압기준이 주어져있다. 무엇을 사용하면 +15 V의 전압기준을 얻을 수 있는가?

   a. 반전 증폭기

   b. 비반전 증폭기

   c. 차동 증폭기

   d. 계측 증폭기

8. 차동 증폭기에서 CMRR은 무엇에 의해 대부분 제한되는가?

   a. 연산 증폭기의 CMRR

   b. 이득-대역폭 적

   c. 공급전압

   d. 저항의 오차

9. 계측 증폭기에서 입력신호는 항상 무엇으로부터 주어지는가?

   a. 반전 증폭기

   b. 저항

   c. 차동 증폭기

   d. 휘스톤 브리지

10. 계측 증폭기의 전형적인 세 개의 연산 증폭기에서 차동 전압이득은 항상 무엇에 의해 발생되는가?

    a. 첫째 단

    b. 둘째 단

    c. 부정합된 저항

    d. 출력 연산 증폭기

11. 보호구동은 무엇을 감소시키는가?

    a. 계측 증폭기의 CMRR

    b. 차폐케이블에서의 누설전류

    c. 첫째 단의 전압이득

    d. 동상 입력전압

12. 평균치회로에서 입력저항은 어떠한가?

    a. 귀환저항과 같다.

    b. 귀환저항보다 적다.

    c. 귀환저항보다 크다.

    d. 같지 않다.

13. D/A 컨버터는 무엇의 응용인가?

    a. 대역폭을 조정가능한 회로

    b. 비반전 증폭기

    c. 전압-전류 변환기

    d. 가산 증폭기

14. 전압제어 전류원에서 ____.

    a. 전류부스터는 결코 사용되지 않는다.

    b. 부하는 항상 부동이다.

    c. 안정전류원이 부하를 구동한다.

    d. 부하전류는 I_{SC}와 같다.

15. 호올랜드 전류원은 무엇을 발생하는가?

    a. 단방향성 부동 부하선류

    b. 양방향성 단일종단 부하전류

    c. 단방향성 단일종단 부하전류

    d. 양방향성 부동 부하전류

16. AGC의 목적은 무엇을 위한 것인가?

    a. 입력신호가 증가할 때 전압이득을 증가시키기 위한 것

    b. 전압에서 전류로 변환시키기 위한 것

    c. 출력전압을 거의 일정하게 유지하기 위한 것

    d. 회로의 CMRR을 감소시키기 위한 것

17. 1 ppm은 무엇과 같은가?

    a. 0.1 %

    b. 0.01 %

    c. 0.001 %

    d. 0.0001 %

18. 입력변환기는 무엇을 무엇으로 변환하는가?

    a. 전압에서 전류로

    b. 전류에서 전압으로

    c. 전기적인 양을 비전기적인 양으로

    d. 비전기적인 양을 전기적인 양으로

19. 서미스터는 무엇을 무엇으로 변환하는가?

    a. 빛을 저항으로

    b. 온도를 저항으로

    c. 전압을 소리로

    d. 전류를 전압으로

20. 저항을 트림(trim)하는 이유는 무엇인가?

    a. 정밀 조정을 위해

    b. 그 값을 감소시키기 위해

    c. 그 값을 증가시키기 위해

    d. 거친 조정을 위해

21. 4개의 입력을 가지는 D/A 컨버터는?

    a. 2개의 출력값을 갖는다.

    b. 4개의 출력값을 갖는다.

    c. 8개의 출력값을 갖는다.

    d. 16개의 출력값을 갖는다.

22. 레일-레일 출력을 가지는 연산 증폭기는?

    a. 전류 부스터된 출력을 가진다.

    b. 어느 한쪽 공급전압에 의해 모든 방향으로 스윙할 수 있다.

    c. 큰 출력임피던스를 가진다.

    d. 0 V보다 적게 할 수 없다.

23. AGC 회로에서 JFET를 사용했을 때 무엇처럼 동작하는가?

    a. 스위치

    b. 전압제어 전류원

    c. 전압제어저항

    d. 커패시턴스

24. 만일 연산 증폭기가 양의 공급전압만을 가진다면 그 출력의 상태가 될 수 없는 것은 무엇인가?

    a. 부(−)

    b. 0

    c. 동일한 공급전압

    d. 교류결합

기본 문제 | Problems

18-1 반전증폭기회로

18-1 그림 18-1의 프로브에서 $R_1 = 10$ MΩ, $R_2 = 20$ MΩ, $R_3 = 15$ kΩ, $R_4 = 15$ kΩ이고 $R_5 = 75$ kΩ이다. 각 스위치의 위치에서 프로브의 감쇄는 얼마인가?

18-2 그림 18-2의 교류결합 반전 증폭기에서 $R_1 = 1.5$ kΩ, $R_f = 75$ kΩ, $R_L = 15$ kΩ, $C_1 = 1$ μF, $C_2 = 4.7$ μF이고 $f_{unity} = 1$ MHz이다. 증폭기의 중역에서의 전압이득은 얼마인가? 또 고역, 저역 차단주파수는 얼마인가?

18-3 그림 18-3의 대역폭 조정 가능한 회로에서 $R_1 = 10$ kΩ, $R_f = 180$ kΩ이다. 만일 100 Ω 저항을 130 Ω으로 바꾸고 가변저항을 25 kΩ으로 하면, 전압이득은 얼마인가? 또 $f_{unity} = 1$ MHz이면 최소, 최대 대역폭은 얼마인가?

18-4 그림 18-37에서 출력전압은 얼마인가? 또 $f_{unity} = 1$ MHz이면 최소, 최대 대역폭은 얼마인가?

18-2 비반전증폭기회로

18-5 그림 18-4에서 $R_1 = 2$ kΩ, $R_f = 82$ kΩ, $R_L = 25$ kΩ, $C_1 = 2.2$ μF, $C_2 = 4.7$ μF이고 $f_{unity} = 3$ MHz이다. 이 증폭기의 중역에서의 전압이득은 얼마인가? 또 고역과 저역에서의 차단주파수는 얼마인가?

18-6 그림 18-38의 중역에서의 전압이득은 얼마인가? 또 고역 및 저역에서의 차단주파수는 얼마인가?

18-7 **||||Multisim** 그림 18-5의 분배증폭기에서 $R_1 = 2$ kΩ, $R_f = 100$ kΩ이고 $v_{in} = 10$ mV이다. A, B와 C에서의 출력전압은 얼마인가?

18-8 그림 18-6의 JFET 스위치를 이용한 증폭기는 다음 값들을 갖는다. 즉 $R_1 = 91$ kΩ, $R_f = 12$ kΩ, $R_2 = 1$ kΩ 등이다. 만일 $v_{in} = 2$ mV이면 게이트가 저(low)일 때와 고(high)일 때의 출력전압은 얼마인가?

18-9 만일 $V_{GS(off)} = -5$ V이면 그림 18-39에서 최소 및 최대 출력전압은 얼마인가?

18-10 그림 18-7의 전압 기준회로에서 $R_1 = 10$ kΩ, $R_f = 10$ kΩ으로 변형되었다. 새로운 출력 기준전압은 얼마인가?

18-3 반전기/비반전기회로

18-11 그림 18-10의 조정가능한 반전기에서 $R_1 = 1$ kΩ, $R_2 = 10$ kΩ이다. 최대 양의 이득은 얼마인가? 최대 부(−)의 이득은 얼마인가?

18-12 와이퍼를 접지 끝으로 했을 때 그림 18-11에서 출력전압은 얼마인가? 또 접지로부터 10% 떨어뜨렸을 때의 출력은 얼마인가?

18-13 그림 18-12에 정밀저항이 사용되었다. 만일 $R = 5$ kΩ, $nR = 75$ kΩ이고 $nR/(n-1)R = 5.36$ kΩ이었다면 최대 양과 음의 이득은 얼마인가?

그림 18-37

그림 18-38

그림 18-39

18-14 그림 18-13의 이상기에서 $R' = 10$ kΩ, $R = 22$ kΩ이고 $C = 0.02$ μF이다. 입력주파수가 100 Hz, 1 kHz, 10 kHz일 때 위상천이는 얼마가 발생되는가?

18-4 차동 증폭기

18-15 그림 18-14의 차동 증폭기는 $R_1 = 1.5$ kΩ, $R_2 = 30$ kΩ을 가진다. 차동 전압이득은 얼마인가? 또 동상이득은 얼마인가? (저항오차 ±0.1%)

18-16 그림 18-15에서 $R_1 = 1$ kΩ, $R_2 = 20$ kΩ이다. 차동 전압이득은 얼마인가? 동상이득은 얼마인가? (저항오차 ±1%)

18-17 그림 18-16의 휘스톤 브리지에서 $R_1 = 10$ kΩ, $R_2 = 20$ kΩ, $R_3 = 20$ kΩ이고 $R_4 = 10$ kΩ이다. 브리지의 평형은 어떠한가?

18-18 그림 18-17의 일반적인 응용에서 변환저항을 985 Ω으로 바꾸었다. 최종출력전압은 얼마인가?

18-5 계측 증폭기

18-19 그림 18-18의 계측 증폭기에서 $R_1 = 1$ kΩ, $R_2 = 99$ kΩ이다. 만일 $v_{in} = 2$ mV이면 출력전압은 얼마인가? 만일 세 개의 OP-07A인 연산 증폭기와 $R = 10$ kΩ ±0.5% 를 사용했다면 계측 증폭기의 CMRR은 얼마인가?

18-20 그림 18-19에서 $v_{in(CM)} = 5$ V이다. 만일 $R_3 = 10$ kΩ이라면 보호전압은 무엇과 동일한가?

18-21 그림 18-20에서 R_G의 값이 1008 Ω으로 바뀌었다. 만일 차동입력전압이 20 mV이면 차동 출력전압은 얼마인가?

18-6 가산증폭기회로

18-22 만일 $R = 10$ kΩ, $v_1 = -50$ mV, $v_2 = -30$ mV라면 그림 18-21에서 출력전압은 무엇과 같은가?

18-23 **|||| Multisim** 그림 18-22의 가산기 회로에서 $R_1 = 10$ kΩ, $R_2 = 20$ kΩ, $R_3 = 15$ kΩ, $R_4 = 15$ kΩ, $R_5 = 30$ kΩ이고 $R_f = 75$ kΩ이다. 만일 $v_0 = 1$ mV, $v_1 = 2$ mV, $v_2 = 3$ mV, $v_3 = 4$ mV라면 출력전압은 얼마인가?

18-24 그림 18-23의 평균치회로는 $R = 10$ kΩ을 가진다. 만일 $v_1 = 1.5$ V, $v_2 = 2.5$ V, $v_3 = 4.0$ V이면 출력은 얼마인가?

18-25 그림 18-24의 D/A 변환기는 $v_0 = 5$ V, $v_1 = 0$ V, $v_2 = 5$ V, $v_3 = 0$ V를 가진다. 출력전압은 얼마인가?

18-26 그림 18-25에서 2진수 입력의 수를 8자리로 확장하여 D_7에서 D_0가 10100101과 같다면 10진등가 입력값 BIN은 얼마인가?

18-27 그림 18-25에서 D_7에서 D_0까지 확장된 2진 입력이 0110 0110이라면 출력전압은 얼마인가?

18-28 그림 18-25에서 2.5 V의 기준전압을 사용했다면 출력전압 스텝의 최소 증분은 얼마인가?

그림 18-40

그림 18-41

18-7 전류부스터

18-29 그림 18-40의 비반전 증폭기는 전류부스트된 출력을 가진 다. 회로의 전압이득은 얼마인가? 만일 트랜지스터의 전류이 득이 100이라면 단락회로 출력전류는 얼마인가?

18-30 그림 18-41에서 전압이득은 얼마인가? 만일 트랜지스터가 125의 전류이득을 가진다면 단락회로 출력전류는 얼마인가?

18-8 전압제어 전류원

18-31 그림 18-42a에서 부하전류는 얼마인가? 연산 증폭기의 포 화 없이 사용할 수 있는 최대 부하저항은?

18-32 그림 18-42b에서 출력전류를 계산하라. 또한 부하저항의 최대값을 계산하라.

18-33 그림 18-30의 전압제어 전류원에서 만일 R = 10 kΩ이고 V_{CC} = 15 V라면 입력전압이 3 V일 때 출력전류는 얼마인 가? 또 최대 부하저항은 얼마인가?

18-34 그림 18-31의 호올랜드 전류원은 R = 2 kΩ과 R_L = 500 Ω을 가진다. 입력전압이 6 V일 때 출력전류는 얼마인가? 또 만일 입력전압이 결코 7.5 V보다 크지 않다면(공급전압 은 ±15 V를 사용함). 이 회로에서 사용할 수 있는 최대 부 하저항은 얼마인가?

(a)   (b)

그림 18-42

18-9 자동이득조절

18-35 그림 18-32의 AGC회로에서 R_1 = 10 kΩ, R_2 = 100 kΩ, R_3 = 100 kΩ이고 R_4 = 10 kΩ이다. 만일 rds가 200 Ω 에서 1 MΩ까지 변한다면 회로의 최소, 최대 전압이득은 얼마인가?

18-36 그림 18-33의 저레벨 AGC회로에서 R_1 = 5.1 kΩ, R_2 = 51 kΩ, R_5 = 68 kΩ이고 R_6 = 1 kΩ이다. 만일 r_{ds}를 120 Ω 에서 5 MΩ까지 변화시킬 수 있다면 회로의 최대 및 최소 전압이득은?

18-37 그림 18-34의 고레벨 AGC회로에서 R_1 = 10 kΩ, R_2 = 10 kΩ, R_5 = 75 kΩ이고 R_6 = 1.2 kΩ이다. 만일 R_7을 180 Ω에서 10 MΩ까지 변화시킬 수 있다면 회로의 최대, 최소 전압이득은?

18-38 그림 18-43의 단일 전원공급 반전 증폭기의 전압이득은 얼마인가? 세 개의 저역 차단주파수는?

18-39 그림 18-36의 단일 전원공급 비반전 증폭기에서 R = 68 kΩ, R_1 = 1.5 kΩ, R_2 = 15 kΩ, R_L = 15 kΩ, C_1 = 1 μF, C_2 = 2.2 μF이고 C_3 = 3.3 μF이다. 전압이득은 얼마인가? 또 세 개의 저역 차단주파수는 얼마인가?

그림 18-43

응용 문제 | Critical Thinking

18-40 그림 18-8의 위치 사이를 스위칭할 때 스위치가 순간적으로 개방되면 시간의 짧은 주기가 주어진다. 이 시간에서 출력전압은 얼마인가? 이 같은 경우를 제거할 수 있는 방법을 제안해 보아라.

18-41 반전 증폭기는 R_1 = 1 kΩ과 R_f = 100 kΩ을 가진다. 만일 이들 저항이 ±1%의 오차를 가진다면 가능한 최대 전압이득은 얼마인가? 또 최소 전압이득은 얼마인가?

18-42 그림 18-44에 나타낸 회로의 중역에서의 전압이득은 얼마인가?

18-43 그림 18-41의 트랜지스터는 β_{dc} = 50이다. 만일 입력전압이 0.5 V이면 전도시 트랜지스터의 베이스전류는 얼마인가?

그림 18-44

고장 점검 | Troubleshooting

IIII Multisim 나머지 문제에 대해서 그림 18-45를 이용하여라. 어떤 저항이 개방 또는 단락되었는지 모르고 접속선 CD, EF, JA 또는 KB도 개방되었을지도 모른다.

18-44 18-44T1에서 T3간의 고장을 진단하라.

18-45 18-45T4에서 T6간의 고장을 진단하라.

18-46 18-46T7에서 T10간의 고장을 진단하라.

(a)

Troubleshooting

Trouble	V_A	V_B	V_C	V_D	V_E	V_F	V_G
OK	2	5	0	0	450	450	450
T1	2	5	0	0	450	0	0
T2	2	5	0	0	200	200	200
T3	2	5	2	2	−13.5 V	−13.5 V	−13.5 V
T4	2	0	0	0	200	200	200
T5	2	5	3	0	0	0	0
T6	0	5	0	0	250	250	250
T7	2	5	3	3	−13.5 V	−13.5 V	−13.5 V
T8	2	5	0	0	250	250	250
T9	2	5	0	0	0	0	0
T10	2	5	5	5	−13.5 V	−13.5 V	−13.5 V

(b)

그림 18-45

Multisim 고장 점검 문제 | Multisim Troubleshooting Problems

멀티심 고장 점검 파일들은 *Connect for Electronic Principles* 저자 자료에 멀티심 고장 점검 회로(MTC)라는 폴더에서 찾을 수 있다. 좀 더 자세한 내용은 xiv페이지를 참조하라. 이 장에 관련된 파일은 MTC18-47~MTC18-51로 명칭되어 있고 모두 그림 18-45의 회로를 바탕으로 한다.

각 파일을 열고 고장 점검을 실시한다. 결함이 있는지 결정하기 위해 측정을 실시하고 결함이 있다면 무엇인지를 찾아라.

18-47 MTC18-47 파일을 열고 고장 점검을 실시하라.

18-48 MTC18-48 파일을 열고 고장 점검을 실시하라.

18-49 MTC18-49 파일을 열고 고장 점검을 실시하라.

18-50 MTC18-50 파일을 열고 고장 점검을 실시하라.

18-51 MTC18-51 파일을 열고 고장 점검을 실시하라.

디지털/아날로그 실습 시스템 | Digital/Analog Trainer System

18-52부터 18-56까지의 질문들은 **전자회로를 위한 연결(Connect for Electronic Principles)** 메뉴의 강사 자료 부분에 있는 디지털/아날로그 트레이너 시스템의 개략도에 관한 것이다. 모델명 XK-700 트레이너를 위한 전체 사용 설명서는 www.elenco.com에 있다.

18-52 LM318(U10)은 연산증폭기 회로에서 어떤 형식으로 사용되었는가?

18-53 VR_6의 목적은 무엇인가?

18-54 연산 증폭기의 입력 신호가 0.5 V_{p-p}라면, 연산 증폭기의 출력신호레벨은 얼마인가?

18-55 R_9이 개방된다면, LM318 출력신호가 어떻게 되는가?

18-56 이 증폭기의 대략적인 대역폭은 얼마인가?

직무 면접 문제 | Job Interview Questions

1. 전압이득 100을 가지는 교류결합 반전 증폭기의 도식도를 그려라. 동작을 이론적으로 설명하라.

2. 연산 증폭기로 구성된 차동 증폭기의 도식도를 그려라. CMRR을 결정하는 요소들은 무엇인가?

3. 전형적인 세 연산 증폭기를 사용한 계측 증폭기의 도식도를 그려라. 첫째 단은 무엇처럼 동작하며 차동신호와 동상신호에 대해 어떠한 동작을 하는가?

4. 계측 증폭기는 왜 한 단 이상의 단으로 구성되는가?

5. 특별한 응용을 위해 간단한 연산증폭기회로를 설계해본 경험이 있는가? 첫 시험을 하는 중에 연산 증폭기에 손을 대보니 너무나 뜨겁다는 것을 알았다. 브레드보드에 조립된 회로가 정확했다고 가정한다면, 무엇이 가장 큰 문제였고, 어떻게 교정해 보았는가?

6. 고임피던스 프로브(X10과 X1)에 사용되는 반전 증폭기를 어떻게 설명하겠는가?

7. 그림 18-1에서 프로브를 왜 고임피던스로 보는가? 각 스위치의 위치에서 전압이득을 계산하는 방법을 설명하라.

8. 디지털 입력과 비교했을 때 D/A변환기의 아날로그출력에 대해 말할 수 있는가?

9. 741C를 사용하여 단일 9 V 전지로 동작하는 휴대 연산증폭기회로를 만들려고 한다. 이렇게 할 수 있는 방법 하나를 말하라. 만일 직류응답이 요구된다면 이 회로를 어떻게 변형하면 되는가?

10. 연산 증폭기의 출력전류를 증가시키는 방법을 말하라.

11. 그림 18-27의 회로에서 저항 또는 다이오드의 바이어스가 요구되지 않는 이유는 무엇인가?

12. 연산 증폭기를 공부할 때 가끔 레일-레일 증폭기(rail-to-rail amplifier)처럼 레일이란 말을 듣게 된다. 이 말은 어떤 의미를 갖는가?

13. 741은 단일 공급전압으로 동작시킬 수 있는가? 만일 그렇다면 반전 증폭기를 구성하는 데 있어 요구되는 것이 무엇인지 설명하라.

복습 문제 해답 | Self-Test Answers

1.	b	**9.**	d	**17.**	d
2.	b	**10.**	a	**18.**	d
3.	a	**11.**	b	**19.**	b
4.	c	**12.**	c	**20.**	a
5.	c	**13.**	d	**21.**	d
6.	b	**14.**	c	**22.**	b
7.	b	**15.**	b	**23.**	c
8.	d	**16.**	c	**24.**	a

연습 문제 해답 | Practice Problem Answers

18-2 $R_2 = 60 \text{ k}\Omega$

18-3 $N = 7.5$; $nR = 1.154 \text{ k}\Omega$

18-4 $A_v = 51$; $A_{v(CM)} = 0.002$; $v_{out} = -510 \text{ mV}$; $v_{out(CM)} = \pm 20 \text{ mV}$

18-5 $A_{v1} = -1$; $A_{v2} = -0.5$; $A_{v3} = 1.06$; $A_{v4} = 0.798$

18-6 largest $V_{out} = -9.375 \text{ V}$; smallest $V_{out} = -0.625 \text{ V}$

18-7 $A_v = -27$; $z_{out(CL)} = 0.021 \ \Omega$; $I_{max} = 2.5 \text{ A}$

18-8 $i_{out} = 0.5 \text{ mA}$; $R_{L(max)} = 1 \text{ k}\Omega$

18-9 $i_{out} = -0.3 \text{ mA}$; $R_{L(max)} = 1.25 \text{ k}\Omega$

18-10 $r_{ds} = 2.13 \text{ k}\Omega$

거의 모든 통신시스템에는 필터가 사용된다. 필터는 주파수 대역의 일부를 통과시키는 것과 소거하는 것이 있다. 필터는 수동 또는 능동으로 구성할 수 있다. **수동 필터(passive filter)**는 저항, 커패시터 및 인덕터로 구성된다. 이것은 일반적으로 1 MHz 이상에서 사용하고, 전력이득을 갖지 않으며, 상대적으로 동조하기가 어렵다. **능동 필터(active filter)**는 저항, 커패시터 및 연산증폭기로 구성된다. 이것은 일반적으로 전력이득을 가지고 1 MHz 이하에서 유용하며 상대적으로 동조하기가 쉽다. 필터는 필요한 신호와 불필요한 신호를 분리할 수 있고, 간섭신호를 차단하고 음성과 영상의 질을 높이고 또한 신호를 변화시킬 수 있다.

학습목표 | Objectives

이 단원을 공부하고 나면

- 다섯 가지 기본 필터 응답에 대해 설명할 수 있어야 한다.
- 수동 필터와 능동 필터 간의 차이에 대해 설명할 수 있어야 한다.
- 벽돌담(brick wall)응답과 근사응답 간의 차이를 구분할 수 있어야 한다.
- 대역통과, 대역저지, 차단, Q, 리플 및 차수를 포함한 필터의 전문용어에 대해 설명할 수 있어야 한다.
- 수동 및 능동 필터의 차수에 대한 정의를 내릴 수 있어야 한다.
- 단을 흔히 종속접속으로 하는 데 대한 이유 설명 및 그 결과에 대해 설명할 수 있어야 한다.

주요용어 | Vocabulary

4차 대역통과/저역통과 필터 (biquadratic bandpass/low-pass filter)

감쇄(attenuation)

고역통과 필터(high-pass filter)

극 주파수(pole frequency[f_p])

극(poles)

기하학적 평균(geometric average)

능동 필터(active filter)

다중귀환(multiple-feedback(MFB))

대역저지 필터(bandstop filter)

대역통과 필터(bandpass filter)

모노토닉(monotonic)

버터워스 근사 (Butterworth approximation)

베셀근사(Bessel approximation)

살렌-키 2차 노치 필터(Sallen-Key second-order notch filter)

살렌-키 동일요소 필터(Sallen-Key equal-component filter)

살렌-키 저역통과 필터 (Sallen-Key low-pass filter)

상태변수 필터 (state- variable filter)

선형위상천이(linear phase shift)

저지대역(stopband)

수동 필터(passive filters)

에지주파수(edge frequency)

역 체비쉐프 근사(inverse Chebyshev approximation)

저역통과 필터(low-pass filter)

전역통과 필터(all-pass filter)

전치왜곡(predistortion)

전환(transition)

제동계수(damping factor)

주파수 스케일링 계수(frequency scaling factor: FSF)

지연평형기(delay equalizer)

체비쉐프 근사 (Chebyshev approximation)

타원형 근사(elliptic approximation)

통과대역(passband)

필터의 차수(order of a filter)

협대역 필터(narrowband filter)

19-1 이상적인 응답

이 장에서는 다양한 수동과 능동 필터회로에 대해 포괄적으로 볼 수 있을 것이다. 기본 필터의 전문용어와 1차단은 19-4절에서 다루고, 19-5절 이후에는 고차 필터의 회로 해석을 보다 상세히 포함시켰다.

필터의 주파수 응답(*frequency response of a filter*)은 주파수에 대한 전압이득의 그래프이다. 필터에는 저역통과(*low-pass*), 고역통과(*high-pass*), 대역통과(*band-pass*), 대역저지(*band-stop*) 및 전역통과(*all-pass*)의 다섯 가지 형이 있다. 이 절에서는 이들 각각의 이상적인 주파수 응답에 대해 설명한다. 다음 절에서는 이들 이상적인 응답에 대한 근사화에 대해 설명하겠다.

저역통과 필터

그림 19-1에 **저역통과 필터**(low-pass filter)의 이상적인 주파수 응답을 나타내었다. 이것은 직사각형의 오른쪽 가장자리가 벽돌담처럼 보이기 때문에 가끔 **벽돌담 응답**(*brick wall response*)이라 부르기도 한다. 저역통과 필터는 0에서 차단주파수까지의 모든 주파수신호를 통과시키고 차단주파수 이상의 모든 주파수 신호는 차단한다.

저역통과 필터에서 0과 차단주파수 사이의 주파수를 **통과대역**(passband)이라 하고, 차단주파수 이상의 주파수를 **저지대역**(stopband)이라 한다. 통과대역과 저지대역 사이의, 급작스럽게 강하(roll off)되는 영역을 **전환**(transition)영역이라 한다. 이상적인 저역통과 필터는 통과대역에서는 신호의 감쇄가 0(신호손실 없음)이 되고, 저지대역에서는 ∞가 되며 수직적인 전환이 주어진다.

또 한 가지 중요한 점은, 이상적인 저역통과 필터는 통과대역내의 전체 주파수에서 위상천이(phase shift)가 0이라는 것이다. 위상천이가 0이라는 것은 입력신호가 비정현파일 때 중요하다. 필터가 위상천이 0을 가질 때는 이 비정현파 신호가 이상적인 필터를 통과한다면 그 모양은 그대로 보존된다. 예를 들어 만일 입력신호가 기본파 주파수와 고조파를 갖는 구형파라고 하자. 만일 기본파 주파수와 의미있는 모든 고조파(10차 정도까지)가 통과대역 내에 존재한다면 구형파는 출력에서도 거의 동일한 모양을 가질 것이다.

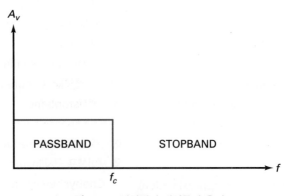

그림 19-1 이상적인 저역통과 응답

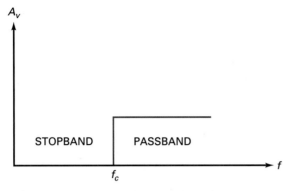

그림 19-2　이상적인 고역통과 응답

고역통과 필터

그림 19-2에 **고역통과 필터**(high-pass filter)의 이상적인 주파수 응답을 나타내었다. 고역통과 필터는 0에서 차단주파수까지의 모든 주파수 신호는 차단하고, 차단주파수 이상의 모든 주파수 신호들을 통과시킨다.

　　고역통과 필터에서 0과 차단주파수 사이의 주파수들은 저지대역이고, 차단주파수 이상의 주파수들은 통과대역이다. 이상적인 고역통과 필터는 저지대역에서는 ∞의 감쇄를 가지고, 통과대역에서는 0의 감쇄를 가지며 그 사이는 수직전환이 주어진다.

대역통과 필터

대역통과 필터(band-pass filter)는 단지 특정한 구간의 주파수들은 통과시키고, 나머지 다른 주파수들은 막아야 하는 AM/FM 수신기와 같은 전자통신시스템에 유용하다. 또한 전화통신 설비에서 동일 통신로 상에 동시에 송신된 다른 전화 대화와 분리하는데 유효하다.

> **참고 사항**
> 수동 저역통과 필터와 고역통과 필터는 대역통과나 대역저지 필터링을 만들기 위해 조합될 수 있다.

　　그림 19-3에 대역통과 필터의 이상적인 주파수 응답을 나타내었다. 이 벽돌담 응답은 0에서 저역 차단주파수까지의 모든 주파수의 신호를 차단한다. 그리고 저역과 고역 차단주파수 사이의 모든 주파수의 신호는 통과시킨다. 또 고역 차단주파수 이상의 모든 주파수 신호들은 차단한다.

　　대역통과 필터에서 통과대역은 저역과 고역 차단주파수 사이의 모든 주파수이다. 저역 차단주파수 이하, 고역 차단주파수 이상의 주파수들은 저지대역이다. 이상적인 대

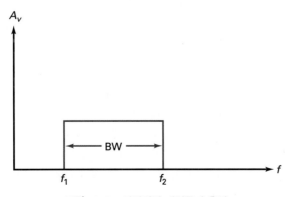

그림 19-3　이상적인 대역통과 응답

역통과 필터는 통과대역에서 0의 감쇄를 가지고, 저지대역에서 ∞의 감쇄를 가지며 이들 대역 간에는 두 개의 수직전환이 주어진다.

대역통과 필터의 대역폭(*bandwidth: BW*)은 고역과 저역의 3-dB차단주파수 간의 차이다.

$$\text{BW} = f_2 - f_1 \qquad \qquad (19\text{-}1)$$

예를 들면 만일 이들 두 차단주파수가 450과 460 kHz라면 대역폭은,

$$\text{BW} = 460\ \text{kHz} - 450\ \text{kHz} = 10\ \text{kHz}$$

이다. 또 다른 예로서 만일 차단주파수가 300과 3300 Hz라면 대역폭은 아래와 같다.

$$\text{BW} = 3300\ \text{Hz} - 300\ \text{Hz} = 3000\ \text{Hz}$$

f_0로 기호화되는 중심주파수는 두 차단주파수의 **기하학적인 평균**(geometric average)으로 주어진다.

$$f_0 = \sqrt{f_1 f_2} \qquad \qquad (19\text{-}2)$$

예를 들어 전화회사가 전화 대화를 분리하기 위해 300 Hz와 3,300 Hz의 차단주파수를 갖는 대역통과 필터를 사용한다면, 이 필터의 중심주파수는

$$f_0 = \sqrt{(300\ \text{Hz})(3,300\ \text{Hz})} = 995\ \text{Hz}$$

이다. 서로 다른 전화 대화(phone conversation)간의 간섭을 피하기 위해서는 대역통과 필터는 그림 19-3에 나타낸 벽돌담응답에 근접하는 응답을 가져야 한다.

대역통과 필터의 Q는 중심주파수를 대역폭으로 나눈 것으로 정의한다.

$$Q = \frac{f_0}{\text{BW}} \qquad \qquad (19\text{-}3)$$

예를 들어 만일 $f_0 = 200\ \text{kHz}$이고 $\text{BW} = 40\ \text{kHz}$이면 $Q = 5$이다.

Q가 10보다 클 때 중심주파수는 차단주파수의 산술적 평균(arithmetic average)으로 근사화시킬 수 있다.

$$f_0 \cong \frac{f_1 + f_2}{2}$$

예를 들어 AM(진폭변조) 라디오 수신기의 대역통과 필터(IF단)의 차단주파수는 450과 460 kHz이다. 중심주파수는 근사적으로 다음과 같다.

$$f_0 \cong \frac{450\ \text{kHz} + 460\ \text{kHz}}{2} = 455\ \text{kHz}$$

만일 Q가 1보다 적다면 이때의 대역통과 필터를 **광대역 필터**(wideband filter)라 부르고, 만일 Q가 1보다 크다면 이 필터를 **협대역 필터**(narrowband filter)라 부른다. 예를 들어 95 kHz와 105 kHz의 차단주파수를 갖는 필터는 그 대역폭이 10 kHz이다. 이것은 Q가 거의 10이기 때문에 협대역이다. 300 Hz와 3,300 Hz의 차단주파수를 가지는 필터는 중심주파수가 거의 1,000 Hz이고 대역폭이 3,000 Hz이다. 이것은 Q가 거의 0.333이기 때문에 광대역이다.

그림 19-4 이상적인 대역저지 응답

대역저지 필터

그림 19-4에 **대역저지 필터**(bandstop filter)의 이상적인 주파수 응답을 나타내었다. 이 형의 필터는 0에서 저역 차단주파수까지의 모든 주파수의 신호는 통과시키고, 저역과 고역 차단주파수 사이의 모든 주파수 신호는 차단한다. 그리고 고역 차단주파수 이상의 모든 주파수 신호는 통과시킨다.

대역저지 필터에서 저지대역은 저역과 고역 차단주파수 사이의 모든 주파수이다. 저역 차단주파수 이하, 고역 차단주파수 이상의 모든 주파수는 통과대역이다. 이상적인 대역저지 필터는 저지대역에서 ∞의 감쇄를 가지고, 통과대역에서 0인 감쇄를 가지며, 이들 대역 간에는 두 개의 수직전환이 주어진다.

대역폭, 협대역 및 중심주파수에 대한 정의는 앞과 같다. 다시 말해 대역저지 필터에서 BW, f_0 및 Q를 계산하기 위해 식 (19-1)에서 (19-3)을 사용할 수 있다. 덧붙여 대역저지 필터는 저지대역의 모든 주파수에서 응답을 제거(notch out)하기 때문에 가끔 노치필터(*notch filter*)라 부르기도 한다.

전역통과 필터

그림 19-5에 이상적인 **전역통과 필터**(all-pass filter)의 주파수 응답을 나타내었다. 이것은 통과대역과 저지대역이 없다. 이 때문에 이것은 0과 ∞ 사이의 모든 주파수 신호를 통과시킨다. 이것은 모든 주파수에서 0인 감쇄를 가지기 때문에 필터라 부르는 것이 오히려 좀 별난 듯하다. 그러나 이것을 필터라 부르는 이유는 이를 통과하는 신호의 위상이

그림 19-5 이상적인 전역통과 응답

영향을 받기 때문이다. 전역통과 필터는 진폭의 변화없이 신호를 필터하면서 얼마만큼의 위상천이만 발생시키려 할 때 유용하다.

필터의 위상응답(*phase response of a filter*)은 주파수에 대한 위상천이 그래프로 정의한다. 앞서 언급했듯이 이상적인 저역통과 필터는 전체주파수에서 0°의 위상응답을 갖는다. 이 때문에 기본파와 현저하게 많은 고조파를 제공하는 비정현파 입력신호도 이상적인 저역통과 필터의 통과대역을 통과한 후에는 동일한 모양을 가진다.

전역통과 필터의 위상응답은 이상적인 저역통과 필터의 응답과는 서로 다르다. 전역통과 필터에서는 각기 다른 주파수의 신호가 필터를 통과할 때 얼마만큼의 위상이 천이된다. 예를 들어 18-3절에서 설명한 이상기(phase shift)는 전체 주파수에서 0의 감쇄를 갖는 비반전 연산증폭기회로였으나 출력위상각은 0°와 −180° 사이의 각을 가졌다. 이상기가 전역통과 필터의 간단한 예이다. 다음 절에서 보다 큰 위상천이를 발생시키는 더 복잡한 전역통과 필터에 대해 설명할 것이다.

19-2 근사응답

앞 절에서 설명한 이상적인 응답은 실제 회로에서는 실현 불가능하지만, 이상적인 응답에 대한 절충으로 사용되는 다섯 가지의 표준근사가 있다. 이들 근사들은 각기 다른 것들이 가지지 않는 이점을 제공한다. 근사는 응용 시 무엇을 받아들일 것인가에 따라 설계자가 선택하면 된다.

감쇄

감쇄(attenuation)는 신호의 손실을 말한다. 일정한 입력전압에서 감쇄는 어떤 주파수에서의 출력전압을 중간대역에서의 출력전압으로 나눈 것으로 정의한다.

$$감쇄 = \frac{v_{out}}{v_{out(mid)}} \tag{19-3a}$$

예를 들면 어떤 주파수에서 출력전압이 1 V이고 중간대역에서의 출력전압이 2 V였다면

$$감쇄 = \frac{1\,V}{2\,V} = 0.5$$

이다.

일반적으로 감쇄는 다음 식을 사용해서 데시벨(dB)로 표현한다.

$$\text{dB 감쇄} = 20 \log 감쇄 \tag{19-3b}$$

감쇄가 0.5이면 dB 감쇄는

$$\text{dB 감쇄} = -20 \log 0.5 = 6\ dB$$

(−)부호 때문에 dB감쇄는 항상 양의 값이다. dB감쇄는 중간대역의 출력전압을 기준으로 사용한다. 근본적으로 필터의 중간대역에서의 전압이득을 기준으로 어떤 주파수에서의 전압이득을 비교한다. 감쇄는 대부분 dB로 표현하기 때문에 감쇄란 용어는 dB감쇄란 의미로 사용된다.

예를 들어 3 dB의 감쇄는 출력전압이 중간대역의 값에 비해 0.707임을 의미한다. 6 dB의 감쇄는 출력전압이 중간대역 값의 0.5임을 의미한다. 12 dB의 감쇄는 출력전압이 중간대역 값의 0.25임을 의미한다. 20 dB의 감쇄는 출력전압이 중간대역 값의 0.1임을 의미한다.

통과대역과 저지대역에서의 감쇄

필터의 해석과 설계에서 저역통과 필터는 기본형(*prototype*)이고, 기본회로는 다른 회로들을 얻기 위해 변형할 수 있다. 일반적으로 모든 필터의 문제는 등가인 저역통과 필터 문제로 바꾸고 저역통과 필터 문제로 해석한다. 풀이는 원래의 필터형으로 다시 바꾸어준다. 이와 같이 하는 이유는 설명을 저역통과 필터에 맞추어서 하고 다른 필터들에 대한 설명도 부연하기 위함이다.

통과대역에서 0인 감쇄, 저지대역에서 ∞인 감쇄 및 수직전환은 사실과 다르다. 실제적인 저역통과 필터를 설계하기 위해서는 그림 19-6에서 보는 바와 같이 세 영역을 근사화한다. 통과대역은 0과 f_c 사이의 주파수로 설정하고, 저지대역은 f_s 이상의 전체주파수로 한다. 전환영역은 f_c와 f_s 사이로 한다.

그림 19-6에 나타내었듯이 통과대역은 완전한 0인 감쇄를 갖지 못한다. 그 대신 0과 A_p 사이의 감쇄를 허용한다. 예를 들어 어떤 응용에서는 통과대역이 $A_p = 0.5$ dB를 갖는다고 할 수 있다. 이것은 이상적인 응답과 견주어 통과대역의 어떤 주파수에서나 신호의 손실을 0.5 dB까지 허용한다는 것을 의미한다.

마찬가지로 저지대역도 완전한 ∞인 감쇄를 갖지 못한다. 그 대신 저지대역의 감쇄는 저지대역내의 어떤 주파수에서나 A_s에서 ∞까지로 허용한다. 예를 들어 어떤 응용에서 $A_s = 60$ dB가 적절했다면 이것은 저지대역 어디에서나 60 dB 또는 그 이상의 감쇄는 받아들여야 함을 의미한다.

그림 19-6에서 전환영역도 완전한 수직이 아니다. 그 대신 우리는 비수직적인 강하(roll-off)를 받아들여야 한다. 강하율은 f_c, f_s, A_p 및 A_s의 값에 의해 결정될 것이다. 예를 들어 만일 $f_c = 1$ kHz, $f_s = 2$ kHz, $A_p = 0.5$ dB 및 $A_s = 60$ dB라면 감소는 거의 60 dB/octave가 요구된다.

설명하려 하는 다섯 가지의 근사는 통과대역, 저지대역 및 전환영역의 특성 간

그림 19-6 실제적인 저역통과 응답

에 상반관계가 있다. 통과대역의 최적평탄 또는 강하율, 위상천이도 근사화해도 좋다.

마지막으로 저역통과 필터의 통과대역에서 최고의 주파수를 **차단주파수**(*cutoff frequency*: f_c)라고 부른다. 또한 이 주파수는 통과대역의 가장자리에 존재하기 때문에 **에지주파수**(edge frequency)라 부르기도 한다. 어떤 필터에서는 에지주파수에서의 감쇄가 3 dB 이하이다. 감쇄가 3 dB 감소할 때의 주파수에 대해서는 f_{3dB}를 사용하고, 다른 감쇄를 가질 수도 있는 에지주파수에 대해서는 f_c를 사용하는 것이 그 이유이다.

필터의 차수

n으로 기호화되는 **수동 필터의 차수**(order of passive filter)는 필터에 포함된 인덕터와 커패시터의 수와 같다. 만일 수동 필터가 2개의 인덕터와 2개의 커패시터를 갖는다면 $n = 4$이다. 만일 수동 필터가 5개의 인덕터와 5개의 커패시터를 갖는다면 $n = 10$이다. 그러므로 차수는 필터가 얼마나 복잡한가를 말해준다. 차수가 크면 클수록 필터는 더욱 더 복잡하다.

능동 필터의 차수(order of active filter)는 회로에 포함된 극(pole)이라 불리는 RC회로의 수에 따른다. 만일 능동 필터가 8개의 RC회로를 포함하고 있다면 $n = 8$이다. 능동 필터에서 개별 RC회로를 세는 것은 항상 다르다. 따라서 능동회로의 차수를 결정하기 위해서는 다음의 간단한 방식을 사용해야 한다.

$$n \cong \text{\# 커패시터} \tag{19-4}$$

여기서 # 기호는 "···의 수"를 나타낸다. 예를 들어 만일 능동 필터가 12개의 커패시터를 포함한다면 그것은 12차수를 의미한다.

식 (19-4)가 지침임을 명심하라. RC회로보다는 오히려 커패시터를 세기 때문에 예외가 발생할 수는 있다. 이따금의 예외는 제쳐놓고 식 (19-4)는 능동 필터에서 차수 또는 극의 수를 결정하는 빠르고 쉬운 방법이다.

버터워스 근사

버터워스 근사(Butterworth approximation)는 통과대역의 감쇄가 통과대역 대부분에 걸쳐 0이고 통과대역의 가장자리에서 점차 A_p로 감소하기 때문에 때때로 **최대 평탄근사**(*maximally flat approximation*)라 부르기도 한다. 에지주파수 이상에서의 응답은 거의 20 n dB/decade의 비율로 강하한다. 여기서 n은 필터의 차수이다.

$$\text{강하(Roll-off)} = 20n \quad \text{dB/decade} \tag{19-4a}$$

옥타브로 표현하면,

$$\text{강하(Roll-off)} = 6n \quad \text{dB/octave} \tag{19-4b}$$

예를 들어 1차 버터워스 필터는 20 dB/decade 또는 6 dB/octave의 비율로 강하한다. 4차필터는 80 dB/decade 또는 24 dB/octave의 비율로 강하하고, 9차필터인 경우는 180 dB/decade 또는 54 dB/octave의 비율로 강하한다.

그림 19-7에 $n = 6$, $A_p = 2.5$ dB, $f_c = 1$ kHz의 사양(specification)을 갖는 버터

그림 19-7 버터워스 저역통과 응답

워스 저역통과 필터의 응답을 나타내었다. 이 사양은 이것이 2.5 dB의 통과대역 감쇄
와 1 kHz의 에지주파수를 갖는 6차 또는 6극 필터임을 말해주고 있다. 그림 19-7의 주
파수축의 수는 다음과 같이 줄인 것이다. 즉, 2E3 = 2 × 10^3 = 2,000 등이다(주: E는
"exponent"를 나타냄).

통과대역에서 응답이 얼마나 평탄한지에 주목하라. 버터워스 필터의 가장 큰 이
점은 통과대역 응답의 평탄성이다. 가장 큰 단점은 다른 근사에 비해 비교적 느린 강하
율을 갖는다는 것이다.

체비쉐프 근사

어떤 응용에서는 평탄한 통과대역 응답이 중요하지 않다. 이때는 차라리 버터워스 필터
보다 전환영역에서의 강하가 빠른 **체비쉐프 근사**(chebyshev approximation)를 선택하는
것이 좋다. 이 빠른 강하에 대한 대가로 주파수 영역의 통과대역에는 리플이 나타난다.

그림 19-8a에 n = 6, A_p = 2.5 dB, f_c = 1 kHz의 사양을 가지는 체비쉐프 저역통
과 필터의 응답을 나타내었다. 이것은 앞의 버터워스 필터의 사양과 같다. 그림 19-7과
19-8a를 비교했을 때 동일차수의 체비쉐프 필터가 전환영역에서 더 빠른 강하를 나타

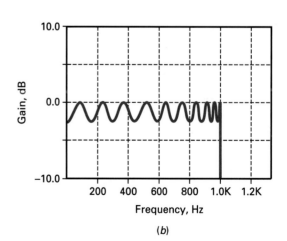

(a)   (b)

그림 19-8 (a) 체비쉐프 저역통과 응답; (b) 통과대역에서의 리플의 확대

넘을 볼 수 있다. 이 때문에 체비쉐프 필터에서의 감쇄는 동일한 차수의 버터워스 필터의 감쇄보다 항상 더 크다.

체비쉐프 저역통과 필터의 통과대역에서의 리플 수는 필터차수의 1/2과 같다.

$$\text{#리플} = \frac{n}{2} \tag{19-5}$$

만일 필터가 10차라면 통과대역에서 5개의 리플을 가질 것이다. 또 만일 필터의 차수가 15라면 7.5개의 리플을 가질 것이다. 그림 19-8*b*에 20차에 대한 체비쉐프 응답을 확대하여 나타내었다. 이 그림에서 보면 통과대역에 10개의 리플이 주어진다.

그림 19-8*b*에서 리플은 동일한 피크-피크 값을 가진다. 이것은 체비쉐프 근사를 흔히 **균일리플 근사**(*equal-ripple approximation*)라 부르는 이유이다. 일반적으로 설계 시에는 응용의 필요성에 따라 0.1~3 dB 사이의 리플크기를 선택할 것이다.

역 체비쉐프 근사

빠른 강하(roll-off)뿐만 아니라 평탄한 통과대역 응답이 요구되는 응용에서는 설계 시 **역 체비쉐프 근사**(inverse Chebyshev approximation)를 사용해야 한다. 이것은 평탄한 통과대역 응답과 리플이 발생하는 저지대역 응답을 가진다. 전환영역에서의 강하율은 체비쉐프 필터의 강하율과 비슷하다.

그림 19-9에 $n = 6$, $A_p = 2.5$ dB, $f_c = 1$ kHz의 사양을 갖는 역 체비쉐프 저역통과 필터의 응답을 나타내었다. 그림 19-9와 그림 19-7, 19-8*a*를 비교했을 때 역 체비쉐프 필터는 평탄한 통과대역 및 빠른 강하와 리플이 발생하는 저지대역을 가짐을 알 수 있다.

모노토닉(monotonic)은 저지대역에 리플을 갖지 않음을 의미한다. 지금까지 설명한 근사에서 버터워스와 체비쉐프 필터는 모노토닉 저지대역을 가지고, 역 체비쉐프는 저지대역에 리플을 가진다.

역 체비쉐프 필터의 사양을 기록할 때는 저지대역 전역에 걸쳐 수용 가능한 최소 감쇄를 제공해야 하는데, 왜냐하면 저지대역이 이 값에 도달할지도 모르는 리플을 가지기 때문이다. 예를 들어 그림 19-9에서 역 체비쉐프 필터는 60 dB의 저지대역 감쇄를 가진다. 보다시피 리플은 저지대역 내의 서로 다른 주파수에서 이 레벨에 근접한다.

그림 19-9의 특별한 저지대역 응답은 역 체비쉐프 필터가 저지대역 내의 어떤 주

그림 19-9 역 체비쉐프 저역통과응답

그림 19-10 타원형 근사 저역통과응답

파수에서 응답이 노치(notch)성분을 가지기 때문에 발생한다. 다시 말해 저지대역 내에서 감쇄가 ∞에 근접하는 주파수들도 있다.

타원형 근사

전환영역에서 가능한 한 강하가 가장 빠른 것을 필요로 하는 응용도 있다. 만일 리플이 발생되는 통과대역과 저지대역을 수용할 수 있다면 설계 시는 **타원형 근사**(elliptic approximation)를 선택해야 한다. 또한 이것은 통과대역과 저지대역에 대한 보상으로 전환영역이 최적화되는 필터로 일명 **카우어필터**(*Cauer filter*)로도 알려져 있다.

그림 19-10에 앞의 사양과 같은 $n = 6$, $A_p = 2.5$ dB, $f_c = 1$ kHz를 갖는 타원형 저역통과 필터의 응답을 나타내었다. 타원형 필터는 통과대역에 리플을 갖고, 전환영역의 매우 급한 강하와 저지대역에 리플을 가짐에 주목하라. 에지주파수에서 꺾인 후의 응답은 처음에는 매우 급하게 강하되다가 전환의 중간부분에서 약간 느리게 강하하다 다시 전환의 마지막부분에서 매우 급하게 강하된다. 어떤 복잡한 필터에서 사양이 정해져 주어지면 타원형 근사는 항상 최저차수를 가지는 가장 효율적인 설계를 가능하게 한다.

예를 들어 다음과 같은 사양이 주어졌다고 가정하자. 즉 $A_p = 0.5$ dB, $f_c = 1$ kHz, $A_s = 60$ dB, $f_s = 1.5$ kHz라면, 각 근사에서 요구되는 차수 또는 극의 수는 다음과 같다. 즉, 버터워스(20), 체비쉐프(9), 역 체비쉐프(9), 타원형(6) 등이다. 다시 말해 타원형 필터는 최소의 커패시터를 요구하고 가장 간단한 회로로 만들 수가 있다.

베셀근사

베셀근사(Bessel approximation)는 버터워스 근사와 흡사한 평탄 통과대역과 모노토닉 저지대역을 가진다. 그러나 동일한 필터의 차수에서 전환영역의 강하는 베셀필터가 버터워스 필터보다 훨씬 더 느리다.

그림 19-11a에 앞의 사양과 같은 $n = 6$, $A_p = 2.5$ dB, $f_c = 1$ kHz를 갖는 베셀 저역통과 필터의 응답을 나타내었다. 베셀필터는 평탄한 통과대역과 전환영역의 비교적 느린 강하 및 모노토닉한 저지대역을 가지는 것에 주목하라. 복잡한 필터에 대한 사양이 정해져 주어지면 베셀근사는 모든 근사 중에서 항상 최저의 강하를 발생할 것이다. 다시 말해 이것은 모든 근사 중에서 최고의 차수 또는 가장 복잡한 회로를 갖는다.

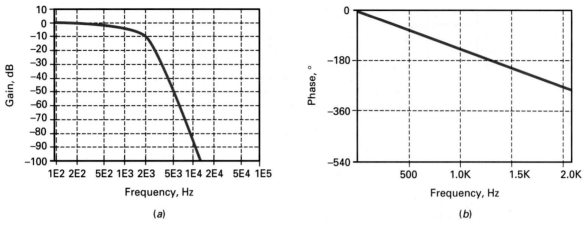

그림 19-11 (a) 베셀 저역통과 주파수 응답; (b) 베셀 저역통과 위상응답

왜 동일한 사양에서 베셀의 차수가 최고인가? 버터워스, 체비쉐프, 역 체비쉐프와 타원형근사는 주파수 응답만을 최적화하기 때문이다. 이들 근사에서는 출력신호의 위상제어는 시도하지 않는다. 그러나 베셀근사는 주파수와 함께 선형 위상천이(linear phase shift)를 발생시키는 데 최적이다. 다시 말해 베셀필터는 선형 위상천이를 얻기 위해 느린 강하율과 교환한 것이다.

왜 선형 위상천이로 고민하는가? 앞서 설명한 이상적인 저역통과 필터를 상기해 보자. 이상적인 특성 중 유일한 0°인 위상천이를 가졌다. 이것은 비정현적인 신호의 모양이 필터를 통과했을 때도 그대로 보존되어야 한다는 의미 때문에 바람직했다. 베셀필터에서는 0°인 위상천이는 얻을 수 없으나 선형 위상응답은 얻을 수가 있다. 이 필터는 주파수와 함께 위상천이를 선형적으로 증가시키는 위상응답을 가진다.

그림 19-11b에 $n = 6$, $A_p = 2.5$ dB, $f_c = 1$ kHz를 갖는 베셀필터의 위상응답을 나타내었다. 보다시피 위상응답은 선형적이다. 위상천이는 100 Hz에서 약 14°, 200 Hz에서 28°, 300 Hz에서 42° 등이다. 이 선형성은 통과대역 전체와 그 영역을 약간 지나서까지 존재한다. 약간 높은 주파수에서 위상응답은 비선형이 되나 그것은 별로 문제가 되지 않는다. 고려되는 것은 통과대역에서의 모든 주파수에 대한 선형 위상응답이다.

통과대역에서 모든 주파수에 대한 선형 위상천이란 비정현파 입력신호의 기본파와 고조파가 필터를 통과할 때 위상이 선형적으로 천이한다는 의미이다. 이 때문에 출력신호의 모양은 입력신호의 모양과 동일할 것이다.

베셀필터의 최대 이점은 비정현파 신호에 대해 가장 적은 왜곡을 발생시킨다는 것이다. 이 왜곡을 측정하는 가장 쉬운 방법 중 하나가 필터의 스텝응답이다. 이것은 입력에 스텝전압을 인가하고 출력을 오실로스코프로 관측하는 것을 의미하는데, 베셀필터는 모든 필터 중에서 최상의 스텝응답을 나타낸다.

그림 19-12a에서 c는 $A_p = 3$ dB, $f_c = 1$ kHz, $n = 10$을 갖는 저역통과 필터에 대한 서로 다른 스텝응답을 나타내었다. 버터워스필터 그림 19-12a의 스텝응답은 최종레벨에 오버슈트(overshoot)가 발생되었다가 몇 번의 링잉(ringing)을 거쳐 1 V인 최종치에 다다른다. 이 같은 스텝응답은 어떤 응용에서는 수용할 수 있을지 모르나 이상적이지는 않다. 체비쉐프 필터(그림 19-12b)의 스텝응답은 극히 나쁘다. 최종치에 이르기 전

그림 19-12 스텝응답. (a) 버터워스와 역 체비쉐프; (b) 체비쉐프와 타원형; (c) 베셀

에 오버슈터와 수많은 링잉을 가진다. 이 같은 스텝응답은 이상적인 것과는 거리가 멀고 어떤 응용에서도 수용할 수가 없다. 역 체비쉐프 필터의 스텝응답은 버터워스 응답과 비슷한데, 왜냐하면 두 응답이 모두 통과대역에서 최대평탄을 갖기 때문이다. 또 타원형 필터의 스텝응답은 체비쉐프 응답과 비슷한데 두 응답이 모두 통과대역에 리플을 가지기 때문이다.

그림 19-12c에 베셀필터의 스텝응답을 나타내었다. 이것은 거의 입력 스텝전압의 이상적인 재생이다. 상승시간이 완벽한 스텝과 조금 다를 뿐이다. 베셀 스텝응답은 눈에 띌 정도로 오버슈터나 링잉을 갖지 않는다. 디지털 데이터는 양과 음의 스텝으로 구성되어 있기 때문에 그림 19-12a, b의 왜곡된 응답보다는 그림 19-12c와 같은 깨끗한 응답을 택해야 한다. 이 때문에 베셀 필터는 다소의 데이터통신 시스템에 사용되고 있다.

선형 위상응답은 **일정한 시간지연**(*constant time delay*)을 뜻하는데 이것은 통과대역의 모든 주파수에서 필터를 통과하는 신호들이 동일한 시간만큼 지연된다는 것을 의미한다. 필터를 통과하는 신호가 걸리는 시간은 필터의 차수에 의존한다. 베셀필터를 제외한 모든 필터에서 이 시간은 주파수와 함께 변화한다. 베셀필터에서의 시간지연은 통과대역의 모든 주파수에서 일정하다.

그림 19-13 시간지연. (a) 타원형; (b) 베셀

실제 예를 들어, 그림 19-13a에 $n = 10$, $A_p = 3$ dB, $f_c = 1$ kHz인 타원형 필터에서의 시간지연을 나타내었다. 주파수에 따라 시간지연이 어떻게 변하는지 보라. 그림 19-13b에 동일한 사양을 갖는 베셀필터의 시간지연을 나타내었다. 통과대역과 그 이상에서 시간지연이 얼마나 일정한가를 보라. 이것이 베셀필터를 흔히 **최대 평탄 지연필터** (*maximally flat delay filter*)라 부르는 이유이다. 일정한 시간지연은 선형 위상천이를 의미하고 그 반대도 성립한다.

각 근사의 강하(roll-off)

버터워스의 강하율은 식 (19-4a)와 (19-4b)에 의해 다음과 같이 요약된다.

강하 $= 20\ n$ dB/decade

강하 $= 6\ n$ dB/octave

체비쉐프, 역 체비쉐프와 타원형 근사는 전환영역에서 아주 빠르게 강하되나 베셀은 아주 느리게 강하된다.

버터워스 필터를 제외한 필터의 전환영역의 강하율은 간단한 식으로 요약할 수가 없다. 왜냐하면 비선형이고 필터의 차수, 리플의 크기 및 기타 요소에 의존하기 때문이다. 비록 이들 비선형 강하에 대해 식으로는 쓸 수가 없으나 다음과 같이 전환영역에서

요점정리 표 19-1	6차 근사에 대한 감쇄	
형식	f_c, **dB**	$2f_c$, **dB**
베셀	3	14
버터워스	3	36
체비쉐프	3	63
역 체비쉐프	3	63
타원형	3	93

그림 19-14   버터워스 고역통과 응답

서로 다른 강하율은 비교할 수 있다.

　　요점정리 표 19-1에 $n = 6$과 $A_p = 3$ dB에서의 감쇄를 나타내었다. 필터들이 에지 주파수 이상 1옥타브 감쇄에 대해 분류되었다. 베셀필터가 가장 느리게 강하하고, 버터 워스 필터가 그 다음 등등이다. 통과대역 또는 저지대역에 리플을 갖는 모든 필터는 주파 수 응답에서 리플을 갖지 않는 베셀과 버터워스 필터보다 더 빠른 전환 강하율을 가진다.

필터의 또 다른 형

이 장의 맨 앞부분에서 고역통과, 대역통과 및 대역저지 필터에 대해 설명했다. 고역통 과 필터에 대한 근사는 에지주파수 부근을 수평적으로 회전시킨 응답을 제외하고는 저 역통과 필터의 근사와 같다. 예를 들어 그림 19-14에 $n = 6$, $A_p = 2.5$ dB, $f_c = 1$ kHz를 갖는 고역통과 필터에 대한 버터워스 응답을 나타내었다. 이것은 앞서 설명한 저역통과 응답을 거울에 비친 듯이 좌우가 반전된 형상(경상: 鏡像)이다. 체비쉐프, 역 체비쉐프, 타원형 및 베셀의 고역통과 응답도 그들의 저역통과 응답의 경상과 같다.

　　대역통과 응답은 서로 다르다. 예를 들어 사용된 사양은 다음과 같다.

　　$n = 12$, $A_p = 3$ dB, $f_0 = 1$ kHz, BW = 3 kHz. 그림 19-15a에 버터워스 응답을 나 타내었다. 예상한 대로 통과대역은 최대평탄하고 저지대역은 모노토닉하다. 그림 19-15b 의 체비쉐프 응답은 리플을 갖는 통과대역과 모노토닉한 저지대역을 나타낸다. 이것은 1/2차수에 6개의 통과대역 리플를 나타내는데 식 (19-5)를 만족한다. 그림 19-15c는 역 체비쉐프 필터에 대한 응답이다. 평탄한 통과대역과 리플을 갖는 저지대역을 볼 수 있 다. 그림 19-15d에 리플을 갖는 통과대역과 저지대역을 가지는 타원형 응답을 나타내었 고, 마지막으로 그림 19-15e에 베셀응답을 나타내었다.

　　대역저지 응답은 대역통과 응답과 반대이다. 대역저지 응답에 사용한 사양은 다 음과 같다. 즉 $n = 12$: $A_p = 3$B, $f_0 = 1$ kHz, BW = 3 kHz 등이다. 그림 19-16a에 버터 워스 응답을 나타내었다. 예상한 대로 통과대역은 최대평탄하고 저지대역은 모노토닉 하다. 그림 19-16b의 체비쉐프 응답은 리플을 갖는 통과대역과 모노토닉한 저지대역을 나타낸다. 그림 19-16c는 역 체베쉐프 응답이다. 평탄한 통과대역과 리플을 갖는 저지 대역을 볼 수 있다. 그림 19-16d는 리플을 갖는 통과대역과 저지대역을 가지는 타원형 응답을 나타내었다. 마지막으로 그림 19-16e에 베셀필터의 대역저지 응답을 나타내었다.

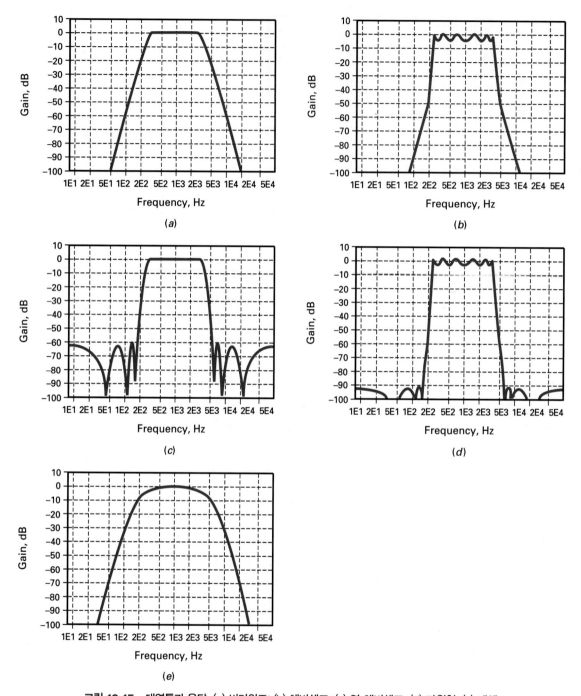

그림 19-15 대역통과 응답. (a) 버터워즈; (b) 체비쉐프; (c) 역 체비쉐프; (d) 타원형; (e) 베셀

결론

요점정리 표 19-2에 필터 설계에 사용되는 다섯 가지 근사를 요약했는데, 각기 장단점을 가진다. 평탄한 통과대역이 필요할 때는 버터워즈와 역 체비쉐프 필터가 최적인 후보이다. 최종선택은 강하(roll-off), 차수 및 기타 설계상의 고려와 같은 요구에 따라 이 둘 중에서 사용할 수 있는 것으로 결정해야 한다.

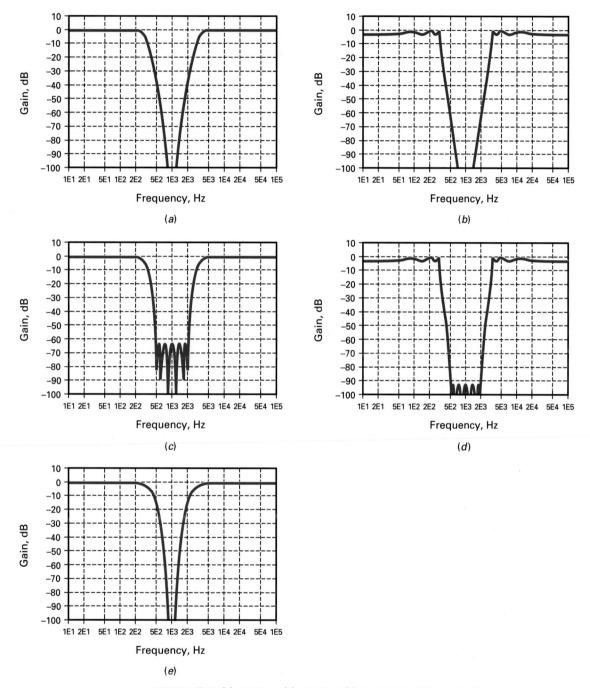

그림 19-16　대역저지 응답. (a) 버터워스; (b) 체비쉐프; (c) 역 체비쉐프; (d) 타원형; (e) 베셀

　만일 리플을 갖는 통과대역을 수용할 수 있다면 체비쉐프와 타원형 필터가 최적 후보이다. 최종선택은 강하, 차수 및 기타 설계상의 고려와 같은 요구에 따라 이 둘 중 에서 결정해야 한다.

　스텝응답이 중요할 때는 만일 그것이 감쇄요구를 충족시킨다면 베셀필터가 최적 인 후보가 된다. 베셀근사는 요점정리 표에서 보다시피 비정현파 신호의 모양을 보존하

요점정리 표 19-2	필터의 근사			
형식	**통과대역**	**저지대역**	**감소**	**스텝응답**
버터워스	평탄	모노토닉	빠름	좋음
체비쉐프	리플	모노토닉	매우 빠름	나쁨
역 체비쉐프	평탄	리플	매우 빠름	좋음
타원형	리플	리플	가장 빠름	나쁨
베셀	평탄	모노토닉	느림	가장 좋음

는 유일한 것이다. 이것은 디지털신호가 양과 음의 스텝으로 구성되어있기 때문에 데이터통신에서는 반드시 필요하다.

베셀필터가 충분한 감쇄를 제공할 수 없는 응용에서는 베셀필터가 아닌 필터에 전역통과 필터를 종속시킬 수 있다. 정확히 설계되었을 때 전역통과 필터는 거의 완벽한 스텝응답을 얻기 위한 전체 위상응답을 선형화할 수 있다. 이에 대해서는 다음 절에서 보다 상세히 설명하기로 한다.

저항과 커패시터로 구성된 연산증폭기 회로는 이 다섯 가지의 어떤 근사라도 전부 구현할 수가 있다. 알다시피 설계의 복잡성, 부품의 감도 및 동조의 용이성간의 상반교환을 제공하는 다양한 회로가 유용하다. 예를 들어 어떤 2차회로는 단지 연산증폭기 하나와 몇 개의 부품만을 사용하지만 이 단순한 회로는 부품의 오차 및 드리프트에 크게 의존하는 차단주파수를 가진다. 또 다른 2차회로는 세 개, 혹은 그 이상의 연산증폭기를 사용하나 이 복잡한 회로는 부품의 오차와 드리프트에 의존하는 경향이 훨씬 적다.

19-3 수동 필터

앞서 설명한 능동필터회로는 검토를 필요로 하는 것이 2가지 이상 있었다. 2차 저역통과 LC회로는 공진주파수를 가지고, 직렬 또는 병렬 공진회로와 흡사한 Q를 가진다. 공진주파수는 일정하게 유지되나 Q가 다양하게 변화하므로 고차인 필터의 통과대역에서는 리플이 나타날 수 있다. 이 절의 수동 필터는 능동 필터의 동작을 좀 더 많이 고찰했기 때문에 개념만 간단히 설명하기로 한다.

공진주파수와 Q

그림 19-17에 저역통과 LC필터를 나타내었다. 이것은 두 개의 민감한 부품인 인덕터와 커패시터를 포함하기 때문에 2차 필터이다. 2차 LC필터는 다음과 같이 정의되는 공진주파수와 Q를 가진다.

$$f_0 = \frac{1}{2\pi\sqrt{LC}} \tag{19-6}$$

$$Q = \frac{R}{X_L} \tag{19-7}$$

그림 19-17 2차 LC필터

여기서 X_L은 공진주파수에서 계산된다.

예를 들어 그림 19-18*a*의 필터는 다음과 같은 공진주파수와 Q를 가진다.

$$f_0 = \frac{1}{2\pi\sqrt{(9.55 \text{ mH})(2.65 \text{ }\mu\text{F})}} = 1 \text{ kHz}$$

$$Q = \frac{600 \text{ }\Omega}{2\pi(1 \text{ kHz})(9.55 \text{ mH})} = 10$$

그림 19-18*b*에 주파수 응답을 나타내었다. 필터의 공진주파수인 1 kHz에서 공진피크가 어떠한지에 주목하라. 또 1 kHz에서 어떻게 전압이득이 20 dB 증가하는지도 주목하라. Q가 크면 클수록 공진주파수에서의 전압이득도 더 증가한다.

그림 19-18*c*의 필터는 다음과 같은 공진주파수와 Q를 가진다.

$$f_0 = \frac{1}{2\pi\sqrt{(47.7 \text{ mH})(531 \text{ nF})}} = 1 \text{ kHz}$$

$$Q = \frac{600 \text{ }\Omega}{2\pi(1 \text{ kHz})(47.7 \text{ mH})} = 2$$

그림 19-18*c*와 그림 19-18*a*의 값과 비교했을 때 인덕턴스는 5배 증가되었고, 커패시턴스는 5배 감소되었다. LC의 곱은 같기 때문에 공진주파수는 여전히 1 kHz이다.

한편 Q는 인덕턴스에 반비례하기 때문에 5배 감소한다. 그림 19-18*d*에 주파수 응답을 나타내었다. 다시 1 kHz에서 응답의 피크에 주목하면 적어진 Q때문에 전압이득의 증가가 6 dB에 그친다.

만일 Q를 계속해서 감소시키면 공진피크는 사라질 것이다. 예를 들어 그림 19-18*e*의 필터는 다음과 같은 공진주파수와 Q를 가진다.

$$f_0 = \frac{1}{2\pi\sqrt{(135 \text{ mH})(187 \text{ nF})}} = 1 \text{ kHz}$$

$$Q = \frac{600 \text{ }\Omega}{2\pi(1 \text{ kHz})(135 \text{ mH})} = 0.707$$

그림 19-18*f*에 주파수 응답을 나타내었는데, 이것은 버터워스 응답과 같다. 0.707의 Q에서 공진피크는 사라지고 통과대역은 최대평탄이 된다. Q가 0.707인 모든 2차 필터는 항상 버터워스 응답을 가진다.

제동계수

공진에서 피킹동작을 설명하는 또 다른 방법은 다음과 같이 정의되는 **제동계수**(damping factor)를 사용하는 것이다.

$$\alpha = \frac{1}{Q} \qquad\qquad\qquad (19\text{-}8)$$

$Q = 10$에서 제동계수는

$$\alpha = \frac{1}{10} = 0.1$$

마찬가지로 Q가 2이면 $a = 0.5$이고, Q가 0.707이면 $a = 1.414$이다.

그림 19-18 예제

그림 19-18*b*는 0.1인 적은 제동계수를 가진다. 그림 19-18*d*에서는 제동계수가 0.5로 증가하고 공진피크는 감소한다. 그림 19-18*f*에서 제동계수는 1.414로 증가하고 공진피크는 사라진다. 단어의 뜻에 의하면 제동(*damping*)은 "감소(reducing)" 또는 "점감(漸減; diminishing)"을 의미한다. 제동계수가 크면 클수록 피크는 더 적어진다.

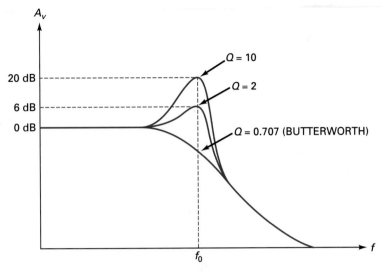

그림 19-19 2차 응답에서의 Q의 효과

버터워스와 체비쉐프 응답

그림 19-19에 2차 필터에서 Q의 효과를 요약했다. 그림 19-19에서 보는 바와 같이 Q가 0.707이면 버터워스 또는 최대 평탄응답을 나타낸다. Q가 2이면 6 dB 크기의 리플이 발생하고, Q가 10이면 20 dB 크기의 리플이 발생한다. 제동이란 용어를 사용하면 버터워스 응답은 **임계제동**(*critically damped*), 리플을 갖는 응답은 **과소제동**(*underdamped*)이라고 한다. 또 그림에는 나타내지 않았지만 베셀응답은 Q가 0.577이기 때문에 **과대제동**(*overdamped*)이라고 한다.

고차 LC필터

고차 필터는 항상 2차단을 종속접속하여 구성한다. 예를 들어 그림 19-20에 에지주파수 1 kHz와 리플크기 1 dB를 갖는 체비쉐프 필터를 나타내었다. 이 필터는 3개의 2차단으로 구성되었으므로 전체 필터는 6차임을 의미한다. $n = 6$이기 때문에 필터는 3개의 통과대역 리플을 가진다.

각 단이 얼마의 공진주파수와 Q를 갖는지에 주목하라. 스테거(stagger)된 공진주파수는 통과대역에서 3개의 리플을 발생시킨다. 스테거된 Q_s는 다른 단에서 강하를 가지는 주파수에서 피크를 발생시키므로 1 dB 크기의 리플을 유지한다. 예를 들어 둘째 단은 747 Hz의 공진주파수를 가진다. 이 주파수에서 첫째 단은 그 차단주파수가 353 Hz이기 때문에 강하를 가진다. 둘째 단은 747 Hz에서 공진피크를 발생하므로 첫째 단

그림 19-20 고차 필터에서 스테거된 공진주파수와 Q_s

에서의 강하를 보상한다. 마찬가지로 셋째 단은 995 Hz의 차단주파수를 가진다. 이 주파수에서 첫째 단과 둘째 단이 강하하지만 셋째 단이 995 Hz에서 큰 Q의 피크를 발생시키므로 그들의 강하를 보상한다.

스테거 공진주파수와 2차단의 Q_S에 대한 생각은 수동 필터뿐만 아니라 능동 필터에도 적용된다. 다시 말해 고차 능동 필터를 설계하는 데 있어 필요한 전체응답을 정확히 얻는 방법으로 스테거된 공진주파수와 Q_S를 갖는 2차단의 종속접속을 생각할 수 있다.

19-4 1차단

1차단(first-order stage) 또는 1극 능동 필터 단은 1개의 커패시터만을 가진다. 이 때문에 그것은 저역통과 또는 고역통과 응답만을 발생할 수 있다. 대역통과 및 대역저지 필터는 n이 1보다 클 때만 요구를 충족시킨다.

저역통과단

그림 19-21a에 1차 저역통과 능동 필터를 구성하는 가장 간단한 방법을 나타내었다. 이것은 RC 지상회로와 전압폴로어 이외에는 아무것도 없다. 전압이득은,

$$A_v = 1$$

3 dB 차단주파수는 다음과 같이 주어진다.

$$f_c = \frac{1}{2\pi R_1 C_1} \tag{19-9}$$

주파수가 차단주파수 이상으로 증가할 때 용량성 리액턴스는 감소하고 비반전 입력전압도 감소한다. $R_1 C_1$지상회로가 귀환루프의 외측에 있으므로 출력전압은 강하된다. 주파수가 ∞에 접근하면 커패시터는 단락되고 입력전압이 0이 된다.

그림 19-21b에 또 다른 비반전 1차 저역통과 필터를 나타내었다. 두 개의 저항이 더 부가되기는 하지만 그것은 단지 전압이득만 달리 할 뿐이다. 차단주파수 이하에서의 전압이득은 다음 식을 만족한다.

$$A_v = \frac{R_2}{R_1} + 1 \tag{19-10}$$

또 차단주파수는 다음 식으로 주어진다.

$$f_c = \frac{1}{2\pi R_3 C_1} \tag{19-11}$$

차단주파수 이상에서 지상회로는 비반전 입력전압을 감소시킨다. $R_3 C_1$의 지상회로가 귀환루프의 외측에 있으므로 출력전압은 20 dB/decade의 비율로 강하된다.

그림 19-21c에 반전 1차 저역통과 필터와 회로의 식들을 나타내었다. 저주파에서 커패시터는 개방되고 회로는 다음과 같은 전압이득을 가지는 반전증폭기처럼 동작한다.

$$A_v = \frac{-R_2}{R_1} \tag{19-12}$$

참고 사항

그림 19-21a 연산 증폭기는 입력에서 RC 저역통과 필터로 부터 부하가 절연되어 있다.

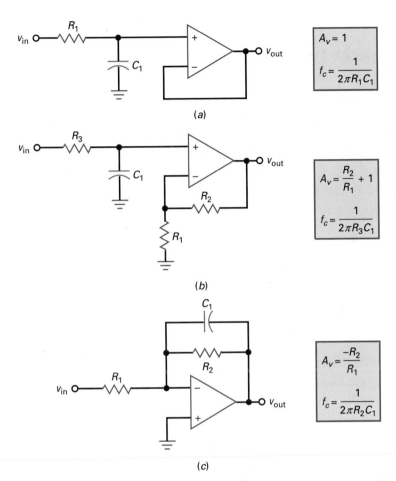

그림 19-21 1차 저역통과단. (a) 단위이득을 갖는 비반전; (b) 전압이득을 갖는 비반전; (c) 전압이득을 갖는 반전

주파수가 증가함에 따라 용량성 리액턴스는 감소하고 귀환지로의 임피던스도 감소한다. 이것은 전압이득이 적어짐을 의미한다. 주파수가 ∞에 접근함에 따라 커패시터는 단락되고 전압이득이 없어진다. 그림 19-21c에서 보다시피 차단주파수는 다음과 같이 주어진다.

$$f_c = \frac{1}{2\pi R_2 C_1} \tag{19-13}$$

이 이상 1차 저역통과 필터의 요구를 만족시키는 회로는 없다. 다시 말해 그림 19-21에 나타낸 3가지의 구성만이 능동 필터 저역통과 단으로 유용하다.

모든 1차단에 대해 반드시 알아야 할 점은, 1차단은 버터워스 응답만을 수행한다는 것이다. 그 이유는 1차단은 공진주파수를 갖지 못하기 때문이다. 그래서 통과대역에 리플을 발생시키는 피킹을 발생시킬 수가 없다. 이것은 모든 1차단이 통과대역은 최대평탄하고, 저지대역은 모노토닉하며, 전환영역은 20 dB/decade의 비율로 강하됨을 의미한다.

고역통과단

그림 19-22a에 1차 고역통과 능동 필터를 구성하는 가장 간단한 방법을 나타내었다. 전압이득은,

$$A_v = 1$$

3 dB 차단주파수는 다음과 같이 주어진다.

$$f_c = \frac{1}{2\pi R_1 C_1} \tag{19-14}$$

주파수가 차단주파수 이하로 감소할 때, 용량성 리액턴스는 증가하고 비반전 입력전압은 감소한다. $R_1 C_1$진상회로가 귀환루프의 외측에 있으므로 출력전압은 강하된다. 주파수가 0에 접근할 때 커패시터는 개방되고 입력전압도 0이 된다.

그림 19-22b에 또 다른 비반전 1차 고역통과 필터를 나타내었다. 차단주파수 이상에서 전압이득은 다음 식으로 주어진다.

$$A_v = \frac{R_2}{R_1} + 1 \tag{19-15}$$

3 dB 차단주파수는 다음과 같이 주어진다.

$$f_c = \frac{1}{2\pi R_3 C_1} \tag{19-16}$$

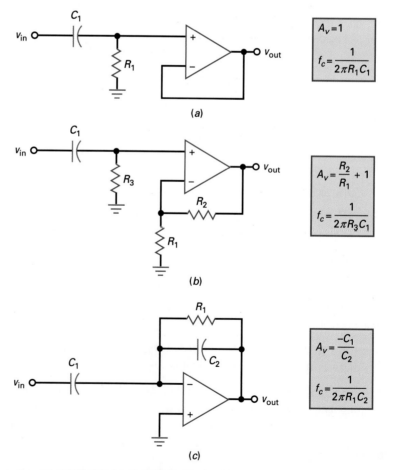

그림 19-22 1차 고역통과단. (a) 단위이득을 갖는 비반전; (b) 전압이득을 갖는 비반전; (c) 전압이득을 갖는 반전

그런데 차단주파수 이하에서 RC회로는 비반전 입력전압이 감소한다. R_3C_1진상회로가 귀환루프의 외측에 있으므로 출력전압은 20 dB/decade의 비율로 강하된다.

그림 19-22c에 또 다른 1차 고역통과 필터와 이 회로의 식들을 나타내었다. 고주파수에서 이 회로는 다음과 같은 전압이득을 갖는 반전증폭기처럼 동작한다.

$$A_v = \frac{-X_{C2}}{X_{C1}} = \frac{-C_1}{C_2} \qquad (19\text{-}17)$$

주파수가 감소함에 따라 용량성 리액턴스는 증가하고 결국은 입력신호와 귀환이 감소한다. 이것은 전압이득의 감소를 의미한다. 주파수가 0에 접근해가면 커패시터는 개방되고 입력신호도 0이 된다. 그림 19-22c에서 보다시피 3 dB차단주파수는 다음과 같이 주어진다.

$$f_c = \frac{1}{2\pi R_1 C_2} \qquad (19\text{-}18)$$

예제 19-1

그림 19-23a에서 전압이득은 얼마인가? 차단주파수는 얼마인가? 또 주파수 응답은 어떻게 되는가?

그림 19-23   예제

풀이 이 회로는 비반전 1차 저역통과 필터이다. 식 (19-10)과 (19-11)에서 전압이득과 차단주파수는,

$$A_v = \frac{39\ \text{k}\Omega}{1\ \text{k}\Omega} + 1 = 40$$

$$f_c = \frac{1}{2\pi(12\ \text{k}\Omega)(680\ \text{pF})} = 19.5\ \text{kHz}$$

그림 19-23b에 주파수 응답을 나타내었다. 통과대역에서 전압이득은 32 dB이다. 응답은 19.5 kHz에서 꺾인 다음 20 dB/decade의 비율로 강하된다.

연습 문제 19-1 그림 19-23a에서 12 kΩ의 저항을 6.8 kΩ으로 바꾼 후, 새로운 차단주파수를 구하여라.

예제 19-2

그림 19-23c에서 전압이득은 얼마인가? 차단주파수는 얼마인가? 또 주파수 응답은 어떻게 되는가?

풀이 이 회로는 반전 1차 저역통과 필터이다. 식 (19-12)와 (19-13)에서 전압이득과 차단주파수는,

$$A_v = \frac{-43\ \text{k}\Omega}{220\ \Omega} = -195$$

$$f_c = \frac{1}{2\pi(43\ \text{k}\Omega)(100\ \text{pF})} = 37\ \text{kHz}$$

그림 19-23d에 주파수 응답을 나타내었다. 통과대역에서 전압이득은 45.8 dB이다. 응답은 37 kHz에서 꺾인 다음 20 dB/decade의 비율로 강하된다.

연습 문제 19-2 그림 19-23c에서 100 pF의 커패시터를 220 pF로 바꾼 후, 새로운 차단주파수를 구하여라.

19-5 VCVS 단위이득 2차 저역통과 필터

2차단 또는 2극단은 구성과 해석이 쉽기 때문에 가장 일반적으로 사용된다. 고차의 필터는 항상 2차단을 종속 접속하여 만든다. 각 2차단은 공진주파수와 피킹이 얼마나 크게 발생하는가를 결정하는 Q를 가진다.

이 절에서는 **살렌-키**(Sallen-Key) **저역통과 필터**(일명 인벤터(inventors))에 대해 설명한다. 또한 이 필터는 전압제어 전압원으로 동작하는 연산증폭기를 사용하기 때문에 VCVS 필터라 부르기도 한다. VCVS 저역통과 회로는 버터워스, 체비쉐프 및 베셀의 3가지 기본근사로 실현시킬 수가 있다.

회로실현

그림 19-24에 살렌-키 2차 저역통과 필터를 나타내었다. 두 개의 저항은 같은 값을 가지나 두 개의 커패시터는 서로 다른 값임에 주의하라. 비반전입력에 지상회로가 있으나

참고 사항

능동 필터를 학습하려면 작은 부분까지 완벽해야 한다. 예제나 실험을 통해 공부할 때 이 장에 포함된 모든 필터들을 상관지어 생각해야 한다.

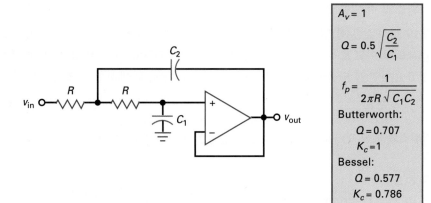

그림 19-24 버터워스와 베셀에서의 2차 VCVS단

동시에 두 번째 커패시터 C_2를 통하는 귀환로도 존재한다. 저주파에서 두 커패시터는 모두 개방되고 회로는 전압폴로어처럼 접속된 연산증폭기 때문에 단위이득을 가진다.

주파수가 증가함에 따라 C_1의 임피던스는 감소하고 비반전 입력전압도 감소한다. 동시에 커패시터 C_2는 입력신호와 동상으로 신호를 귀환시킨다. 원래의 신호에 귀환신호가 더해지기 때문에 귀환은 정(positive)이 된다. 그 결과 정귀환이 걸리지 않았을 때보다 크지 않은 C_1에 의해 발생하는 비반전입력은 감소한다. C_1에 대해 C_2가 클수록 정귀환도 더 커진다. 이것은 회로에서 Q의 증가와 같다. 만일 C_2가 Q를 0.707 이상으로 할 수 있을 만큼 충분히 크다면 주파수 응답에는 피킹이 나타난다.

극 주파수

그림 19-24에 나타내었듯이,

$$Q = 0.5\sqrt{\frac{C_2}{C_1}} \tag{19-19}$$

그리고

$$f_p = \frac{1}{2\pi R\sqrt{C_1 C_2}} \tag{19-20}$$

극 주파수(pole frequency; f_p)는 능동 필터를 설계할 때 사용되는 특별한 주파수이다. 극 주파수의 수학적 배경은 s **평면**(s plane)이라 불리는 고급 주제에 포함되어 너무 복잡하기 때문에 여기서는 생략하기로 한다. 필터의 해석과 설계에 있어 고급 과정에서는 이 s 평면(s는 $\sigma + j\omega$로 주어지는 복소수)을 사용한다.

여기서 필요한 것은 극 주파수를 어떻게 계산하느냐 하는 것 보다는 이해만 하면 충분하다. 상당히 복잡한 회로에서도 극 주파수는 다음과 같이 주어진다.

$$f_p = \frac{1}{2\pi\sqrt{R_1 R_2 C_1 C_2}}$$

살렌-키 단위이득 필터에서는 $R_1 = R_2$이므로 식 (19-20)으로 단순화된다.

버터워스와 베셀응답

그림 19-24와 같은 회로를 해석하려 할 때는 Q와 f_p의 계산에서부터 시작한다. 만일, 먼저 $Q = 0.707$이고 $K_c = 1$인 버터워스 응답이나, $Q = 0.577$이고 $K_c = 0.786$인 베셀응답을 알고 있다면 그 다음에 다음 식을 이용하여 차단주파수를 계산할 수 있다.

$$f_c = K_c f_p \tag{19-21}$$

버터워스와 베셀 필터에서 차단주파수는 항상 3 dB 감쇄점의 주파수이다.

피크응답

그림 19-25에 Q가 0.707 이상일 때 회로를 해석하는 방법을 나타내었다. 회로의 Q와 극 주파수를 계산한 후 다음 식을 이용하여 세 가지 다른 주파수를 계산할 수 있다.

$$f_0 = K_0 f_p \tag{19-22}$$

$$f_c = K_c f_p \tag{19-23}$$

$$f_{3dB} = K_3 f_p \tag{19-24}$$

이들 주파수 중 첫 번째는 피킹이 나타나는 곳에서의 공진주파수이다. 두 번째는 에지 주파수이고, 세 번째는 3 dB 주파수이다.

요점정리 표 19-3에 Q에 대한 K와 A_p의 Q값을 나타내었다. 먼저 베셀과 버터워스 값을 나타내었다. 이들 응답에서 공진주파수는 중요치 않으므로 K_0와 A_p의 값은 적용하지 않았다. Q가 0.707 이상일 때는 공진주파수를 나타내는 것이 중요하므로 모든 K_0와 A_p값을 제시했다. 요점정리 표 19-3의 값을 그림으로 나타내면, 그림 19-26a와 b를 얻는다. Q의 정확한 값이 요구될 때는 요점정리 표를 사용할 수 있고, 중간 값이 요구될 때는 그래프를 사용할 수 있다. 예를 들어 만일 Q가 5로 계산되었다면 요점정리 표 19-3과 그림 19-26으로부터 다음과 같은 근사치를 읽을 수 있다. 즉, $K_0 = 0.99$, $K_c = 1.4$, $K_3 = 1.54$, $A_p = 14$ dB 등이다.

그림 19-26a에서 Q가 그래프의 끝부분인 10에 근접할 때 K의 값을 읽는 데 주의하고, Q가 10 이상이면 다음의 근사를 사용하면 된다.

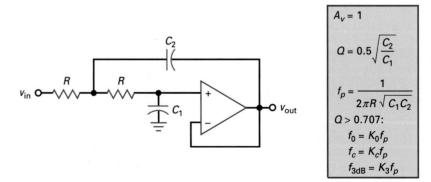

그림 19-25 $Q > 0.707$에 대한 2차 VCVS단

(a)

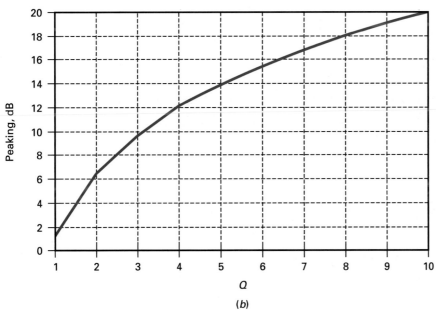

(b)

그림 19-26　(a) Q에 대한 K값; (b) Q에 대한 피킹

$$K_0 = 1 \qquad\qquad\qquad\qquad\qquad\qquad\qquad \text{(19-25)}$$

$$K_c = 1.414 \qquad\qquad\qquad\qquad\qquad\qquad\qquad \text{(19-26)}$$

$$K_3 = 1.55 \qquad\qquad\qquad\qquad\qquad\qquad\qquad \text{(19-27)}$$

$$A_p = 20 \log Q \qquad\qquad\qquad\qquad\qquad\qquad\qquad \text{(19-28)}$$

요점정리 표 19-3과 그림 19-26에 나타낸 값은 모든 2차 저역통과 단에 적용된다.

요점정리 표 19-3	2차단의 *K*값과 리플크기			
Q	**K_0**	**K_c**	**K_3**	**A_p(dB)**
0.577	—	0.786	1	—
0.707	—	1	1	—
0.75	0.333	0.471	1.057	0.054
0.8	0.467	0.661	1.115	0.213
0.9	0.620	0.874	1.206	0.688
1	0.708	1.000	1.272	1.25
2	0.935	1.322	1.485	6.3
3	0.972	1.374	1.523	9.66
4	0.984	1.391	1.537	12.1
5	0.990	1.400	1.543	14
6	0.992	1.402	1.546	15.6
7	0.994	1.404	1.548	16.9
8	0.995	1.406	1.549	18
9	0.997	1.408	1.550	19
10	0.998	1.410	1.551	20
100	1.000	1.414	1.554	40

연산증폭기의 이득-대역폭 적

능동 필터에 대한 모든 설명에서 연산증폭기는 필터동작에 영향을 미치지 않을 만큼 충분한 이득-대역폭 적(*gain-bandwidth product: GBW*)을 가진다고 가정한다. GBW를 제한하면 단의 *Q*가 증가한다. 고역 차단주파수에서 필터동작이 변화할 수 있기 때문에 설계 시는 GBW의 제한에 대해 알아야만 한다.

GBW 제한에서 교정의 한 방법으로 **전치왜곡**(predistortion)이 있다. 이것은 제한된 GBW를 보상하기 위해 필요한 *Q*의 설계 값이 감소한다는 것을 의미한다. 예를 들어 만일 단이 10인 *Q*를 갖도록 하고 GBW 제한을 11로 증가시키려고 하면 설계자는 9.1인 Q를 갖는 단을 설계하면서 전치왜곡(predistort)할 수 있다. GBW 제한은 9.1에서 10으로 증가할 것이다. 설계자들은 흔히 적은 *Q*와 큰 *Q*단 간에 불리한 상호작용때문에 전치왜곡을 하지 않으려고 한다. 최상의 접근법은 보다 큰 GBW(= f_{unity})를 갖는 연산증폭기를 사용하는 것이다.

응용 예제 19-3 |||| Multisim

그림 19-27에 나타낸 필터의 Q와 극 주파수는 얼마인가? 또 차단주파수는 얼마인가?
Multisim Bode plotter를 사용한 주파수응답을 보여라.

(a)

(b)

그림 19-27 (a) 단위이득을 갖는 버터워스에 대한 예제 (b) Multisim 주파수 응답

풀이 Q와 극 주파수는 다음과 같다.

$$Q = 0.5 \sqrt{\frac{C_2}{C_1}} = 0.5 \sqrt{\frac{1.64 \text{ nF}}{820 \text{ pF}}} = 0.707$$

$$f_p = \frac{1}{2\pi R \sqrt{C_1 C_2}} = \frac{1}{2\pi (30 \text{ k}\Omega)\sqrt{(820 \text{ pF})(1.64 \text{ nF})}} = 4.58 \text{ kHz}$$

Q값이 0.707이므로 이것은 버터워스 응답이다. 따라서 차단주파수는 극 주파수와 같다.

$$f_c = f_p = 4.58 \text{ kHz}$$

필터의 응답은 4.58 kHz에서 꺾이고 $n = 2$이기 때문에 40 dB/decade의 비율로 감소한다.

연습 문제 19-3 30 kΩ들의 저항값을 10 kΩ으로 바꾼 후, 응용 예제 19-3을 반복하라.

예제 19-4

그림 19-28에서 Q와 극 주파수는 얼마인가? 또 차단주파수는 얼마인가?

그림 19-28 단위이득을 갖는 베셀에 대한 예제

풀이 Q와 극 주파수는 다음과 같다.

$$Q = 0.5\sqrt{\frac{C_2}{C_1}} = 0.5\sqrt{\frac{440\ pF}{330\ pF}} = 0.577$$

$$f_p = \frac{1}{2\pi R\sqrt{C_1 C_2}} = \frac{1}{2\pi(51\ k\Omega)\sqrt{(330\ pF)(440\ pF)}} = 8.19\ kHz$$

Q값이 0.577이므로 이것은 베셀응답이다. 식 (19-21)에서 차단주파수는 다음과 같이 주어진다.

$$f_c = K_c f_p = 0.786(8.19\ kHz) = 6.44\ kHz$$

연습 문제 19-4 예제 19-4에서 만일 C_1의 값을 680 pF로 바꾸었다면, $Q = 0.577$을 유지하기 위해서는 C_2의 값을 얼마로 해야 하는가?

예제 19-5

그림 19-29에서 Q와 극 주파수는 얼마인가? 또 차단주파수와 3 dB 주파수는 얼마인가?

그림 19-29 $Q > 0.707$을 갖는 단위이득에 대한 예제

풀이 Q와 극 주파수는 다음과 같다.

$$Q = 0.5 \sqrt{\frac{C_2}{C_1}} = 0.5 \sqrt{\frac{27 \text{ nF}}{390 \text{ pF}}} = 4.16$$

$$f_p = \frac{1}{2\pi R \sqrt{C_1 C_2}} = \frac{1}{2\pi(22 \text{ k}\Omega)\sqrt{(390 \text{ pF})(27 \text{ nF})}} = 2.23 \text{ kHz}$$

그림 19-26을 참조하면 다음과 같은 근사 K와 A_p의 값을 읽을 수 있다.

$K_0 = 0.99$

$K_c = 1.38$

$K_3 = 1.54$

$A_p = 12.5 \text{ dB}$

차단 또는 에지주파수는,

$$f_c = K_c f_p = 1.38(2.23 \text{ kHz}) = 3.08 \text{ kHz}$$

이고, 3 dB 주파수는,

$$f_{3\text{dB}} = K_3 f_p = 1.54(2.23 \text{ kHz}) = 3.43 \text{ kHz}$$

연습 문제 19-5 그림 19-29에서, 27 nF의 커패시터를 14 nF로 바꾼 후, 예제 19-5를 반복하라.

19-6 고차 필터

고차 필터의 설계에 있어 표준적인 접근은 1차단과 2차단을 종속 접속하는 것이다. 차수가 우수일 때는 2차단만의 종속접속이 필요하고, 차수가 기수일 때는 2차단과 단일 1차단의 종속접속이 필요하다. 예를 들어 만일 6차 필터를 설계하기를 원한다면 3개의 2차단을 종속접속하면 되고, 5차 필터를 설계하기를 원한다면 2개의 2차단과 1개의 1차단을 종속접속하면 된다.

버터워스필터

필터 단이 종속 접속되었을 때는 각 단의 데시벨 감쇄를 더하면 전체감쇄를 구할 수 있다. 예를 들어 그림 19-30a는 2차단이 2개 종속 접속되어있다. 만일 각 단이 0.707인 Q와 1 kHz인 극 주파수를 가진다면 각 단은 1 kHz에서 3 dB의 감쇄를 갖는 버터워스 응답을 가질 것이다. 비록 각 단이 버터워스 응답을 갖더라도 전체응답은 그림 19-30b에서 볼 수 있듯이, 극 주파수에서의 처짐(droop) 때문에 버터워스 응답을 나타내지 못한다. 각 단은 1 kHz의 차단주파수에서 3 dB의 감쇄를 가지므로 전체감쇄는 1 kHz에서 6 dB이다.

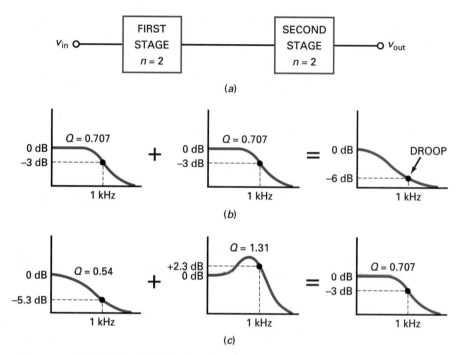

그림 19-30   (a) 2단 종속접속; (b) 특성이 동일한 단의 종속접속으로 인한 차단주파수에서의 처짐 발생; (c) 적은 Q와 큰 Q를 갖는 단끼리의 보상으로 버터워스 응답 발생

버터워스 응답을 얻기 위해서는 극 주파수는 여전히 1 kHz로 하나, 단의 Qs는 0.707 이상과 이하를 갖도록 스테거시켜야 한다. 그림 19-30c에 전체필터에 대해 버터워스 응답을 얻는 방법을 나타내었다. 첫째 단은 Q = 0.54를 가지고, 둘째 단은 Q = 1.31을 가진다. 1 kHz에서 3 dB의 감쇄를 얻기 위해 둘째 단에서의 피킹과 첫째 단에서의 처짐을 상쇄시킨다. 더 나아가 통과대역 응답은 이들 Q값에서 최대평탄을 보여준다.

요점정리 표 19-4에 고차 버터워스 필터에 사용되는 단들의 스테거된 Q값을 나타내었다. 모든 단은 동일한 극 주파수를 갖지만 각 단은 서로 다른 Q를 가진다. 예를 들어 4차 필터는 요점정리 표 19-4에 나타낸 값인 0.54와 1.31인 Q값을 사용한 그림 19-30c로 묘사된다. 10차 버터워스 필터를 설계하기 위해서는 0.51, 3.2, 0.56, 1.1 및 0.707인 Q의 값을 갖는 다섯 단이 필요할 것이다.

요점정리 표 19-4	버터워스 저역통과 필터에 대한 스테거된 Qs				
차수	1단	2단	3단	4단	5단
2	0.707				
4	0.54	1.31			
6	0.52	1.93	0.707		
8	0.51	2.56	0.6	0.9	
0	0.51	3.2	0.56	1.1	0.707

요점정리 표 19-5		베셀 저역통과 필터에서 스테거된 Qs와 극 주파수(f_c = 1000 Hz)									
차수	Q_1	f_{p1}	Q_2	f_{p2}	Q_3	f_{p3}	Q_4	f_{p4}	Q_5	f_{p5}
2	0.577	1274								
4	0.52	1432	0.81	1606						
6	0.51	1607	1.02	1908	0.61	1692				
8	0.51	1781	1.23	2192	0.71	1956	0.56	1835		
10	0.50	1946	1.42	2455	0.81	2207	0.62	2066	0.54	1984

베셀필터

고차의 베셀필터에서는 각 단의 Qs와 극 주파수 모두를 스테거할 필요가 있다. 요점정리 표 19-5에 차단주파수 1,000 Hz를 가지는 필터에서 각 단에 요구되는 Q와 f_p를 나타내었다. 예를 들어 4차 베셀필터는 Q = 0.52와 f_p = 1,432 Hz를 갖는 첫째 단과 Q = 0.81과 f_p = 1,606 Hz를 갖는 둘째 단이 필요하다

만일 주파수가 1,000 Hz와 다르다면 요점정리 표 19-5에서 극 주파수들은 다음의 **주파수 스케일링계수**(FSF: frequency scaling factor)에 직접 비례시켜 계산하면 된다.

$$\text{FSF} = \frac{f_c}{1\text{ kHz}}$$

예를 들어 만일 6차 베셀필터가 7.5 kHz의 차단주파수를 가지면 요점정리 표 19-5의 각 극 주파수에 7.5를 곱해주면 된다.

체비쉐프 필터

체비쉐프 필터에서도 우리는 스테거된 Q와 f_p및 리플의 크기가 기록된 표를 가져야 한다. 요점정리 표 19-6에 체비쉐프 필터의 각 단에서 Q와 f_p를 나타내었다. 예를 들어 리플 크기 2 dB를 가지는 6차 체비쉐프 필터는 Q = 0.9, f_p = 316 Hz인 첫째 단과 Q = 10.7, f_p = 983 Hz인 둘째 단 및 Q = 2.84, f_p = 730 Hz인 셋째 단이 필요하다.

필터의 설계

앞의 설명에서 고차 필터의 설계 이면의 기본적인 사고가 주어졌다. 지금까지는 살렌-키 단위이득 2차단과 같은 가장 간단한 회로실현만을 설명했다. 스테거된 Qs와 극 주파수를 가지는 살렌-키 단위이득 단에 종속 접속하므로 버터워스, 베셀 및 체비쉐프 근사의 고차 필터를 실현시킬 수가 있다.

앞에서 본 표들은 서로 다른 설계에서 요구되는 스테거된 Qs와 극 주파수들이 얼마인가를 나타내고 있다. 더 크고 포괄적인 표는 필터의 핸드북에서 입수할 수 있다. 능동 필터의 설계는 매우 복잡하고, 특히 20차 이상을 갖는 필터의 설계가 요구될 때는 더 복잡하므로 회로의 복잡성, 부품의 감도 및 동조의 용이성 간의 상반교환도 고려해야 한다.

요점정리 표 19-6		체비쉐프 저역통과 필터에서의 A_p, Q 및 f_p. (f_p = 1000 Hz)								
차수	**Ap,dB**	Q_1	f_{p1}	Q_2	f_{p2}	Q_3	f_{p3}	Q_4	f_{p4}
2	1	0.96	1050						
	2	1.13	907						
	3	1.3	841						
4	1	0.78	529	3.56	993				
	2	0.93	471	4.59	964				
	3	1.08	443	5.58	950				
6	1	0.76	353	8	995	2.2	747		
	2	0.9	316	10.7	983	2.84	730		
	3	1.04	298	12.8	977	3.46	722		
8	1	0.75	265	14.2	997	4.27	851	1.96	584
	2	0.89	238	18.7	990	5.58	842	2.53	572
	3	1.03	224	22.9	987	6.83	839	3.08	566

다양한 필터의 설계는 연산이 너무 어렵고 손으로 하기에는 시간이 너무 소비되므로 모두 컴퓨터로 행한다. 능동 필터 컴퓨터 프로그램에는 모든 식, 표 및 앞서 설명한 5가지 근사(버터워즈, 체비쉐프, 역 체비쉐프, 타원형 및 베셀)를 실현하는 데 필요한 회로들이 기억되어있다. 필터설계에 사용되는 회로는 간단한 1개의 연산증폭기 단으로부터 복잡한 5개의 연산증폭기 단까지 다양하게 분류된다.

19-7 VCVS와 동일한 구성을 갖는 저역통과 필터

그림 19-31에 또 다른 살렌-키 2차 저역통과 필터를 나타내었다. 여기서 두 저항과 두 커패시터의 값은 동일하다. 이것이 이 회로를 **살렌-키와 동일한 구성을 갖는 필터**(Sallen-Key equal-component filter)라고 부르는 이유이다. 이 회로는 중간대역의 전압이득이 다음과 같다.

$$A_v = \frac{R_2}{R_1} + 1 \tag{19-29}$$

회로의 동작은 전압이득의 효과를 제외하고는 살렌-키 단위이득 필터와 거의 같다. 전압이득은 귀환커패시터를 통하여 더 큰 정귀환을 발생시킬 수 있으므로 단의 Q는 전압이득의 함수가 되고 다음과 같이 주어진다.

$$Q = \frac{1}{3 - A_v} \tag{19-30}$$

그림 19-31　VCVS와 동일한 구성을 갖는 단

A_v는 1보다 적지 않기 때문에 최소 Q는 0.5이다. A_v가 1에서 3까지 증가할 때 Q는 0.5에서 ∞까지 변화한다. 따라서 A_v의 허용범위는 1과 3 사이이다. 만일 A_v를 3 이상에서 동작시킨다면 정귀환이 너무 커지기 때문에 발진을 방해한다. 실제로 전압이득을 거의 3으로 접근시켜 사용하면 부품의 오차와 드리프트 때문에 전압이득이 3을 초과할 수 있으므로 위험하다. 다음의 예제에서 이 점을 더 분명하게 밝혀줄 것이다.

그림 19-31에 나타낸 식에서 A_v, Q 및 f_p를 계산한 다음, 버터워스 필터가 $Q = 0.707$, $K_c = 1$을 가지기 때문에 나머지에 대해서는 앞에서와 같은 해석을 한다. 베셀 필터는 $Q = 0.577$, $K_c = 0.786$을 가진다. 또 Qs에 대해서는 요점정리 표 19-3으로부터의 삽입이나 그림 19-26을 사용하여 근사 K와 A_p값을 얻을 수가 있다.

응용 예제 19-6　　　　　　　　　　　|||| Multisim

그림 19-32에서 필터의 Q와 극 주파수는 얼마인가? 또 차단주파수는 얼마인가? Multisim Bode plotter를 사용한 주파수응답을 보여라.

풀이　A_v, Q 및 f_p는 다음과 같다.

$$A_v = \frac{30\ k\Omega}{51\ k\Omega} + 1 = 1.59$$

$$Q = \frac{1}{3 - A_v} = \frac{1}{3 - 1.59} = 0.709$$

$$f_p = \frac{1}{2\pi RC} = \frac{1}{2\pi(47\ k\Omega)(330\ pF)} = 10.3\ kHz$$

0.77인 Q는 0.1 dB의 리플을 발생시킨다. 따라서 0.709인 Q는 0.003 dB보다 적은 리

(a)

(b)

그림 19-32 (a) 버터워스와 동일한 구성을 갖는 예제 (b) Multisim 극주파수

플을 발생시킨다. 이론이 어떻든 실제적으로 계산된 0.709인 Q는 버터워스 응답에 매우 접근되는 근사를 가진다.

버터워스 필터의 차단주파수는 10.3 kHz인 극 주파수와 같다. 그림 19-32b에서 알 수 있듯이 극 주파수가 약 1 dB이다. 이 값은 4 dB의 통과대역 이득으로부터 3 dB 낮다.

연습 문제 19-6 응용 예제 19-6에서 47 kΩ의 저항들을 22 kΩ으로 바꾼 후 A_v, Q, f_p를 구하라.

예제 19-7

그림 19-33에서 극 주파수와 Q는 얼마인가? 또 차단주파수는 얼마인가?

풀이 A_v, Q 및 f_p는 다음과 같다.

$$A_v = \frac{15\ \text{k}\Omega}{56\ \text{k}\Omega} + 1 = 1.27$$

그림 19-33 베셀과 동일한 구성을 갖는 예제

$$Q = \frac{1}{3 - A_v} = \frac{1}{3 - 1.27} = 0.578$$

$$f_p = \frac{1}{2\pi RC} = \frac{1}{2\pi (82 \text{ k}\Omega)(100 \text{ pF})} = 19.4 \text{ kHz}$$

이것이 베셀 2차 응답의 Q이다. 따라서 $K_c = 0.786$이고 차단주파수는 다음과 같다.

$$f_c = 0.786 f_p = 0.786(19.4 \text{ kHz}) = 15.2 \text{ kHz}$$

연습 문제 19-7 커패시터는 330 pF로, 저항 R은 100 kΩ으로 하여 예제 19-7을 반복하라.

예제 19-8

그림 19-34에서 Q와 극 주파수는 얼마인가? 공진주파수, 차단주파수 및 3 dB 주파수는 얼마인가? 또 리플의 데시벨 크기는 얼마인가?

그림 19-34 $Q > 0.707$을 갖는 동일구성 예제

풀이 A_v, Q 및 f_p는 다음과 같다.

$$A_v = \frac{39\text{ k}\Omega}{20\text{ k}\Omega} + 1 = 2.95$$

$$Q = \frac{1}{3 - A_v} = \frac{1}{3 - 2.95} = 20$$

$$f_p = \frac{1}{2\pi RC} = \frac{1}{2\pi(56\text{ k}\Omega)(220\text{ pF})} = 12.9\text{ kHz}$$

그림 19-26은 1과 10 사이의 Qs만을 가진다. 이때 K와 Q의 값을 얻기 위해서는 식 (19-25)부터 (19-28)까지의 사용이 요구된다.

$$K_0 = 1$$

$$K_c = 1.414$$

$$K_3 = 1.55$$

$$A_p = 20 \log Q = 20 \log 20 = 26\text{ dB}$$

공진주파수는,

$$f_0 = K_0 f_p = 12.9\text{ kHz}$$

차단 또는 에지주파수는,

$$f_c = K_c f_p = 1.414\ (12.9\text{ kHz}) = 18.2\text{ kHz}$$

그리고 3 dB주파수는,

$$f_{3\text{dB}} = K_3 f_p = 1.55(12.9\text{ kHz}) = 20\text{ kHz}$$

이 회로는 12.9 kHz에서 공진하고, 26 dB피크를 발생한다. 차단주파수에서 0 dB로 강하하고 그리고 20 kHz에서 3 dB 감소한다.

이것은 살렌-키 회로처럼 Q가 너무 크기 때문에 비실용적이다. 전압이득이 2.95이기 때문에 R1과 R2에서의 어떤 오차도 Q를 크게 증가시키는 원인이 된다. 예를 들어 만일 저항이 ±1%의 오차를 갖는다면 전압이득은 다음과 같이 커질 것이다.

$$A_v = \frac{1.01(39\text{ k}\Omega)}{0.99(20\text{ k}\Omega)} + 1 = 2.989$$

이 전압이득은 다음과 같은 Q를 발생시킨다.

$$Q = \frac{1}{3 - A_v} = \frac{1}{3 - 2.989} = 90.9$$

Q는 설계치 20으로부터 근사값 90.9로 변화된다. 이것은 계획한 응답과는 주파수 응답이 급격히 달라졌음을 의미한다.

비록 살렌-키와 동일한 구성을 갖는 필터는 다른 필터와 간단히 비교할 수 있다 할지라도 큰 Qs가 사용될 때는 부품의 감도에 대한 단점을 가진다. 이것이 보다 더 복잡한 회로가 일반적으로 큰 Q단에 사용되는 이유이다. 복잡성이 더해지면 부품의 감도는 감소된다.

19-8 VCVS 고역통과 필터

그림 19-35a에 살렌-키 단위이득 고역통과 필터와 그 회로의 식들을 나타내었다. 저항과 커패시터의 위치가 바뀐 것에 주목하라. 또한 Q는 커패시턴스보다는 오히려 저항의 비에 의존함에 주목하라. 계산은 극 주파수를 값으로 나눈다는 것을 제외하고는 저역통과 필터에서 설명한 것과 비슷하다. 고역통과 필터에서 차단주파수를 계산하기 위해 다음 식을 사용한다.

$$f_c = \frac{f_p}{K_c} \tag{19-31}$$

마찬가지로 다른 주파수들에 대해서는 극 주파수를 K_0또는 K_3로 나누면 된다. 예를 들어 만일 그림 19-26에서 극 주파수는 2.5 kHz이고 $K_c = 1.3$으로 읽었다면 고역통과 필터에 대한 차단주파수는,

$$f_c = \frac{2.5 \text{ kHz}}{1.3} = 1.92 \text{ kHz}$$

그림 19-35b에 살렌-키와 같이 구성된 고역통과 필터와 그들의 식들을 나타내었다. 모든 식은 저역통과 필터에서와 같다. 저항과 커패시터의 위치만 바뀌었다. 다음의 예제들에 고역통과 필터를 해석하는 방법을 나타내었다.

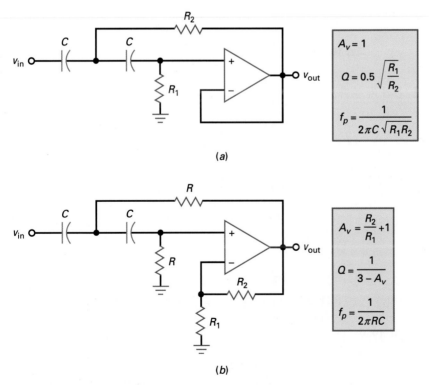

그림 19-35 2차 VCVS 고역통과 필터. (a) 단위이득 고역통과 필터; (b) 단위이득보다 큰 전압이 득을 갖는 고역통과 필터

응용 예제 19-9 |||| Multisim

그림 19-36에 나타낸 필터의 Q와 극 주파수는 얼마인가? 또 차단주파수는 얼마인가? Multisim Bode plotter를 사용한 주파수응답을 보여라.

(a)

(b)

그림 19-36 (a) 고역통과 버터워스의 예 (b) Multisim 차단주파수

풀이 Q와 극 주파수는 다음과 같다.

$$Q = 0.5 \sqrt{\frac{R_1}{R_2}} = 0.5 \sqrt{\frac{24 \text{ k}\Omega}{12 \text{ k}\Omega}} = 0.707$$

$$f_p = \frac{1}{2\pi C \sqrt{R_1 R_2}} = \frac{1}{2\pi (4.7 \text{ nF}) \sqrt{(24 \text{ k}\Omega)(12 \text{ k}\Omega)}} = 2 \text{ kHz}$$

$Q = 0.707$이기 때문에 필터는 버터워스 2차 응답을 가지고, 차단주파수는 다음과 같다.

$$f_c = f_p = 2 \text{ kHz}$$

필터는 2 kHz에서 꺾이는 고역통과 응답을 가지고, 2 kHz 이하에서는 40 dB/decade로 강하된다. 그림 19-36*b*는 Multisim 주파수 응답을 도시하였다.

연습 문제 19-9   그림 19-36에서, 두 저항값을 2배로 한 후, 회로의 Q, f_p 및 f_c의 값을 구하라.

예제 19-10

그림 19-37에서 Q와 극 주파수는 얼마인가? 공진주파수, 차단주파수, 3 dB 주파수는 얼마인가? 또 피킹과 리플의 크기는 데시벨로 얼마인가?

그림 19-37 $Q > 1$ 일 때 고역통과의 예제

풀이 A_v, Q 및 f_p는 다음과 같다.

$$A_v = \frac{15 \text{ k}\Omega}{10 \text{ k}\Omega} + 1 = 2.5$$

$$Q = \frac{1}{3 - A_v} = \frac{1}{3 - 2.5} = 2$$

$$f_p = \frac{1}{2\pi RC} = \frac{1}{2\pi(30 \text{ k}\Omega)(1 \text{ nF})} = 5.31 \text{ kHz}$$

그림 19-26에서 $Q = 2$일 때 다음과 같은 근사값을 가진다.

$$K_0 = 0.94$$
$$K_c = 1.32$$
$$K_3 = 1.48$$
$$A_p = 20 \log Q = 20 \log 2 = 6.3 \text{ dB}$$

공진주파수는,

$$f_0 = \frac{f_p}{K_0} = \frac{5.31 \text{ kHz}}{0.94} = 5.65 \text{ kHz}$$

차단주파수는,

$$f_c = \frac{f_p}{K_c} = \frac{5.31 \text{ kHz}}{1.32} = 4.02 \text{ kHz}$$

3 dB주파수는,

$$f_{3dB} = \frac{f_p}{K_3} = \frac{5.31 \text{ kHz}}{1.48} = 3.59 \text{ kHz}$$

이 회로의 응답은 5.65 kHz에서 6.3 dB의 피크를 발생시키고, 4.02 kHz의 차단주파수에서 0 dB로 강하되고, 3.59 kHz에서 3 dB 감소한다.

연습 문제 19-10 예제 19-10에서 15 kΩ의 저항을 17.5 kΩ의 저항으로 바꾼 후, 예제 19-10을 반복하라.

19-9 MFB(다중-귀환) 대역통과 필터

대역통과 필터는 중심주파수와 대역폭을 가진다. 대역통과 응답에서의 기본 식을 다시 한 번 기억하자.

$$BW = f_2 - f_1$$
$$f_0 = \sqrt{f_1 f_2}$$
$$Q = \frac{f_0}{BW}$$

Q가 1 이하일 때 필터는 광대역 응답을 가진다. 이때 대역통과 필터는 항상 저역통과단과 고역통과단을 종속 접속하여 구성한다. Q가 1 이상일 때 필터는 협대역 응답을 가지고 다른 접근이 사용된다.

광대역 필터

300 Hz의 저역 차단주파수와 3.3 kHz의 고역 차단주파수를 가지는 대역통과 필터를 구성하기를 원한다고 가정하자. 이 필터의 중심주파수는,

$$f_0 = \sqrt{f_1 f_2} = \sqrt{(300 \text{ Hz})(3.3 \text{ kHz})} = 995 \text{ Hz}$$

대역폭은,

$$BW = f_2 - f_1 = 3.3 \text{ kHz} - 300 \text{ Hz} = 3 \text{ kHz}$$

Q는,

$$Q = \frac{f_0}{BW} = \frac{995 \text{ Hz}}{3 \text{ kHz}} = 0.332$$

Q가 1 이하이기 때문에 그림 19-38과 같이 저역통과단과 고역통과단을 종속으로 사용할 수 있다. 고역통과 필터는 300 Hz의 차단주파수를 가지고, 저역통과 필터는 3.3 kHz의 차단주파수를 가진다. 두 데시벨 응답이 합쳐졌을 때, 차단주파수 300 Hz와 3.3 kHz를 갖는 대역통과 응답을 얻는다.

그림 19-38   저역통과단과 고역통과단의 종속접속을 사용한 광대역 필터

    Q가 1 이상이면 차단주파수는 그림 19-38에 나타낸 것보다 훨씬 좁아진다. 이 때문에 통과대역 감쇄의 합은 차단주파수에서 3 dB보다 더 크다. 이것이 협대역 필터에서 또 다른 접근을 사용하는 이유이다.

협대역 필터

Q가 1이상일 때는 그림 19-39에 나타낸 **다중귀환**(muliple-feedback : MFB)필터를 사용할 수 있다. 첫째, 입력신호가 비반전 입력보다는 오히려 반전입력에 가해짐에 주목하라. 둘째, 회로가 커패시터를 통하는 것과 저항을 통하는 2개의 귀환로를 가진다.

    저주파수에서 커패시터는 개방처럼 동작한다. 따라서 입력신호는 연산증폭기에 도달할 수 없고 출력은 0이 된다. 고주파수에서 커패시터는 단락처럼 동작한다. 이때 전압이득은 귀환커패시터가 0인 임피던스를 가지므로 0이다. 가장 낮고 가장 높은 주파수 사이에 이 회로가 반전증폭기처럼 동작하는 주파수 대역이 있다.

    중심주파수에서 전압이득은,

$$A_v = \frac{-R_2}{2R_1} \tag{19-32}$$

이것은 분모의 2를 제외하고는 반전증폭기의 전압이득과 거의 같다. 이 회로의 Q는,

$$Q = 0.5\sqrt{\frac{R_2}{R_1}} \tag{19-33}$$

이며, 이것은 다음 식과 같다.

$$A_v = \frac{-R_2}{2R_1}$$

$$Q = 0.5\sqrt{\frac{R_2}{R_1}}$$

$$f_0 = \frac{1}{2\pi C\sqrt{R_1 R_2}}$$

그림 19-39   다중귀환 대역통과단

$$Q = 0.707 \sqrt{-A_v} \tag{19-34}$$

예를 들어, 만일 $A_v = -100$이면,

$$Q = 0.707 \sqrt{100} = 7.07$$

식 (19-34)는 전압이득이 더 크고, Q도 더 크다는 것을 말한다.

중심주파수는 다음과 같이 주어진다.

$$f_0 = \frac{1}{2\pi\sqrt{R_1 R_2 C_1 C_2}} \tag{19-35}$$

그림 19-39에서 $C_1 = C_2$이므로 이 식을 간단히 하면,

$$f_0 = \frac{1}{2\pi C \sqrt{R_1 R_2}} \tag{19-36}$$

입력임피던스를 증가시키는 회로

식 (19-33)은 Q가 R_2/R_1의 평방근에 비례함을 의미한다. 큰 Qs를 얻기 위해서는 큰 R_2/R_1의 비를 사용할 필요가 있다. 예를 들어 $Q = 5$를 얻기 위해서는 R_2/R_1은 100으로 해야 한다. 입력오프셋과 바이어스전류 문제를 피하기 위해 R_2는 항상 100 kΩ 미만을 유지해야 하는데 이것은 R_1이 1 kΩ 이하를 가져야 함을 의미한다. Qs를 5 이상으로 하려면 R_1은 더 작게 해야 한다. 이것은 Qs가 클수록 그림 19-39의 입력임피던스가 훨씬 더 작아짐을 의미한다.

그림 19-40a에 입력임피던스를 증가시키는 MFB 대역통과 필터를 나타내었다. 이

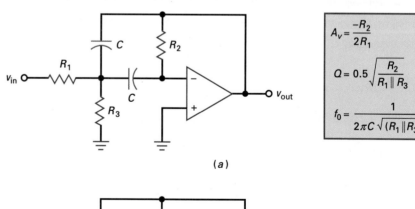

$$A_v = \frac{-R_2}{2R_1}$$

$$Q = 0.5 \sqrt{\frac{R_2}{R_1 \| R_3}}$$

$$f_0 = \frac{1}{2\pi C \sqrt{(R_1 \| R_3) R_2}}$$

(a)

(b)

그림 19-40 MFB단의 입력임피던스를 증가시키는 회로

회로는 새로운 저항인 R_3를 제외하고는 앞서의 MFB 회로와 동일하다. R_1과 R_3은 전압분배형임에 주목하라. Thevenin의 정리를 적용하면 회로는 그림 19-40b와 같이 간단화할 수 있다. 이 그림은 그림 19-39에 나타낸 회로와 거의 같으나 몇 개의 식이 다르다. 처음의 전압이득은 여전히 식 (19-32)로 주어지나 Q와 중심주파수는 다음과 같이 달라진다.

$$Q = 0.5 \sqrt{\frac{R_2}{R_1 \parallel R_3}} \tag{19-37}$$

$$f_0 = \frac{1}{2\pi C \sqrt{(R_1 \parallel R_3)R_2}} \tag{19-38}$$

이 회로는 주어진 Q에서 R_1을 크게 할 수 있으므로 큰 입력임피던스를 갖는다는 이점이 있다.

일정한 대역폭을 갖는 동조가능한 중심주파수 회로

대부분의 응용에서 전압이득은 항상 다른 단에도 유효하기 때문에 1 이상을 갖는 것은 불필요하다. 만일 단위 전압이득으로 만족한다면 대역폭을 일정하게 유지하면서 중심주파수를 변화시킬 수 있는 편리한 회로를 사용할 수 있다.

그림 19-41에 $R_2 = 2R_1$과 R_3 가변인 변형된 MFB 회로를 나타내었다. 이 회로에서 해석에 사용되는 식들은 다음과 같다.

$$A_v = -1 \tag{19-39}$$

$$Q = 0.707 \sqrt{\frac{R_1 + R_3}{R_3}} \tag{19-40}$$

$$f_0 = \frac{1}{2\pi C \sqrt{2R_1(R_1 \parallel R_3)}} \tag{19-41}$$

BW $= f_0/Q$이기 때문에 대역폭에 대하여 다음 식을 유도할 수 있다.

$$BW = \frac{1}{2\pi R_1 C} \tag{19-42}$$

식 (19-41)은 R_3를 변화시키므로 다양한 f_0를 얻을 수 있음을 나타내었고, 식 (19-42)는 대역폭이 R_3와 독립적임을 나타내고 있다. 따라서 이 회로는 다양한 중심주파수를 가질 수 있는 반면, 대역폭은 일정하게 유지된다.

그림 19-41   가변 중심주파수와 일정한 대역폭을 갖는 MFB단

그림 19-41의 가변저항 R_3은 가끔 13-9절에서 설명한 전압제어 저항으로 사용되는 JFET를 사용하기도 한다. 게이트전압에 따라 JFET의 저항이 변화하므로 회로의 중심주파수는 전자적으로 동조시킬 수 있다.

예제 19-11

그림 19-42의 게이트전압은 JFET저항을 15Ω에서 80 Ω까지 변화시킬 수 있다. 대역폭은 얼마인가? 최소, 최대 중심주파수는 얼마인가?

그림 19-42 전압제어 저항을 갖는 동조 MFB 필터

풀이 식 (19-42)에서 대역폭은,

$$BW = \frac{1}{2\pi R_1 C} = \frac{1}{2\pi(18 \text{ k}\Omega)(8.2 \text{ nF})} = 1.08 \text{ kHz}$$

식 (19-41)에서 최소 중심주파수는,

$$f_0 = \frac{1}{2\pi C \sqrt{2R_1(R_1 \parallel R_3)}}$$

$$= \frac{1}{2\pi(8.2 \text{ nF}) \sqrt{2(18 \text{ k}\Omega)(18 \text{ k}\Omega \parallel 80 \text{ }\Omega)}}$$

$$= 11.4 \text{ kHz}$$

또 최대 중심주파수는,

$$f_0 = \frac{1}{2\pi(8.2 \text{ nF}) \sqrt{2(18 \text{ k}\Omega)(18 \text{ k}\Omega \parallel 15 \text{ }\Omega)}} = 26.4 \text{ kHz}$$

연습 문제 19-11 그림 19-42에서 R_1을 10 kΩ, R_2을 20 kΩ으로 바꾼 후, 예제 19-11을 반복하여라.

19-10 대역저지 필터

대역저지를 수행하는 필터에는 많은 회로가 있다. 이것은 각 2차단에 1개에서 4개까지의 연산증폭기를 사용한다. 대부분의 응용에서 대역저지 필터는 단일주파수만을 차단하는 것이 필요하다. 예를 들어 교류전력선은 민감한 회로에서 필요한 신호를 방해하는 60 Hz의 험(hum)을 유발시킨다. 이 같은 경우 원치 않는 험 신호를 제거(notch out)시키기 위해서는 대역저지 필터를 사용할 수 있다.

그림 19-43에 **살렌-키 2차 노치필터**(Sallen-Key second-order notch filter)와 이 회로의 해석을 위한 식들을 나타내었다. 저주파수에서 모든 커패시터는 개방된다. 그 결과 모든 입력신호는 비반전입력에 도달한다. 이 회로는 다음과 같은 통과대역 전압이득을 가진다.

$$A_v = \frac{R_2}{R_1} + 1 \qquad (19\text{-}43)$$

매우 높은 주파수에서 커패시터는 단락된다. 다시 모든 입력신호는 비반전입력에 도달한다.

매우 낮고, 높은 주파수 사이에 다음과 같은 중심주파수가 있다.

$$f_0 = \frac{1}{2\pi RC} \qquad (19\text{-}44)$$

이 주파수에서 귀환신호는 비반전입력에 교정된 진폭과 위상을 갖는 감쇄된 신호로 되돌아온다. 이 때문에 출력전압은 매우 낮은 값으로 떨어진다.

회로 Q의 값은 다음과 같이 주어진다.

$$Q = \frac{0.5}{2 - A_v} \qquad (19\text{-}45)$$

살렌-키 노치필터의 전압이득은 발진을 방지하기 위해 2 이하로 해야 한다. R_1과 R_2 저항의 오차 때문에 회로의 Q는 10보다 훨씬 적게 해야 한다. Qs가 커지면 이들 저항의 오차는 전압이득을 2 이상이 되도록 하므로 발진을 발생시킬 것이다.

그림 19-43 살렌-키 2차 노치필터

예제 19-12 |||| Multisim

만일 R = 22 kΩ, C = 120 nF, R_1 = 13 kΩ, R_2 = 10 kΩ이라면, 그림 19-43에 나타낸 대역저지 필터에서 전압이득, 중심주파수 및 Q는 얼마인가?

그림 19-44   (a) 60 Hz에서 2차 노치필터; (b) n = 20을 갖는 노치필터

풀이   식 (19-43)부터 (19-45)까지에서 다음을 얻을 수 있다.

$$A_v = \frac{10\ k\Omega}{13\ k\Omega} + 1 = 1.77$$

$$f_0 = \frac{1}{2\pi(22\ k\Omega)(120\ nF)} = 60.3\ Hz$$

$$Q = \frac{0.5}{2 - A_v} = \frac{0.5}{2 - 1.77} = 2.17$$

그림 19-44a에 응답을 나타내었다. 2차 노치필터가 얼마나 날카로운지에 주목하라.

필터의 차수가 증가함에 따라 노치를 넓힐 수 있다. 예를 들어 그림 19-44b에 n = 20을 갖는 노치필터의 주파수 응답을 나타내었다. 넓어진 노치는 부품의 감도와 엄격하게 감쇄시켜야 할 60 Hz의 험에 대한 보증을 감소시킨다.

연습 문제 19-12   그림 19-43에서 Q = 3을 얻기 위한 R_2와 중심주파수 120 Hz를 얻기 위한 C의 값을 구하라.

19-11 전역통과 필터

19-1절에서 **전역통과 필터**(*all-pass filter*)의 기본개념을 설명했다. 비록 산업계에서는 전역통과 필터란 용어가 널리 사용되고 있으나, 보다 더 기술적인 이름은 크기의 변화없이 출력신호의 위상을 천이하는 필터이기 때문에 **위상필터**(*phase filter*)라고 한다. 또 다른 기술적인 이름은 시간지연이 위상천이와 관련되기 때문에 **시간지연 필터**(*time-delay filter*)라고도 한다.

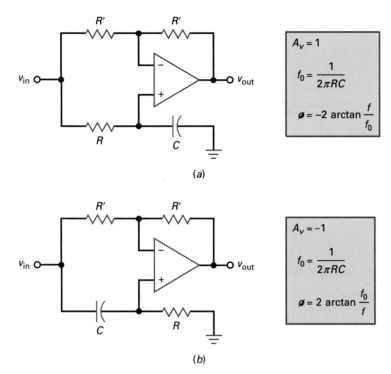

그림 19-45 1차 전역통과단. (a) 출력위상 뒤짐; (b) 출력위상 앞섬

1차 전역통과 필터

전역통과 필터는 모든 주파수에서 일정한 전압이득을 가진다. 이 필터는 진폭의 변화 없이 신호에 대해 얼마간의 위상천이를 발생시키려 할 때 유용하다.

그림 19-45a에 1차 **전역통과 지상필터**(*first-order all-pass lag filter*)를 나타내었다. 1차는 1개의 커패시터만을 가지기 때문이다. 이것은 20장에서 설명한 이상기(phase shifter)이다. 출력신호의 위상이 0°와 −180° 사이를 천이함을 상기하라. 전역통과 필터의 중심주파수에서 위상천이는 최대의 1/2이다. 1차 지상필터에서 중심주파수는 −90°의 위상천이를 가진다.

그림 19-45b에 1차 **전역통과 진상필터**(*first-order all-pass lead filter*)를 나타내었다. 이 경우 회로는 출력신호의 위상이 180°와 0° 사이를 천이한다. 이것은 출력신호가 입력신호보다 +180°까지 앞섬을 의미한다. 1차 진상필터에서 중심주파수에서의 위상천이는 +90°이다.

2차 전역통과 필터

2차 전역통과 필터는 적어도 1개의 연산증폭기, 2개의 커패시터 및 여러 개의 저항을 가지며, 위상이 0°와 ±360° 사이를 천이할 수 있다. 더 나아가 이것은 0°와 ±360° 사이의 위상응답의 형태를 변화시켜 2차 전역통과 필터의 Q를 조정하는 것이 가능하다. 2차 필터의 중심주파수에서의 위상천이는 ±180°이다.

그림 19-46에 2차 MFB **전역통과 지상필터**(*second-order MFB all-pass lag filter*)를 나타내었다. 이것은 1개의 연산증폭기, 4개의 저항 그리고 2개의 커패시터를 가지는

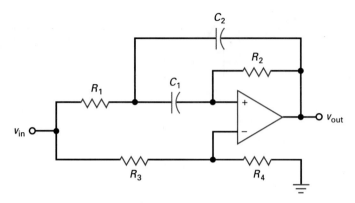

그림 19-46 2차 전역통과단

가장 간단한 구성이다. 더 복잡한 구성은 2개 또는 그 이상의 연산증폭기, 2개의 커패시터 그리고 여러 개의 저항을 사용한다. 2차 전역통과 필터에서 회로의 중심주파수와 Q는 고정시킬 수 있다.

그림 19-47은 $Q = 0.707$을 갖는 2차 전역통과 지상필터의 위상응답을 나타내었다. 출력위상이 0°에서 −360°까지 어떻게 증가하는지에 주목하라. Q가 2로 증가하면 그림 19-47b와 같은 위상응답을 얻을 수 있다. Q가 더 커지면 중심주파수는 변하지 않

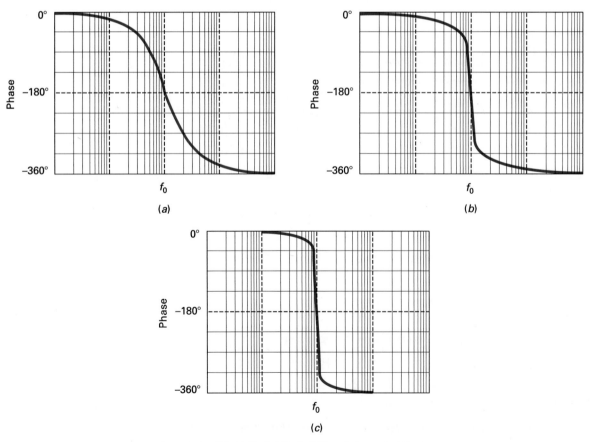

그림 19-47 2차 위상응답. (a) $Q = 0.707$; (b) $Q = 2$; (c) $Q = 10$

으나 중심주파수 부근에서 위상변화가 더 빨라진다. Q가 10이면 그림 19-47c와 같은 경사가 아주 급한 위상응답을 발생시킨다.

선형 위상천이

디지털신호(직각펄스)의 왜곡을 방지하기 위해 필터는 기본파와 모든 중요한 고조파들에 대해 선형위상천이를 해야 한다. 등가 필요조건은 통과대역의 모든 주파수에서 시간지연이 일정해야 한다. 베셀근사는 거의 선형인 위상천이와 일정한 시간지연이 발생한다. 그러나 어떤 응용에서는 베셀 근사의 느린 강하율은 충분하지 못하다. 때로는 요구되는 강하율을 얻기 위해 다른 근사 중 하나를 사용하는 것이 유일한 해법이 되고 또 전체선형 위상천이를 얻는데 필요한 만큼의 정확한 위상천이를 위해 전역통과 필터를 사용한다.

베셀응답

예를 들어 A_p = 3 dB, f_c = 1 kHz, A_s = 60 dB, f_s = 2 kHz를 가지고, 통과대역의 모든 주파수에서 선형 위상천이를 갖는 저역통과 필터가 요구된다고 가정하자. 만일 10차 베셀필터를 사용한다면 그림 19-48a의 주파수 응답, 그림 19-48b의 위상응답, 그림 19-48c의 시간지연 응답 및 그림 19-48d의 스텝응답이 발생할 것이다.

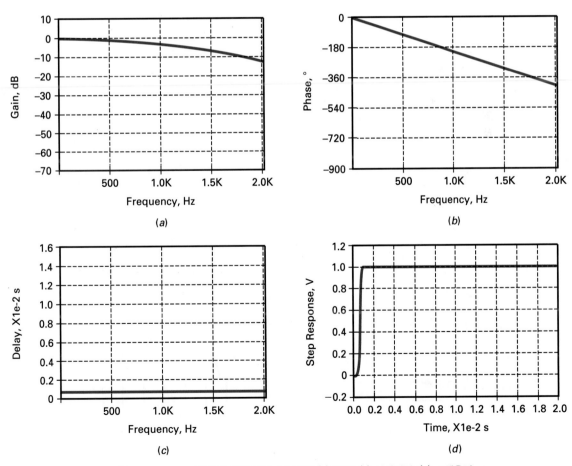

그림 19-48 n = 10일 때 베셀응답. (a) 이득; (b) 위상; (c) 시간지연; (d) 스텝응답

우선, 그림 19-48a에서 얼마나 느리게 강하되느냐에 주목하라. 차단주파수는 1 kHz이다. 1옥타브 증가에 감쇄는 다만 12 dB뿐이므로 이는 요구되는 사양인 A_s = 60 dB, f_s = 2 kHz에는 미치지 못한다. 그러나 그림 19-48b의 위상응답은 얼마나 선형인가를 보라. 이것은 디지털신호에 대한 거의 완전한 위상응답의 일종이다. 선형 위상천이와 일정시간 지연은 같은 뜻이다. 이것은 그림 19-48c에서 시간지연이 일정한 이유이다. 마지막으로 그림 19-48d의 스텝응답이 얼마나 날카로운지를 보아라. 이 응답은 완벽하진 않으나 거의 근접한다.

버터워스 응답

사양과 일치시키기 위해 10차 버터워스 필터와 전역통과 필터를 종속 접속했다. 버터워스 필터는 요구되는 강하율을 발생시킬 것이고, 전역통과 필터는 선형 위상응답을 얻기 위해 버터워스 위상응답을 보완하는 위상응답을 발생시킬 것이다.

10차 버터워스 필터는 그림 19-49a와 같은 주파수 응답과, 그림 19-49b와 같은 위상응답, 그림 19-49c와 같은 시간지연 응답 및 그림 19-49d와 같은 스텝응답을 발생할 것이다. 그림 19-49a에서 보다시피 A_s = 60 dB, f_s = 2 kHz인 사양과 일치하는 2 kHz에서 60 dB의 감쇄이다. 그러나 그림 19-49b의 위상응답이 비선형인 것은 어떻게 볼 것

그림 19-49 n = 10일 때의 버터워스 응답. (a) 이득; (b) 위상; (c) 시간지연; (d) 스텝응답

인가. 이것은 디지털신호에 왜곡이 발생하는 위상응답의 일종이다. 따라서 그림 19-49*c*에서 피크가 발생하는 시간지연을 볼 수 있고, 그림 19-49*d*의 스텝응답에서는 오버슈터를 볼 수 있다.

지연 평형기

전역통과 필터의 주된 사용 중 하나는 전체 위상응답을 선형화하기 위해 각 주파수에서 필요로 하는 위상천이를 더해 주므로 전체위상응답을 교정하는 것이다. 이렇게 했을 때 시간지연은 일정하게 되고 오버슈터가 사라지게 된다. 다른 필터의 시간지연에 대한 보상으로 사용될 때 전역통과 필터를 흔히 **지연 평형기**(delay equalizer)라 부른다. 지연 평형기는 원래 시간지연의 형상이 반전된 것처럼 보이는 시간지연을 갖는다. 예를 들어 그림 19-49*c*의 시간지연에 대한 보상을 위한 지연 평형기는 그림 19-49*c*의 뒤집힌 모양을 가지는 것이 요구된다. 전체 시간지연은 두 지연의 합이기 때문에 전체 시간지연은 평탄 또는 일정할 것이다.

지연 평형기를 설계할 때의 문제는 극히 복잡하다는 것이다. 어려운 계산을 해야 하기 때문에 컴퓨터만이 적당한 시간 값을 찾을 수가 있다. 전역통과 필터의 통합을 위해 컴퓨터는 여러 개의 2차 전역통과단과 종속 접속해야 하고, 그 다음 최종 설계치를 얻는 데 필요한 만큼의 중심주파수와 Qs를 스태거한다.

예제 19-13　　　　　**‖‖ Multisim**

그림 19-45*b*에서 $R = 1\ \text{k}\Omega$, $C = 100\ \text{nF}$이다. $f = 1\ \text{kHz}$일 때 출력전압의 위상천이는 얼마인가?

풀이　그림 19-45*b*에 차단주파수에 대한 식이 주어져있다.

$$f_0 = \frac{1}{2\pi(1\ \text{k}\Omega 1)(100\ \text{nF})} = 1.59\ \text{kHz}$$

위상천이는,

$$\phi = 2\ \text{arctan}\ \frac{1.59\ \text{kHz}}{1\ \text{kHz}} = 116°$$

19-12 4차 필터와 상태변수 필터

지금까지 설명한 모든 2차 필터는 1개의 연산증폭기만을 사용했다. 이들 단일 연산증폭기 단은 대부분의 응용에서는 충분하다. 그러나 극히 엄격한 응용에서는 더 복잡한 2차단이 사용된다.

4차 필터

그림 19-50에 **2차-4차 대역통과/저역통과 필터**(second-order biquadratic bandpass/lowpass filter)를 나타내었다. 이것은 3개의 연산증폭기, 두 개의 동일한 커패시터와 6개의 저항을 가진다. 저항 R_2와 R_1은 전압이득을 결정한다. 저항 R_3과 R_3', R_4와 R_4'는 동일한 공칭값을 갖는다. 회로에 관련된 식도 그림 19-50에 나타내었다.

4차 필터는 일명 TT(*Tow-Thomas*) 필터라고도 한다. 이 필터는 R_3를 변화시키므로 동조시킬 수 있다. 이 변화는 전압이득에 영향을 미치지는 않는다는 이점이 있다. 또한 그림 19-50의 4차 필터는 저역통과 출력을 가진다. 어떤 응용에서 대역통과와 저역통과 응답을 동시에 얻으려 할 때는 이점이 된다.

4차 필터의 또 다른 이점은 다음과 같다. 그림 19-50에서 볼 수 있듯이 4차 필터의 대역폭은 다음과 같이 주어진다.

$$BW = \frac{1}{2\pi R_2 C}$$

그림 19-50의 4차 필터에서 전압이득은 R_1을, 대역폭은 R_2를, 또 중심주파수는 R_3를 조절하므로 각기 독립적으로 변화시킬 수 있다. 즉 전압이득, 중심주파수 그리고 대역폭 모두를 독립적으로 조정할 수 있다는 것이 가장 큰 이점이고 이것이 4차 필터가 널리 사용되는 이유 중에 하나이다.

또한 네 번째의 연산증폭기와 몇 개의 부품을 더 부가하여 4차 고역통과, 대역저지

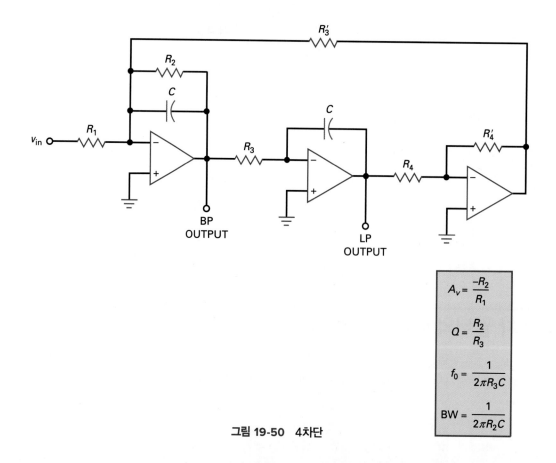

$$A_v = \frac{-R_2}{R_1}$$

$$Q = \frac{R_2}{R_3}$$

$$f_0 = \frac{1}{2\pi R_3 C}$$

$$BW = \frac{1}{2\pi R_2 C}$$

그림 19-50 4차단

및 전역통과 필터도 구성할 수가 있다. 부품의 오차가 문제시될 때 4차 필터는 흔히 살렌-키나 MFB 필터에서 사용하는 것보다 부품 값에서 변화의 감도가 적은 것을 사용한다.

상태변수 필터

상태변수 필터(state-variable filter)는 일명 발명자의 이름을 따서 KHN(Kerwin, Huelsman, and Newcomb) 필터라고 부르기도 한다. 반전과 비반전, 두 회로를 사용할 수 있다. 그림 19-51은 2차 상태변수 필터이다. 이것은 동시에 저역통과, 고역통과 및 대역통과의 세 개의 출력을 가지고 있다. 이것이 어떤 응용에서는 이점이 된다.

네 번째 연산증폭기와 몇 개의 부품을 부가하므로 회로의 Q는 전압이득과 중심주파수와 독립적이 된다. 이것은 중심주파수가 변화될 때 Q가 일정함을 의미한다. Q가 정수란 것은 대역폭이 중심주파수의 고정된 퍼센트임을 의미한다. 예를 들어 만일 $Q = 10$이라면 대역폭은 f_0의 10%일 것이다. 이것은 중심주파수가 변화되는 어떤 응용에서도 바람직하다.

4차 필터처럼 상태변수 필터는 VCVS와 MFB 필터보다 더 많은 부분에 사용된다. 그러나 부가된 연산증폭기와 몇 개의 부품들은 이 필터를 고차 필터와 임계적인 응용에 더 적합토록 만든다. 더 나아가 4차 필터와 상태변수 필터는 더 적은 부품감도를 나타내므로 그 결과 이 필터는 제작하기가 쉽고 더 적은 조정이 요구된다.

결론

요점정리 표 19-7에 서로 다른 근사를 실행하는 데 사용되는 네 가지 기본필터 회로에 대해 요약했다. 보는 바와 같이 살렌-키 필터는 VCVS 필터의 일반적인 종류에 포함되

$$A_v = \frac{1}{3}\left(\frac{R_2}{R_1} + 1\right)$$

$$Q = A_v$$

$$f_0 = \frac{1}{2\pi RC}$$

그림 19-51 상태변수 단

요점정리 표 19-7	기본필터 회로들				
형식	**다른 이름**	**복잡성**	**감도**	**동조**	**이점**
살렌-키	VCVS	적음	높음	어려움	간단성, 비반전
다중귀환	MFB	적음	높음	어려움	간단성, 반전
4차	TT	큼	낮음	쉬움	안정성, 여분의 출력, BW일정
상태변수	KHN	큼	낮음	쉬움	안정성, 여분의 출력, Q일정

고, 다중귀환필터는 MFB로 요약되며, 4차 필터는 일명 TT필터라고 하기도 하고, 상태변수 필터는 KHN필터로 알려져 있다. VCVS와 MFB필터는 1개의 연산증폭기민을 사용하므로 덜 복잡하고 반면에 TT와 KHN필터는 2차단에 3개 내지 5개의 연산증폭기를 사용하므로 더욱 복잡하다.

VCVS와 MFB필터는 부품오차에 대해 높은 감도를 가지는 반면 TT와 KHN필터는 극히 낮은 부품감도를 가진다. VCVS와 MFB필터는 전압이득, 차단과 중심주파수 및 Q간의 상호작용 때문에 동조시키기가 약간 어렵다. TT필터는 전압이득, 중심주파수 및 대역폭을 독립적으로 조정할 수 있으므로 동조시키기가 쉽다. KHN은 전압이득, 중심주파수 및 Q를 독립적으로 조정할 수 있다. 결국 VCVS와 MFB필터는 단순함을 제공하고, TT와 KHN필터는 안정성과 부가적인 출력을 제공한다. 대역통과 필터의 중심주파수가 변할 때 TT필터는 일정한 대역폭을 가지고, KHN필터는 일정한 Q를 가진다.

비록 5개의 기본 근사(버터워스, 체비쉐프, 역 체비쉐프, 타원형, 베셀)는 어떤 것이라도 연산증폭기 회로로 구현할 수 있으나, 더 복잡한 근사(역 체비쉐프, 타원형)는 VCVS 또는 MFB회로로 구현할 수가 없다.

요점정리 표 19-8에 이들을 사용할 수 있는 5개의 근사와 단의 형식을 나타내었다. 보다시피 역 체비쉐프와 타원형 근사의 리플을 갖는 저지대역 응답은 그 실현을 위해 KHN(상태변수)과 같은 복잡한 필터가 요구된다.

이 장은 요점정리 표 19-7에 나타낸 가장 기본적인 필터회로 네 가지에 대해 설명했다. 이들 기본회로는 아주 인기 있고 널리 사용된다. 그러나 실제 필터설계를 하는

요점정리 표 19-8	근사와 회로들		
형식	**통과대역**	**저지대역**	**사용할 수 있는 단**
버터워스	평탄	모노토닉	VCVS, MFB, TT, KHN
체비쉐프	리플	모노토닉	VCVS, MFB, TT, KHN
역 체비쉐프	평탄	리플	KHN
타원형	리플	리플	KHN
베셀	평탄	모노토닉	VCVS, MFB, TT, KHN

데 컴퓨터프로그램을 이용해야 하는 회로가 더 많음을 알아야 한다. 이들 2차단에는 다음과 같은 것들이 포함된다. 즉, Akerberg-Mossberg, Bach, Berha-Herpy, Boctor, Dliyannis-Friend, Fliege, Mikhael-Bhattacharyya, Scultety 및 twin-T 등이다. 오늘날 사용되는 모든 능동필터회로는 각기 장단점을 가지고 있기 때문에 응용 시에 설계자가 최상의 절충점을 선택해야 한다.

요점 | Summary

19-1 이상적인 응답

응답의 기본형식 다섯 가지는 다음과 같다. 저역통과, 고역통과, 대역통과, 대역저지 및 전역통과. 처음 4개는 통과대역과 저지대역을 가진다. 이상적으로 감쇄는 통과대역에서 0, 저지대역에서 ∞여야 하고 전환영역은 벽돌담 전환특성을 가져야 한다.

19-2 근사응답

통과대역은 적은 감쇄와 에지주파수로 확인한다. 저지대역은 큰 감쇄와 에지주파수로 확인한다. 필터의 차수는 리액턴스를 나타내는 부품의 수이다. 능동 필터에서 그것은 항상 커패시터의 수이다. 다섯 가지의 근사에는 버터워스(최대평탄 통과대역), 체비쉐프(리플을 포함하는 통과대역), 역 체비쉐프(평탄 통과대역과 리플을 갖는 저지대역), 타원형(리플을 갖는 통과대역과 저지대역) 및 베셀(최대평탄 시간지연)이 있다.

19-3 수동 필터

저역통과 LC필터는 공진주파수 f_0와 Q를 가지고 있다. 응답은 $Q = 0.707$일 때 최대평탄이다. Q가 증가함에 따라 응답에는 피크가 나타나고 공진주파수가 중앙에 있다. 체비쉐프 응답은 Q가 0.707이상일 때 나타나고, 베셀응답은 $Q = 0.577$일 때 나타난다. Q가 크면 클수록 전환영역에서의 강하도 더 빨라진다.

19-4 1차단

1차단은 1개의 커패시터와 1개 또는 그 이상의 저항을 가진다. 모든 1차단은 2차단에서만 가능한 피킹 때문에 버터워스 응답을 발생시킨다. 1차단은 저역통과 또는 고역통과 응답 중 하나를 발생시킬 수 있다.

19-5 VCVS 단위이득 2차 저역통과 필터

2차단은 실현과 해석이 쉽기 때문에 가장 일반적인 단이다. 단의 Q는 서로 다른 K값을 발생시킨다. 저역통과단의 극 주파수는 만일 피크, 차단주파수와 3 dB주파수가 주어지면 공진주파수를 얻기 위해서는 K값을 곱하면 된다.

19-6 고차 필터

고차 필터는 전체 차수가 기수일 때는 2차단 또는 1차단을 종속 접속하여 만들 수 있다. 필터 단이 종속 접속되었을 때, 전체 데시벨 이득을 얻기 위해서는 각 단의 데시벨 이득을 합하면 된다. 고차 필터에서 버터워스 응답을 얻기 위해서는 단의 Qs를 스태거해야 한다. 체비쉐프와 또 다른 응답을 얻기 위해서는 극 주파수와 Qs를 스태거해야 한다.

19-7 VCVS와 동일한 구성을 갖는 저역통과 필터

살렌-키와 동일한 구성을 갖는 필터는 전압이득을 일정하게 하면서 Q를 제어한다. 발진을 피하기 위하여 전압이득은 3 이하로 해야 한다. 보다 큰 Qs는 이 회로에서는 얻기 어렵다. 왜냐하면 부품의 오차가 전압이득과 Q를 결정하는데 극히 중요하게 되기 때문이다.

19-8 VCVS 고역통과 필터

VCVS 고역통과 필터는 저항과 커패시터가 서로 바뀐 것 이외에는 저역통과 필터와 같은 구성이다. 또 Q의 값은 K의 값으로 결정된다. 공진주파수, 차단주파수 및 3 dB주파수를 얻기 위해서는 극 주파수를 K값으로 나누어야 한다.

19-9 MFB(다중-귀환) 대역통과 필터

Q를 1 이하로 제공하는 대역통과 필터를 얻기 위해서는 저역통과 필터와 고역통과 필터를 종속 접속해야 한다. Q가 1 이상일 때는 광대역필터라기 보다는 오히려 협대역필터가 된다.

19-10 대역저지 필터

대역저지 필터는 교류전력선에 의해 회로에 유도되는 60 Hz의 험(hum)과 같은 특정한 주파수를 제거(notch out)하는데 사용할 수 있다. 살렌-키 노치필터에서 전압이득은 회로의 Q를 제어한다. 발진을 피하기 위해 전압이득은 2 이하로 해야 한다.

19-11 전역통과 필터

전역통과 필터는 감쇄없이 모든 주파수를 통과시킨다. 이 필터는 출력신호의 위상을 제어하도록 설계된다. 특히 중요한 것은 위상 또는 시간지연 평형기를 전역통과 필터에 사용하는 것이다. 요구되는 주파수 응답을 발생하는 다른 필터 하나와 요구되는 위상응답을 발생하는 전역통과 필터로 구성하는 전체 필터는 최대평탄 시간지연과 등가인 선형위상 응답을 가진다.

19-12 4차 필터와 상태변수 필터

4차, 또는 TT필터는 3개, 또는 4개의 연산증폭기를 사용한다. 비록 상당히 복잡하기는 하나 4차 필터는 부품의 감도가 낮고, 동조시키기가 쉽다. 또한 이 필터는 저역통과와 대역통과 출력 또는 고역통과와 대역저지 출력을 동시에 가진다. 또 상태변수 또는 KHN필터도 세 개 또는 더 이상의 연산증폭기를 사용한다. 네 번째 연산증폭기를 사용했을 때 전압이득, 중심주파수 및 Q는 모두 독립적으로 조정할 수 있기 때문에 동조시키기가 쉽다.

정의식 | Definitions

(19-1) 대역폭:

(19-5) 리플의 수:

$$\# \text{리플} = \frac{n}{2}$$

(19-4) 필터의 차수:

$$n = \# \text{커패시터}$$

유도식 | Derivations

(19-2) 중심주파수:

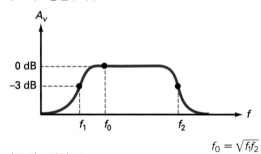

$$f_0 = \sqrt{f_1 f_2}$$

(19-3) 단의 Q:

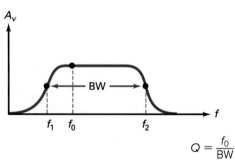

$$Q = \frac{f_0}{\text{BW}}$$

(19-22) ~ (19-24) 중심, 차단 및 3 dB 주파수:

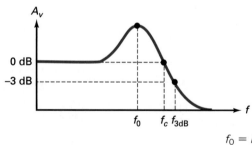

$$f_0 = K_0 f_p$$
$$f_c = K_c f_p$$
$$f_{3\text{dB}} = K_3 f_p$$

복습 문제 | Self-Test

1. 통과대역과 저지대역 사이의 영역을 무슨 영역이라고 부르는가?
   a. 감쇄   b. 중심
   c. 전환   d. 리플

2. 대역통과 필터의 중심주파수는 항상 무엇과 같은가?
   a. 대역폭
   b. 차단주파수의 기하학적 평균
   c. 대역폭을 Q로 나눈 것
   d. 3 dB주파수

3. 협대역 필터의 Q는 항상 ____.
   a. 적다.
   b. BW를 f_0로 나눈 값과 같다.
   c. 1 이하이다.
   d. 1 이상이다.

4. 대역저지 필터는 흔히 무엇이라 부르는가?
   a. 스너버(snubber)
   b. 이상기
   c. 노치필터
   d. 시간지연 회로

5. 전역통과 필터는 ____.
   a. 통과대역를 갖지 않는다.
   b. 하나의 저지대역을 가진다.
   c. 전체주파수에서 동일한 이득을 가진다.
   d. 차단 이상에서 빠른 강하를 가진다.

6. 최대평탄 통과대역을 가지는 근사는?
   a. 체비쉐프
   b. 역 체비쉐프
   c. 타원형(Elliptic)
   d. 카우어(Cauer)

7. 리플이 발생하는 통과대역을 가지는 근사는?
   a. 버터워스   b. 역 체비쉐프
   c. 타원형   d. 베셀

8. 왜곡된 디지털 신호를 가장 적게 발생하는 근사는?
   a. 버터워스   b. 체비쉐프
   c. 타원형   d. 베셀

9. 만일 필터가 6차단과 1차단을 가진다면 몇 차 필터인가?
   a. 2   b. 6
   c. 7   d. 13

10. 만일 버터워스 필터가 9차단을 가진다면 강하율은?
    a. 20 dB/decade
    b. 40 dB/decade
    c. 180 dB/decade
    d. 360 dB/decade

11. 만일 $n = 10$이라면 전환영역에서 가장 빠른 강하를 가지는 근사는?
    a. 버터워스   b. 체비쉐프
    c. 역 체비쉐프 d. 타원형

12. 타원형 근사는 무엇을 가지는가?
    a. 카우어 근사와 비교하여 느린 강하율
    b. 리플이 발생하는 저지대역
    c. 최대평탄 통과대역
    d. 모노토닉 저지대역

13. 선형 위상천이는 무엇과 등가인가?
    a. 0.707의 Q
    b. 최대평탄 저지대역
    c. 일정한 시간지연
    d. 리플이 발생하는 통과대역

14. 가장 느린 강하율을 가지는 필터는?
    a. 버터워스
    b. 체비쉐프
    c. 타원형
    d. 베셀

15. 1차 능동 필터 단은 무엇을 가지는가?
    a. 한 개의 커패시터
    b. 두 개의 연산증폭기
    c. 세 개의 저항
    d. 큰 Q

16. 1차단은 무엇을 가질 수 없는가?
    a. 버터워스 응답
    b. 체비쉐프 응답
    c. 최대평탄 통과대역
    d. 20 dB/decade의 감소율

17. 살렌-키 필터는 일명 무엇으로 부르는가?
    a. VCVS 필터 b. MFB 필터
    c. 4차 필터   d. 상태변수 필터

18. 10차 필터를 구성하기 위해서는 어떻게 종속 접속해야 하는가?
    a. 10개의 1차단
    b. 5개의 2차단
    c. 3개의 3차단
    d. 2개의 4차단

19. 8차 필터에서 버터워스 응답을 얻기 위해서는 단은 무엇을 가지는 것이 필요한가?
    a. 동일한 Qs
    b. 동일하지 않은 중심주파수
    c. 인덕터
    d. 스태거된 Qs

20. 12차 필터에서 체비쉐프 응답을 얻기 위해서는 단은 무엇을 가지는 것이 필요한가?
    a. 동일한 Qs
    b. 동일한 중심주파수
    c. 스태거된 대역폭
    d. 스태거된 중심주파수와 Qs

21. 살렌-키와 동일한 구성을 갖는 2차단의 Q는 무엇에 의존하는가?
    a. 전압이득
    b. 중심주파수
    c. 대역폭
    d. 연산증폭기의 GBW

22. 살렌-키 고역통과 필터에서 극 주파수는 어떻게 해야 하는가?
    a. K값에 더해야 한다.
    b. K값에서 빼야 한다.
    c. K값으로 곱해야 한다.
    d. K값으로 나누어야 한다.

23. 만일 대역폭이 증가하면 ____.
    a. 중심주파수가 증가한다.
    b. Q가 감소한다.
    c. 강하율이 증가한다.
    d. 저지대역에서 리플이 나타난다.

24. Q가 1보다 클 때 대역통과 필터는 무엇으로 구성해야 하는가?

a. 저역통과 및 고역통과 단

b. MFB 단

c. 노치 단

d. 전역통과 단

25. 전역통과 필터는 어떤 경우에 사용되는가?

a. 큰 강하율이 필요할 때

b. 위상천이가 중요할 때

c. 최대평탄 통과대역이 필요할 때

d. 리플이 발생되는 저지대역이 중요할 때

26. 2차 전역통과 필터는 출력위상이 무엇에서 무엇까지 변할 수 있는가?

a. $90° \sim -90°$

b. $0° \sim -180°$

c. $0° \sim -360°$

d. $0° \sim -720°$

27. 전역통과 필터는 흔히 무엇이라 부르기도 하는가?

a. TT(Tow-Thomas) 필터

b. 지연 평형기

c. KHN 필터

d. 상태변수 필터

28. 4차 필터는 ____.

a. 낮은 부품감도를 가진다

b. 세 개 또는 그 이상의 연산증폭기를 사용한다

c. 일명 TT필터라고 부른다

d. 위의 보기 모두이다

29. 상태변수 필터는 ____.

a. 저역통과, 고역통과 및 대역통과 출력을 가진다.

b. 동조시키기 어렵다.

c. 높은 부품감도를 가진다.

d. 연산증폭기를 세 개보다 더 적게 사용한다.

30. 만일 GBW가 제한된다면 단의 Q는 ____.

a. 그대로이다.

b. 2배이다.

c. 감소한다.

d. 증가한다.

31. 제한된 GBW를 교정하기 위해 설계자들은 무엇을 사용해야 하는가?

a. 일정한 시간지연

b. 전치왜곡

c. 선형 위상천이

d. 리플이 발생하는 통과대역

기본 문제 | Problems

19-1 이상적인 응답

19-1 대역통과 필터가 저역과 고역 차단주파수를 각각 445 Hz 및 7800 Hz를 가진다. 대역폭, 중심주파수 및 Q는 얼마인가? 이것은 광대역필터인가, 협대역필터인가?

19-2 만일 대역통과 필터가 20 kHz와 22.5 kHz인 차단주파수를 가진다면 대역폭, 중심주파수 및 Q는 얼마인가? 이것은 광대역필터인가, 협대역필터인가?

19-3 다음 필터가 협대역인지, 광대역인지를 확인하라.

a. f_1 = 2.3 kHz와 f_2 = 4.5 kHz

b. f_1 = 47 kHz와 f_2 = 75 kHz

c. f_1 = 2H z와 f_2 = 5 Hz

d. f_1 = 80 Hz와 f_2 = 160 Hz

19-2 근사응답

19-4 7개의 커패시터를 가진 능동 필터가 있다. 이 필터는 몇 차인가?

19-5 만일 버터워스 필터가 10개의 커패시터를 포함하고 있다면, 강하율은 얼마인가?

19-6 14개의 커패시터를 가진 체비쉐프 필터가 있다. 통과대역은 얼마나 많은 리플을 가지는가?

19-3 수동 필터

19-7 그림 19-17의 필터에서 L = 20 mH, C = 5 μF, R = 600 Ω을 가진다. 공진주파수와 Q는 얼마인가?

19-8 만일 문제 19-7에서 인덕턴스가 2배 감소한다면, 공진주파수와 Q는 얼마인가?

19-4 1차단

19-9 그림 19-21a에서 R_1 = 15 kΩ, C_1 = 270 nF라면, 차단주파수는 얼마인가?

19-10 ||||**Multisim** 그림 19-21b에서 R_1 = 7.5 kΩ, R_2 = 33 kΩ, R_3 = 20 kΩ이고 C_1 = 680 pF이다. 차단주파수는 얼마인가? 통과대역에서 전압이득은 얼마인가?

19-11 ||||**Multisim** 그림 19-21c에서 R_1 = 2.2 kΩ, R_2 = 47 kΩ이고 C_1 = 330 pF라면, 차단주파수는 얼마인가? 또 통과대역에서 전압이득은 얼마인가?

19-12 그림 19-22a에서 R_1 = 10 kΩ, C_1 = 15 nF이다. 차단주파수는 얼마인가?

19-13 그림 19-22b에서 R_1 = 12 kΩ, R_2 = 24 kΩ, R_3 = 20 kΩ이고 C_1 = 220 pF이다. 차단주파수는 얼마인가? 또 통과대역에서의 전압이득은 얼마인가?

19-14 그림 19-22c에서 R_1 = 8.2 kΩ, C_1 = 560 pF, C_2 = 680 pF이다. 차단주파수는 얼마인가? 또 통과대역에서 전압이득은 얼마인가?

19-5 VCVS 단위이득 2차 저역통과 필터

19-15 ||||**Multisim** 그림 19-24에서 R = 75 kΩ, C_1 = 100 pF, C_2 = 200 pF이다. 극 주파수와 Q는 얼마인가? 또 차단과 3 dB주파수는 얼마인가?

19-16 그림 19-25에서 $R = 51$ kΩ, $C_1 = 100$ pF, $C_2 = 680$ pF 이다. 극 주파수와 Q는 얼마인가? 또 차단 및 3 dB주파수는 얼마인가?

19-7 VCVS와 동일한 구성을 갖는 저역통과 필터

19-17 그림 19-31에서 $R_1 = 51$ kΩ, $R_2 = 30$ kΩ, $R = 33$ kΩ, $C = 220$ pF이다. 극 주파수와 Q는 얼마인가? 또 차단 및 3 dB주파수는 얼마인가?

19-18 그림 19-31에서 $R_1 = 33$ kΩ, $R_2 = 33$ kΩ, $R = 75$ kΩ, $C = 100$ pF이다. 극 주파수와 Q는 얼마인가? 또 차단 및 3 dB주파수는 얼마인가?

19-19 그림 19-31에서 $R_1 = 75$ kΩ, $R_2 = 56$ kΩ, $R = 68$ kΩ, $C = 120$ pF이다. 극 주파수와 Q는 얼마인가? 또 차단 및 3-dB주파수는 얼마인가?

19-8 VCVS 고역통과 필터

19-20 그림 19-35a에서 $R_1 = 56$ kΩ, $R_2 = 10$ kΩ, $C = 680$ pF이다. 극 주파수와 Q는 얼마인가? 또 차단 및 3-dB주파수는 얼마인가?

19-21 |||| **Multisim** 그림 19-35a에서 $R_1 = 91$ kΩ, $R_2 = 15$ kΩ, $C = 220$ pF이다. 극 주파수와 Q는 얼마인가? 또 차단 및 3-dB주파수는 얼마인가?

19-9 MFB(다중-귀환) 대역통과 필터

19-22 그림 19-39에서 $R_1 = 2$ kΩ, $R_2 = 56$ kΩ, $C = 270$ pF이다. 전압이득, Q 및 중심주파수는 얼마인가?

19-23 그림 19-40에서 $R_1 = 3.6$ kΩ, $R_2 = 7.5$ kΩ, $R_3 = 27$ Ω, $C = 22$ nF이다. 전압이득, Q 중심주파수는 얼마인가?

19-24 그림 19-41에서 $R_1 = 28$ kΩ, $R_3 = 1.8$ kΩ, $C = 1.8$ nF이다. 전압이득, Q 및 중심주파수는 얼마인가?

19-10 대역저지 필터

19-25 |||| **Multisim** 그림 19-43에 나타낸 대역저지 필터에서 만일 $R = 56$ kΩ, $C = 180$ nF, $R_1 = 20$ kΩ, $R_2 = 10$ kΩ 이라면 전압이득, 중심주파수 및 Q는 얼마인가? 또 대역폭은 얼마인가?

19-11 전역통과 필터

19-26 그림 19-45a에서 $R = 3.3$ kΩ, $C = 220$ nF이다. 중심주파수는 얼마인가? 또 중심주파수 이상에서 1옥타브당 위상천이는 얼마인가?

19-27 |||| **Multisim** 그림 19-45b에서 $R = 47$ kΩ, $C_1 = 6.8$ nF이다. 중심주파수는 얼마인가? 중심주파수 이하에서 1옥타브당 위상천이는 얼마인가?

19-12 4차 필터와 상태변수 필터

19-28 그림 19-50에서 $R_1 = 24$ kΩ, $R_2 = 100$ kΩ, $R_3 = 10$ kΩ, $R_4 = 15$ kΩ 및 $C = 3.3$ nF이다. 전압이득, Q, 중심주파수 및 대역폭은?

19-29 문제 19-28에서 R_3는 10 kΩ에서 2 kΩ까지 변화한다. 최대 중심주파수와 최대 Q는 얼마인가? 또 최소, 최대 대역폭은 얼마인가?

19-30 그림 19-51에서 $R = 6.8$ kΩ, $C_1 = 5.6$ nF, $R_1 = 6.8$ kΩ 및 $R_2 = 100$ kΩ이다. 전압이득 Q, 중심주파수는 얼마인가?

응용 문제 | Critical Thinking

19-31 50 kHz의 중심주파수와 20인 Q를 가지는 대역통과 필터가 있다. 차단주파수는 얼마인가?

19-32 84.7 kHz의 고역 차단주파수와 12.3 kHz의 대역폭을 가지는 대역통과 필터가 있다. 저역 차단주파수는 얼마인가?

19-33 다음과 같은 사양을 가지는 버터워스 필터를 테스트하고자 한다: $n = 10$, $A_p = 3$ dB, $f_c = 2$ kHz. 주파수 4, 8, 20 kHz에서의 감쇄는 얼마인가?

19-34 살렌-키 단위이득 저역필터가 5 kHz의 차단주파수를 가진다. 만일 $n = 2$와 $R = 10$ kΩ일 때 버터워스 응답을 갖도록 하려면 C_1과 C_2는 얼마로 해야 하나?

19-35 체비쉐프 살렌-키 단위이득 저역통과 필터가 7.5 kHz의 차단주파수를 가진다. 리플의 크기는 12 dB이다. 만일 $n = 2$와 $R = 25$ kΩ이라면 C_1과 C_2는 얼마로 해야 하는가?

Multisim 고장 점검 문제 | Multisim Troubleshooting Problems

멀티심 고장 점검 파일들은 *Connect for Electronic Principles* 저자 자료에 멀티심 고장 점검 회로(MTC)라는 폴더에서 찾을 수 있다. 좀 더 자세한 내용은 xiv페이지를 참조하라. 이 장에 관련된 파일은 MTC19-36~MTC19-40로 명칭되어 있다.

각 파일을 열고 고장 점검을 실시한다. 결함이 있는지 결정하기 위해 측정을 실시하고 결함이 있다면 무엇인지를 찾아라.

19-36 MTC19-36 파일을 열고 고장 점검을 실시하라.

19-37 MTC19-37 파일을 열고 고장 점검을 실시하라.

19-38 MTC19-38 파일을 열고 고장 점검을 실시하라.

19-39 MTC19-39 파일을 열고 고장 점검을 실시하라.

19-40 MTC19-40 파일을 열고 고장 점검을 실시하라.

직무 면접 문제 | Job Interview Questions

1. 네 개의 벽돌담(brick wall)응답을 그려라. 각각의 통과대역, 저지대역 및 차단주파수를 분명히 하라.

2. 필터설계에서 사용되는 다섯 가지 근사를 설명하라. 통과대역과 저지대역에서 어떤 것이 발생되는지를 볼 수 있도록 스케치하라.

3. 디지털시스템에서 필터는 선형 위상응답 또는 최대 평탄시간 지연이 요구된다. 이것은 무엇을 의미하고, 이것이 왜 중요한가?

4. 10차 저역통과 체비쉐프 필터는 어떻게 실현할 수 있는지에 대해 말하라. 설명 중에는 단의 중심주파수와 Qs를 포함시켜야 한다.

5. 빠른 강하와 선형 위상응답을 얻기 위해서는 전역통과 필터에 버터워스 필터를 종속 접속해야 한다. 이 필터들은 각각 어떤 작용을 하는가?

6. 통과대역과 저지대역에서 응답의 뚜렷한 특징은 무엇인가?

7. 전역통과 필터는 무엇인가?

8. 필터의 주파수 응답은 무엇을 측정 또는 표시하는가?

9. 능동 필터에서 감소율(/decade와 /octave)은 무엇인가?

10. MFB 필터는 무엇이고, 어디에 사용하는가?

11. 필터의 형식 중에서 지연평형에 사용되는 것은 무엇인가?

복습 문제 해답 | Self-Test Answers

1.	c	**12.**	b	**23.**	b
2.	b	**13.**	c	**24.**	b
3.	d	**14.**	d	**25.**	b
4.	c	**15.**	a	**26.**	c
5.	c	**16.**	b	**27.**	b
6.	b	**17.**	a	**28.**	d
7.	c	**18.**	b	**29.**	a
8.	d	**19.**	d	**30.**	d
9.	d	**20.**	d	**31.**	b
10.	d	**21.**	a		
11.	d	**22.**	d		

연습 문제 해답 | Practice Problem Answers

19-1　$f_c = 34.4$ kHz

19-2　$f_c = 16.8$ kHz

19-3　$Q = 0.707$; $f_p = 13.7$ kHz; $f_c = 13.7$ kHz

19-4　$C_2 = 904$ pF

19-5　$Q = 3$; $f_p = 3.1$ kHz; $K_0 = 0.96$; $K_c = 1.35$; $K_3 = 1.52$; $A_p = 9.8$ dB; $f_c = 4.19$ kHz; $f_{3dB} = 4.71$ kHz

19-6　$A_v = 1.59$; $Q = 0.709$; $f_p = 21.9$ kHz

19-7　$A_v = 1.27$; $Q = 0.578$; $f_p = 4.82$ kHz; $f_c = 3.79$ kHz

19-9　$Q = 0.707$; $f_p = 998$ Hz; $f_c = 998$ Hz

19-10　$A_v = 2.75$; $Q = 4$; $f_p = 5.31$ kHz; $K_0 = 0.98$; $K_c = 1.38$; $K_3 = 1.53$;

$A_p = 12$ dB; $f_0 = 5.42$ kHz; $f_c = 3.85$ kHz; $f_{3dB} = 3.47$ kHz

19-11　$BW = 1.94$ kHz; $f_{0(min)} = 15$ kHz; $f_{0(max)} = 35.5$ kHz

19-12　$R_2 = 12$ kHz; $C = 60$ nF

20

비선형 연산증폭기 회로의 응용

Nonlinear Op-Amp Circuit Applications

모놀리딕 연산증폭기는 값이 싸고 호환성과 신뢰성이 있다. 이것은 전압증폭기, 전류원 및 능동 필터와 같은 선형회로에서뿐만 아니라 비교기, 파형정형회로 및 능동 다이오드회로와 같은 **비선형회로(nonlinear circuits)**에도 사용할 수 있다. 비선형 연산증폭기회로의 출력은 입력 사이클의 일시 동안 연산증폭기가 포화되기 때문에 항상 입력신호와는 다른 모양을 가진다. 이 때문에 전체 사이클 동안에 어떤 일이 발생되는가를 알아보기 위해서는 두 개의 서로 다른 동작모드에 대해 분석해야 한다.

주요용어 | Vocabulary

D급 증폭기(Class-D amplifier)

가속커패시터(speed up capacitor)

개방-컬렉터 비교기
 (open-collector comparator)

능동 반파정류기
 (active half-wave rectifier)

능동 양의 클램퍼
 (active positive clamper)

능동 양의 클리퍼
 (active positive clipper)

능동 피크검출기
 (active peak detector)

리사아쥬 도형(Lissajous pattern)

미분기(differentiator)

발진기(oscillators)

비교기(comparator)

비선형회로(nonlinear circuits)

슈미트 트리거(schmitt trigger)

스레스홀드(threshold)

열잡음(thermal noise)

영점통과 검출기
 (zero-crossing detector)

이장발진기(relaxation oscillator)

적분기(integrator)

전달특성(transfer characteristic)

창 비교기(window comparator)

트립점(trip point)

펄스폭 변조
 (pulse-width-modulated(PWM))

풀업저항(pullup resistor)

히스테리시스(hysterisis)

20-1 기준전압이 0 V인 비교기

우리는 흔히 한 전압과 또 다른 전압을 놓고 어느 것이 더 큰지를 비교해 보아야 할 때가 있다. 이때 **비교기**(comparator)는 완벽한 해답을 줄 것이다. 비교기는 두 개의 입력전압 (비반전과 반전)과 하나의 출력전압을 가지기 때문에 연산증폭기와 흡사하다. 이것은 저(low) 또는 고(high)의 전압인 2상태 출력을 갖기 때문에 선형 연산증폭기회로와는 다르다. 이 때문에 비교기는 아날로그와 디지털회로 간의 인터페이스로 흔히 사용된다.

기본 개념

비교기를 설계하는 가장 간단한 방법은 그림 20-1a와 같이 귀환저항이 없는 연산증폭기를 사용하는 것이다. 큰 개방루프 전압이득 때문에 양의 입력전압은 양의 포화를 발생시키고 음의 입력전압은 음의 포화를 발생시킨다.

그림 20-1a의 비교기는 입력전압이 0을 통과할 때마다 출력전압은 저(low)에서 고(high)로 또는 그 반대로 이상적으로 스위치되기 때문에 **영점통과 검출기**(zero-crossing detector)라고 부른다. 그림 20-1b에 영점통과 검출기의 입력-출력 응답을 나타내었다. 포화를 발생시키는 최소 입력전압은

$$v_{in(min)} = \frac{\pm V_{sat}}{A_{VOL}} \tag{20-1}$$

(a)   (b)

(c)

그림 20-1   (a) 비교기; (b) 입력/출력 응답; (c) 741C 응답

만일 V_{sat} = 14 V이면 비교기의 출력스윙은 거의 -14 V에서 $+14$ V이다. 만일 개방루프
전압이득이 100,000이라면 포화를 발생시키는 데 필요한 입력전압은

$$v_{in(min)} = \frac{\pm 14\ V}{100{,}000} = \pm 0.14\ mV$$

이것은 입력전압이 $+0.014$ mV보다 더 큰 양의 전압이면 비교기가 양의 포화로 구동되
고, 입력전압이 -0.014 mV보다 더 음이면 음의 포화로 구동됨을 의미한다.

입력전압이 항상 ± 0.014 mV보다 더 크면 비교기로 사용된다. 이것은 출력전압이
$+V_{sat}$이거나 $-V_{sat}$인 2상태 출력이기 때문이다. 출력전압을 봄으로써 즉시 입력전압이
0보다 큰지, 작은지를 알 수 있다.

리사아쥬 도형

리사아쥬 도형(Lissajous pattern)은 수직축과 수평축 입력에 인가한 신호가 조화로운
관계에 있을 때 오실로스코프 상에 나타난다. 어떤 회로의 입-출력 응답을 화면에 나타
내는 편리한 방법 중 하나가 리사아쥬 도형인데 이 도형 상에 조화로운 관계에 있는 두
신호가 회로의 입력과 출력전압이다.

예를 들어 그림 20-1c는 ± 15 V의 공급전압을 가지는 741C에 대한 입/출력 응
답을 나타낸다. 채널 1(수직축)은 5 V/Div의 감도를 가진다. 이 그림에서와 같이 출력
전압은 비교기가 음의 포화인지 또는 양의 포화인지에 따라 -14 V이거나 $+14$ V이다.

채널 2(수평축)는 10 mV/Div의 감도를 가진다. 그림 20-1c에서 전환은 수직으로
나타난다. 이것은 아주 적은 양의 입력전압이 양의 포화를 발생시키고, 아주 적은 음의
입력이 음의 포화를 발생시킴을 의미한다.

반전 비교기

때로는 그림 20-2a와 같은 반전 비교기를 많이 사용하기도 한다. 비반전입력은 접지
된다. 입력신호는 비교기의 반전입력을 구동한다. 이 경우, 약간의 양의 입력전압은 그

그림 20-2 (a) 클램핑 다이오드를 갖는 반전비교기; (b) 입/출력 응답

림 20-2*b*와 같이 최대 음의 출력을 발생시킨다. 한편 약간의 음의 입력전압은 최대 양의 출력을 발생한다.

다이오드 클램프

앞 장에서 민감한 회로를 보호하기 위한 다이오드 클램프(*diode clamps*)의 사용에 대해 설명했다. 그림 20-2*a*는 실제 예이다. 여기서는 지나치게 큰 입력전압에 대해 비교기를 보호하는 두 개의 다이오드 클램프를 볼 수 있다. 예를 들어 LF311은 절대 최대입력 정격이 ±15 V를 가지는 IC 비교기이다. 만일 입력전압이 이 제한을 넘으면 LF311은 파손될 것이다.

어떤 비교기는 최대 입력전압이 ±5 V만큼 적은 것도 있는 반면 또 어떤 것은 ±30 V 이상인 것도 있다. 어떤 경우이든 그림 20-2*a*에 나타낸 다이오드 클램프를 사용하여 파손시킬 만큼 큰 입력전압에 대해 비교기를 보호할 수 있다. 이 다이오드는 입력전압의 크기가 0.7 V 이하인 한 회로 동작에 영향을 미치지 않는다. 입력선압이 0.7 V 이상의 크기일 때는 다이오드 중 하나가 전도되어 약 0.7 V의 반전된 입력전압의 크기로 클램프한다.

어떤 IC들은 비교기로 사용하기에 최적인 것도 있다. 이들 IC 비교기는 대부분 그들 입력단에 다이오드 클램프가 구성되어 있다. 이들 비교기중 하나를 사용할 때는 입력 단자에 직렬로 외부저항을 부가해야 한다. 이 직렬저항은 안전한 레벨까지 내부 다이오드전류를 제한한다.

정현파를 방형파로 변환

비교기의 **트립점**(trip point: **스레스홀드** 또는 기준(threshold or reference))은 입력전압을 스위치상태(저(low)에서 고(high) 또는 고에서 저로)의 출력전압으로 전환하는 점이다. 앞서 설명한 비반전과 반전비교기에서의 트립점은 0이다. 왜냐하면 출력스위치 상태가 발생되는 곳의 입력전압 값이 0이기 때문이다. 영점통과 검출기는 2개의 **출력상태**(*two-state output*)를 가지기 때문에 주기적인 입력신호는 0 스레스홀드를 통과할 때마다 방형파 출력신호를 발생시킬 것이다.

(*a*)　　　　　　　　　　　　　　(*b*)

그림 20-3 정현파를 방형파로 변환하는 비교기. (a) 비반전; (b) 반전

　　예를 들어 만일 정현파가 0 V의 스레스홀드를 가지는 비반전 비교기에 입력되면 출력은 그림 20-3a와 같은 방형파가 될 것이다. 보다시피 영점통과 검출기의 출력은 입력전압이 0인 스레스홀드를 지날 때마다 스위치상태를 나타낸다.

　　그림 20-3b에 0의 스레스홀드를 가지는 반전비교기에서의 입력정현파와 출력 방형파를 나타내었다. 이 영점통과 검출기에서 출력방형파는 입력정현파에 대해 180°의 위상차를 가진다.

선형영역

그림 20-4a에 영점통과 검출기를 나타내었다. 만일 이 비교기가 ∞의 개방루프 이득을 가진다면 음과 양의 포화 사이의 전환은 수직이 될 것이다. 그림 20-1c에서 전환은 채널 2가 10 mV/Div이기 때문에 수직적으로 나타난다. 채널 2의 감도를 200 μV/Div으로 바꾸면 그림 20-4b처럼 전환이 수직이 되지 않고, 양 또는 음의 포화를 얻기 위해서는 약 ±100 μV가 걸림을 볼 수 있을 것이다. 이것이 일반적인 비교기 특성이다. 거의 −100에서 +100 μV 사이의 좁은 입력영역을 비교기의 **선형영역**(*linear region of the comparator*)이라고 부른다. 0을 통과하는 동안 입력신호의 변화는 양과 음의 포화 사이 또는 그 반대의 경우, 갑자기 점프하는 것 같이 보일 만큼 매우 빠르게 선형영역을 통과한다.

아날로그와 디지털회로의 인터페이싱

비교기는 CMOS, EMOS, TTL과 같은 디지털 회로의 출력과 항상 인터페이서 할 수 있다.

　　그림 20-5a는 어떻게 영점통과 검출기가 EMOS회로와 인터페이서 할 수 있는지

(a)

(b)

그림 20-4　일반적인 비교기의 좁은 선형영역

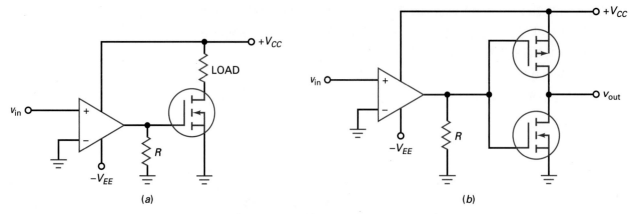

그림 20-5 (a) 전력용 FET; (b) CMOS와 인터페이서하는 비교기

를 보여준다. 입력전압이 0보다 클 때마다 비교기의 출력은 고(high)가 된다. 이것은 전력용 FET를 전도시키고 큰 부하전류를 발생한다.

그림 20-5*b*는 CMOS반전기와 인터페이싱된 영점통과 검출기를 나타내었다. 이것의 기본사고는 같다. 비교기의 입력이 0보다 크면 CMOS반전기에 고(high)의 입력을 발생시킨다.

대부분의 EMOS소자는 ±15 V이상의 입력전압을 취급할 수 있고, 또 대부분의 CMOS 소자는 ±15 V까지의 입력전압을 취급할 수 있다. 그러므로 일반적인 비교기의 출력은 레벨시프터나 클램핑없이 인터페이스할 수 있다. 반면에 TTL논리는 적은 입력전압에서 동작한다. 이 때문에 TTL을 갖는 비교기의 인터페이싱은 다음 절에서 토론될 다른 접근방법이 요구된다.

클램핑 다이오드와 보상용 저항

전류제한 저항이 클램핑 다이오드와 함께 사용될 때는 그림 20-6에서 보는 바와 같이 같은 크기의 보상용 저항을 비교기의 다른 입력에 사용해야 한다. 이것은 입력 바이어스전류의 효과를 제거하기 위한 보상용 저항을 갖는 것을 제외하고는 여전히 영점통과 검출기이다.

앞에서와 같이 다이오드는 보통 오프상태이고 회로의 동작에 영향을 미치지 않

그림 20-6 Iin(bias)의 효과를 최소화하기 위해 사용하는 보상용 저항

그림 20-7 제한된 출력 (a) 제너 다이오드; (b) 정류기 다이오드

는다. 입력이 ±0.7 V를 초과할 때만 클램핑 다이오드 중 하나가 전도되어 과잉 입력전압에 대해 비교기를 보호한다.

제한된 출력

어떤 응용에서는 영점통과 검출기의 출력스윙이 너무나 크게 된다. 만일 이런 경우에는 그림 20-7a에서 보다시피 서로 마주보는 제너 다이오드를 사용하여 출력을 제한(bound of output)할 수 있다. 이 회로에서 반전비교기의 다이오드중 하나는 순방향으로 전도되고, 또 하나는 항복영역에서 동작하기 때문에 제한된 출력을 가지게 된다.

예를 들어 1N731A는 4.3V의 제너전압을 가진다. 그러므로 두 다이오드양단 전압은 거의 ±5 V일 것이다. 만일 입력전압이 25 mV의 피크값을 갖는 정현파라면 출력전압은 5 V의 피크를 갖는 방형파로 반전될 것이다.

그림 20-7b에 제한된 출력의 또 다른 예를 나타내었다. 이 때 출력다이오드는 출력전압의 부(−)의 반사이클을 클립할 것이다. 25 mV의 피크를 가진 입력정현파가 주어진다면 그림에서 보다시피 출력은 −0.7 V와 +15 V간으로 제한된다.

출력을 제한하는 세 번째의 접근은 출력양단에 제너 다이오드를 접속하는 것이다. 예를 들어 만일 그림 20-7a의 출력양단에 마주보는 제너 다이오드를 접속한다면 출력은 ±5 V로 제한될 것이다.

응용 예제 20-1

|||| **Multisim**

그림 20-8의 회로 동작을 설명하라.

그림 20-8   서로 다른 극성의 비교기 전압

풀이   이 회로는 반대극성의 두 선압 중 어느 쪽이 너 큰지를 비교함에 따라 동작이 결정되는 회로이다. 만일 v_1의 크기가 v_2의 크기보다 더 크면 비반전입력은 양이 되고, 비교기의 출력도 양이 되어 녹색 LED가 켜진다. 한편, 만일 v_1의 크기가 v_2의 크기보다 적으면 비반전입력은 음이 되고, 비교기 출력도 음이 되어 적색 LED가 켜진다. 만약 741C 연산증폭기를 사용한다면, 최대 출력 전류가 약 25 mA가 될 것이기 때문에 출력에 있는 LED들은 전류-제한 저항이 필요하지 않다. D_1과 D_2는 입력 클램핑 다이오드이다.

응용 예제 20-2

그림 20-9의 회로 동작을 설명하라.

그림 20-9   스트로브를 갖는 제한된 비교기

풀이   먼저, 출력다이오드 D_1은 음의 반사이클을 클립한다. 또 그림 20-9에는 스트로브(*strobe*)라 부르는 신호를 포함하고 있다. 스트로브가 양일 때 Q_1은 포화되고, 출력전압은 거의 0으로 감소된다. 스트로브가 0일 때 트랜지스터는 차단되고, 비교기 출력은 양으로 스윙한다. 따라서 비교기의 출력은 스트로브가 저(low)일 때 −0.7 V에서 +15 V까지 스윙할 수 있다. 스트로브가 고(high)일 때는 출력이 억제된다. 이 회로에서 스트로브는 어떤 시간 또는 어떤 조건하에서 출력을 바꾸는 데 사용되는 신호이다.

응용 예제 20-3

그림 20-10의 회로 동작을 설명하라.

그림 20-10   60 Hz 클럭 발생회로

풀이   이 회로는 디지털 클럭에 대한 기본적인 타이밍 메커니즘으로 사용되는 60 Hz 클럭 방형파신호를 발생시키는 것 중 하나이다. 트랜스 단에서 선전압은 12 V$_{ac}$로 감소된다. 그리고 다이오드 클램프는 입력을 ±0.7 V로 제한한다. 반전비교기는 60 Hz의 주파수를 갖는 출력방형파를 발생시킨다. 출력신호는 초, 분, 시간을 나타내는 데 사용할 수 있는 주파수를 가지기 때문에 클럭(clock)이라고 부른다.

1초 주기를 갖는 방형파를 얻기 위해 60 Hz를 60으로 나눌 수 있는 디지털회로를 주파수 **분배기**(*frequency divider*)라고 부른다. 또 1분 주기를 갖는 방형파를 얻기 위해 이 신호를 또 다시 60으로 나누는 회로를 사용할 수 있다. 마지막으로 1시간의 주기를 갖는 방형파를 얻기 위해 이 신호를 또 다시 60으로 나누는 회로를 사용할 수 있다. 이 같은 서로 다른 디지털회로에서 발생되는 3개의 방형파(1초, 1분, 1시간)와 7-시그멘트 LED 표시기를 사용하여 숫자로 매일의 시간을 나타낼 수가 있다.

20-2 기준전압이 0 V가 아닌 비교기

어떤 응용에서는 0이 아닌 스레스홀드전압을 사용하기도 한다. 입력바이어스를 달리하므로 우리가 필요로 하는 스레스홀드전압으로 변화시킬 수 있다.

트립점의 이동

그림 20-11a에서 전압분배기는 반전입력에 대한 다음과 같은 기준전압을 발생시킨다.

$$v_{ref} = \frac{R_2}{R_1 + R_2} V_{CC} \tag{20-2}$$

v_{in}이 v_{ref}보다 크면 차동 입력전압은 양이 되고 출력전압은 고(high)가 된다. v_{in}이 v_{ref}보다 적으면 차동 입력전압은 음이 되고 출력전압은 저(low)가 된다.

일반적으로 그림 20-11a와 같이 반전입력에는 바이패스 커패시터가 사용된다. 이것은 반전입력에 나타나는 많은 양의 공급전원 리플과 그 외의 잡음을 감소시킨다. 이때 바이패스회로의 차단주파수는 공급전원의 리플주파수보다 충분히 적게 하는 것이 효과적이다. 차단주파수는 다음과 같이 주어진다.

$$f_c = \frac{1}{2\pi(R_1 \| R_2)C_{BY}} \tag{20-3}$$

$$v_{ref} = \frac{R_2}{R_1 + R_2} V_{CC}$$

$$f_c = \frac{1}{2\pi(R_1 \parallel R_2)C_{BY}}$$

그림 20-11   (a) 양의 스레스홀드; (b) 양의 입력−출력 응답; (c) 음의 스레스홀드; (d) 음의 입력−출력 응답

그림 20-11b에 **전달특성**(transfer characteristic: 입력-출력 응답)을 나타내었다. 트립점은 v_{ref}이다. v_{in}이 v_{ref}보다 클 때 비교기의 출력은 양의 포화로 들어가고, v_{in}이 v_{ref}보다 적을 때 출력은 음의 포화로 들어간다.

이 같은 비교기를 흔히 제한 검출기(*limit detector*)라 부르는데 이것은 양의 출력이 특정하게 제한된 입력전압값을 초과하는 순간을 가리키기 때문이다. R_1과 R_2의 값을 변화시키므로 양의 제한점을 0에서 V_{CC}사이의 임의의 점으로 설정할 수가 있다. 만일 음의 제한점을 설정하려면 그림 20-11c와 같이 전압분배기에 $-V_{EE}$를 접속시키면 된다. 지금 음의 기준전압이 반전입력에 인가되었다고 하자. v_{in}이 v_{ref}보다 더 양이면 차동 입력전압은 양이 되고 그림 20-11d와 같이 출력은 고(high)가 된다. v_{in}이 v_{ref}보다 더 음이면 출력은 저(low)가 된다.

단일 공급전원 비교기

741C와 같은 일반적인 연산증폭기는 그림 20-12a와 같이 $-V_{EE}$의 핀을 접지시키므로 단일 양의 공급전원으로 동작시킬 수가 있다. 출력전압은 단일극성만을 가지고, 저(low) 또는 고(high)의 양의 전압 중 어느 하나가 된다. 예를 들어 V_{CC} = +15 V이면 출력스윙은 약 +1.5 V(저(low)상태)에서 +13.5 V(고(high)상태)부근까지이다.

그림 20-12b에 나타내었듯이 v_{in}이 v_{ref}이상이면 출력은 고(high)가 되고, v_{in}이 v_{ref}이하이면 출력은 저(low)가 된다. 이 두 경우 모두에서 출력은 양의 극성을 가진다. 대부분의 디지털 응용에서는 이 같은 양의 출력이 이용된다.

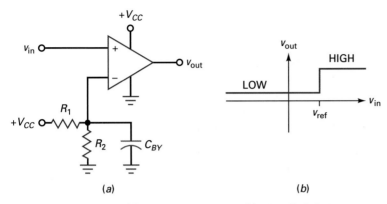

그림 20-12 (a) 단일 전원공급 비교기; (b) 입력–출력 응답

IC 비교기들

741C와 같은 연산증폭기는 비교기로도 사용할 수는 있으나 슬루레이터 때문에 속도에 제한이 있다. 741C에서의 출력은 0.5 V/μs보다 빨리 변화할 수가 없다. 이 때문에 741C 는 공급전원 ±15 V에서 출력의 상태를 스위치하는데 50 μs이상이 걸린다. 이 같은 슬루레이터 문제를 해결하는 방법 중 하나로 LM318과 같은 고속 슬루레이터를 가진 연산증폭기를 사용하는 방법이 있다. 이것은 70 V/μs의 슬루레이터를 가지기 때문에 약 0.3 μs이내에 $-V_{\text{sat}}$에서 $+V_{\text{sat}}$까지 스위치할 수 있다.

또 다른 해결방법은 일반적인 연산증폭기에서 볼 수 있는 보상커패시터를 제거하는 것이다. 비교기는 항상 비선형회로로 사용되기 때문에 보상커패시터를 필요로 하지 않는다. 제조회사에서는 보상커패시터를 제거하고 슬루레이터를 특별히 증가시킬 수 있다. IC를 비교기로 사용할 수 있도록 최적화한 경우, 이 소자는 제조업체의 자료도서 (data book)의 별도의 항목으로 기록하고 있다. 이것이 일반적인 자료도서에서 연산증폭기의 항목과 별도의 비교기의 항목을 볼 수 있는 이유이다.

개방-컬렉터 소자

그림 20-13a는 **개방-컬렉터 비교기**(open-collector comparator)에 대한 간략화된 구성도이다. 단일 양의 공급전원으로 동작시킴에 주목하라. 입력 단은 차동증폭기(Q_1과 Q_2)이다. 전류원 Q_6은 꼬리전류를 공급한다. 차동증폭기는 능동부하 Q_4를 구동한다. 출력 단은 개방 컬렉터를 가진 단일트랜지스터 Q_5이다. 이 개방 컬렉터는 사용자가 비교기의 스윙을 제어할 수 있도록 하고 있다.

일반적인 연산증폭기는 B급 푸시풀접속에 포함된 두 소자 때문에 **능동 풀업단** (*active-pullup stage*)이라고 말할 수 있는 출력 단을 가진다. 능동 풀업에서 상측 소자는 전도되어 출력은 고(high) 출력상태로 풀업한다. 한편 그림 20-13a의 개방-컬렉터 출력 단은 그곳에 접속할 외부소자를 필요로 한다.

출력단의 적절한 동작을 위해 사용자는 그림 20-13b와 같이 개방 컬렉터에 하나의 외부저항과 공급전원을 접속해야 한다. 이 저항을 **풀업저항**(pullup resistor)이라 부르는데 왜냐하면 Q_5가 차단상태로 되었을 때 출력전압을 공급전압까지 풀업하기 때문이다. Q_5가 포화되었을 때 출력전압은 저(low)가 된다. 출력 단은 트랜지스터 스위치이

그림 20-13 (a) IC 비교기의 간단한 구성도; (b) 개방컬렉터 출력단에 풀업저항을 사용

기 때문에 비교기는 2상태 출력을 발생시킨다.

회로에서 보상커패시터가 없으면 그림 20-13a의 출력은 회로에 작은 표유용량 만이 남아있기 때문에 회전(slew)이 매우 빨라질 수 있다. 스위칭속도의 주된 제한은 Q_5 양단의 용량값이다. 이 출력용량은 내부의 컬렉터용량과 외부의 배선 표유용량의 합이다.

출력시정수는 풀업저항과 출력용량을 곱한 값이다. 이 때문에 그림 20-13b의 풀업저항이 적을수록 출력전압은 더 빨리 변화할 수 있다. 일반적으로 R은 수백에서 수천Ω이다.

IC 비교기의 예로 LM311, LM339 및 NE529가 있다. 이들 모두는 개방 컬렉터 출력단을 가지고 있어 출력 핀에 풀업저항과 양의 공급전압을 접속해야 한다. 이 IC 비교기들은 고속 슬루레이트를 가지고 있기 때문에 수 μs이내로 출력상태를 스위치할 수 있다.

LM339는 단일 IC 패키지 속에 네 개의 비교기가 포함된 **쿼드비교기**(*quad comparator*)이다. 이것은 단일 공급전원 또는 2공급전원으로 동작시킬 수 있다. 가격이 싸고 사용이 편리하기 때문에 LM339는 일반목적의 응용에서 가장 인기있는 비교기이다.

IC 비교기 전부가 개방-컬렉터 출력단을 가지고 있는 것은 아니다. LM360, LM361 및 LM760과 같은 것은 능동-컬렉터 출력단을 가지고 있다. 능동 풀업은 더 빠른 스위칭을 발생시킨다. 이들 고속 IC 비교기는 2공급전원을 요구한다.

TTL의 구동

LM339는 개방-컬렉터 소자이다. 그림 20-14a에 LM339와 TTL소자를 인터페이스하기 위한 접속방법을 나타내었다. +15 V의 양의 공급전원은 비교기를 위해 사용되나, LM339의 개방 컬렉터는 1 kΩ의 풀업저항을 거쳐 +5 V의 공급전원에 접속된다. 이 때문에 출력은 그림 20-14b처럼 0과 +5 V의 사이를 스윙한다. 이 출력신호는 TTL 소자가 +5 V의 공급전원에서 동작하도록 설계되어 있기 때문에 이상적이다.

그림 20-14 (a) LM339 비교기; (b) 입력−출력 응답

응용 예제 20-4

그림 20-15a에서 입력전압은 10 V의 피크값을 가지는 정현파이다. 이 회로의 트립점은 얼마인가? 바이패스회로의 차단주파수는 얼마인가? 출력파형은 어떻게 동작한다고 볼 수 있는가?

(a)

(b)

그림 20-15 듀티사이클의 계산

풀이   +15 V의 전압이 3:1의 전압분배기에 공급되므로 기준전압은,

$$v_{ref} = +5\,V$$

이것이 비교기의 트립점이다. 정현파가 이 레벨을 통과할 때 출력전압은 스위치상태가 된다. 식 (20-3)에서 바이패스회로의 차단주파수는 다음과 같다.

$$f_c = \frac{1}{2\pi(200\,k\Omega \parallel 100\,k\Omega)(10\,\mu F)}$$

$$= 0.239\,Hz$$

이렇게 낮은 차단주파수는 기준 공급전압 상의 60 Hz 리플을 크게 감쇄시킬 수 있음을 말해준다.

그림 20-15b에 10 V의 피크값을 가지는 입력정현파를 나타내었다. 구형파 출력은 약 15 V의 피크값을 가진다. 입력정현파가 +5 V의 트립점을 통과할 때 출력전압의 스위치상태가 어떠한지 주목하라.

연습 문제 20-4   그림 20-15a에서 200 kΩ의 저항을 100 kΩ으로 비꾸고, 10 μF의 커패시터를 4.7 μF으로 바꾼 후, 회로의 트립점과 차단주파수를 구하여라.

응용 예제 20-5

그림 20-15b에서 출력파형의 듀티사이클(duty cycle)은 얼마인가?

풀이   이전 장에서 듀티사이클은 펄스폭을 주기로 나눈 것으로 정의했다. 듀티사이클은 전도각을 360°로 나눈 것과 같다.

그림 20-15b에서 정현파는 10 V의 피크값을 갖는다. 따라서 입력전압은 다음과 같이 주어진다.

$$v_{in} = 10 \sin \theta$$

입력전압이 +5 V를 통과할 때 구형파 출력은 상태가 바뀌게 된다. 이 점에서 앞의 식은,

$$5 = 10 \sin \theta$$

여기서 스위칭이 발생되는 곳의 각 θ에 대해 풀면

$$\sin \theta = 0.5$$

또는,

$$\theta = \arcsin 0.5 = 30° \text{ and } 150°$$

첫 번째의 해인 $\theta = 30°$는 출력이 저(low)에서 고(high)로 바뀌는 곳이고, 두 번째 해인 $\theta = 150°$는 출력이 고(high)에서 저(low)로 바뀌는 곳이다. 듀티사이클은,

$$D = \frac{\text{전도각}}{360°} = \frac{150° - 30°}{360°} = 0.333$$

그림 20-15b에서 듀티사이클은 33.3%로 표시할 수 있다.

20-3 히스테리시스를 가지는 비교기

만일 비교기의 입력에 많은 양의 잡음이 포함되어 있다면, v_{in}이 트립점 부근일 때 출력은 엉뚱한 결과를 낳는다. 잡음의 영향을 감소시키는 한 방법으로 정귀환을 가지는 비교기를 사용한다. 정귀환은 트립점을 둘로 분리하여 잡음입력 때문에 발생하는 잘못된 전환을 방지한다.

잡음

잡음(noise)은 원치 않는 여러 가지의 신호인데 입력신호에 유도되거나 조화관계를 갖지 않아야 한다. 전기모터, 네온사인, 전력선, 자동차의 점화장치, 조명 등과 같은 전기장을 발생하는 장치는 전자회로에 잡음전압을 유도할 수 있다. 또한 공급전원 리플도 입력신호에는 관련되지 않지만 잡음으로 분류한다. 안정된 공급전원이나 차폐를 사용하여 일반적으로 허용 가능한 수준의 유도 잡음과 리플을 감소시킬 수 있다.

한편, **열잡음**(Thermal noise)은 그림 20-16a에서 볼 수 있듯이 저항 내부에서 자유전자의 랜덤운동에 기인한다. 이 전자운동의 에너지는 주위 공기의 열에너지로부터 전도된다. 주위 온도가 높아질수록 전자운동은 더욱 활발해진다.

저항내의 무수한 자유전자의 운동은 너무나 불규칙적이다. 어떤 순간에는 많은 전자가 위에서 아래로 운동하여 저항양단에 음의 전압을 발생시키고, 또 어떤 순간에는 많은 전자가 아래에서 위로 운동하여 양의 전압을 발생시킨다. 만일 이 같은 잡음을 증폭하여 오실로스코프로 관측한다면 그림 20-16b와 흡사할 것이다. 이 같은 전압은 실효치를 갖는 잡음이다. 근사적으로 가장 큰 잡음피크는 실효치의 거의 4배 정도이다.

저항 내부에서 전자운동의 불규칙성은 사실상 전체 주파수에 걸친 잡음의 분포를 발생한다. 이 잡음의 실효치는 온도, 대역폭 및 저항에 따라 증가한다. 여기서는 이 잡음이 비교기의 출력에 어떠한 영향을 미치는지 알 필요가 있다.

잡음 트리거링

20-1절에서 설명했듯이, 비교기의 큰 개방루프 이득은 100 μV 정도의 입력으로도 출력을 한 상태에서 다른 상태로 스위치하기에 충분하다. 만일 입력에 100 μV 이상의 피크를 가진 잡음이 포함된다면 비교기는 잡음 때문에 발생하는 영점통과(zero crossing)들이 검출될 것이다.

그림 20-17은 잡음만 있고 입력신호가 없는 비교기의 출력을 나타내었다. 잡음의 피크가 충분히 클 때 비교기의 출력에 원하지 않는 변화가 발생된다. 예를 들어 A, B

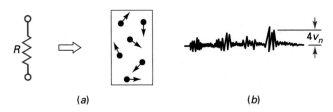

(a)   *(b)*

그림 20-16 열잡음. (a) 저항에서의 랜덤한 전자운동; (b) 오실로스코프상에서의 잡음

그림 20-17 비교기에서 가짜 트리거링을 발생시키는 잡음

및 C에서 잡음피크는 저(low)에서 고(high)로 원치 않는 전환을 발생시킨다. 입력신호가 존재할 때 잡음은 입력신호에 겹쳐지고 출력에는 쓸데없는 트리거링을 발생시킨다.

슈미트 트리거

잡음이 섞인 입력에 대한 대표적인 해법으로 그림 20-18*a*와 같은 비교기를 사용한다. 입력전압은 반전입력에 인가된다. 비반전입력에 귀환전압이 입력전압에 더해지므로 **정귀환** (*positive feedback*)이다. 이같이 정귀환을 사용하는 비교기를 **슈미트 트리거**(Schmitt trigger)라고 부른다.

비교기가 양으로 포화되었을 때 양의 전압은 비반전입력으로 귀환되고, 이 양의 귀환전압은 출력을 고(high)의 상태로 유지한다. 마찬가지로 출력전압이 음으로 포화되었을 때 이 음의 전압은 비반전입력으로 귀환되고, 출력을 저(low)의 상태로 유지시킨다. 어느 경우에나 정귀환은 현재 유지되고 있는 출력상태를 더욱 보강시켜준다.

귀환율은 다음과 같다.

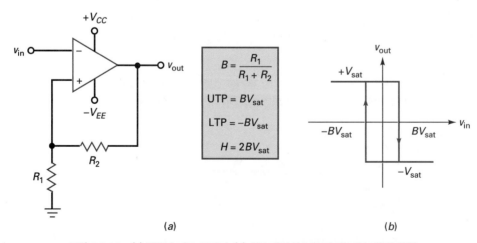

$$B = \frac{R_1}{R_1 + R_2}$$

$$\text{UTP} = BV_{\text{sat}}$$

$$\text{LTP} = -BV_{\text{sat}}$$

$$H = 2BV_{\text{sat}}$$

(a)   (b)

그림 20-18 (a) 반전슈미트 트리거; (b) 히스테리시스를 가지는 입-출력 응답

$$B = \frac{R_1}{R_1 + R_2} \tag{20-4}$$

출력이 양으로 포화되었을 때, 비반전입력에 인가되는 기준전압은 다음과 같다.

$$v_{\text{ref}} = +BV_{\text{sat}} \tag{20-5a}$$

출력이 음로 포화되었을 때 기준전압은 다음과 같다.

$$v_{\text{ref}} = -BV_{\text{sat}} \tag{20-5b}$$

출력전압은 입력전압이 기준전압을 초과할 때까지 주어진 그 상태를 그대로 유지할 것이다. 예를 들어 만일 출력이 양으로 포화되었다면 기준전압은 $+BV_{\text{sat}}$이다. 그림 20-18b 와 같이 출력전압이 양에서 음으로 변환되기 위해서는 입력전압은 $+BV_{\text{sat}}$보다 약간 더 증가해야 할 것이다. 한편, 출력이 음의 상태가 되면 이 상태는 무한히 지속되다가 입력 전압이 $-BV_{\text{sat}}$보다 더 음이 되었을 때 출력은 그림 20-18b처럼 음에서 양으로 변환된다.

히스테리시스

그림 20-18b의 특수한 응답은 **히스테리시스**(hysteresis)라고 부르는 유용한 성질을 가 지고 있다. 이 개념을 이해하기 위해 $+V_{\text{sat}}$이라 적힌 그래프의 상단에 손가락을 올려놓 아 보아라. 이것을 출력전압값이라 하자. 수평선을 따라 오른쪽으로 손가락을 옮겨보아 라. 이 수평선을 따라 입력전압은 변화하지만 출력전압은 여전히 $+V_{\text{sat}}$이다. 상측의 우 측 단에 도달하면 v_{in}은 $+BV_{\text{sat}}$이 된다. v_{in}이 $+BV_{\text{sat}}$보다 약간 더 증가하면 출력전압은 고(high)와 저(low)상태 사이의 전환영역으로 들어간다.

만일 손가락을 수직선을 따라 아래로 내려보면 고(high)에서 저(low)로의 출력전 압의 전환을 볼 수 있을 것이다. 손가락이 하측 수평선상에 있으면 출력전압은 음으로 포화되어 $-V_{\text{sat}}$과 같아진다.

다시 고(high) 출력상태로 되돌려 스위치하기 위해서는 손가락이 하측의 좌측 단에 도달할 때까지 옮겨보라. 이 점에서 v_{in}은 $-BV_{\text{sat}}$과 같다. v_{in}이 $-BV_{\text{sat}}$보다 약간 더 음이 되면 출력전압은 저(low)에서 고(high)로의 전환에 들어간다. 만일 손가락을 수직선을 따 라 위로 옮겨 보면 출력전압이 저(low)에서 고(high)로 변환되는 것을 볼 수 있을 것이다.

그림 20-18b에서 트립점(trip point)은 출력전압의 상태가 변화하는 곳의 두 입력 전압으로 정의된다. **상측 트립점**(*upper trip point: UTP*)은 다음의 값을 갖는다.

$$\text{UTP} = BV_{\text{sat}} \tag{20-6}$$

또, 하측 트립점(*lower trip point: LTP*)은 다음의 값을 갖는다.

$$\text{LTP} = -BV_{\text{sat}} \tag{20-7}$$

이 두 트립점 간의 차를 **데드밴드**(*deadband*)라 부르는 히스테리시스(hysterisis)로 정 의한다.

$$H = \text{UTP} - \text{LTP} \tag{20-8}$$

식 (20-6)과 식 (20-7)에서

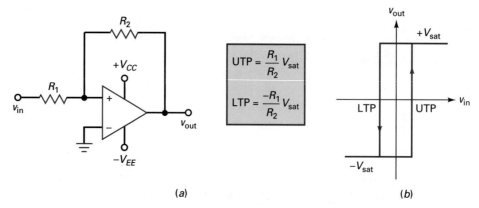

그림 20-19 (a) 비반전 슈미트 트리거 회로; (b) 입력-출력 응답

$$H = BV_{sat} - (-BV_{sat})$$

즉,

$$H = 2BV_{sat} \tag{20-9}$$

과 같다.

정귀환은 그림 20-18b의 히스테리시스를 발생시킨다. 만일 정귀환이 없다면 두 트립점이 모두 0이기 때문에 B는 0과 같고 히스테리시스는 없어진다.

히스테리시스는 잡음 때문에 발생하는 가짜 트리거링을 방지해 주므로 슈미트 트리거에서는 반드시 필요하다. 만일 잡음전압 피크-피크가 히스테리시스보다 적으면 잡음은 가짜 트리거링을 발생시킬 수가 없다. 예를 들어 만일 UTP = +1 V이고, LTP = −1 V라면 $H = 2$ V가 된다. 이때 슈미트 트리거는 피크-피크 잡음전압이 2 V보다 작은 동안 가짜 트리거링은 무시된다.

비반전 회로

그림 20-19a에 비반전 슈미트 트리거(*noninverting Schmitt trigger*)를 나타내었다. 그림 20-19b에서와 같이 입력-출력 응답은 히스테리시스 루프를 가진다. 여기서 이 회로의 동작을 살펴보자. 만일 그림 20-19a에서 출력이 양으로 포화되었다고 가정하면 비반전입력에서의 귀환전압은 양이 되고, 양의 포화는 더욱 강화된다. 마찬가지로 만일 출력이 음으로 포화되었다고 가정하면 비반전입력의 귀환전압은 음이 되고, 음의 포화는 더욱 강화된다.

출력이 음으로 포화되었다고 가정하자. 입력전압이 UTP보다 약간 더 양이 될 때까지 귀환전압은 출력을 음의 포화를 유지시킬 것이다. 이러한 때 출력은 음에서 양의 포화로 변환된다. 한편 양의 포화이면 입력전압이 LTP보다 약간 더 적게 될 때까지 출력은 그 상태를 유지하다가 다시 음의 상태로 변화한다.

비반전 슈미트 트리거의 트립점에 대한 식은 다음과 같이 주어진다.

$$UTP = \frac{R_1}{R_2} V_{sat} \tag{20-10}$$

$$LTP = \frac{-R_1}{R_2} V_{sat} \tag{20-11}$$

$$C_2 = \frac{R_1}{R_2} C_1$$

그림 20-20   표유용량을 보상하는 가속커패시터

슈미트 트리거의 히스테리시스가 얼마나 큰가는 R_1과 R_2의 비로 결정된다. 설계 시에 원치 않는 잡음트리거를 방지하기 위해 충분히 큰 히스테리시스를 만들 수 있다.

가속커패시터

정귀환은 잡음의 영향을 억제시키는 것 이외에도 출력상태의 스위칭을 가속화시키는 작용도 한다. 출력전압이 변하기 시작할 때 이 변화는 비반전입력으로 귀환되고 증폭되어 출력의 변화를 더 빠르게 한다. 흔히 그림 20-20a에서와 같이 커패시터 C_2는 R_2와 병렬로 접속된다. **가속커패시터**(speed-up capacitor)로 알려진 이것은 R_1양단의 표유용량 때문에 형성된 바이패스회로를 상쇄하는 데 도움을 준다. 이 표유용량 C_1은 비반전 입력전압이 변화되기 전에 충전되어 있다. 그 가속커패시터는 이 전하를 공급한다.

표유용량을 중화시키기 위한 최소 가속용량은 적어도 다음 식을 만족시켜야 한다.

$$C_2 = \frac{R_1}{R_2} C_1 \tag{20-12}$$

C_2가 식 (20-12)에서 주어지는 값과 같거나 더 큰 동안에는 출력은 최대속도로 상태를 변환할 것이다. 설계자들은 흔히 이 표유용량 C_1을 제거하기 위해 식 (20-12)에 의해 주어지는 값보다 적어도 두 배 이상인 C_2를 설계한다. 일반적인 회로에서 C_2는 10에서 100 pF인 커패시터가 사용된다.

응용 예제 20-6

만일 $V_{sat} = 13.5$ V이면, 그림 20-21에서 트립점과 히스테리시스는 얼마인가?

풀이   식 (20-4)에서 귀환비는,

$$B = \frac{1 \text{ k}\Omega}{48 \text{ k}\Omega} = 0.0208$$

그림 20-21 예제

식 (20-6)과 (20-7)에서 트립점은,

$$UTP = 0.0208(13.5 \text{ V}) = 0.281 \text{ V}$$
$$LTP = -0.0208(13.5 \text{ V}) = -0.281 \text{ V}$$

식 (20-9)에서 히스테리시스는,

$$H = 2(0.0208 \text{ V})(13.5 \text{ V}) = 0.562 \text{ V}$$

이것은 그림 20-21의 슈미트 트리거가 0.562 V의 피크-피크 잡음전압까지는 가짜트리거링의 발생을 억제할 수 있음을 의미한다.

연습 문제 20-6 47 kΩ의 저항을 22 kΩ으로 바꾼 후, 예제 20-6을 반복하라.

20-4 창 비교기

일반적인 비교기는 입력전압이 어떤 제한값 또는 스레스홀드값을 초과하는 때를 지시한다. 양단제한검출기(*double-ended limit detector*)라 불리우는 **창 비교기**(window comparator)는 입력전압이 창(window)이라고 불리는 두 개의 제한된 값 사이를 검출한다. 창 비교기를 구성하기 위해서는 스레스홀드가 서로 다른 2개의 비교기를 사용해야 한다.

제한된 값 사이의 저(low)출력 검출

그림 20-22a에 입력전압이 하측과 상측 제한값 사이에 있을 때 저(low) 출력전압을 발생시키는 창 비교기를 나타내었다. 이 회로는 LTP와 UTP를 가진다. 기준전압은 전압분배기, 제너 다이오드 또는 다른 회로들로부터 유도할 수 있다. 그림 20-22b에 창 비교기의 입-출력응답을 나타내었다. v_{in}이 LTP보다 적거나 또는 UTP보다 크면, 출력은 고(high)가 된다. v_{in}이 LTP와 UTP사이일 때는 출력은 저(low)가 된다.

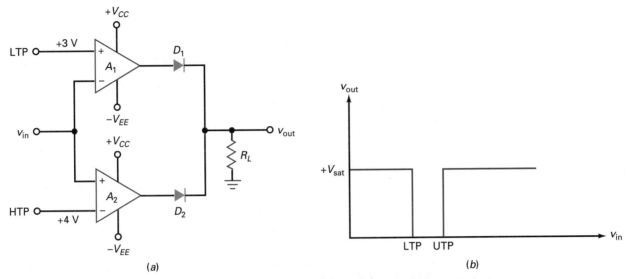

그림 20-22 (a) 반전 창 비교기; (b) 입력이 창 내에 있을 때 출력은 저(low)가 됨

여기서 동작을 좀 더 상세히 살펴보자. 이 설명에서는 다음과 같이 양의 트립점을 가정했다. 즉, LTP = 3 V, UTP = 4 V. $v_{in} < 3$ V일 때, 비교기 A_1은 양의 출력을 가지고 A_2는 음의 출력을 가진다. 다이오드 D_1은 전도(on)되고 D_2는 차단(off)된다. 따라서 출력전압은 고(high)가 된다. 마찬가지로 $v_{in} > 4$ V일 때, 비교기 A_1은 음의 출력을 가지고 A_2는 양의 출력을 가진다. 다이오드 D_1은 차단(off), D_2는 전도(on)되어 출력전압은 고(high)가 된다. 3 V $< v_{in} < 4$V일 때, A_1은 음의 출력을 가지고 A_2도 음의 출력을 가지며, D_1은 차단(off), D_2도 차단(off)되어 출력전압은 저(low)가 된다.

그림 20-23 (a) 비반전 창 비교기; (b) 입력이 창 내에 있을 때 출력은 고(high)가 됨

제한된 값 사이의 고(high)출력 검출

그림 20-23a에 또 다른 창 비교기를 나타내었다. LM339를 사용한 이 회로는 쿼드비교기이고 외부에 풀업저항을 필요로 한다. +5 V의 풀업 공급전원을 사용할 때 출력은 TTL 회로를 구동할 수 있다. +15 V 풀업 공급전원은 전류 MOSFET 회로를 구동할 때 사용되어질 수 있다. 그림 20-23b에 입-출력 응답을 나타내었다. 보다시피 입력전압이 두 제한값 사이일 때 출력전압은 고(high)가 된다.

이 설명에서도 앞의 예에서와 같은 기준전압으로 가정한다. 입력전압이 3 V보다 적을 때 하측비교기는 출력을 0으로 감소시킨다. 입력전압이 4 V보다 클 때 상측비교기는 출력을 0으로 감소시킨다. v_{in}이 3과 4 V사이일 때 각 비교기의 출력트랜지스터는 차단되므로 출력은 +5 V로 상승한다.

20-5 적분기

적분기(integrator)는 적분(integration)이라는 수학적 동작을 수행하는 회로이다. 적분기의 대부분의 응용은 출력전압이 선형적으로 증가하거나 감소하는 전압인 램프(ramp)파를 얻는 것이다. 적분기는 발명자의 이름을 따 **밀러적분기**(Miller integrator)라고도 한다.

기본회로

그림 20-24a는 연산증폭기 적분기이다. 보다시피 귀환성분은 저항 대신에 커패시터이다. 적분기에 유효한 입력은 그림 20-24b에서와 같은 구형파 펄스이다. 이 펄스의 폭은 T이다. 펄스가 저(low)일 때 $v_{in}=0$이다. 펄스가 고(high)일 때는 $v_{in}=V_{in}$이다. 이 펄

그림 20-24 (a) 적분기; (b) 대표적인 입력펄스; (c) 출력램프; (d) 매우 큰 입력 밀러용량

스가 R의 좌측단에 인가된다고 가정하자. 반전입력의 가상접지 때문에 고(high) 입력전압은 다음과 같은 입력전류를 발생시킨다.

$$I_{in} = \frac{V_{in}}{R}$$

이 모든 입력전류는 커패시터로 흐른다. 그 결과 커패시터는 충전되고 그 양단전압은 그림 20-24a와 같은 극성으로 증가한다. 가상접지는 출력전압이 커패시터양단전압과 같음을 의미한다. 양의 입력전압에 대해 출력전압은 그림 20-24c에서처럼 음으로 증가해 갈 것이다.

커패시터로 흐르는 전류는 일정하기 때문에 전하 Q는 시간에 대해 선형적으로 증가한다. 이것은 커패시터전압이 선형적으로 증가함을 의미하고 그림 20-24c에 나타낸 출력전압인 부(−)의 램프와 등가임을 의미한다. 그림 20-24b의 펄스주기의 끝에서 입력전압은 다시 0이 되고 커패시터의 충전은 정지된다. 커패시터는 그 전하를 그대로 유지하므로 출력전압은 -V인 음의 전압으로 일정치를 유지한다. 이 전압은 다음과 같이 주어진다.

$$V = \frac{T}{RC} V_{in} \tag{20-13}$$

마지막으로, 밀러효과 때문에 귀환커패시터는 그림 20-24d와 같이 두 개의 등가 커패시터로 분리할 수가 있다. 입력 바이패스회로에서 폐루프 시정수 τ는 다음과 같다.

$$\tau = RC(A_{VOL} + 1) \tag{20-14}$$

적분기가 적절히 동작하기 위해서는 폐루프 시정수가 입력펄스의 폭보다 훨씬 커야 한다(최소 10배 이상). 이를 식으로 표현하면 다음과 같다.

$$\tau > 10T \tag{20-15}$$

전형적인 연산증폭기 적분기에서 폐루프 시정수는 극히 길기 때문에 이 조건을 쉽게 만족시킬 수가 있다.

출력오프셋의 제거

그림 20-24a의 회로는 실제 사용 시에는 약간의 변형이 필요하다. 직류신호에 대해 커패시터는 개방되기 때문에 0의 주파수에서 부귀환은 없어진다. 부귀환이 없으면 회로는 입력오프셋 전압이 유용한 입력전압처럼 취급된다. 그 결과 입력오프셋이 커패시터를 충전시키고 출력은 명확치 않은 곳에서 양 또는 음의 포화상태로 들어간다.

입력오프셋 전압의 효과를 감소시키는 한 가지 방법은 그림 20-25a와 같이 커패시터에 병렬로 저항을 삽입하여 0의 주파수에서 전압이득을 감소시키는 것이다. 이 저항은 입력저항보다 최소한 10배 이상 커야 한다. 만일 부가된 저항이 10 R이라면 폐루프 전압이득은 10이고 출력오프셋 전압은 수용할 수 있을 만한 레벨까지 감소한다. 유용한 입력전압만이 존재할 때 부가저항은 커패시터의 충전에 대해서는 거의 영향을 미치지 않으므로 출력전압은 여전히 거의 완전한 램프가 된다.

입력오프셋 전압을 억제시키는 또 다른 방법은 그림 20-25b와 같이 JFET 스위치를 사용하는 것이다. JFET의 게이트에서 리셋전압은 JFET를 차단시키기에 충분한

참고 사항

그림 20-25에서 귀환 저항은 2개의 등가 저항으로 분리할 수 있다. 입력 측에서 $z_{in} = R_f/(1 + A_{VOL})$이다.

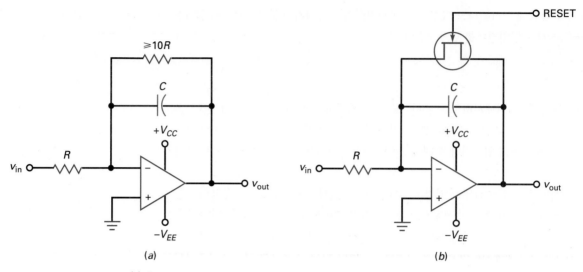

그림 20-25 (a) 출력오프셋 전압을 감소시키는 커패시터 양단저항; (b) 적분기 리셋에 사용되는 JFET

0 V 또는 $-V_{CC}$중 어느 하나이다. 그러므로 적분기가 동작하지 않을 때는 저저항으로 JFET를 세트시킬 수가 있고, 적분기가 동작중일 때는 고저항으로 세트시킬 수가 있다.

JFET는 다음 입력펄스에 대비하여 커패시터를 방전한다. 다음 입력펄스가 시작되기 직전에는 리셋전압은 0 V가 된다. 이것이 커패시터의 방전이다. 다음 펄스가 시작되는 순간에 리셋전압은 $-V_{CC}$가 되고 JFET는 차단된다. 이때 적분기는 출력전압으로 램프를 발생시킨다.

응용 예제 20-7

그림 20-26에서 입력펄스의 끝에서의 출력전압은 얼마인가? 만일 741C가 100,000의 개방루프 전압이득을 가진다면 적분기의 폐루프 시정수는 얼마인가?

풀이 식 (20-13)에서 펄스의 끝에서의 부(−)의 출력전압은

$$V = \frac{1 \text{ ms}}{(2 \text{ k}\Omega)(1 \text{ }\mu\text{F})}(8 \text{ V}) = 4 \text{ V}$$

이고 식 (20-14)에서 폐루프 시정수는 다음과 같다.

$$\tau = RC(A_{VOL} + 1) = (2 \text{ k}\Omega)(1 \text{ }\mu\text{F})(100,001) = 200 \text{ s}$$

1 ms의 펄스폭은 폐루프 시정수보다 훨씬 적기 때문에 지수함수의 맨 앞부분만 커패시터충전에 포함된다. 지수함수의 초기부분은 거의 선형이기 때문에 출력전압은 거의 완벽한 램프가 된다. 선형램프의 발생을 위해 적분기를 사용하면 오실로스코프에서 선형스위프전압을 발생시킬 수가 있다.

그림 20-26   예제

연습 문제 20-7   그림 20-26에서 2 kΩ의 저항을 10 kΩ으로 바꾼 후, 응용 예제 20-7
을 반복하여라.

20-6 파형변환

연산증폭기를 사용하여 파형을 변환할 수 있다. 즉 정현파를 구형파로, 구형파를 삼각
파로 변환할 수 있다. 이 절에서는 입력파형을 다른 형태의 출력파형으로 변환하는 몇
가지의 기본회로들에 대해 고찰해 보기로 한다.

정현파를 구형파로 변환

그림 20-27a에 슈미트 트리거를, 그림 20-27b에 입력전압에 대한 출력전압의 그래프를
나타내었다. 입력신호가 **주기적**(반복하는 사이클)일 때 슈미트 트리거는 그림에서와 같
이 구형파 출력을 발생시킨다. 이것은 입력신호가 그림 20-27c의 양쪽 트립점을 통과하
기에 충분할 만큼 크다고 가정한 경우이다. 입력전압이 양의 반사이클에서 증가스윙 중
UTP를 초과할 때 출력전압은 $-V_{sat}$으로 스위칭된다. 또 나중의 반사이클에서 입력전
압이 LTP보다 더 음이 되면 출력은 다시 $+V_{sat}$으로 스위칭된다.

　　슈미트 트리거는 입력신호의 형태에 관계없이 항상 구형파 출력을 발생한다. 다른
말로 표현하면 입력전압이 반드시 정현적일 필요가 없다는 것이다. 파형이 주기적이고
진폭이 트립점을 통과할 수 있을 만큼 충분히 크기만 하면 슈미트 트리거로부터 구형파
출력을 얻을 수가 있다. 이 구형파는 입력신호와 동일한 주파수를 갖는다.

　　예를 들어 그림 20-27d에 근사적으로 UTP = +0.1 V, LTP = −0.1 V의 트립점을

그림 20-27 항상 구형파 출력을 발생하는 슈미트 트리거

갖는 슈미트 트리거를 나타내었다. 만일 입력전압이 반복적이고 피크-피크값이 0.2 V보다 크다면 출력전압은 거의 $2V_{sat}$의 피크-피크값을 가지는 구형파가 된다.

구형파를 삼각파로 변환

그림 20-28a에서 구형파는 적분기의 입력이다. 입력전압은 직류 또는 0인 평균치를 가지므로 출력의 직류 또는 평균치 또한 0이다. 그림 20-28b에 나타낸 것처럼 램프파는 입력전압의 양의 반사이클 동안은 감소하고, 음의 반사이클 동안은 증가한다. 따라서 출력은 입력과 같은 주파수를 가지는 삼각파가 된다. 삼각파 출력은 다음과 같은 피크-피크값을 가짐을 볼 수 있다.

$$V_{out(p\text{-}p)} = \frac{T}{2RC} V_p \tag{20-16}$$

여기서 T는 신호의 주기이다. 주파수로 표현하면 다음과 같다.

$$V_{out(p\text{-}p)} = \frac{V_p}{2fRC} \tag{20-17}$$

여기서 V_p는 피크 입력전압이고, f는 입력주파수이다.

그림 20-28 (a) 적분기에서 구형파는 삼각파 출력을 발생시킴; (b) 입력과 출력 전압파형

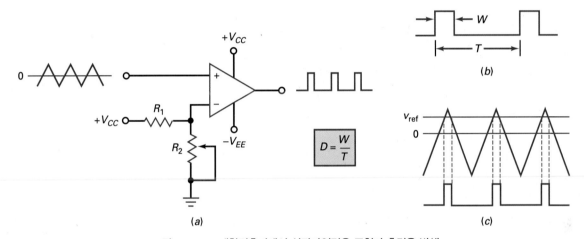

그림 20-29 제한검출기에서 삼각파입력은 구형파 출력을 발생

삼각파를 펄스로 변환

그림 20-29a는 삼각파 입력을 구형파 출력으로 변환하는 회로이다. R_2를 조정하므로 출력펄스의 폭을 변화시킬 수가 있는데 이것은 듀티사이클을 변화시킬 수 있다는 것과 같은 말이다. 그림 20-29b에서 W는 펄스의 폭, T는 주기를 나타낸다. 앞서 설명했듯이 듀티사이클 D는 펄스의 폭을 주기로 나눈 것이다.

몇 가지 응용에 있어서 듀티사이클이 다양하게 변화하기를 원한다. 그림 20-29a의 조정 가능한 제한검출기는 이 같은 목적에 이상적이다. 이 회로에서 트립점은 0에서 정(+)의 레벨까지 이동시킬 수 있다. 그림 20-29c와 같이 삼각파 입력전압이 트립점을 넘어서면 출력은 고(high)가 된다. v_{ref}를 조정할 수 있기 때문에 출력펄스의 폭을 변화시킬 수 있는데 이는 듀티사이클을 변화시킬 수 있다는 것과 같은 말이다. 이 같은 회로에서는 듀티사이클은 거의 0%에서 50%까지 변화시킬 수 있다.

응용 예제 20-8

그림 20-30에서 만일 입력주파수가 1 kHz라면 출력전압은 얼마인가?

그림 20-30 예제

풀이 식 (20-17)에서 출력은 다음과 같은 피크-피크 전압을 갖는 삼각파이다.

$$V_{out(p\text{-}p)} = \frac{5\ V}{2(1\ kHz)(1\ k\Omega)(10\ \mu F)} = 0.25\ V_{p\text{-}p}$$

연습 문제 20-8 그림 20-30에서 1 $V_{p\text{-}p}$의 출력전압을 발생시키는데 필요한 커패시터의 값은 얼마인가?

응용 예제 20-9 |||| Multisim

삼각파 입력이 그림 20-31a의 회로를 구동한다. 가변저항은 10 kΩ의 최대값을 갖는다. 만일 삼각파 입력이 1 kHz의 주파수를 가진다면, 가변저항의 와이퍼를 중간레인지에 놓았을 때 듀티사이클은 얼마인가?

그림 20-31 예제

풀이 와이퍼가 레인지의 중앙에 있을 때, 그 저항값은 5 kΩ이다. 이것은 기준전압이 다음과 같음을 의미한다.

$$v_{\text{ref}} = \frac{5 \text{ k}\Omega}{15 \text{ k}\Omega} \, 15 \text{ V} = 5 \text{ V}$$

신호의 주기는

$$T = \frac{1}{1 \text{ kHz}} = 1000 \ \mu s$$

이다. 그림 20-31b에 이 값을 나타내었다. 입력전압의 −7.5 V에서 +7.5 V까지의 증가가 반사이클이기 때문에 걸리는 시간은 500 μs이다. 비교기의 트립점은 +5 V이다. 이것은 출력펄스가 그림 20-31b에서와 같이 폭 W를 가짐을 의미한다.

그림 20-31b를 기하학적으로 고찰하면, 전압과 시간 사이에는 다음과 같은 비례관계가 성립한다.

$$\frac{W/2}{500 \ \mu s} = \frac{7.5 \text{ V} - 5 \text{ V}}{15 \text{ V}}$$

W에 대해 풀면 다음과 같다.

$$W = 167 \ \mu s$$

듀티사이클은,

$$D = \frac{167 \ \mu s}{1000 \ \mu s} = 0.167$$

이다.

그림 20-31a에서 와이퍼를 아래쪽으로 돌리면 기준전압은 증가하고 출력의 듀티사이클은 감소한다. 한편 와이퍼를 위쪽으로 돌리면 기준전압은 감소하고 출력의 듀티사이클은 증가한다. 그림 20-31a에 주어진 값으로는 듀티사이클을 0%에서 50%까지 변화시킬 수 있다.

연습 문제 20-9 입력주파수를 2 kHz로 하여 응용 예제 20-9를 반복하라.

20-7 파형발생

정귀환으로는 외부의 입력신호없이 출력신호를 발생시키는 회로인 **발진기**(oscillators)를 구성할 수 있다. 이 절에서는 비정현파 신호를 발생시키는 몇 가지의 연산증폭기회로에 대해 고찰해 보기로 한다.

이장발진기

그림 20-32a에서 입력신호는 없다. 그럼에도 불구하고 이 회로는 출력에 구형파를 발생시킨다. 이 출력은 −V_{sat}에서 +V_{sat}사이를 스윙하는 방형파이다. 이것이 어떻게 가능할까? 그림 20-32a의 출력이 정(+)의 포화에 있다고 가정하자. 귀환저항 R 때문에 커패시터는 지수적으로 +V_{sat}을 향해 충전할 것이다. 그러나 커패시터의 전압은 이 전압

$$T = 2RC \ln \frac{1+B}{1-B}$$

그림 20-32 (a) 이장발진기; (b) 커패시터의 충전과 출력파형

이 UTP와 만나기 때문에 결코 $+V_{sat}$에는 도달하지 못한다. 이 같은 경우 출력방형파는 $-V_{sat}$으로 스위치된다.

이때 출력은 부(−)의 포화에 들어가고 그림 20-32b처럼 커패시터는 방전한다. 커패시터전압이 0을 통과할 때 커패시터는 $-V_{sat}$을 향해 부(−)로 충전을 시작한다. 커패시터전압이 LTP와 만날 때 출력방형파는 다시 $+V_{sat}$으로 스위치된다. 이후 이 사이클은 반복된다.

커패시터의 계속적인 충전과 방전 때문에 출력은 50%의 듀티사이클을 갖는 구형파가 된다. 커패시터의 지수적인 충전과 방전에 대해 분석해 봄으로서 구형파 출력의 주기에 대한 식을 다음과 같이 유도할 수 있다.

$$T = 2RC \ln \frac{1+B}{1-B} \tag{20-18}$$

여기서 B는 다음과 같이 주어지는 귀환비이다.

$$B = \frac{R_1}{R_1 + R_2}$$

식 (20-18)은 자연대수(natural logarithm)를 사용하는데 기수가 e인 대수이다. 이 식은 계산기나 자연대수표를 사용해야 한다.

그림 20-32a는 주파수가 커패시터의 충전에 의존하는 출력신호를 발생하는 회로로 정의되는 **이장발진기**(relaxation oscillator)이다. 만일 RC시정수가 증가하면 커패시터전압이 트립점에 도달하는 시간은 더 오래 걸려 주파수는 더 낮아진다. R을 조정함으로써 쉽게 50:1의 동조범위를 얻을 수가 있다.

삼각파 발생

이장발진기와 적분기를 종속접속하면 그림 20-33과 같은 삼각파 출력을 발생하는 회로를 얻을 수 있다. 이장발진기의 구형파 출력이 적분기를 구동하여 삼각파의 출력파형이 발생된다. 구형파는 $+V_{sat}$과 $-V_{sat}$사이를 스윙한다. 식 (20-18)에서 주기를 계산할 수 있다. 삼각파는 이 구형파와 동일한 주기와 주파수를 가진다. 식 (20-16)에서 피크-피크 값을 계산할 수 있다.

그림 20-33 삼각파 발생을 위한 적분기를 구동하는 이장발진기

응용 예제 20-10 |||| Multisim

그림 20-34에서 출력신호의 주파수는 얼마인가?

그림 20-34 예제

풀이 귀환비는 다음과 같다.

$$B = \frac{18 \text{ k}\Omega}{20 \text{ k}\Omega} = 0.9$$

식 (20-18)에서 다음 식을 얻을 수 있다.

$$T = 2RC \ln \frac{1 + B}{1 - B} = 2(1 \text{ k}\Omega)(0.1 \ \mu\text{F}) \ln \frac{1 + 0.9}{1 - 0.9} = 589 \ \mu\text{s}$$

주파수는 다음과 같다.

$$f = \frac{1}{589\ \mu s} = 1.7\ \text{kHz}$$

방형파 출력전압은 1.7 kHz의 주파수와 그림 20-34의 회로에서 $2\ V_{sat}$의 피크-피크값 인 약 27 V를 가진다.

연습 문제 20-10   그림 20-34에서 18 kΩ의 저항을 10 kΩ으로 바꾼 후, 새로운 출력 주파수를 구하여라.

응용 예제 20-11   IIII Multisim

예제 20-10의 이장발진기는 그림 20-33에서 적분기를 구동하는 데 사용된다. 이상발신 기의 피크 출력전압을 13.5 V로 가정하자. 만일 적분기가 R4 = 10 kΩ과 C2 = 10 μF 을 가진다고 하면 삼각파 출력의 피크-피크값은 얼마인가?

풀이   그림 20-33에 나타낸 식으로부터 이 회로를 해석할 수 있다. 예제 20-10에서 귀 환비 0.9와 주기 589 μs가 계산되었다. 따라서 삼각파 출력의 피크-피크값을 다음과 같 이 계산할 수 있다.

$$V_{\text{out(p-p)}} = \frac{589\ \mu s}{2(10\ \text{k}\Omega)(10\ \mu F)}\,(13.5\ \text{V}) = 39.8\ \text{mV}_{\text{p-p}}$$

이 회로는 약 27 V의 피크-피크값을 가지는 방형파와 39.8 mV의 피크-피크값을 가지 는 삼각파를 발생시킨다.

연습 문제 20-11   그림 20-34에서 저항 18 kΩ을 10 kΩ으로 바꾼 후, 응용 예제 20-11 을 반복하여라.

20-8 또 다른 삼각파 발생기

그림 20-35a에서 비반전 슈미트 트리거의 출력은 구형파이고 적분기를 구동한다. 적분 기의 출력은 삼각파이다. 이 삼각파는 귀환되어 슈미트 트리거를 구동한다. 이 회로는 너무나 흥미로운 회로이다. 첫째 단은 둘째 단을, 둘째 단은 첫째 단을 구동한다.

그림 20-35b는 슈미트 트리거의 전달특성이다. 출력이 저(low)일 때 입력은 출력 을 고(high)로 스위치하기 위해 UTP까지 증가되어야 한다. 마찬가지로 출력이 고(high) 일 때 입력은 출력을 저(low)로 스위치하기 위해 LTP까지 감소되어야 한다.

그림 20-35c에서 슈미트 트리거의 출력이 저(low)일 때 적분기는 양의 램프를 발생 시키고, 이 양의 램프는 UTP에 도달할 때까지 증가한다. 이 점에서 슈미트트리거의 출력 은 고(high)의 상태로 스위치되고 삼각파의 방향을 역전시킨다. 또한 음의 램프는 LTP

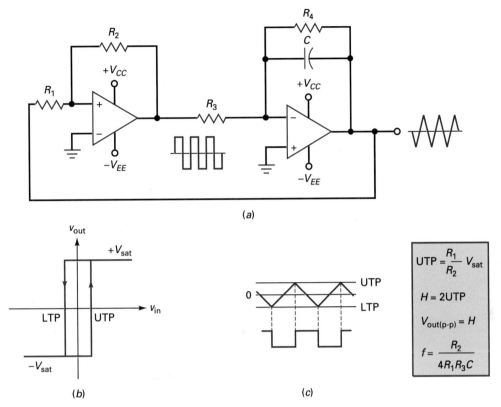

(a)

(b)   (c)

$$UTP = \frac{R_1}{R_2} V_{sat}$$

$$H = 2UTP$$

$$V_{out(p-p)} = H$$

$$f = \frac{R_2}{4R_1R_3C}$$

그림 20-35　방형파와 삼각파를 발생하는 슈미트 트리거와 적분기

에 도달할 때까지 감소하고 이 점에서 슈미트 트리거의 출력은 또 다른 변화를 일으킨다.

그림 20-35c에서 삼각파의 피크-피크값은 UTP와 LTP간의 차와 같다. 주파수에 대한 식은 다음과 같이 유도할 수 있다.

$$f = \frac{R_2}{4R_1R_3C} \tag{20-19}$$

그림 20-35에 다른 해석을 위한 식과 더불어 이 식도 나타내었다.

응용 예제 20-12

그림 20-35a의 삼각파 발생기는 다음과 같은 소자의 값을 가진다. 즉, $R_1 = 1$ kΩ, $R_2 = 100$ kΩ, $R_3 = 10$ kΩ, $R_4 = 100$ kΩ, $C = 10$ μF이다. 만일 $V_{sat} = 13$ V라면 피크-피크 출력은 얼마인가? 또 삼각파의 주파수는 얼마인가?

풀이　그림 20-35에 나타낸 식에서 UTP는 다음의 값을 가진다.

$$UTP = \frac{1 \text{ k}\Omega}{100 \text{ k}\Omega} (13 \text{ V}) = 0.13 \text{ V}$$

삼각파 출력의 피크-피크값은 히스테리시스와 같다.

$$V_{out(p-p)} = H = 2UTP = 2(0.13 \text{ V}) = 0.26 \text{ V}$$

주파수는 다음과 같다.

$$f = \frac{100 \text{ k}\Omega}{4(1 \text{ k}\Omega)(10 \text{ k}\Omega)(10 \text{ }\mu\text{F})} = 250 \text{ Hz}$$

연습 문제 20-12   그림 20-35에서 R_1은 2 kΩ, C는 1 μF로 바꾼 후, $V_{out(pp)}$와 출력주파수를 구하여라.

20-9 능동 다이오드회로

연산증폭기는 다이오드회로의 성능을 향상시킨다. 즉 부귀환을 가진 연산증폭기는 문턱전압의 영향을 감소시키고, 정류, 피크검출, 클립 및 저레벨 신호의 클램프(진폭이 문턱전압 이하의 진폭을 갖는 것) 등을 할 수 있다. 그리고 완충작용을 할 수 있기 때문에 연산증폭기는 다이오드회로에서 전원과 부하의 영향을 제거할 수 있다.

반파정류기

그림 20-36은 **능동 반파정류기**(active half-wave rectifier)이다. 입력신호가 양이면 출력도 양이 되고 다이오드는 전도된다. 그리고 이 회로는 전압폴로어처럼 동작하고 양의 반사이클이 부하저항 양단에 나타난다. 그러나 입력이 음이 되면 연산증폭기의 출력도 음이 되고 다이오드는 차단된다. 이 때문에 다이오드는 개방되고 부하저항 양단에는 전압이 나타나지 않는다. 최종출력은 거의 완벽한 반파신호이다.

여기는 2개의 서로 다른 형식(*modes*) 또는 동작영역이 있다. 첫째, 입력전압이 양이면, 다이오드는 전도되고 동작은 선형이다. 이때 출력전압은 입력으로 귀환되고 앞서와 같이 부귀환이 걸린다. 둘째, 입력전압이 음이면, 다이오드는 차단되고 귀환로는 개방된다. 이때 연산증폭기의 출력은 부하저항으로부터 절연된다.

연산증폭기의 큰 개방루프 전압이득은 문턱전압의 영향을 대부분 제거시킨다. 예를 들어 만일 문턱전압이 0.7 V이고 A_{VOL}이 100,000이면, 다이오드를 전도시키는 순간의 입력전압은 7 μV이다. 폐루프 문턱전압은 다음과 같이 주어진다.

그림 20-36   능동 반파정류기

그림 20-37 (a) 능동 피크검출기; (b) 완충증폭기; (c) 리셋을 가지는 피크검출기

$$V_{K(CL)} = \frac{V_K}{A_{VOL}}$$

여기서 실리콘 다이오드의 V_K = 0.7 V이다. 폐루프 문턱전압이 너무 적기 때문에 능동 반파정류기는 밀리볼트 영역의 저레벨 신호에서도 사용할 수가 있다.

능동 피크검출기

소신호 피크를 검출하기 위해서는 그림 20-37a와 같은 **능동 피크검출기**(active peak detector)를 사용할 수 있다. 즉 폐루프 문턱전압은 마이크로볼트 영역이내이므로 저레벨 신호의 피크를 검출할 수 있음을 의미한다. 다이오드가 전도될 때 부귀환은 거의 0인 Thevenin 출력임피던스를 발생시킨다. 이것은 충전시정수가 극히 적음을 의미하므로 커패시터는 양의 피크값으로 급하게 충전될 수 있다. 그러나 다이오드가 차단될 때는 커패시터가 R_L을 통해 방전한다. 방전시정수 $R_L C$는 입력신호의 주기보다 훨씬 길게 만들 수 있기 때문에 저레벨 신호의 거의 완벽한 피크 검출을 얻을 수가 있다.

여기는 두 개의 서로 다른 동작영역이 있다. 첫째, 입력전압이 양일 때는, 다이오드가 전도되고 동작은 선형이다. 이때 커패시터는 입력전압의 피크까지 충전된다. 둘째, 입력전압이 음일 때는, 다이오드는 차단되고 귀환로는 개방된다. 이때 커패시터는 부하저항을 통해 방전한다. 방전시정수가 클수록 입력신호의 주기는 훨씬 더 커지고 출력전압은 입력전압의 피크값과 거의 같아진다.

만일 피크 검출된 신호가 적은 부하를 구동한다면 연산증폭기 버퍼를 사용하므로 부하효과를 피할 수 있다. 예를 들어 만일 그림 20-37a의 A점과 그림 20-37b의 B점을 접속한다면 전압폴로어는 피크검출기로부터 적은 부하저항을 절연시킬 수가 있다. 이것

은 커패시터의 너무 빠른 방전으로부터 적은 부하저항을 보호하는 것이다.

시정수 R_LC는 적어도 최소 입력주파수의 주기 T보다 10배 이상 길어야 한다. 기호로 나타내면,

$$R_LC > 10T \tag{20-20}$$

만약 이 조건이 만족된다면 출력전압은 피크입력의 5% 이내가 될 것이다. 예를 들어 만일 최소주파수가 1 kHz이면 주기는 1 ms이다. 이때 R_LC인 시정수는 5% 이내의 오차를 얻기 위해서는 최소 10 ms는 되어야 한다.

흔히 그림 20-37c와 같은 리셋(reset)이 포함된 능동 피크검출기를 볼 수 있다. 리셋입력이 저(low)일 때 트랜지스터 스위치는 개방된다. 이때 회로는 앞서와 같은 동작을 한다. 리셋입력이 고(high)일 때 트랜지스터 스위치는 단락되고 커패시터는 급히 방전한다. 리셋이 필요한 이유는 방전시정수가 크면 비록 입력신호가 제거되었을지라도 커패시터가 오랫동안 충전을 유지할 것이기 때문이다. 고(high) 리셋입력을 사용하므로 다른 피크값을 가진 또 다른 입력에 대한 준비로 커패시터를 빨리 방전시킬 수 있다.

능동 양의 클리퍼

그림 20-38a는 **능동 양의 클리퍼**(active positive clipper)이다. 와이퍼를 완전히 왼쪽으로 돌리면 v_{ref}는 0이 되고 비반전입력은 접지된다. v_{in}이 양이 될 때 연산증폭기의 출력은 음이 되고 다이오드는 전도된다. 다이오드의 저임피던스는 귀환저항이 거의 0이기 때문에 큰 부귀환을 발생시킨다. 이 조건에서 출력절점은 v_{in}의 모든 양의 값에서 가상접지가 된다.

v_{in}이 음이 될 때 연산증폭기의 출력은 양이 되어 다이오드는 차단되고 루프는 개방된다. 루프가 개방되었을 때 가상접지는 없어지고 v_{out}은 입력전압의 음의 반사이클과 같다. 이것이 그림에서 주어진 것처럼 출력에 음의 반사이클이 나타나는 이유이다.

v_{ref}의 서로 다른 값을 얻기 위해 와이퍼를 변화시키므로 클리핑 레벨을 조정할 수 있다. 이 방법으로 그림 20-38a에 나타낸 출력파형을 얻는다. 기준레벨은 0과 1 V 사이로 변화시킬 수 있다.

그림 20-38b은 두 반사이클 모두에서 클리핑이 발생되는 능동회로를 나타내었다. 귀환루프에 제너 다이오드가 서로 반대방향으로 접속되어 있음에 주목하라. 제너전압 이하에서 회로는 R_2/R_1인 폐루프 이득을 가진다. 만일 출력이 제너전압과 순방향 다이오드전압 강하의 합을 초과할 때 제너 다이오드는 항복되고 출력전압은 가상접지와 관계없이 $V_Z + V_K$가 된다. 이것은 그림과 같이 출력이 클리핑되는 이유이다.

능동 양의 클램퍼

그림 20-39는 **능동 양의 클램퍼**(active positive clamper)이다. 이 회로는 입력신호에 직류성분이 부가되어 있다. 결과적으로 출력은 직류레벨의 변동을 제외하고는 입력신호와 크기와 모양이 같다.

이 회로의 동작을 살펴보자. 처음 음의 입력 반사이클은 방전되어 있는 커패시터를 통해 결합되고 양의 연산증폭기 출력을 발생시켜 다이오드를 전도시킨다. 가상접지

그림 20-38   (a) 능동 양의 리미터; (b) 구형파를 발생하는 제너 다이오드

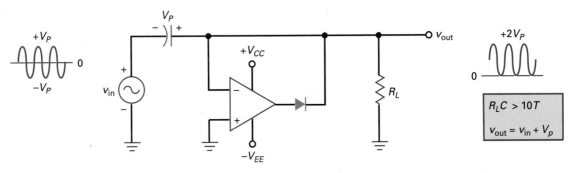

그림 20-39   능동 양의 클램퍼

때문에 커패시터는 그림 20-39에 주어진 극성을 가지는 음의 입력 반사이클의 피크값으로 충전된다. 음의 입력피크 바로 아래에서 다이오드는 차단되고, 루프는 개방되어 가상접지가 없어지게 된다. 이때 출력전압은 입력전압과 커패시터전압의 합이 된다. 즉

$$v_{out} = v_{in} + V_p \qquad\qquad\qquad\qquad (20\text{-}21)$$

V_p가 정현파 입력전압에 더해지기 때문에 최종 출력파형은 그림 20-39와 같이 V_p만큼 양으로 천이된다. 양으로 클램프된 파형은 0에서 +2 V_p까지 스윙하는데, 이것은 입력전압과 같은 2 V_p인 피크-피크값을 가짐을 의미한다. 또 부귀환은 약 A_{VOL}인 계수에 의해 문턱전압을 감소시키는데, 이것은 저레벨 입력에서 훌륭한 클램퍼를 설계할 수 있음을 의미한다.

그림 20-39에 연산증폭기 출력을 나타내었다. 대부분의 사이클 동안 연산증폭기는 음의 포화에서 동작한다. 그러나 음의 입력피크에서 연산증폭기는 양으로 가는 날카로운 펄스를 발생시키고 음의 입력피크 사이에서 클램핑 커패시터에 의해 잃어버린 전하를 복구시킨다.

20-10 미분기

미분기(differentiator)는 소위 **미분**(*differentiation*)이라는 연산을 수행하는 회로이다. 이것은 입력전압 변화의 순시율에 비례하는 출력전압을 발생시킨다. 미분기의 일반적인 응용은 구형파의 선단(leading edge)과 후단(trailing edge)을 검출하거나 또는 램프 입력으로부터 구형파 출력을 발생시키는 것이다.

RC 미분기

그림 20-40*a*와 같은 회로는 입력신호를 미분하는 데 사용된다. 일반적으로 입력신호는 그림 20-40*b*처럼 구형파 펄스이다. 회로의 출력은 양과 음의 스파이크 열이다. 양의 스파이크는 입력의 선단과 동시에 발생하고, 음의 스파이크는 후단과 동시에 발생한다. 이 같은 스파이크는 구형파 입력의 시작과 끝을 지적해주기 때문에 유용한 신호이다.

RC미분기가 어떻게 동작하는지를 이해하기 위해 그림 20-40*c*를 살펴보자. 입력전압이 0에서 +V로 변할 때 커패시터는 그림과 같이 지수적으로 충전하기 시작하고,

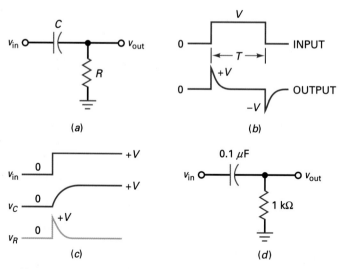

그림 20-40 (a) RC 미분기; (b) 구형파 입력은 스파이크파 출력을 발생시킴; (c) 충전파형; (d) 예제

시정수의 5배 정도의 시간이 경과한 후에 커패시터전압은 최종전압의 1% 이내가 된다. 키르히호프의 전압법칙을 만족시키기 위해서는 그림 20-40a의 저항 양단전압은,

$$v_R = v_{in} - v_C$$

v_C는 초기에는 0이고, 출력전압은 0에서 V로 갑자기 점프하며 이후 그림 20-40b와 같이 지수적으로 감소한다. 마찬가지로 구형파 펄스의 후단은 음의 스파이크를 발생시킨다. 덧붙여 그림 20-40b의 각 스파이크는 전압스텝의 크기가 거의 V인 피크값을 가진다.

만일 RC미분기에서 좁은 스파이크를 발생시키려면, 시정수는 적어도 펄스 폭 T보다 10배 이상 작아야 한다.

$$RC < 10T$$

만일 펄스 폭이 1 ms라면 RC시정수는 0.1 ms 이하가 되어야 한다. 그림 20-40d는 시정수 0.1 ms를 갖는 미분기이다. 만일 T가 1 ms 이상인 구형파로 이 회로를 구동한다면 출력에는 날카로운 양과 음의 전압스파이크의 열이 발생할 것이다.

연산증폭기 미분기

그림 20-41a에 연산증폭기 미분기를 나타내었다. 연산증폭기 적분기와 비슷함에 주목하라. 차이점은 저항과 커패시터의 위치가 바뀌었다는 것이다. 가상접지 때문에 커패시터의 전류는 귀환저항을 통해 흐르고 이 저항양단에 전압을 발생시킨다. 커패시터전류는 다음 식으로 주어진다.

$$i = C\frac{dv}{dt}$$

dv/dt는 입력전압의 기울기와 같다.

연산증폭기 미분기의 일반적인 응용은 그림 20-41b와 같이 극히 좁은 스파이크를 발생시키기 위한 것이다. 간단한 RC미분기에 비해 이 연산증폭기 미분기의 이점은 일반적인 부하저항을 쉽게 구동할 수 있는 저임피던스원에서 발생되는 스파이크이다.

실제의 연산증폭기 미분기

그림 20-41a의 연산증폭기 미분기는 발진하는 경향이 있다. 이를 피하기 위해 실제의 연산증폭기 미분기는 그림 20-42와 같이 항상 커패시터에 직렬로 저항을 접속시킨다.

그림 20-41 (a) 연산증폭기 미분기; (b) 구형파 입력은 스파이크 출력을 발생시킴

그림 20-42 발진을 방지하기 위해 입력에 부가하는 저항

부가되는 저항의 일반적인 값은 $0.01R$에서 $0.1R$ 사이이다. 이 저항으로 주어지는 폐루프 전압이득은 10에서 100 사이이다. 이것은 발진문제가 야기되는 고주파수에서 폐루프 전압이득을 제한하는 효과가 있다.

20-11 D급 증폭기

많은 오디오 증폭기 설계자들은 주로 B급 또는 AB급 증폭기를 선택한다. 이 선형증폭기의 구성은 요구되는 보편적인 성능과 적절한 가격을 제공할 수 있다. 오늘날 평면 스크린 TV, 데스크 탑 PC들과 같은 제품들은 형식을 유지하거나 축소하는 동안 비용의 증가 없이 더 큰 전력출력이 요구된다. PDA, 휴대폰, 노트북 PC와 같은 휴대 전력장비들은 고효율회로가 요구되고 있다. AB급 증폭기는 전체 출력수준으로 사용될 때, 약 78%의 최대효율을 가진다. 그러나 보통 청취 출력수준 이하에서는 효율성이 급격히 떨어진다. D급 증폭기의 효율성은 출력전력 구간에서 90% 이상 될 수 있다. 고효율과 낮은 열방출로 인해 오늘날 많은 응용에서는 AB급 증폭기 대신에 **D급 증폭기**(class-D amplifier)를 더 선호한다. D급 증폭기는 우리가 여태껏 논의해 온 많은 회로와 장치들의 실용적인 응용에서 증명되고 있다.

이산 D급 증폭기

선형동작을 위한 바이어스 대신 D급 증폭기는 스위치로 동작하는 출력트랜지스터로 사용한다. 이것은 각 트랜지스터를 각기 차단 또는 포화모드로 동작할 수 있게 한다. 차단일 때 전류는 0이다. 포화일 때 그 양단전압은 저(low)이다. 각 모드에서 전력소비는 극히 적다. 이 개념은 회로의 효율을 증가시킨다. 그러므로 전력공급 장치로부터 적은 전력이 요구하며 증폭기에 보다 작은 방열판(heat sink)을 사용할 수 있게 한다.

그림 20-43에 반-브릿지 출력 구조를 사용한 기본 D급 증폭기를 나타낸다. 증폭기는 스위치로 동작하는 두 개의 MOSFET를 구동하는 비교기 연산증폭기로 구성되어 있다. 비교기는 두 개의 입력신호를 가진다. 하나의 입력신호는 음성신호 V_A, 그리고 다른 하나의 입력신호는 매우 큰 주파수를 가지는 삼각파 V_T이다. 비교기의 출력전압값 V_C는 대략 $+V_{DD}$이거나 $-V_{SS}$이다. $V_A > V_T$일 때, VC $= +V_{DD}$. $V_A < V_T$일 때, $V_C = -V_{SS}$이다.

비교기의 양 또는 음의 출력전압은 두 개의 상보형 공통소스(CS) MOSFET를 구

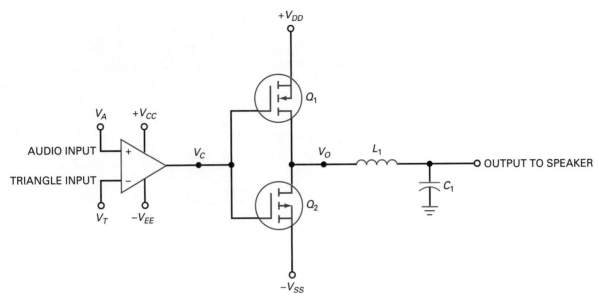

그림 20-43   기본 D급 증폭기

동한다. V_C가 양일 때 Q_1은 전도(on)되고, Q_2는 차단(off)된다. V_C가 음일 때 Q_2는 전도(on)되고, Q_1은 차단(off)된다. 각 트랜지스터의 출력전압은 공급전원값 $+V_{DD}$, $-V_{SS}$보다 약간 적을 것이다. L_1과 C_1은 저역통과필터로 동작한다. D급 증폭기를 위한 대부분의 *LC* 필터는 2차 저역통과필터로 설계한다. 전형적인 필터는 40~50kHz에서 차단주파수를 갖는 버터워스 응답을 가진다. 이들 값을 적절히 선택하면 이 필터는 스피커로 스위칭 트랜지스터의 평균값을 통과시킨다. 만일 음성입력신호 V_A가 0이면 V_O는 0 V의 평균값을 갖는 대칭방형파가 될 것이다.

이 회로의 동작 예로서 그림 20-44를 살펴보자. V_A입력에 1 kHz의 정현파를 인가하고 V_T입력에 20 kHz의 삼각파를 인가한다. 실제로는 삼각파 입력주파수는 이 예에서 보다 몇 배나 더 큰 250~300 kHz의 주파수를 흔히 사용한다. 주파수는 최소출

그림 20-44   입력파형

그림 20-45 입력에 따른 출력파형

력왜곡을 위한 L_1C_1의 차단주파수 f_c와 비교 가능할 만큼 커야 할 것이다. 또한 V_A의 최대전압은 V_T의 약 70%임에 주의하라.

결과적으로 스위칭 트랜지스터의 출력 V_O는 **펄스폭 변조**(pulse-width modulated (PWM))된 파형이다. 파형의 듀티사이클은 음성 입력신호에 따라 그의 평균치인 출력을 보여준다. 이것을 그림 20-45에 나타낸다. V_A가 양의 피크값이면, 출력펄스의 폭은 최대 양의 평균출력을 만들면서 최대 양의 값이다. V_A가 음의 피크값이면, 출력펄스의 폭은 최대 음의 평균출력을 만들면서 최대 음의 값이다. V_A가 0이면, 출력은 결론적으로 평균값이 0 V인 양과 음이 같다.

그림 20-46에서 풀-브리지(H-bridge) 구조를 사용한 예를 보여준다. 이러한 구조는 브리지-결합 부하(*BTL:bridge-tired load*)로 알려져 있다. 풀-브리지는 필터에 반대 극

그림 20-46 풀-브리지 D급 출력

성의 펄스를 공급하는 두 개의 하프 브리지를 필요로 한다. 주어진 V_{DD}와 V_{SS} 전력공급기에 의하여, 풀-브리지는 반-브리지 구조에 비하여 출력신호의 2배 그리고 출력전력의 4배를 공급할 수 있다. 반-브리지는 단순하고 덜 복잡한 게이트 드라이버 회로를 필요하지만, 풀-브리지는 더 나은 오디오 성능을 만들 수 있다. 브리지 구조의 차동 출력은 짝수-차 고조파 왜곡 성분 및 직류 오프셋을 없애는 기능을 갖는다. 풀-브리지는 큰 결합커패시터를 필요 없이 단일 전력공급기(V_{DD})에서 작동할 수 있는 추가적인 장점을 갖는다.

　　반-브리지 구조에서 출력 에너지의 일부는 스위칭 동안 증폭기에서 전원공급기로 다시 돌아간다. 이 에너지는 주로 저역통과필터의 권선에 저장된 에너지 때문이다. 이것은 버스 전압변동과 출력 왜곡을 초래한다. 반면에 풀-브리지의 상호보완적인 스위치는 다른 쪽으로부터 에너지를 소비 할 수 있다. 이것은 전원 공급기로 적은 에너지를 되돌려 주는 결과를 초래한다.

　　어떠한 구조든 스위칭 시간오차는 PWM 신호의 비선형성을 일으킬 수 있다. 슛-스루(*shoot-through*)를 막기 위해서는 짧은 "데드타임"은 풀-브리지의 한쪽면의 전력 FET 두 개가 동시에 단락되지 않도록 사용되어야 한다. 만약 이 시간 간격이 너무 크면, 출력에서 전체 고조파 왜곡이 현저히 증가될 수 있다. 또한 출력 회로의 고주파 스위칭은 전자기 간섭(EMI)을 일으킬 수 있다. 그러므로 가능한 한 짧은 리드, 회로 트레이스 및 연결선을 유지하는 것이 중요하다.

　　D급 증폭기의 변형은 필터-리스 D급 증폭기(filter-less Class-D amplifier)라고 부른다. 이 증폭기는 앞에서 설명한 것과 다른 형태의 변조기술을 사용한다. 이 증폭기에서, 입력신호가 양일 경우, 출력은 0 V에서 $+V_{DD}$사이를 스위칭하는 PWM 펄스열이다. 입력신호가 음일 경우, 출력 변조된 펄스열은 0 V에서 $-V_{SS}$ 사이를 스위칭한다. 입력신호가 0일 때, 출력은 대칭적인 사각 파형보다는 오히려 0이다. 이는 스피커에 연결된 저역 통과 필터의 필요성을 없앨 수 있다.

IC D급 증폭기

저전력 D급 증폭기를 위하여, 하나의 집적회로에 필요한 모든 회로를 묶는 것은 많은 이점이 있다. LM48511는 고효율 D급 오디오 증폭기와 함께, 스위칭 전류-모드 부스트 컨버터를 결합한 D급 IC 증폭기의 일례이다. D급 증폭기는 8 Ω 스피커에 3 W의 연속적인 전력을 공급할 수 있으며, 출력 LC 저역통과 필터를 제거한 저잡음 PWM 구조를 사용한다. LM48511은 GPS, 휴대폰, MP3 플레이어와 같은 휴대용 장치를 위해 설계되었습니다. 5 V 효율 등급에서 그것의 80%가 AB급 증폭기에 비해 배터리 수명을 연장 할 수 있다. 그렇다면 IC는 어떤 식으로 작동되는 것일까?

　　그림 20-47는 오디오 증폭기에 적용된 LM48511의 간략화된 블록다이어그램를 나타낸다. 여러 가지 내부 기능 블록은 IC 내부에 나타난다. 특별한 입력 신호 제어 연결과 함께, 이 블록은 +3.0에서 +5.5 V의 외부 파워 공급 V_{DD}와 작동을 위한 최소한의 외부 부품이 요구된다.

　　LM48511 상단의 절반은 스위칭 전압 레귤레이터를 구성한다. 이러한 유형의 레귤레이터는 적용된 공급 전압 V_{DD}의 레벨을 증가시킬 수 있기 때문에 **부스트 컨버터**(*boost converter*)라고 불린다. 스위칭 레귤레이터의 세부 사항은 다음 장에서 설명될 것이다.

그러나 우선 기본 동작을 살펴보도록 하자.

스위칭 부스터 전압 레귤레이터는 외부 부품인 L_1, D_1, C_2 그리고 R_1에서 R_3로의 전압 분배기 네트워크와 함께, 내부 발진기, 변조기와 FET로 구성되어있다. 상부 발진기 블록은 1 MHz의 주파수에서 변조기를 구동한다. 변조기는 후에 가변 듀티 사이클 1 MHz의 파형을 갖는 내부 스위칭 FET를 구동한다. 변조기 피드백 신호 *FB*는 출력 전압이 조금 필요한지 여부에 따라 듀티 사이클을 변화할 수 있게 한다. FET가 단락될 때, 전류는 L_1을 통해 흐르고, 에너지는 자기장에 저장된다. FET가 스위치 오프되면, 자기장을 가로지르는 전압을 유발하여 L_1을 둘러싼 자기장은 붕괴한다. 이 전압은 연속적으로 입력 전압 V_{DD}와 더해진다. 콘덴서 C_2는 쇼트키 다이오드 D_1을 통해서 (V_{DD} + V_L) + V_{diode} 값까지 충전된다. 사용되는 피드백저항 R_1 또는 R_2에 따라 승압된 전압이 C_2에 의해서 여과될 것이고 증폭기 전압 입력점인 V_1과 PV_1에 연결될 것이다. V_{DD}가 5 V일 때, 승압된 출력전압은 약 7.8 V이다. 배터리 전력을 아끼려면, 부스터회로는 변조기의 제어신호에 의해 동작하지 않을 수 있다. 이러한 상황은 오직 작은 출력전력 레벨이 필요할 때에만 발생한다. 그러므로 승압 전압은 필요치 않다. 높은 스위칭 주파수 때문에 컨버터에 사용되는 낮은 등가직렬저항(ESR: equivalent series resistance)을 갖는 다층 세라믹 콘덴서와 개별적으로 등가직렬저항이 낮은 탄탈 콘덴서 C_2로 사용하는 것을 권장한다.

그림 20-47에 나타난 것과 같이 LM48511의 하반부는 D급 증폭기이다. 이 IC는 입력과 출력에 완전한 차동증폭기를 사용한다. 이는 73 dB의 전형적인 공통모드제거비(CMRR)을 가지게 된다. 차동증폭기의 이득은 4개의 외부 저항에 의해 설정된다. 이것은 입력 저항 R_5, R_7, 그리고 피드백 저항 R_6, R_8이다. IC의 전압 이득은 아래 식에 의해 결정된다.

$$A_v = 2x\frac{R_f}{R_{in}}$$

증폭기의 전체고조파왜곡의 퍼센트(THD)를 감소시키고, 공통모드제거비(CMRR)을 증가시키기 위해선, 1% 또는 더 좋은 허용오차를 갖는 정밀 저항들이 사용되어야 한다. 또한, 증폭기의 노이즈 제거를 증가시키기 위해 이러한 저항기들은 가능하면 IC의 입력 연결과 최대한 가까이 배치하여야 한다. 필요할 경우, 두 개의 입력 콘덴서인 CIN 들은 입력 오디오 신호원의 직류 성분을 막기 위해 사용된다.

차동증폭기의 출력은 하부 변조기 블록을 구동한다. LM48511은 **고정주파수**(*FF: fixed frequency*)모드와 **확산스펙트럼**(*SS: spread spectrum*)모드인 두 가지 펄스폭 변조 방식을 사용한다. 이 모드는 내부 오실레이터로 연결되어 있는 *SS/$\overline{FF}$* 제어 라인을 통하여 설정된다. 이 제어 라인이 접지되면, 변조기 출력은 300 kHz의 일정한 비율로 스위치 된다. 그때 증폭기의 출력 스펙트럼은 300 MHz 기본 주파수와 그것과 연관된 고조파로 구성된다.

SS/$\overline{FF}$ 제어선이 +V_{DD}에 연결될 때, 변조기는 확산스펙트럼 모드에서 동작한다. 변조기의 스위칭 주파수는 330 kHz의 중심 주파수가 약 10 %까지 임의로 달라질 것이다.

고정된 변조 주파수는 기본 주파수의 스펙트럼 에너지 및 스위칭 주파수의 배수 고조파를 생성한다. 확산 스펙트럼 변조는 음성 재생에 영향을 주지 않으면서 더 큰

그림 20-47 전형적인 LM48511 오디오 증폭기 적용회로

대역폭에 걸쳐 에너지를 확산한다. 이 모드는 기본적으로 출력 필터가 필요하지 않다.

변조기의 출력은 내부의 풀-브리지 파워 스위칭 소자를 구동한다. 만약 고정된 주파수 모드로 동작하는 경우, 출력은 300 kHz의 스위칭 주파수로 PV1 (조절된 입력전압)에서 접지로 바뀐다. 입력 신호가 0일 때, 두 개의 출력 V_{LS+}와 V_{LS-}가 취소가 되는 위상 50%인 듀티 사이클을 가지면서 서로 바뀐다. 스피커 양단에 효율적인 전압이 걸리지 않으며, 부하전류가 없다. 인가된 입력신호레벨이 증가할 때, V_{LS+}의 듀티 사이클

이 증가하고 V_{LS-}의 듀티 사이클이 감소한다. 인가된 입력 신호가 감소할 때, V_{LS-}의 듀티 사이클이 증가하면서, V_{LS+}의 듀티 사이클은 감소한다. 각 출력에서의 듀티 사이클 비율의 차이는 스피커를 통해 전류의 레벨 및 방향을 결정한다.

요점 | Summary

20-1 기준전압이 0 V인 비교기

기준전압 0 V를 가지는 비교기를 영점통과 검출기라고 한다. 다이오드 클램프는 과대한 입력전압에 대하여 비교기를 보호하기 위해 가끔 사용된다. 비교기 출력은 항상 디지털 회로와 인터페이스 한다.

20-2 기준전압이 0 V가 아닌 비교기

어떤 응용에서는 0이 아닌 스레스홀드 전압을 사용하기도 한다. 0이 아닌 기준전압을 가지는 비교기를 제한검출기라고 부른다. 연산증폭기가 비록 비교기로 사용되기도 하나, IC 비교기는 내부의 보상용 커패시터를 제거했기 때문에 이 응용을 위해서는 최적이다. 이것은 스위칭속도를 증가시킨다.

20-3 히스테리시스를 가지는 비교기

잡음은 여러 가지 원치 않는 신호인데 입력신호에 유도되거나 조화관계를 가져서는 안 된다. 잡음은 비교기에 가짜트리거링을 발생시키므로 정귀환은 히스테리시스 발생에 사용된다. 이것은 잡음이 가짜트리거링을 발생시키는 것을 방지한다. 또한 정귀환은 출력상태간의 스위칭속도를 상승시킨다.

20-4 창 비교기

창 비교기는 일명 양단 제한검출기라고도 부르는데 그 이유는 입력전압이 두 개의 제한된 값 사이일 때를 검출하기 때문이다. 창을 만들기 위해서는 두 개의 서로 다른 트립점을 가지는 두 개의 비교기를 사용하는 창 비교기가 필요하다.

20-5 적분기

적분기는 구형파 펄스를 선형램프피로 변환하는데 유용하다. 큰 입력 밀러용량 때문에 지수적인 충전의 초기부분만을 사용한다. 초기부분은 거의 선형이기 때문에 출력 램프파는 거의 완벽하다. 적분기는 오실로스코프의 시간기준(time bases)을 만드는 데도 사용된다.

20-6 파형변환

정현파를 구형파로 변환시키기 위해 슈미트 트리거를 사용하고, 방형파를 삼각파로 변환하는데는 적분기를 사용한다. 제한검출기에서 듀티사이클은 가변저항으로 조절할 수 있다.

20-7 파형발생

정귀환을 이용하여 외부 입력 신호 없이 출력신호를 발생시키는 회로인 발진기를 만들 수 있다. 이장발진기는 출력신호를 발생시키기 위해 커패시터의 충전을 이용한다. 이장발진기와 적분기를 종속 접속하므로 삼각파 출력파형을 발생시킬 수 있다.

20-8 또 다른 삼각파 발생기

비반전 슈미트 트리거의 출력은 적분기를 구동하는데 사용할 수 있다. 만일 적분기의 출력을 슈미트 트리거의 입력으로 사용한다면 방형파와 삼각파를 동시에 발생하는 발진기를 만들 수가 있다.

20-9 능동 다이오드회로

연산증폭기로 능동 반파정류기, 피크검출기, 클리퍼 및 클램퍼를 만들 수가 있다. 이 모든 회로에서 폐루프 문턱전압은 문턱전압을 개방루프 전압이득으로 나눈 것이다. 이 때문에 저레벨 신호를 처리할 수 있다.

20-10 미분기

방형파가 RC미분기를 구동할 때 출력은 폭이 좁은 정(1), 부(2)전압 스파이크의 열이 된다. 연산증폭기로 미분을 개선하고 저출력 임피던스를 얻을 수 있다.

20-11 D급 증폭기

D급 증폭기는 선형영역의 동작 대신 스위치로 동작하는 출력트랜지스터를 사용한다. 이 트랜지스터들은 비교기회로의 출력신호에 의해 교대로 포화, 차단으로 동작한다. D급 증폭기는 고효율회로이고 오디오증폭이 필요한 휴대장비에 인기가 있다.

정의식 | Definitions

(20-8) 히스테리시스:

H = UTP − LTP

유도식 | Derivations

여기에 표시되지 않은 유도식들은 이 장의 적절한 그림을 참조하십시오.

(20-9) 히스테리시스:

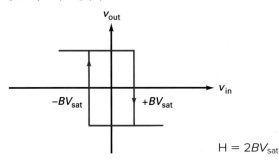

$$H = 2BV_{sat}$$

(20-12) 가속커패시턴스:

$$C_2 = \frac{R_1}{R_2}C_1$$

복습 문제 | Self-Test

1. 비선형 연산증폭기회로에서 _____.
   a. 연산증폭기는 결코 포화되지 않는다.
   b. 귀환루프는 결코 개방되지 않는다.
   c. 출력의 형태는 입력의 형태와 같다.
   d. 연산증폭기는 포화될 수 있다.

2. 입력이 특정한 값보다 클 때를 검출하기 위해서는 무엇을 사용해야 하는가?
   a. 비교기
   b. 클램퍼
   c. 리미터
   d. 이장발진기

3. 슈미트 트리거의 출력전압은?
   a. 저(low)전압이다.
   b. 고(high)전압이다.
   c. 저(low) 또는 고(high)중 어느 하나이다.
   d. 정현파이다.

4. 히스테리시스는 무엇에 관계되는 가짜트리거링을 방지하는가?
   a. 정현파 입력   b. 잡음전압
   c. 표유용량   d. 트립점

5. 만약 입력이 구형파라면, 적분기의 출력은?
   a. 정현파   b. 방형파
   c. 램프파   d. 구형파 펄스

6. 큰 정현파가 슈미트 트리거를 구동할 때, 출력은?
   a. 구형파
   b. 삼각파
   c. 정류된 정현파
   d. 램프파의 열

7. 만일 펄스폭은 감소하고 주기는 변함이 없다면, 듀티사이클은?
   a. 감소한다.
   b. 변함없다.
   c. 증가한다.
   d. 0이다.

8. 이장발진기의 출력은?
   a. 정현파   b. 방형파
   c. 램프파   d. 스파이크파

9. 만일 A_{VOL} = 100,000일 때 실리콘 다이오드의 폐루프 문턱전압은?
   a. 1 μV   b. 3.5 μV
   c. 7 μV   d. 14 μV

10. 피크검출기의 입력은 8 V의 피크-피크값과 0 V의 평균치를 가지는 삼각파이다. 출력은?
   a. 0 V
   b. 4 V
   c. 8 V
   d. 16 V

11. 양의 리미터의 입력은 8 V의 피크-피크값과 0 V의 평균치를 가지는 삼각파이다. 만일 기준 레벨이 2 V라면, 출력은 몇 V의 피크-피크값을 갖는가?
   a. 0 V   b. 2 V
   c. 6 V   d. 8 V

12. 피크검출기의 방전시정수가 100 ms이다. 사용할 수 있는 최저 주파수는?
   a. 10 Hz   b. 100 Hz
   c. 1 kHz   d. 10 kHz

13. 0 V인 트립점을 가지는 비교기를 일명 무엇이라 부르는가?
   a. 스레스홀드 검출기
   b. 영점통과 검출기
   c. 양의 리미터 검출기
   d. 반파검출기

14. 적절한 동작을 위해 대부분의 IC 비교기는 외부에 무엇을 필요로 하는가?
   a. 보상용 커패시터
   b. 풀업저항
   c. 바이패스 회로
   d. 출력단

15. 슈미트 트리거는 무엇을 사용하는가?
   a. 정귀환
   b. 부귀환
   c. 보상용 커패시터
   d. 풀업저항

16. 슈미트 트리거는 _____.
   a. 영점통과 검출기이다.
   b. 두 개의 트립점을 가진다.
   c. 삼각출력파를 발생한다.
   d. 잡음전압에 대해 트리거하도록 설계한다.

17. 이장발진기는 무엇을 통한 커패시터의 충전에 의존하는가?
   a. 저항
   b. 인덕터
   c. 커패시터
   d. 비반전 입력

18. 램프파의 전압은?
   a. 항상 증가한다.
   b. 구형파 펄스이다.
   c. 선형적으로 증가 또는 감소한다.
   d. 히스테리시스에 의해 발생한다.

19. 연산증폭기 적분기는 무엇을 사용하는가?
   a. 인덕터
   b. 밀러효과
   c. 정현입력
   d. 히스테리시스

20. 무엇을 발생시키는 입력전압을 비교기의 트립점이라고 하는가?
   a. 회로의 발진
   b. 입력신호의 피크검출
   c. 출력의 스위치상태
   d. 클램핑의 발생

21. 연산증폭기 적분기에서 입력저항을 통하는 전류는 무엇으로 흐르는가?
   a. 반전입력
   b. 비반전 입력
   c. 바이패스 커패시터
   d. 귀환커패시터

22. 능동 반파정류기는 얼마의 문턱전압을 가지는가?
   a. V_k
   b. 0.7 V
   c. 0.7 V이상
   d. 0.7 V보다 훨씬 작음

23. 능동 피크검출기에서 방전시정수는?
   a. 주기보다 훨씬 길다.
   b. 주기보다 훨씬 짧다.
   c. 주기와 같다.
   d. 충전시정수와 같다.

24. 만일 기준전압이 0이라면, 능동 양의 리미트의 출력은?
   a. 양(+)
   b. 음(−)
   c. 양(+) 또는 음(−) 중 하나
   d. 램프

25. 능동 양의 클램퍼의 출력은?
   a. 양(+)
   b. 음(−)
   c. 양(+) 또는 음(−) 중 하나
   d. 램프

26. 양의 클램퍼는 무엇이 부가되는가?
   a. 입력에 양의 직류전압
   b. 입력에 음의 직류전압
   c. 출력에 교류신호
   d. 출력에 트립점

27. 창 비교기는 _____.
   a. 사용 가능한 스레스홀드가 하나뿐이다.
   b. 가속응답에 히스테리시스가 사용된다.
   c. 입력을 양으로 클램프한다.
   d. 두 제한된 값 사이의 입력전압을 검출한다.

28. RC미분기회로는 입력 무엇의 순시변화율과 관련된 출력전압을 발생하는가?
   a. 전류
   b. 전압
   c. 저항
   d. 주파수

29. 연산증폭기 미분기는 무엇을 발생시키는데 사용하는가?
   a. 출력구형파
   b. 출력정현파
   c. 출력전압 스파이크
   d. 출력직류레벨

30. D급 증폭기는 무엇 때문에 고효율인가?
   a. 차단 또는 포화된 출력트랜지스터
   b. 직류전압원을 요구하지 않기 때문
   c. RF동조단을 사용하기 때문
   d. 입력전압의 360°전도 때문

기본 문제 | Problems

20-1 기준전압이 0 V인 비교기

20-1 그림 20-1a에서 비교기는 106 dB의 개방루프 전압이득을 가진다. 만일 공급전압이 ±20V라면 양의 포화를 발생하는 입력전압은 얼마인가?

20-2 만일 그림 20-2a에서 입력전압이 50 V이면, R = 10 kΩ일 때 왼쪽 클램핑 다이오드를 흐르는 전류는 대략 얼마인가?

20-3 그림 20-7a에서 각 다이오드는 1N4736A이다. 만일 공급전압이 ±15 V이면 출력전압은 얼마인가?

20-4 그림 20-7b의 2공급전원을 ±12 V로 감소시키고 다이오드의 극성을 반대로 했다. 출력전압은 얼마인가?

20-5 만일 그림 20-9의 다이오드극성을 반대로 하고 공급전원을 ±9 V변화시켰다면, 스트로브가 고(high)일 때와 저(low)일 때의 출력은 얼마인가?

20-2 기준접압이 0 V가 아닌 비교기

20-6 그림 20-11a의 2공급전원이 ±15 V이다. 만일 R_1 = 47 kΩ, R_2 = 12 kΩ이라면, 기준전압은 얼마인가? 만일 바이패스 커패시터가 0.5 μF라면, 차단주파수는 얼마인가?

그림 20-48

그림 20-50

20-7 그림 20-11c에서 2공급전원이 ±12 V이다. 만일 R_1 = 15 kΩ, R_2 = 7.5 kΩ이라면, 기준전압은 얼마인가? 만일 바이패스 커패시터가 1.0 μF라면, 차단주파수는 얼마인가?

20-8 그림 20-12에서 V_{CC} = 9 V, R_1 = 22 kΩ, R_2 = 4.7 kΩ이다. 만일 입력이 7.5 V 피크를 가지는 정현파라면, 출력 듀티사이클은 얼마인가?

20-9 그림 20-48에서 만일 입력이 5 V의 피크를 가지는 정현파라면, 출력 듀티사이클은 얼마인가?

20-3 히스테리시스를 가지는 비교기

20-10 그림 20-18a에서, R_1 = 2.2 kΩ, R_2 = 18 kΩ이다. 만일 V_{sat} = 14 V라면, 트립점은 얼마인가? 또 히스테리시스는 얼마인가?

20-11 만일 R_1 = 1 kΩ, R_2 = 20 kΩ이고 V_{sat} = 15 V라면, 그림 20-19a회로에서 가짜트리거링이 발생되지 않는 최대 피크-피크 잡음전압은 얼마인가?

20-12 그림 20-20의 슈미트 트리거는 R_1 = 1 kΩ, R_2 = 18 kΩ을 가진다. 만일 R_1양단의 표유용량이 3.0 pF라면, 가속커패시터의 용량은 얼마가 되어야 하나?

그림 20-49

20-13 그림 20-49에서 V_{sat} = 13.5 V이다. 트립점과 히스테리시스는 얼마인가?

20-14 그림 20-50에서 만일 V_{sat} = 14 V이면 트립점과 히스테리시스는 얼마인가?

20-4 창 비교기

20-15 그림 20-22a에서 LTP와 UTP가 +3.5 V와 +4.75 V로 바뀌었다. 만일 V_{sat} = 12 V이고 입력이 10 V의 피크를 가지는 정현파라면, 출력 전압파형은 어떠한가?

20-16 그림 20-23a에서 2R 저항이 4R로 바뀌고, 3R저항이 6R로 바뀌었다. 새로운 기준전압은 얼마인가?

20-5 적분기

20-17 입력펄스가 고(high)일 때, 그림 20-51에서 커패시터 충전전류는 얼마인가?

20-18 그림 20-51에서 출력전압이 펄스 시작 직전에 리셋되었다. 펄스의 끝에서 출력전압은 얼마인가?

20-19 그림 20-51에서 입력전압이 5 V에서 0.1 V로 바뀌었다. 그림 20-51의 용량은 다음의 값 즉, 0.1, 1, 10, 100 μF 등으로 변경된다. 펄스의 시작에서 리셋했다. 각 용량값에 대한 펄스의 끝에서의 출력전압은 얼마인가?

20-6 파형변환

20-20 그림 20-52에서 출력전압은 얼마인가?

20-21 그림 20-52에서 용량이 0.068 μF로 변경되었다면, 출력전압은 얼마인가?

20-22 그림 20-52에서 만일 주파수가 5 kHz로 변경되었다면, 출력전압에는 어떤 일이 발생하는가? 또 20 kHz로 변경되었다면 어떠한가?

20-23 ▐▐▐ **Multisim** 그림 20-53에서 와이퍼가 가장 큰 값 위치에 있을 때 듀티사이클은 얼마인가? 또 와이퍼가 가장 적은 값의 위치에 있을 때 듀티사이클은 얼마인가?

그림 20-51

그림 20-52

그림 20-53

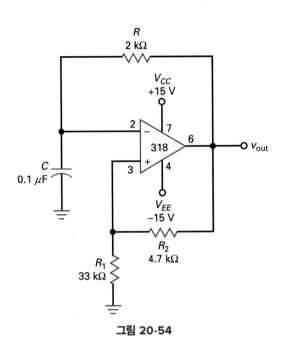

그림 20-54

20-24 |||| **Multisim** 그림 20-53에서 와이퍼가 가장 큰 값의 1/2 위치에 있을 때 듀티사이클은 얼마인가?

20-7 파형발생

20-25 |||| **Multisim** 그림 20-54에서 출력신호의 주파수는 얼마인가?

20-26 |||| **Multisim** 그림 20-54에서 만일 모든 저항이 2배가 되었다면, 주파수에는 어떤 일이 발생하는가?

20-27 그림 20-54의 커패시터를 0.47 μF로 바꾸었다. 새로운 주파수는 얼마인가?

20-8 또 다른 삼각파 발생기

20-28 그림 20-35a에서 R_1 = 2.2 kΩ, R_2 = 22 kΩ이다. 만일 V_{sat} = 12 V라면 슈미트 트리거의 트립점은 얼마인가? 또 히스테리시스는 얼마인가?

20-29 그림 20-35a에서 R_3 = 2.2 kΩ, R_4 = 22 kΩ이고 C = 4.7 μF이다. 만일 슈미트 트리거의 출력이 28 V의 피크-피크값과 5 kHz의 주파수를 가지는 방형파라면 삼각파발생기의 피크-피크 출력은 얼마인가?

20-9 능동 다이오드회로

20-30 그림 20-36에서 입력정현파는 100 mV의 피크를 가진다. 출력전압은 얼마인가?

20-31 그림 20-55에서 출력전압은 얼마인가?

20-32 그림 20-55에서 최저 권장주파수는 얼마인가?

20-33 그림 20-55에서 다이오드방향이 반대로 된다고 가정하자. 출력전압은 얼마인가?

20-34 그림 20-55의 입력전압이 75 mV$_{rms}$에서 150 mV$_{p-p}$로 바뀌었다. 출력전압은 얼마인가?

20-35 그림 20-39에서 만일 피크 입력전압이 100 mV라면 출력전압은 얼마인가?

20-36 그림 20-39와 같은 양의 클램퍼는 R_L = 10 kΩ, C = 4.7 μF를 가진다. 이 클램퍼에서 최저 권장주파수는 얼마인가?

20-10 미분기

20-37 그림 20-40에서 입력전압은 10 kHz의 주파수를 가지는 방형파이다. 미분기는 1초 동안 얼마나 많은 양과 음의 스파이크를 발생시키는가?

20-38 그림 20-41에서 입력전압은 1 kHz의 주파수를 가지는 방형파이다. 양과 음의 출력스파이크 간의 시간은 얼마인가?

그림 20-55

응용 문제 | Critical Thinking

20-39 그림 20-48에서 1 V의 기준전압을 얻기 위해 하나 또는 그 이상의 변경을 제시하라.

20-40 그림 20-48에서 출력양단의 표유용량은 50 pF이다. 출력이 저(low)에서 고(high)로 스위치될 때 출력파형의 상승시간은 얼마인가?

20-41 그림 20-48의 3.3 kΩ 양단에 47 μF의 바이패스 커패시터가 접속되어 있다. 바이패스회로의 차단주파수는 얼마인가? 만일 공급전원 리플이 1 V_{rms}라면 반전입력에서의 리플은 대략 얼마인가?

20-42 만일 입력이 5 V의 피크를 갖는 정현파라면, 그림 20-14a의 1 kΩ을 흐르는 평균전류는 얼마인가? R_1 = 33 kΩ, R2 = 3.3 kΩ으로 가성하라.

20-43 그림 20-49의 저항은 ±5%의 오차를 가진다. 최소 히스테리시스는 얼마인가?

20-44 그림 20-23a에서 LTP와 UTP는 +3.5 V와 +4.75 V로 변경되었다. 만일 V_{sat} = 12 V이고 입력이 10 V의 피크를 가지는 정현파라면 출력 듀티사이클은 얼마인가?

20-45 그림 20-51에서 0.1, 1, 10 ms의 시간을 갖고 0에서 +10 V까지 스윙하는 램프 출력전압을 발생시키기를 원한다. 이 회로에서 무엇을 변화시키면 이를 수행할 수 있는가?(가능한 많은 답을 적을 것)

20-46 그림 20-54의 출력주파수를 20 kHz로 하기를 원한다. 이 회로에서 무엇을 변화시키면 이를 수행할 수 있는가?

20-47 그림 20-50의 입력에서 잡음전압은 1 V_{p-p}만큼 크다. 만약 R_2가 82 kΩ으로 변환된다면, 회로에서 하나 이상을 변화시켜 잡음전압이 무시될 수 있는 회로를 제시하라.

20-48 XYZ회사는 이장발진기를 대량 생산한다. 출력전압은 최소 10 V_{p-p}로 가정한다. 출력을 최소 10 V_{p-p}로 보고 각 유닛(unit)의 출력을 점검하기 위한 방법들을 제시하라(답은 여러 개일 수 있으므로 많은 방법을 생각하라. 본 장이나 앞의 장들에서 사용한 소자나 회로를 이용하라).

20-49 어두울 때 불을 켜고, 밝을 때 불을 끄는 회로를 설계하라. (본 장과 앞장들에 있는 소자나 회로들을 사용하여 다양하게 답을 생각해 보아라)

20-50 전력선 전압이 너무 낮을 때 작동하지 않는 어떤 전자장치가 있다. 전력선 전압이 105 V_{rms}일 때 소리 알람(alarm)이 동작하는 회로를 몇 가지 제시해보라.

20-51 레이다파는 186,000 mi/s로 전파된다. 지구에 있는 송신기로 달을 향해 레이다파를 보내면 이 레이다파의 반사파는 지구로 되돌아온다. 그림 20-51에서 1 kΩ을 1 MΩ으로 바꾸었다. 입력구형파 펄스는 레이다파를 달로 보내는 순간 시작되고 레이다파가 지구로 되돌아오는 순간 펄스가 끝난다. 만일 출력램프가 최종전압 −1.23 V까지 감소했다면 달까지의 거리는 얼마나 되는가?

고장 점검 | Troubleshooting

문제 20-52부터 20-55까지 그림 20-56을 사용하라. 각 시험점 A에서 E까지의 출력은 오실로스코프를 통해 관측할 수 있을 것이다. 회로와 파형들의 지식을 기초로 하여 더 많은 시험을 행해 가장 의심스러운 블록을 찾아라. OK측정을 사용하여 정상동작에 익숙해져라. 고장수리 준비가 되었을 때 다음 문제를 해결하라.

20-52 T1과 T2의 고장부분을 진단하라.

20-53 T3에서 T5까지 고장부분을 진단하라.

20-54 T6과 T7의 고장부분을 진단하라.

20-55 T8에서 T10까지 고장부분을 진단하라.

Multisim 고장 점검 문제 | Multisim Troubleshooting Problems

멀티심 고장 점검 파일들은 *Connect for Electronic Principles* 저자 자료에 멀티심 고장 점검 회로(MTC)라는 폴더에서 찾을 수 있다. 좀 더 자세한 내용은 xiv페이지를 참조하라. 이 장에 관련된 파일은 MTC20-56~MTC20-60로 명칭되어 있고 모두 그림 20-56의 회로를 바탕으로 한다.

각 파일을 열고 고장 점검을 실시한다. 결함이 있는지 결정하기 위해 측정을 실시하고 결함이 있다면 무엇인지를 찾아라.

20-56 MTC20-56 파일을 열고 고장 점검을 실시하라.

20-57 MTC20-57 파일을 열고 고장 점검을 실시하라.

20-58 MTC20-58 파일을 열고 고장 점검을 실시하라.

20-59 MTC20-59 파일을 열고 고장 점검을 실시하라.

20-60 MTC20-60 파일을 열고 고장 점검을 실시하라.

Troubleshooting

Trouble	V_A	V_B	V_C	V_D	V_E
OK	K	I	H	J	L
T1	K	N	M	S	P
T2	K	I	H	J	O
T3	M	M	M	S	P
T4	R	I	M	S	P
T5	K	M	M	S	P
T6	K	I	H	S	P
T7	K	I	H	J	J
T8	K	I	Q	S	P
T9	R	I	H	J	S
T10	K	I	H	M	M

WAVEFORMS

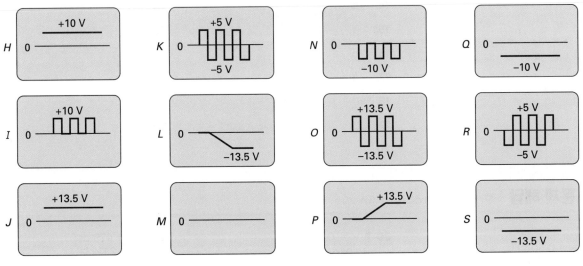

그림 20-56

직무 면접 문제 | Job Interview Questions

1. 영점통과 검출기를 그리고, 동작의 이론을 설명하라.

2. 잡음입력이 비교기의 트리거링을 어떻게 방해하는가? 도식도를 그리고, 임의파형을 그려 설명하라.

3. 적분기의 회로도를 그리고, 임의파형에 대한 동작방법을 설명하라.

4. 3 V와 4 V 사이의 직류 출력전압을 가지는 회로를 대량 생산하려 한다. 어떤 종류의 비교기를 사용해야 하는가? 또 비교기 출력에 옳고 그름을 지적하는 녹색과 적색 LED는 어떻게 접속하면 되는가?

5. 'bounded output'이란 말은 무엇인가? 어떻게 하면 작업을 쉽게 완수할 수 있는가?

6. 슈미트 트리거와 영점통과 검출기는 어떻게 다른가?

7. 지나치게 큰 입력전압으로부터 비교기의 입력을 보호하는 방법은 무엇인가?

8. 일반적인 연산증폭기와 IC비교기의 차이는 무엇인가?

9. 만일 구형펄스가 적분기를 구동한다면 기대할 수 있는 출력의 형태는 어떠한가?

10. 문턱전압 상에서 능동 다이오드회로가 가지는 효과는 무엇인가?

11. 이장발진기의 동작은 어떠한가? 이 동작방법을 개략적으로 설명하라.

12. 만일 구형파 펄스가 미분기를 구동한다면, 기대되는 출력의 형태는 어떠한가?

복습 문제 해답 | Self-Test Answers

1.	d	**11.**	c	**21.**	d
2.	a	**12.**	b	**22.**	d
3.	c	**13.**	b	**23.**	a
4.	b	**14.**	b	**24.**	b
5.	c	**15.**	a	**25.**	a
6.	a	**16.**	b	**26.**	a
7.	a	**17.**	a	**27.**	d
8.	b	**18.**	c	**28.**	b
9.	c	**19.**	b	**29.**	c
10.	b	**20.**	c	**30.**	a

연습 문제 해답 | Practice Problem Answers

20-4 $V_{ref} = 7.5$ V;
$f_C = 0.508$ Hz

20-6 $B = 0.0435$;
UTP $= 0.587$ V;
LTP $= -0.587$ V;
$H = 1.17$ V

20-7 $V = 0.800$ V;
시정수 $= 1000$ sec.

20-8 $C = 2.5$ μF

20-9 $W = 83.3$ μs;
$D = 0.167$

20-10 $T = 479$ μs;
$f = 2.1$ kHz

20-11 $V_{out(p-p)} = 32.3$ mV$_{p-p}$

20-12 $V_{out(p-p)} = 0.52$ V;
$f = 2.5$ kHz

21 발진기

Diode Theory

1 MHz 이하의 주파수에서 거의 완벽한 정현파를 발생시키기 위해 *RC* 발진기를 사용할 수 있다. 이 저주파 발진기는 발진주파수를 결정하기 위해 연산증폭기와 *RC* 공진회로를 사용한다. 1 MHz 이상에서는 *LC* 발진기가 사용된다. 이 고주파 발진기는 트랜지스터와 *LC* 공진회로를 사용한다. 또한 이 장에서는 555 타이머(555 timer)라 부르는 특수한 칩에 대해서도 설명한다. 이것은 시간지연, 전압제어 발진기 및 변조된 출력신호 등을 발생시키는 경우를 비롯하여 많은 응용에 사용된다. 또 이 장에서는 위상동기 루프(PLL)라 부르는 중요한 통신회로와 인기있는 함수발생기 IC인 XR-2206도 포함시켰다.

학습목표 | Objectives

이 단원을 공부하고 나면

- 루프이득과 위상 및 이들이 정현파 발진기와 어떤 관련이 있는지에 대해 설명할 수 있어야 한다.
- 여러 가지 *RC* 정현파 발진기의 동작에 대해 설명할 수 있어야 한다.
- 여러 가지 *LC* 정현파 발진기의 동작에 대해 설명할 수 있어야 한다.
- 수정제어 발진기의 동작방법에 대해 설명할 수 있어야 한다.
- 555 타이머 IC의 동작모드와 발진기로의 사용 방법에 대해 검토할 수 있어야 한다.
- 위상동기 루프(PLL)의 동작을 설명할 수 있어야 한다.
- XR-2206 함수발생기(function generator)의 동작을 설명할 수 있어야 한다.

주요용어 | Vocabulary

고정범위(lock range)

공진주파수 f_r(resonant frequency)

기본파 주파수
    (fundamental frequency)

노치 필터(notch filter)

단안정(monostable)

멀티바이브레이터(multivibrator)

변조신호(modulating signal)

비안정(astable)

수정발진기
    (quartz-crystal oscillator)

쌍안정 멀티바이브레이터
    (bistable multivibrator)

암스트롱 발진기
    (Armstrong oscillator)

압전기 효과(Piezoelectric effect)

위상검출기(phase detector)

위상동기 루프
    (phase-locked loop: PLL)

위상천이 발진기
    (phase-shift oscillator)

윈-브리지 발진기
    (Wien-bridge oscillator)

자연대수(natural logarithm)

장치용량(mounting capacitance)

전압 제어발진기(voltage-controlled oscillator; VCO)

전압-주파수 변환기(voltage-to-frequency converter)

주파수 편이 변조
    (frequency-shift keying; FSK)

주파수변조기
    (frequency modulation; FM)

진상-지상 회로(lead-lag circuit)

캐리어(carrier)

콜피츠 발진기(Colpitts oscillator)

클랩 발진기(Clapp oscillator)

트윈-티발진기(twin-T oscillator)

펄스위치 변조(pulse-position modulation: PPM)

펄스폭 변조
    (pulse-width modulation: PWM)

포착범위(capture range)

피어스 수정발진기
    (Pierce crystal oscil- lator)

하트레이 발진기(Hartley oscillator)

21-1 정현파 발진의 이론

정현파 발진기를 설계하기 위해서는 정귀환을 가지는 증폭기를 사용할 필요가 있다. 이 생각은 입력신호 대신에 귀환신호를 사용한다는 것이다. 만일 귀환신호가 충분히 크고 정확한 위상을 가진다면 비록 외부의 입력신호가 없을지라도 출력신호는 존재한다.

루프이득과 위상

그림 21-1a에 증폭기의 입력단자를 구동하는 교류전압원을 나타내었다. 증폭된 출력전압은

$$v_{\text{out}} = A_v(v_{\text{in}})$$

이 전압은 항상 공진회로(resonant circuit)인 귀환회로를 구동한다. 이 때문에 한 주파수에서 최대귀환을 얻는다. 그림 21-1a에서 x점으로 되돌아오는 귀환전압은 다음과 같이 주어진다.

$$v_f = A_vB(v_{\text{in}})$$

여기서 B는 귀환비이다.

만일 증폭기와 귀환회로를 통한 위상천이(phase shift)가 0°라면 $A_vB(v_{\text{in}})$은 v_{in}과 동위상(in phase)이다.

지금, x점과 y점을 접속하고 동시에 전압원 v_{in}을 제거했다고 가정하자. 그러면 그림 21-1b와 같이 귀환전압 $A_vB(v_{\text{in}})$은 증폭기의 입력을 구동한다.

출력전압으로는 무엇이 발생할까? 만일 A_vB가 1 이하이면, $A_vB(v_{\text{in}})$이 v_{in} 이하가 되어 출력신호는 그림 21-1c와 같이 소멸되어 버릴 것이다. 그러나 만일 A_vB가 1 이상이면, $A_vB(v_{\text{in}})$이 v_{in}이상이 되어 출력전압은 그림 21-1d와 같이 성장한다. 만일 A_vB가 1이면 $A_vB(v_{\text{in}})$은 v_{in}과 같아지고 출력전압은 그림 21-1e에서와 같은 안정된 정현파가 된다. 이때 회로는 스스로 입력신호를 공급한다.

발진기에서 처음 전원을 인가할 때 루프이득 A_vB는 1 이상이다. 그러므로 적은

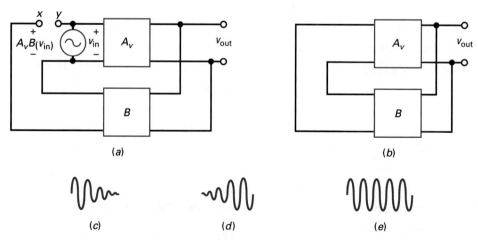

그림 21-1   (a) x점에서 되돌아 온 귀환전압; (b) x와 y점의 접속; (c) 발진이 사라짐; (d) 발진이 증가함; (e) 진폭이 고정된 발진

시동전압(starting voltage)이 입력단자에 인가되고 출력전압은 그림 21-1d와 같이 성장한다. 그리고 출력전압이 어떤 레벨에 도달한 후에 A_vB는 자동적으로 1로 감소되고 피크-피크 출력은 그림 21-1e와 같이 일정하게 된다.

열잡음이 시동전압

시동전압은 어떻게 얻어지는가? 모든 저항은 약간의 자유전자를 갖는데, 주위 온도 때문에 이들 자유전자는 서로 다른 방향으로 불규칙(random)적으로 운동하면서 저항 양단에 잡음전압을 발생시킨다. 이 운동은 너무나 불규칙하기 때문에 1000 GHz이상의 주파수를 포함한다. 그래서 각 저항을 모든 주파수를 발생시키는 적은 교류전압원으로 생각할 수 있다.

그림 21-1b에서 무엇이 발생할까? 먼저 전원을 켜면 시스템에서의 신호는 저항에 의해 발생된 잡음전압뿐이다. 이 잡음전압은 증폭되어 출력단자에 나타난다. 모든 주파수를 포함하는 증폭된 잡음은 공진 귀환회로를 구동한다. 정확한 설계에 의해 루프이득을 1 이상으로 하고 공진주파수에서 루프 위상천이를 0°로 할 수 있다. 공진주파수 이상과 이하에서의 위상천이는 0°가 아니다. 이 결과, 귀환회로의 공진주파수에서만 발진이 일어난다.

A_vB가 단위이득(1)으로 감소

A_vB를 1로 감소시키는 방법으로는, A_v를 감소시키거나 B를 감소시키는 두 가지 방법이 있다. 어떤 발진기에서는 포화와 차단 때문에 클리핑이 발생할 때까지 신호가 성장하도록 허용하는데 이때는 전압이득 A_v를 감소시키는 방법을 사용한다. 또 어떤 발진기는 신호를 성장시키면서 클리핑이 발생하기 전에 B를 감소시키는 방법을 사용한다. 어떤 경우라도 A_vB를 곱한 값이 1이 될 때까지 감소시켜야 한다.

귀환발진기의 기본사고는 다음과 같다.

1. 우선 루프이득 A_vB는 루프 위상천이가 0°인 주파수에서 1보다 커야 한다.
2. 요구되는 출력레벨에 도달한 후, A_v나 B둘 중 어느 하나를 감소시켜 A_vB가 1이 되도록 감소시켜야 한다.

21-2 윈-브리지 발진기

윈-브리지 발진기(Wien-bridge oscillator)는 약 5 Hz에서 1 MHz 범위 내의 적당한 저주파수를 얻기 위한 대표적인 발진기이다. 이것은 상업용 저주파(audio)발생기나 그 외 저주파의 응용에 항상 사용된다.

지상회로

그림 21-2a의 바이패스회로의 전압이득은,

$$\frac{v_{out}}{v_{in}} = \frac{X_C}{\sqrt{R^2 + X_C^2}}$$

(a)

(b)

그림 21-2 (a) 바이패스 커패시터; (b) 페이서 다이어그램

그림 21-3 (a) 결합회로; (b) 페이서 다이어그램

이고, 위상각은 다음과 같다.

$$\phi = -\arctan \frac{R}{X_C}$$

여기서 ϕ는 출력과 입력 간의 위상각이다.

위상각의 식에서 $-$부호에 주목하라. 이것은 그림 21-2b에서와 같이 출력전압이 입력전압에 비해 위상이 뒤짐을 의미한다. 이 때문에 바이패스회로를 흔히 **지상회로**(*lag circuit*)라고 부른다. 그림 21-2b에서 반원은 출력 페이저전압이 존재할 수 있는 위치를 나타낸다. 이것은 출력 페이서가 입력 페이서보다 0°에서 −90°사이의 각만큼 뒤짐을 나타내고 있다.

진상회로

그림 21-3a에 결합회로를 나타내었다. 이 회로의 전압이득은,

$$\frac{v_{out}}{v_{in}} = \frac{R_C}{\sqrt{R^2 + X_C{}^2}}$$

이고, 위상각은 다음과 같다.

$$\phi = \arctan \frac{X_C}{R}$$

위상각이 $+$임에 주목하라. 이것은 그림 21-3b와 같이 출력전압이 입력전압보다 위상이 앞섬을 의미한다. 이 때문에 결합회로를 흔히 **진상회로**(*lead circuit*)라고 부른다. 그림 21-3b에서 반원은 출력 페이저전압이 존재할 수 있는 위치를 나타낸다. 이것은 출력 페이서가 입력 페이서보다 0°에서 +90° 사이의 각으로 앞섬을 나타내고 있다.

결합회로와 바이패스회로는 위상 천이회로의 한 예이다. 이 회로들은 입력신호에 대해 출력신호의 위상을 양(진상) 또는 음(지상) 둘 중 어느 하나로 천이시킨다. 정현파 발진기는 특정주파수에서 발진이 일어나도록 하기 위해 항상 많은 종류의 위상 천이회로들을 사용한다.

진상-지상 회로

원-브리지 발진기는 그림 21-4와 같이 **진상-지상회로**(lead-lag circuit)라고 불리는 공진 귀환회로를 사용한다. 매우 낮은 주파수에서는 직렬커패시터가 입력신호에 대해 개방되므로 출력신호는 없고, 매우 높은 주파수에서는 분로커패시터가 단락되므로 출력

그림 21-4 진상–지상 회로

이 없다. 이 사이에서 출력전압은 그림 21-5a와 같이 최대값에 도달한다. 출력이 최대일 때의 주파수를 **공진주파수**(resonant frequency) f_r이라 부른다. 이 주파수에서 귀환비 B는 최대값의 ⅓에 달한다.

그림 21-5b에 입력전압에 대한 출력전압의 위상각을 나타내었다. 매우 낮은 주파수에서 위상각은 양(진상)이 되지만, 매우 높은 주파수에서의 위상각은 음(지상)이 된다. 공진주파수에서 위상천이는 0°이다. 그림 21-5c에 입력과 출력전압의 페이서도를 나타내었다. 페이서의 화살표는 점선으로 된 원의 어떤 곳에나 놓일 수 있다. 이 때문에 위상각은 +90°에서 −90°까지 변할 수 있다.

그림 21-4의 진상-지상 회로는 공진회로처럼 동작한다. 공진주파수 f_r에서 귀환비 B는 최대값의 ⅓에 도달하고 위상각은 0°가 된다. 공진주파수 이상과 이하에서의 귀환비는 ⅓보다 적고 위상각은 더 이상 0°가 아니다.

공진주파수에 대한 식

복소수로 그림 21-4를 해석하면 다음 두 식을 얻을 수 있다.

$$B = \frac{1}{\sqrt{9 - (X_C/R - R/X_C)^2}} \qquad (21\text{-}1)$$

$$\phi = \arctan \frac{X_C/R - R_C/X}{3} \qquad (21\text{-}2)$$

이 식을 그래프화 하면 그림 21-5a와 b가 얻어진다.

식 (21-1)에서 주어진 귀환비는 공진주파수에서 최대값을 가진다. 이 주파수에서 $X_C = R$이기 때문에,

$$\frac{1}{2\pi f_r C} = R$$

이고, f_r에 대해 풀어보면 다음과 같다.

$$f_r = \frac{1}{2\pi RC} \qquad (21\text{-}3)$$

동작 방법

그림 21-6a에 원-브리지 발진기를 나타내었다. 이것은 귀환로가 두 개이므로 양과 음의 귀환을 이용한다. 출력에서 진상-지상 회로를 거쳐 비반전입력으로 정귀환의 경로가 주어지고, 또 출력으로부터 전압분배기를 거쳐 반전입력으로 부귀환의 경로가 주어진다.

회로가 처음 동작할 때는 부귀환보다 정귀환이 더 크다. 이것은 앞서 말한 것처럼 발진을 성장시킨다. 출력신호가 요구되는 레벨에 도달한 후, 부귀환은 루프이득 $A_v B$가 1로 감소할 만큼 충분히 크게 된다.

왜 $A_v B$가 1로 감소하는가? 전원이 투입되면 텅스텐 램프는 적은 저항을 가지고 부귀환도 적다. 이 때문에 루프이득은 1보다 크게 되고 공진주파수에서 발진이 성장할 수 있다. 발진이 성장함에 따라 텅스텐 램프는 약간 가열되고 그 저항이 증가한다. 대부분의 회로에서 램프를 통하는 전류는 램프에 빛을 발생시키기에는 충분치 못하나 저항은

(a)

(b)

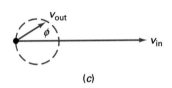

(c)

그림 21-5 (a) 전압이득; (b) 위상응답; (c) 페이서 다이어그램

그림 21-6   윈–브리지 발전기

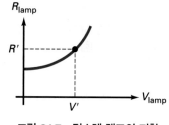

그림 21-7   텅스텐 램프의 저항

충분하게 증가시킨다. 어느 정도 큰 출력레벨에서 텅스텐 램프는 정확히 R'인 저항을 가진다. 이 점에서 비반전입력에서 출력까지의 폐루프 전압이득은 다음과 같이 감소한다.

$$A_{v(CL)} = \frac{2R'}{R'} + 1 = 3$$

진상-지상 회로는 ⅓의 B를 가지므로 루프이득은 다음과 같이 된다.

$$A_{v(CL)}B = 3(⅓) = 1$$

전원이 처음 투입되었을 때 텅스텐 램프의 저항은 R'보다 적다. 그 결과, 비반전입력에서 출력까지의 폐루프 전압이득은 3보다 크고 $A_{v(CL)}B$는 1보다 크다.

발진이 성장함에 따라 피크-피크출력은 텅스텐 램프의 저항을 증가시키기에 충분하리만큼 커진다. 이 저항이 R'값과 같을 때 루프이득 $A_{v(CL)}B$는 정확히 1이 된다. 이 점에서 발진은 안정하게 되고, 출력전압은 일정한 피크-피크값을 가지게 된다.

시동조건

전원이 투입되면 출력전압은 0이고, 그림 21-7과 같이 텅스텐 램프의 저항은 R'보다 적다. 출력전압이 증가할 때 그래프에서 보다시피 램프의 저항은 증가한다. 텅스텐 램프 양단의 전압이 V'일 때 텅스텐 램프는 R'인 저항을 가진다. 이것은 $A_{v(CL)}$이 3이고 루프이득이 1이 됨을 의미한다. 이러한 경우, 출력진폭 레벨의 성장은 멈추고 출력이 일정하게 된다.

노치 필터

그림 21-8은 윈-브리지 발전기의 또 다른 구성을 나타낸 것으로, 진상-지상회로는 브리지의 좌측에 있고 전압분배기는 오른쪽에 있다. 이 교류브리지를 흔히 윈 브리지(Wien bridge)라고 부르고 발진기 이외에 또 다른 응용에도 사용된다. 오차전압은 브리지의

그림 21-8 윈 브리지 발진기의 또 다른 구성

출력이다. 브리지가 거의 평형상태가 되면 오차전압도 거의 0이 된다.

윈 브리지는 특정한 주파수에서 0의 출력을 가지는 회로인 **노치 필터**(notch filter)처럼 동작한다. 윈 브리지에서 노치주파수는 다음과 같다.

$$f_r = \frac{1}{2\pi RC} \tag{21-4}$$

연산증폭기에서 요구되는 오차전압은 너무 적기 때문에 윈 브리지는 거의 완전하게 평형상태가 되고 발진주파수는 거의 f_r과 같아진다.

응용 예제 21-1

그림 21-9에서 최소 및 최대주파수를 계산하라. 2개의 가변저항은 연동(ganged)되므로 함께 변화하고 어떠한 와이퍼의 위치에서도 같은 값을 갖는다.

그림 21-9 예제

풀이 식 (21-4)에서 발진의 최소주파수는

$$f_r = \frac{1}{2\pi(101\ \mathrm{k\Omega})(0.01\ \mu\mathrm{F})} = 158\ \mathrm{Hz}$$

이고, 발진의 최대주파수는 다음과 같다.

$$f_r = \frac{1}{2\pi(1\ \mathrm{k\Omega})(0.01\ \mu\mathrm{F})} = 15.9\ \mathrm{kHz}$$

연습 문제 21-1 그림 21-9에서 1000 Hz의 출력주파수를 얻기 위한 가변저항값을 구하여라.

응용 예제 21-2

그림 21-10에, 램프전압에 대한 그림 21-9의 램프저항을 나타내었다. 만일 램프전압이 rms전압으로 표현된다면, 발진기의 출력전압은 얼마인가?

그림 21-10   예제

풀이 그림 21-9에서 귀환저항은 2 kΩ이다. 그러므로 발진기 출력신호는 램프저항이 1 kΩ일 때 일정하게 된다. 왜냐하면 이때 3인 폐루프 이득을 발생하기 때문이다.

그림 21-10에서 1 kΩ의 램프저항은 2 V_{rms}의 램프전압과 일치하므로 램프전류는

$$I_{\mathrm{lamp}} = \frac{2\ \mathrm{V}}{1\ \mathrm{k\Omega}} = 2\ \mathrm{mA}$$

이 2 mA의 전류는 2 kΩ의 귀환저항을 통해 흐르므로, 발진기의 출력전압은 다음과 같음을 의미한다.

$$v_{\mathrm{out}} = (2\ \mathrm{mA})(1\ \mathrm{k\Omega} + 2\ \mathrm{k\Omega}) = 6\ \mathrm{V_{rms}}$$

연습 문제 21-2 귀환저항 3 kΩ을 사용하여 응용 예제 21-2를 반복하라.

21-3 그 외의 *RC* 발진기

비록 윈-브리지 발진기가 1 MHz까지의 주파수에 대한 공업표준이라 할지라도, 또 다른 *RC* 발진기도 다른 응용에 사용할 수 있다. 이 절에서는 기본 설계가 서로 다른 **트윈-티 발진기**(twin-T oscillator)와 **위상천이(이상) 발진기**(phase shift oscillator)로 불리는 2개의 발진기에 대해 고찰해 보기로 한다.

트윈-티 필터

그림 21-11*a*는 트윈-티 필터(twin-T filter)이다. 이 회로의 수학적인 해석은 그림 21-11*b*와 같은 위상각의 변화를 갖는 진상-지상 회로처럼 동작함을 나타낸다. 여기서 위상천이가 0°인 곳의 주파수가 f_r이다. 그림 21-11*c*에서 저주파수와 고주파수에서의 전압이득은 1이고, 이 사이에 전압이득이 0으로 감소하는 주파수가 있다. 트윈-티 필터는 f_r부근의 주파수에서 이득을 제거(notch out)할 수 있으므로 노치 필터의 또 다른 예라고 할 수 있다. 트윈-티 필터의 공진주파수에 대한 식은 윈 브리지 발진기와 같다.

$$f_r = \frac{1}{2\pi RC}$$

트윈-티 발진기

그림 21-12에 트윈-티 발진기를 나타내었다. 비반전입력에는 전압분배기를 통해 정귀환이 걸리고, 트윈-티 필터를 통해 부귀환이 걸린다. 처음 전원을 인가하면 램프저항 R_2는 적어지고 정귀환은 최대가 된다. 발진이 성장함에 따라 램프저항은 증가하고 정귀환은 감소한다. 귀환이 감소함에 따라 발진레벨은 성장을 중단하고 일정해지는데, 이 같은 방법으로 램프는 출력전압의 레벨을 안정화시킨다.

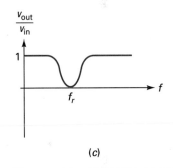

그림 21-11   (a) 트윈–티 필터; (b) 위상 응답; (c) 주파수 응답

　　트윈-티 필터에서 저항 *R*/2은 조정하는데, 이것은 이상적인 공진주파수로부터 약간 벗어난 주파수에서도 회로가 발진해야 하기 때문에 필요하다. 발진주파수와 노치주파수를 근접시키기 위해 전압분배기의 R_2는 R_1보다 훨씬 크게 해야 한다. 일반적으로

$$f_r = \frac{1}{2\pi RC}$$

그림 21-12   트윈–티 발진기

그림 21-13 세 개의 진상회로를 가지는 위상천이 발진기

R_2/R_1은 10에서 1,000의 범위에 있어야 한다. 이렇게 함으로써 이발진기는 노치주파수 부근의 주파수에서 동작시킬 수 있다.

트윈-티 발진기는 경우에 따라 사용되기는 하나 특정한 주파수에서만 잘 동작하기 때문에 즐겨 사용되는 회로는 아니다. 즉 이 회로는 윈-브리지 발진기와는 달리 넓은 주파수 범위에 걸친 조정이 쉽지가 않다.

위상천이(이상)발진기

그림 21-13은 귀환로에 세 개의 진상회로를 가지는 위상천이(이상) 발진기(phase-shift oscillator)이다. 상기해 보면 진상회로는 주파수에 따라 0°와 90° 사이의 위상천이를 발생시킨다. 어떤 주파수에서 세 개의 진상회로의 전체 위상천이는 180°(각기 거의 60°씩)가 된다. 증폭기는 신호가 반전입력을 구동하기 때문에 180°의 위상천이를 가진다. 그 결과 전체루프의 위상천이는 360°, 즉 0°가 될 것이다. 만일 이 특정주파수에서 A_vB가 1보다 더 크면 발진이 시작될 것이다.

그림 21-14는 조금 달리 설계한 것이다. 여기서는 세 개의 지상회로를 사용했는데 그 동작은 진상회로를 사용한 경우와 유사하다. 증폭기에서 180°의 위상천이를 발생하고, 지상회로도 루프 위상천이 0°를 얻기 위해 어떤 높은 주파수에서 −180°를 제공한다. 만일 이 주파수에서 A_vB가 1보다 더 크면 발진이 시작된다. 위상천이 발진기도 많이 사용되는 회로는 아니다. 이 회로의 가장 큰 문제는 넓은 주파수범위에 걸친 조정이 쉽지 않다는 것이다.

그림 21-14 세 개의 지상회로를 가지는 위상천이 발진기

21-4 콜피츠 발진기

원-브리지 발진기는 저주파에서는 특성이 매우 좋으나, 1 MHz 이상의 고주파에서는 그렇지 못하다. 가장 큰 문제는 연산증폭기의 제한된 대역폭(f_{unity})이다.

LC 발진기

고주파 발진을 발생시키는 한 방법으로 LC 발진기가 있다. 이 회로는 1에서 500 MHz 사이의 주파수용으로 사용할 수 있다. 이 주파수 범위는 대부분 연산증폭기의 funity 보다 넓기 때문에 이 발진기의 증폭부에 바이폴라 트랜지스터나 FET를 사용하는 이유가 된다. 증폭기와 LC탱크회로를 조합하여 발진을 유지하기 위한 진폭과 위상을 가지는 신호를 귀환시킬 수 있다.

고주파 발진기의 해석과 설계는 어렵다. 왜냐하면 고주파에서는 표유용량과 배선의 인덕턴스가 발진주파수, 귀환비, 출력전력 및 그 외의 교류량들을 결정하는 데 있어 매우 중요하기 때문이다. 이것이 대부분의 설계자들이 요구되는 동작을 얻기 위해 첫 설계에서, 그리고 발진성장을 위한 조정에 컴퓨터근사를 사용하는 이유이다.

CE 접속

그림 21-15에 **콜피츠 발진기**(Colpitts oscillator)를 나타내었다. 전압분배 바이어스로 정지동작점을 설정한다. RF쵸크는 매우 큰 유도성 리액턴스를 가지므로 교류신호에 대해 개방된다. 이 회로는 r_c/r_e'인 저주파 전압이득을 가지는데, 여기서 r_c는 교류 컬렉터저항이다. RF쵸크는 교류신호에 대해 개방되기 때문에 교류 컬렉터저항은 주로 공진 탱크회로의 교류저항이다. 이 교류저항은 공진시 최대값을 가진다.

우리는 많은 다양한 콜피츠 발진기를 볼 수 있을 것이다. 콜피츠 발진기를 인지하는 한 방법은 C_1과 C_2로 구성된 용량성 전압분배기이다. 이것은 발진에 필요한 귀환전압을 발생한다. 또 다른 종류의 발진기에서는 트랜스, 유도성 전압분배기 등에 의해 귀환전압이 발생된다.

$$f_r = \frac{1}{2\pi\sqrt{LC}}$$

$$C = \frac{C_1 C_2}{C_1 + C_2}$$

$$B = \frac{C_1}{C_2}$$

$$A_{v(min)} = \frac{C_2}{C_1}$$

그림 21-15 콜피츠 발진기

그림 21-16 콜피츠 발진기의 등가회로

교류 등가회로

그림 21-16은 콜피츠 발진기의 간단한 교류 등가회로이다. 탱크회로에서 순환 또는 루프 전류는 C_2와 직렬인 C_1을 통해 흐른다. v_{out}이 C_1양단의 교류전압과 같음에 주목하라. 또 귀환전압 v_f는 C_2양단에 나타난다. 이 귀환전압은 베이스를 구동하고, 탱크회로 양단에 나타나는 발진을 안정화시키며 발진주파수에서 충분한 전압이득을 제공한다. 에미터가 교류접지 되었기 때문에 이 회로는 CE접속이다.

공진주파수

대부분의 LC 발진기는 Q가 10이상인 탱크회로를 사용한다. 이 때문에 공진주파수는 다음과 같이 근사적으로 계산할 수 있다.

$$f_r = \frac{1}{2\pi\sqrt{LC}} \tag{21-5}$$

이것은 Q가 10 이상일 때 오차 1% 미만의 정확한 값이다.

식 (21-5)에 사용하는 커패시턴스는 순환전류가 지나는 등가 커패시턴스이다. 그림 21-16의 콜피츠 탱크 회로에서 순환전류는 C_2와 직렬인 C_1을 통해 흐른다. 그러므로 등가정전용량은 다음과 같다.

$$C = \frac{C_1 C_2}{C_1 + C_2} \tag{21-6}$$

예를 들어 만일 C_2와 C_1이 각각 100 pF라면 식 (21-5)에 50 pF를 사용할 수 있다.

시동조건

어떤 발진기에서나 요구되는 시동조건은 탱크회로의 공진주파수에서 $A_v B > 1$이다. 이것은 $A_v > 1/B$과 등가이다. 그림 21-16에서 출력전압은 C_1양단에 나타나고 귀환전압은 C_2양단에 나타난다. 이 같은 형의 발진기에서 귀환비는 다음과 같다.

$$B = \frac{C_1}{C_2} \tag{21-7}$$

발진기가 시동되기 위한 최소 전압이득은

$$A_{v(min)} = \frac{C_2}{C_1} \tag{21-8}$$

A_v는 무엇과 같은가? 이것은 증폭기의 상측 차단주파수에 따른다. 바이폴라 증폭기에서는 베이스와 컬렉터의 바이패스회로가 있다. 만일 A_v이 바이패스회로에서의

참고 사항

그림 21-15에서 탱크의 공진주파수에서 L-C_2의 지로에 나타나는 망 리액턴스는 유도성으로 실현하는 것이 중요하다. 또 L-C_2 지로의 망 유도성리액턴스는 C_1의 용량성리액턴스와 같아야 한다.

차단주파수가 발진주파수보다 크다면 A_v는 r_c/r_e'와 거의 같다. 만일 차단주파수가 발진주파수보다 작다면 전압이득은 r_c/r_e'보다 작게 되고 증폭기를 통하는 위상천이가 부가적으로 발생한다.

출력전압

적은 귀환(적은 B)에서 A_v는 $1/B$보다 약간 클 뿐이고 동작은 거의 A급이다. 처음 전원을 인가했을 때 발진은 성장하고 신호는 교류부하선 상에서 점점 더 크게 스윙하게 된다. 이 신호스윙의 증가에 따라 동작은 소신호에서 대신호로 변화된다. 이 같은 경우 전압이득은 조금 감소한다. 적은 귀환에서 A_vB의 값은 과대한 클리핑 없이 1로 감소될 수 있다.

큰 귀환(큰 B)에서 큰 귀환신호는 그림 21-15의 베이스를 포화와 차단으로 구동한다. 이 충전커패시터 C_3이 베이스에 음의 직류 클램핑을 발생시킨다. 음의 클램핑은 자동적으로 A_vB의 값을 1로 조정한다. 만일 귀환이 너무 크면 표유전력 손실 때문에 출력전압의 일부가 손실될 것이다.

발진기를 제작할 때 출력전압이 최대가 되도록 귀환을 조정하기도 한다. 이 생각은 모든 조건(서로 다른 트랜지스터, 온도, 전압 등)하에서 시동을 위한 충분한 귀환을 사용해야 한다는 것인데, 그러나 출력신호에 손실이 발생할 만큼 너무 커서는 안 된다. 실지 고주파 발진기의 설계는 도전이다. 대부분의 설계자들은 고주파 발진기를 설계하기 위해 컴퓨터를 사용한다.

부하의 결합

발진의 정확한 주파수는 다음과 같이 회로의 Q에 의존한다.

$$f_r = \frac{1}{2\pi\sqrt{LC}} \sqrt{\frac{Q^2}{Q^2+1}} \tag{21-9}$$

Q가 10 이상일 때, 이 식은 식 (21-5)에서 주어진 이상적인 값으로 간단화된다. 만일 Q가 10 이하이면 주파수는 이상적인 값보다 작게 된다. 더 나아가 작은 Q는 고주파 전압이득이 $1/B$인 시동값 이하로 감소하기 때문에 발진기의 시동을 방해한다.

그림 21-17a에 부하저항에 발진기 신호를 결합시키는 한 방법을 나타내었다. 만일 부하저항이 크면 공진회로의 부하만 적게 될 것이고 Q는 10 이상이 될 것이다. 만일 부하저항이 적으면 Q는 10 이하로 감소되고 발진이 시작되지 못한다. 적은 부하저항에 대한 한 해결책으로 X_C가 부하저항보다 큰 작은 커패시터 C_4를 사용하는 것이다. 이것은 탱크회로의 과대부하를 방지할 수 있다.

그림 21-17b에 적은 부하저항에 신호를 결합시키는 또 다른 방법인 링크결합(link coupling)을 나타내었다. 링크결합이란 RF 트랜스의 2차 권선에 약간의 권선만을 사용하는 것을 의미한다. 이러한 소결합(light coupling)은 부하저항이 발진이 시작될 수 없는 점까지 탱크회로의 Q가 작아지지 않도록 보장할 것이다.

커패시터결합이나 링크결합 중 어느 것을 사용하더라도 부하효과는 가능한 한 적은 값을 유지해야 하는데, 이렇게 되면 탱크의 높은 Q는 확실한 발진이 시작될 때 왜곡이 없는 정현파 출력을 보장하게 된다.

참고 사항

그림 21-15에서 L-C_2 지로의 전류는 이 지로의 망 리액턴스가 유도성이기 때문에 공진 시 탱크전압보다 위상이 90°뒤진다. 또 C_2 양단의 전압이 전류보다 90°뒤지기 때문에 귀환전압은 탱크전압(교류컬렉터전압)보다 180°뒤져야 한다. 보다시피 귀환회로망은 요구된 v_{out}에 180°의 위상천이를 제공한다.

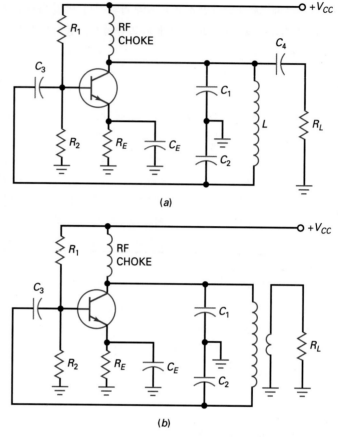

(a)

(b)

그림 21-17 (a) 커패시터결합; (b) 링크결합

$$f_r = \frac{1}{2\pi\sqrt{LC}}$$

$$C = \frac{C_1 C_2}{C_1 + C_2}$$

$$B = \frac{C_1}{C_1 + C_2}$$

$$A_{v(min)} = \frac{C_1 + C_2}{C_1}$$

그림 21-18 CE 발진기보다 더 높은 주파수에서 발진할 수 있는 CB 발진기

CB 접속

발진기에서 귀환신호가 베이스를 구동할 때, 입력양단에는 큰 밀러용량이 나타난다. 이것은 비교적 낮은 차단주파수를 발생시키는데, 이는 전압이득이 요구되는 공진주파수에서 너무 낮게 됨을 의미한다.

높은 차단주파수를 얻기 위해서는 그림 21-18과 같이 귀환신호를 에미터에 인가해야 한다. 커패시터 C_3은 베이스를 교류 접지시키므로 트랜지스터는 CB증폭기처럼

그림 21-19　탱크회로에 적은 부하효과를 가지는 JFET 발진기

동작한다. 이 같은 회로는 CE 발진기에 비해 고주파 이득이 더 크기 때문에 고주파에서 발진할 수가 있다. 출력을 링크결합하면 탱크에 적은 부하가 걸리고 공진주파수는 식 (21-5)로 주어진다.

CB발진기에서 귀환비는 조금 달라진다. 출력은 C_1과 C_2의 직렬양단에 나타나고 귀환전압은 C_2양단에 나타난다. 귀환비는 이상적으로,

$$B = \frac{C_1}{C_1 + C_2} \tag{21-10}$$

발진이 시작되기 위해서는 $1/B$이 A_v보다 커야 하는데 이것은 근사적으로 다음을 의미한다.

$$A_{v(min)} = \frac{C_1 + C_2}{C_1} \tag{21-11}$$

이것은 C_2의 병렬인 에미터의 입력임피던스를 무시했기 때문에 근사값이다.

FET 콜피츠 발진기

그림 21-19는 귀환신호를 게이트에 인가한 FET 콜피츠 발진기의 한 예이다. 게이트는 큰 입력저항을 가지므로 탱크회로에서의 부하효과는 바이폴라 트랜지스터에 비해 훨씬 적다. 이 회로의 귀환비는,

$$B = \frac{C_1}{C_2} \tag{21-12}$$

FET 발진기에서 시동에 필요한 최소이득은,

$$A_{v(min)} = \frac{C_2}{C_1} \tag{21-13}$$

FET 발진기에서 저주파 전압이득은 $g_m r_d$이다. FET 증폭기의 차단주파수 이상에서 전압이득은 감소한다. 식 (21-13)에서 $A_{v(min)}$은 발진주파수에서의 전압이득이다. 결과적으로 발진주파수는 FET증폭기의 차단주파수보다 낮게 유지해야 한다. 한편, 증폭기를 통한 부가적인 위상천이는 발진기의 시동을 방해한다.

예제 21-3 |||| **Multisim**

그림 21-20에서 발진주파수는 얼마인가? 귀환비는 얼마인가? 이 회로의 발진시동에 필요한 전압이득은 얼마인가?

그림 21-20   예제

풀이   이것은 트랜지스터의 CE접속을 사용한 콜피츠 발진기이다. 식 (21-6)에서 등가 용량은,

$$C = \frac{(0.001~\mu\mathrm{F})(0.01~\mu\mathrm{F})}{0.001~\mu\mathrm{F} + 0.01~\mu\mathrm{F}} = 909~\mathrm{pF}$$

인덕턴스는 15 μH이다. 식 (21-5)에서 발진주파수는,

$$f_r = \frac{1}{2\pi\sqrt{(15~\mu\mathrm{H})(909~\mathrm{pF})}} = 1.36~\mathrm{MHz}$$

식 (21-7)에서 귀환비는,

$$B = \frac{0.001~\mu\mathrm{F}}{0.01~\mu\mathrm{F}} = 0.1$$

발진기가 시동되기 위해 이 회로는 다음과 같은 최소 전압이득이 요구된다.

$$A_{v(\min)} = \frac{0.01~\mu\mathrm{F}}{0.001~\mu\mathrm{F}} = 10$$

연습 문제 21-3   그림 21-20에서 1 MHz의 출력주파수가 요구된다면 인덕터 L의 근사값은 얼마인가?

21-5 그 외의 *LC* 발진기

콜피츠 발진기는 *LC* 발진기로 가장 널리 사용된다. 공진회로에서 용량성 전압분배기는 귀환전압을 얻기에 편리한 방법이다. 그러나 또 다른 여러 종류의 발진기들도 사용된다.

암스트롱 발진기

그림 21-21은 **암스트롱 발진기**(Armstrong oscillator)의 예이다. 이 회로에서 컬렉터는 *LC*공진탱크를 구동한다. 귀환신호는 권선수가 적은 2차 권선에서 주어지고 베이스로 귀환한다. 트랜스에서 180°의 위상천이가 있으므로 루프 전체의 위상천이는 0°임을 의미한다. 만일 베이스의 부하효과를 무시한다면 귀환비는 다음과 같다.

$$B = \frac{M}{L} \qquad\qquad (21\text{-}14)$$

여기서 *M*은 상호인덕턴스이고, *L*은 1차의 인덕턴스이다. 암스트롱 발진기가 시동되려면 전압이득은 1/*B*보다 커야 한다.

　　암스트롱 발진기는 귀환신호를 결합하기 위해 트랜스를 사용한다. 이로부터 이 기본회로의 변화를 알 수 있다. 적은 2차 권선은 발진을 안정시키는 신호를 귀환하기 때문에 흔히 **재생코일**(*tickler coil*)이라 부른다. 공진주파수는 그림 21-21에 주어진 *L*과 *C*를 사용하여 식 (21-5)로 구할 수 있다. 대부분의 제작자들이 가능하면 트랜스의 사용을 회피하기 때문에 암스트롱 발진기의 사용은 그다지 많이 볼 수가 없다.

하트레이 발진기

그림 21-22는 **하트레이 발진기**(Hartley oscillator)의 한 예이다. *LC*탱크가 공진할 때 순환전류는 L_2와 직렬인 L_1을 통해 흐른다. 따라서 식 (21-5)에 사용하는 등가 *L*은,

$$L = L_1 + L_2 \qquad\qquad (21\text{-}15)$$

이다. 하트레이 발진기에서 귀환전압은 유도성 전압분배기인 L_1과 L_2에 의해 주어진다. 출력전압은 L_1양단에 나타나고 귀환전압은 L_2양단에 나타나므로 귀환비는

$$B = \frac{L_2}{L_1} \qquad\qquad (21\text{-}16)$$

$$f_r = \frac{1}{2\pi\sqrt{LC}}$$

$$B = \frac{M}{L}$$

$$A_{v(min)} = \frac{L}{M}$$

그림 21-21　암스트롱 발진기

$$f_r = \frac{1}{2\pi\sqrt{LC}}$$

$$L = L_1 + L_2$$

$$B = \frac{L_2}{L_1}$$

$$A_{v(min)} = \frac{L_1}{L_2}$$

그림 21-22 하트레이 발진기

$$f_r = \frac{1}{2\pi\sqrt{LC}}$$

$$C = \frac{1}{1/C_1 + 1/C_2 + 1/C_3}$$

$$B = \frac{C_1}{C_2}$$

$$A_{v(min)} = \frac{C_2}{C_1}$$

그림 21-23 클랩 발진기

참고 사항

콜피츠 발진기에서는 탱크의 인덕터가 발진주파수를 다양하게 조절하는 데 반해, 하트레이발진기에서는 탱크커패시터가 발진주파수를 다양하게 조절한다.

이다. 통상적으로 베이스의 부하효과는 무시하며, 발진을 시동시키기 위해서는 전압이득이 $1/B$이상이어야 한다.

가끔 하트레이 발진기는 두 개의 분리된 인덕터 대신에 단일 탭을 가진 인덕터를 사용한다. 또 다른 변형으로 귀환신호를 베이스 대신에 에미터로 보내는 방법이 있다. 또 바이폴라 트랜지스터 대신에 FET를 사용한 것도 볼 수 있을 것이다. 출력신호는 용량성결합이나 링크결합으로 한다.

클랩 발진기

그림 21-23의 **클랩 발진기**(Clapp oscillator)는 콜피츠 발진기를 개선한 것이다. 용량성 전압분배기는 앞서와 같이 귀환신호를 발생시킨다. 부가적인 커패시터 C_3는 인덕터에 직렬로 주어진다. 순환 탱크전류가 C_1, C_2와 C_3의 직렬을 통해 흐르므로 공진주파수 계산에 사용되는 등가커패시턴스는 다음과 같다.

$$C = \frac{1}{1/C_1 + 1/C_2 + 1/C_3} \tag{21-17}$$

클랩 발진기에서, C_3는 C_1, C_2보다 훨씬 적다. 결과적으로 C는 C_3와 거의 같고 공진주파수는 다음 식에 의해 구할 수 있다.

그림 21-24 수정발진기

$$f_r \cong \frac{1}{2\pi\sqrt{LC_3}}$$

(21-18)

이것이 왜 중요할까? C_1과 C_2는 트랜지스터와 표유용량에 의해 이동되기 때문이다. 이 잉여용량은 C_1과 C_2의 값을 약간 변동시킨다. 그러므로 콜피츠 발진기에서 공진주파수는 트랜지스터와 분포용량에 의존한다. 그러나 클랩 발진기에서는 트랜지스터와 표유용량은 C_3에 영향을 미치지 않으므로 발진주파수는 더욱 안정하고 정확하다. 이것이 가끔 클랩 발진기가 사용되는 이유이다.

수정발진기

발진주파수의 정확성과 안정성이 중요할 때는 **수정발진기**(quartz-crystal oscillator)를 사용한다. 그림 21-24에서 귀환신호는 용량성 탭으로부터 주어진다. 다음 절에서 논의되겠지만 수정(약해서 *XTAL*)은 적은 커패시터와 큰 인덕터가 직렬인 것처럼 동작한다 (클랩과 유사). 이 때문에 공진주파수는 전체적으로 트랜지스터와 표유용량에 영향을 거의 받지 않는다.

예제 21-4

만일 50 pF가 그림 21-20의 15 μH인 인덕터에 직렬로 부가되면 회로는 클랩 발진기가 된다. 발진주파수는 얼마인가?

풀이 식 (21-17)에서 등가용량을 계산하면,

$$C = \frac{1}{1/0.001\ \mu F + 1/0.01\ \mu F + 1/50\ pF} \cong 50\ pF$$

50 pF는 다른 용량보다 너무 적기 때문에 1/50 pF외에 다른 값은 무시함에 주목하라. 발진주파수는,

$$f_r = \frac{1}{2\pi\sqrt{(15\ \mu H)(50\ pF)}} = 5.81\ MHz$$

연습 문제 21-4 커패시터를 50 pF대신 120 pF로 하여 예제 21-4를 반복하라.

21-6 수정진동자

발진주파수가 정확하고 안정할 필요가 있을 때 수정발진기를 일반적으로 선택한다. 전자 손목시계나 그 외 정확한 시간의 응용에는 정확한 클럭주파수를 제공하기 때문에 수정발진기를 사용한다.

압전기 효과

어떤 수정은 자연적으로 **압전기 효과**(piezoelectric effect)가 존재함을 볼 수 있다. 수정의 양단에 교류전압을 인가하면 공급된 전압의 주파수로 진동을 한다. 역으로 만일 기계적인 힘으로 수정을 진동시키면 동일한 주파수의 교류전압이 발생한다. 이 압전기 효과를 발생시키는 주된 물질로는 수정, 로셀염 및 전기석 등이 있다.

로셀염은 가장 큰 압전기 기능을 갖는데 주어진 교류전압에서 수정이나 전기석보다 더 큰 진동을 한다. 기계적으로는 이것은 깨어지기 쉬우므로 가장 약하다. 로셀염은 마이크로폰, 포노그래프(phonograph) 픽업, 헤드세트, 스피커 등에 사용된다. 전기석은 압전기 기능은 가장 약하나 셋 중에서 가장 단단하다. 가격이 비싸므로 극히 높은 주파수에서 가끔 사용된다.

수정은 로셀염의 압전기 기능과 전기석의 강도의 중간쯤의 특성을 가지고 있다. 또한 가격이 싸고 자연적으로 수집이 가능하므로 RF 발진기나 필터에 널리 사용된다.

수정편

수정의 자연적인 형태는 그림 21-25a에서와 같이 끝부분이 뾰족탑처럼 된 육각프리즘 모양이다. 유용한 수정을 얻기 위해서는 자연수정을 직각의 편(slab)으로 잘라야 하는데 그림 21-25b는 이것을 두께 t로 자른 것이다. 자연수정으로부터 얻을 수 있는 수정편의 수는 편의 크기와 자르는 각도에 달려있다.

전자회로에서 수정편은 그림 21-25c와 같이 두 개의 금속판 사이에 끼워져 사용되며, 이 회로에서 수정의 진동수는 인가된 전압의 주파수에 의존한다. 주파수를 변화시키므로 수정의 진동이 최대가 되는 공진주파수를 찾을 수가 있다. 진동을 위한 에너지는 교류전원에 의해 공급되기 때문에 교류전류는 각 공진주파수에서 최대가 된다.

기본파 주파수와 오버톤

대부분의 수정은 여러 공진주파수중 하나인 **기본파 주파수**(fundamental frequency) 또는 최저주파수에서 진동이 최대가 되도록 절단되고 삽입된다. 오버톤(*overtones*)이

그림 21-25 (a) 자연수정; (b) 수정편; (c) 공진 시 입력전류가 최대

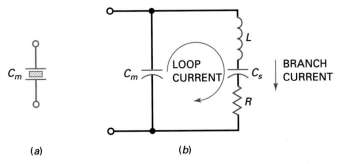

그림 21-26   (a) 장치용량; (b) 진동하는 수정의 교류 등가회로

라 불리는 높은 공진주파수는 거의 정확히 기본파 주파수의 배수가 된다. 예를 들어 1 MHz의 기본파 주파수를 갖는 수정은 거의 2 MHz인 1차 오버톤을 가지고 거의 3 MHz인 2차 오버톤 등을 가진다.

수정의 기본파 주파수에 대한 식은 다음과 같다.

$$f = \frac{K}{t} \qquad\qquad\qquad\qquad\qquad \textbf{(21-19)}$$

여기서 K는 정수이고, t는 수정의 두께이다. 기본파 주파수는 두께에 반비례하기 때문에 최고의 기본파 주파수에는 제한이 있다. 수정은 얇으면 얇을수록 약해져서 진동에 의해 파손되기 쉽다.

수정의 기본파 주파수로는 10 MHz까지 공정 가능한데, 더 높은 주파수가 요구될 때에는 수정의 오버톤 진동을 사용할 수 있다. 이 같은 방법으로 100 MHz까지의 주파수를 얻을 수가 있다. 보통 그 이상의 주파수에서는 가격은 비싸나 내구성이 좋은 전기석을 사용한다.

교류 등가회로

교류전원이 접속되면 수정은 어떻게 보아야 할까? 그림 21-26*a*의 수정이 진동하지 않을 때 수정은 절연체로 분리된 두 개의 금속판을 가지고 있으므로 용량 C_m과 등가이다. 이 용량 C_m을 **장치용량**(mounting capacitance)이라 한다.

수정이 진동할 때 그것은 동조회로처럼 동작한다. 그림 21-26*b*에 기본파 주파수에서 진동하는 수정의 교류 등가회로를 나타내었다. 대표값으로 L은 수 H, C_s는 수분의 1 pF, R은 수백 Ω, C_m은 수 pF이다. 예를 들어 수정은 $L = 3$ H, $C_s = 0.05$ pF, $R = 2$ kΩ, $C_m = 10$ pF와 같은 값을 가진다.

수정은 매우 높은 Q를 가진다. 위에 주어진 값으로는 Q가 거의 4,000이다. 일반적인 수정의 Q값은 10,000 이상이다. 수정의 Q가 극히 높다는 것은 수정발진기가 매우 안정한 주파수를 가짐을 의미한다. 왜 그러한가는 공진주파수에 대한 정확한 식인 식 (21-9)를 고찰하므로 이해할 수 있을 것이다.

$$f_r = \frac{1}{2\pi\sqrt{LC}}\sqrt{\frac{Q^2}{Q^2 + 1}}$$

Q가 무한대에 접근할 때 공진주파수는 수정의 정확한 L과 C값에 의해 결정되는 이상 적인 값에 접근한다. 비교가 되는 것이 콜피츠 발진기의 L과 C는 큰 오차를 가지므로 이 주파수의 정확성이 적다.

직렬과 병렬공진

수정의 **직렬 공진주파수**(*series resonant frequency*) f_s는 그림 21-26b에서 LCR지로의 공진주파수이다. 이 주파수에서 L이 C_s에 공진되기 때문에 **지로전류**(*branch current*) 는 최대값이 된다. 이 공진주파수의 식은 다음과 같다.

$$f_s = \frac{1}{2\pi\sqrt{LC_s}}$$ (21-20)

수정의 **병렬 공진주파수**(*parallel resonant frequency*) f_p는 그림 21-26b의 순환 또 는 루프전류가 최대값을 나타낼 때의 주파수이다. 이 루프전류는 C_s와 C_m의 직렬조합 을 통해 흐르므로 등가 병렬용량은,

$$C_p = \frac{C_m C_s}{C_m + C_s}$$ (21-21)

이고, 병렬 공진주파수는 다음과 같다.

$$f_p = \frac{1}{2\pi\sqrt{LC_p}}$$ (21-22)

보통 수정에서 C_s는 C_m보다 훨씬 적다. 이 때문에 f_p는 f_s보다 약간 클 뿐이다. 수 정을 그림 21-27과 같은 교류 등가회로로 사용할 때는 C_m에 병렬로 부가적인 회로용량 들이 나타난다. 이 때문에 발진주파수는 f_s와 f_p사이에 놓이게 된다.

수정의 안정성

발진기의 주파수는 시간에 따라 약간 변화하려는 경향이 있다. 이 같은 **변동**(*drift*)은 온 도, 경시변화 및 그 외의 원인에 의해 발생된다. 수정발진기에서 주파수의 변동은 일반 적으로 하루에 $1/10^6$ 이하로 극히 적다. 전자 손목시계에서는 수정발진기가 기본적인 시간조절 소자이기 때문에 이 같은 안정성은 극히 중요하다.

온도제어 가능한 오븐에서 수정발진기를 사용할 때 수정발진기는 하루에 $1/10^{10}$ 이하의 주파수 변동을 얻을 수 있다. 이 같은 변동을 가지는 시계는 300년에 ±1초의 오 차가 발생한다. 이 같은 안정성은 주파수와 시간표준으로 반드시 필요하다.

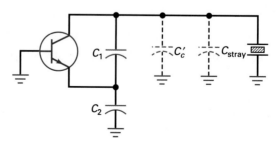

그림 21-27　장치용량을 병렬로 갖는 표유용량

그림 21-28 수정발진기. (a) 콜피츠; (b) 콜피츠의 변형; (c) 클랩; (d) 피어스

수정발진기

그림 21-28a에 콜피츠 수정발진기를 나타내었다. 용량성 전압분배기는 트랜지스터의 베이스로 귀환전압을 발생한다. 수정은 C_1과 C_2에 공진되는 인덕터처럼 동작한다. 발진주파수는 수정의 직렬과 병렬 공진주파수 사이의 값이다.

그림 21-28b는 콜피츠 수정발진기의 변형이다. 귀환신호는 베이스 대신에 에미터에 인가된다. 이 변화는 회로를 더 높은 공진주파수에서 동작시킨다.

그림 21-28c는 FET 클랩 발진기이다. 이것은 표유용량의 영향을 감소시켜 주파수안정성을 개선한 것이다. 그림 21-28d는 **피어스 수정발진기**(Pierce crystal oscillator)라 부르는 회로인데 주된 이점은 단순하다는 것이다.

예제 21-5

수정이 다음의 값을 갖는다. 즉, $L = 3$ H, $C_s = 0.05$ pF, $R = 2$ kΩ, $C_m = 10$ pF 등이다. 수정의 직렬, 병렬 공진주파수는 얼마인가?

풀이 직렬 공진주파수는 식 (21-20)에서 다음과 같다.

$$f_s = \frac{1}{2\pi\sqrt{(3H)(0.05pF)}} = 411\text{ kHz}$$

등가 병렬용량은 식 (21-21)에서 다음과 같다.

$$C_p = \frac{(10\text{ pF})(0.05\text{ pF})}{10\text{ pF} + 0.05\text{ pF}} = 0.0498\text{ pF}$$

병렬 공진주파수는 식 (21-22)에서 다음과 같다.

$$f_p = \frac{1}{2\pi\sqrt{(3H)(0.0498\text{ pF})}} = 412\text{ kHz}$$

여기에서와 같이 수정의 직렬과 병렬 공진주파수는 매우 근접한 값이다. 만일 이 수정을 발진기에 사용한다면 발진주파수는 411 kHz와 412 kHz 사이에 존재한다.

연습 문제 21-5 $C_s = 0.1$ pF, $C_m = 15$ pF로 하여 예제 21-5를 반복하라.

요점정리 표 21-1에서 RC와 LC 발진기의 여러가지 특성을 나타내었다.

21-7 555 타이머

NE555(또는 LM555, CA555 및 MC1455)는 널리 사용되는 IC 타이머(*IC timer*)인데, **단안정**(monostable : 한 개의 안정상태) 또는 **비안정**(astable : 안정상태 없음)의 두 모드로 동작시킬 수 있는 회로이다. 단안정모드에서는 수 마이크로 초(μs)에서 수 시간(hour)까지의 정확한 시간지연을 발생시킬 수 있고, 비안정모드에서는 변화 가능한 듀티 사이클을 가진 구형파를 발생시킬 수 있다.

단안정 동작

그림 21-29에 단안정 동작의 일례를 나타내었다. 초기의 555 타이머는 무기한 저출력전압을 유지한다. A점의 시간에서 555 타이머에 트리거(trigger)가 인가되면 출력전압은

그림 21-29   단안정(원–숏)모드로 사용되는 555 타이머

요점정리 표 21-1	발진기	
형식		**특성**
	RC 발진기	
윈-브리지(Wien-bridge)		• 진상-지상 귀환회로를 사용함 • 동조를 위해 Rs 집단 필요 • 5 Hz에서 1 MHz까지 적은 왜곡출력(제한된 대역폭) • $f_r = \dfrac{1}{2\pi RC}$
트윈 티(Twin-T)		• 노치 필터 회로 사용 • 특정 주파수에서 잘 동작함 • 넓은 출력주파수에 걸쳐 조정곤란 • $f_r = \dfrac{1}{2\pi RC}$
위상천이(이상)(Phase-shift)		• 3-4개 진상 또는 지상회로 사용 • 넓은 주파수범위에 걸쳐 조정할 수 없음
	LC 발진기	
콜피츠(colpitts)		• 탭 커패시터의 쌍 사용 $C = \dfrac{C_1 C_2}{C_1 + C_2} \qquad f_r = \dfrac{1}{2\pi \sqrt{LC}}$ • 널리 사용
암스트롱(Armstrong)		• 귀환을 위해 트랜스 사용 • 많이 사용하지 않음 • $f_r = \dfrac{1}{2\pi \sqrt{LC}}$
하트레이(Hartley)		• 탭 인턱터의 쌍 사용 • $L = L_1 + L_2 \qquad f_r = \dfrac{1}{2\pi \sqrt{LC}}$
클랩(Clapp)		• 탭 커패시터와 인덕터와 직렬인 커패시터 사용 • 안정하고 정확한 출력 • $C = \dfrac{1}{\dfrac{1}{C_1} + \dfrac{1}{C_2} + \dfrac{1}{C_3}} \qquad f_r = \dfrac{1}{2\pi \sqrt{LC}}$
수정(Crystal)		• 수정 사용 • 매우 정확하고 안정함 • $f_p = \dfrac{1}{2\pi \sqrt{LC_p}} \qquad f_s = \dfrac{1}{2\pi \sqrt{LC_s}}$

그림에서와 같이 저(low)에서 고(high)의 상태로 스위치된다. 한동안 출력은 고(high)를 유지한 후 시간지연 W후에 저(low)의 상태로 되돌아간다. 출력은 또 다른 트리거가 도달할 때까지 저(low)의 상태를 유지할 것이다.

멀티바이브레이터(multivibrator)는 2상태 회로인데 안정한 출력상태가 없는 것과 한 번 또는 두 번 있는 것이 있다. 555 타이머가 단안정모드로 사용될 때는 한 번의 안정상태만을 가지므로 흔히 단안정 멀티바이브레이터(*monostable multivibrator*)라고 부른다. 이것은 출력의 상태를 순간적으로 고(high)로 변화시키는 트리거를 받을 때까지는 저(low)의 상태로 안정된다. 그러나 이 고(high)의 상태는 펄스가 끝날 때 출력이 저(low)의 상태로 되돌아가기 때문에 안정적인 상태가 아니다.

단안정모드로 동작할 때 555 타이머는 각 입력트리거에 대해 하나의 출력펄스만을 발생하기 때문에 **원-숏 멀티바이브레이터**(*one-shot multivibrator*)라고도 부른다. 이 출력펄스의 지속시간은 외부저항과 커패시터로 정확하게 제어할 수 있다.

555 타이머는 8핀 IC이다. 그림 21-29에 핀 4개를 나타내었는데, 핀 1은 접지에 접속하고 핀 8은 양의 공급전원에 접속한다. 555 타이머는 공급전압 +4.5 V에서 +18 V 사이의 값에서 동작한다. 트리거는 핀 2에 인가되고 출력은 핀 3에서 얻는다. 나머지 핀들은 여기서는 나타내지 않았지만 출력의 펄스폭을 결정하는 외부소자를 접속한다.

비안정 동작

또한 555 타이머는 비안정 멀티바이브레이터(*astable multivibrator*)로 동작하도록 접속할 수도 있다. 이 방법을 사용할 때 555 타이머는 안정상태를 갖지 않는데, 이는 어떤 상태도 무한히 지속될 수 없음을 의미한다. 비안정모드로 동작할 때 발진은 구형파 출력신호를 발생시킨다.

그림 21-30에 비안정모드로 사용되는 555 타이머를 나타내었다. 보다시피 출력은 구형파 펄스의 열이 된다. 출력을 얻는데 입력트리거가 필요 없기 때문에 비안정 모드로 동작하는 555 타이머를 흔히 **자주 멀티바이브레이터**(*free-running multivibrator*)라고 부르기도 한다.

기능적인 블록다이어그램

555 타이머의 구성도는 다이오드, 전류미러 및 트랜지스터와 같은 수십 개의 부품들이 접속되고 있으므로 복잡하다. 그림 21-31에 555 타이머의 기능적 다이어그램을 나타내었다. 이 다이어그램에는 555 타이머의 설명에 필요한 모든 중심사고가 포함되고 있다.

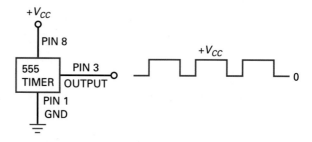

그림 21-30 비안정(자주) 모드로 사용되는 555 타이머

그림 21-31 555 타이머의 단순화된 기능적인 블록다이어그램

그림 21-31에서 보듯이 555 타이머는 전압분배기, 2개의 비교기, 1개의 *RS* 플립-플롭 및 *npn* 트랜지스터를 포함하고 있다. 전압분배기는 동일저항을 가지므로 상측비교기의 트립점은

$$\text{UTP} = \frac{2V_{CC}}{3} \tag{21-23}$$

이고, 하측 비교기의 트립점은 다음과 같다.

$$\text{LTP} = \frac{V_{CC}}{3} \tag{21-24}$$

그림 21-31에서 핀 6은 상측비교기에 접속된다. 핀 6의 전압을 스레스홀드(*threshold*)라 부른다. 이 전압은 여기에 나타내지는 않았지만 외부소자로부터 유도된다. 스레스홀드 전압(*threshold voltage*)이 UTP이상이면 상측 비교기는 고(high)출력을 가진다.

핀 2는 하측 비교기에 접속된다. 핀 2의 전압을 트리거(*trigger*)라 부른다. 이 트리거전압은 555 타이머의 단안정 동작을 위해 사용된다. 타이머가 동작하지 않을 때 트리거전압은 고(high)가 된다. 트리거전압이 LTP이하로 떨어질 때 하측 비교기는 고(high)출력을 발생한다.

핀 4는 출력전압을 0으로 리셋시키는데 사용된다. 핀 5는 555 타이머가 비안정

모드로 사용될 때 출력주파수 제어용으로 사용된다. 대부분의 응용에서 이 두 핀은 다음과 같이 고정시킨다. 즉, 핀 4는 +V_{CC}에 접속하고, 핀 5는 커패시터를 통해 접지 (GND)로 바이패스시킨다. 뒷장에 보다 진보된 회로에서 핀 4와 핀 5를 어떻게 사용하는지 설명할 것이다.

RS 플립-플롭

외부소자를 가지는 555 타이머가 어떻게 동작하는가를 이해하기 전에 S, R, Q, 및 $\overline{Q}$가 포함된 블록에 대한 설명이 필요하다. 이 블록을 RS 플립-플롭(RS flip-flop)이라 하는데 이 회로는 두 번의 안정상태를 가진다.

그림 21-32에 RS 플립-플롭을 구성하는 한 방법을 나타내었다. 이 회로에서 트랜지스터 하나는 포화되고 또 하나는 차단된다. 예를 들어 만일 오른쪽 트랜지스터가 포화되면 그 컬렉터전압은 거의 0이 된다. 이것은 왼쪽 트랜지스터의 베이스전류가 없음을 의미한다. 그 결과 왼쪽 트랜지스터는 차단되고 큰 컬렉터전압이 발생한다. 이 큰 컬렉터전압은 큰 베이스전류를 발생시켜 오른쪽 트랜지스터의 포화상태를 유지시킨다.

RS플립-플롭은 Q와 $\overline{Q}$의 두 개의 출력을 가진다. 이 출력의 두 상태는 저(low)전압이거나 고(high)전압 중 하나이다. 또한 두 출력은 항상 서로 상태가 반대이다. Q가 저(low)일 때 $\overline{Q}$는 고(high)이고, Q가 고(high)일 때 $\overline{Q}$는 저(low)이다. 이 때문에 $\overline{Q}$를 Q의 상보(complement)라고 부른다. $\overline{Q}$의 위쪽 바(bar)표시는 Q의 상보임을 나타낸다.

입력 S와 R로써 출력의 상태를 제어할 수 있다. 만일 입력에 큰 양의 전압을 인가하면 왼쪽 트랜지스터는 포화로 구동되고 오른쪽 트랜지스터는 차단될 것이다. 이때 Q는 고(high), $\overline{Q}$는 저(low)가 될 것이다. 포화된 왼쪽 트랜지스터가 오른쪽 트랜지스터의 차단을 유지시키기 때문에 고(high) 입력은 제거할 수 있다.

마찬가지로 R입력에 큰 양의 전압을 인가할 수 있다. 이때는 오른쪽 트랜지스터가 포화되고 왼쪽 트랜지스터가 차단된다. 이 상태에서 Q는 저(low), $\overline{Q}$는 고(high)가 된다. 이러한 전환이 발생된 후 고(high) R입력은 더 이상 필요없기 때문에 제거할 수 있다.

이 회로는 두 상태 중 어느 한 상태에서 안정하기 때문에 흔히 **쌍안정 멀티바이브레이터**(bistable multivibrator)라고 부른다. 쌍안정 멀티바이브레이터는 두 상태 중 하

그림 21-32 트랜지스터 RS 플립–플롭 회로의 구성

나가 레치(latch)된다. 고(high) S입력은 Q가 고(high)상태가 되게 하고, 고(high) R입력
은 Q를 저(low)상태로 되돌린다. 출력 Q는 반대의 상태로 트리거될 때까지 주어진 상
태를 유지한다.

　　덧붙여 흔히 S입력은 Q출력을 고(high)로 세트시키기 때문에 **세트입력**(*set input*)
이라 부르고, R입력은 Q출력을 저(low)로 리셋시키기 때문에 **리셋입력**(*reset input*)이
라 부른다.

단안정 동작

그림 21-33에 단안정 동작을 하도록 접속된 555 타이머를 나타내었다. 이 회로는 외부
저항R과 커패시터C를 가진다. 커패시터 양단전압은 핀 6에 스레스홀드 전압으로 사
용된다. 핀 2에 트리거가 가해졌을 때 회로는 핀 3에서 구형파 출력펄스를 발생시킨다.

　　여기서 회로의 동작을 살펴보자. 처음에 RS 플립-플롭의 Q출력은 고(high)이다.
이 상태에서 트랜지스터가 포화되고 커패시터전압이 접지로 클램프되어 있다. 이 상태
는 트리거가 인가될 때까지 유지될 것이다. 전압분배기 때문에 트립점은 앞서 설명한 것

그림 21-33　단안정 동작을 위해 접속된 555 타이머

과 같이 다음과 같다. 즉 UTP = $2V_{CC}/3$, LTP = $V_{CC}/3$.

트리거 입력이 $V_{CC}/3$보다 약간 적게 감소할 때, 하측 비교기는 플립-플롭을 리셋한다. Q가 저(low)로 바뀌기 때문에 트랜지스터는 차단되고 커패시터의 충전을 허용한다. 이때 $\overline{Q}$는 고(high)로 바뀐다. 또 커패시터는 그림에서와 같이 지수함수적으로 충전된다.

커패시터전압이 $2V_{CC}/3$보다 약간 클 때, 상측 비교기는 플립-플롭을 세트한다. 고(high) Q는 트랜지스터를 전도시키고 커패시터를 거의 순간적으로 방전한다. 동시에 $\overline{Q}$는 저(low)상태로 되돌아가고 출력펄스는 끝난다. $\overline{Q}$는 또 다른 입력트리거가 도달할 때까지 저(low)의 상태를 유지한다.

상보출력 $\overline{Q}$는 핀 3에서 얻는다. 구형파펄스의 폭은 저항 R을 통한 커패시터의 충전에 걸리는 시간에 의존한다. 시정수가 길수록 $2V_{CC}/3$의 충전전압에 도달하는 시간이 길어진다. 시정수의 시간에서 커패시터는 V_{CC}의 63.2%까지 충전된다. $2V_{CC}/3$가 V_{CC}의 66.7%이므로 $2V_{CC}/3$에 도달하는 충전커패시터가 시정수 시간에서의 충전전압보다 약간 크다. 지수함수적인 충전식을 풀어보면 다음과 같은 펄스폭을 유도할 수 있다.

$$W = 1.1RC \tag{21-25}$$

그림 21-34에 일반적으로 표현하는 단안정 555 회로의 도식적 다이어그램을 나타내었다. 핀들과 외부소자만을 나타내었다. 핀 4(리셋)가 $+V_{CC}$에 접속됨에 주목하라. 앞서 설명한 대로 이 핀 4는 회로에 주어지는 영향을 방지한다. 어떤 응용에서 핀 4는 동작의 중지를 위해 순간적으로 접지한다. 핀 4에 고(high)가 주어지면 동작은 다시 시작된다. 뒤의 설명에서 이 같은 리셋형에 대해 더 상세하게 설명하겠다.

핀 5(제어)는 특별한 입력이고 펄스폭을 변화시키는 UTP의 변화에 사용할 수 있다. 뒤에 펄스폭을 변화시키기 위해 핀 5에 외부전압을 인가하는 **펄스폭 변조**(*pulse-width modulation*)에 대해 설명할 것이다. 여기서는 보이는바와 같이 핀 5를 접지로 바이패스한다. 핀 5를 교류접지시킴으로 전자적인 잡음이 555 타이머 동작에 장애를 일으키는 것을 방지한다.

요약하면 단안정 555 타이머는 그림 21-34에서 사용된 외부 R과 C에 의해서 결정되는 폭을 가지는 단일펄스를 발생한다. 펄스는 입력트리거의 선단(leading edge)에서 시작한다. 이 같은 원-숏 동작은 디지털과 스위칭회로에서 수많은 응용을 가진다.

그림 21-34   단안정 타이머회로

예제 21-6   ‖‖‖ **Multisim**

그림 21-34에서 V_{CC} = 12 V, R = 33 kΩ, C = 0.47 μF이다. 출력펄스를 발생하는 최소 트리거전압은 얼마인가? 최대 커패시터전압은 얼마인가? 출력펄스의 폭은 얼마인가?

풀이   그림 21-33에서 보다시피, 하측 비교기는 LTP인 트립점을 가진다. 그러므로 핀 2의 입력트리거는 + V_{CC}에서 LTP보다 약간 적게 감소한다. 그림 21-34에 나타낸 식에서

$$\text{LTP} = \frac{12\,\text{V}}{3} = 4\,\text{V}$$

트리거가 인가된 후, 커패시터는 0 V에서 다음과 같은 UTP의 최대까지 충전된다.

$$\text{UTP} = \frac{2(12\,\text{V})}{3} = 8\,\text{V}$$

원-숏의 출력 펄스폭은,

$$W = 1.1(33\,\text{kΩ})(0.47\,μ\text{F}) = 17.1\,\text{ms}$$

이것은 트리거펄스가 인가된 17.1 ms 후에 출력펄스의 하강단(falling edge)이 발생함을 의미한다. 출력펄스의 하강단은 또 다른 회로의 트리거에 사용될 수 있으므로 이 17.1 ms는 시간지연으로 생각할 수도 있다.

연습 문제 21-6   그림 21-34에서 V_{CC}를 15 V, R을 100 kΩ으로 바꾼 후, 예제 21-6을 반복하라.

예제 21-7

만일 R = 10 MΩ이고 C = 470 μF라면, 그림 21-34에서 펄스폭은 얼마인가?

풀이

$$W = 1.1(10\,\text{MΩ})(470\,μ\text{F}) = 5170\,\text{s} = 86.2\,\text{min} = 1.44\,\text{hr}$$

이것은 1시간 이상의 펄스폭을 가진다. 1.44시간의 시간지연 후에 펄스의 하강단이 발생한다.

21-8 555 타이머의 비안정 동작

단안정 동작은 많은 응용에서 수 마이크로 초에서 수 시간까지의 시간지연을 발생시키는 데 유효하다. 또한 555 타이머는 비안정 또는 자주 멀티 바이브레이터로 사용할 수 있다. 이 모드에서는 발진주파수를 세트시키기 위해 두 개의 외부저항과 한 개의 커패시터가 요구된다.

그림 21-35 비안정 동작으로 접속된 555 타이머

비안정 동작

그림 21-35에 비안정 동작을 위해 접속한 555 타이머를 나타내었다. 트립점은 단안정 동작에서와 같다.

$$\text{UTP} = \frac{2V_{CC}}{3}$$

$$\text{LTP} = \frac{V_{CC}}{3}$$

Q가 저(low)일 때 트랜지스터는 차단되고 커패시터는 다음과 같은 전체저항을 통해 충전된다.

$$R = R_1 + R_2$$

이 때문에 충전시정수는 $(R_1 + R_2)C$가 된다. 커패시터가 충전됨에 따라 스레스홀드 전압(핀 6)은 증가한다.

결국 이 스레스홀드 전압이 $+2V_{CC}/3$를 초과하고, 상측비교기가 플립-플롭을 세

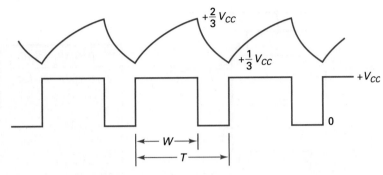

그림 21-36 비안정 동작에서 커패시터와 출력의 파형

트시킨다. 고(high) Q에서 트랜지스터는 포화되고 핀 7은 접지된다. 이때 커패시터는 R_2를 통해 방전하는데 방전시정수는 R_2C이다. 커패시터전압이 $V_{CC}/3$보다 약간 적게 감소되면 하측 비교기가 플립-플롭을 리셋시킨다.

그림 21-36에 파형의 예를 나타내었다. 타이밍 커패시터는 지수함수적으로 증가, 감소하는 UTP와 LTP 사이의 전압을 가지고, 출력은 0와 V_{CC}사이를 스윙하는 구형파이다. 충전시정수가 방전시정수보다 크면 출력은 대칭이 되지 않고 저항 R_1과 R_2에 따라 50에서 100 사이인 듀티 사이클을 가진다.

충전과 방전에 대한 식을 수학적으로 해석하면 다음과 같은 식을 유도할 수가 있다. 펄스의 폭은 다음과 같다.

$$W = 0.693(R_1 + R_2)C \tag{21-26}$$

출력의 주기는 다음과 같다.

$$T = 0.693(R_1 + 2R_2)C \tag{21-27}$$

출력주파수는 주기의 역수이므로

$$f = \frac{1.44}{(R_1 + 2R_2)C} \tag{21-28}$$

이고, 듀티사이클은 펄스폭을 주기로 나누면 되므로 다음과 같다.

$$D = \frac{R_1 + R_2}{R_1 + 2R_2} \tag{21-29}$$

R_1이 R_2보다 훨씬 적으면, 듀티 사이클은 약 50%이다. 역으로 R_1이 R_2보다 훨씬 크면 듀티 사이클은 거의 100%이다.

그림 21-37에 도식적 다이어그램 상에 일반적으로 표현하는 비안정 555 타이머를 나타내었다. 핀 4(리셋)가 전원에 접속된 것과 핀 5가 0.01 μF를 통해 접지로 바이패스되어 있음에 주목하라.

그림 21-37은 듀티 사이클이 50% 이하가 되도록 변형할 수 있다. R_2에 병렬로 다이오드를 접속(핀 7에 애노드접속)하면 커패시터는 실제 R_1과 다이오드를 통해 충전하고, R_2를 통해 방전한다. 따라서 듀티 사이클은 다음 식과 같이 된다.

$$W = 0.693(R_1 + R_2)C$$

$$T = 0.693(R_1 + 2R_2)C$$

$$f = \frac{1.44}{(R_1 + 2R_2)C}$$

$$D = \frac{R_1 + R_2}{R_1 + 2R_2}$$

그림 21-37 비안정 멀티바이브레이터

$$D = \frac{R_1}{R_1 + R_2} \tag{21-30}$$

VCO의 동작

그림 21-38a에 555 타이머의 또 다른 응용인 **전압제어 발진기**(voltage-controlled oscillator: VCO)를 나타내었다. 때로는 이 회로를 입력전압이 출력주파수를 변화시킬 수 있기 때문에 **전압-주파수 변환기**(voltage-frequency converter)라고 부르기도 한다.

이 회로의 동작을 알아보자. 핀 5(제어)가 상측 비교기의 반전입력에 접속되어 있음을 상기하라(그림 21-31). 일반적으로 핀 5는 커패시터를 통해 접지로 바이패스되고 있으므로 UTP는 $+2V_{CC}/3$이다. 그러나 그림 21-38a에서는 내부전압을 무시한 안정한 전위차계에 의한 전압이다. 다시말해 V_{con}과 같다. 전위차계를 조정함으로써 UTP를 0에서 V_{CC}까지의 값으로 변화시킬 수 있다.

그림 21-38b에 타이밍 커패시터 양단의 전압파형을 나타내었다. 파형의 최소치가 $+V_{con}/2$이고 최대치가 $+V_{con}$임에 주목하라. 만일 V_{con}이 증가하면 커패시터의 충전과 방전은 더 길어진다. 그러므로 주파수는 감소한다. 그 결과 제어전압을 변화시켜 회로의 주파수를 변화시킬 수가 있다. 덧붙여 제어전압은 전위차계 또는 트랜지스터회로의 출력, 연산증폭기 또는 그 외의 소자로부터 얻을 수가 있다.

지수함수적인 커패시터의 충전과 방전을 해석함으로써 다음 식을 유도할 수 있다.

$$W = -(R_1 + R_2)C \ln \frac{V_{CC} - V_{con}}{V_{CC} - 0.5V_{con}} \tag{21-31}$$

이 식을 사용하기 위해서는 기저가 e인 대수, 즉 **자연대수**(natural logarithm)를 알 필요가 있다. 만일 계산기를 가졌다면 ln키를 찾아 해석하면 된다. 주기는 다음과 같이 주어진다.

$$T = W + 0.693R_2C \tag{21-32}$$

따라서 주파수는,

$$f = \frac{1}{W + 0.693R_2C} \tag{21-33}$$

그림 21-38 (a) 전압제어 발진기; (b) 커패시터 전압파형

예제 21-8 |||| Multisim

그림 21-37의 555 타이머는 R_1 = 75 kΩ, R_2 = 30 kΩ, C = 47 nF를 가진다. 출력신호의 주파수는 얼마인가? 듀티사이클은 얼마인가?

풀이 그림 21-37에 나타낸 식에서

$$f = \frac{1.44}{(75 \text{ k}\Omega + 60 \text{ k}\Omega)(47 \text{ nF})} = 227 \text{ Hz}$$

$$D = \frac{75 \text{ k}\Omega + 30 \text{ k}\Omega}{75 \text{ k}\Omega + 60 \text{ k}\Omega} = 0.778$$

이것은 77.8%와 같다.

연습 문제 21-8 R_1과 R_2를 모두 75 kΩ으로 하고, 예제 21-8을 반복하라.

예제 21-9

그림 21-38a의 VCO는 예제 21-8에서와 같은 R_1, R_2, C를 가진다. V_{con}이 11 V일 때, 주파수와 듀티사이클은 얼마인가? V_{con}이 1 V일 때, 주파수와 듀티사이클은 얼마인가?

풀이 그림 21-38의 식을 사용하면,

$$W = -(75 \text{ k}\Omega + 30 \text{ k}\Omega)(47 \text{ nF}) \ln \frac{12 \text{ V} - 11 \text{ V}}{12 \text{ V} - 5.5 \text{ V}} = 9.24 \text{ ms}$$

$$T = 9.24 \text{ ms} + 0.693(30 \text{ k}\Omega)(47 \text{ nF}) = 10.2 \text{ ms}$$

이고, 듀티사이클은

$$D = \frac{W}{T} = \frac{9.24 \text{ ms}}{10.2 \text{ ms}} = 0.906$$

이며, 주파수는

$$f = \frac{1}{T} = \frac{1}{10.2 \text{ ms}} = 98 \text{ Hz}$$

이다. 마찬가지로 계산하여, $V_{con} = 1$ V일 때는 다음의 결과가 주어진다.

$$W = -(75 \text{ k}\Omega + 30 \text{ k}\Omega)(47 \text{ nF}) \ln \frac{12 \text{ V} - 1 \text{ V}}{12 \text{ V} - 0.5 \text{ V}} = 0.219 \text{ ms}$$

$$T = 0.219 \text{ ms} + 0.693(30 \text{ k}\Omega)(47 \text{ nF}) = 1.2 \text{ ms}$$

$$D = \frac{W}{T} = \frac{0.219 \text{ ms}}{1.2 \text{ ms}} = 0.183$$

$$f = \frac{1}{T} = \frac{1}{1.2 \text{ ms}} = 833 \text{ Hz}$$

연습 문제 21-9 $V_{CC} = 15$ V, $V_{con} = 10$ V로 하여 예제 21-9를 반복하라.

21-9 555 회로 응용

555 타이머의 출력단은 200 mA의 원(*source*)으로 할 수 있다. 이것은 200 mA의 부하 전류(sourcing)까지 고(high)출력을 발생할 수 있음을 의미한다. 이 때문에 555 타이머 는 릴레이, 램프, 스피커와 같은 비교적 큰 부하를 구동시킬 수 있다. 또한 555 타이머 의 출력단은 200 mA의 싱크(sink)로 사용할 수도 있다. 이것은 접지로 흐르는 200 mA 까지(sinking) 저(low)출력을 허용함을 의미한다. 예를 들어 555 타이머가 TTL 부하 를 구동할 때 출력이 고(high)일 때는 타이머 원(timer source)전류가 되고, 출력이 저 (low)일 때는 싱크전류가 된다. 이 절에서는 555 타이머의 몇몇 응용에 대해 설명한다.

시작과 리셋

그림 21-39에 앞서 살펴본 단안정 타이머의 몇 가지 변형 회로를 나타내었다. 시작되기 위해서는 트리거입력(핀 2)은 푸시버튼 스위치(START)에 의해 제어된다. 스위치가 정 상적으로 개방되어 있을 때는 핀 2가 고(high)가 되고, 회로는 동작하지 않는다.

　　START 스위치를 눌렀다 떼었을 때 핀 2는 순간적으로 접지로 접속된다. 따라서

그림 21-39 START와 RESET 버튼으로 펄스폭을 조정할 수 있는 단안정 타이머

출력은 고(high)가 되고 LED가 켜진다. 커패시터 C_1은 앞서 설명한 대로 양으로 충전된다. 충전시정수는 R_1으로 변화시킬 수 있다. 이 방법에서 수 초에서 수 시간의 시간지연을 얻을 수 있다. 커패시터전압이 $2V_{CC}/3$보다 약간 클 때 회로는 리셋되고 출력은 저(low)가 되어 LED가 꺼진다.

　　RESET 스위치에 주목하자. 출력펄스가 지속되는 얼마의 시간 동안 회로는 리셋으로 사용할 수 있다. 스위치가 정상적으로 개방되어있을 때 핀 4는 고(high)가 되고 타이머의 동작상에 아무런 영향을 미치지 않는다. 그러나 RESET 스위치가 단락되면, 핀 4는 접지로 완전 떨어지고(full-down), 출력은 0으로 리셋된다. RESET은 사용자가 고(high)출력이 끝나기를 원하기 때문에 포함된다. 예를 들어 만일 출력펄스폭이 5분으로 세트되어 있을 때 사용자가 RESET을 누름으로써 펄스폭보다 훨씬 짧은 시간에 펄스를 끝내게 할 수 있다.

　　덧붙여 출력신호 v_{out}은 릴레이, 전력용 FET, IGBT, 부저 등의 구동에 사용할 수 있다. LED는 다른 회로로 인도하는 고(high)출력의 표시기로서 제공된다.

사이렌과 경보

그림 21-40에 사이렌(sirens)과 경보(alarms)에 비안정 555타이머를 사용하는 방법을 나타내었다. 일반적으로 경보(ALRAM) 스위치는 단락되어있어 핀 4는 접지로 접속된다.

　　이때 555 타이머는 동작하지 않으므로 출력이 없다. 그러나 경보스위치가 개방되었을 때 회로는 R_1, R_2, C_1에 의해 결정되는 주파수를 갖는 구형파 출력을 발생시킬 것이다.

　　핀 3으로부터 출력은 R_4저항을 통하는 스피커를 구동한다. 이 저항의 크기는 공급전압과 스피커의 임피던스에 따른다. R_4와 스피커를 갖는 지로의 임피던스는 출력전류를 200 mA 또는 그 이하로 제한해야 한다. 왜냐하면 이것이 555 타이머를 원(source)

그림 21-40 사이렌 또는 경보를 위해 사용되는 비안정 555회로

으로 사용할 수 있는 최대전류이기 때문이다.

그림 21-40의 회로는 스피커를 위해 더 큰 전력을 발생할 수 있도록 변형할 수도 있다. 예를 들어 핀 3의 출력이 B급 푸시풀 전력증폭기를 구동하도록 사용하면 이 증폭기의 출력이 스피커를 구동하게 된다.

펄스폭 변조기

그림 21-41에 **펄스폭 변조**(pulse-width modulation : PWM)로 사용되는 회로를 나타내었다. 555 타이머는 단안정 모드로 접속되었다. R, C, UTP, V_{CC}로 결정되는 출력펄스의 폭은 다음과 같다.

$$W = -RC \ln\left(1 - \frac{\text{UTP}}{V_{CC}}\right) \tag{21-34}$$

변조신호(modulating signal)라 부르는 저주파 신호는 핀 5와 용량성으로 결합되어 있다. 이 변조신호는 음성이나 컴퓨터 데이터이다. 핀 5는 UTP값으로 제어되기 때문에 vmod는 정지 UTP에 더해져야 한다. 그러므로 순간적인 UTP는 다음과 같이 주어진다.

$$\text{UTP} = \frac{2V_{CC}}{3} + v_{\text{mod}} \tag{21-35}$$

예를 들어 만일 $V_{CC} = 12$ V이고, 변조신호가 1 V의 피크 값을 갖는다면 식 (21-31)은 다음과 같이 주어진다.

$$\text{UTP}_{\text{max}} = 8\,\text{V} + 1\,\text{V} = 9\,\text{V}$$
$$\text{UTP}_{\text{min}} = 8\,\text{V} - 1\,\text{V} = 7\,\text{V}$$

이것은 순간적으로 UTP가 7과 9 V 사이를 연속적으로 변화함을 의미한다.

클럭(*clock*)이라 불리는 트리거의 열은 핀 2에 입력된다. 각 트리거는 출력펄스를 발생시킨다. 트리거의 주기가 T이기 때문에 출력은 주기 T를 갖는 구형파 펄스의 열이 될 것이다. 변조신호는 주기 T에는 영향을 미치지 않으나 각 출력펄스의 폭을 변화시킨다. 변조신호의 양의 피크인 A점에서는 보다시피 출력펄스가 넓어지고, 변조신호의 음의 피크인 B점에서는 출력펄스가 좁아진다.

PWM은 통신에 사용된다. 이것은 저주파 변조신호(음성, 데이터)가 **캐리어**(*carrier*)라고 불리는 고주파 신호의 펄스폭을 변화시킨다. 변조된 캐리어는 동선이나 광섬유 케이블 또는 공간을 통해 수신측으로 송신할 수 있다. 수신측에서는 스피커(음성) 또는 컴퓨터(데이터)를 구동시키기 위해 변조신호를 복원한다.

펄스위치 변조

PWM에서 펄스폭은 변화되었지만, 주기는 일정했다. 왜냐하면 주기는 입력트리거의 주파수에 의해 결정되기 때문이었다. 주기가 일정하기 때문에 각 펄스의 위치가 같은데, 이것은 펄스의 선단(leading edge)이 항상 일정한 시간간격 후에 발생하기 때문이다.

펄스위치 변조(pulse-position modulation: PPM)는 다르다. 이 변조형식에서는 각 펄스의 위치(선단)가 변한다. PPM에서는 펄스의 폭과 주기 모두 변조신호에 의해 변화한다.

그림 21-42a에 **펄스위치 변조기**(*pulse-position modulator*)를 나타내었다. 이것은 앞서 설명한 VCO와 흡사하다. 변조신호가 핀 5에 결합되었을 때 순간적인 UTP는 식 (21-35)에 의해 다음과 같이 주어진다.

$$\text{UTP} = \frac{2V_{CC}}{3} + v_{\text{mod}}$$

변조신호가 증가할 때 UTP가 증가하고 펄스폭도 증가한다. 변조신호가 감소할 때 UTP가 감소하고 펄스폭도 감소한다. 이것은 그림 21-42b에서와 같이 펄스폭이 변하기 때문이다.

펄스폭과 주기에 대한 식은 다음과 같다.

$$W = -(R_1 + R_2)C \ln \frac{V_{CC} - \text{UTP}}{V_{CC} - 0.5\,\text{UTP}} \qquad\qquad \textbf{(21-36)}$$

$$T = W + 0.693R_2C \qquad\qquad \textbf{(21-37)}$$

식 (21-37)에서 두번째 구간이 펄스간 간격(space)이다.

$$\textbf{간격} = 0.693R_2C \qquad\qquad \textbf{(21-38)}$$

이것은 한 펄스의 후단(trailing edge)과 다음 펄스의 선단(leading edge) 사이의 시간 간격이다. 식 (21-38)에서 V_{con}이 표현되지 않으므로 그림 21-42b에 나타내었듯이 펄스간의 간격은 일정하다.

간격이 일정하기 때문에 펄스의 선단의 위치는, 뒤따르는 펄스가 얼마나 넓은가에 따라 결정된다. 이것이 이 같은 형식의 변조를 펄스위치 변조(pulse-position modulation)라 부르는 이유이다. PPM은 PWM처럼 음성이나 데이터를 전송하는 통신시스템에 사용된다.

램프 발생

저항을 통한 커패시터의 충전은 지수함수 파형을 발생한다. 그러나 만일 커패시터의 충전에 저항 대신 정전류원을 사용한다면 커패시터의 전압은 램프(ramp)가 된다. 이것이 그림 21-43a회로의 기본 개념이다. 지금 단안정 회로의 저항 대신 pnp 전류원으로 대체시키면 다음과 같은 일정한 충전전류가 발생한다.

$$I_C = \frac{V_{CC} - V_E}{R_E} \tag{21-39}$$

그림 21-43a에서 트리거가 단안정 555 타이머를 구동시킬 때 pnp 전류원은 커패시터로 일정한 충전전류를 흘린다. 그러므로 커패시터 양단전압은 그림 21-43b와 같은 램프가 된다. 램프의 기울기 S는 다음과 같다.

$$S = \frac{I_C}{C} \tag{21-40}$$

만일 커패시터전압이 방전이 일어나기 전에 최대치 $2V_{CC}/3$에 도달한다면 그림 21-43b에서 램프의 피크전압은,

$$V = \frac{2V_{CC}}{3} \tag{21-41}$$

이 램프의 지속시간 T는 다음과 같다.

$$T = \frac{2V_{CC}}{3S} \tag{21-42}$$

응용 예제 21-10

그림 21-41과 같은 펄스폭 변조기가 $V_{CC} = 12$ V, $R = 9.1$ kΩ, 그리고 $C = 0.01$ μF를 가진다. 클럭주파수는 2.5 kHz이다. 만일 변조신호가 2 V의 피크값을 가진다면, 출력펄스의 주기는 얼마인가? 정지펄스폭은 얼마인가? 최소, 최대 펄스폭은 얼마인가? 최소, 최대 듀티사이클은 얼마인가?

풀이 출력펄스의 주기는 클럭펄스의 주기와 같다.

$$T = \frac{1}{2.5 \text{ kHz}} = 400 \text{ μs}$$

정지펄스폭은

$$W = 1.1RC = 1.1(9.1 \text{ kΩ})(0.01 \text{ μF}) = 100 \text{ μs}$$

이고, 식 (21-35)에서 최소, 최대 UTP를 계산하면,

$$\text{UTP}_{min} = 8 \text{ V} - 2 \text{ V} = 6 \text{ V}$$
$$\text{UTP}_{max} = 8 \text{ V} + 2 \text{ V} = 10 \text{ V}$$

이다. 또 식 (21-34)에서 최소, 최대 펄스폭을 계산하면 다음과 같다.

그림 21-41 펄스폭 변조기로 접속된 555 타이머

$$W_{min} = -(9.1\ k\Omega)(0.01\ \mu F)\ln\left(1 - \frac{6\ V}{12\ V}\right) = 63.1\ \mu s$$

$$W_{max} = -(9.1\ k\Omega)(0.01\ \mu F)\ln\left(1 - \frac{10\ V}{12\ V}\right) = 163\ \mu s$$

최소, 최대 듀티사이클은 다음과 같다.

$$D_{min} = \frac{63.1\ \mu s}{400\ \mu s} = 0.158$$

$$D_{max} = \frac{163\ \mu s}{400\ \mu s} = 0.408$$

연습 문제 21-10 응용 예제 21-10에서 V_{CC}를 15 V로 바꾸어라. 최대 펄스폭과 최대 듀티 사이클을 계산하라.

응용 예제 21-11

그림 21-42와 같은 펄스위치 변조기에서 V_{CC} = 12 V, R_1 = 3.9 kΩ, R_2 = 3 kΩ, C = 0.01 μF이다. 출력펄스의 정지폭과 주기는 얼마인가? 만일 변조신호가 1.5 V의 피크값을 가진다면 최소, 최대 펄스폭은 얼마인가? 펄스간 간격은 얼마인가?

풀이 변조되지 않은 신호에서 출력펄스의 정지주기는 비안정 멀티바이브레이터로 사용한 555 타이머의 주기와 같다. 식 (21-26)과 (21-27)에서 정지폭과 주기를 다음과 같이 계산할 수 있다.

$$W = 0.693(3.9\ k\Omega + 3\ k\Omega)(0.01\ \mu F) = 47.8\ \mu s$$
$$T = 0.693(3.9\ k\Omega + 6\ k\Omega)(0.01\ \mu F) = 68.6\ \mu s$$

식 (21-35)에서 최소, 최대 UTP를 계산하면,

(a)

PULSE WIDTH IS VARIABLE

SPACE IS CONSTANT

(b)

그림 21-42 펄스위치 변조로 접속된 555 타이머

$$\text{UTP}_{\min} = 8\text{ V} - 1.5\text{ V} = 6.5\text{ V}$$

$$\text{UTP}_{\max} = 8\text{ V} + 1.5\text{ V} = 9.5\text{ V}$$

식 (21-36)에서 최소, 최대 펄스폭은,

$$W_{\min} = -(3.9\text{ k}\Omega + 3\text{ k}\Omega)(0.01\text{ }\mu\text{F}) \ln \frac{12\text{ V} - 6.5\text{ V}}{12\text{ V} - 3.25\text{ V}} = 32\text{ }\mu\text{s}$$

$$W_{\max} = -(3.9\text{ k}\Omega + 3\text{ k}\Omega)(0.01\text{ }\mu\text{F}) \ln \frac{12\text{ V} - 9.5\text{ V}}{12\text{ V} - 4.75\text{ V}} = 73.5\text{ }\mu\text{s}$$

식 (21-37)에서 최소, 최대주기는,

$$T_{\min} = 32\text{ }\mu\text{s} + 0.693(3\text{ k}\Omega)(0.01\text{ }\mu\text{F}) = 52.8\text{ }\mu\text{s}$$

$$T_{\max} = 73.5\text{ }\mu\text{s} + 0.693(3\text{ k}\Omega)(0.01\text{ }\mu\text{F}) = 94.3\text{ }\mu\text{s}$$

간격은 한 펄스의 후단과 다음 펄스의 전단 사이이므로 다음과 같다.

$$\text{간격} = 0.693(3\text{ k}\Omega)(0.01\text{ }\mu\text{F}) = 20.8\text{ }\mu\text{s}$$

응용 예제 21-12

그림 21-43의 램프발생기는 1 mA의 일정한 컬렉터전류를 가진다. 만일 $V_{CC} = 15$ V, $C = 100$ nF라면, 출력램프의 기울기는 얼마인가? 그 피크값은 얼마인가? 그 지속시간은 얼마인가?

$$I_C = \frac{V_{CC} - V_E}{R_E}$$

$$S = \frac{I_C}{C}$$

$$V = \frac{2V_{CC}}{3}$$

$$T = \frac{2V_{CC}}{3S}$$

(a)

(b)

그림 21-43 (a) 램프출력을 발생하는 바이폴라 트랜지스터와 555 타이머; (b) 트리거와 램프파형

풀이 기울기는,

$$S = \frac{1\text{mA}}{100\text{ nF}} = 10 \text{ V/ms}$$

이고, 피크값은 다음과 같다.

$$V = \frac{2(15\text{ V})}{3} = 10 \text{ V}$$

램프의 지속시간은 다음과 같다.

$$T = \frac{2(15\text{ V})}{3(10\text{ V/ms})} = 1 \text{ ms}$$

연습 문제 21-12 그림 21-43에서 $V_{CC} = 12$ V, $C = 0.2$ μF으로 한 후, 응용 예제 21-12를 반복하라.

(a)

(b)

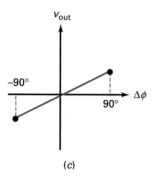

(c)

그림 21-44 (a) 두 개의 입력신호와 한 개의 출력신호를 가지는 위상검출기; (b) 위상차를 갖는 동일주파수의 정현파; (c) 위상검출기의 출력은 위상차에 직접 비례함.

21-10 위상동기 루프(PLL)

위상동기 루프(phase-locked loop: PLL)는 위상검출기, 직류증폭기, 저역통과 필터 및 전압제어 발진기(VCO)를 포함한다. PLL이 f_{in}의 주파수를 갖는 입력신호를 가질 때, 그 VCO는 f_{in}과 같은 출력주파수를 발생할 것이다.

위상검출기

그림 21-44a에 PLL의 첫 단인 **위상검출기**(phase detector)를 나타내었다. 이 회로는 두 입력신호간의 위상차에 비례하는 출력전압을 발생한다. 예를 들어 그림 21-44b는 $\Delta\phi$의 위상차를 가지는 두 입력신호를 나타낸다. 위상검출기는 그림 21-44c에서와 같이 $\Delta\phi$에 비례하여 발생하는 직류 출력전압에 의한 위상차에 대응한다.

그림 21-44b에서와 같이 v_1이 v_2보다 앞설 때 $\Delta\phi$는 양이다. 만일 v_1이 v_2보다 뒤질 때 $\Delta\phi$는 음이다. 일반적으로 위상검출기는 그림 21-44c에서 보다시피 −90°와 +90° 사이의 선형응답을 발생한다. 잘 알다시피 위상검출기의 출력은 $\Delta\phi = 0°$일 때 0이다. $\Delta\phi$가 0°와 90° 사이일 때 출력은 양의 전압이다. $\Delta\phi$가 0°와 −90° 사이일 때 출력은 음의 전압이다. 여기서 가장 중요한 개념은 위상검출기가 두 입력신호 간의 위상차에 직접적으로 비례하여 출력전압을 발생한다는 것이다.

VCO

그림 21-45a에서 입력전압 v_{in}은 VCO의 출력주파수 f_{out}을 결정한다. 일반적으로 VCO는 주파수 범위를 10:1 이상으로 변화시킬 수 있다. 또한 이 변화는 그림 21-45b와 같이 선형이다. VCO에 대한 입력전압이 0일 때, VCO는 정지주파수 f_0에서 자주발진(free-running)한다. 입력전압이 양일 때, VCO주파수는 f_0보다 크다. 만일 입력전압이 음이면 VCO주파수는 f_0보다 적다.

PLL의 블록다이어그램

그림 21-46은 PLL의 블록다이어그램이다. 위상검출기는 두 입력신호의 위상차에 비례하는 직류전압을 발생한다. 위상검출기의 출력은 항상 적다. 이 때문에 두 번째 단이 직류증폭기이다. 증폭된 위상차는 VCO에 인가되기 전에 필터된다. VCO의 출력이 위상검출기로 귀환됨에 주목하라.

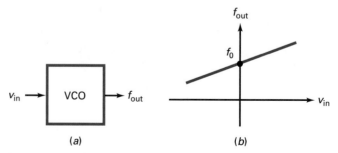

(a)   *(b)*

그림 21-45 (a) 입력전압이 VCO의 출력주파수를 제어함; (b) 출력주파수는 입력전압에 직접 비례함.

그림 21-46 위상동기 루프의 블록다이어그램

입력주파수는 자주발진 주파수와 같다

PLL동작을 이해하기 위해, 입력주파수가 VCO의 자주발진 주파수 f_0와 같은 경우로 시작하자. 이때 위상검출기에 대한 두 입력신호는 동일한 주파수와 위상을 가진다. 이 때문에 위상차 $\Delta\phi$는 0°이고 위상검출기의 출력은 0이다. 결과적으로 VCO에 대한 입력전압은 0인데 이는 VCO가 f_0인 주파수로 자주발진함을 의미한다. 입력신호의 주파수와 위상이 같게 유지되는 한 VCO에 대한 입력전압은 0일 것이다.

입력주파수는 자주발진 주파수와 다르다

입력과 자주발진 VCO주파수가 각각 10 kHz라고 하자. 지금 입력주파수가 11 kHz로 증가했다고 가정하면 이 증가는 그림 21-47a에서와 같이 첫 사이클의 끝에서 v_1이 v_2보다 위상이 앞서는 것으로 나타난다. 입력신호가 VCO신호보다 앞서기 때문에 $\Delta\phi$는 양이다. 이 때 그림 21-46의 위상검출기는 양의 출력전압을 발생한다. 증폭되고 필터된 후 이 양의 전압은 VCO의 주파수를 증가시킨다.

VCO의 주파수는 입력신호의 주파수인 11 kHz와 같아질 때까지 증가할 것이다. VCO주파수와 입력주파수가 같을 때 VCO는 입력신호에 고정(lock on)된다. 비록 위상검출기에 대한 두 입력신호 각각이 11 kHz의 주파수를 가지더라도 신호는 그림 21-47b와 같은 위상차를 가진다. 이 양의 위상차는 VCO의 주파수를 자주발진주파수보다 약간 높게 유지하는데 필요한 전압을 발생시킨다.

만일 입력주파수가 더 증가하면 VCO의 주파수 또한 고정(lock)을 유지하는 데 필요한 만큼 증가한다. 예를 들어 만일 입력주파수가 12 kHz로 증가하면 VCO 주파수도 12 kHz로 증가한다. 두 입력신호의 위상차는 VCO에서 정확한 제어전압을 발생시키는데 필요한 만큼 증가시킬 것이다.

고정범위

PLL의 **고정범위**(lock range)는 VCO가 입력주파수로 고정을 유지할 수 있는 이상의 입력주파수 범위이다. 이것은 검출 가능한 최대위상차와 관련이 있다. 앞서 설명에서 위상검출기가 −90°와 +90° 사이의 $\Delta\phi$에 대해 출력전압을 발생할 수 있다고 가정했다. 이 같은 제한에서 위상검출기는 음이거나 양이든지 간에 최대출력전압을 발생한다.

만일 입력주파수가 너무 크거나 작으면, 위상차는 −90°와 +90°의 범위를 벗어난다. 그러므로 위상검출기는 고정을 유지하기 위해 VCO에 필요한 부가적인 전압을 발생시킬 수가 없다. 따라서 이 같은 제한에서 PLL은 입력신호를 고정시키지 못한다.

고정범위는 항상 VCO주파수의 몇 %로 명기된다. 예를 들어 만일 VCO 주파수

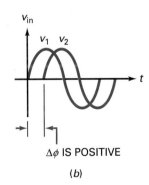

그림 21-47 (a) v_1의 주파수가 증가하면 위상차가 발생함; (b) VCO 주파수 증가 후에 위상차가 존재함

가 10 kHz이고 고정범위가 ±20%라면 PLL은 8과 12 kHz사이의 어떤 입력주파수에서도 고정을 유지할 수 있다.

포착범위

포착범위는 다르다. 입력주파수가 고정범위를 벗어났다고 가정하자. 그러면 VCO는 10 kHz에서 자주 발진한다. 지금 입력주파수가 VCO 주파수를 향해 변한다고 가정하자. 어떤 점에서 PLL은 입력주파수로 고정될 것이다. PLL이 고정을 회복할 수 있는 입력주파수의 범위 이내를 **포착범위**(capture range)라고 부른다.

포착범위도 자주발진주파수의 몇 %로 명기된다. 만일 f_0 = 10 kHz이고 포착범위가 ±5%라면, PLL은 9.5와 10.5 kHz 사이의 입력주파수에 대해 고정할 수 있다. 일반적으로 포착범위는 고정범위보다 적다. 왜냐하면 포착범위는 저역 통과필터의 차단주파수에 관계되기 때문이다. 차단주파수가 낮을수록 포착범위도 더 적다.

저역통과 필터의 차단주파수는 VCO에 도달하는 잡음이나 원치 않는 신호와 같은 높은 주파수성분을 방지하기 위해 낮게 유지한다. 필터의 차단주파수가 낮을수록 VCO를 구동하는 신호는 깨끗하다. 그러므로 설계자들은 VCO에서 깨끗한 신호를 얻기 위해 저역통과 대역폭과 포착범위를 상호 교환한다.

응용

PLL은 근본적으로 두 가지 서로 다른 곳에 사용할 수 있다. 첫째로, 입력신호를 고정시키는 데 사용할 수 있다. 이때 출력주파수는 입력주파수와 같다. 이것은 저역통과 필터가 고주파 잡음과 그 외의 성분들을 제거할 수 있기 때문에 입력의 잡음성분을 깨끗이 제거할 수 있다는 이점이 있다. 출력신호가 VCO로부터 나오기 때문에 최종출력은 안정되고 거의 잡음이 없다.

둘째로, PLL은 FM 복조기로 사용할 수 있다. **주파수 변조**(freguency modulation)(FM) 이론은 통신과정에서 익히 알고 있겠지만 여기서는 간단히 말하겠다. 그림 21-48a의 LC 발진기는 가변용량을 가진다. 만일 변조신호를 이 용량이 제어한다면 발진기의 출력은 그림 21-48b에 나타낸 주파수 변조가 될 것이다. 최소에서 최대로 변하는 이 FM파의 주파수가 변조신호의 최소, 최대피크와 어떤 관련이 있는지에 주목하라.

만일 FM신호가 PLL에 입력되면, VCO주파수는 FM신호에 고정될 것이다. VCO의 주파수가 변하기 때문에 $\Delta\phi$도 변조신호의 변화에 따른다. 그러므로 위상검출기의 출력은 원래의 변조신호의 복제인 저주파 신호가 될 것이다. 이 같은 방법을 사용할 때 PLL은 FM파로부터 변조신호를 복구하는 회로인 FM 복조기(*FM demodulator*)로 사

그림 21-48 (a) LC 발진기의 공진주파수를 변화시키는 가변용량; (b) 주파수 변조를 가지고 있는 정현파

용할 수 있다.

PLL은 모놀리딕 IC로 활용된다. 예를 들어 NE565는 위상검출기, VCO, 직류증
폭기를 포함하는 PLL이다. 사용자들은 VCO의 자주발진주파수를 맞추기 위한 시간
조절용 저항과 커패시터와 같은 외부소자를 접속하여 사용한다. 또 다른 외부커패시터
는 저역통과 필터의 차단주파수를 맞춘다. NE565는 FM 복조기, 주파수합성, 원격수
신기, 모뎀, 음성복호 등에 사용할 수 있다.

21-11 함수발생기 IC들

특수함수발생기(Special function generator ICs)들은 수많은 개별회로의 능력을 발전
시킨 것인데 이에 대해 설명한다. 이 IC들은 정현파, 방형파, 삼각파, 램프파 및 펄스신호
를 포함한 파형발생을 제공할 수 있다. 출력파형은 외부저항과 커패시터 값의 변화나 외
부에 전압을 인가하므로 진폭과 주파수를 변화시킬 수 있다. 이 외부전압은 전압-주파
수(V/F)변환, AM과 FM신호발생, 전압제어발진(VCO)과 주파수편이변조(FSK)와 같
은 응용을 유용하게 수행할 수 있다.

XR-2206

특수함수발생기 IC의 예로서 XR-2206이 있다. 이 모노리딕 IC는 0.01 Hz에서 1.00
MHz이상의 외부제어 주파수를 제공할 수 있다. 이 IC의 개념도를 그림 21-49에 나타
내었다. 개념도에는 VCO를 포함한 아날로그 배율기, 정현파 정형회로, 단위이득 완충
증폭기 및 정류스위치 세트의 네 개의 주요 기능별 블록이 주어진다.

그림 21-49 XR-2206의 개념도(본 자료는 Exar사의 명시적 승인으로 제공됨.)

그림 21-50 정현파, 삼각파발생. (a) 회로; (b) R과 발진주파수 관계; (c) 출력진폭 (본 자료는 Exar사의 명시적 승인으로 제공됨.)

VCO의 출력주파수는 외부 타이밍 저항세트에 의해 결정되는 입력전류에 비례한다. 이 저항들은 각기 핀 7, 8과 접지에 접속된다. 이들은 두 개의 타이밍 핀이기 때문에 두개의 개별 출력주파수를 얻을 수 있다. 핀 9의 고(high) 또는 저(low)의 입력신호는 전류스위치를 제어한다. 그리고 전류스위치는 사용할 수 있는 타이밍 저항 중 하나를 선택한다. 만일 핀 9의 입력신호가 고(high)에서 저(low)로 교대로 변한다면 VCO의 출력주파수는 한 주파수에서 다른 주파수로 옮겨 갈 것이다. 이 같은 동작을 **주파수 편이변조**(freguency-shift keying)(FSK)라 하고 이것은 전자통신응용에 사용된다.

VCO의 출력은 출력 스위칭트랜지스터와 함께 배율기와 정현파 정형회로 블록을 구동한다. 출력 스위칭트랜지스터는 핀 11에 방형파 출력신호를 제공하는 차단과 포화로 구동된다. 배율기의 출력과 정현파 정형회로의 블록은 IC들의 출력전류 능력과 그들의 출력임피던스를 결정하는 단위이득 완충증폭기에 접속된다. 핀 2에서의 출력은 정현파 또는 삼각파 중 하나이다.

정현파와 삼각파의 출력

그림 21-50a는 정현파와 삼각파를 발생시키기 위한 외부회로의 접속과 부품을 나타내었다. 발진주파수 f_0는 핀 7, 8에 접속된 타이밍저항 R과 핀 5, 6에 걸쳐 접속된 외부 커패시터 C에 의해 결정된다.

발진주파수는,

$$f_0 = \frac{1}{RC} \tag{21-43}$$

R이 2 MΩ 이상이라 할지라도 4 kΩ $< R <$ 200 kΩ일 때 최대온도 안정성이 발생한다. 그림 21-50b에 R과 발진주파수 간의 그래프를 나타내었다. 또 C의 값은 1,000 pF에서 100 μF까지가 권장 값이다.

그림 21-50a에서 스위치 S_1이 단락되면 핀 2에서 출력은 정현파일 것이다. 핀 7에서 전위차계 R_1은 요구하는 주파수 동조를 제공한다. R_A와 R_B저항을 조정하므로 완전한 파형대칭과 왜곡레벨을 변형시킬 수 있다. 스위치 S_1이 개방되면 핀 2에서 출력은 정현파에서 삼각파로 변한다. 핀 3에 접속된 저항 R_3은 출력파형의 진폭을 조절한다. 그림 21-50c에 나타낸 바와 같이 출력진폭은 R_3의 값과 직접 비례한다. 삼각파의 값은 주어진 R_3의 세팅에 의해 정현파 출력의 거의 2배이다.

펄스와 램프파 발생

그림 21-51에 톱니파(램프파)와 펄스출력을 발생시키는 데 사용하는 회로의 외부접속을 나타내었다. 핀 11에서 방형파 출력은 핀 9에서 FSK단자로 단락되어 있음에 주의하라. 이 회로는 두 개의 개별주파수 간에 자동적인 주파수천이를 허용한다. 이 주파수천이는 핀 11의 출력이 고(high)레벨 출력에서 저(low)레벨 출력으로, 저(low)레벨 출력에서 고(high)레벨 출력으로 변화할 때 발생한다. 출력주파수는 다음과 같이 구할 수 있다.

$$f = \frac{2}{C}\left[\frac{1}{R_1 + R_2}\right] \tag{21-44}$$

또, 회로의 듀티 사이클은 다음과 같이 구할 수 있다.

$$f = \frac{2}{C}\left[\frac{1}{R_1 + R_2}\right]$$

$$\text{Duty cycle} = \frac{R_1}{R_1 + R_2}$$

그림 21-51 펄스와 램프파 발생 (본 자료는 Exar사의 명시적 승인으로 제공됨.)

$$D = \frac{R_1}{R_1 + R_2} \tag{21-45}$$

그림 21-52에 XR-2206의 데이터시트를 나타내었다. 만일 단일 양의 공급전압으로 동작한다면 공급전원은 10 V에서 26 V의 범위로 할 수 있다. 만일 분할 또는 2전원 공급전압을 사용한다면 ±5 V에서 ±13 V의 범위 내의 값임에 주의해야 한다. 또한 그림 21-52에 최대, 최소출력주파수를 발생시키기 위해 추천된 R과 C의 값을 나타내었다. 또 대표적인 2000 : 1의 스위프범위를 열거했다. 데이터시트에서 볼 수 있듯이 삼각파와 정현파출력은 600 Ω의 출력임피던스를 가진다. 이것은 XR-2206 함수발생기 IC가 수많은 전자통신응용에 극히 적합하게 제작되었음을 의미한다.

XR-2206

DC ELECTRICAL CHARACTERISTICS

Test Conditions: **Vcc = 12V, T$_A$ = 25°C, C = 0.01μF, R$_1$ = 100kΩ, R$_2$ = 10kΩ, R$_3$ = 25kΩ**
Unless Otherwise Specified. S$_1$ open for triangle, closed for sine wave.

Parameters	XR-2206M/P			XR-2206CP/D			Units	Conditions
	Min.	Typ.	Max.	Min.	Typ.	Max.		
General Characteristics								
Single Supply Voltage	**10**		**26**	10		26	V	
Split-Supply Voltage	**±5**		**±13**	±5		±13	V	
Supply Current		12	**17**		14	20	mA	R$_1$ ≥ 10kΩ
Oscillator Section								
Max. Operating Frequency	**0.5**	1		0.5	1		MHz	C = 1000pF, R$_1$ = 1kΩ
Lowest Practical Frequency		0.01			0.01		Hz	C = 50μF, R$_1$ = 2MΩ
Frequency Accuracy		±1	**±4**		±2		% of f$_o$	f$_o$ = 1/R$_1$C
Temperature Stability Frequency		±10	**±50**		±20		ppm/°C	0°C ≤ T$_A$ ≤ 70°C R$_1$ = R$_2$ = 20kΩ
Sine Wave Amplitude Stability[2]		4800			4800		ppm/°C	
Supply Sensitivity		0.01	**0.1**		0.01		%/V	V$_{LOW}$ = 10V, V$_{HIGH}$ = 20V, R$_1$ = R$_2$ = 20kΩ
Sweep Range	1000:1	2000:1			2000:1		f$_H$ = f$_L$	f$_H$ @ R$_1$ = 1kΩ f$_L$ @ R$_1$ = 2MΩ
Sweep Linearity								
10:1 Sweep		2			2		%	f$_L$ = 1kHz, f$_H$ = 10kHz
1000:1 Sweep		8			8		%	f$_L$ = 100Hz, f$_H$ = 100kHz
FM Distortion		0.1			0.1		%	±10% Deviation
Recommended Timing Components								
Timing Capacitor: C	**0.001**		100	0.001		100	μF	
Timing Resistors: R$_1$ & R$_2$	**1**		2000	1		2000	kΩ	
Triangle Sine Wave Output[1]								
Triangle Amplitude		160			160		mV/kΩ	S$_1$ Open
Sine Wave Amplitude	**40**	60	**80**		60		mV/kΩ	S$_1$ Closed
Max. Output Swing		6			6		Vp-p	
Output Impedance		600			600		Ω	
Triangle Linearity		1			1		%	
Amplitude Stability		0.5			0.5		dB	For 1000:1 Sweep
Sine Wave Distortion								
Without Adjustment		2.5			2.5		%	R$_1$ = 30kΩ
With Adjustment		0.4	**1.0**		0.5	1.5	%	

Notes
[1] *Output amplitude is directly proportional to the resistance, R$_3$, on Pin 3.*
[2] *For maximum amplitude stability, R$_3$ should be a positive temperature coefficient resistor.*
Bold face parameters *are covered by production test and guaranteed over operating temperature range.*

Rev. 1.03   T⦿M™

그림 21-52   XR-2206 데이터시트 (본 자료는 Exar사의 명시적 승인으로 제공됨.)

DC ELECTRICAL CHARACTERISTICS (CONT'D)

Parameters	XR-2206M/P			XR-2206CP/D			Units	Conditions
	Min.	Typ.	Max.	Min.	Typ.	Max.		
Amplitude Modulation								
Input Impedance	50	100		50	100		kΩ	
Modulation Range		100			100		%	
Carrier Suppression		55			55		dB	
Linearity		2			2		%	For 95% modulation
Square-Wave Output								
Amplitude		12			12		Vp-p	Measured at Pin 11.
Rise Time		250			250		ns	C_L = 10pF
Fall Time		50			50		ns	C_L = 10pF
Saturation Voltage		0.2	**0.4**		0.2	0.6	V	I_L = 2mA
Leakage Current		0.1	**20**		0.1	100	μA	V_{CC} = 26V
FSK Keying Level (Pin 9)	0.8	1.4	**2.4**	0.8	1.4	2.4	V	See section on circuit controls
Reference Bypass Voltage	2.9	3.1	**3.3**	2.5	3	3.5	V	Measured at Pin 10.

그림 21-52 (계속)

응용 예제 21-13

그림 21-50에서 R = 10 kΩ, C = 0.01 μF이다. S_1을 단락했을 때 핀 2와 핀 11에서 출력파형과 출력주파수는 얼마인가?

풀이 S_1이 단락되었기 때문에 핀 2에서 출력은 정현파일 것이고, 핀 11에서의 출력은 구형파일 것이다. 또 출력파형은 둘 다 동일한 주파수를 가질 것이다. 출력주파수를 구해보면,

$$f_0 = \frac{1}{RC} = \frac{1}{(10 \text{ k}\Omega)(0.01 \text{ μF})} = 10 \text{ kHz}$$

연습 문제 21-13 R = 20 kΩ, C = 0.01 μF이고 S_1을 개방했을 때, 응용 예제 21-13을 반복하라.

응용 예제 21-14

그림 21-51에서 R_1 = 1 kΩ, R_2 = 2 kΩ, C = 0.1 μF이다. 방형파 출력주파수와 듀티 사이클을 구하여라.

풀이 식 (21-44)에서 핀 11에서 출력주파수는,

$$f = \frac{2}{0.1 \text{ μF}} \left[\frac{1}{1 \text{ k}\Omega + 2 \text{ k}\Omega} \right] = 6.67 \text{ kHz}$$

식 (21-45)에서 듀티 사이클은,

$$D = \frac{1 \text{ k}\Omega}{1 \text{ k}\Omega + 2 \text{ k}\Omega} = 0.333$$

연습 문제 21-14 R_1과 R_2는 모두 2 kΩ 이고 C = 0.2 μF일 때, 응용 예제 21-14를 반복하라.

요점 | Summary

21-1 정현파 발진의 이론
정현파 발진기를 설계하기 위해서는 정귀환을 가지는 증폭기를 사용해야 한다. 발진기의 시동을 위해서는 루프의 위상천이가 0˚일 때 루프이득은 1보다 커야 한다.

21-2 윈-브리지 발진기
이것은 5 Hz에서 1 MHz의 범위에 걸친 낮거나 중간 정도의 주파수를 발생시키는 표준 발진기이다. 이는 거의 완전한 정현파를 발생한다. 텅스텐 램프 또는 그 외의 비선형 저항은 루프이득을 1로 감소시키는 데 사용한다.

21-3 그 외의 RC 발진기
트윈-티 발진기는 증폭기와 공진주파수에서 요구되는 루프이득과 위상천이를 발생하는 RC회로를 사용한다. 이것은 특정한 주파수에서는 잘 동작하나 가변주파수 발진기로는 부적절하다. 또한 위상천이 발진기는 발진을 발생시키기 위해 증폭기와 RC회로를 사용한다. 증폭기는 각 단의 표유(stray) 진상 및 지상회로 때문에 위상천이 발진기처럼 동작한다.

21-4 콜피츠 발진기
발진기는 증폭기내의 부가적인 위상천이 때문에 1 MHz이상에서는 잘 동작하지 못한다. 이것이 1과 500 MHz 사이의 주파수에서 LC 발진기가 사용되는 이유이다. 이 주파수 범위는 대부분 연산증폭기의 f_{unity}이상인데 이것이 바이폴라 트랜지스터나 FET가 증폭용 소자로서 흔히 사용되는 이유이다.

콜피츠 발진기는 가장 널리 사용되는 LC 발진기의 일종이다.

21-5 그 외의 LC 발진기
암스트롱 발진기는 귀환신호를 발생시키기 위해 트랜스를 사용한다. 하트레이 발진기는 귀환신호를 발생시키기 위해 유도성 전압분배기를 사용한다. 클랩 발진기는 공진회로의 유도성 지로에 적은 직렬커패시터를 가진다. 이것은 공진주파수가 갖는 표유용량의 영향을 감소시킨다.

21-6 수정진동자
대부분의 수정은 압전기 효과를 가진다. 이 효과 때문에 수정의 진동은 극히 높은 Q를 가지는 LC공진회로처럼 동작한다. 수정은 압전기 효과를 발생시키는 대단히 중요한 결정체이다. 정밀하고 신뢰가 가는 주파수가 요구될 때는 수정발진기를 사용한다.

21-7 555 타이머
555 타이머는 2개의 비교기, 1개의 RS플립-플롭과 1개의 npn 트랜지스터를 포함한다. 이것은 상측, 하측 트립점을 갖는다. 단안정모드로 사용할 때 동작을 시작하기 위한 입력트리거는 LTP 이하로 감소시켜야 한다. 커패시터전압이 UTP를 약간 넘으면 방전트랜지스터는 커패시터를 방전시킨다.

21-8 555 타이머의 비안정 동작
단안정 모드로 사용될 때 555 타이머는 50에서 100% 사이의 듀티 사이클을 가지는 구

형파 출력을 발생한다. 커패시터는 $V_{CC}/3$와 $2V_{CC}/3$ 사이를 충전한다. 제어전압이 사용될 때 UTP는 V_{con}까지 충전된다. 이 제어전압은 주파수를 결정한다.

21-9 555 회로 응용
555 타이머는 시간지연, 경보 및 램프출력을 만드는데 사용된다. 또한 제어입력에 변조신호를 인가하고 트리거입력에 음으로 향하는 트리거의 열을 인가하므로 펄스폭 변조기를 구성할 수가 있다. 또 555 타이머는 타이머가 비안정 모드로 동작할 때 제어입력에 변조신호를 인가하므로 펄스위치 변조기도 구성할 수가 있다.

21-10 위상동기 루프(PLL)
PLL은 위상검출기, 직류증폭기, 저역통과 필터 및 VCO를 포함한다. 위상검출기는 두 입력신호간의 위상차에 비례하는 제어전압을 발생한다. 그리고 증폭되고 필터된 제어전압은 입력신호를 고정하는데 필요한 만큼 VCO의 주파수를 변화시킨다.

21-11 함수발생기 IC들
함수발생기 IC들은 정현파, 구형파, 삼각파, 펄스 그리고 톱니파형을 발생시킬 수 있다. 외부에 저항과 커패시터를 접속하므로 출력파형의 주파수와 진폭을 변화시킬 수 있다. AM/FM발생, 전압-주파수변환, 주파수편이 변조와 같은 특수 기능도 이 IC들로서 수행할 수 있다.

정의식 | Definitions

(21-20) 수정의 직렬공진:

$$f_s = \frac{1}{2\pi\sqrt{LC_s}}$$

(21-22) 수정의 병렬공진:

$$f_p = \frac{1}{2\pi\sqrt{LC_p}}$$

유도식 | Derivations

(21-1)과 (21-2) 진상-지상회로의 귀환비와 위상각:

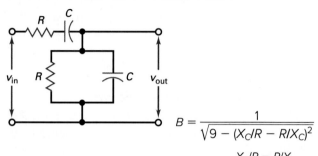

$$B = \frac{1}{\sqrt{9 - (X_C/R - R/X_C)^2}}$$

$$\phi = \arctan \frac{X_C/R - R/X_C}{3}$$

(21-21) 등가 병렬용량:

$$C_p = \frac{C_m C_s}{C_m + C_s}$$

(21 9) 정확한 공진주파수:

$$f_r = \frac{1}{2\pi\sqrt{LC}}\sqrt{\frac{Q^2}{Q^2 + 1}}$$

(21-23)과 (21-24) 555 타이머의 트립점:

$$UTP = \frac{2V_{CC}}{3}$$

$$LTP = \frac{V_{CC}}{3}$$

(21-19) 수정의 주파수:

$$f = \frac{K}{t}$$

복습 문제 | Self-Test

1. 발진기는 항상 어떤 특징의 증폭기를 필요로 하는가?
   a. 정귀환
   b. 부귀환
   c. 정, 부귀환 모두
   d. LC탱크회로

2. 발진기의 시동전압은 무엇으로 발생시키는가?
   a. 공급전원에서의 리플
   b. 저항에서의 잡음전압
   c. 신호발생기에서의 입력신호
   d. 정귀환

3. 윈-브리지 발진기는 무엇에서 유용한가?
   a. 저주파   b. 고주파
   c. LC탱크회로   d. 적은 입력신호

4. 지상회로는 얼마의 위상각을 가지는가?
   a. 0°와 +90° 사이의
   b. 90° 이상의
   c. 0°와 −90° 사이의
   d. 입력전압과 동일함

5. 결합회로는 무슨 회로인가?
   a. 지상회로
   b. 진상회로
   c. 진상-지상회로
   d. 공진회로

6. 진상회로는 얼마의 위상각을 가지는가?
   a. 0°와 +90° 사이의
   b. 90° 이상의
   c. 0°와 −90° 사이의
   d. 입력전압과 동일함

7. 윈-브리지 발진기는 무엇을 사용하는가?
   a. 정귀환
   b. 부귀환
   c. 정, 부귀환 모두
   d. LC탱크회로

8. 처음 윈-브리지 발진기의 루프이득은?
   a. 0   b. 1
   c. 적다   d. 크다

9. 윈-브리지 발진기를 흔히 무엇이라 부르는가?
   a. 노치 필터
   b. 트윈-티 발진기
   c. 이상기(phase shifter)
   d. 휘트스톤 브리지

10. 윈-브리지 발진기의 주파수를 변화시키기 위해 무엇을 변화시켜야 하나?

a. 한 개의 저항
b. 두 개의 저항
c. 세 개의 저항
d. 한 개의 커패시터

11. 위상천이 발진기는 항상 무엇을 가지는가?

a. 두 개의 진상 또는 지상회로
b. 세 개의 진상 또는 지상회로
c. 진상-지상 회로
d. 트윈-티 필터

12. 회로에서 발진이 시동되기 위해서는 루프 전체의 위상천이가 몇 도일 때 루프이득이 1 이상 되어야 하는가?

a. 90°   b. 180°
c. 270°   d. 360°

13. *LC* 발진기로서 가장 널리 사용되는 것은?

a. 암스트롱   b. 클랩
c. 콜피츠   d. 하트레이

14. *LC* 발진기에서 큰 귀환은 ____.

a. 회로의 시동을 방해한다.
b. 포화와 차단을 발생한다.
c. 최대 출력전압을 발생한다.
d. *B*가 적음을 의미한다.

15. 콜피츠 발진기에서 *Q*가 감소할 때 발진주파수는?

a. 감소한다.
b. 같은 값을 유지한다.
c. 증가한다.
d. 엉뚱한 값이 된다.

16. 링크결합은 무엇을 말하는가?

a. 용량성 결합   b. 변성기 결합
c. 저항성 결합   d. 전력결합

17. 하트레이 발진기는 무엇을 사용하는가?

a. 부귀환
b. 두 개의 인덕터
c. 텅스텐 램프
d. 재생(tickler) 코일

18. *LC* 발진기의 주파수를 변화시키기 위해서는 무엇을 변화시켜야 하는가?

a. 한 개의 저항
b. 두 개의 저항
c. 세 개의 저항
d. 한 개의 커패시터

19. 다음 발진기 중에서 가장 안정한 주파수를 갖는 발진기는?

a. 암스트롱   b. 클랩
c. 콜피츠   d. 하트레이

20. 압전기 효과를 갖는 재료는?

a. 수정(석영)   b. 로셸염
c. 전기석   d. 상기 모두

21. 수정은 ____을 가진다.

a. 낮은 Q
b. 높은 Q
c. 작은 인덕턴스
d. 큰 저항

22. 수정의 직렬과 병렬 공진주파수는 ____.

a. 매우 가깝게 존재한다.
b. 매우 멀리 존재한다.
c. 같다.
d. 낮은 주파수이다.

23. 전자 손목시계에서 볼 수 있는 발진기는?

a. 암스트롱   b. 클랩
c. 콜피츠   d. 수정

24. 단안정 555 타이머는 안정한 상태를 몇 번 가지는가?

a. 0   b. 1
c. 2   d. 3

25. 비안정 555 타이머는 안정한 상태를 몇 번 가지는가?

a. 0   b. 1
c. 2   d. 3

26. 원-숏 멀티바이브레이터는 어떤 경우에 펄스폭이 증가하는가?

a. 공급전압의 증가
b. 타이밍 저항의 감소

c. UTP의 감소
d. 타이밍 용량의 증가

27. 555 타이머의 출력파형은?

a. 정현파   b. 삼각파
c. 구형파   d. 타원형

28. 펄스폭 변조기에서 일정하게 유지되는 것은?

a. 펄스폭
b. 주기
c. 듀티 사이클
d. 간격

29. 펄스위치 변조기에서 일정하게 유지되는 것은?

a. 펄스폭
b. 주기
c. 듀티 사이클
d. 간격

30. PLL이 입력주파수에 고정될 때, VCO의 주파수는?

a. f_0보다 적다
b. f_0보다 크다
c. f_0와 같다
d. f_{in}과 같다

31. PLL에서 저역통과 필터의 대역폭은 무엇을 결정하는가?

a. 포착범위
b. 고정범위
c. 자주발진주파수
d. 위상차

32. XR-2206의 출력주파수는 무엇으로 변화시킬 수 있는가?

a. 외부저항
b. 외부커패시터
c. 외부전압
d. 상기 모두 아님

33. FSK는 출력의 무엇을 제어하기 위한 방식인가?

a. 함수   b. 진폭
c. 주파수   d. 위상

기본 문제 | Problems

21-2 윈-브리지 발진기

21-1 그림 21-53a의 윈-브리지 발진기는 그림 21-53b의 특성을 갖는 램프를 사용한다. 출력전압은 얼마인가?

21-2 그림 21-53a에서 위치 D는 발진기의 최고의 주파수 범위이다. 연동가변 저항기를 조절하므로 주파수를 변화시킬 수 있다. 이 범위에서 발진의 최소 및 최대 주파수는 얼마인가?

21-3 그림 21-53a의 연동스위치의 각각의 위치에서 최소 및 최대의 발진주파수를 계산하라.

21-4 그림 21-53a의 출력전압을 6 V_{rms}로 변화시키기 위해서는 무엇을 변화시키면 되는가?

21-5 그림 21-53a에서 부귀환을 갖는 증폭기의 차단주파수는 최고 발진주파수보다 적어도 1 디케이드 이상이다. 차단주파수는 얼마인가?

21-3 그 외의 RC 발진기

21-6 그림 21-12의 트윈-티(Twin-T)발진기가 $R = 10$ kΩ, $C = 0.01$ μF를 가진다. 발진주파수는 얼마인가?

(a)

(b)

그림 21-53

그림 21-54

21-7 만일 문제 21-6의 값들이 2배로 되었다면 발진주파수는 어떻게 되겠는가?

21-4 콜피츠 발진기

21-8 그림 21-54에서 직류 에미터전류의 값은 대략 얼마인가? 컬렉터에서 에미터까지의 직류전압은 얼마인가?

21-9 그림 21-54에서 발진주파수는 대략 얼마인가? B의 값은? 또 발진기가 시동될 때 A_v의 최소값은 얼마인가?

21-10 만일 그림 21-54의 발진기를 그림 21-18과 같은 CB증폭기를 얻기 위해 재설계했다면 귀환비는 얼마인가?

21-11 만일 그림 21-54에서 L의 값이 2배가 되었다면, 발진주파수는 얼마인가?

21-12 그림 21-54의 발진주파수를 2배로 하기 위해 인덕턴스는 얼마로 해야 하는가?

21-5 그 외의 *LC* 발진기

21-13 만일 47 pF가 그림 21-54의 10 μH에 직렬로 접속되었다면 회로는 클랩 발진기가 된다. 발진주파수는 얼마인가?

21-14 그림 21-22의 하트레이 발진기가 L_1 = 1 μH, L_2 = 0.2 μH를 가진다. 귀환비는 얼마인가? 만일 C = 1,000 pF라면 발진주파수는? 발진의 시동에 필요한 최소전압이득은?

21-15 암스트롱 발진기가 M = 0.1 μH, L = 3.3 μH를 가진다. 귀환비는 얼마인가? 발진의 시동에 필요한 최소전압이득은 얼마인가?

21-6 수정진동자

21-16 수정이 5 MHz의 기본파 주파수를 가진다. 첫 번째 오버톤 주파수의 값은 대략 얼마인가? 두 번째, 세 번째 오버톤 주파수의 값은 얼마인가?

21-17 수정은 두께 t를 가진다. 만일 t가 1% 감소한다면 주파수에는 어떤 변화가 일어나겠는가?

21-18 수정이 다음과 같은 값을 가진다. L = 1 H, C_s = 0.01 pF, R = 1 kΩ, C_m = 20 pF. 직렬 공진주파수는 얼마인가? 병렬 공진주파수는? 각 주파수에서 Q는?

21-7 555 타이머

21-19 555 타이머가 단안정 동작으로 접속되어있다. 만일 R = 10 kΩ이고 C = 0.047 μF라면, 출력펄스의 폭은 얼마인가?

21-20 그림 21-34 에서 V_{CC} = 10 V, R = 2.2 kΩ, C = 0.2 μF이다. 출력펄스를 발생하기 위한 최소 트리거전압은 얼마인가? 최대 커패시터전압은 얼마인가? 출력펄스의 폭은 얼마인가?

21-8 555 타이머의 비안정 동작

21-21 비안정 555 타이머는 R_1 = 10 kΩ, R_2 = 2 kΩ, C = 0.0022 μF이다. 주파수는 얼마인가?

21-22 그림 21-37의 555 타이머는 R_1 = 20 kΩ, R_2 = 10 kΩ, C = 0.047 μF를 가진다. 출력신호의 주파수는 얼마인가? 듀티사이클은 얼마인가?

21-9 555 회로 응용

21-23 그림 21-41과 같은 펄스폭 변조기는 V_{CC} = 10 V, R = 5.1 kΩ과 C = 1 nF를 가진다. 클럭은 10 kHz의 주파수를 가진다. 만일 변조신호가 1.5 V의 피크값을 갖는다면, 출력펄스의 주기는 얼마인가? 정지펄스폭은 얼마인가? 최소, 최대 펄스폭은 얼마인가? 최소, 최대 듀티 사이클은 얼마인가?

21-24 그림 21-42와 같은 펄스위치 변조기는 V_{CC} = 10 V, R_1 = 1.2 kΩ, R_2 = 1.5 kΩ과 C = 4.7 nF를 가진다. 출력펄스의 정지폭과 주기는 얼마인가? 만일 변조신호가 1.5V의 피크를 가진다면, 최소, 최대 펄스폭은 얼마인가? 펄스간의 간격은 얼마인가?

21-25 그림 21-43의 램프발생기는 0.5 mA의 일정한 컬렉터 전류를 가진다. 만일 V_{CC} = 10 V이고 C = 47 nF라면, 출력 램프의 기울기는 얼마인가? 그 피크값은 얼마인가? 그 계속 시간은 얼마인가?

21-11 함수발생기 IC들

21-26 그림 21-50에서 S_1은 단락되고 R = 20 kΩ, R_3 = 40 kΩ, C = 0.1 μF이다. 핀 2에서 출력파형은 무엇이며, 주파수와 진폭은 얼마인가?

21-27 그림 21-50에서 S1은 개방되고 R = 10 kΩ, R_3 = 40 kΩ, C = 0.01 μF이다. 핀 2에서 출력파형은 무엇이며, 주파수와 진폭은 얼마인가?

21-28 그림 21-51에서 R_1 = 2 kΩ, R_2 = 10 kΩ, C = 0.1 μF이다. 핀 11에서 출력주파수와 듀티 사이클은 얼마인가?

고장 점검 | Troubleshooting

21-29 그림 21-53a의 윈-브리지 발진기의 출력전압이 증가, 감소, 고정으로 측정되었다. 이들 각각에 대한 고장은?

    a. 램프의 개방

    b. 램프의 단락

    c. 상측 전위차계의 단락

    d. 공급전압 20%감소

    e. 10 kΩ 개방

21-30 그림 21-54의 콜피츠 발진기가 시동되지 않는다. 가능한 고장 세 가지 이상을 말해보라.

21-31 증폭기를 설계하여 제작하였다. 입력신호가 증폭은 되었으나 오실로스코프상에서 출력이 희미하게 나타났다. 회로에 손을 대면 희미한 것이 사라지고 완전한 신호가 나타난다. 무엇이 고장이라고 생각하며, 제거할 수 있는 방법은 무엇인가?

응용 문제 | Critical Thinking

21-32 그림 21-53a와 같은 윈-브리지 발진기를 다음의 사양에 맞추어 설계하라. 5 V_{rms}의 출력전압을 가지고 20 Hz에서 20 kHz까지의 3디케이드 주파수범위를 발생시킬 수 있는 발진기.

21-33 그림 21-54에서 2.5 MHz의 발진주파수를 얻기 위한 L의 값을 선택하라.

21-34 그림 21-55에 연산증폭기 위상천이 발진기를 나타내었다. 만일 $f_{2(CL)}$ = 1 kHz라면 15.9 kHz에서의 루프 위상천이는 얼마인가?

21-35 주파수 1 kHz, 듀티사이클 75%로 자주발진(free-runs)하는 555 타이머를 설계하라.

그림 21-55

Multisim 고장 점검 문제 | Multisim Troubleshooting Problems

멀티심 고장 점검 파일들은 *Connect for Electronic Principles* 저자 자료에 멀티심 고장 점검 회로(MTC)라는 폴더에서 찾을 수 있다. 좀 더 자세한 내용은 xiv페이지를 참조하라. 이 장에 관련된 파일은 MTC21-36~MTC21-40로 명칭되어 있고 모두 그림 21-37의 회로를 바탕으로 한다.

  각 파일을 열고 고장 점검을 실시한다. 결함이 있는지 결정하기 위해 측정을 실시하고 결함이라면 무엇인지를 찾아라.

21-36 MTC21-36 파일을 열고 고장 점검을 실시하라.

21-37 MTC21-37 파일을 열고 고장 점검을 실시하라.

21-38 MTC21-38 파일을 열고 고장 점검을 실시하라.

21-39 MTC21-39 파일을 열고 고장 점검을 실시하라.

21-40 MTC21-40 파일을 열고 고장 점검을 실시하라.

디지털/아날로그 실습 시스템 | Digital/Analog Trainer System

21-41부터 21-45까지의 질문들은 **전자회로를 위한 연결(Connect for Electronic Principles)** 메뉴의 강사 자료 부분에 있는 디지털/아날로그 트레이너 시스템의 개략도에 관한 것이다. 모델명 XK-700 트레이너를 위한 전체 사용 설명서는 www.elenco.com에 있다.

21-41 개략도과 같이 SW3가 설정하면, LM318 (U10)에 전송하는 XR2206은 어떤 유형의 신호인가?

21-42 10 μF 콘덴서 C_{22}에 SW2가 연결되어있을 때, 무엇이 출력 주파수와 같아야 하는가?

21-43 적절한 출력 주파수를 얻기 위하여 RV_7을 대략 어떤 값으로 조정되어야 하는가?

21-44 XR2206로부터 LM318 (U10)으로 보내어지는 신호레벨을 결정하는 두 조정자는 무엇인가?

21-45 XR2206의 어떤 핀이 구형파 신호를 출력하고 어디로 그 신호가 가는가?

직무 면접 문제 | Job Interview Questions

1. 입력신호 없이 출력신호를 발생하는 정현파 발진기는 어떻게 동작하는가?

2. 5 Hz에서 1 MHz까지의 범위에서 많은 응용에 사용되는 발진기는 무엇인가? 왜 출력이 클립되기 보다는 오히려 정현파인가?

3. 1에서 500 MHz까지의 범위에서 가장 흔히 사용되는 발진기의 형은 무엇인가?

4. 정밀하고 신뢰성 있는 주파수 발진을 발생시키기 위해서는 어떤 종류의 발진기가 가장 많이 사용되는가?

5. 555 타이머는 타이머로서 일반응용에 널리 사용된다. 단안정과 비안정 멀티바이브레이터의 회로구성 간의 차이는 무엇인가?

6. PLL의 간단한 도식도(block diagram)을 그리고, 입력되는 주파수에 대해 고정을 유지시키는 방법의 기본개념을 설명하라.

7. 펄스폭 변조는 무엇을 의미하는가? 펄스 위치 변조는 무엇을 의미하는가? 파형을 그리면서 예를 들어 설명하라.

8. 3단 증폭기를 제작했다고 가정하자. 이를 시험하던 중 입력신호 없이 출력신호가 발생됨을 발견했다. 이것이 어떻게 가능한지 설명하라. 원치 않는 신호를 제거할 수 있는 방법 몇 가지를 말하라.

9. 만일 입력신호가 없다면 발진기의 시동은 어떻게 하는가?

복습 문제 해답 | Self-Test Answers

1.	a	12.	d	23.	d
2.	b	13.	c	24.	b
3.	a	14.	b	25.	a
4.	c	15.	a	26.	d
5.	b	16.	b	27.	c
6.	a	17.	b	28.	b
7.	c	18.	d	29.	d
8.	d	19.	b	30.	d
9.	a	20.	d	31.	a
10.	b	21.	b	32.	d
11.	b	22.	a	33.	c

연습 문제 해답 | Practice Problem Answers

21-1 $R = 14.9 \text{ k}\Omega$

21-2 $R_{lamp} = 1.5 \text{ k}\Omega; I_{lamp} = 2 \text{ mA};$
$v_{out} = 9 \text{ V}_{rms}$

21-3 $L = 28 \text{ }\mu\text{H}$

21-4 $C = 106 \text{ pF}; f_r = 4 \text{ MHz}$

21-5 $f_S = 291 \text{ kHz}; f_p = 292 \text{ kHz}$

21-6 LPT = 5 V; UTP = 10 V;
$W = 51.7 \text{ ms}$

21-8 $f = 136 \text{ Hz}; D = 0.667 \text{ or } 66.7\%$

21-9 $W = 3.42 \text{ ms}; T = 4.4 \text{ ms};$
$D = 0.778; f = 227 \text{ Hz}$

21-10 $W_{max} = 146.5 \text{ }\mu\text{s}; D_{max} = 0.366$

21-12 $S = 5 \text{ V/ms}; V = 8 \text{ V}; T = 1.6 \text{ ms}$

21-13 21-13핀 2에서 삼각파.
핀 11에서 삼각파.
두 파형의 주파수는 모두 500 Hz

21-14 $f = 2.5 \text{ kHz}; D = 0.5$

제너다이오드로 간단한 전압안정기를 제작할 수 있다. 지금 우리는 전압안정을 개선하기 위한 부귀환의 사용에 대한 설명을 원한다. 이 설명은 선형영역에서 동작하는, 여러 종류의 안정화 소자가 포함된 선형안정기로부터 시작한다. 선형안정기로는 분로형과 직렬형의 두 가지 형식이 있다. 이 장에서는 전력효율을 개선하기 위해, 안정화소자를 전도(on)와 차단(off)하는 스위치 형식인 스위칭 전원안정기로 마무리한다.

주요용어 | Vocabulary

IC 전압안정기(IC voltage regulator)
고주파 간섭(radio-frequency interference: RFI)
단락회로보호 (short-circuit protection)
드롭아웃 전압(dropout voltage)
벅-부스터 안정기 (buck-boost reglator)
벅안정기(buck regulator)
부스트안정기(boost regulator)
부하안정(load regulation)

분로(병렬)형 안정기(shunt regulator)
스위칭 전원안정기 (switching regulator)
열차단(thermal shutdown)
외부설치 트랜지스터 (outboard transistor)
위상분할기(phase splitter)
전력선 안정(line regulation)
전류-감지 저항 (current-sensing resistor)
전류부스터(current booster)

전류제한(current limiting)
전자적 간섭(electromagnetic interference: EMI)
직류-직류 변환기 (dc-to-dc converter)
토폴로지(topology: 형식)
통과 트랜지스터(pass transistor)
폴드백 전류제한 (foldback current limiting)
헤드룸 전압(headroom voltage)

22-1 공급전원의 특성

공급전원의 질은 부하안정, 전력선안정 및 출력저항에 의존한다. 이 절에서는 이러한 것들이 데이터시트의 공급전원 사양에 흔히 제공되고 있기 때문에 이 특성들에 대해 먼저 고찰해보기로 한다.

부하안정

그림 22-1에 커패시터-입력 필터를 가지는 브리지 정류기를 나타내었다. 부하저항이 변하면 부하전압이 변화할 것이다. 만일 부하저항이 감소하면 트랜스의 권선과 다이오드 양단에 더 많은 리플과 부가적인 전압강하가 주어진다. 이 때문에 항상 부하전류는 증가하고 부하전압은 감소한다.

　　부하안정(Load regulation)은 부하전류가 변화할 때 부하전압이 얼마만큼 변화하는가를 나타낸다. 부하안정을 정의하면,

$$\text{부하안정} = \frac{V_{NL} - V_{FL}}{V_{FL}} \times 100\% \qquad\qquad (22\text{-}1)$$

V_{NL} = 무부하(no load) 전류에서의 부하전압
V_{FL} = 전부하(full load) 전류에서의 부하전압

이 정의에서 V_{NL}은 부하전류가 0일 때 발생하고, V_{FL}은 부하전류가 설계상 최대값일 때 발생한다. 예를 들어, 그림 22-1의 공급전원이 다음의 값을 갖는다고 가정하자.

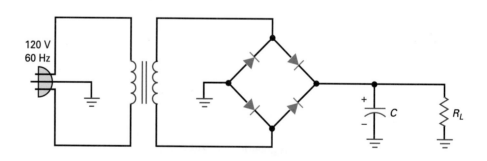

그림 22-1 커패시터–입력 필터를 가지는 공급전원

$I_L = 0$ A에서 $V_{NL} = 10.6$ V

$I_L = 1$ A에서 $V_{FL} = 9.25$ V

이때 부하안정은 식 (22-1)에서,

$$부하안정 = \frac{10.6\,V - 9.25\,V}{9.25\,V} \times 100\% = 14.6\%$$

부하안정이 적을수록 공급전원은 더 우수하다. 예를 들어, 정말 안정된 공급전원은 1% 이하의 부하안정을 가진다. 이것은 부하전류의 전체 범위에 걸쳐 부하전압의 변화가 1% 이하임을 의미한다.

전력선 안정

그림 22-1에서 입력 선전압은 120 V의 정상값을 가진다. 그러나 실제전압은 하루의 시간, 지역 및 그 외의 요인에 의해 105 V~125 Vrms까지 변화하면서 변전소로부터 유입되게 된다. 2차전압은 선전압에 직접 비례하므로 그림 22-1에서 부하전압은 선전압이 변화하면 따라서 변화하게 된다.

공급전원의 질을 사양에 나타내는 또 다른 방법은 다음과 같이 정의되는 **전력선 안정**(line regulation)이다.

$$전력선\ 안정 = \frac{V_{HL} - V_{LL}}{V_{LL}} \times 100\% \qquad (22\text{-}2)$$

V_{HL} = 높은 선전압에서의 부하전압

V_{LL} = 낮은 선전압에서의 부하전압

예를 들어, 그림 22-1에서 측정된 공급전원의 값이 다음과 같다고 가정하자.

선전압 = 105 V rms에서 VLL = 9.2 V

선전압 = 125 V rms에서 VHL = 11.2 V

이때 전원선 안정은 식 (22-2)로부터,

$$전력선\ 안정 = \frac{11.2\,V - 9.2\,V}{9.2\,V} \times 100\% = 21.7\%$$

부하안정과 같이 전력선 안정도 작을수록 공급전원이 더 우수하다. 예를 들어, 정말 안정화된 공급전원은 0.1% 이하의 전력선 안정을 가진다. 이것은 선전압이 105 V~125 V_{rms}로 변할 때 부하전압은 0.1% 이하의 변화를 가짐을 나타낸다.

출력저항

공급전원의 Thevenin 또는 출력저항은 부하안정을 결정한다. 만일 공급전원이 작은 출력저항을 가지면 부하안정 또한 낮다. 다음 식은 출력저항을 계산하는 한 방식이다.

$$R_{TH} = \frac{V_{NL} - V_{FL}}{I_{FL}} \qquad (22\text{-}3)$$

참고 사항

식 (22-3)은 다음과 같이 표현 할 수 있다.

$$R_{TH} = \frac{V_{NL} - V_{FL}}{V_{FL}} \times R_L$$

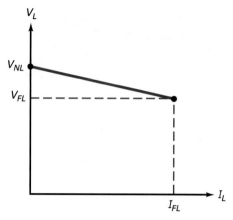

그림 22-2 부하전류 대 부하전압의 그래프

예를 들어, 그림 22-1에 대해 앞서 주어진 값이 다음과 같다.

$$I_L = 0 \text{ A에서 } V_{NL} = 10.6 \text{ V}$$

$$I_L = 1 \text{ A에서 } V_{FL} = 9.25 \text{ V}$$

이와 같은 공급전원에서 출력저항은 다음과 같다.

$$R_{TH} = \frac{10.6 \text{ V} - 9.25 \text{ V}}{1 \text{ A}} = 1.35 \text{ } \Omega$$

그림 22-2에 부하전류에 대한 부하전압의 그래프를 나타내었다. 이 그림에서 볼 수 있듯이 부하전류가 증가할 때 부하전압은 감소한다. 부하전압의 변화($V_{NL} - V_{FL}$)를 전류의 변화(I_{FL})로 나눈 값이 공급전원의 출력저항과 같다. 출력저항은 이 그래프의 기울기와 관련된다. 그래프가 수평으로 주어질수록 출력저항은 더 적어진다.

그림 22-2에서 부하저항이 최소일 때 최대 부하전류 I_{FL}이 발생한다. 이 때문에 부하안정에 대한 등가적인 표현은 다음과 같다.

$$\text{부하안정} = \frac{R_{TH}}{R_{L(\min)}} \times 100\% \tag{22-4}$$

예를 들어, 만일 공급전원이 1.5 V의 출력저항을 가지고 최소 부하저항이 10 V이라면, 부하안정은 다음과 같다.

$$\text{부하안정} = \frac{1.5 \text{ } \Omega}{10 \text{ } \Omega} \times 100\% = 15\%$$

22-2 분로(병렬)형 안정기

불안정한 공급전원의 전력선 안정과 부하안정은 대부분의 응용에서 너무나 크다. 공급전원과 부하 사이에 전압안정기(voltage regulator)를 사용하므로 전력선 안정과 부하안정을 크게 개선할 수 있다. 선형 전압안정기는 일정한 부하전압을 유지하기 위해 소자

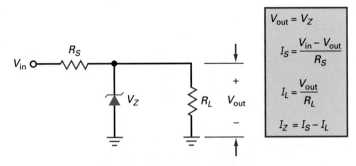

그림 22-3 분로형 안정기인 제너안정기

를 선형영역에서 동작시켜 사용한다. 선형안정기(linear regulator)의 기본형은 분로형과 직렬형의 두 종류가 있다. 분로형에서는 안정화시키는 소자를 부하에 병렬로 삽입한다.

제너안정기

그림 22-3의 제너다이오드 회로는 가장 간단한 **분로형 안정기**(shunt regulator)이다. 제너다이오드는 제너전압과 같은 출력전압을 발생하는 항복영역에서 동작한다. 부하전류가 변화되었을 때 R_S를 흐르는 전류를 일정하게 유지하기 위해 제너전류는 증가 또는 감소한다. 어떠한 분로형 안정기라도 부하전류의 변화는 분로전류의 변화와 반대가 되어 상호 보완된다. 만일 부하전류가 1 mA 증가하면 분로전류는 1 mA 감소한다. 역으로 만일 부하전류가 1 mA 감소하면 분로전류는 1 mA 증가한다.

그림 22-3에서 보다시피, 직렬저항을 흐르는 전류의 식은 다음과 같다.

$$I_S = \frac{V_{in} - V_{out}}{R_S}$$

이 직렬전류는 분로형 안정기에서 **입력전류**와 같다. 입력전압이 일정할 때 부하전류가 변화하더라도 입력전류는 거의 일정하다. 이것은 어떤 분로형 안정기에서나 알 수 있는 상태이다. 부하전류의 변화는 입력전류에 거의 영향을 미치지 않는다.

마지막으로, 그림 22-3에서 안정기가 갖는 최대 부하전류는 제너전류가 거의 0일 때 발생한다. 그러므로 그림 22-3에서 최대 부하전류는 입력전류와 같다. 이것은 모든 분로형 안정기에서 같다. 안정화된 출력전압을 가지는 최대 부하전류는 입력전류와 같다.

제너전압 더하기 다이오드 한 개의 전압강하

부하전류가 커졌을 때, 제너저항을 통하는 전류의 변화가 출력전압을 크게 변화시키기 때문에 그림 22-3과 같은 제너안정기의 부하안정은 나빠진다(증가). 더 큰 부하전류에서 부하안정을 개선하기 위한 한 방법은 그림 22-4와 같이 회로에 트랜지스터를 부가하는 것이다. 이 분로형 안정기에서 부하전압은 다음과 같다.

$$V_{out} = V_Z + V_{BE} \tag{22-5}$$

여기서 이 회로가 어떻게 출력전압을 일정하게 유지하는지에 대해 알아보자. 만일 출력전압이 증가하면, 이 증가는 제너다이오드를 통해 트랜지스터의 베이스로 결합

참고 사항

그림 22-3에서 제너전류가 변화할 때, V_{out}이 약간 변한다는 것은 중요하므로 기억해야 한다. V_{out}에서의 변화는 $\Delta V_{out} = \Delta I_Z R_Z$로 정의할 수 있고, 여기서 R_Z는 제너임피던스를 나타낸다.

그림 22-4   개선된 분로형 안정기

된다. 큰 베이스전압은 R_S를 통하는 큰 컬렉터전류를 발생시킨다. R_S양단의 큰 전압은 증가하려는 대부분의 출력전압을 오프셋할 것이다. 극히 큰 변화만이 부하전압을 약간 증가시킬 것이다.

역으로 만일 출력전압이 감소하면 베이스로 귀환한 전압은 컬렉터전류를 감소시키고 R_S양단 전압강하 이하가 된다. 다시 출력전압이 변하려고 하면 직렬저항 양단의 전압이 반대로 변화하여 오프셋된다. 이때에도 현저히 큰 변화만이 출력전압을 약간 감소시킨다.

큰 출력전압

그림 22-5에 또 다른 분로형 안정기를 나타내었다. 이 회로는 낮은 온도계수 제너전압 (5에서 6 V 사이)에 사용할 수 있다는 이점이 있다. 안정된 출력전압은 제너다이오드와 거의 같은 온도계수를 가지나 전압은 더 높아질 것이다.

부귀환은 앞서 설명한 안정기에서와 흡사하다. 출력전압에 어떤 변화가 주어져도 트랜지스터로 귀환하여 변화되는 출력전압을 거의 완벽하게 오프셋한다. 그 결과 출력전압은 부귀환이 없는 경우에 비해 훨씬 적게 변화된다.

베이스전압은 다음과 같이 주어진다.

$$V_B \cong \frac{R_1}{R_1 + R_2} V_{out}$$

이것은 전압분배기의 베이스전류의 부하효과를 포함하지 않았기 때문에 근사치이다. 일반적으로 베이스전류는 충분히 적기 때문에 무시한다. 위의 식에서 출력전압을 구해보면,

그림 22-5   높은 출력을 갖는 분로형 안정기

$$V_{out} \cong \frac{R_1 + R_2}{R_1} V_B$$

이다. 그림 22-5에서 베이스전압은 제너전압과 다이오드 하나의 V_{BE}의 합이다.

$$V_B = V_Z + V_{BE}$$

이를 위의 식에 대입하면, 출력전압은 다음과 같다.

$$V_{out} \cong \frac{R_1 + R_2}{R_1} (V_Z + V_{BE}) \qquad (22\text{-}6)$$

그림 22-5에 회로를 해석하기 위한 식을 나타내었다. 컬렉터전류에 대한 식은 전압분배기(R_1과 R_2)를 통하는 전류를 포함하지 않았기 때문에 근사치이다. 안정기의 효율을 가능한 한 높게 유지하기 위해, 설계 시에는 일반적으로 R_1과 R_2를 부하저항보다 훨씬 크게 한다. 그 결과 전압분배기를 통하는 전류는 항상 충분히 적으므로 앞서의 해석에서와 같이 무시한다.

이 안정기의 단점은 V_{BE}에서의 변화까지도 출력전압의 변화로 바뀐다는 것이다. 그림 22-5의 회로는 비록 간단한 응용에서는 유용하나 개선해야 한다.

개선된 안정

출력전압의 V_{BE}의 효과를 감소시키는 한 방법으로 그림 22-6의 분로형 안정기를 사용한다. 제너다이오드는 일정한 전압으로 연산증폭기의 반전입력을 고정시킨다. R_1과 R_2로 구성된 전압분배기는 부하전압을 샘플하고 비반전입력으로 귀환전압을 되돌린다. 연산증폭기의 출력은 분로트랜지스터의 베이스를 구동한다. 부귀환 때문에 출력전압은 전력선과 부하의 변화에도 불구하고 거의 일정치를 유지한다.

예를 들어 만일 부하전압이 증가하면 비반전입력으로 귀환신호가 증가한다. 연산증폭기의 출력은 베이스를 강하게 구동하고 컬렉터전류를 증가시킨다. R_S를 통하는 큰 컬렉터전류는 R_S양단에 큰 전압을 발생시키고, 증가하려는 대부분의 부하전압을 오프셋한다. 부하전압이 감소하려고 할 때도 비슷한 보정이 발생된다. 간단히 말해 변화하려는 어떠한 출력전압도 부귀환에 의해 오프셋된다.

그림 22-6에서 연산증폭기의 높은 전압이득은 식 (22-6)의 V_{BE}를 무시한다. 이

그림 22-6 큰 부귀환을 가지는 분로형 안정기

전 장에서 설명한 능동다이오드 회로와 유사한 상황이다. 이 때문에 부하전압은 다음과 같이 주어진다.

$$V_{\text{out}} = \frac{R_1 + R_2}{R_1} V_Z \tag{22-7}$$

단락회로 보호

분로형 안정기의 이점 중 하나는 **단락회로 보호**(short-circuit protection)로 제작된다는 것이다. 예를 들어 만일 그림 22-6에서 부하단자 양단을 고의로 단락하더라도 분로형 안정기내의 어떤 부품도 손상을 입지 않는다. 이 때 입력전류는 다음과 같이 증가한다.

$$I_S = \frac{V_{\text{in}}}{R_S}$$

이 전류는 일반적인 분로형 안정기 내의 어떤 부품이라도 파손시킬 만큼 충분히 크지는 않다.

효율

서로 달리 설계된 안정기를 비교하는 한 방법으로 다음과 같이 정의되는 **효율**(*efficiency*)을 사용한다.

$$효율 = \frac{P_{\text{out}}}{P_{\text{in}}} \times 100\% \tag{22-8}$$

여기서 P_{out}은 부하전력($V_{\text{out}} I_L$)이고, P_{in}은 입력전력($V_{\text{in}} I_{\text{in}}$)이다. P_{in}과 P_{out}의 차는 P_{reg}이고, 안정기에서의 전력손실 성분이다.

$$P_{\text{reg}} = P_{\text{in}} - P_{\text{out}}$$

그림 22-4에서 22-6까지의 분로형 안정기에서는 R_S와 트랜지스터에서의 전력손실이 안정기에서 일어나는 전력손실의 대부분이다.

예제 22-1 |||| Multisim

그림 22-4에서 $V_{\text{in}} = 15$ V, $R_S = 10$ Ω, $V_Z = 9.1$ V, $V_{BE} = 0.8$ V이고 $R_L = 40$ Ω이다. 출력전압, 입력전류, 부하전류 및 컬렉터전류는 얼마인가?

풀이
그림 22-4의 식으로부터 다음과 같이 계산할 수 있다.

$$V_{\text{out}} = V_Z + V_{BE} = 9.1 \text{ V} + 0.8 \text{ V} = 9.9 \text{ V}$$

$$I_S = \frac{V_{\text{in}} - V_{\text{out}}}{R_S} = \frac{15 \text{ V} - 9.9 \text{ V}}{10 \text{ Ω}} = 510 \text{ mA}$$

$$I_L = \frac{V_{\text{out}}}{R_L} = \frac{9.9 \text{ V}}{40 \text{ }\Omega} = 248 \text{ mA}$$

$$I_C \cong I_S - I_L = 510 \text{ mA} - 248 \text{ mA} = 262 \text{ mA}$$

연습 문제 22-1 $V_{\text{in}} = 12$ V와 $V_Z = 6.8$ V로 하여 예제 22-1을 반복하라.

예제 22-2

그림 22-5의 분로형 안정기는 다음의 값을 갖는다. 즉, $V_{\text{in}} = 15$ V, $R_S = 10 \text{ }\Omega$, $V_Z = 6.2$ V, $V_{BE} = 0.81$ V, and $R_L = 40 \text{ }\Omega$. 만일 $R_1 = 750 \text{ }\Omega$과 $R_2 = 250 \text{ }\Omega$이라면, 출력전압, 입력전류, 부하전류 및 컬렉터전류는 대략 얼마인가?

풀이

그림 22-5의 식으로부터

$$V_{\text{out}} \cong \frac{R_1 + R_2}{R_1}(V_Z + V_{BE})$$

$$= \frac{750 \text{ }\Omega + 250 \text{ }\Omega}{750 \text{ }\Omega}(6.2 \text{ V} + 0.81 \text{ V}) = 9.35 \text{ V}$$

정확한 출력전압은 R_2를 통하는 베이스전류 때문에 이 값보다 약간 더 클 것이다. 근사 전류치는,

$$I_S = \frac{V_{\text{in}} - V_{\text{out}}}{R_S} = \frac{15 \text{ V} - 9.35 \text{ V}}{10 \text{ }\Omega} = 565 \text{ mA}$$

$$I_L = \frac{V_{\text{out}}}{R_L} = \frac{9.35 \text{ V}}{40 \text{ }\Omega} = 234 \text{ mA}$$

$$I_C \cong I_S - I_L = 565 \text{ mA} - 234 \text{ mA} = 331 \text{ mA}$$

연습 문제 22-2 $V_Z = 7.5$ V로 하여 예제 22-2를 반복하라.

예제 22-3

앞의 예제에서 효율은 대략 얼마인가? 안정기에서 전력소비는 얼마인가?

풀이

부하전압은 약 9.35 V였고, 부하전류는 약 234 mA였다. 부하전력은,

$$P_{\text{out}} = V_{\text{out}}I_L = (9.35 \text{ V})(234 \text{ mA}) = 2.19 \text{ W}$$

이고, 그림 22-5에서 입력전류는 다음과 같다.

$$I_{\text{in}} = I_S + I_3$$

잘 설계된 모든 분로형 안정기에서는 효율을 높게 유지하기 위해 I_3는 I_S보다 훨씬 크게 되도록 한다. 그러므로 입력전력은,

$$P_{in} = V_{in}I_{in} \cong V_{in}I_S = (15 \text{ V})(565 \text{ mA}) = 8.48 \text{ W}$$

이고, 안정기의 효율은 다음과 같다.

$$\text{효율} = \frac{P_{out}}{P_{in}} \times 100\% = \frac{2.19 \text{ W}}{8.48 \text{ W}} \times 100\% = 25.8\%$$

이 효율은 뒤에서 설명할 다른 안정기(직렬형 안정기나 스위칭 전원안정기)의 효율과 비교할 때 낮다. 이 저효율이 분로형 안정기의 단점 중 하나이다. 저효율은 직렬저항과 분로트랜지스터에서의 전력소비 때문에 발생하는데 이 전력소비는,

$$P_{reg} = P_{in} - P_{out} \cong 8.48 \text{ W} - 2.19 \text{ W} = 6.29 \text{ W}$$

연습 문제 22-3 $V_Z = 7.5$ V로 하여 예제 22-3을 반복하라.

예제 22-4

그림 22-6의 분로형 안정기는 다음의 회로 값을 가진다. 즉 $V_{in} = 15$ V, $R_S = 10 \, \Omega$, $V_Z = 6.8$ V, $R_L = 40 \, \Omega$. 만일 $R_1 = 7.5$ kΩ, $R_2 = 2.5$ kΩ이라면, 출력전압, 입력전류, 부하전류 및 컬렉터전류의 근사치는 얼마인가?

풀이

그림 22-6의 식에서 다음 식을 얻을 수 있다.

$$V_{out} \cong \frac{R_1 + R_2}{R_1} V_Z = \frac{7.5 \text{ k}\Omega + 2.5 \text{ k}\Omega}{7.5 \text{ k}\Omega} (6.8 \text{ V}) = 9.07 \text{ V}$$

$$I_S = \frac{V_{in} - V_{out}}{R_S} = \frac{15 \text{ V} - 9.07 \text{ V}}{10 \, \Omega} = 593 \text{ mA}$$

$$I_L = \frac{V_{out}}{R_L} = \frac{9.07 \text{ V}}{40 \, \Omega} = 227 \text{ mA}$$

$$I_C \cong I_S - I_L = 593 \text{ mA} - 227 \text{ mA} = 366 \text{ mA}$$

연습 문제 22-4 예제 22-4에서 V_{in}을 12 V로 바꾸고, 트랜지스터의 컬렉터전류와 R_S에 의한 소비전력을 근사계산하라.

예제 22-5

예제 22-1, 22-2 및 22-4에서 최대 부하전류를 계산하라.

풀이

앞서 설명했듯이, 어떤 분로형 안정기라도 최대 부하전류는 R_S를 흐르는 전류와 거의 같다. 예제 22-1, 22-2 및 22-4에서는 이미 계산했기 때문에 최대 부하전류는 다음과 같다.

$$I_{max} = 510 \text{ mA}$$

$$I_{max} = 565 \text{ mA}$$

$$I_{max} = 593 \text{ mA}$$

예제 22-6

그림 22-5의 분로형 안정기를 제작하여 측정한 결과, 다음의 측정치가 주어졌다. 즉 V_{NL} = 9.91 V, V_{FL} = 9.81 V, V_{HL} = 9.94 V, V_{LL} = 9.79 V. 부하안정은 얼마인가? 전력선 안정은 얼마인가?

풀이

$$\text{부하안정} = \frac{9.91 \text{ V} - 9.81 \text{ V}}{9.81 \text{ V}} \times 100\% = 1.02\%$$

$$\text{전력선 안정} = \frac{9.94 \text{ V} - 9.79 \text{ V}}{9.79 \text{ V}} \times 100\% = 1.53\%$$

연습 문제 22-6　다음 값을 사용하여 예제 22-6을 반복하라. V_{NL} = 9.91 V, V_{FL} = 9.70 V, V_{HL} = 10.0 V, V_{LL} = 9.68 V

22-3　직렬형 안정기

분로형 안정기의 단점은 직렬저항과 분로트랜지스터에서의 큰 전력손실 때문에 발생되는 저효율이다. 효율이 중요하지 않을 때는 단순하다는 이점을 가지고 있기 때문에 분로형 안정기를 사용하기도 한다.

더 좋은 효율

효율이 중요시 될 때는 직렬형 안정기(series regulator)나 스위칭 전원안정기(swit- ching regulator)를 사용한다. 스위칭 전원안정기는 모든 전압안정기 중에서 가장 효율이 좋다. 이것은 전부하(full-load) 효율을 약 75에서 95% 이상 가진다. 그러나 스위칭 전원안정기는 약 10에서 100 kHz 이상의 주파수에서 트랜지스터의 전도(on)와 차단(off) 스위칭이 발생하여 **고주파 간섭**(radio-frequency interference: RFI)이 발생하기 때문에 잡음이 크다. 스위칭 전원안정기의 또 다른 단점은 설계 및 제작에 있어 가장 복잡하다는 것이다.

　　한편, 직렬형 안정기는 트랜지스터가 항상 선형영역에서 동작하기 때문에 잡음이 적다. 또한 직렬형 안정기는 스위칭 전원안정기에 비해 설계 및 제작이 비교적 간단하다.

그림 22-7 직렬형 안정기인 제너 폴로어

마지막으로 직렬형 안정기는 10 W 이하의 부하전력을 사용하는 대부분의 응용에서 충분한 50에서 70%까지의 전부하 효율을 가진다.

이러한 이유 때문에 직렬형 안정기는 부하전력이 너무 큰 것이 필요치 않은 대부분의 응용에서 가장 선호하는 방식이다. 직렬형 안정기는 비교적 간단하고 잡음이 적은 동작을 하며 트랜지스터의 전력소비도 적당하므로 대부분의 응용에서 쉽게 선택한다. 이 절의 나머지부분에서는 직렬형 안정기에 대해 설명하겠다.

제너 폴로어

가장 간단한 직렬형 안정기는 그림 22-7의 제너 폴로어(zener follower)이다. 이전 장에서 설명했듯이, 제너 다이오드는 제너전압과 같은 베이스전압을 발생하는 항복영역에서 동작한다. 트랜지스터는 에미터폴로어로 접속되어 있다. 그러므로 부하전압은 다음과 같다.

$$V_{out} = V_Z - V_{BE} \tag{22-9}$$

만일 선전압 또는 부하전류가 변하면, 제너전압과 베이스-에미터간 전압은 아주 작게 변할 것이다. 이 때문에 선전압 또는 부하전류의 큰 변화에 대해 출력전압은 아주 작은 변화를 보일 것이다.

직렬형 안정기에서 R_S를 흐르는 전류는 너무 적어 무시할 수 있기 때문에 부하전류는 거의 입력전류와 같다. 직렬형 안정기의 트랜지스터는 모든 부하전류가 이 트랜지스터를 통해 흐르기 때문에 **통과 트랜지스터**(pass transistor)라고 부른다.

직렬형 안정기는 직렬저항 대신 통과트랜지스터를 가지기 때문에 분로형 안정기보다 큰 효율을 가진다. 이것은 트랜지스터에서의 전력 손실밖에 없다. 큰 부하전류가 필요할 때 분로형 안정기보다 직렬형 안정기를 더 선호하는 주된 이유 중 하나는 큰 효율이다.

상기해 보면, 분로형 안정기는 부하전류가 변할 때 일정한 입력전류를 가졌다. 직렬형 안정기는 입력전류가 부하전류와 거의 같기 때문에 다르다. 직렬형 안정기에서 부하전류가 변할 때 입력전류는 같은 양만큼 변한다. 이것이 설계시 분로형과 직렬형 안정기에서 무엇이 어떻게 변화하는지 알아야 할 사항이다. 분로형 안정기에서는 부하전류가 변할 때 입력전류는 일정한 반면 직렬형 안정기에서는 부하전류가 변할 때 입력전류도 변한다.

두 개의 트랜지스터를 이용한 안정기

그림 22-8에 2개의 트랜지스터를 사용한 직렬형 안정기를 나타내었다. 만일 선전압의 증가 또는 부하저항의 증가 때문에 V_{out}이 증가하려고 하면, Q_1의 베이스로 더 큰 전압

이 귀환된다. 이것은 R_4를 통하는 더 큰 Q_1의 컬렉터전류와 Q_2에 더 작은 베이스전압을 발생시킨다. Q_2에 미터 폴로어의 감소된 베이스전압은 출력전압이 증가하려는 모든 것을 거의 오프셋시킨다.

마찬가지로 만일 선전압의 감소나 부하저항의 감소 때문에 출력전압이 감소하려고 하면 Q_1의 베이스에서의 귀환전압이 적게 된다. 이것은 출력전압의 증가로 Q_2에 더 큰 베이스전압을 발생시키고 출력전압이 감소하려는 경향을 거의 완벽하게 오프셋시킨다. 최종 효과는 출력전압의 약간의 감소뿐이다.

출력전압

그림 22-8의 출력전압은 다음과 같다.

$$V_{out} = \frac{R_1 + R_2}{R_1}(V_Z + V_{BE}) \tag{22-10}$$

그림 22-8과 같은 직렬형 안정기에서 온도계수가 거의 0일 때 적은 제너전압(5에서 6 V)을 사용할 수 있다. 출력전압은 제너전압과 거의 같은 온도계수를 갖는다.

헤드룸 전압, 전력소비 및 효율

그림 22-8에서 **헤드룸 전압**(headroom voltage)은 입력과 출력전압의 차로 정의한다.

$$\text{헤드룸 전압} = V_{in} - V_{out} \tag{22-11}$$

그림 22-8의 통과트랜지스터를 지나는 전류는 다음과 같다.

$$I_C = I_L + I_2$$

여기서 I_2는 R_2를 흐르는 전류이다. 효율을 높게 유지하기 위해서는 설계 시 I_2를 전부하값인 I_L보다 훨씬 작게 해야 할 것이다. 따라서 큰 부하전류에 대해 I_2를 무시할 수 있으므로,

$$I_C \cong I_L$$

그림 22-8 개별소자를 사용한 직렬형 안정기

큰 부하전류에서 통과트랜지스터의 전력소비는 헤드룸 전압과 부하전류의 곱으로 주어진다.

$$P_D \cong (V_{in} - V_{out})I_L \qquad\qquad (22\text{-}12)$$

어떠한 직렬형 안정기에서도 통과트랜지스터의 전력소비는 매우 크다. 이때는 큰 방열판(heat sink)을 사용한다. 때로는 밀착된 설비내의 과잉 열을 제거하기 위해 팬(fan)을 필요로 한다.

전부하 전류에서 대부분 안정기의 전력소비는 통과트랜지스터에서 발생한 것이다. 통과트랜지스터의 전류는 부하전류와 거의 같고, 효율은 다음과 같이 주어진다.

$$\text{효율} \cong \frac{V_{out}}{V_{in}} \times 100\% \qquad\qquad (22\text{-}13)$$

이 근사에서 출력전압과 입력전압이 거의 같을 때 최대효율이 발생한다. 헤드룸 전압이 적을수록 효율은 더 좋아진다.

직렬형 안정기의 동작을 개선하기 위해 통과트랜지스터 대신에 가끔 다아링톤 접속이 사용되기도 한다. 이것은 전력트랜지스터를 구동하는데, 저전력 트랜지스터의 사용이 가능하다. 다아링톤 접속은 효율을 개선하기 위해 R_1에서 R_4까지의 큰 저항값을 사용하는 것이 허용된다.

개선된 안정

그림 22-9은 더 좋은 안정을 얻기 위해 연산증폭기를 어떻게 사용할 수 있는지를 보여준다. 만일 출력전압이 증가하면 더 큰 전압이 반전입력으로 귀환된다. 이것은 연산증폭기의 출력과 통과트랜지스터의 베이스전압 및 출력전압의 증가경향을 감소시킨다. 만일 출력전압이 감소할려고 하면 연산증폭기로 적은 전압이 귀환되어 통과트랜지스터의 베이스전압을 증가시키므로 출력전압의 감소경향을 거의 완벽하게 오프셋한다.

연산증폭기의 높은 전압이득이 방정식에서 V_{BE}가 무시하는 것을 제외하고는, 출력 전압의 유도는 그림 22-8의 안정기에서와 거의 같다. 이 때문에 부하전압은 다음과 같이 주어진다.

그림 22-9 큰 부귀환을 가지는 직렬형 안정기

$$V_{out} = \frac{R_1 + R_2}{R_1} V_Z \qquad\qquad\qquad (22\text{-}14)$$

그림 22-9에서 연산증폭기는 다음과 같은 폐루프 전압이득을 가지는 비반전 증폭기로 사용된다.

$$A_{v(CL)} = \frac{R_2}{R_1} + 1 \qquad\qquad\qquad (22\text{-}15)$$

증폭된 입력전압은 제너전압이다. 이것이 흔히 식 (22-14)를 다음과 같이 적는 이유이다.

$$V_{out} = A_{v(CL)} V_Z \qquad\qquad\qquad (22\text{-}16)$$

예를 들어, 만일 $A_{v(CL)} = 2$이고 $V_Z = 5.6$ V이면 출력전압은 11.2 V일 것이다.

전류제한

분로형 안정기와는 달리, 그림 22-9의 직렬형 안정기는 **단락회로 보호**(short-circuit protection)를 갖지 않는다. 만일 우연히 부하단자가 단락되면 부하전류는 거의 무한대가 되어 통과트랜지스터를 파손시킬 것이다. 또한 직렬형 안정기를 구동하는 불안정한 공급전원 때문에 하나 또는 그 이상의 다이오드를 파손할 것이다. 부하양단의 우연한 단락에 대한 보호를 위해 직렬형 안정기는 항상 **전류제한**(current limiting)이란 형식을 포함시킨다.

그림 22-10에 안전값을 유지하기 위해 부하전류를 제한하는 한 방법을 나타내었다. R_4는 **전류감지 저항**(current-sensing resistor)이라 부르는 작은 저항이다. 설명을 위해 R_4로 1 V을 사용하겠다.

부하전류가 R_4를 통과할 때 전류감지 저항은 Q_1에 베이스-에미터 전압을 발생시킨다. 부하전류가 600 mA이하일 때 R_4양단전압은 0.6 V 이하이다. 이때 Q_1은 차단되고 안정기는 앞에서 설명한 대로 동작한다. 부하전류가 600과 700 mA 사이일 때 R_4 양단전압은 0.6과 0.7 V 사이이다. 이때 Q_1은 전도된다. Q_1의 컬렉터전류는 R_5를 통해 흐른다. 이것은 Q_2의 베이스전압을 감소시키고 부하전압과 부하전류를 감소시킨다.

부하가 단락되었을 때 Q_1은 크게 전도되고 Q_2의 베이스전압을 약 1.4 V(두 전압

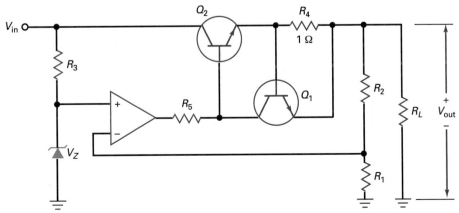

그림 22-10 전류제한을 가지는 직렬형 안정기

$$V_{out} = \frac{R_1 + R_2}{R_1} V_Z$$

$$I_{SL} = \frac{V_{BE}}{R_4}$$

강하)로 감소시킨다. 통과트랜지스터를 지나는 전류는 일반적으로 700 mA로 제한된다. 두 트랜지스터의 특성에 따라 이보다 약간 이상이거나 이하일 수도 있다.

덧붙여 저항 R_5는 연산증폭기의 출력임피던스가 매우 적기 때문에(대표적으로 75 Ω) 회로에 부가된다. R_5 없이 전류감지 저항은 제한을 위한 전류감지를 발생시키기에 충분한 전압이득을 갖지를 못한다. 설계 시 전류감지 트랜지스터에 충분히 큰 전압이득을 발생하는 R_5의 값을 선택해야 하나, 연산증폭기가 통과트랜지스터를 구동하는 것을 방해하리만큼 커서는 안 된다. R_5의 대표적인 값은 수백에서 수천 옴 정도이다.

그림 22-11에 전류제한에 대한 개념을 요약했다. 근사적으로 전류제한 시작전압을 0.6 V로, 단락부하 상태 하에서의 전압을 0.7 V로 그래프에 나타내었다. 부하전류가 적을 때 출력전압은 안정되고 V_{reg}의 값을 갖는다. I_L이 증가할 때 부하전압은 거의 0.6 V의 V_{BE}까지 일정하게 유지된다. 이 점을 지나면 Q_1은 전도되고 전류제한이 시작된다. I_L이 더 증가하면 부하전압이 감소하고 안정을 잃게 된다. 부하가 단락되었을 때 부하전류는 단락부하 단자(shorted-load terminal)에서의 부하전류인 I_{SL}의 값으로 제한된다.

그림 22-10에서 부하단자가 단락되었을 때 부하전류는 다음과 같이 주어진다.

$$I_{SL} = \frac{V_{BE}}{R_4} \tag{22-17}$$

여기서 V_{BE}는 0.7 V로 근사화할 수 있다. 큰 부하전류에서 전류감지 저항의 V_{BE}는 다소 더 높을 것이다. 이 설명에서는 R_4로 1 Ω을 사용했다. R_4의 값을 변화시키면 다른 레벨에서 전류제한이 시작되는 것을 얻을 것이다. 예를 들어 만일 $R_4 = 10\ \Omega$이라면, 약 70 mA의 단락부하 전류를 가지며 전류제한은 약 60 mA에서 시작될 것이다.

폴드백 전류제한

전류제한은 부하단자가 우연히 단락되었을 때 통과트랜지스터와 정류기 다이오드를 보호할 수 있기 때문에 크게 개선된 것이다. 그러나 이것은 부하단자가 단락되었을 때, 통과 트랜지스터에서의 전력소비가 크다는 단점을 가지고 있다. 부하양단이 단락되면 거의 모든 입력전압이 통과트랜지스터 양단에 나타난다.

단락부하 상태 하에서 통과트랜지스터의 과대한 전력소비를 피하기 위해 설계시

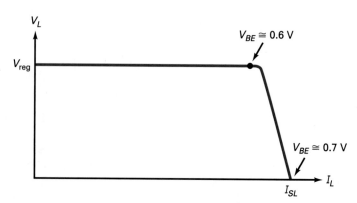

그림 22-11 간단한 전류제한을 가지는 안정기의 부하전류에 대한 부하전압 그래프

그림 22-12와 같은 **폴드백 전류제한**(foldback current limiting)을 부가할 수 있다. R_4 전류감지저항 양단전압은 Q_1의 베이스를 구동하는 출력인 전압분배기(R_6와 R_7)에 공급된다. 부하전류의 범위를 크게 벗어나면, Q_1의 베이스전압은 에미터전압보다 작게 되고 V_{BE}는 음이 된다. 이것이 Q_1의 차단을 유지한다.

그러나 부하전류가 충분히 클 때, Q_1의 베이스전압은 에미터전압보다 커진다. V_{BE}가 0.6에서 0.7 V 사이일 때 전류제한이 시작된다. 이 점 이상에서는 전류의 폴드백(감소)을 일으키는 부하저항에서 더욱 감소한다. 그 결과, 단락된 부하전류는 폴드백 제한이 없는 경우보다 훨씬 적다.

그림 22-13은 부하전류에 따라 출력전압이 어떻게 변하는지를 나타낸다. 부하전압은 I_{max}인 최대치까지 일정하다. 이 점에서 전류제한이 시작된다. 부하저항이 더 감소할 때 전류는 폴드백 된다. 부하단자 양단이 단락되었을 때 부하전류는 I_{SL}과 같다. 폴드백 전류제한의 주된 이점은 부하단자가 우연히 단락되었을 때 통과트랜지스터에서의 전력소비가 감소한다는 것이다.

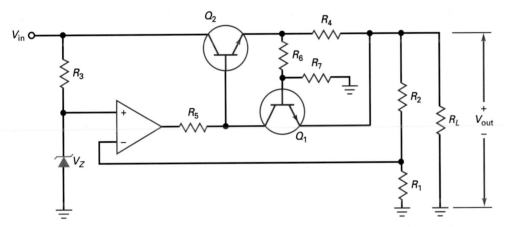

$$V_{out} = \frac{R_1 + R_2}{R_1} V_Z$$

$$K = \frac{R_7}{R_6 + R_7}$$

$$I_{SL} = \frac{V_{BE}}{KR_4}$$

$$I_{max} = I_{SL} + \frac{(1-K)V_{out}}{KR_4}$$

그림 22-12 폴드백 전류제한을 가지는 직렬형 안정기

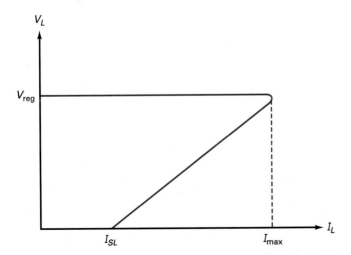

그림 22-13 폴드백 전류제한에서 안정기의 부하전류에 대한 부하전압 그래프

그림 22-13에서 전부하 상태 하에서 트랜지스터의 전력소비는 다음과 같다.

$$P_D = (V_{\text{in}} - V_{\text{reg}})I_{\text{max}}$$

단락부하 상태 하에서 전력 소비는 대략 다음과 같다.

$$P_D \cong V_{\text{in}}I_{SL}$$

전형적으로 설계자는 I_{max}보다 2~3배 적은 I_{SL}을 사용한다. 이렇게 하면 통과트랜지스터에서의 전력소비를 전부하 상태 하에서 갖는 레벨까지 감소시켜 유지할 수가 있다.

예제 22-7 ||||| Multisim

그림 22-14에서 근사적인 출력전압을 계산하라. 통과트랜지스터에서 전력소비는 얼마인가?

풀이

그림 22-8의 식에서,

$$V_{\text{out}} = \frac{3\text{ k}\Omega + 1\text{ k}\Omega}{3\text{ k}\Omega}(6.2\text{ V} + 0.7\text{ V}) = 9.2\text{ V}$$

이고, 트랜지스터전류는 근사적으로 부하전류와 같다.

$$I_C = \frac{9.2\text{ V}}{40\text{ }\Omega} = 230\text{ mA}$$

트랜지스터 전력소비는 다음과 같다.

$$P_D = (15\text{ V} - 9.2\text{ V})(230\text{ mA}) = 1.33\text{ W}$$

연습 문제 22-7   그림 22-14에서 입력전압을 +12 V, V_Z를 5.6 V로 바꾼 후 V_{out}과 P_D를 계산하여라.

그림 22-14 예제

예제 22-8

예제 22-7에서 근사효율은 얼마인가?

풀이

부하전압 9.2 V, 부하전류가 230 mA이다. 따라서 출력전력은

$$P_{out} = (9.2\ V)(230\ mA) = 2.12\ W$$

입력전압은 15 V이고 입력전류는 부하전류 값인 약 230 mA이다. 그러므로 입력전력은,

$$P_{in} = (15\ V)(230\ mA) = 3.45\ W$$

이고, 효율은 다음과 같다.

$$효율 = \frac{2.12\ W}{3.45\ W} \times 100\% = 61.4\%$$

또한 식 (22-13)을 사용하여 직렬형 안정기의 효율을 계산할 수도 있다.

$$효율 = \frac{V_{out}}{V_{in}} \times 100\% = \frac{9.2\ V}{15\ V} \times 100\% = 61.3\%$$

이것은 예제 22-3의 분로형 안정기의 효율인 25.8%보다 훨씬 좋다. 일반적으로 직렬형 안정기는 분로형 안정기보다 약 2배의 효율을 가진다.

연습 문제 22-8 V_{in} = +12 V, V_Z = 5.6 V로 하여 예제 22-8을 반복하라.

응용 예제 22-9 |||| Multisim

그림 22-15에서 근사적인 출력전압은 얼마인가? 왜 다링톤 트랜지스터가 사용되는가?

그림 22-15   다링톤 트랜지스터를 가지는 직렬형 안정기

풀이

그림 22-9의 식에서 다음을 얻을 수 있다.

$$V_{out} = \frac{2.7 \text{ k}\Omega + 2.2 \text{ k}\Omega}{2.7 \text{ k}\Omega} (5.6 \text{ V}) = 10.2 \text{ V}$$

부하전류는 다음과 같다.

$$I_L = \frac{10.2 \text{ V}}{4 \text{ }\Omega} = 2.55 \text{ A}$$

만일 전류이득 100을 가지는 일반트랜지스터가 통과트랜지스터로 사용되었다면 요구되는 베이스전류는 다음과 같을 것이다.

$$I_B = \frac{2.55 \text{ A}}{100} \text{ A} = 25.5 \text{ mA}$$

이것은 일반적인 연산증폭기에서는 너무 큰 출력전류이다. 만일 다링톤 트랜지스터를 사용한다면 통과트랜지스터의 베이스전류는 아주 작은 값으로 감소한다. 예를 들어 전류이득 1000을 가지는 다링톤 트랜지스터는 2.55 mA의 베이스전류만을 요구할 것이다.

연습 문제 22-9 그림 22-15에서 만일 제너전압이 6.2 V로 바뀌었다고 가정하고 출력전압을 구하라.

응용 예제 22-10

그림 22-15의 직렬형 안정기를 제작하여 측정한 결과, 다음의 값들이 측정되었다. 즉 $V_{NL} = 10.16$ V, $V_{FL} = 10.15$ V, $V_{HL} = 10.16$ V, and $V_{LL} = 10.07$ V. 부하안정은 얼마인가? 전력선 안정은 얼마인가?

풀이

$$\text{부하안정} = \frac{10.16 \text{ V} - 10.15 \text{ V}}{10.15 \text{ V}} \times 100\% = 0.0985\%$$

$$\text{전력선 안정} = \frac{10.16 \text{ V} - 10.07 \text{ V}}{10.07 \text{ V}} \times 100\% = 0.894\%$$

이 예제는 전력선과 부하변화의 효과를 감소시키는 데 부귀환이 얼마나 효과적인가를 보여준다. 두 경우에서 안정된 출력전압의 변화는 1% 이내이다.

응용 예제 22-11

그림 22-16에서 V_{in}은 17.5에서 22.5 V까지 변화할 수 있다. 최대 제너전류는 얼마인가? 최소, 최대 안정화 출력전압은 얼마인가? 만일 안정된 출력전압이 12.5 V라면, 전류제한이 시작되는 곳에서의 부하저항은 얼마인가? 단락부하 전류는 대략 얼마인가?

그림 22-16 예제

풀이

최대 제너전류는 입력전압이 22.5 V일 때 발생한다.

$$I_Z = \frac{22.5 \text{ V} - 4.7 \text{ V}}{820 \text{ } \Omega} = 21.7 \text{ mA}$$

안정된 최소 출력전압은 1 kΩ 전위차계의 와이퍼가 위쪽으로 완전히 돌려졌을 때이다. 이때 $R_1 = 1,750$ Ω, $R_2 = 750$ Ω이고, 출력전압은 다음과 같다.

$$V_{out} = \frac{1,750 \text{ } \Omega + 750 \text{ } \Omega}{1,750 \text{ } \Omega} (4.7 \text{ V}) = 6.71 \text{ V}$$

안정된 최대 출력전압은 1 kΩ 전위차계의 와이퍼가 아래쪽으로 완전히 돌려졌을 때이다. 이때 $R_1 = 750$ Ω, $R_2 = 1,750$ Ω이고, 출력전압은 다음과 같다.

$$V_{out} = \frac{750 \text{ } \Omega + 1,750 \text{ } \Omega}{750 \text{ } \Omega} (4.7 \text{ V}) = 15.7 \text{ V}$$

전류제한은 전류제한 저항양단의 전압이 약 0.6 V일 때 시작한다. 이때 부하전류는,

$$I_L = \frac{0.6 \text{ V}}{3 \text{ } \Omega} = 200 \text{ mA}$$

이다. 12.5 V의 출력전압에서 전류제한이 시작되는 곳의 부하저항은 대략 다음과 같다.

$$R_L = \frac{12.5 \text{ V}}{200 \text{ mA}} = 62.5 \text{ } \Omega$$

부하단자 양단이 단락되었을 때 전류감지 저항 양단전압은 약 0.7 V이고, 단락부하 전류는 다음과 같다.

$$I_{SL} = \frac{0.7\,V}{3\,\Omega} = 233\,mA$$

연습 문제 22-11 3.9 V의 제너와 2 Ω의 전류감지 저항을 사용하여 응용 예제 22-11을 반복하라.

22-4 모놀리딕 선형안정기

3에서 14개의 핀을 가지는 **선형 IC 전압안정기**(IC voltage regulators)가 넓고 다양하게 사용되고 있다. 직렬형 안정기가 분로형 안정기보다 효율이 더 좋으므로 모두 직렬형 안정기이다. 어떤 IC 안정기는 외부저항이 전류제한과 출력전압 등을 세트할 수 있는 특별한 응용에 사용된다. 가장 널리 사용되는 IC 안정기는 3핀만을 가진 것이다. 즉, 하나는 불안정한 입력전압용, 또 하나는 안정한 출력전압용 그리고 나머지 하나는 접지용이다.

플라스틱 또는 금속패키지로 된 3단자 안정기는 비용이 싸고, 사용이 쉬우므로 가장 인기가 있다. 3단자 IC 전압안정기는 2개의 선택사용 바이패스 커패시터를 제외하고는 요구되는 외부소자가 없다.

IC 안정기의 기본형

대부분의 IC 전압안정기는 다음 중 하나의 출력전압의 형을 가진다. 즉 고정된 양, 고정된 음, 조정 가능한 것 등이다. 고정된 양 또는 음의 출력을 가지는 IC 안정기는 약 5에서 24 V의 크기를 가지는 서로 다른 고정된 전압을 얻기 위해 제작회사에서 가공한다. 조정 가능한 출력을 가지는 IC 안정기는 안정된 출력전압을 2 이하에서 40 V이상까지 변화시킬 수 있다.

또한 IC 안정기는 표준, 저전력, 저드롭아웃(low dropout)으로 분류한다. 표준 IC 안정기(standard IC regulator)는 간단하고 그다지 특별치 않은 응용을 위해 설계되었다. 방열판을 가진 표준 IC안정기는 1 A이상의 부하전류를 가질 수 있다.

만일 100 mA까지의 부하전류로 충분할 때는, 2N3904와 같은 소신호 트랜지스터로 사용되는 것과 같은 크기인 저전력 IC 안정기(low-power IC regulator)인 TO-92 패키지를 사용할 수 있다. 이 안정기는 방열판을 필요로 하지 않으므로 편리하고 쉽게 사용할 수 있다.

IC 안정기의 **드롭아웃 전압**(dropout voltage)은 안정에 필요한 최소 헤드룸 전압으로 정의한다. 예를 들어 표준 IC 안정기는 2에서 3 V의 드롭아웃 전압을 가진다. 이것은 입력전압이 칩 안정의 사양에서 안정된 출력전압보다 최소 2에서 3 V 이상 커야함을 의미한다. 응용 시에는 헤드룸 전압 2에서 3 V는 이용할 수 없으므로 저 드롭아웃 IC 안정기(low dropout IC regulator)를 사용해야 한다. 이 안정기는 일반적으로 100 mA의 부하전류에 대해 0.15 V의 드롭아웃 전압과 1 A의 부하전류에 대해 0.7 V의 드롭아웃 전압을 가진다.

온-카드 안정과 단일점 안정의 비교

단일점 안정(*single-point regulation*)에서는 큰 전압안정기를 가지는 공급전원을 제작할 필요가 있고, 이로부터 시스템의 모든 서로 다른 **카드**(프린트기판: PCB)에 안정된 전압을 배분할 필요가 있다. 이것은 다음과 같은 문제를 야기한다. 첫째, 단일안정기는 모든 카드전류의 합과 같은 큰 부하전류를 제공해야 한다. 둘째, 잡음 또는 기타 **전자적 간섭**(electromagnetic interference: EMI)이 안정된 공급전원과 카드 사이를 접속하는 선상에 포함될 수 있다.

IC 안정기는 가격이 싸기 때문에, 많은 카드를 가지는 전자시스템에서는 흔히 **온-카드 안정기**를 사용한다. 이것은 각 카드의 부품에 사용되는 전압을 공급하기 위해 각 카드가 각기 자신의 3단자 안정기를 갖는 것을 의미한다. 온-카드 안정(on-card regulation)을 사용하므로 각 카드의 공급전원으로부터 불안정한 전압을 없앨 수 있고, 국부적인 IC안정기는 각 카드에 안정한 전압을 책임진다. 이것이 단일점 안정과 관련된 큰 부하전류와 잡음 발생에 대한 문제점을 없애는 방책이 된다.

부하안정과 전력선 안정의 재정의

앞서 부하안정과 전력선 안정에 대해 원래의 정의는 사용해 보았다. 고정된 IC 안정기 제조업체에서는 부하와 전력선 조건 범위에 대한 부하전압의 변화를 열거하는데, 이것이 고정된 안정기의 데이터시트 상에 사용되는 부하안정과 선전압 안정에 대한 정의이다.

부하안정 = 부하전류의 범위에 대한 ΔV_{out}

전력선안정 = 입력전압의 범위에 대한 ΔV_{out}

예를 들어, LM7815는 고정된 양의 전압 15 V를 발생하는 IC 안정기이다. 데이터시트에는 다음과 같이 대표적인 부하안정과 전력선 안정만을 기록하고 있다.

부하안정: I_L = 5 mA~1.5 A에 대해 12 mV

전력선안정: V_{in} = 17.5 V~30 V에 대해 4 mV

부하안정은 측정조건에 의존한다. 앞서의 부하안정은 T_J = 25°C와 Vin = 23 V에 대한 것이고, 마찬가지로 앞서의 전력선 안정은 T_J = 25°C와 I_L = 500 mA에 대한 것이다. 각 경우에 소자의 접합온도는 25°C이다.

LM78XX 시리즈

LM78XX 시리즈(여기서 XX는 05, 06, 08, 10, 12, 15, 18, 24)는 대표적인 3단자 전압안정기이다. 7805는 +5 V의 출력전압, 7806은 +6 V의 출력전압, 7808은 +8 V의 출력전압을 발생시키며, 같은 모양으로 7824는 +24 V의 출력전압을 발생시킨다.

그림 22-17에 78XX시리즈에 대한 기능적 블록다이어그램을 나타내었다. 일정한 기준전압 V_{ref}가 증폭기의 비반전입력력을 구동한다. 전압안정은 앞서 설명한 것과 흡사하다. R_1'와 R_2'로 구성된 전압분배기에서 출력전압을 샘플하여 고이득 증폭기의 반전입력력으로 귀환전압을 되돌린다. 출력전압은 다음과 같다.

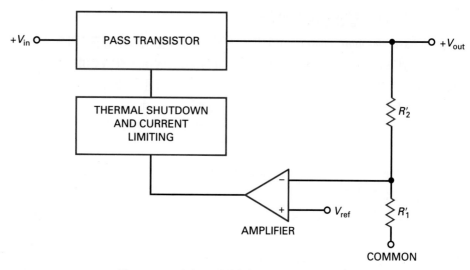

그림 22-17 3단자 IC 안정기의 기능적인 블록다이어그램

$$V_{\text{out}} = \frac{R_1' + R_2'}{R_1'} V_{\text{ref}}$$

이 식에서 기준전압은 앞서 설명한 바와 같이 제너전압과 같다. 무엇보다 먼저 알아야 하는 것이 R_1'과 R_2'는 외부저항이라기보다는 오히려 IC 자신의 내부저항이란 것이다. 78XX시리즈에서 이 저항들은 서로 다른 출력전압(5에서 24 V)을 얻기 위해 공장에서 각기 공정된다. 출력전압의 허용오차는 ±4%이다.

LM78XX는 적절한 방열판을 사용할 때 1 A의 부하전류를 취급할 수 있는 통과트랜지스터와 열차단회로, 전류제한 회로를 포함한다. **열차단**(thermal shutdown)은 내부온도가 거의 175°C 정도로 너무 높아졌을 때 동작하여 안정기의 동작을 멈추게 한다. 이것은 주위 온도, 방열판의 형태, 그 외의 요인에 의존하는 과잉전력 소비에 대한 방지회로이다. 열차단회로와 전류제한 회로가 있기 때문에 78XX시리즈는 거의 파손될 염려가 없다.

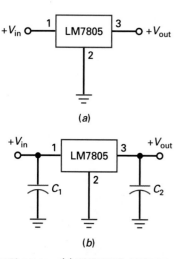

그림 22-18 (a) 전압안정을 위해 7805를 사용함; (b) 발진을 방지하기 위한 입력커패시터와 주파수 응답을 개선하기 위한 출력커패시터

고정된 안정기

그림 22-18a에 고정된 전압안정기로 접속된 LM7805를 나타내었다. 핀 1은 입력이고, 핀 2는 출력이며 핀 3은 접지이다. LM7805는 +5 V의 출력전압을 가지고 1 A 이상의 최대 부하전류를 가진다. 대표적인 부하안정은 5 mA와 1.5 A 사이의 부하전류에 대해 10 mV이다. 대표적인 전력선 안정은 7에서 25 V의 입력전압에 대해 3 mV이다. 또한 리플제거(ripple rejection)는 80 dB인데, 이것은 입력리플을 10,000배 감소시킴을 의미한다. 약 0.01 Ω의 출력저항을 가지므로 LM7805는 전류비율 이내에서 모든 부하에 대해 매우 안정한 전압원이다.

IC가 불안정한 공급전원의 필터 커패시터로부터 6인치 이상 떨어져 있을 때 접속선의 인덕턴스는 IC 내부에 발진을 발생시킨다. 이것이 그림 22-18b의 핀 1에 바이패스 커패시터 C1을 사용하는 이유이다. 안정된 출력전압의 과도응답을 개선하기 위해 흔히 핀 3에 바이패스 커패시터 C2를 사용한다. 이들 바이패스 커패시터의 대표적인 값은 0.1 μF에서 1 μF이다. 78XX 시리즈의 데이터시트에는 입력커패시터로 0.33 μF 또는 높은 주파수에서 큰 탄탈, 마이러 또는 낮은 내부 임피던스를 갖는 다른 커패시터를 제시하고 출력커패시터로 0.1 μF이 제시되고 있다.

78XX 시리즈에서는 어떤 안정기라도 출력전압에 따라 2 V에서 3 V의 드롭아웃 전압을 가져야 한다. 이것은 입력전압이 출력전압보다 적어도 2 V에서 3 V 커야 함을 의미한다. 그렇지 않으면 칩은 안정한 동작을 중지한다. 또한 과잉 전력소비 때문에 안정기가 안정하게 동작할 수 있는 최대 입력전압이 주어진다. 예를 들어 LM7805는 약 8에서 20 V의 입력범위에서는 안정하다. 78XX시리즈의 데이터시트에는 서로 달리 미리 세트한 출력전압에 대한 최소, 최대 입력전압이 주어진다.

LM79XX 시리즈

LM79XX시리즈는 −5, −6, −8, −10, −12, −15, −18, −24 V로 미리 세트한 음의 전압안정기 그룹이다. 예를 들어, LM7905는 −5 V의 안정된 출력전압을 발생한다. 또한 LM7924는 −24 V의 출력을 발생한다. LM79XX 시리즈에서 부하전류는 적절한 방열판을 사용하면 1 A 이상 수용할 수 있다. LM79XX 시리즈는 78XX 시리즈와 흡사하며 전류제한 회로, 열차단회로를 포함하고 탁월한 리플 제거능력을 가진다.

안정화 2공급 전원

그림 22-19에 나타내었듯이 LM78XX와 LM79XX를 조합시키므로 안정된 2공급 전원 출력을 얻을 수가 있다. LM78XX는 양의 출력을 안정화하고 LM79XX는 음의 출력을 안정화한다. 입력커패시터는 발진을 방지하고, 출력커패시터는 과도응답을 개선한다. 제조회사의 데이터시트에는 모든 동작 조건하에서 두 안정기를 확실히 전도시키기 위해 2개의 다이오드를 추가할 것을 권고한다.

2공급 전원에서 분리전원으로 사용하려면 이중통로 안정기(dual-tracking regulator)를 사용한다. 이것은 단일 IC 패키지에 양과 음의 안정기가 포함된 하나의 IC이다. 조정하려 할 때 이 IC의 형은 하나의 가변저항으로 2공급 전원을 변화시킬 수가 있다.

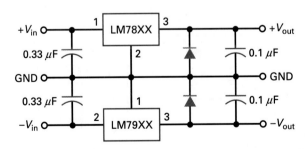

그림 22-19 두 개의 출력을 얻기 위해 LM78XX와 LM79XX를 사용함

조정가능한 안정기

IC 안정기 중 일부(LM317, LM337, LM338, LM350)는 조정이 가능하다. 이들은 1.5에서 5 A의 최대 부하전류를 가진다. 예를 들어 LM317은 3단자 양의 전압안정기인데, 부하에 1.5 A의 부하전류가 공급되고 1.25에서 37 V 범위의 출력전압을 조정할 수 있다. 리플제거는 80 dB이다. 이것은 입력리플이 IC 안정기의 출력에서 10,000배 적어짐을 의미한다.

또 제조회사에서는 IC 안정기의 특성에 적합한 부하안정과 전력선 안정을 다시 정의한다. 여기서 주어지는 부하안정과 전력선 안정은 조정가능한 안정기의 데이터시트 상에 제공된다.

부하안정 = 부하전류 변화범위에 대한 V_{out}의 퍼센트변화

전력선 안정 = 입력전압의 1 V변화에 대한 V_{out}의 퍼센트변화

예를 들어보면, LM317의 데이터시트에 다음과 같은 대표적인 부하안정과 전력선 안정이 기록되어 있다.

부하안정: I_L = 10 mA~1.5 A에 대해 0.3%

전력선 안정: 0.02%/V

출력전압은 1.25에서 37 V 사이를 조정할 수 있으므로 퍼센트로 부하안정을 나타내어야 한다. 예를 들어 만일 안정된 전압이 10 V로 조정되었다면, 위의 부하안정은 부하전류가 10 mA에서 1.5 A까지 변할 때 출력전압은 10V의 0.3%(30 mV) 이내를 유지할 것임을 의미한다.

전력선 안정은 0.02%/V이다. 이것은 출력전압의 변화가 각 입력전압의 변화에 대해 0.02%만 변화함을 의미한다. 만일 안정된 출력이 10 V로 세트되고 입력전압이 3 V만큼 증가했다면, 출력전압은 0.06% 즉 60 mV만큼 증가할 것이다.

그림 22-20에 LM317회로를 구동하는 불안정한 공급전원을 나타내었다. LM317의 데이터시트에 출력전압에 대한 식이 다음과 같이 주어진다.

$$V_{out} = \frac{R_1 + R_2}{R_1} V_{ref} + I_{ADJ}R_2 \tag{22-18}$$

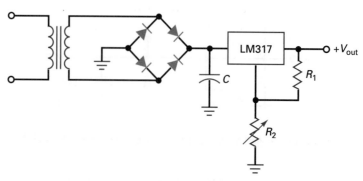

그림 22-20 LM317을 사용한 안정한 출력전압 조정가능 회로

이 식에서 V_{ref}는 1.25 V이고, I_{ADJ}는 50 μA의 대표값을 갖는다. 그림 22-20에서 I_{ADJ}는 중간핀(입력과 출력핀 사이의 핀)을 통해 흐르는 전류이다. 이 전류는 온도, 부하전류, 그 외의 요소에 따라 변할 수 있기 때문에 설계 시에는 항상 식 (22-18)의 첫째 항은 둘째 항보다 충분히 크게 한다. 이 때문에 LM317의 모든 예비 해석에서는 다음 식을 사용할 수 있다.

$$V_{out} \cong \frac{R_1 + R_2}{R_1}(1.25\ \text{V}) \tag{22-19}$$

리플제거

IC 전압안정기의 리플제거는 약 65 dB에서 80 dB로 크다. 이것은 전원 공급장치에서 리플을 최소화하기 위해 큰 LC 필터를 사용하지 않아도 된다는 의미에서 커다란 이점이다. 공급전원으로부터 발생되는 불안정한 전압의 약 10%로 피크-피크 리플을 감소시키기 위해서는 반드시 커패시터-입력 필터가 필요하다.

　　예를 들어 LM7805는 80 dB의 일반적인 리플제거를 가진다. 만일 브리지정류기와 커패시터-입력 필터가 1 V의 피크-피크 리플을 가지는 10 V의 불안정한 출력전압을 발생한다고 하면, 0.1 mV만의 피크-피크 리플을 가지는 5 V의 안정된 출력전압을 발생시키는 LM7805를 사용할 수 있다. 이 IC 전압안정기를 사용하므로 불안정한 공급 전원장치에서 사용되는 큰 LC 필터를 제거할 수 있다.

대표적인 안정기들

요점정리 표 22-1에 널리 사용되는 IC 안정기를 정리했다. 첫째 그룹인 LM78XX 시리즈는 5 V에서 24 V의 양의 출력전압으로 고정된다. 이 안정기들은 방열판을 사용하여 1.5 A까지의 부하전류를 발생할 수 있다. 부하안정은 10 mV에서 12 mV 사이이다. 전력선 안정은 3 mV에서 18 mV 사이이다. 리플제거는 최저전압에서 가장 좋고(80 dB), 최고전압에서 가장 나쁘다(66 dB). 드롭아웃 전압은 이 시리즈 전체가 2 V이다. 최저와 최고 출력전압 간에 출력저항은 8 mΩ에서 28 mΩ까지 증가한다.

　　LM78L05와 LM78L12는 표본인 LM7805와 LM7812의 저전력 버전이다. 이들 저전력 IC 안정기들(*low-power IC regulators*)은 방열판을 필요로 하지 않는 TO-92 패키지에 유용하다. 표 22-1에서 보다시피, LM78L05와 LM78L12는 100 mA까지의 부하전류를 발생할 수 있다.

　　LM2931은 저 드롭아웃 안정기의 예에 포함된다. 이것은 100 mA까지의 부하전류를 갖고 3 V와 24 V 사이의 출력전압을 발생할 수 있는 조절가능한 안정기이다. 드롭아웃 전압이 단 0.3 V임에 주목하라. 이것은 입력전압이 안정한 출력전압보다 단 0.3 V만 더 클 필요가 있음을 의미한다.

　　LM7905, LM7912, LM7915는 널리 사용되는 음의 안정기이다. 이들의 파라미터는 대조물인 LM78XX와 흡사하다. LM317과 LM337은 조정가능한 양과 음의 안정기로서 부하전류를 1.5 A까지 흘릴 수 있다. 마지막으로 LM338은 조정가능한 양의 안정기로서 5 A까지의 부하전류를 가지는 1.2와 32 V 사이의 부하전압을 발생할 수 있다.

　　표 22-1에 기록된 모든 안정기들은 **열차단**(*thermal shutdown*) 회로를 가진다. 이

요점정리 표 22-1		널리 사용되는 IC 전압안정기의 25°C에서의 대표적인 파라미터						
Number	V_{out}, V	I_{max}, A	Load Reg, mV	Line Reg, mV	Rip Rej, dB	Dropout, V	R_{out}, mΩ	I_{SL}, A
LM7805	5	1.5	10	3	80	2	8	2.1
LM7806	6	1.5	12	5	75	2	9	0.55
LM7808	8	1.5	12	6	72	2	16	0.45
LM7812	12	1.5	12	4	72	2	18	1.5
LM7815	15	1.5	12	4	70	2	19	1.2
LM7818	18	1.5	12	15	69	2	22	0.20
I M7824	24	1.5	12	18	66	2	28	0.15
LM78L05	5	100 mA	20	18	80	1.7	190	0.14
LM78L12	12	100 mA	30	30	80	1.7	190	0.14
LM2931	3 to 24	100 mA	14	4	80	0.3	200	0.14
LM7905	25	1.5	10	3	80	2	8	2.1
LM7912	212	1.5	12	4	72	2	18	1.5
LM7915	215	1.5	12	4	70	2	19	1.2
LM317	1.2 to 37	1.5	0.3%	0.02%/V	80	2	10	2.2
LM337	21.2 to −37	1.5	0.3%	0.01%/V	77	2	10	2.2
LM338	1.2 to 32	5	0.3%	0.02%/V	75	2.7	5	8

것은 만일 칩의 온도가 너무 높아지면 통과트랜지스터와 열차단회로가 작동하여 안정기를 차단시킴을 의미한다. 소자가 차가워지면 다시 동작이 시작된다. 설사 과잉온도가 발생했다하더라도 그것이 제거되면 안정기는 정상적인 기능을 할 것이다. 만일 그렇지 못하면 다시 열차단회로가 동작할 것이다. 열차단회로는 안전동작을 제공하는 모놀리딕 안정기에서의 가장 큰 강점이다.

응용 예제 22-12 |||| Multisim

그림 22-21에서 부하전류는 얼마인가? 출력리플은 얼마인가?

풀이

LM7812는 +12 V의 안정한 출력전압을 발생한다. 그러므로 부하전류는,

$$I_L = \frac{12 \text{ V}}{100 \text{ } \Omega} = 120 \text{ mA}$$

그림 22-21 예제

이고, 4장에서 주어진 식으로부터 피크-피크 입력리플을 계산할 수 있다.

$$V_R = \frac{I_L}{fC} = \frac{120 \text{ mA}}{(120 \text{ Hz})(1,000 \text{ }\mu\text{F})} = 1 \text{ V}$$

요점정리 표 22-1에 LM7812는 72 dB의 대표적인 리플제거를 나타낸다. 72 dB는 (60 dB+12 dB)이므로 약 4,000이 얻어진다. 계산기로 정확한 리플제거를 구하면 다음과 같다.

$$RR = \text{antilog} \frac{72 \text{ dB}}{20} = 3981$$

피크-피크 출력리플은 근사적으로 다음과 같다.

$$V_R = \frac{1 \text{ V}}{4000} = 0.25 \text{ mV}$$

연습 문제 22-12 전압안정기로 LM7815와 2,000 μF의 커패시터를 사용했을 때, 응용 예제 22-12를 반복하라.

응용 예제 22-13

그림 22-20에서 만일 $R_1 = 2 \text{ k}\Omega$, $R_2 = 22 \text{ k}\Omega$이라면 출력전압은 얼마인가? 만일 R_2를 46 kΩ으로 증가시키면 출력전압은 얼마인가?

풀이 식 (22-19)에서,

$$V_{\text{out}} = \frac{2 \text{ k}\Omega + 22 \text{ k}\Omega}{2 \text{ k}\Omega} (1.25 \text{ V}) = 15 \text{ V}$$

이고, R_2를 46 kΩ으로 증가시키면 출력전압도 다음과 같이 증가한다.

$$V_{\text{out}} = \frac{2 \text{ k}\Omega + 46 \text{ k}\Omega}{2 \text{ k}\Omega} (1.25 \text{ V}) = 30 \text{ V}$$

연습 문제 22-13 그림 22-20에서 만일 $R_1 = 330 \text{ }\Omega$, $R_2 = 2 \text{ k}\Omega$이면 출력전압은 얼마인가?

응용 예제 22-14

LM7805는 입력전압 7.5 V에서 20 V 사이에서 사양과 같이 안정하다. 최대, 최소효율은 얼마인가?

풀이 LM7805는 5 V의 출력을 발생한다. 식 (22-13)에서 최대효율은 다음과 같다.

$$효율 \cong \frac{V_{out}}{V_{in}} \times 100\% = \frac{5 \text{ V}}{7.5 \text{ V}} \times 100\% = 67\%$$

이것은 헤드룸 전압이 드롭아웃 전압에 접근하기 때문에 고효율로 볼 수 있다.

한편, 최소효율은 입력전압이 최대일 때 나타난다. 이러한 상태에서는 헤드룸 전압이 최대이고 통과트랜지스터에서 전력 소비도 최대이다. 최소효율은 다음과 같다.

$$효율 \cong \frac{5 \text{ V}}{20 \text{ V}} \times 100\% = 25\%$$

불안정한 입력전압은 항상 입력전압에 얼마만큼의 극단적인 차를 나타내기 때문에 LM7805에서 기대할 수 있는 효율은 40~50% 의 범위 내에 있다.

22-5 전류부스터

요점정리 표 22-1에서 78XX 안정기는 1.5 A의 최대 부하전류를 가진다고 되어있으나, 대부분의 데이터시트에는 측정된 파라미터인 1 A가 제시된다. 예를 들어 1 A의 부하전류가 전력선안정, 리플제거 및 출력저항 측정시 사용된다. 이 때문에 78XX 소자를 사용할 때 실제 제한 부하전류는 1 A로 설정한다.

외부설치 트랜지스터

더 큰 부하전류를 얻기 위한 한 방법으로 **전류부스터**(current booster)의 사용이 있다. 이것은 연산증폭기의 출력전류를 증가(boost)시키는 것과 유사한 개념이다. 아주 큰 출력전류를 발생시키기 위해 연산증폭기를 사용하여 외부트랜지스터에 베이스전류를 공급한 것을 상기해 보자.

그림 22-22는 출력전류를 증가시키기 위해 외부트랜지스터를 사용할 수 있는 방법을 보여준다. **외부설치 트랜지스터**(outboard transistor)라 불리는 외부트랜지스터는 전력용 트랜지스터이다. R_1은 0.7 Ω의 전류감지 저항이다. 0.6 Ω 대신에 0.7 Ω을 사용하는데 주목하라. 전력용 트랜지스터는 앞선 설명에서 사용한 소신호 트랜지스터보다 더 큰 베이스전압을 필요로 하기 때문에 0.7 Ω을 사용한다.

전류가 1 A이하일 때, 전류감지 저항 양단전압은 0.7 V 이하이고 트랜지스터는 차단된다. 부하전류가 1 A이상일 때, 트랜지스터에는 1 A 이상의 거의 모든 부하전류가 공급되어 트랜지스터는 전도된다. 왜 그런가? 부하전류가 증가할 때, 78XX를 통하는 전류는 약간 증가한다. 이것은 전류감지 저항양단에 더 큰 전압을 발생시키고 외부설치 트랜지스터를 충분히 전도시킨다.

부하전류가 증가할 때마다 78XX 소자를 통하는 전류는 약간씩 증가하고 전류감지 저항양단에는 더 큰 전압을 발생시킨다. 이 같은 방법으로 외부설치 트랜지스터는

그림 22-22 부하전류를 증가시키는 외부설치 트랜지스터

1 A 이상의 부하전류에서 벌크의 얼마간의 증가를 발생시키고, 78XX를 통하는 전류에 적은 증가만을 발생시킨다.

 큰 부하전류에서 외부설치 트랜지스터의 베이스전류는 크게 된다. 78XX칩은 부하전류의 일부가 부가된 이 베이스전류를 공급한다. 큰 베이스전류가 문제시될 때는 설계 시 외부설치 트랜지스터로 다링톤 접속을 사용해야 한다. 이때 전류감지 전압은 약 1.4 V인데 이는 R_1을 약 1.4 Ω으로 증가시켜야 함을 의미한다.

단락회로 보호

그림 22-23은 회로에 단락회로 보호(short-circuit protection)를 부가하는 방법을 나타낸다. 두 개의 전류감지 저항을 사용하는데, 외부설치 트랜지스터 Q_2를 구동하는 것이 하나고, 단락회로 보호를 위해 Q_1을 전도시키는 것이 둘째다. 이 설명에서는 Q_2의 전도에는 1 A, 단락회로 보호용 Q_1에는 10 A를 제공한다.

 이 회로의 동작을 살펴보자. 부하전류가 1 A이상일 때, R_1 양단전압은 0.7 V이상이다. 이것은 전체 부하전류 1 A 이상을 공급하는 외부설치 트랜지스터 Q_2를 전도시킨다. 외부설치 전류는 R_2를 거쳐 통과한다. R_2는 다만 0.07 Ω이기 때문에 그 양단전압은 외부설치 전류가 10 A 이하인 한 0.7 V 이하이다.

 외부설치 전류가 10 A일 때, R_2 양단전압은,

그림 22-23 전류제한을 가지는 외부설치 트랜지스터

$$V_2 = (10\ \text{A})(0.07\ \Omega) = 0.7\ \text{V}$$

이다. 이것은 전류제한 트랜지스터 Q_1이 전도하기 직전임을 의미한다. 외부설치 전류가 10 A 이상일 때, Q_1은 크게 전도된다. 78XX를 거쳐 통과하는 Q_1의 컬렉터전류 때문에 소자는 과열되고 열차단이 발생한다.

결론적으로, 외부설치 트랜지스터를 사용한다고 해서 직렬형 안정기의 효율은 개선되지 못한다. 대표적인 헤드룸 전압을 가지기 때문에 효율은 40~50% 부근이다. 큰 헤드룸 전압을 가지는 보다 큰 효율을 얻기 위해서는 근본적으로 다른 전압안정으로 접근해야 한다.

22-6 직류-직류 변환기

때로는 어떤 값의 직류전압을 다른 값의 직류전압으로 바꾸기를 원할 때가 있다. 예를 들어, 만일 +5 V의 양의 전원 공급 시스템을 가진 경우, 이를 +15 V의 출력으로 바꾸려고 한다면 **직류-직류 변환기**(dc-to-dc converter)를 이용할 수가 있다. 이 때 이 시스템은 +5 V와 +15 V의 두 개의 공급전압을 가진다.

직류-직류 변환기는 매우 효율적이다. 스위치트랜지스터의 전도(on), 차단(off)은 트랜지스터 전력 소비를 크게 감소시킨다. 대표적인 효율은 65~85%이다. 이 절에서는 불안정한 직류-직류 변환기에 대해 설명하겠다. 다음 절에서는 펄스폭 변조를 사용하는 안정한 직류-직류 변환기에 대해 설명하겠다. 이들 직류-직류 변환기를 통상 **스위칭 전원안정기**(switching regulators)라고 부른다.

기본 개념

일반적으로 불안정한 직류-직류 변환기에서 입력 직류전압은 방형파 발진기에 인가된다. 방형파의 피크-피크값은 입력전압에 비례한다. 방형파는 그림 22-24에 나타내었듯이 트랜스의 1차 권선을 구동한다. 주파수가 높아질수록 트랜스의 크기와 필터요소들은 더 적어진다. 그리고 만일 주파수가 너무 높아지면 수직전환의 방형파를 발생시키기가 어렵다. 항상 방형파의 주파수는 10 kHz에서 100 kHz 사이이다.

효율을 개선하기 위해 값 비싼 직류-직류 변환기에 특별한 종류의 변압기가 사용된다. 변압기는 구형의 히스테리시스 루프를 가지는 토로이달 코어(toroidal core)도 있다. 이것은 2차 전압으로 방형파를 발생한다. 2차 전압은 직류 출력전압을 얻기 위해 정류와 필터과정을 거친다. 이것은 직류 입력전압이 상승하거나 강하하는 스텝을 갖는 직류-직류 변환기를 제작할 수 있다.

그림 22-24 불안정한 직류–직류 변환기의 기능적 블록다이어그램

보통 직류-직류 변환은 +5 V에서 ±15 V이다. 디지털 시스템에서 +5 V는 대부분 IC들의 표준 공급전원이다. 그러나 연산증폭기와 같은 선형 IC들은 ±15 V를 요구한다. 이 같은 요구는 입력 +5 V직류를 2개의 출력인 ±15 V직류로 변환하는 저전력 직류-직류 변환기에서 충족시켜 준다.

한 가지 설계의 예

바이폴라 접합 트랜지스터 또는 전력용 FET들에 의한 직류-직류 변환기의 설계는 입력 전압이 단계적으로 상승 또는 하강하는 등의 스위칭 주파수가 사용된다. 그림 22-25는 바이폴라 전력트랜지스터를 사용한 설계의 한 예를 보여준다. 이 회로의 동작을 살펴보자. 이장발진기는 R_3과 C_2로 세트되는 주파수를 가진 방형파를 발생한다. 이 주파수는 20 kHz가 대푯값인 kHz 범위에 있다.

방형파는 **위상분할기**(phase splitter) Q_1을 구동하고, 회로는 크기는 같고 위상이 반대인 두 개의 방형파를 발생한다. 이들 방형파는 B급 푸시풀 스위칭 트랜지스터인 Q_2와 Q_3에 입력된다. 트랜지스터 Q_2는 반 사이클 동안 전도되고, Q_3은 나머지 반 사이클 동안 전도된다. 트랜스의 1차 전류는 방형파이다. 이것은 앞서 설명한 대로 2차권선 양단에 방형파를 유도한다. 2차 권선으로부터의 방형파 전압은 브리지 정류기와 커패시터 입력필터를 구동한다. 이 신호는 수 kHz이내의 정류된 방형파이기 때문에 필터하기가 쉽다. 마지막 출력은 입력과 서로 다른 레벨을 가지는 직류전압이다.

상품용 직류-직류 변환기

그림 22-25에서 직류-직류 변환기의 출력이 불안정하다는 데 주목하라. 이것은 가격이

그림 22-25 불안정한 직류–직류 변환기

싼 대표적인 직류-직류 변환기이다. 불안정한 직류-직류 변환기는 약 65%에서 85% 이상의 효율을 가지므로 상품용으로는 이용할 수가 있다. 예를 들어 값싼 직류-직류 변환기는 375 mA에서 +5 V를 ±12 V로, 200 mA에서 +5 V를 ±9 V직류로, 250 mA에서 +12 V를 ±5 V 등으로 변환하는 데 이용할 수 있다. 이들 모든 변환기는 전압안정을 포함하지 않기 때문에 고정된 입력전압을 요구한다. 또한 이들은 10 kHz와 100 kHz 사이의 스위칭 주파수를 사용한다. 이 때문에 RFI 차폐를 포함한다. 어떤 것은 200,000 시간의 *MTBF*를 가진다(*MTBF*는 '고장 없는 평균시간'을 의미함).

22-7 스위칭 전원안정기

스위칭 전원안정기(*switching regulator*)는 하나의 직류입력 전압을 적거나 큰 다른 직류 출력 전압으로 변환할 수 있기 때문에 직류-직류 변환기의 일반급이 된다. 그러나 스위칭 전원안정기는 트랜지스터의 on-off 시간을 제어하는 일반적인 펄스폭 변조인 전압안정을 역시 포함한다. 듀티 사이클을 변화시켜 스위칭 전원안정기는 전력선과 부하의 상태가 변화하더라도 일정한 출력전압을 유지할 수 있다.

통과트랜지스터

직렬형 안정기에서 통과트랜지스터의 전력소비는 헤드룸 전압과 부하전류를 곱한 것과 거의 같다.

$$P_D = (V_{\text{in}} - V_{\text{out}})I_L$$

만일 헤드룸 전압이 출력전압과 같다면, 효율은 거의 50%이다. 예를 들어 만일 7,805의 입력이 10 V, 부하전압이 5 V이면, 효율은 거의 50%이다.

3단자 직렬형 안정기는 부하전력이 약 10 W 이하일 때 사용하기가 쉽고 필요로 하는 거의 대부분을 만족시켜 주기 때문에 널리 사용된다. 부하전력이 10 W이고 효율이 50%일 때 통과트랜지스터의 전력소비 또한 10 W이다. 이것은 설비 내부에 열이 많이 발생하여 소비전력이 크다는 것을 의미한다. 10 W 부근의 부하전력은 방열판이 극히 커지고, 밀폐된 설비의 온도를 못마땅한 레벨까지 상승시킬 것이다.

스위칭 통과트랜지스터의 전도와 차단

저효율과 고설비 온도에 대한 문제의 궁극적인 해법은 앞서 간단히 설명한 스위칭 전원안정기이다. 이런 형태의 안정기에서 통과트랜지스터는 차단과 포화 간을 스위치한다. 트랜지스터가 차단되었을 때 전력소비는 사실상 0이다. 트랜지스터가 포화되었을 때 전력소비는 직렬형 안정기에서 $V_{CE(\text{sat})}$이 헤드룸 전압보다 훨씬 적기 때문에 여전히 매우 적다. 앞서 말한 바와 같이 스위칭 전원안정기는 약 75~95% 이상의 효율을 가질 수 있다. 높은 효율과 적은 크기 때문에 스위칭 전원안정기는 널리 사용된다.

요점정리 표 22-2		스위칭 전원안정기의 토폴로지					
형식	**전압스텝**	**쵸크**	**변성기**	**다이오드**	**트렌지스터**	**전력, W**	**복잡성**
Buck	강압	있다	없다	1	1	0-150	적다
Boost	승압	있다	없다	1	1	0-150	적다
Buck-boost	승압, 강압	있다	없다	1	1	0-150	적다
Flyback	승압, 강압	없다	있다	1	1	0-150	중간
Half-forward	승압, 강압	있다	있다	1	1	0-150	중간
Push-pull	승압, 강압	있다	있다	2	2	100-1000	크다
Half bridge	승압, 강압	있다	있다	4	2	100-500	크다
Full bridge	승압, 강압	있다	있다	4	4	400-2000	매우 크다

토폴로지

토폴로지(topology)란 용어는 스위칭 전원안정기에 관련된 문헌에 흔히 사용된다. 이것은 설계기술 또는 회로의 기본적인 설계(layout)를 말한다. 대부분의 토폴로지는 다른 것보다 응용에 더 적합하기 때문에 스위칭 전원안정기에 대해 적용하고 있다.

요점정리 표 22-2에 스위칭 전원안정기에 사용되는 토폴로지들을 나타내었다. 먼저 세 개는 가장 기본이다. 이것은 가장 적게 응용에 사용하고 약 150 W까지 부하전력을 가할 수 있다. 그러나 복잡성이 적기 때문에 특히 IC 스위칭 전원안정기로는 널리 사용된다.

트랜스절연을 취할 때는 150 W의 부하전력까지 사용할 수 있는 플라이백(flyback)과 하프 포워드(half-forward) 토폴로지를 택한다. 부하전력이 150 W에서 2,000 W까지일 때는 푸시풀(push-pull), 반 브리지(half bridge), 전 브리지(full bridge) 토폴로지가 사용된다. 마지막 세 개의 토폴로지는 상당히 많은 부품을 사용하기 때문에 회로의 복잡성이 크다.

벽 안정기

그림 22-26*a*에 스위칭 전원안정기의 가장 기본 토폴로지인 **벽 안정기**(buck regulator)를 나타내었다. 벽 안정기는 항상 전압이 강압된다. 바이폴라 접합 트랜지스터나 전력용 FET가 스위칭소자로 사용된다. 펄스폭 변조기로부터 출력된 구형파 신호는 스위치를 단락, 개방시킨다. 비교기는 펄스의 듀티 사이클을 조절한다. 예를 들어 펄스폭 변조기는 제어입력을 구동하는 비교기를 갖는 원숏 멀티바이브레이터일 것이다. 앞서 21장의 단안정 555 타이머의 설명처럼, 제어전압이 증가하면 듀티 사이클이 증가한다.

펄스가 고(high)일 때 스위치는 단락된다. 다이오드는 역방향 바이어스되었으므로 모든 입력전류는 인덕터를 통해 흐른다. 이 전류는 인덕터 주위에 자장을 발생시킨다. 자장에 축적된 에너지의 양은 다음과 같다.

$$\text{에너지} = 0.5Li^2 \tag{22-20}$$

그림 22-26 (a) 벅 안정기; (b) 단락스위치에서의 극성; (c) 개방스위치에서의 극성; (d) 출력으로 직류치를 통과시키는 초크−입력 필터

또한 인덕터를 흐르는 전류는 커패시터를 충전시키고 부하에 전류를 공급한다. 스위치가 단락된 동안 인덕터 양단의 전압은 그림 22-26b처럼 양-음의 극성을 나타낸다. 인덕터에 흐르는 전류가 증가하면 자장에도 더 큰 에너지가 축적된다.

펄스가 저(low)가 되었을 때 스위치는 개방된다. 이와 동시에 인덕터 주위의 자장은 감소하기 시작하고 그림 22-26c에서와 같이 인덕터 양단에는 역전압이 유도된다. 이 역전압을 유도성 킥(inductive kick)이라 부른다. 유도성 킥 때문에 다이오드는 순방향 바이어스되고 인덕터를 통하는 전류는 동일방향으로 계속 흐르게 된다. 동시에 인덕터는 회로에 축적된 에너지를 되돌린다. 다시 말해 인덕터가 전류원처럼 동작하여 부하로 전류를 계속 공급한다.

인덕터에서 회로로 모든 축적된 에너지를 되돌릴 때까지(불연속모드) 또는 스위치가 다시 단락될 때까지(연속모드) 인덕터를 통하는 전류는 흐르고, 어느 쪽이든지 처음으로 간다. 또한 어느 경우에나 커패시터는 스위치가 개방되어있는 시간 동안은 부하 전류원이 될 것이다. 이 방법에서 부하양단의 리플은 최소가 된다.

스위치는 계속해서 단락과 개방을 반복할 것이다. 이 스위칭 주파수는 10 kHz에서 100 kHz 이상(어떤 IC 안정기는 1 MHz 이상에서 스위치된다)이다. 인덕터를 통하는 전류는 항상 같은 방향이고, 사이클의 다른 시간에서 스위치 또는 다이오드를 통해 통과한다.

안정한 입력전압과 이상적인 다이오드에서 그림 22-26d와 같은 구형파 전압파형이 **쵸크-입력 필터**(choke-input filter)의 입력에 나타난다. 초크입력 필터의 출력은 필터입력의 직류 또는 평균치와 같다. 평균치는 듀티 사이클에 관련되고 다음과 같이 주어진다.

$$V_{\text{out}} = DV_{\text{in}} \tag{22-21}$$

듀티사이클이 클수록 직류출력 전압도 크다.

전원이 처음 인가되었을 때 출력전압은 없고 전압분배기 R_1, R_2로부터의 귀환전압도 없다. 그러므로 비교기 출력은 매우 크고, 듀티 사이클은 거의 100%이다. 그러나 출력전압이 성장하면서 귀환전압 V_{FB}는 듀티 사이클을 감소시켜 비교기 출력을 감소시킨다. 동일한 출력전압을 주는 듀티 사이클을 발생하는 귀환전압에서 출력전압은 평형치에 도달한다.

비교기의 큰 이득 때문에 비교기 입력단자간의 가상단락은 다음을 의미한다.

$$V_{FB} \cong V_{\text{REF}}$$

이로부터 출력전압에 대한 식을 유도할 수 있다.

$$V_{\text{out}} = \frac{R_1 + R_2}{R_1} V_{\text{REF}} \tag{22-22}$$

평형이 설정된 후, 선전압 또는 부하의 변동으로 출력전압이 변화되려고 하면 부귀환에 의해 거의 완벽하게 상쇄될 것이다. 예를 들어 만일 출력전압이 증가하려고 하면 귀환전압은 비교기 출력을 감소시킨다. 이것은 듀티 사이클과 출력전압을 감소시킨다. 최종효과는 부귀환이 없을 때보다 훨씬 적은 약간의 출력전압의 증가뿐이다.

같은 모양으로, 만일 출력전압이 선전압 또는 부하변화 때문에 감소하려고 하면 귀환전압은 작아지고 비교기 출력은 커진다. 이것이 듀티 사이클의 증가와 출력전압에서의 거의 모든 감소경향을 상쇄시켜 큰 출력전압을 발생시킨다.

부스트안정기

그림 22-27a에 스위칭 전원안정기와 기본 토폴로지가 다른 **부스트안정기**(boost regulator)를 나타내었다. 부스트안정기는 항상 전압을 승압한다. 동작에 대한 이론은 벅안정기와 어떤 점에서는 비슷하나 어떤 점에서는 매우 다르다. 예를 들어, 펄스가 고(high)일 때는 앞서 설명한 것처럼 스위치는 단락되고 자장에 에너지가 축적된다.

펄스가 저(low)로 갈 때 스위치는 개방된다. 다시 인덕터 주위의 자장은 사라지고 그림 22-27b와 같이 인덕터 양단에는 역전압이 유도된다. 이때 입력전압에 유도성 킥(inductive kick)이 부가됨에 주목하라. 이것은 인덕터의 오른쪽 끝의 피크전압을 의미한다.

$$V_p = V_{\text{in}} + V_{\text{kick}} \tag{22-23}$$

유도성 킥은 자장 내에 축적된 에너지의 량에 의존한다. 달리 표현하면 V_{kick}은 듀티 사이클에 비례한다.

안정한 입력전압을 가지는 구형파 전압파형이 그림 22-27c의 **커패시터-입력 필터**(capacitor-input filter)의 입력에 나타난다. 따라서 구형파 출력전압은 식 (22-23)에서

그림 22-27 (a) 부스트안정기; (b) 스위치개방시 입력에 킥전압이 더해짐; (c) 피크입력과 같은 출력전압을 발생시키는 커패시터-입력 필터

주어진 피크전압과 거의 같다. V_{kick}이 항상 0보다 크기 때문에 V_p는 항상 V_{in}보다 크다. 이것이 부스터안정기가 항상 전압을 승압하는 이유이다.

초크-입력 필터 대신 커패시터-입력 필터를 사용한 것을 제외하고는 부스트 토폴로지가 가지는 안정은 벅 토폴로지가 가지는 안정과 흡사하다. 비교기의 고이득 때문에 귀환은 기준전압과 거의 같다. 그러므로 안정된 출력전압은 여전히 식 (22-22)로 주어진다. 만일 출력전압이 증가하려고 하면 귀환전압이 감소하고 비교기 출력이 감소하며 듀티 사이클이 작아지고 유도성 킥이 감소한다. 이 피크전압의 감소는 출력전압의 증가경향을 상쇄시킨다. 만일 출력전압이 감소하려고 하면 귀환전압이 적어지고 그 결과 피크전압이 커져 출력전압의 감소경향을 상쇄한다.

벅-부스트 안정기

그림 22-28a에 스위칭 전원안정기의 세 번째 가장 기본이 되는 토폴로지인 **벅-부스트 안정기**(buck-boost regulator)를 나타내었다. 벅-부스트 안정기는 양의 입력전압으로 구동했을 때 항상 음의 출력전압을 발생한다. PWM 출력이 고(high)일 때, 스위치는 단락되고 에너지가 자장 내에 축적된다. 이때 인덕터 양단의 전압은 그림 22-28b에 나타낸 극성을 가지는 V_{in}과 같다.

펄스가 저(low)로 가면, 스위치는 개방된다. 다시 인덕터 부근의 자장은 사라지고 그림 22-28c에 나타낸 바와 같이 인덕터 양단의 킥 전압은 감소한다. 킥 전압은 자장 내에 축적된 에너지에 비례하고 듀티 사이클에 의해 제어된다. 만일 듀티 사이클이 저(low)이면 킥 전압은 0에 근접하고, 고(high)이면 킥 전압은 자장 내에 축적된 에너지가 얼마인가에 따라 V_{in}보다 더 클 수도 있다.

그림 22-28d에서 피크전압의 크기는 입력전압보다 작을 수도 클 수도 있다. 다이오드와 커패시터-입력 필터는 $-V_P$와 같은 출력전압을 발생한다. 이 출력전압의 크기는 입력전압보다 적을 수도 클 수도 있기 때문에 이 토폴로지를 **벅-부스트**(buck-boost)라고 부른다.

그림 22-28a의 반전증폭기는 비교기의 반전입력에 귀환신호가 도달하기 전에 귀환신호를 반전시키기 위해 사용된다. 그리고 전압안정은 앞서 설명한 바와 같이 동작한다. 출력전압이 증가하려고 하면 듀티 사이클이 감소하고 이는 피크전압을 감소시킨다. 출력전압이 감소하려고 하면 듀티 사이클이 증가한다. 이 같은 방법으로 부귀환은 출력전압을 거의 일정하게 유지한다.

그림 22-28 (a) 벅-부스트 안정기; (b) 단락스위치에서 극성; (c) 개방스위치에서 극성; (d) 커패시터-입력 필터는 음의 피크와 같은 출력을 발생한다.

모놀리딕 벅 안정기

몇몇 IC 스위칭 전원안정기는 5개의 외부 핀을 가진다. 예를 들어 LT1074는 벅 토폴로지를 사용한 모놀리딕 바이폴라 스위칭 전원안정기이다. 이것은 2.21 V의 기준전압, 스위칭소자, 내부발진기, 펄스폭 변조기 및 비교기와 같은 앞서 설명한 대부분의 성분을 포함하고 있다. 100 kHz의 스위칭 주파수에서 동작하고, +8 V에서 +40 V까지의 직류입력 전압을 취급할 수 있고, 1 A에서 5 A까지의 부하전류에서 75~90%의 효율을 가진다.

그림 22-29에 벅 안정기로 접속된 LT1074를 나타내었다. 핀 1(FB)은 귀환전압용이고, 핀 2(COMP)는 고주파에서 발진을 방지하기 위한 주파수 보상용이고, 핀 3(GND)은 접지이다. 핀 4(OUT)는 내부 스위칭소자의 스위치출력이고, 핀 5(IN)는 직류입력 전압용이다.

D_1, L_1, C_1, R_1 및 R_2는 벅 안정기의 앞서 설명에서 말한 바와 같은 동일한 기능을 제공한다. 그러나 안정기의 효율을 개선하기 위해 쇼트키 다이오드를 사용하고 있음에 주목하라. 쇼트키 다이오드는 낮은 문턱전압을 가지기 때문에 전력소비가 적다. LT1074의 데이터시트에 전력선 필터링을 위한 입력양단에 200 μF에서 470 μF까지의 커패시터 C_2를 부가할 것을 권고하고 있다. 또한 귀환루프의 안정(발진방지)을 위해 2.7 kΩ의 R3과 0.01 μF의 C_3을 부가할 것도 권고하고 있다.

LT1074는 널리 사용된다. 그림 22-29를 보고 왜 그럴까를 알아보자. 이 회로는 개별회로형태로 설계 및 제작하는 모든 회로에서 가장 어려운 것 중 하나인 스위칭 전원안정기를 고려하면 믿을 수 없을 만큼 간단하다. 다행히도 LT1074가 집적화할 수 없는 요소(쵸크와 필터커패시터)와 사용자가 선택하는 나머지 요소(R_1과 R_2)를 제외한 모든 것을 포함하고 있기 때문에 IC 설계자는 어려운 작업이 모두 해결된다. 선택하는 R_1과 R_2의 값에 따라 약 2.5 V에서 38 V까지의 안정화된 출력전압을 얻을 수가 있다. LT1074의 기준전압이 2.21 V이므로 출력전압은 다음과 같이 주어진다.

$$V_{out} = \frac{R_1 + R_2}{R_1}(2.21 \text{ V}) \tag{22-24}$$

헤드룸 전압은 *npn* 다링톤을 구동하는 *pnp* 트랜지스터로 되어있는 내부 스위칭소자

그림 22-29 LT1074를 사용한 벅 안정기

때문에 적어도 2 V는 되어야 한다. 전체 스위치에서의 전압강하는 큰 전류에서 2 V정도는 되어야 한다.

모놀리딕 부스터 안정기

MAX631은 안정한 출력을 발생하기 위해 부스트 토폴로지를 사용한 모놀리딕 CMOS 스위칭 전원안정기이다. 이 저전력 IC 스위칭 전원안정기는 50 kHz의 스위칭 주파수를 가지고 2 V에서 5 V의 입력전압과 약 80%의 효율을 가진다. MAX631은 단 2개의 외부요소만을 요구하기 때문에 가장 간단하다.

예를 들어, 그림 22-30에 +2 V에서 +5 V의 입력전압으로 +5 V의 고정된 출력전압을 발생하는 부스터 안정기로 접속된 MAX631을 나타내었다. 이 IC 안정기는 휴대용 기기 내에서 응용하는 것 중 하나이므로 흔히 전지로부터 입력전압이 인가된다. 데이터시트에는 330 μH의 인덕터와 100 μF의 커패시터를 권고하고 있다.

MAX631은 8핀 소자인데, 사용하지 않는 핀은 접지시키거나 접속하지 않고 내버려 둔다. 그림 22-30에서, 핀 1(LBI)은 저 전지검출에 사용된다. 접지했을 때는 아무런 효과가 없다. MAX631은 일반적으로 고정된 출력안정기로 사용하나, 핀 7(FB)에 귀환전압을 제공하기 위해 외부전압분배기를 사용할 수 있다. 그림과 같이 핀 7을 접지하였을 때의 출력전압은 제조업체에서 미리 조절한 +5 V의 값이다.

MAX631 이외에도 +12 V의 출력전압을 발생하는 MAX632와 +15 V의 출력전압을 발생하는 MAX633이 있다. MAX631에서 MAX633 안정기들은 전하펌프(charge pump)라 불리는 핀 6을 가지는데, 이것은 구형파 출력신호를 발생하는 저임피던스 버퍼이다. 이 신호스윙은 발진주파수에서 0에서 V_{out}까지이며, 음으로 클램프할 수 있다. 또한 음의 출력전압을 얻기 위해 피크검출도 할 수 있다.

예로서 그림 22-31*a*에 MAX633에서 약 −12 V의 출력을 얻기 위한 전하펌프를 어떻게 사용하는가를 나타내었다. C_1과 D_1은 음의 클램퍼이다. D_2와 C_2는 음의 피크검출기이다. 여기서 전하펌프의 동작을 살펴보자. 즉, 그림 22-31*b*에 핀 6으로부터 발생되는 이상적인 전압파형을 나타내었다. 음의 클램퍼 때문에 D_1 양단의 이상적인 전압파형은 그림 22-31*c*의 음으로 클램프되는 파형이다. 이것은 20 mA에서 약 −12 V의 출력을 발생하기 위해 음의 피크검출기를 구동하는 파형이다. 이 전압의 크기는 두 다이오드(D_1과 D_2)의 전압강하와 버퍼(30 Ω 부근)의 출력임피던스 양단 전압강하 때문에 출력전압보다 적은 약 3 V이다.

그림 22-30　MAX631을 사용하는 부스트 안정기

그림 22-31 (a) 음의 출력전압을 발생시키기 위한 MAX633의 전하펌프 사용; (b) 음의 클램퍼를 구동하는 핀 6의 출력; (c) 음의 피크검출기에 대한 입력

만일 선형안정기에 입력전압을 공급하기 위해 전지를 사용한다면, 출력전압은 항상 더 적다. 부스트안정기는 선형안정기보다 효율이 더 높을 뿐만 아니라, 또한 전지 전원시스템에서 전압을 승압시킬 수도 있다. 이것은 매우 중요하고 모놀리딕 부스트안정기가 왜 그렇게 널리 사용되는가를 설명하는 것이다. 저가의 재충전 사용 가능한 전지의 유용성은 전지전원 시스템에서 모놀리딕 부스트안정기를 기본 선택으로 만들었다.

MAX631에서 MAX633까지의 소자는 1.31 V의 내부 기준전압을 가지고 있다. 이 스위칭 전원안정기가 외부 전압분배기와 함께 사용될 때, 안정화 된 출력전압은 다음 식으로 주어진다.

$$V_{\text{out}} = \frac{R_1 + R_2}{R_1}(1.31\ \text{V}) \tag{22-25}$$

모놀리딕 벅-부스트 안정기

LT1074의 내부설계는 벅-부스트 외부접속에 지원할 수 있다. 그림 22-32에 벅-부스트 안정기로 접속된 LT1074를 나타내었다. 효율을 개선하기 위해 쇼트키 다이오드를 사용하고 있다. 앞서 설명했듯이, 내부스위치가 단락되었을 때 에너지가 인덕터의 자장에 축적된다. 스위치가 개방되었을 때 자장은 사라지고 다이오드가 순방향 바이어스된다. 인덕터 양단의 음의 킥 전압은 −Vout을 발생하는 커패시터-입력 필터에 의해 피크 검출된다.

그림 22-28a의 벅-부스트 토폴로지의 설명에서 전압분배기로부터의 출력샘플이 음이므로 양의 귀환전압을 얻기 위해 반전증폭기를 사용했다. LT1074의 내부설계는 이 문제를 해결했다. 데이터시트에는 그림 22-32에 나타내었듯이 음의 출력전압을 GND로 되돌리도록 권고한다. 이것은 펄스폭 변조기를 제어하는 비교기에 정확한 오차전압을 발생한다.

그림 22-32 LT1074를 사용한 벅–부스트 안정기

응용 예제 22-15

그림 22-29의 벅 안정기에서, $R_1 = 2.21 \text{ k}\Omega$, $R_2 = 2.8 \text{ k}\Omega$이다. 출력전압은 얼마인가? 출력전압으로 사용할 수 있는 최소 입력전압은 얼마인가?

풀이   식 (22-24)에서 다음을 계산할 수 있다.

$$V_{\text{out}} = \frac{R_1 + R_2}{R_1} V_{\text{REF}} = \frac{2.21 \text{ k}\Omega + 2.8 \text{ k}\Omega}{2.21 \text{ k}\Omega} (2.21 \text{ V}) = 5.01 \text{ V}$$

LT1074의 스위칭소자 양단의 전압강하 때문에 입력전압은 출력전압 5 V보다 적어도 2 V는 커야 한다. 이것은 최소 입력전압이 7 V임을 의미한다. 보다 충분한 헤드 룸은 8 V의 입력전압을 사용해야 한다.

연습 문제 22-15   응용 예제 22-15에서 R_2를 5.6 kΩ으로 바꾸고, 새로운 출력전압을 계산하라. 또 $R_1 = 2.2$ kΩ일 때, 10 V의 출력을 발생시키는 데 필요한 R_2의 값은 얼마인가?

응용 예제 22-16

그림 22-32의 벅-부스트 안정기에서 $R_1 = 1 \text{ k}\Omega$, $R_2 = 5.79 \text{ k}\Omega$이다. 출력전압은 얼마인가?

풀이   식 (22-24)에서 다음과 같이 계산할 수 있다.

$$V_{\text{out}} = \frac{R_1 + R_2}{R_1} V_{\text{REF}} = \frac{1 \text{ k}\Omega + 5.79 \text{ k}\Omega}{1 \text{ k}\Omega} (2.21 \text{ V}) = 15 \text{ V}$$

연습 문제 22-16   그림 22-32에서 만일 $R_1 = 1 \text{ k}\Omega$, $R_2 = 4.7 \text{ k}\Omega$이면, 출력전압은 얼마인가?

LED구동기 응용

직류-직류 모노리딕 변환기는 다양한 용도에 사용될 수 있다. 이러한 용도 중 하나는 효율적으로 LED를 구동 할 수 있는 기능이다. CAT4139는 LED 문자열을 구동할 때, 일정한 전류를 공급하도록 설계된 일명 직류/직류 스텝업 변환기라고 불리는 승압 안정기이다. 그림 22-33은 CAT4139의 단순화된 블록도이다. 단지 다섯 개의 핀 연결과 최소한의 외부 부품 요구만으로 LED 드라이버는 750 mA까지 스위칭 전류를 공급 할 수 있으며, 22 V까지 LED 문자열을 구동할 수 있다. 이러한 IC의 기본 기능을 살펴보자. V_{IN}은 IC의 전원공급 입력연결이다. 입력전압은 정전류출력 동작을 위해 2.8 V에서 5.5 V까지의 구간이면 가능하다. 만약 V_{IN}이 1.9V 이하로 떨어지면, 저전압차단기능 (UVLO:under-voltage lock out)이라는 현상이 발생하고 장치는 스위칭을 멈춘다. 셧다운로직 입력핀($\overline{SHDN}$)에 저레벨(< 0.4V) 논리가 입력되면 CAT4139는 셧다운 모드로 들어간다. 이 시간 동안, IC는 입력전원전압으로부터 전류를 소비하지 않는다. $\overline{SHDN}$ 핀 전압이 1.5 V보다 높은 경우, 이 장치는 활성화된다. $\overline{SHDN}$ 입력은 정상적인 I_{LED} 출력전류레벨의 0에서 100 %까지 출력 전류를 제어하는 PWM 신호에 의해 구동될 수 있다. 접지핀인 GND는 접지기준 핀이고, 이 표면실장부품(SMD)을 위한 인쇄회로기판의 접지 면에 직접 연결되어야한다.

스위치 SW는 내부 MOSFET의 드레인과 연결되어있고, 직렬 인덕터와 쇼트키다이오드의 접속점에 연결된다. MOSFET는 PWM과 논리블록으로부터 가변 듀티사이클을 갖는 1 MHz 주파수로 스위칭된다. 전류감지저항 R_S는 MOSFET의 소스 측에 접속되어있다. MOSFET 전류는 평균전류 레벨에 비례한 저항 양단의 전압 강하를 생성

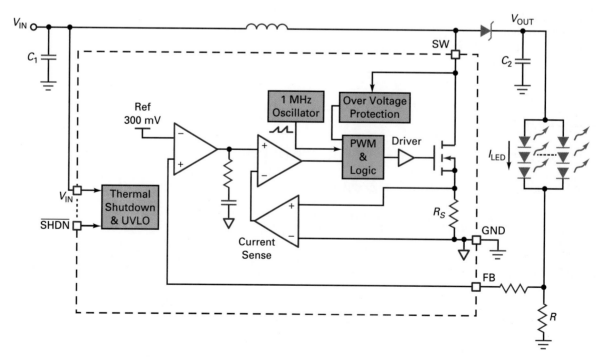

그림 22-33 단순화된 블록도(온 세미컨덕터 SCILLC의 허가 하에 사용됨)

L: Sumida CDRH6D28-220
D: Central CMSH1-40 (rated 40 V)

그림 22-34 전형적인 응용회로(온 세미컨덕터 SCILLC의 허가 하에 사용됨)

한다. 이 전압은 전류 제한 및 제어를 위한 전류감지 연산증폭기에 적용된다. 이 IC는 부스트 컨버터이기 때문에, SW 핀에서의 전압은 입력 전원 전압보다 높을 것이다. 이 전압이 24 V에 도달하면, 과전압보호회로는 저전력 동작 모드로 장치를 바꾼다. 이것은 최대 정격 40 V를 초과하는 SW 전압을 방지 할 수 있다.

그림 22-33에서 효율적인 직렬저항이 LED 문자열 부하의 음극에서 접지 사이에 연결되어있다. 이 저항 양단의 전압이 IC의 피드백 FB에 인가된다. 이 전압은 내부기준 전압인 300 mV와 비교된다. 내부스위치의 온/오프 듀티사이클은 양단의 저항에서 일정하게 안정된 전압을 유지하도록 조정되고 제어된다. LED를 통과하는 전류는 역시 이러한 직렬저항을 통과하여 흐르기 때문에, 출력전류는 다음과 같이 쓸 수 있다.

$$I_{OUT} = \frac{0.3\,V}{R} \qquad\qquad (22\text{-}26)$$

예를 들어, 직렬저항이 10 Ω인 경우, 출력전류는 30 mA로 설정된다. 만약 저항이 1 Ω으로 변경될 경우, 출력 전류는 300 mA가 된다.

그림 22-34는 CAT4139의 일반적인 응용을 보여준다. 5 V의 입력전압이 V_{IN}에 인가된다. 4.7 μF 입력커패시터 C_1은 가능한 가깝게 입력전압 핀에 연결한다. 1 μF 커패시터 C_2는 쇼트키다이오드의 출력에 접속된다. C_1과 C_2는 X5R 또는 X7R 정격을 갖는 세라믹 커패시터로 온도 구간안정성 때문에 권장된다. 그림 22-34에는 22 μH 인덕터가 있다. 인덕터는 750 mA 이상 흘릴 수 있어야 하고, 낮은 직렬직류저항을 가져야 한다. 사용된 쇼트키다이오드는 그것을 통해 흐르는 피크전류를 안전하게 흘릴 수 있어야한다. 효율이 높은 회로를 위해 다이오드는 낮은 순방향 전압강하와 1 MHz의 스위칭속도를 처리할 수 있는 주파수 응답을 가져야 한다.

그림 22-34에서 보이는 바와 같이, LED의 여러 열들은 LED부하로써 직렬/병렬 배열로 배치될 수 있다. 이 경우, 아홉 개의 문자열이 사용되었다. LED의 각 문자열은 전체 부하 전류가 180 mA이므로 각각 20 mA가 필요하다. 식 (22-26)을 정리하면, 직

렬 저항 R_1의 값은 아래와 같다.

$$R_1 = \frac{0.3 \text{ V}}{I_{\text{OUT}}} = \frac{0.3 \text{ V}}{180 \text{ mA}} = 1.66 \ \Omega$$

그림 22-34에서 1.62 Ω 저항이 사용된다. 20 mA LED의 직렬/병렬 배열을 사용하는 대신에 이 승압 컨버터는 수백 mA가 요구되는 고출력 LED도 역시 구동할 수 있다.

응용 예제 22-17

그림 22-35의 회로는 어떤 기능을 수행하는가?

풀이　그림 22-35의 회로는 태양광 LED램프 응용회로이다. 이것은 배터리를 충전하는 태양전지 패널에 사용한다. 배터리는 LED 문자열을 구동할 정전류 구동기 CAT4139에 입력 전압을 공급한다. 그러면 어떻게 이 회로가 작동하는가?

태양전지 패널은 직렬로 연결된 10개의 셀로 구성된 태양전지 모듈로 구성되어있다. 각 셀은 태양광의 주위조건에 따라 약 0.5 V~1.0 V를 생성한다. 이것은 무부하시 SOLAR+ 출력과 접지 GND 사이에 5 V~10 V의 출력 전압을 생성한다.

태양전지 모듈의 출력이 충분히 높을 때, 다이오드(D_2)를 통해 3.7 V 리튬이온전지를 충전한다. 리튬이온전지(필요한 경우 병렬로 배열)는 과충전 전류/전압 또는 방전전류에 대한 보호 기능이 내장되어있다. SOLAR+에서의 전압은 또한 트랜지스터 Q_1의 입력베이스 바이어스를 제공한다. Q_1이 전도될 때, R_1 양단의 전압강하는 접지 쪽으로 컬렉터를 당기며, CAT4139 컨버터는 셧다운 모드로 들어간다.

주위 광이 낮은 경우, 태양전지 모듈의 출력이 현저히 떨어진다. SOLAR+에서의 낮은 출력전압은 더 이상 Q_1을 순방향 바이어스하지 못한다. 이 트랜지스터는 꺼지고 컬렉터 전압은 BAT+ 레벨까지 상승한다. 만약 리튬이온전지가 충분한 레벨로 충전되는 경우, 컨버터는 스위칭모드로 전환되고 BAT+의 전압은 컨버터의 입력 핀 V_{IN}에 입력전압을 공급한다. 이 시간 동안, D_2는 배터리로부터 태양전지 모듈로 흐르는 역전류를 방지하기 위해 사용된다. 직류-직류 부스트 컨버터는 현재 LED 문자열에 필요한 출력전압 및 전류를 공급한다. LED를 통한 일정한 전류는 저항 R_4에 의해 제어된다. $I_{\text{LED}} = 0.3$ V / 3.3 Ω = 91 mA.

그림 22-35 CAT4139 태양광 램프 개략도(온 세미컨덕터 SCILLC의 허가 하에 사용됨)

요점정리 표 22-3은 다양한 전압안정기와 그들의 몇 가지 특성을 정리한 것이다.

요점정리 표 22-3	전압 안정기들
형식	**특성**
제너 분류형 안정기 V_{in} —— R_S —— V_{out} V_Z R_L	• $V_{out} = V_Z$ • 간단한 설계 • $\Delta V_{out} = \Delta I_Z R_Z$
트랜지스터 분류형 안정기 V_{in} —— R_S —— V_{out} R_3 Q_1 R_2 R_1 R_L V_Z	• $V_{out} = \dfrac{R_1 + R_2}{R_1}(V_Z + V_{BE})$ • 개선된 안정기 • 단락회로 보호 설계 • 저효율
트랜지스터 직렬형 안정기 V_{in} Q_2 V_{out} R_3 R_4 R_2 Q_1 R_1 R_L V_Z	• $V_{out} = \dfrac{R_1 + R_2}{R_1}(V_Z + V_{BE})$ • 분류형 안정기 이상의 개선된 효율 • 단락회로 보호 부가 필요 • $Q_2 \, P_D \cong (V_{in} - V_{out}) I_L$

요점정리 표 22-3	계속

형식	특성
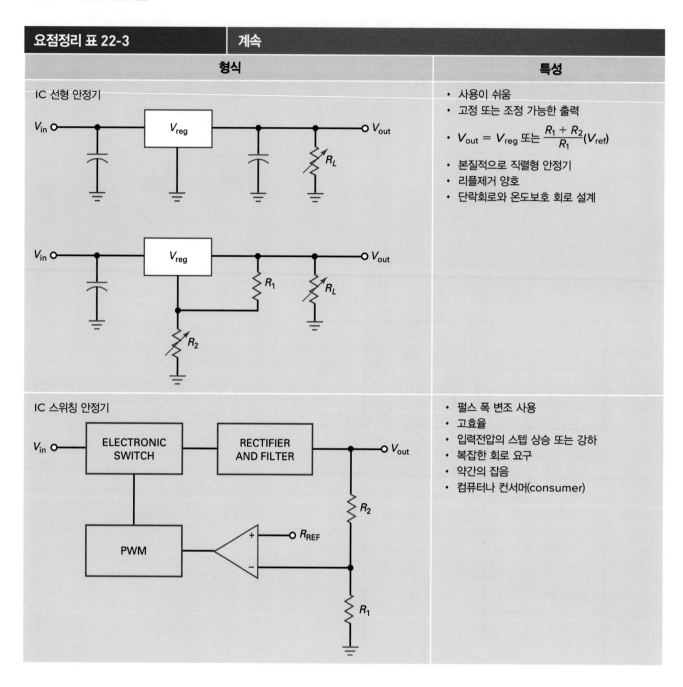	**IC 선형 안정기** • 사용이 쉬움 • 고정 또는 조정 가능한 출력 • $V_{out} = V_{reg}$ 또는 $\dfrac{R_1 + R_2}{R_1}(V_{ref})$ • 본질적으로 직렬형 안정기 • 리플제거 양호 • 단락회로와 온도보호 회로 설계 **IC 스위칭 안정기** • 펄스 폭 변조 사용 • 고효율 • 입력전압의 스텝 상승 또는 강하 • 복잡한 회로 요구 • 약간의 잡음 • 컴퓨터나 컨서머(consumer)

요점 | Summary

22-1 공급전원의 특성

부하안정은 부하전류가 변화할 때 출력전압이 얼마나 변화하는가를 나타낸다. 전력선

안정은 전력선 전압이 변화할 때 부하전압이 얼마나 변화하는가를 나타낸다. 출력저항은 부하안정을 결정한다.

22-2 분로(병렬)형 안정기

제너안정기가 분로형 안정기의 가장 간단한 예이다. 트랜지스터와 연산증폭기를 부가하

므로 우수한 전력선 및 부하안정을 가지는 분로형 안정기를 설계할 수 있다. 분로형 안정기의 주된 단점은 직렬저항과 분로트랜지스터에서의 전력 손실 때문에 발생하는 저효율이다.

22-3 직렬형 안정기
직렬저항 대신에 통과트랜지스터를 사용하므로 분로형 안정기보다 더 높은 효율을 가지는 직렬형 안정기를 설계할 수 있다. 제너 폴로어는 직렬형 안정기의 가장 간단한 예이다. 트랜지스터와 연산증폭기를 부가하므로 우수한 전력선 및 부하안정과 전류제한을 가지는 직렬형 안정기를 설계할 수 있다.

22-4 모놀리딕 선형안정기
IC 전압안정기는 고정된 양의 전압, 고정된 음의 전압 또는 조정 가능한 전압 중 하나를 가진다. 또 IC 안정기는 표준, 저전력, 저 드롭아웃으로 분류한다. LM78XX 시리즈는 5 V에서 24 V까지의 출력전압을 가지는 대표적인 고정된 안정기이다.

22-5 전류부스터
78XX소자와 같은 IC 안정기의 안정된 부하전류를 증가시키려면 1 A 이상의 대부분의 전류를 통과시키기 위해 외부설치 트랜지스터를 사용할 수 있다. 또 다른 트랜지스터를 부가하므로 단락회로 보호도 할 수 있다.

22-6 직류-직류 변환기
입력직류전압을 또 다른 값의 출력직류전압으로 변환시키기를 원할 때는 직류-직류 변환기가 유용하다. 불안정한 직류-직류 변환기는 출력전압이 입력전압에 비례하는 발진기를 가진다. 일반적으로 트랜지스터의 푸시풀 배치와 트랜스는 이 전압을 승압 또는 강압한다. 그리고 입력전압과 서로 다른 출력전압을 얻기 위해 정류하고 필터한다.

22-7 스위칭 전원안정기
스위칭 전원안정기는 안정한 출력전압을 얻기 위해 펄스폭 변조를 사용한 직류-직류 변환기이다. 통과트랜지스터를 전도(on)와 차단(off)으로 스위칭하므로 스위칭 전원안정기는 70~95%까지의 효율을 얻을 수 있다. 기본 토폴로지로는 벅(강압), 부스트(승압), 벅-부스트(반전)가 있다. 이 안정기의 형식은 컴퓨터와 휴대전자시스템에 있어 매우 인기가 있다.

정의식 | Definitions

(22-8)　효율:

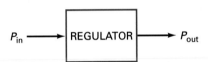

$$\text{Efficiency} = \frac{P_{out}}{P_{in}} \times 100\%$$

(22-11)　헤드 룸:

$$\text{Headroom voltage} = V_{in} - V_{out}$$

유도식 | Derivations

(22-4)　부하안정:

$$\text{Load regulation} = \frac{R_{TH}}{R_{L(min)}} \times 100\%$$

(22-12)　통과소비전력:

$$P_D \cong (V_{in} - V_{out})I_L$$

(22-13)　효율:

$$\text{Efficiency} \cong \frac{V_{out}}{V_{in}} \times 100\%$$

(22-17)　단락부하전류:

$$I_{SL} = \frac{V_{BE}}{R_4}$$

(22-19) LM317 출력전압:

$$V_{out} = \frac{R_1 + R_2}{R_1}(1.25\ V)$$

(22-20) 자장내 축적된 에너지:

$$Energy = 0.5Li^2$$

(22-21) 필터에서의 입력평균치:

$$V_{out} = DV_{in}$$

(22-22) 스위칭 전원안정기의 출력:

$$V_{out} = \frac{R_1 + R_2}{R_1}V_{REF}$$

(22-23) 부스트 피크전압:

$$V_p = V_{in} + V_{kick}$$

복습 문제 | Self-Test

1. 전압안정기는 일반적으로 무엇을 사용하는가?
- a. 부귀환
- b. 정귀환
- c. 무귀환
- d. 위상제한

2. 안정한 동안, 통과트랜지스터의 전력소비는 컬렉터-에미터 전압에 무엇을 곱한 것과 같은가?
- a. 베이스전류
- b. 부하전류
- c. 제너전류
- d. 폴드백전류

3. 전류제한이 없는 단락된 부하는 아마 _____ .
- a. 0인 부하전류를 발생할 것이다.
- b. 다이오드와 트랜지스터를 파손할 것이다.
- c. 제너전압과 같은 부하전압을 가질 것이다.
- d. 너무 적은 부하전류를 가질 것이다.

4. 전류감지 저항은 항상 _____ .
- a. 0이다.
- b. 적다.
- c. 크다.
- d. 개방이다.

5. 간단한 전류제한은 무엇에서 너무 큰 열을 발생시키는가?
- a. 제너다이오드
- b. 부하저항
- c. 통과트랜지스터
- d. 주위온도

6. 폴드백 전류제한에서 부하전압은 0에 접근하고, 부하전류는 무엇에 접근하는가?
- a. 작은 값
- b. 절대치
- c. 제너전류
- d. 파괴적인 레벨

7. 개별전압 안정기에서 커패시터는 무엇을 방지하기 위해 필요한가?
- a. 부귀환
- b. 과잉부하 전류

- c. 발진
- d. 전류감지

8. 만일 최소, 최대 부하전류 사이에서 전압안정기의 출력이 15에서 14.7 V로 변했다면, 부하안정은 _____ 이다.
- a. 0
- b. 1%
- c. 2%
- d. 5%

9. 만일 전력선 전압의 변화가 사양의 범위를 넘었을 때, 전압 안정기의 출력이 20에서 19.8 V까지 변화했다면, 전원(source) 안정은 _____ 이다.
- a. 0
- b. 1%
- c. 2%
- d. 5%

10. 전압안정기의 출력임피던스는 _____ .
- a. 매우 적다.
- b. 매우 크다.

c. 부하전압을 부하전류로 나눈 값과 같다.

d. 입력전압을 출력전류로 나눈 값과 같다.

11. 전압안정기로 입력되는 리플은 출력되는 리플과 _____.

a. 같은 값이다.

b. 훨씬 크다.

c. 훨씬 적다.

d. 단정하기가 불가능하다.

12. 전압안정기가 260 dB의 리플제거를 가진다. 만일 입력리플이 1 V이면, 출력리플은?

a. 260 mV

b. 1 mV

c. 10 mV

d. 1000 V

13. IC 안정기에서 열차단은 만일 무엇이 어떠할 때 발생하는가?

a. 전력소비가 너무 적을 때

b. 내부 열이 너무 높을 때

c. 소자를 통하는 전류가 너무 적을 때

d. 상기 모든 경우에 발생

14. 만일 선형 3단자 IC 안정기가 필터 커패시터로부터 수 인치 이상 떨어져 있으면, 무엇을 사용하지 않아야 발진이 일어나겠는가?

a. 전류제한

b. 입력 핀에 바이패스 커패시터

c. 출력 핀에 결합커패시터

d. 안정한 입력전압

15. 전압안정기의 78XX 시리즈는 어떤 출력전압을 발생하는가?

a. 양(+)

b. 음(−)

c. 양(+) 또는 음(−)

d. 불안정한

16. LM7812는 얼마의 안정된 출력전압을 발생하는가?

a. 3 V

b. 4 V

c. 12 V

d. 78 V

17. 전류부스터는 어떤 트랜지스터인가?

a. IC 안정기에 직렬인

b. IC 안정기에 병렬인

c. 직렬 또는 병렬 중 하나

d. 부하에 분로인

18. 전류부스터를 전도시키기 위해 무엇 양단전압을 가지는 베이스-에미터 단자를 구동해야 하는가?

a. 부하저항

b. 제너임피던스

c. 또 다른 트랜지스터

d. 전류감지 저항

19. 위상분할기는 두 출력전압에 무엇을 발생하는가?

a. 같은 위상

b. 같지 않은 진폭

c. 반대위상

d. 매우 적음

20. 직렬형 안정기는 무엇의 예인가?

a. 선형안정기

b. 스위칭안정기

c. 분로형 안정기

d. 직류-직류 변환기

21. 벅 스위칭 전원안정기로부터 더 큰 출력전압을 얻기 위해서는 무엇을 해야 하는가?

a. 듀티사이클의 감소

b. 입력전압의 감소

c. 듀티사이클의 증가

d. 스위칭 주파수의 증가

22. 공급전원에서 전력선 전압의 증가는 항상 무엇을 발생하는가?

a. 부하저항의 감소

b. 부하전압의 증가

c. 효율의 감소

d. 정류기 다이오드에서 적은 전력소비

23. 저출력 임피던스를 가지는 공급전원은 저(low) 무엇을 가지는가?

a. 부하안정

b. 전류제한

c. 전력선 안정

d. 효율

24. 제너다이오드 안정기는 무엇인가?

a. 분로형 안정기

b. 직렬형 안정기

c. 스위칭 전원안정기

d. 제너폴로어

25. 분로형 안정기에서 입력전류는 ____.

a. 가변이다.

b. 일정하다.

c. 부하전류와 같다.

d. 자장내에 축적된 에너지를 사용한다.

26. 분로형안정기의 이점은 무엇인가?

a. 단락회로 방지 구성

b. 통과트랜지스터에서의 저전력 소비

c. 고효율

d. 적은 전력소비

27. 어떤 때 전압안정기의 효율이 높은가?

a. 입력전력이 적을 때

b. 출력전력이 클 때

c. 전력소비가 적을 때

d. 입력전력이 클 때

28. 분로형 안정기는 무엇 때문에 비효율적인가?

a. 전력소비

b. 직렬저항과 분로트랜지스터

c. 출력전력과 입력전력의 낮은 비

d. 상기 모두

29. 스위칭 전원안정기는 _____.

a. 단조롭다.

b. 잡음이 많다.

c. 비효율적이다.

d. 선형적이다.

30. 제너폴로어는 무엇의 예인가?

a. 부스트 안정기

b. 분로형 안정기

c. 벅 안정기

d. 직렬형 안정기

31. 직렬형 안정기는 무엇 때문에 분로형 안정기보다 효율이 더 좋은가?

   a. 직렬저항을 가지기 때문에

   b. 전압을 승압(boost)할 수 있으므로

   c. 직렬저항 대신에 통과트랜지스터를 사용하기 때문에

   d. 통과트랜지스터의 on-off 스위치 때문에

32. 선형안정기의 효율은 어떠할 때 높은가?

   a. 헤드룸 전압이 낮을 때

   b. 통과트랜지스터가 큰 전력소비를 가질 때

   c. 제너선압이 낮을 때

   d. 출력전압이 낮을 때

33. 만일 부하가 단락되었다면, 안정기가 무엇을 가질 때 통과트랜지스터가 최소전력소비를 가지는가?

   a. 폴드백 제한

   b. 저효율

   c. 벅 토폴로지

   d. 큰 제너전압

34. 표준 모노리딕 선형안정기의 드롭아웃 전압은 무엇에 가장 가까운가?

   a. 0.3 V   b. 0.7 V

   c. 2 V   d. 3.1 V

35. 벅 안정기에서 출력전압은 무엇으로 필터되는가?

   a. 초크-입력 필터

   b. 커패시터-입력 필터

   c. 다이오드

   d. 전압분배기

36. 가장 높은 효율을 가지는 안정기는 무엇인가?

   a. 분로형 안정기

   b. 직렬형 안정기

   c. 스위칭 전원안정기

   d. 직류-직류 변환기

37. 부스트 안정기에서 출력전압은 무엇으로 필터되는가?

   a. 초크-입력 필터

   b. 커패시터-입력필터

   c. 다이오드

   d. 전압분배기

38. 벅-부스트 안정기는 다른 말로 무엇이라 부르는가?

   a. 강압(step-down)안정기

   b. 승압(step-up)안정기

   c. 반전안정기

   d. 상기 모두

기본 문제 | Problems

22-1 공급전원의 특성

22-1 공급전원이 V_{NL} = 15 V와 V_{FL} = 14.5 V를 가진다. 부하안정은 얼마인가?

22-2 공급전원이 V_{HL} = 20 V와 V_{LL} = 19 V를 가진다. 전력선안정은 얼마인가?

22-3 만일 전력선 전압이 108에서 135 V까지 변하고, 부하전압이 12에서 12.3 V까지 변한다면, 전력선 안정은 얼마인가?

22-4 공급전원이 2 Ω의 출력저항을 가진다. 만일 최소 부하저항이 50 Ω이라면, 부하안정은 얼마인가?

22-2 분로(병렬)형 안정기

22-5 그림 22-4에서 V_{in} = 25 V, R_S = 22 Ω, V_Z = 18 V이고 V_{BE} = 0.75 V이고 R_L = 100 Ω이다. 출력전압, 입력전류, 부하전류 및 컬렉터 전류는 얼마인가?

22-6 그림 22-5의 분로형 안정기는 다음의 값을 갖는다. 즉 V_{in} = 25 V, R_S = 15 Ω, V_Z = 5.6 V, 이고 V_{BE} = 0.77 V이고 R_L = 80 Ω이다. 만일 R_1 = 330 Ω, R_2 = 680 Ω이라면, 출력전압, 입력전류, 부하전류 및 컬렉터 전류는 약 얼마인가?

22-7 그림 22-6의 분로형 안정기는 다음의 값을 갖는다. 즉, V_{in} = 25 V, R_S = 8.2 Ω, V_Z = 5.6 V이고 R_L = 50 Ω이다.

만일 R_1 = 2.7 Ω, R_2 = 6.2 Ω이라면, 출력전압, 입력전류, 부하전류 및 컬렉터 전류는 약 얼마인가?

22-3 직렬형 안정기

22-8 그림 22-8에서 V_{in} = 20 V, V_Z = 4.7 V, R_1 = 2.2 Ω, R_2 = 4.7 Ω, R_3 = 1.5 Ω, R_4 = 2.7 kΩ이고 R_L = 50 Ω이다. 출력전압은 얼마인가? 통과 트랜지스터에서 전력소비는 얼마인가?

22-9 문제 22-8에서 효율은 대략 얼마인가?

22-10 그림 22-15에서 제너전압이 6.2 V로 바뀌었다. 출력전압은 대략 얼마인가?

22-11 그림 22-16에서 V_{in}은 20에서 30 V까지 변할 수 있다. 최대 제너전류는 얼마인가?

22-12 만일 그림 22-16의 1 kΩ의 전위차계가 1.5 kΩ으로 바뀌었다면, 최소, 최대 안정한 출력전압은 얼마인가?

22-13 만일 그림 22-16에서 안정한 출력전압이 10 V라면, 전류제한이 시작되는 부하저항은 얼마인가? 단락부하 전류는 대략 얼마인가?

그림 22-36 예제

22-4 모놀리딕 선형안정기

22-14 그림 22-36에서 부하전류는 얼마인가? 헤드룸 전압은? LM7815의 전력소비는 얼마인가?

22-15 그림 22-36에서 출력리플은 얼마인가?

22-16 그림 22-20에서 만일 R1 = 2.7 kΩ, R2 = 20 kΩ이라면, 출력전압은 얼마인가?

22-17 LM7815는 18 V에서 25 V까지 변화시킬 수 있는 입력전압을 사용한다. 최대효율과 최소효율은 얼마인가?

22-6 직류-직류 변환기

22-18 직류-직류 변환기는 5 V의 입력전압과 12 V의 출력전압을 가진다. 만일 입력전류가 1 A이고 출력전류가 0.25 A라면, 직류-직류 변환기의 효율은 얼마인가?

22-19 직류-직류 변환기는 12 V의 입력전압과 5 V의 출력전압을 가진다. 만일 입력전류가 2 A이고 효율이 80%라면, 출력전류는 얼마인가?

22-7 스위칭 전원안정기

22-20 벅 안정기는 V_{REF} = 2.5 V, R_1 = 1.5 kΩ, R_2 = 10 kΩ을 갖는다. 출력전압은 얼마인가?

22-21 만일 듀티사이클이 30%이고 초크-입력필터에 펄스의 입력피크가 20 V라면, 안정된 출력전압은 얼마인가?

22-22 부스트 안정기는 V_{REF} = 1.25 V, R_1 = 1.2 kΩ, R_2 = 15 kΩ을 갖는다. 출력전압은 얼마인가?

22-23 벅-부스트 안정기는 V_{REF} = 2.1 V, R_1 = 2.1 kΩ, R_2 = 12 kΩ을 갖는다. 출력전압은 얼마인가?

응용 문제 | Critical Thinking

22-24 그림 22-37은 전자적 차단을 가지는 LM317 안정기를 나타낸다. 차단전압이 0일 때 트랜지스터는 차단되고 동작에 아무런 영향을 주지 않는다. 그러나 차단전압이 약 5 V이면 트랜지스터는 포화된다. 차단전압이 0 V일 때 출력전압의 조정가능한 범위는 얼마인가? 차단전압이 5 V일 때 출력전압은 무엇과 같은가?

22-25 그림 23-37의 트랜지스터는 차단이다. 18 V의 출력전압을 얻기 위해서는 조정가능한 저항값은 얼마가 되어야 하는가?

그림 22-37

22-26 브리지정류기와 커패시터-입력 필터가 전압안정기를 구동할 때, 방전동안 커패시터전압은 거의 완전한 램프가 된다. 왜 통상의 지수함수 파형 대신 램프가 얻어지는가?

22-27 만일 부하안정이 5%이고 무부하 전압이 12.5 V라면, 전부하 전압은?

22-28 만일 전력선안정이 3%이고 저전력선전압이 16 V이면, 고전력선전압은 얼마인가?

22-29 공급전원은 1%의 부하안정과 10 Ω의 최소 부하저항을 가진다. 공급전원의 출력저항은 얼마인가?

22-30 그림 22-6의 분로형 안정기는 35 V의 입력전압과 60 mA의 컬렉터전류, 140 mA의 부하전류를 가진다. 만일 직렬저항이 100 Ω이라면, 부하저항은 얼마인가?

22-31 그림 22-10에서 약 250 mA에서 전류제한이 시작되기를 원한다. R_4로 사용해야 할 값은 얼마인가?

22-32 그림 22-12는 10 V의 출력전압을 가진다. 만일 전류제한 트랜지스터의 VBE가 0.7 V이면, 단락부하전류의 값과 최대부하전류는 얼마인가? K = 0.7, R_4 = 1 Ω을 사용하라.

22-33 그림 22-38에서 R_5 = 7.5 kΩ, R_6 = 1 kΩ, R_7 = 9 kΩ이고 C_3 = 0.001 μF이다. 벅 안정기의 스위칭 주파수는 얼마인가?

22-34 그림 22-16에서 와이퍼는 중앙에 놓여있다. 출력전압은 얼마인가?

고장 점검 | Troubleshooting

22-35부터 22-43까지 문제는 그림 22-35를 이용하라. 이 고장점검 문제는 스위칭 전원안정기에 관한 것이다. 시작하기 전에 OK 상자를 보고 피크값으로 표시된 정확한 정상파형을 관찰해 두어라. 이 예제에서의 대부분의 고장은 저항에서라기보다는 IC의 결함이다. IC의 결함이란 핀의 내부가 개방 또는 단락된 것을 말한다. 고장이 IC 내부가 아니면 대부분 고정출력(stuck output)에 있다. 이것은 출력전압이 양 또는 음의 포화로 고정되는 것을 의미한다. 만일 입력신호가 정상일 때는 내부의 어떤 부분에서 고장이 발생하면 IC는 고정출력이 되지를 못한다. 다음 문제들은 출력이 +13.5 V 또는 −13.5 V 둘 중에서 어디에 고정되는지를 알아볼 수 있는 기회도 제공할 것이다.

22-35 Trouble 1의 고장부분을 진단하라.

22-36 Trouble 2의 고장 부분을 진단하라.

22-37 Trouble 3의 고장 부분을 진단하라.

22-38 Trouble 4의 고장 부분을 진단하라.

22-39 Trouble 5의 고장 부분을 진단하라.

22-40 Trouble 6의 고장 부분을 진단하라.

22-41 Trouble 7의 고장 부분을 진단하라.

22-42 Trouble 8의 고장 부분을 진단하라.

22-43 Trouble 9의 고장 부분을 진단하라.

그림 22-38

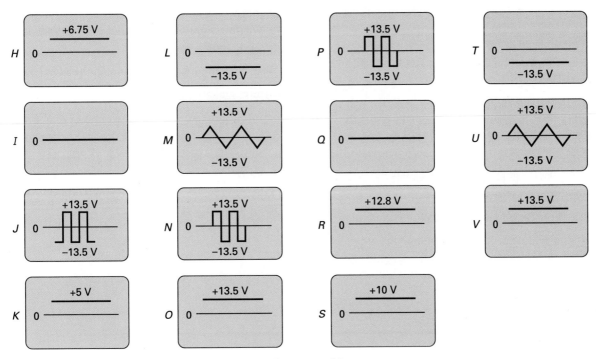

Troubleshooting

Trouble	V_A	V_B	V_C	V_D	V_E	V_F
OK	N	I	M	J	K	H
T1	P	I	U	T	I	L
T2	T	L	V	O	R	O
T3	N	Q	M	V	I	T
T4	P	N	L	T	Q	L
T5	O	V	L	T	I	L
T6	N	Q	M	O	R	T
T7	P	I	U	I	Q	L
T8	P	I	U	L	Q	V
T9	N	Q	M	O	R	V

Waveforms

그림 22-38 계속

Multisim 고장 점검 문제 | Multisim Troubleshooting Problems

멀티심 고장 점검 파일들은 *Connect for Electronic Principles* 저자 자료에 멀티심 고장 점검 회로(MTC)라는 폴더에서 찾을 수 있다. 좀 더 자세한 내용은 xiv페이지를 참조하라. 이 장에 관련된 파일은 MTC22-44~MTC22-48로 명칭되어 있고 모두 그림 22-16의 회로를 바탕으로 한다.

각 파일을 열고 고장 점검을 실시한다. 결함이 있는지 결정하기 위해 측정을 실시하고 결함이 있다면 무엇인지를 찾아라.

22-44 MTC22-44 파일을 열고 고장 점검을 실시하라.

22-45 MTC22-45 파일을 열고 고장 점검을 실시하라.

22-46 MTC22-46 파일을 열고 고장 점검을 실시하라.

22-47 MTC22-47 파일을 열고 고장 점검을 실시하라.

22-48 MTC22-48 파일을 열고 고장 점검을 실시하라.

디지털/아날로그 트레이너 시스템 | Digital/Analog Trainer System

22-49부터 22-53까지의 질문들은 **전자회로를 위한 연결**(Connect for Electronic Principles) 메뉴의 강사 자료 부분에 있는 디지털/아날로그 트레이너 시스템의 개략도에 관한 것이다. 모델명 XK-700 트레이너를 위한 전체 사용 설명서는 www.elenco.com에 있다.

22-49 3단자 전압안정기(U1)에서 공급기(U5)까지 각각의 직류 출력전압값은?

22-50 만약 LM7805(U3)의 출력부하전류가 100 mA인 경우, 그 입력에 대한 대략적인 피크-피크 리플 입력전압은 얼마인가?

22-51 (U2)를 적절히 안정화시키려면, 요구되는 직류 입력전압의 최소 수준은 얼마인가?

22-52 (U3)에 입력 리플이 피크-피크 200 mV인 경우, 표 22-1에 주어진 평가 리플 제거율을 이용하여 근사 출력 리플을 결정하여라.

22-53 LM317(U1)의 요구되는 출력전압이 +10 V가 필요하다면, I_{ADJ} 전류를 무시하고, +10 V 출력을 얻기 위한 VR1의 저항값은?

직무 면접 문제 | Job Interview Questions

1. 모든 분로형 안정기를 그리고, 동작방법에 대해 말하라.

2. 모든 직렬형 안정기를 그리고, 동작방법에 대해 말하라.

3. 직렬형 안정기의 효율이 분로형 안정기의 효율보다 더 좋은 이유를 설명하라.

4. 스위칭 전원안정기의 세 가지 기본형식은 무엇인가? 전압을 승압하는 것은 무엇인가? 양의 입력으로부터 음의 출력을 발생하는 것은 어느 것인가? 전압을 강압하는 것은 무엇인가?

5. 직렬형 안정기에서 헤드룸 전압은 무엇을 의미하는가? 효율과 헤드룸 전압 간의 관계는 어떠한가?

6. LM7806과 LM7912의 차이는 무엇인가?

7. 전력선안정과 부하안정이 무엇인지 설명하라. 만약 양질의 전력공급을 원한다면 이것들은 높아야 하는가? 낮아야 하는가?

8. 부하안정에 관련되는 공급전원의 Thevenin저항과 출력저항은 어떠한가? 양질의 전력공급을 위해서는 출력저항이 커야 하는가, 적어야 하는가?

9. 단순한 전류제한과 폴드백 전류제한의 차이는 무엇인가?

10. **열차단**은 무엇을 의미하는가?

11. 만일 IC가 불안정한 공급전원으로부터 6인치 이상 떨어져 있을 경우, 3단자 안정기의 제조회사에서는 입력에 바이패스 커패시터를 사용할 것을 권고한다. 이 커패시터의 목적은 무엇인가?

12. LM78XX 시리즈에서 대표적인 드롭아웃 전압은 얼마인가? 이것은 무엇을 의미하는가?

복습 문제 해답 | Self-Test Answers

1.	a	**8.**	c	**15.**	a	**22.**	b
2.	b	**9.**	b	**16.**	c	**23.**	a
3.	b	**10.**	a	**17.**	b	**24.**	a
4.	b	**11.**	c	**18.**	d	**25.**	b
5.	c	**12.**	b	**19.**	c	**26.**	a
6.	a	**13.**	b	**20.**	a	**27.**	c
7.	c	**14.**	b	**21.**	c	**28.**	d

29.	b	**32.**	a	**35.**	a	**38.**	d
30.	d	**33.**	a	**36.**	c		
31.	c	**34.**	c	**37.**	b		

연습 문제 해답 | Practice Problem Answers

22-1 $V_{out} = 7.6$ V;

$I_S = 440$ mA;

$I_L = 190$ mA;

$I_C = 250$ mA

22-2 $V_{out} = 11.1$ V;

$I_S = 392$ mA;

$I_L = 277$ mA;

$I_C = 115$ mA

22-3 $P_{out} = 3.07$ W;

$P_{in} = 5.88$ W;

% Eff. = 52.2%

22-4 $I_C = 66$ mA;

$P_D = 858$ mW

22-6 Load regulation = 2.16%;

Line regulation = 3.31%

22-7 $V_{out} = 8.4$ V;

$P_D = 756$ mW

22-8 Efficiency = 70%

22-9 $V_{out} = 11.25$ V

22-11 $I_Z = 22.7$ mA;

$V_{out(min)} = 5.57$ V;

$V_{out(max)} = 13$ V;

$R_L = 41.7$ Ω;

$I_{SL} = 350$ mA

22-12 $I_L = 150$ mA;

$V_R = 198$ μV

22-13 $V_{out} = 7.58$ V

22-15 $V_{out} = 7.81$ V;

$R_2 = 7.8$ kΩ

22-16 $V_{out} = 7.47$ V

Appendix A

다음 반도체 소자들은 본 교재에서 사용한 것들이다. 제조사의 네이터 시드는 *"connect for Electronic principles"*의 강사 자료에서 찾을 수 있다. 좀더 자세한 사항은 강사에게 문의 바란다.

1N4001 to 1N4007 (정류다이오드류)

1N5221B Series (제너다이오드류)

1N4728A Series (제너다이오드류)

TLDR5400 (LEDs)

LUXEON TX (고출력 LED 이미터)

2N3903, 2N3904 (범용 실리콘 트랜지스터: npn)

2N3906 (범용 실리콘 트랜지스터: pnp)

TIP 100/101/102 (실리콘 달링턴 트랜지스터)

MPF102 (JFET n-채널 RF 증폭기)

2N7000 (MOSFET n-채널 증강 모드)

MC33866 (H-브릿지 집적회로)

2N6504 (실리콘-제어 정류기)

FKPF8N80 (3극 사이리스터)

FGL60N100BNTD (NPT-트랜치 IGBT)

LM741 (범용 연산 증폭기)

LM118/218/318 (정밀 고속 연산 증폭기)

LM48511 (class-D 오디오 파워 앰프)

LM555 (타이머)

XR-2206 (함수 발생기 IC)

LM78XX Series (3단자 전압 조정기)

CAT4139 (DC/DC 스텝-업 컨버터)

Appendix B

수학적 유도

Mathematical Derivations

이 부록에서는 교재 내의 많은 식 중에서 몇 가지만을 선택하여 유도해 본다. 이 외 식들의 유도는 "*Connect for Electronic principles*"의 강사 자료에서 찾을 수 있다. 좀더 자세한 사항은 강사에게 문의 바란다.

식 (8-10)의 증명

이 식은 다음과 같이 주어지는 쇼클리(Schockley)에 의해 도출된 직사각형 *pn* 접합식에서 유도를 시작해 본다.

$$I = I_s(\epsilon^{Vq/kT} - 1) \tag{B-1}$$

여기서, I = 다이오드 전체전류

$\quad I_s$ = 역포화전류

$\quad V$ = 공핍층 양단의 전체전압

$\quad q$ = 전자전하

$\quad k$ = 볼쯔만 상수

$\quad T$ = 절대온도, $^\circ$C + 273

식 (B-1)은 접합 양단에 존재하는 벌크저항을 포함하지 **않는다**. 이 때문에 이 식은 벌크저항 양단전압을 무시할 수 있을 때만 전체 다이오드에 적용할 수 있다.

실온에서 q/kT는 거의 40이므로 식 (B-1)은

$$I = I_s(\epsilon^{40V} - 1) \tag{B-2}$$

(어떤 책에서는 39 V로 되어 있으나 별 차이가 없다.) r_e'를 구하기 위해 V에 대해 I를 미분하면,

$$\frac{dI}{dV} = 40 I_s \epsilon^{40V}$$

식 (B-2)를 사용하여 이 식을 다시 쓰면,

$$\frac{dI}{dV} = 40 (I + I_s)$$

역수를 취하면 r_e'는 다음과 같다.

$$r_e' = \frac{dV}{dI} = \frac{1}{40(I + I_s)} = \frac{25\,\text{mV}}{I + I_s} \tag{B-3}$$

식 (B-3)은 역포화 전류의 영향을 포함한다. 실제 선형증폭기에서 I는 I_s보다 극히 크므로(만일 그렇지 않으면 바이어스가 불안정하게 됨) r_e'의 실제 값은,

$$r_e' = \frac{25\,\text{mV}}{I}$$

여기서는 에미터 공핍층에 대해 논의하므로 I에 아래 첨자 E를 부가하면,

$$r_e' = \frac{25\,\text{mV}}{I_E}$$

식 (10-27)의 증명

그림 10-18a에서 트랜지스터의 도통시간 동안 순시전력소비는,

$$p = V_{CE}I_C$$
$$= V_{CEQ}(1 - \sin\theta)I_{C(\text{sat})}\sin\theta$$

이것은 트랜지스터가 도통되는 반사이클 동안의 소비전력이고, 차단되는 반사이클 동안에는 이상적으로 $p = 0$이다.

평균 전력소비는 다음과 같다.

$$p_{av} = \frac{\text{area}}{\text{period}} = 21\pi\int_0^\pi V_{CEQ}(1 - \sin\theta)I_{C(\text{sat})}\sin\theta\,d\theta$$

0에서 π까지의 반사이클 범위에 걸쳐 한정된 적분의 값을 구한 후 주기 2π로 나누어 주면 한 트랜지스터의 **전사이클**에 걸친 평균전력을 구할 수 있다.

$$p_{av} = \frac{1}{2\pi}V_{CEQ}I_{C(\text{sat})}\left[-\cos\theta - \frac{\theta}{2}\right]_0^\pi$$
$$= 0.068\,V_{CEQ}I_{C(\text{sat})} \tag{B-4}$$

이것은 교류부하선 상에서 100% 스윙한다는 가정 하에서 전사이클에 걸친 각 트랜지스터에서의 전력소비이다.

만일 신호가 전체 부하선에 걸쳐 스윙하지 않는다면 순시전력은 다음과 같다.

$$p = V_{CE}I_C = V_{CEQ}(1 - k\sin\theta)I_{C(\text{sat})}k\sin\theta$$

여기서 k는 0과 1사이의 정수인데, 이 k는 사용되는 부하선의 한 부분을 나타낸다. 적분을 하면

$$p_{av} = \frac{1}{2\pi}\int_0^\pi p\,d\theta$$

따라서 다음과 같은 결과를 얻는다.

$$p_{av} = \frac{V_{CEQ}I_{C(sat)}}{2\pi}\left(2k - \frac{\pi k^2}{2}\right)$$ **(B-5)**

p_{av}는 k의 함수이므로 미분할 수 있고, k의 최대값을 구하기 위해 dp_{av}/dk를 0으로 놓으면,

$$\frac{dp_{av}}{dk} = \frac{V_{CEQ}I_{C(sat)}}{2\pi}(2 - k\pi) = 0$$

k는 다음과 같이 구해진다.

$$k = \frac{2}{\pi} = 0.636$$

이 k의 값을 이용하면 식 (B-5)는 다음과 같이 간소화된다.

$$p_{av} = 0.107 V_{CEQ}I_{C(sat)} \cong 0.1 V_{CEQ}I_{C(sat)}$$

$I_{C(sat)} = V_{CEQ}/R_L$와 $V_{CEQ} = $ MPP/2이므로 앞선 식은 다음과 같이 쓸 수 있다.

$$P_{D(max)} = \frac{MPP^2}{40R_L}$$

식 (11-15)와 (11-16)의 증명

다음의 전달컨덕턴스 식에서 시작한다.

$$I_D = I_{DSS}\left[1 - \frac{V_{GS}}{V_{GS(off)}}\right]^2$$ **(B-6)**

이 식의 미분하면,

$$\frac{dI_D}{dV_{GS}} = g_m = 2I_{DSS}\left[1 - \frac{V_{GS}}{V_{GS(off)}}\right]\left[-\frac{1}{V_{GS(off)}}\right]$$

또는

$$g_m = -\frac{2I_{DSS}}{V_{GS(off)}}\left[1 - \frac{V_{GS}}{V_{GS(off)}}\right]$$ **(B-7)**

$V_{GS} = 0$일 때, 다음 식을 얻는다.

$$g_{m0} = -\frac{2I_{DSS}}{V_{GS(off)}}$$ **(B-8)**

이를 다시 정리하면,

$$V_{GS(off)} = -\frac{2I_{DSS}}{g_{m0}}$$

이것이 식 (11-15)를 증명하다. 식 (B-8)을 식 (B-7)에 대입하면,

$$g_m = g_{m0}\left[1 - \frac{V_{GS}}{V_{GS(off)}}\right]$$

이것이 식 (11-16)을 증명한다.

식 (16-2)의 증명

정현전압의 식은,

$$v = V_P \sin \omega t$$

시간에 대한 미분하면,

$$\frac{dv}{dt} = \omega V_P \cos \omega t$$

$t = 0$에서 최대변화율이 발생한다. 더 나아가 주파수가 증가하면 슬루레이트와 동일한 최대변화율 점에 도달한다. 이 임계점에서,

$$S_R = \left(\frac{dv}{dt}\right)_{max} = \omega_{max} V_P = 2\pi f_{max} V_P$$

S_R을 이용하여 f_{max}을 구해보면 다음과 같다.

$$f_{max} = \frac{S_R}{2\pi V_P}$$

식 (17-10)의 증명

이것은 폐루프 출력임피던스의 유도이다. 다음 식에서 시작해 본다.

$$A_{v(CL)} = \frac{A_{VOL}}{1 + A_{VOL}B}$$

이 식을 다음과 같이 대체하자.

$$A_v = A_u \frac{R_L}{r_{out} + R_L}$$

여기서 A_v는 R_L이 접속된 부하이득이고, A_u는 R_L이 접속되지 않은 무부하이득이다. A_v로 대체한 후, 폐루프이득을 간략화하면,

$$A_{v(CL)} = \frac{A_u}{1 + A_u B + r_{out}/R_L}$$

$$1 + A_u B = \frac{r_{out}}{R_L}$$

$A_{v(CL)}$은 반으로 감소할 것이고, 부하저항이 귀환증폭기의 데브난 출력저항과 정합될 것이다. R_L에 대해 풀어보면,

$$R_L = \frac{r_{out}}{1 + A_u B}$$

이 부하저항 값은 폐루프 전압이득을 반으로 감소시킬 것이고, 이 값은 폐루프 출력임피던스와 동일하다고 말할 수 있다.

$$r_{out(CL)} = \frac{r_{out}}{1 + A_u B}$$

실제 귀환증폭기에서 r_{out}은 R_L보다 너무나 적기 때문에 A_{VOL}은 A_u와 거의 같다. 이것이 출력임피던스를 일반적으로 다음과 같이 표현하는 이유이다.

$$r_{out(CL)} = \frac{r_{out}}{1 + A_{VOL}B}$$

여기서, $r_{out(CL)}$ = 폐루프 출력임피던스

$\qquad r_{out}$ = 개방루프 출력임피던스

$\qquad A_{VOL}B$ = 개방루프 이득

식 (17-23)의 증명

그림 17-12에서 가상접지 때문에 반드시 입력전류 전부가 R_1을 통해 흐른다. 회로 주변의 전압을 합하면,

$$-v_{error} + i_{in}R_2 - (i_{out} - i_{in})R_1 = 0 \tag{B-9}$$

v_{error}와 v_{out}은 다음과 같이 대체할 수 있다.

$$v_{error} = \frac{v_{out}}{A_{VOL}}$$

$$v_{out} = i_{out}R_L + (i_{out} - i_{in})R_1$$

따라서 식 (B-9)는 다음과 같이 재정리 할 수 있다.

$$\frac{i_{out}}{i_{in}} = \frac{A_{VOL}R_2 + (1 + A_{VOL})R_1}{R_L + (1 + A_{VOL})R_1}$$

A_{VOL}는 항상 1보다 극히 크므로 이 식은 다음과 같이 정리할 수 있고,

$$\frac{i_{out}}{i_{in}} = \frac{A_{VOL}(R_1 + R_2)}{R_L + A_{VOL}R_1}$$

또, $A_{VOL}R_2$는 항상 R_L보다 극히 크므로 다음과 같이 간단화 할 수 있다.

$$\frac{i_{out}}{i_{in}} = \frac{R_2}{R_1} + 1$$

식 (20-17)의 증명

커패시터전압의 변화는 다음 식으로 주어진다.

$$\Delta V = \frac{IT}{C} \tag{B-10}$$

그림 20-28a에서 입력전압의 양의 반사이클 동안 커패시터 충전전류는 이상적으로

$$I = \frac{V_P}{R}$$

T는 출력램프의 정지시간이기 때문에 출력주기의 반을 나타낸다. 만일 입력구형파의 주파수를 f라고 한다면 $T = 1/2f$이다. 이를 식 (B-10)에서 I와 T에 대입하면,

$$\Delta V = \frac{V_P}{2fRC}$$

입력전압은 V_p의 피크값을 가지는 반면 출력전압은 ΔV의 피크-피크값을 가진다. 그러므로 이 식은 다음과 같이 쓸 수 있다.

$$v_{\text{out(p-p)}} = \frac{V_P}{2fRC}$$

식 (20-18)의 증명

UTP는 $+BV_{\text{sat}}$의 값을, LTP는 $-BV_{\text{sat}}$의 값을 가진다. 일반적인 RC 회로에 적용하는 기본 스위칭 식에서 시작해 보자.

$$v = v_i + (v_f - v_i)\,(1 - e^{-t/RC}) \tag{B-11}$$

여기서, v = 순시 커패시터전압
v_i = 초기 커패시터전압
v_f = 목표 커패시터전압
t = 충전 시간
RC = 시정수

그림 20-32b에서 커패시터의 충전은 $-BV_{\text{sat}}$인 초기값에서 시작하여 $+BV_{\text{sat}}$값에서 끝난다. 커패시터전압의 목표전압은 $+V_{\text{sat}}$이고, 커패시터 충전 시간은 한 주기의 반, 즉 $T/2$이다. 이를 식 (B-11)에 대입하면,

$$BV_{\text{sat}} = -BV_{\text{sat}} + (V_{\text{sat}} + BV_{\text{sat}})\,(1 - e^{-T/2RC})$$

이를 간략화하면,

$$\frac{2B}{1+B} = 1 - e^{-T/2RC}$$

역로그(antilog)를 취해 재정리하면 다음 식을 얻을 수 있다.

$$T = 2RC \ln \frac{1+B}{1-B}$$

식 (21-25)의 증명

일반적인 RC 회로의 스위칭 식인 식 (B-11)에서 시작하자. 그림 21-33에서 초기 커패시터전압은 0이고, 목표 커패시터전압은 $+V_{CC}$이며, 최종 커패시터전압은 $+2V_{CC}/3$이다. 이를 식 (B-11)에 대입하면,

$$\frac{2V_{CC}}{3} = V_{CC}(1 - e^{-W/RC})$$

이를 간략화하면,

$$e^{-W/RC} = \frac{1}{3}$$

W에 대해 풀면,

$$W = 1.0986RC \cong 1.1RC$$

식 (21-28)과 (21-29)의 증명

그림 21-36에서 커패시터가 상승하는 데 걸리는 시간은 W이다. 커패시터전압은 $+V_{CC}/3$에서 시작하여 목표전압 $+V_{CC}$를 가지나 $+2V_{CC}/3$에서 끝난다. 이를 식 (B-11)에 대입하면,

$$\frac{2V_{CC}}{3} = \frac{V_{CC}}{3} + \left(V_{CC} - \frac{V_{CC}}{3} \right)(1 - e^{-W/RC})$$

이를 간단화하면,

$$e^{-W/RC} = 0.5$$

또는

$$W = 0.693RC = 0.693(R_1 + R_2)C$$

방전 식은 $R_1 + R_2$ 대신 R_2를 사용한 것을 제외하고는 같다. 그림 21-36에서 방전시간 $T - W$는,

$$T - W = 0.693R_2C$$

그러므로 주기는,

$$T = 0.693(R_1 + R_2)C + 0.693R_2C$$

그리고 듀티사이클(duty cycle)은,

$$D = \frac{0.693(R_1 + R_2)C}{0.693(R_1 + R_2)C + 0.693R_2C} \times 100\%$$

또는

$$D = \frac{R_1 + R_2}{R_1 + 2R_2} \times 100\%$$

주파수를 구하기 위해 주기 T의 역수를 취하면,

$$f = \frac{1}{T} = \frac{1}{0.693(R_1 + R_2)C + 0.693R_2C}$$

또는

$$f = \frac{1.44}{(R_1 + 2R_2)C}$$

Appendix C

서론

이 부록 C에서는 독자들의 개념 이해를 돕기 위한 노력으로, 중요한 예제들과 문제들은 MultiSim이라는 컴퓨터 시뮬레이션을 통해서 제시될 것이다. MultiSim이란 쌍방향의 회로 시뮬레이션 패키지이다. 회로의 다양한 매개변수를 측정하면서 학생들은 도식 형태로 회로를 볼 수 있다. MultiSim은 배선도를 보다 빠르게 만들 수 있는 능력 그리고 시뮬레이션을 통해 회로를 분석할 수 있는 능력을 키우는 훌륭한 도구이며 학생들이 전자공학의 연구에 포함된 개념들을 이해하도록 돕는 데 사용된다. 게다가 MultiSim은 학생들의 안전에 대한 위험이나 측정 기구의 파손 없이 가상의 측정 장비를 이용하여 매우 중요한 고장 점검 능력을 실습할 수 있는 기회를 줄 수 있다.

이 부록은 독자들에게 직류, 교류 그리고 반도체 전자공학의 연구와 직접적으로 관련된 MultiSim의 특징들을 소개할 것이다. 그 주제는 다음과 같다.

- 작업 영역
- 파일 열기
- 시뮬레이션 실행
- 파일 저장하기
- 소자들
- 소스
- 측정 장비
- 회로 예제
- 사용자에 의해 꾸미기
- 데이터를 엑셀로 내보내기
- 글자나 그래프를 첨가하기

작업 영역

이 소프트웨어의 강력함은 간결성에 있다. 단지 몇 단계만으로 디스크로부터 회로를 가져오거나, 약식 회로로부터 회로를 그릴수도 있고 그리고 나서 회로를 해석(simulate)

할 수 있다. 그림 C-1에서 보는 것 같이, 메인 대화상자는 세 가지의 영역으로 나눠진다. 드롭다운 메뉴, 툴바 그리고 작업 영역이다.

드롭다운 메뉴는 작업 영역의 시가적 모습을 포함하여 사용자가 프로그램의 모든 기능을 액세스하도록 한다. 사용자의 취향에 맞게 작업 영역의 시각적 모습은 수정 가능하다. 예를 들면 점정 점들로 이루어진 격자는 제거될수 있고 색채 조합은 사용자가 문서 프린트를 위해 회로도를 캡쳐해야 한다면 수정될 수도 있다.

그림 C-3의 시트 특성 메뉴는 드롭다운 메뉴의 옵션을 클릭 (C-2)하거나 <ALT><0>를 동시에 눌러서 접근할 수 있다.

그림 C-3과 같이 작업 공간 탭은 격자에 대한 접근을 가능하게 한다. MultiSim은 다양한 소자들을 정렬하는 데 도움을 주기 위해 레이아웃 격자를 제공한다. 박스를 체크하면 격자는 여러 개의 검정 점들을 표시한다. 박스가 체크되지 않는 상태로 있으면 격자의 기능들이 여전히 나타나지만 점들은 보이지 않는다.

그림 C-1   메인 창

그림 C-2 옵션의 드롭-다운 메뉴

그림 C-4와 같이 색깔 탭은 다양한 색채 조합을 가능하게 한다. 회로도를 프린트 문서로 사용하고자 한다면 검은 선들, 소자, 문자들이 포함된 흰색 바탕이 작업하기 편할 것이다.

일단 작업 영역의 시각적 모양이 선택되면 설정 변화를 주기전에는 같은 모습을 간직할 것이다. 이렇게 설정 되면 사용자는 회로를 생성, 시뮬레이션 실행, 다음 사용을 위한 회로 저장을 위해 몇 가지의 드롭다운 메뉴를 접근하여야 한다. 사용자가 소프트웨어 프로그램에 익숙해지면 드롭다운 메뉴를 통해 시뮬레이션 패키지가 가지고 있는 다양한 툴을 접근할 수 있다. 각 드롭다운 메뉴의 메인 토픽은 마우스의 클릭 혹은 <alt>키와 아래에 선이 있는 글자를 누름으로 액세스될 수 있다. 예를 들어 단순히 파일메뉴를 액세스하기 위해서는 <ALT><F>키를 동시에 누른다. 그러면 그림 C-5와 같이 파일 메뉴가 드롭다운될 것이다.

초기에 숙지가 필요한 드롭다운 메뉴로부터 두 가지의 선택을 할 수 있다. 그것은 파일 열기와 파일 저장하기인데 나머지의 메뉴 옵션은 시간이 허락하는 대로 공부하면 된다.

드롭다운 메뉴 아래 와 작업 영역 오른쪽에 있는 툴바는 공통적으로 사용되어지는 메뉴 선택에 대한 액세스를 제공한다. 전형적으로 사용자는 드롭다운 메뉴 대신에 툴바를 통해서 메뉴 선택을 액세스한다. 분류된 툴바에서 가장 중요한 아이콘은 On-off 스위치이다. On-off 스위치는 시뮬레이션을 시작하고 멈추게 한다. On-off 스위치 옆 Push 버튼은 시뮬레이션을 일시 정지시킨다. 시뮬레이션이 실행되는 동안에, Pause버튼을 누르면 디스플레이 변경 없이 파형 보기 혹은 미터 읽기가 가능하다.

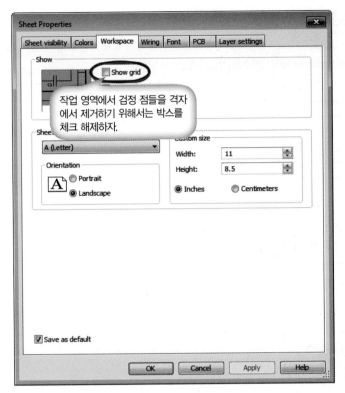

그림 C-3 시트 특성 작업공간 탭

그림 C-4 시트 특성 색상 탭

그림 C-5 파일 드롭다운 메뉴

파일 열기

이 교재에서 언급된 회로는 McGraw-Hill 웹사이트에서 접근 가능하다. 파일은 여러 폴더로 나뉘어져 있고, 각 장마다 한 개의 폴더로 구성된다. 파일 이름은 사용자에게 많은 정보를 제공해준다.

예제: 전형적인 파일 이름은 "Ch 3 Problem 3-1"이다. 그 파일의 이름 첫 번째 부분은 사용자에게 파일이 "Chapter 3"로 분류된 폴더에 있다는 것을 알려준다. 그리고 파일 이름의 두 번째 부분은 사용자에게 Chapter 3의 끝에 있는 기본문제 부분의 질문 1번에 있다는 것을 알려준다.

파일을 열기 위해서, 드롭다운 메뉴 바에 있는 "File" 단어를 클릭하고 나서 Open 명령어를 클릭하거나 혹은 그림 C-6에서 보이는 것 같이 툴바에 있는 Open 폴더를 클릭한다. 그림 C-7에서 보는 것처럼, 두 방법 모두가 Open File dialog box를 팝업시킨다. 해당 Chapter 폴더를 찾고 필요한 파일을 열기 바란다.

그림 C-6   파일 열기

그림 C-7   파일 열기 다이얼로그 박스

시뮬레이션 실행

일단 회로가 작업 영역에 그려지면 시뮬레이션은 다음 세 가지의 방법으로 시작될 수 있다.

- 드롭다운 메뉴로부터 "Simulate"를 선택하고 나서 "Run"을 선택한다.
- <F5>키를 누른다.

그림 C-8   시뮬레이션 시작하기

- 마우스 클릭으로 토글(Toggle) 스위치를 누른다.

이 모든 세 가지의 방법은 그림 C-8에서 설명되어 있다.

파일 저장하기

만약 파일이 수정되었다면 새로운 파일 이름으로 저장하는 것이 필요하다. 그림 C-9에서 보이는 것 같이, 드롭다운 메뉴 바에 있는 "File"을 마우스로 클릭하여 선택한다. 그리고 나서 "Save as"를 선택한다. 이것은 Save as Dialog Box를 오픈할 것이다. 새로운 이름을 만들고 마우스 클릭으로 "Save" 버튼을 누른다. 그 과정은 그림 C-10에서 설명되어 있다.

그림 C-9 Save As 창

그림 C-10 Save As 다이얼로그 박스

소자들

MultiSim에 사용되는 소자 모델은 두 가지가 있다. 그것들은 실제 소자들과 "이상적" 소자들이다. 이상적 소자를 본떠 만든 것은 "가상" 소자로 언급된다. 그림 C-11에서 보는 것과 같이, 다양한 선택이 가능한 소자들이 있다. 그림 C-12와 같이 가상 소자 툴바는 접근의 편리성을 위해 작업영역 위에 첨가될 수 있다.

그림 C-11   가상 소자 리스트

그림 C-12   툴바 선택

두 가지 타입의 소자의 차이점은 정격값에 있다. 가상 소자는 다양하게 변화하는 매개변수의 어떤 값을 가질 수 있고, 이에 반해서 실제 소자를 본떠 만든 것은 실제 값에 제한된다. 예를 들어 그림 C-13에서 보는 것 같이 가상 레지스터는 어떤 값의 저항과 백분율의 허용오차를 가질 수 있다. 각 소자의 환경 설정 창은 더블 클릭, 싱글 클릭으로 소자를 선택하고 <Ctrl><M> 누르거나, 싱글 클릭으로 소자를 선택하고 드롭다운 메뉴에서 특성을 선택하여 오픈할 수 있다.

실제 레지스터의 모델은 0, 0.1, 0.5, 1, 2, 5%의 허용 오차를 갖는 소자가 가능하다. 그림 C-14에서 보는 것 같이 실제 소자를 본떠 만든 다른 모든 소자도 마찬가지이다. 이것은 반도체 소자 시뮬레이션에 사용될 때 특히 중요하다. 실제 반도체 소자의 각 모델들은 그것의 데이터 표에 일치하게 기능한다. 이러한 소자는 제조업체에 의해서 분류된 것 같이 그것의 실제 장치 번호에 의해서 열거될 수 있다. 예를 들어, 일반적으로 사용되는 다이오드는 1N4001이다. 이 다이오드는 다른 많은 것과 함께 실제 소자의 반도체 라이브러리에서 발견될 수 있다. 실제 소자 라이브러리의 매개변수는 수정될 수 있으나, 소자 모델링에 대해서는 광범위한 이해를 요구되나 이 부록의 범위를 넘어선다.

만약 실제 소자가 시뮬레이션을 위한 회로를 위해 선택된다면 측정된 값은 계산된 값으로부터 약간 달라질 것이다. 이것은 소프트웨어가 결과를 변화시킬 수 있는 허용오차를 이용하기 때문이다. 정확한 결과가 요구될 경우 가상 소자는 제로 퍼센트의 허용오차와 함께 특정 값에 맞춰져야 할 것이다.

그림 C-13   가상 레지스터의 환경 설정 창

그림 C-14 레지스터 소자 리스트

몇 가지의 소자들은 사용자와 상호작용이 필요하다. 사용자와의 상호작용이 필요한 두 가지의 소자는 스위치와 전위차계다. 스위치 작동은 그림 C-15에서 보이는 것 같이 각 스위치와 관련된 키를 누름으로써 시작된다. 그 키는 그림 C-16처럼 스위치 환경설정 대화상자에서 선택된다. 만약 두 스위치가 같은 키로 배당된다면 키를 눌렀을 때 두 스위치 모두 작동할 것이다. DIP 타입 스위치 팩은 2~10개의 스위치 환경설정이 가능하다. 스위치 팩에 있는 각 스위치들은 스위치에 연결된 키를 누르거나 마우스를 클릭하여 동작된다. 각 커서가 스위치 팩에 있는 각 스위치 위에 놓이면 하얀색의 사각형이 스위치 주변에 나타나고 커서는 손 모양의 지시자로 변한다. 하얀색의 사각형이 나타나고 커서가 손 모양의 지시자로 나타나면 싱글 마우스 클릭으로 스위치의 위치를 변화시킨다. 그러면 스위치 팩의 검정 점은 "ON"의 위치를 나탄낸다.

그림 C-15 스위치들

그림 C-16   스위치 환경 설정 창

그림 C-17   전위차계

　　사용자와 상호작용을 요구하는 두 번째 소자는 전위차계(potentiometer)이다. 전위차계는 각 키의 누름으로 미리 정해진 단계로 전위차계 저항을 변화시킨다. 키보드와 연결된 글자를 누르면 저항이 증가될 것이고, <shift> 키와 그 글자를 누르면 저항은 감소될 것이다. 전위차계의 오른쪽에 위치한 "slider"는 마우스를 드래그하면선 저항 값을 조절하는 데에 사용된다. 그림 C-17에서 같이 전체 저항의 퍼센트는 전위차계 옆에 나타난다. 저항의 미세 증가 및 감소는 환경설정 대화상자에서 사용자에 의해서 설정된다. 관련된 키는 또한 그림 C-18에서 같이 환경설정 대화상자에서 설정된다.

그림 C-18   전위차계 환경 설정 창

소스(Sources)

직류와 교류 전자공학을 공부하는 데에 있어서, 대다수의 회로는 전압 혹은 전류원 중 어느 하나를 포함한다. 두 가지의 형태의 주요한 전압원(전압 source)으로 직류원과 교류원이 있다: 직류원은 그림 C-19의 건전지와 전원전압기와 같이 두 가지의 방법으로 나타낼 수 있다.

전압 정격(전압 rating)은 완전히 조절 가능하다. 초기 설정값은 12 V 직류다. 소자를 더블 클릭한다면, 그림 C-20에서와 같이 환경설정 대화상자가 나타나며 전압값을 변경할 수 있다.

전원전압은 반도체 회로에서 양전압(positive 전압)과 음전압(negative 전압) 둘 중 어느 하나를 나타내기 위해서 사용된다. 그림 C-21은 트랜지스터 회로에서 사용되는 $+V_{CC}$ 전압원 이다. FET 회로는 그림 C-22에서 보여지는 것과 같이 $+V_{DD}$ 전압원을 이용한다.

그림 C-23은 전압원 $+V_{CC}$와 $-V_{EE}$를 나타낸다. 이러한 전원은 연산증폭기(operational amplifier) 회로에서 볼 수 있다. 연산증폭기는 전형적인 두 가지의 전압공급을 가지고 있다: 그림 C-24에 보이는것과 같이 음전압(V_{EE})와 양전압(V_{CC})의 전원전압이다.

V1
12 V

그림 C-19   직류 전원으로서의 건전지

DC_POWER

Label | Display | **Value** | Fault | Pins | User fields

Voltage (V):   `12`   V

AC analysis magnitude: `0`   V

AC analysis phase: `0`   °

Distortion frequency 1 magnitude: `0`   V

Distortion frequency 1 phase: `0`   °

Distortion frequency 2 magnitude: `0`   V

Distortion frequency 2 phase: `0`   °

Tolerance: `0`   %

Replace   OK   Cancel   Help

그림 C-20   직류원 환경설정 창

VCC	VDD	VCC	VEE
5V	5V	5V	-5V

그림 C-21   V$_{CC}$ 전압원   그림 C-22   V$_{DD}$ 전압원   그림 C-23   V$_{CC}$와 V$_{EE}$ 전압원

Digital Power (VCC)

Label | Display | **Value** | Fault | Pins

Voltage (V):   `5`   V

OK   Cancel   Help

VCC
15V

-15V
VEE

그림 C-24   V$_{CC}$와 V$_{EE}$ op−amp 예제   그림 C-25   V$_{CC}$ 환경설정 창

모두 세 가지의 전압원에 대해서 전압 정격은 완전히 조절 가능하다. V_{CC}와 V_{DD}에 대한 초기 설정값 값은 +5 V 직류다. V_{EE}에 대한 초기 설정값 값은 −5 V 직류다. 소자가 더블 클릭되면, 그림 C-25에서 보이는 환경설정 대화상자가 나타나고 전압값을 변경할 수 있다.

교류원은 회로적 심볼(schematic symbol) 혹은 함수발생기(function generator)로 표시될 수 있다. 교류원의 회로적 심볼은 전력원이나 신호 전압원으로 나타낼수 있다. 전력원의 크기는 RMS 전압(V_{RMS})으로 주어지는 반면 신호 전압원의 크기는 피크 전압(V_P)으로 주어진다.

그림 C-26의 두 교류원의 회로적 심볼은 교류원에 관한 정보를 담고 있다. 이 정보는 장치조회번호(device reference number), V_{RMS} 혹은 V_P값, 주파수(frequency) 그리고 위상 이동(phase shift)을 포함하고 있다. 이들 값은 완전히 조절 가능하다. 초기 설정값 값은 그림 C-26에서 볼 수 있다. 소자를 더블 클릭하면 환경설정 대화상자가 나타나고 그림 C-27에 보이는 것 같이 그 값을 변경할 수 있다.

그림 C-26   교류원

그림 C-27   두 교류원의 환경설정 창

MultiSim은 두 가지의 함수발생기를 제공한다. 범용(generic) 모델과 에질런트 (agilent) 모델이다. 에질런트 모델 33120A는 실제 에질런트 함수발생기처럼 같은 기능을 가지고 있다.

범용 함수발생기 아이콘은 환경설정 대화상자와 함께 그림 C-28에서 볼 수 있다. 환경설정 대화상자는 함수발생기 아이콘이 더블 클릭하면 나타난다. 일반적인 함수발생기는 세 가지의 형태의 파형을 생성한다. 정현 파형(sinusoidal wave), 삼각 파형 (triangular wave) 그리고 구형 파형(square wave)이다.

에질런트 함수발생기는 그림 C-29와 같이 패널판을 통해 제어된다. 마우스 클릭으로 버튼을 누를 수 있다. 다이얼은 마우스 드래깅하거나 커서를 버튼에 이동하여 마우스에 있는 휠을 돌리는 것으로 회전 되며 후자의 방법을 훨씬 선호한다.

그림 C-28 범용 함수 발생기와 환경 설정 창

그림 C-29 에질런트 함수 발생기

전류원에는 직류원과 교류원의 두 가지 종류가 있다. 직류 전류원은 위방향 화살표가 포함된 원으로 표시된다. 그림 C-30의 화살표는 전류 흐름의 방향을 나타낸다. 전자 전류 흐름은 심볼을 180° 회전하여 표시하고 화살표는 아래 방향을 가르킨다.

전류 정격(current rating)은 완전히 조절 가능하다. 초기 설정 값은 1 A이다. 소자를 더블 클릭되면, 환경설정 대화상자가 그림 C-31과 같이 나타나고 전류 값을 변경할 수 있다.

교류 전류원은 위 방향 화살표와 함께 표시된 서클로 나타난다. 화살표를 가로지르는 사인(sine) 파형이 있다. 그림 C-32에서의 회로적 심볼은 교류 전류원에 관한 정보를 포함하고 있다. 이 정보는 장치 조회번호, 진폭(I_{pk}), 오프셋, 주파수 그리고 위상변이(phase shift)을 담고 있다. 이들 값은 완전히 조절될 수 있다. 초기 설정 값은 그림 C-33에서 볼 수 있다. 소자를 디블 클릭할 경우, 환경설정 대화상자가 나타나고 그 값을 변경할 수 있다.

MultiSim은 적절한 시뮬레이션 기능을 이행하기 위해서 회로가 접지되도록 요구한다. 회로는 접지를 포함해야 하고 모든 측정 장치는 접지와 연결시켜야 한다. 회로와 측정 장치는 공통의 접지점을 같이 연결하거나 각각의 접지 심볼을 사용해야 한다. 접지에 대한 회로적 심볼은 그림 C-34에서 볼 수 있다.

그림 C-30   직류 전류원

그림 C-31   직류 전류원 환경설정 창

그림 C-33   교류 전류원 환경설정 창

그림 C-32   교류 전류원

그림 C-34   접지

측정 장비

MultiSim은 다양한 종류의 측정 장비를 제공한다. 직류, 교류 그리고 반도체 전자공학을 공부하는 데 있어서, 세 가지의 주요 측정 장비는 디지털 멀티미터, 오실로스코프 (oscilloscope) 그리고 보드 플로터(Bode Plotter)이다. 첫 두 장비는 세계 여러 실험 실에서 볼 수 있는 것들이다. 보드 플로터는 넓은 범위의 주파수에서 전압이득을 그리는 작업을 하는 자동화 장비이다. 이것은 일반적으로 여러 번 측정을 하여 결과를 스프레드시트로 나타낸다. 보드 플로터는 이러한 시간 소모적인 작업을 자동화해준다.

멀티미터

멀티미터에는 범용 멀티미터(Generic multimeter)와 에질런트 멀티미터(Agilent multimeter)두 가지가 있다. 범용 멀티미터는 전류, 전압, 저항 그리고 데시벨(decibels)를 측정한다. 이 측정 장치는 직류와 교류 모두에 사용될 수 있다. 이 측정 장치의 다른 기능들은 그림 C-35 좌측에 있는 아이콘을 마우스로 더블 클릭하는 것으로 선택된다. 더블클릭으로 멀티미터 디스플레이가 나타난다. 디스플레이에서 다른 기능들은 마우스로 해당 버튼을 누를 때 선택 사용될 수 있다.

그림 C-36에서 에질런트 멀티미터 아이콘과 디스플레이를 볼 수 있다. 디스플레이는 에질런트 멀티미터 아이콘을 더블 클릭할 때 나타난다. 멀티미터는 실제 멀티미터와 같은 기능성을 가지고 있다. 버튼을 누르는 것으로 다른 기능들을 액세스할 수 있

그림 C-35 범용 멀티미터 아이콘과 환경 설정 창

그림 C-36 에질런트 멀티미터 아이콘과 디스플레이

다. 이것은 마우스로 버튼을 클릭할 때 이행된다. 멀티미터 디스플레이 우측에 있는 입력 잭(Input jack)은 아이콘에 있는 다섯 개의 입력란과 일치한다. 어떤 것이 아이콘과 연결되어 있다면, 디스플레이에서 관련된 잭은 연결됐음을 보여주기 위해 그곳에 흰색 "X"를 나타낸다.

오실로스코프(Oscilloscope)

세 가지의 오실로스코프가 있다. 범용 오실로스코프, 에질런트 오실로스코프 그리고 텍트로 닉스(Tektronix) 오실로스코프가 그것이다. 그림 C-37에 보는 것 같이, 범용 오실로스코프는 듀얼 채널이다. 오실로스코프 디스플레이는 오실로스코프 아이콘을 더블 클릭할 때 나타난다. 각 박스에서의 클릭과 스크롤 화살표를 나타내는 것으로 설정을 변경할 수 있다. 그래프선 색깔은 오실로스코프와 회로 연결선의 색과 일치하다. 그래프선을 변형하고자 할 경우에는 오실로스코프와 회로 연결을 오른쪽 클릭하고 특성 메뉴에서 색을 선택하면 된다. 연결선의 색을 선택하고 컬러판에서 그래프선에 맞는 색

그림 C-37　범용 오실로스코프 아이콘과 오실로스코프 디스플레이

그림 C-38　에질런트 오실로스코프 아이콘

을 선택하면 된다.

　　그림 C-38의 에질런트 오실로스코프 아이콘은 두 개의 채널 오실로스코프인 Model 54622D의 모든 기능을 가지고 있다. 이 오실로스코프는 그림 C-39에서 보는 것 같은 패널판를 통해 제어될 수 있다. 마우스 클릭으로 버튼을 누를 수 있다. 다이얼은 마우스 드래깅하거나 커서를 버튼에 이동하여 마우스에 있는 휠을 돌리는 것으로 회전 되며 후자의 방법을 훨씬 선호한다.

　　그림 C-40에서 보이는 텍트로닉스 오실로스코프 아이콘은 네 개의 채널 디지털 저장 오실로스코프인 모델 TDS2024의 모든 기능을 가지고 있다. 네 개 채널의 색상 은 디스플레이 상에 있는 채널 선택 버튼과 같다: 네 개의 채널은 각각 노랑, 파랑, 보 라, 초록색이다. 텍트로닉스 오실로스코프는 그림 C-41에서 보는 것 같이 패널판을 통 해 제어될 수 있다. 마우스 클릭으로 버튼을 누를 수 있다. 다이얼은 마우스 드래깅하 거나 커서를 버튼에 이동하여 마우스에 있는 휠을 돌리는 것으로 회전 되며 후자의 방 법을 훨씬 선호한다.

그림 C-39 에질런트 오실로스코프 디스플레이

그림 C-40 텍트로닉스 오실로스코프 아이콘

그림 C-41 텍트로닉스 오실로스코프 디스플레이

그림 C-42　전압계와 전류계

그림 C-43　전압계 환경 설정 창

전압계와 전류계

전압과 전류의 측정이 필요할 때, 그림 C-42에서와 같이 MultiSim은 매우 간단한 전압계와 전류계를 제공한다. 이 미터들은 회로 곳곳에 위치해 놓여질 수 있다. 회로 설계도에 맞게 이 미터는 수직과 수평적으로 방향을 설정할수 있다. 초기 설정값은 직류이다. 미터가 교류 측정을 위해서 사용될 경우, 그림 C-43에서 보는 바와 같이 환경설정 대화 상자를 통해 매개변수를 교류 측정으로 변경해야 한다. 환경 설정 창을 열고 싶으면 미터를 더블 클릭하면 된다.

보드 플로터(Bode Plotter)

보드 플로터는 회로의 주파수 응답을 보기 위해 사용된다. 실제 랩 셋팅에서는 회로는 기본 주파수에서 동작되고 회로의 출력이 측정된다. 주파수는 일정한 값에 의해 증가

될 것이고 측정이 반복될 것이다. 충분한 수로 증분된 주파수에서 회로를 동작한 후에 데이터는 X축에서 독립 변수인 "주파수"로, Y축에서 의존 변수인 "진폭"으로 그래픽화 된다. 이 프로세스는 시간이 오래 걸릴 수 있다. MultiSim은 가상 보드 플로터를 사용 함으로써 회로의 주파수 응답을 결정하는 좀더 간단한 방법을 제공한다.

그림 C-44에서 입력의 양단자는 인가 신호원과 연결되어 있고 출력의 양단자는 회로의 출력 전압과 연결되어 있다. 다른 두 단자는 접지(Ground)에 연결되어 있다. 교 류원의 진폭 혹은 주파수 세팅은 문제가 되지 않는다. 교류원은 단지 회로 안에 있어야 한다. 보드 플로터는 입력 신호를 제공할 것이다.

그림 C-44 보드 플로터

그림 C-45 보드 플로터 디스플레이

회로 예제

예제 1 직렬 직류 회로의 전압계(Voltmeter)를 사용한 전압 측정

그림 C-46의 전압계는 저항 양단의 전압을 측정하기 위해 저항(resistor)과 병렬 연결되었다. 초기 설정값은 "직류" 측정으로 설정된다. 교류의 경우, 그 미터를 더블 클릭하면 환경설정 대화상자가 표시된다. 모든 회로는 접지시켜야 한다. 그림 C-47은 전압계의 사용을 위한 "*Quick Hint*"를 담고 있다.

예제 2 직렬 직류 회로의 범용 멀티미터를 사용한 전압 측정

범용 멀티미터는 저항 양단의 전압을 측정하기 위해 저항(resistor)과 병렬 연결되었다. 범용 멀티미터 아이콘을 더블 클릭하면 그림 C-48에서 보는 것과 같이 미터 디스플레이가 표시된다. "전압" 버튼을 누르고 나서 "직류" 혹은 "교류"를 눌러라. 모든 회로는 접지시켜야 한다. 그림 C-49는 범용 멀티미터의 사용에 의한 "*Quick Hint*"를 담고 있다.

그림 C-46 전압계를 이용한 직류 전압 측정

그림 C-47 전압계 "*Quick Hint*"

그림 C-48 범용 멀티미터를 이용한 직류 전압 측정

그림 C-49 범용 멀티미터 "*Quick Hint*"

예제 3 직렬 직류 회로의 에질런트 멀티미터를 이용한 전압 측정

그림 C-50에서, 저항 양단의 전압을 측정하기 위해 저항(resistor)과 병렬 연결되었다. 에질런트 멀티미터 아이콘을 더블 클릭하면 그 미터 디스플레이가 표시된다. "전압" 버튼을 누르고 나서 "직류" 혹은 "교류"를 눌러라. 모든 회로는 접지시켜야 한다. 미터와의 연결을 나타내는 디스플레이 오른쪽 측면에 있는 두 개의 흰색 원과 검정 X를 유의하라. (주의: 이 장치의 사용을 위해 전력 버튼을 "Turn on" 상태로 눌러주어야 한다.) 그림 C-51은 에질런트 멀티미터의 사용을 위한 *Quick Hint*를 담고 있다.

그림 C-50   에질런트 멀티미터를 이용한 직류 전압 측정

다섯 개의 연결은 미터기의 다섯 잭을 나타낸다. 오른쪽 컬럼 중 위 2개가 전압 측정에 사용된다.

왼쪽 마우스로 이 버튼을 누르면 미터가 켜진다.

제2의 기능을 선택하고자 한다면 shift 버튼을 누르거나 왼쪽 마우스로 주 기능에 대한 버튼을 직접 눌러라.

그림 C-51   에질런트 멀티미터 "*Quick Hint*"

예제 4 직렬 직류 회로의 전류계를 이용한 전류 측정

그림 C-52에서, 전류계(Ammeter)는 회로에 걸쳐 흐르는 전류를 측정하기 위하여 저항 (Resistor)과 직류 전원(직류 Source)을 직렬 연결하였다. 초기 설정값은 직류 측정으로 설정한다. 교류의 경우, 그 미터를 더블 클릭하면 환경설정 대화상자가 표시된다. 모든 회로는 접지시켜야 한다. 그림 C-53는 전류계의 사용을 위한 "*Quick Hint*"를 담고 있다.

그림 C-52 전류계를 이용한 직류 전류 측정

Ammeter (Horizontal)

Ammeter (Vertical)

전류계는 소자를 통해 흐르는 전류를 측정한다. 미터는 만약 m = milli, n = nano, p = pico와 같은 단위가 필요하면 이를 표시한다. 전류계는 부하와 직렬로 연결한다.

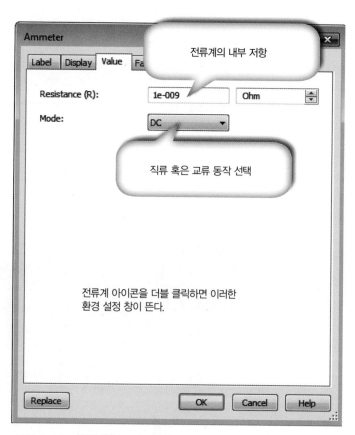

그림 C-53 전류계 "*Quick Hint*"

예제 5 직렬 직류 회로의 범용 멀티미터를 이용한 전류 측정

그림 C-54에서 범용멀티미터는 회로에 걸쳐 흐르는 전류를 측정하기 위하여 저항 (Resistor)과 직류 전원(직류 Source)을 직렬 연결하였다. 범용 멀티미터 아이콘을 더블 클릭하면 미터 대화상자를 표시한다. 미터 디스플레이에 있는 "A"를 클릭하는 것으로 전류 기능을 선택할 수 있다. 소스가 직류이기 때문에, 버튼이 디프레스(depressed) 상 태에서 미터의 직류 기능이 선택되어야 한다. 모든 회로는 접지시켜야 한다. 그림 C-55 은 범용 멀티미터의 사용을 위한 *Quick Hint*를 담고 있다.

그림 C-54 범용 멀티미터를 이용한 직류 전류 측정

미터 창을 나타내기 위해서는 멀티미터 아이콘을 더블 클릭해라.

- 버튼의 위쪽 열은 전압, 전류, 저항, 데시벨과 같은 측정 값을 선택하기 위한 것이다
- 버튼의 아래쪽 열은 교류 혹은 직류 측정인지를 선택하기 위한 것이다

측정하고자 하는 타입을 선택하기 위해서는 이에 해당하는 왼쪽 마우스를 클릭하라

그림 C-55 범용 멀티미터 *"Quick Hint"*

예제 6 직렬 직류 회로의 에질런트 멀티미터를 이용한 전류 측정

그림 C-56에서, 에질런트 멀티미터는 회로에 걸쳐 흐르는 전류를 측정하기 위해 저항(Resistor)과 직류 전원(직류 Source)을 직렬 연결하였다. 에질런트 멀티미터 아이콘을 더블 클릭하면 미터 디스플레이가 표시된다. 직류 전류 측정의 선택은 직류 전압 측정 버튼의 두 번째 기능이다. 전압 버튼의 두 번째 기능을 액세스하기 위해서는 "shift" 버튼을 눌러라. 미터와의 연결을 나타내는 디스플레이 오른쪽 측면에 있는 두 개의 흰색 원(circle)과 검정 X'를 유의하라. 모든 회로는 접지시켜야 한다.

주의: 이 도구의 사용을 위해 전력 버튼을 "Turn on" 상태로 눌러주어야 한다. 그림 C-57은 전류 측정을 위해서 에질런트 멀티미터의 사용을 위한 *Quick Hint*를 담고 있다.

그림 C-56 에질런트 멀티미터를 이용한 직류 전류 측정

미터 창을 나타내기 위해서는 멀티미터
아이콘을 왼쪽 마우스로 더블 클릭해라.

다섯 개의 연결은 미터기의 다섯
잭을 나타낸다. 오른쪽 컬럼 중
아래 2개가 전류 측정에 사용된다.

왼쪽 마우스로 이 버튼을 누르면
미터가 켜진다.

전압의 제2의 기능이나
전류를 선택하고자 한다면
shift 버튼을 눌러라

그림 C-57   에질런트 멀티미터 "*Quick Hint*"

예제 7 직렬 교류 회로의 범용 오실로스코프를 이용한 전압 측정

그림 C-58에 보이는 것과 같이 범용 오실로스코프의 채널 1은 저항의 양극(+극)에 연
결되어 있다. 스코프와 회로의 접지 단은 안전하게 접지되어야 한다. 오실로스코프는 기

그림 C-58   범용 오실로스코프를 이용한 직류 전압 측정

준점으로써 이 접지를 사용할 것이다. 이 범용 오실로스코프 동작은 실제 오실로스코프의 동작과 일치한다. 오실로스코프 아이콘을 클릭하면 디스플레이가 표시된다. 각 박스를 클릭하고 스크롤 화살표를 이용하여 설정을 변경할 수 있다. 파형의 진폭이 대화상자의 대부분을 채울 때까지 측정 중인 채널의 V/Div를 조절하라. 완전한 한 사이클 혹은 두 사이클이 디스플레이 되도록 타임베이스를 조절하라. 그림 C-59, C-60 그리고 C-61은 범용 오실로스코프의 사용에 대한 *Quick Hint*를 담고 있다.

그림 C-59 범용 오실로스코프 "*Quick Hint*" 아이콘

그림 C-60 범용 오실로스코프 "*Quick Hint*"

그림 **C-61** 범용 오실로스코프 "*Quick Hint*"

예제 8 직렬 교류 회로의 에질런트 오실로스코프를 이용한 전압 측정

그림 C-58, 채널 1과 에질런트 오실로스코프는 저항기의 양극(+극)에 연결되어 있다.
스코프와 회로의 접지단은 접지 되어야 한다. 오실로스코프는 기준점으로써 이 접지
를 사용할 것이다. 이 에질런트 오실로스코프의 조작은 2-channel, +16 로직 채널, 100
MHz 대역폭(Bandwidth)을 갖는 에질런트 모델 54622D 오실로스코프의 조작에 따
른다. 그림 C-63에서 보이는 것과 같이, 오실로스코프 아이콘을 클릭하는 것으로 디스
플레이가 표시된다.

그림 **C-62** 에질런트 오실로스코프를 이용한 전압 측정

그림 **C-63** 에질런트 오실로스코프 디스플레이

다이얼에 마우스를 놓거나 마우스 휠을 돌리거나 혹은 마우스 클릭으로 버튼을 누르면 설정을 변경할 수 있다. 파형의 진폭이 대화상자의 대부분을 채울 때까지 측정 중인 채널의 V/Div를 조절하라. 완전한 한 사이클 혹은 두 사이클이 디스플레이 되는 수평 부분(Horizontal)에 있는 타임베이스를 조절하라. 이 도구의 사용을 위해 전력 버튼을 "Turn on" 상태로 눌러주어야 한다. 그림 C-64, C-65 그리고 C-66은 에질런트 오실로스코프의 사용을 위한 Quick Hint를 담고 있다.

그림 **C-64** 에질런트 오실로스코프 *"Quick Hint"* 아이콘

수평 섹션은 X축의 단위를 제어한다. X축은 시간을 나타내며 단위는 s/Div이다

채널 1과 2는 Y축의 단위를 제어한다. Y축은 전압
을 나타내며 단위는 V/Div이다.

16 채널 디지털 로직 입력

그림 C-65   에질런트 오실로스코프 "*Quick Hint*"

측정 섹션은 커서 운용을 나타낸다. 파형 섹션은 파형 저장이 가능하게 한다.
파일 섹션은 파일을 저장, 불러오기, 프린트한다.

버튼은 왼쪽 마우스 클릭에
의해 눌러 진다. 다이얼은
마우스를 다이얼 위에 놓고
마우스 휠을 돌리거나 혹은
마우스로 다이얼을 드래깅함
에 의해 돌려진다.

트리거는 오실로스코프가 파형을 표시하기 시작하면서 제어된다. 상승 및 하강 엣지에서
표시를 시작한다. 오실로스코프가 트리거되는 곳에서 전압레벨이 선택된다.

그림 C-66   에질런트 오실로스코프 "*Quick Hint*"

예제 9 직렬 교류 회로의 텍트로닉스 오실로스코프를 이용한 주파수와 전압 측정

그림 C-67에서 텍트로닉스 오실로스코프의 채널 1과 저항의 양극(+)에 연결되어 있다. 오실로스코프와 회로의 접지단은 접지되어야 한다. 오실로스코프는 기준점으로써 이 접지를 사용할 것이다. 텍트로닉스 오실로스코프는 4 채널 디지털 저장 오실로스코프인 모델 TDS2024의 모든 기능을 갖는다. 오실로스코프 아이콘을 클릭하는 것으로 디스플레이가 표시된다. 다이얼에 마우스를 놓거나 마우스 휠을 돌리거나 혹은 마우스 클릭으로 버튼을 누르면 설정을 변경할 수 있다. 파형의 진폭이 대화상자의 대부분을 채울 때까지 측정 중인 채널의 V/Div를 조절하라. 완전한 한 사이클 혹은 두 사이클이 디스플레이 되는 수평 부분에 있는 타임베이스를 조절하라. 이 장치의 사용을 위해 전력 버튼을 "Turn on" 상태로 눌러주어야 한다. 전압과 주파수는 오실로스코프의 "Measure (측정)" 기능을 사용하는 것으로 측정될 수 있다.

V/Div와 S/Div를 설정을 사용하기 위해서는 그림 C-68에서와 같이 파형의 진폭과 주파수를 결정하여야 한다. 파형의 진폭은 제로 볼트에서 두 눈금이다(노란색 화살표는 기준점은 가리킨다). V/Div는 한 눈금당 500 mV로 맞춰져 있다.

$$V_p = 2 \text{ division} \times \frac{500 \text{ mV}}{\text{division}}$$
$$V_p = 1 \text{ V}$$

$$V_{pp} = 4 \text{ divisions} \times \frac{500 \text{ mV}}{\text{division}}$$
$$V_{pp} = 2 \text{ V}$$

파형의 주기는 1 mS로 측정된다. 주파수가 주기의 역수이기 때문에, 주파수를 계산할 수 있다.

그림 C-67 텍트로닉스 오실로스코프를 이용한 주파수 및 전압 측정

5 div x 200 us/div = 1 ms

4 div x 500 mV/div = 2 V_{pp}

오실로스코프는 각 채널에 대해
V/Div 단위로 전압을 나타낸다.

오실로스코프는 s/Div
단위로 시간을 나타낸다.

그림 C-68 **파형의 주기 측정**

$$F = \frac{1}{T}$$

$$F = \frac{1}{1 \text{ mS}}$$

$$F = \frac{1}{1 \text{ kHz}}$$

텍트로닉스 오실로스코프는 "Measure" 기능을 사용하여 자동으로 전압과 주파
수 측정을 이행할 수 있다. 그림 C-69와 C-70에 보이는 것과 같이 네 단계의 과정과 디
스플레이의 결과를 보여준다. 자동으로 이 값들을 측정하기 위해 오실로스코프를 설정
하는 5단계는 다음과 같다.

1. 측정(Measure) 버튼을 눌러라.
2. 측정할 채널을 선택하라.
3. 무엇을 측정할 것인지를 선택하라: V_{pp}, 주파수 등.
4. 메인 대화상자로 돌아가라.
5. 다른 채널이나 측정 값에 대해서도 반복하라.

그림 C-71, C-72 그리고 C-73은 텍트로닉스 오실로스코프의 사용을 위한 *Quick Hint*
를 담고 있다.

그림 C-69   텍트로닉스 오실로스코프 측정 기능 설정

그림 C-71   텍트로닉스 오실로스코프 "*Quick Hint*"

그림 C-70   텍트로닉스 오실로스코프 측정 디스플레이

힌트: 버튼은 왼쪽 마우스 클릭으로 눌러진다. 다이얼은 마우스를 다이얼 위에 놓고
마우스 휠을 돌리거나 혹은 마우스로 다이얼을 드래깅함에 의해 돌려진다.

그림 C-72   텍트로닉스 오실로스코프 *"Quick Hint"*

그림 C-73   텍트로닉스 오실로스코프 *"Quick Hint"*

사용자 환경 설정

MultiSim 의 기존 환경설정 중 몇 가지의 변화는 사용자가 사용하기 더 쉽게 만들었다. MultiSim은 작업 영역에서 다양한 소자를 정렬할 수 있도록 격자 시스템을 사용한다. 프로그램이 인스톨 되면 격자는 작업 영역에 보여진다. 그림 C-74와 같이 격자는 점들의 패턴을 가지고 있다. 격자 패턴은 옵션 메뉴의 시트 특성 아랫단 메뉴에서 끌 수 있다. 격자는 소자를 정렬할 때 사용된다. 그러나 점들을 볼 수 는 없다. 그림 C-75에서 보이는 것과 같이 시트 특성 부메뉴는 <Alt><O>나 스크린 맨 위의 드롭 다운 메뉴에서 옵션을 클릭하여 접근할 수 있다.

C-76에 보여지는 것과 같이 시트 특성 아랫단 메뉴는 사용자가 작업 영역 환경을 제어할 수 있게 한다. 작업공간 탭은 사용자가 격자 제어, 시트크기 그리고 방향 설정을 할 수 있게 한다.

MultiSim의 초기 환경 설정은 회로에 망 이름을 표시함으로써 시작된다. 그림 C-77에 보이는 것과 같이 망의 이름은 빨간색 원안의 숫자로 나타낸다.

망 이름을 보이지 않게 하려면 그림 C-78과 같이 시트 특성 아랫단 메뉴의 시트 시각화 탭을 이용하여 끄면 된다. 망 이름 표시를 제어하는 것 외에도 이 탭은 사용자가 전반적인 레벨에서 표시되는 소자 요소들을 접근하게 한다. 배경색이나 다양한 소

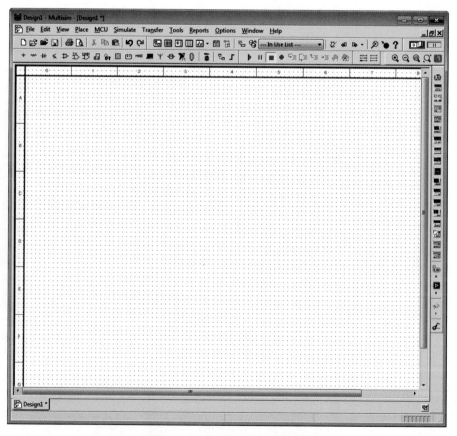

그림 C-74 격자가 표시된 작업 영역

그림 C-75   시트 특성 아랫단 메뉴 접근

그림 C-76   시트 특성 아랫단 메뉴의 작업 공간 탭

그림 C-77   망 (net) 이름 표시

그림 C-78 시트 특성 아랫단 메뉴의 시트 시각화 탭

그림 C-79 시트 특성 아랫단 메뉴의 색상 탭

자 및 선들의 색들을 그림 C-79에서 보는 것과 같이 시트 특성 아랫단 메뉴의 색상 탭에서 선택할 수 있다. 초기 색 조합외에도 사용자에 의한 색 선택에 대한 내용도 그림의 스크린에서 볼 수 있다.

엑셀로 데이터 내보내기

보드 플로터나 오실로스코프는 측정 장비 섹션에서 소개되었다. 보드 플로터나 오실로스코프의 디스플레이가 매우 좋은 정보를 주지만 더 좋은 해석을 위해 수치적인 형태의 데이터가 유용할 수도 있다. 보드 플로터 시뮬레이션을 실행하거나 오실로스코프에서 파형을 본 후 데이터를 그래퍼(Grapher)에서 볼수 있다. 그래퍼는 보기 드롭다운 메뉴에서 있다. 보기 메뉴에 접근하기 위해서는 <Alt><V>를 누르거나 스크린의 위쪽 드롭다운 메뉴에서 보기를 클릭하면 된다. 그림 C-81에 보이는 것과 같이 수치값을 내보내기 위해 그래퍼 스크린에서 빨간색 지시 화살표를 플로트 지정한다. 플로트가 선택되면 그림 C-81에 보여지는 것과 같이 툴바의 오른쪽 상당에 있는 엑셀 아이콘을 클릭하면 데이터는 엑셀 작업시트로 내보내진다. 내보내어진 내용은 새로운 작업 시트의 근접하는 컬럼에 X와Y 데이터를 생성할 것이다. 그림 C-82는 그래퍼에 의해 캡쳐된 범용 오실로스코프 데이터를 보이고 있다.

그림 C-80   보기 메뉴에서 그래퍼 접근이 가능하다.

그림 C-81 그래퍼

그림 C-82 오실로스코프 데이터를 엑셀로 내보내기

그림 C-83 내보내기를 위한 그래프선 선택

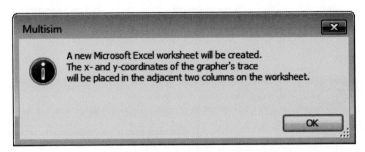

그림 C-84 새로운 엑셀 작업 시트가 만들어진다.

엑셀로 내보내기 아이콘을 클릭하면 MultiSim은 그림 C-83에 보이는 것과 같이 사용자가 내보내기 원하는 그래프 선을 선택하기를 나타낼 것이다. 내보내기 과정 중 하나로 엑셀이 시작할 것이고 컬럼 A에 X축 데이터를 갖고 컬럼 B에 Y축 데이터를 갖는 새로운 작업 시트가 생성된다. MultiSim에 의해 생성된 파형의 데이터는 엑셀의 수치 해석 기능을 이용하여 새롭게 해석 될 것이다.

문자나 그래프 더하기

간단한 회로 그리기 및 시뮬레이션 실행은 전체 과정의 한 부분이다. 또한 중요한 것은 무엇이 일어났는지에 대한 명확한 정보를 갖는 회로를 만드는 것이다. 주석과 그래픽은 회로를 보는 사람의 이해를 돕기 위해 회로도에 첨가할 수 있다. 작업 영역에 문자를 추가하기 위해서는 그림 C-86에 보이는 것과 같이 <Ctrl><Alt><A>를 클릭하거나 스크린 위의 드롭다운 메뉴에서 Place를 클릭한다. 문자가 시작하는 작업 영역으로 커서를 움직인후 마우스를 클릭한다. 문자를 지재한 후 작업 영역의 아무 곳이나 클릭하면 "문자 편집"모드에서 나오게 된다. 문자를 더블 클릭하면 문자는 편집된다. 문자를 작업 영역의 다른 곳으로 옮기고 싶다면 문자위에 커서를 놓은 후 마우스 버튼을 고정시키면서 새로운 위치로 문자를 드래깅하면 된다.

	A	B
1	X--Trace 1::[Channel A]	Y--Trace 1::[Channel A]
2	0	0
3	0.0000001	0.008885765
4	1.08401E-07	0.009632279
5	1.25204E-07	0.011125307
6	1.58809E-07	0.014111362
7	2.26019E-07	0.020083469
8	3.60438E-07	0.032027673
9	6.29278E-07	0.055916002
10	1.16696E-06	0.103692115
11	2.24231E-06	0.199240245

그림 C-85 내보내어진 데이터의 엑셀 작업 시트

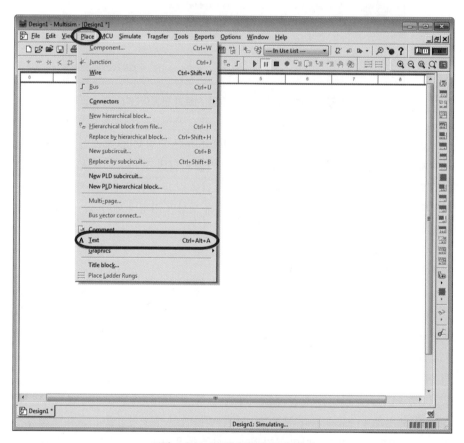

그림 C-86   작업 영역에 문자 넣기

　　기본 그리기 툴은 작업 영역을 설명하기 위해 사용될 수 있다. 작업 영역으로 그림 불러오기 위한 옵션은 그래픽 다이얼로그 박스에서 가능하다. 그림 C-87과 같이 드롭 다운 메뉴 바에서 "Place"를 클릭하면 드롭다운 메뉴에서 "Graphics"를 선택할 수 있다. 그러면 Graphics 다이얼로그 박스를 열 수 있다. 그리기에 첨가할수 있는 초기 설정 그림 파일 포맷은 비트맵(.bmp)이다.

　　그려진 선이나 모형은 편집이나 위치 변이가 가능하다. 그림 C-88에 보이는 것과 같이 선이나 모형에서 오른쪽 클릭하면 편집 메뉴가 열린다. 개체의 특성은 편집 메뉴에서 바꿀 수 있다. 선이나 모형은 커서를 객체 위에 놓은 후 마우스 버튼을 누르면서 새로운 위치까지 드래깅하면 된다.

　　MultiSim에 있는 툴은 그래픽과 문자를 작업 영역에 첨가할 수 있다. 이러한 기능한 실험실 리포트와 같이 특수한 경우에 회로도의 이해를 돕는다. 그림 C-89는 실험실 리포트에 사용된 주석화된 회로도의 예이다. 색, 문자, 그림의 첨가가 얼마나 회로에서 측정된 결과의 문서화를 돕는지에 대해 생각해 봐라.

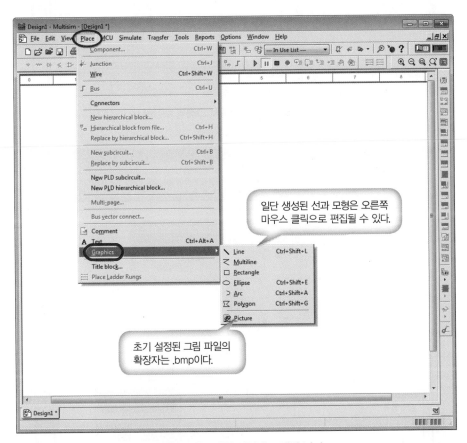

그림 C-87　작업 영역에 그래픽 넣기

그림 C-88 작업 영역에서 그래픽 수정하기

그림 C-89 작업 영역에서 그래픽이나 주석 사용

결론

MultiSim은 회로의 다양한 요소들을 측정하면서 회로도 내의 회로를 사용자가 볼수 있도록 하는 상호 작용 회로 시뮬레이션 패키지이다. MultiSim의 회로도를 보다 빠르게 만들 수 있고 시뮬레이션을 통해 회로를 분석할 수 있는 능력은 이 교재에서 다루는 개념을 학생들이 이해하도록 돕는 아주 훌륭한 도구이다.

Appendix D

R/2R D/A 컨버터의 데브난 해석

Regulated Power Supplies

스위치 $D_0 - D_4$에는 그림 D-1a와 같이 $D_0 = 1$, $D_1 = 0$, $D_2 = 0$, $D_3 = 0$인 2진 입력이 연결되어 있다. 먼저, D0를 향해 회로의 A점에 데브난 정리해 보자. 이때 $R_5(20\ k\Omega)$는 $R_1(20\ k\Omega)$과 병렬이므로 등가저항은 $10\ k\Omega$이 된다. A점에서의 데브난 등가전압은 V_{ref}의 1/2이므로 +2.5 V이다. 이 등가회로를 그림 D-1b에 나타내었다.

다음, 그림 D-1b의 B점에서 데브난정리를 적용해 본다. $R_{TH}(10\ k\Omega)$는 $R_6(10\ k\Omega)$와 직렬이다. 이 $20\ k\Omega$의 값은 $R_2(20\ k\Omega)$와 병렬이므로 데브난 등가저항은 $10\ k\Omega$이다. B점에서 본 데브난 등가전압은 1/2로 감소하여 1.25 V가 된다. 이 등가회로를 그림 D-1c에 나타내었다.

또, 그림 D-1c의 C점에서 데브난정리를 적용해 본다. $R_{TH}(10\ k\Omega)$는 $R_7(10\ k\Omega)$과 직렬이므로 $20\ k\Omega$이 되고 이것과 $R_3(20\ k\Omega)$이 병렬이므로 데브난 등가저항은 $10\ k\Omega$이 된다. V_{TH}는 0.625 V이다. 이 V_{TH}는 매 단계마다 1/2로 감소함에 주목하라. 이로부터 데브난의 등가회로는 그림 D-1d와 같이 단순화된다.

그림 D-1d에서 연산증폭기의 반전입력과 $R_4(20\ k\Omega)$의 상단은 가상접지이다. 이 점에서의 전압은 0 V와 같다. 이것은 R_{TH}와 $R_8(10\ k\Omega)$양단에 $V_{TH} = 0.625$ V가 전부 걸린다는 것이다. 이 결과, 입력전류 I_{in}은,

$$I_{in} = \frac{0.625\ V}{20\ k\Omega} = 31.25\ \mu A$$

또 가상접지 때문에 이 입력전류는 $R_f(20\ K\Omega)$를 통해 전부 흐르므로 다음과 같은 출력전압을 발생시킨다.

$$V_{out} = -(I_{in}\,R_f) = -(31.25\ \mu A)(20\ k\Omega) = -0.625\ V$$

이 출력전압은 0 V 이상에서의 최저 증분(increment)이고, 회로의 출력 분해능과 관련이 있다.

그림 D-1   (a) 원래 회로; (b) A점에서의 데브난 해석; (c) B점에서의 데브난 해석; (d) C점에서의 데브난 해석

Appendix E

요점정리 표 목록

Summary Table Listing

Summary Tables can also be found on the Instructor Resources section of *Connect for Electronic Principles*. Ask your instructor for more details.

Appendix F

디지털/아날로그 트레이너 시스템

Digital/Analog Trainer System

부록 F에 보여지는 것은 각 장 문제들의 많은 끝부분에서 언급된 XK-700 디지털/아날로그 트레이너 시스템에 대한 회로도이다. 이 회로도는 "*Connect for Electronic Principles*"의 강사 자료에서 찾을수 있다. 더욱 자세한 사항은 당신의 교수에서 문의하라. 모델 XK-700트레이너의 전체 사용 설명서는 www.elenco.com에서 찾을 수 있다.

그림 F-1 XK-700 디지털/아날로그 트레이너 시스템 회로도 (wheeling Illinois의 Elenco 전자회사 제공)

그림 F-1 (계속)

해답 ANSWERS
Odd-Numbered Problems

CHAPTER 1

1-1. $R_L \geq 10\ \Omega$
1-3. $R_L \geq 5\ \text{k}\Omega$
1-5. 0.1 V
1-7. $R_L \leq 100\ \text{k}\Omega$
1-9. 1 kΩ
1-11. 4.80 mA and not stiff
1-13. 6 mA, 4 mA, 3 mA, 2.4 mA, 2 mA, 1.7 mA, 1.5 mA
1-15. V_{TH} is unchanged, and R_{TH} doubles
1-17. $R_{TH} = 10\ \text{k}\Omega$; $V_{TH} = 100$ V
1-19. Shorted
1-21. The battery or interconnecting wiring
1-23. 0.08 Ω
1-25. Disconnect the resistor and measure the voltage.
1-27. Thevenin's theorem makes it much easier to solve problems for which there could be many values of a resistor.
1-29. $R_S > 100\ \text{k}\Omega$. Use a 100 V battery in series with 100 kΩ.
1-31. $R_1 = 30\ \text{k}\Omega$, $R_2 = 15\ \text{k}\Omega$
1-33. First, measure the voltage across the terminals—this is the Thevenin voltage. Next, connect a resistor across the terminals. Next, measure the voltage across the resistor. Then, calculate the current through the load resistor. Then, subtract the load voltage from the Thevenin voltage. Then, divide the difference voltage by the current. The result is the Thevenin resistance.
1-35. 1. R_1 shorted
2. R_1 open or R_2 shorted
3. R_3 open
4. R_3 shorted
5. R_2 open or open at point C
6. R_4 open or open at point D
7. open at point E
8. R_4 shorted
1-37. R_2 open
1-39. R_4 open

CHAPTER 2

2-1. -2
2-3. a. Semiconductor;
b. conductor;
c. semiconductor;
d. conductor
2-5. a. 5 mA; b. 5 mA; c. 5 mA
2-7. Minimum = 0.60 V, maximum = 0.75 V
2-9. 100 nA
2-11. Reduce the saturation current, and minimize the R_C time constant.
2-13. R_1 open
2-15. D_1 open

CHAPTER 3

3-1. 27.3 mA
3-3. 400 mA
3-5. 10 mA
3-7. 12.8 mA
3-9. 19.3 mA, 19.3 V, 372 mW, 13.5 mW, 386 mW
3-11. 24 mA, 11.3 V, 272 mW, 16.8 mW, 289 mW
3-13. 0 mA, 12 V
3-15. 9.65 mA
3-17. 12 mA
3-19. Open
3-21. The diode is shorted or the resistor is open.
3-23. The <2.0 V reverse diode reading indicates a leaky diode.
3-25. Cathode, toward
3-27. 1N914: forward $R = 100\ \Omega$, reverse $R = 800\ \text{M}\Omega$; 1N4001: forward $R = 1.1\ \Omega$, reverse $R = 5\ \text{M}\Omega$; 1N1185: forward $R = 0.095\ \Omega$, reverse $R = 21.7\ \text{k}\Omega$
3-29. 23 kΩ

3-31. 4.47 μA
3-33. During normal operation, the 15-V power supply is supplying power to the load. The left diode is forward-biased, allowing the 15-V power supply to supply current to the load. The right diode is reverse-biased because 15 V is applied to the cathode and only 12 V is applied to the anode; this blocks the 12-V battery. Once the 15-V power supply is lost, the right diode is no longer reverse-biased and the 12-V battery can supply current to the load. The left diode will become reverse-biased, preventing any current from going into the 15-V power supply.
3-35. D_1 is open
3-37. R_3 is shorted
3-39. 1N4001 silicon rectifier
3-41. Cathodes
3-43. Normally reverse biased.

CHAPTER 4

4-1. 70.7 V, 22.5 V, 22.5 V
4-3. 70.0 V, 22.3 V, 22.3 V
4-5. 20 V_{ac}, 28.3 V_p
4-7. 21.21 V, 6.74 V
4-9. 15 V_{ac}, 21.2 V_p, 15 V_{ac}
4-11. 11.42 V, 7.26 V
4-13. 19.81 V, 12.60 V
4-15. 0.5 V
4-17. 21.2 V, 752 mV
4-19. The ripple value will double.
4-21. 18.85 V, 334 mV
4-23. 18.85 V
4-25. 17.8 V; 17.8 V; no; higher
4-27. a. 0.212 mA; b. 2.76 mA
4-29. 11.99 V
4-31. The capacitor will be destroyed.
4-33. 0.7 V, -50 V

4-35. $1.4 \text{ V}, -1.4 \text{ V}$
4-37. 2.62 V
4-39. $0.7 \text{ V}, -59.3 \text{ V}$
4-41. 3393.6 V
4-43. 4746.4 V
4-45. $10.6 \text{ V}, -10.6 \text{ V}$
4-47. Find the sum of each voltage value in $1°$ steps, then divide the total voltage by 180.
4-49. Approximately 0 V. Each capacitor will charge up to an equal voltage but opposite polarity.
4-51. C_1 is open
4-53. C_1 is shorted
4-55. XFMR secondary winding open.
4-57. 15 V_{ac}
4-59. Approximately 8.1 V

CHAPTER 5

5-1. 19.1 mA
5-3. 20.2 mA
5-5. $I_S = 19.2 \text{ mA}, I_L = 10 \text{ mA}, I_Z = 9.2 \text{ mA}$
5-7. 43.2 mA
5-9. $V_L = 12 \text{ V}, I_Z = 12.2 \text{ mA}$
5-11. 15.05 V to 15.16 V
5-13. Yes, $167 \text{ }\Omega$
5-15. $783 \text{ }\Omega$
5-17. 0.1 W
5-19. $14.25 \text{ V}, 15.75 \text{ V}$
5-21. $a.$ 0 V; $b.$ 18.3 V; $c.$ 0 V; $d.$ 0 V
5-23. A short across R_S
5-25. 5.91 mA
5-27. 13 mA
5-29. 15.13 V
5-31. Zener voltage is 6.8 V and R_S is less than $440 \text{ }\Omega$.
5-33. 27.37 mA
5-35. 7.98 V
5-37. Trouble 5: Open at A; Trouble 6: Open at R_L; Trouble 7: Open at E; Trouble 8: Zener is shorted.
5-39. Power supply failed (0 V)
5-41. R_L is shorted
5-43. Common anode
5-45. 25 mA
5-47. $470 \text{ }\Omega$ ½ W

CHAPTER 6

6-1. 0.05 mA
6-3. 4.5 mA
6-5. $19.8 \text{ }\mu\text{A}$
6-7. $20.8 \text{ }\mu\text{A}$
6-9. 350 mW
6-11. Ideal: 12.3 V; 27.9 mW
Second: 12.7 V; 24.8 mW
6-13. -55 to $+150°\text{C}$
6-15. Possibly destroyed
6-17. 30
6-19. $6.06 \text{ mA}, 20 \text{ V}$
6-21. The left side of the load line would move down and the right side would remain at the same point.
6-23. $10.64 \text{ mA}, 5 \text{ V}$
6-25. The left side of the load line will decrease by half, and the right will not move.
6-27. Minimum: 10.79 V; maximum: 19.23 V
6-29. 4.55 V
6-31. Minimum: 3.95 V; maximum: 5.38 V
6-33. $a.$ Not in saturation; $b.$ not in saturation; $c.$ in saturation; $d.$ not in saturation.
6-35. $a.$ Increase; $b.$ increase; $c.$ increase; $d.$ decrease; $e.$ increase; $f.$ decrease.
6-37. 165.67
6-39. $463 \text{ k}\Omega$
6-41. 3.96 mA
6-43. No collector supply
6-45. R_B is shorted
6-47. R_B is open
6-49. Synch input: clock output
6-51. Saturated

CHAPTER 7

7-1. $10 \text{ V}, 1.8 \text{ V}$
7-3. 5 V
7-5. 4.36 V
7-7. 13 mA
7-9. R_C could be shorted; the transistor could be open collector-emitter; R_B could be open keeping the transistor in cutoff; open in the base circuit; open in the emitter circuit.
7-11. Shorted transistor; R_B value very low; V_{BB} too high.
7-13. Open emitter resistor
7-15. $3.81 \text{ V}, 11.28 \text{ V}$
7-17. $1.63 \text{ V}, 5.21 \text{ V}$
7-19. $4.12 \text{ V}, 6.14 \text{ V}$
7-21. $3.81 \text{ mA}, 7.47 \text{ V}$
7-23. $31.96 \text{ }\mu\text{A}, 3.58 \text{ V}$

7-25. $27.08 \text{ }\mu\text{A}, 37.36 \text{ }\mu\text{A}$
7-27. $1.13 \text{ mA}, 6.69 \text{ V}$
7-29. $6.13 \text{ V}, 7.18 \text{ V}$
7-31. $a.$ Decreases; $b.$ increases; $c.$ decreases; $d.$ increases; $e.$ increases; $f.$ remains the same
7-33. $a.$ 0 V; $b.$ 7.26 V; $c.$ 0 V; $d.$ 9.4 V; $e.$ 0 V
7-35. -4.94 V
7-37. $-6.04 \text{ V}, -1.1 \text{ V}$
7-39. The transistor will be destroyed.
7-41. Short R_1, increase the power supply value.
7-43. $9.0 \text{ V}, 8.97 \text{ V}, 8.43 \text{ V}$
7-45. 8.8 V
7-47. 27.5 mA
7-49. R_1 shorted
7-51. Trouble 3: R_C is shorted; trouble 4: transistor terminals are shorted together.
7-53. Trouble 7: open R_E; trouble 8: R_2 is shorted
7-55. Trouble 11: power supply is not working; trouble 12: emitter-base diode of the transistor is open
7-57. R_C is shorted
7-59. No V_{CC}

CHAPTER 8

8-1. 3.39 Hz
8-3. 1.59 Hz
8-5. 4.0 Hz
8-7. 18.8 Hz
8-9. 0.426 mA
8-11. 150
8-13. $40 \text{ }\mu\text{A}$
8-15. $11.7 \text{ }\Omega$
8-17. $2.34 \text{ k}\Omega$
8-19. Base: $207 \text{ }\Omega$, collector: $1.02 \text{ k}\Omega$
8-21. Min $h_{fe} = 50$; max $h_{fe} = 200$; current is 1 mA; temperature is $25° \text{ C}$.
8-23. 234 mV
8-25. 212 mV
8-27. 39.6 mV
8-29. 269 mV
8-31. 10
8-33. No change (dc), decrease (ac)
8-35. Voltage drop across resistor due to capacitor leakage current.
8-37. $2700 \text{ }\mu\text{F}$
8-39. 72.6 mV

8-41. Trouble 7: open C_3; trouble 8: open collector resistor; trouble 9: no V_{CC}; trouble 10: open B-E diode; trouble 11: shorted transistor; trouble 12: R_G or C_1 open

8-43. C_1 is open

8-45. Transistor is installed upside down

CHAPTER 9

9-1. 0.625 mV, 21.6 mV, 2.53 V

9-3. 3.71 V

9-5. 12.5 kΩ

9-7. 0.956 V

9-9. 0.955 to 0.956 V

9-11. z_{in}(base) = 1.51 kΩ; z_{in}(stage) = 63.8 Ω

9-13. $A_v = 0.992$; $v_{out} = 0.555$ V

9-15. 0.342 Ω

9-17. 3.27 V

9-19. A_v drops to 31.9

9-21. 9.34 mV

9-23. 0.508 V

9-25. $V_{out} = 6.8$ V; $I_Z = 16.1$ mA

9-27. Up = 12.3 V; down = 24.6 V

9-29. 64.4

9-31. 56 mV

9-33. 1.69 W

9-35. Both are 5 mV; opposite polarity signals (180° out of phase)

9-37. $V_{out} = 12.4$ V

9-39. 1.41 W

9-41. 337 mV$_{p-p}$

9-43. Trouble 1: C_4 open; Trouble 2: open between F and G; trouble 3: C_1 open.

9-45. C_3 is shorted

9-47. Q_1 B-E short

9-49. R_2 shorted

CHAPTER 10

10-1. 680 Ω, 16.67 mA

10-3. 10.62 V

10-5. 10.62 V

10-7. 50 Ω, 277 mA

10-9. 100 Ω

10-11. 500

10-13. 15.84 mA

10-15. 2.2 percent

10-17. 237 mA

10-19. 3.3 percent

10-21. 1.1 A

10-23. 24 V$_{p-p}$

10-25. 7.03 W

10-27. 31.5 percent

10-29. 1.13 W

10-31. 9.36

10-33. 1679

10-35. 10.73 MHz

10-37. 15.92 MHz

10-39. 31.25 mW

10-41. 15 mW

10-43. 85.84 kHz

10-45. 250 mW

10-47. 72.3 W

10-49. Electrically, it would be safe to touch, but it may be hot and cause a burn.

10-51. No, the collector could have an inductive load.

10-53. C_2 is shorted

10-55. V_{CC} is now 20 V

10-57. R_6 is shorted

10-59. Approx. 24 V$_{p-p}$

10-61. 511 μA

CHAPTER 11

11-1. 15 GΩ

11-3. 20 mA, -4 V, 200 Ω

11-5. 500 Ω, 1.1 kΩ

11-7. -2 V, 2.5 mA

11-9. 1.5 mA, 0.849 V

11-11. 0.198 V

11-13. 20.45 V

11-15. 14.58 V

11-17. 7.43 V, 1.01 mA

11-19. -1.5 V, 11.2 V

11-21. -2.5 V, 0.55 mA

11-23. -1.5 V, 1.5 mA

11-25. -5 V, 3200 μS

11-27. 3 mA, 3000 μS

11-29. 7.09 mV

11-31. 3.06 mV

11-33. 24.55 mV$_{p-p}$, 0 mV$_{p-p}$, ∞

11-35. 8 mA, 18 mA

11-37. 8.4 V, 16.2 mV

11-39. 2.94 mA, 0.59 V, 16 mA, 30 V

11-41. Open R_1

11-43. Open R_D

11-45. Open G-S

11-47. Open C_2

11-49. R_2 is shorted

11-51. C_3 is shorted

11-53. Q_1 is shorted from D-S

CHAPTER 12

12-1. 2.25 mA, 1 mA, 250 μA

12-3. 3 mA, 333 μA

12-5. 381 Ω, 1.52, 152 mV

12-7. 1 MΩ

12-9. *a.* 0.05 V; *b.* 0.1 V; *c.* 0.2 V; *d.* 0.4 V

12-11. 0.23 V

12-13. 0.57 V

12-15. 19.5 mA, 10 A

12-17. 12 V, 0.43 V

12-19. A square-wave $+12$ V to 0.43 V

12-21. 12 V, 0.012 V

12-23. 1.2 mA

12-25. 1.51 A

12-27. 30.5 W

12-29. 0 A, 0.6 A

12-31. 20 s, 2.83 A

12-33. 14.7 V

12-35. 5.48×10^{-3} A/V^2, 26 mA

12-37. 104×10^{-3} A/V^2, 84.4 mA

12-39. 1.89 W

12-41. 14.4 μW, 600 μW

12-43. 0.29 Ω

12-45. C_1 is open

12-47. Q_1 has failed

12-49. R_1 is shorted

CHAPTER 13

13-1. 4.7 V

13-3. 0.1 msec, 10 kHz

13-5. 12 V, 0.6 ms

13-7. 7.3 V

13-9. 34.5 V, 1.17 V

13-11. 11.9 ms, 611 Ω

13-13. $+10°$, $+83.7°$

13-15. 10.8 V

13-17. 12.8 V

13-19. 22.5 V

13-21. 30.5 V

13-23. 10 V

13-25. 10 V

13-27. 980 Hz, 50 kHz

13-29. T1: DE open; T2: no supply voltage; T3: transformer; T4: fuse is open.

13-31. Fuse is open

13-33. Open XFMR secondary

13-35. V_S is 0 V

CHAPTER 14

14-1. 196, 316

14-3. 19.9, 9.98, 4, 2

14-5. -3.98, -6.99, -10, -13

14-7. -3.98, -13.98, -23.98

14-9. 46 dB, 40 dB

14-11. 31.6, 398

14-13. 50.1

14-15. 41 dB, 23 dB, 18 dB
14-17. 100 mW
14-19. 14 dBm, 19.7 dBm, 36.9 dBm
14-21. 2
14-23. See Figure 1.
14-25. See Figure 2.
14-27. See Figure 3.
14-29. See Figure 4.
14-31. 1.4 MHz
14-33. 119 Hz
14-35. 284 Hz
14-37. 5 pF, 25 pF, 15 pF
14-39. gate: 30.3 MHz; drain: 8.61 MHz
14-41. 40 dB
14-43. 0.44 μs
14-45. R_G changed to 500 Ω
14-47. C_{in} is 0.1 μF instead of 1 μF
14-49. V_{CC} at 15 V, not 10 V

CHAPTER 15

15-1. 55.6 μA, 27.8 μA, 10 V
15-3. 60 μA, 30 μA, 6 V (right), 12 V (left)
15-5. 518 mV, 125 kΩ
15-7. −207 mV, 125 kΩ
15-9. 4 V, 1.75 V
15-11. 286 mV, 2.5 mV
15-13. 45.4 dB
15-15. 237 mV
15-17. Output will be high; needs a current path to ground for both bases.
15-19. C
15-21. 0 V
15-23. 2 MΩ
15-25. 10.7 Ω, 187
15-27. Q_1 open C-E
15-29. V_{CC} at 25 V, not 15 V
15-31. Q_2 open C-E

CHAPTER 16

16-1. 170 μV
16-3. 19,900, 2000, 200
16-5. 1.59 MHz
16-7. 10, 2 MHz, 250 mV$_{p-p}$, 49 mV$_{p-p}$; See Figure 5.
16-9. 40 mV
16-11. 42 mV
16-13. 50 mV$_{p-p}$, 1 MHz
16-15. 1 to 51, 392 kHz to 20 MHz
16-17. 188 mV/μs, 376 mV/μs
16-19. 38 dB, 21 V, 1000
16-21. 214, 82, 177
16-23. 41, 1
16-25. 1, 1 MHz, 1, 500 kHz
16-27. Go to positive or negative saturation.
16-29. 2.55 V$_{p-p}$
16-31. R_f is 9 kΩ, not 18 kΩ
16-33. R_1 is 4.7 kΩ, not 470 Ω

그림 1

그림 2

그림 3

그림 4

16-35. Op amp has failed
16-37. Push-pull Class-B/AB
power amp
16-39. 10

CHAPTER 17

17-1. 0.038, 26.32, 0.10 percent,
26.29
17-3. 0.065, 15.47
17-5. 470 MΩ
17-7. 0.0038 percent
17-9. $-0.660\,V_p$
17-11. 185 mA_{rms}, 34.2 mW
17-13. 106 mA_{rms}, 11.2 mW
17-15. 834 mA_{p-p}, 174 mW
17-17. 2 kHz
17-19. 15 MHz
17-21. 100 kHz, 796 mV_p
17-23. 1 V
17-25. 510 mV, 30 mV, 15 mV
17-27. 110 mV, 14 mV, 11 mV
17-29. 200 mV
17-31. 2 kΩ
17-33. 0.1 V to 1 V
17-35. T1: open between C and D;
T2: shorted R_2; T3: shorted R_4
17-37. T7: open between A and B;
T8: shorted R_3; T9: R_4 open
17-39. R_2 is 500 Ω, not 1 kΩ
17-41. R_2 is 10 kΩ, not 1 kΩ

CHAPTER 18

18-1. 2, 10
18-3. -18, 712 Hz, 38.2 kHz
18-5. 42, 71.4 kHz, 79.6 Hz
18-7. 510 mV
18-9. 4.4 mV, 72.4 mV

18-11. 0, -10
18-13. 15, -15
18-15. -20, ±0.004
18-17. No
18-19. -200 mV, 10,000
18-21. 1 V
18-23. 19.3 mV
18-25. -3.125 V
18-27. -3.98 V
18-29. 24.5, 2.5 A
18-31. 0.5 mA, 28 kΩ
18-33. 0.3 mA, 40 kΩ
18-35. 0.02, 10
18-37. -0.018, -0.99
18-39. 11, f_1: 4.68 Hz; f_2: 4.82 Hz;
f_3: 32.2 Hz
18-41. 102, 98
18-43. 1 mA
18-45. T4: K-B open; T5: C-D open;
T6: J-A open
18-47. R_1 is 10 kΩ, not 1 kΩ
18-49. R_f is open
18-51. Open feedback loop on U_2
18-53. Adjusts the output to zero
when the input is zero.
18-55. $A_v = A_{VOL}$; output signal
would be clipped at $\pm$ 12 V.

CHAPTER 19

19-1. 7.36 kHz, 1.86 kHz, 0.25,
wideband
19-3. *a.* Narrowband;
b. narrowband; *c.* narrowband;
d. narrowband
19-5. 200 dB/decade, 60 dB/octave
19-7. 503 Hz, 9.5
19-9. 39.3 Hz

19-11. -21.4, 10.3 kHz
19-13. 3, 36.2 kHz
19-15. 15 kHz, 0.707, 15 kHz
19-17. 21.9 kHz, 0.707, 21.9 kHz
19-19. 19.5 kHz, 12.89 kHz,
21.74 kHz, 0.8
19-21. 19.6 kHz, 1.23, 18.5 kHz,
18.5 kHz, 14.8 kHz
19-23. -1.04, 8.39, 16.2 kHz
19-25. 1.5, 1, 15.8 Hz, 15.8 Hz
19-27. 127°
19-29. 24.1 kHz, 50, 482 Hz
(max and min)
19-31. 48.75 kHz, 51.25 kHz
19-33. 60 dB, 120 dB, 200 dB
19-35. 148 pF, 9.47 nF
19-37. U_1 has failed
19-39. C_3 is open

CHAPTER 20

20-1. 100 μV
20-3. ±7.5 V
20-5. Zero, between 0.7 V and -9 V
20-7. -4 V, 31.8 Hz
20-9. 41 percent
20-11. 1.5 V
20-13. 0.292 V, -0.292V, 0.584 V
20-15. Output voltage is low when
the input voltage is between
3.5 and 4.75 V.
20-17. 5 mA
20-19. 1 V, 0.1 V, 10 mV, 1.0 mV
20-21. 0.782 V_{p-p} triangular
waveform
20-23. 0.5, 0
20-25. 923 Hz
20-27. 196 Hz
20-29. 135 mV_{p-p}
20-31. 106 mV
20-33. -106 mV
20-35. 0 V to 100 mV peak
20-37. 20,000
20-39. Make the 3.3 kΩ resistor
variable.
20-41. 1.1 Hz, 0.001 V
20-43. 0.529 V
20-45. Use different capacitors of
0.05 μF, 0.5 μF, and 5 μF,
plus an inverter.
20-47. Increase R_1 to 3.3 kΩ.
20-49. Use a comparator with hys-
teresis and a light dependent
resistor in a voltage divider as
the input.
20-51. 228,780 miles

그림 5

20-53. T3: relaxation oscillator circuit; T4: peak detector circuit; T5: positive clamper circuit

20-55. T8: peak detector circuit; T9: integrator circuit; T10: comparator circuit

20-57. D_1 is shorted

20-59. U_1 has failed

CHAPTER 21

21-1. 9 V_{rms}

21-3. *a.* 33.2 Hz, 398 Hz;
b. 332 Hz, 3.98 kHz;
c. 3.32 kHz, 39.8 kHz;
d. 33.2 kHz, 398 kHz

21-5. 3.98 MHz

21-7. 398 Hz

21-9. 1.67 MHz, 0.10, 10

21-11. 1.18 MHz

21-13. 7.34 MHz

21-15. 0.030, 33

21-17. Frequency will increase by 1 percent.

21-19. 517 μs

21-21. 46.8 kHz

21-23. 100 μs, 5.61 μs, 3.71 μs, 8.66 μs, 0.0371, 0.0866

21-25. 10.6 V/ms, 6.67 V, 0.629 ms

21-27. Triangular waveform, 10 kHz, 5 V_p

21-29. *a.* decrease
b. increase
c. same
d. same
e. same

21-31. The fuzz is probably oscillations. To correct this, make sure that the leads are short and are not running close to each other. Also, a ferrite bead in the feedback path may dampen them out.

21-33. 4.46 μH

21-35. Pick a value for R_1.
If $R_1 = 10$ kΩ, $R_2 = 5$ kΩ and $C = 72$ nF

21-37. V_{CC} has failed

21-39. R_2 is shorted

21-41. Sinewave

21-43. $RV_7 = 1.8$ kΩ

21-45. Output of pin 11 to Q_3

CHAPTER 22

22-1. 3.45 percent

22-3. 2.5 percent

22-5. 18.75 V, 484 mA, 187.5 mA, 96.5 mA

22-7. 18.46 V, 798 mA, 369 mA, 429 mA

22-9. 84.5 percent

22-11. 30.9 mA

22-13. 50 Ω, 233 mA

22-15. 421 μV

22-17. 83.3 percent, 60 percent

22-19. 3.84 A

22-21. 6 V

22-23. 14.1 V

22-25. 3.22 kΩ

22-27. 11.9 V

22-29. 0.1 Ω

22-31. 2.4 Ω

22-33. 22.6 kHz

22-35. T1: Triangle-to-pulse converter

22-37. T3: Q_1

22-39. T5: Relaxation oscillator

22-41. T7: Triangle-to-pulse converter

22-43. T9: Triangle-to-pulse converter

22-45. R_4 is open

22-47. D_1 is shorted

22-49. U_1: 0 to +20 V; U_2: +12 V; U_3: +5 V; U_4: −12 V; U_5: 0 to −20 V

22-51. 14-15 V

22-53. 840 Ω

찾아보기 INDEX